SYNOPSE DES QUATRE ÉVANGILES

EN FRANÇAIS

TOME II

Couverture : Fers originaux de Jacques Devillers

P. BENOIT & M.-E. BOISMARD

Professeurs à l'École Biblique de Jérusalem

SYNOPSE DES QUATRE ÉVANGILES EN FRANÇAIS

TOME II

COMMENTAIRE PAR M.-E. BOISMARD
avec la collaboration de A. Lamouille et P. Sandevoir
PRÉFACE DE P. BENOIT

LES ÉDITIONS DU CERF

MCMLXXII

IMPRIMI POTEST : A. FERNANDEZ, MAG. GEN. ORD. PRAED.

IMPRIMATUR : PARIS, LE 6 FÉVRIER 1972, E. BERRAR, V.É.

AVERTISSEMENT AU LECTEUR

1. Ce volume a pour premier but de proposer une explication de la genèse littéraire des quatre évangiles; il donne donc le primat aux analyses littéraires. La valeur théologique des textes n'est cependant pas négligée, dans la mesure où elle interfère avec leur évolution littéraire. Malgré tout, on ne trouvera pas, dans les notes, un commentaire détaillé et complet de chaque péricope évangélique.

2. Pour cette raison, nous avons renoncé à rédiger des notes sur les sections johanniques qui n'ont pas de parallèle dans les Synoptiques; cet apport de notes visant à résoudre un tout autre problème aurait donné à ce volume une ampleur démesurée. Le problème littéraire posé par les textes johanniques pourra faire l'objet d'un volume ultérieur.

3. Ce volume s'adresse avant tout aux spécialistes des études évangéliques. Nous nous sommes cependant efforcés de le rédiger le plus clairement possible, en évitant les termes trop techniques, afin qu'il puisse être accessible aux non-spécialistes qui voudront se donner la peine de le lire.

4. Pour assimiler plus facilement la méthode d'analyses littéraires que nous avons suivie, nous suggérons au lecteur de commencer par étudier les récits de la Passion et de la Résurrection. La première note synoptique, concernant Jean-Baptiste (note § 19), est au contraire trop complexe pour être abordée en premier, surtout par les non-spécialistes, et ses résultats restent précaires. Spécialement difficiles sont les notes touchant les « sommaires » des §§ 35 et 47, ou la note sur la guérison du lépreux (note § 39).

*5. Le lecteur non averti sera peut-être surpris de constater combien les textes évangéliques ont évolué durant leur transmission. Cette évolution est intéressante par elle-même, puisqu'elle nous donne de précieuses indications sur la mentalité des Églises primitives, sur les problèmes auxquels les premières générations chrétiennes se sont trouvées confrontées, sur la façon dont elles ont approfondi le mystère de la personne de Jésus. Ceux qui se poseront des problèmes au sujet de la valeur historique des récits évangéliques (au sens moderne de l'expression) ne devront pas oublier deux principes majeurs. D'une part, des éléments venus s'adjoindre aux récits primitifs ne sont pas pour autant dénués de toute valeur historique; les évangélistes ont pu compléter certains récits par des détails importants qu'ils tenaient de la tradition orale. D'autre part, l'Église catholique reconnaît que la Révélation ne s'est pas arrêtée à la mort du Christ, mais qu'elle s'est poursuivie dans l'Église jusqu'à la mort du dernier des Apôtres; ce fait est important lorsqu'il s'agit de textes plus théologiques concernant la personne de Jésus et la portée de son œuvre messianique (cf. Jn **2** 22; **12** 16 et surtout **16** 12-13).*

6. Explication de quelques procédés littéraires ou termes techniques utilisés dans les notes.

*a) Pour indiquer dans quelle proportion un mot est utilisé dans le NT, nous emploierons une suite de chiffres ainsi disposés: 3|1|9|0|17|2. Ces chiffres correspondent, respectivement et dans l'ordre, aux livres suivants: Mt, Mc, Lc, Jn, Ac, reste du NT. S'il n'y a que cinq chiffres (cas le plus fréquent), c'est que le « reste du NT » n'est pas pris en considération. Nous avons omis de compter: pour Mc, les mots contenus dans la finale (**16** 9-20) qui, bien que canonique, n'est pas marcienne; pour Jn, les mots contenus dans l'épisode de la femme adultère (**7** 53 - **8** 11).*

b) Pour les non-spécialistes, rappelons la signification de quelques termes techniques:

— « eschatologique »: qui concerne la fin du monde ou la vie de l'Au-delà;

— logion (singulier) ou logia (pluriel): mot grec signifiant « parole »; il désigne d'ordinaire des « paroles » de Jésus;

— « péricope »: petite section évangélique qui forme un tout (récit déterminé, parole ou groupe de paroles de Jésus).

PRÉFACE

Quiconque a lu avec attention les textes évangéliques présentés en colonnes dans le premier volume de cette Synopse a vu surgir bien des questions. Tantôt ces textes sont différents au point de se contredire, tantôt ils se ressemblent ; et la ressemblance est alors tantôt vague et générale, tantôt précise et serrée au point de porter sur le détail du mot à mot. Derrière ces faits littéraires on entrevoit toute une histoire de traditions parallèles, mais aussi disparates, orales ou écrites, de sources ou de documents variés qui ont dû s'influencer, se combiner ou s'opposer. Et pour qui connaît la manière de composer des Anciens, toute une évolution se laisse pressentir, qui aura duré bien des années, engagé bien des esprits et bien des mains, en sorte que derrière les grands noms gardés par la tradition, c'est une collectivité qui se découvre.

Depuis longtemps déjà, les savants se sont penchés sur ce fameux « problème synoptique », comme ils l'appellent en négligeant trop peut-être la part que le quatrième évangile doit y prendre, et ils ont tenté toutes sortes de solutions. Vaste écrit primitif qui se serait morcelé de diverses manières, petits documents primaires qui se seraient peu à peu soudés, tradition orale qui s'est fixée de façons différentes selon les milieux et les besoins, évangiles écrits qui se sont connus, copiés, corrigés, on a tout essayé, et à bon droit, car chacune de ces solutions contenait un élément de vérité. De plus en plus l'attention s'est portée sur les relations d'interdépendance entre nos évangiles actuels, et ce fut pour placer en tête tantôt Matthieu, tantôt Marc, tantôt même Luc. Peu à peu cependant, un certain accord s'est fait autour d'une théorie appelée des « Deux Sources », qui considère Matthieu et Luc comme indépendants l'un de l'autre, mais dépendant tous deux, d'une part de Marc, et d'autre part d'une Source de logia nommée Q(uelle). Le succès de cette théorie ne doit pourtant pas faire méconnaître qu'elle reste simpliste et ne rend compte des faits littéraires que d'une façon fort approximative. D'ailleurs sa simplicité même la condamne. L'évolution littéraire d'où sont sortis nos évangiles a été longue et complexe, nous l'avons senti. C'est une illusion que de vouloir lui donner une solution simple. Il ne faut pas craindre, au contraire, de mettre en œuvre tous les documents variés et toutes les étapes rédactionnelles que semblent exiger les données littéraires.

C'est en ce sens que le P. Boismard a élaboré une solution nouvelle qui, tout en reprenant bien des éléments conquis par les recherches antérieures, leur ajoute des compléments originaux qui permettent de serrer de plus près l'histoire des textes. Je n'ai pas à décrire cette solution, qu'il expose dans l'Introduction et qu'il confirme dans tout le cours du livre. Si elle est plus complexe que la simple théorie des Deux Sources, cette solution n'en reste pas moins claire, bien équilibrée, et de ce fait satisfaisante pour l'esprit. Elle ne gagnera évidemment pas l'assentiment de tous, mais elle mérite un sérieux examen. Ce qui me paraît le plus original dans l'argumentation qui la fonde, c'est le soin apporté au discernement des caractéristiques littéraires, vocabulaire et style, de chaque évangile, de chaque étape rédactionnelle, de chaque document postulé. Il y a certainement là un critère de discernement qui est important, et trop souvent négligé. Il est délicat à manier, et j'avoue n'être pas moi-même toujours convaincu, notamment en ce qui concerne les « lucanismes », qui pourraient selon moi s'expliquer suffisamment en certains cas comme des traces d'une langue plus élevée, telle qu'elle était maniée par Luc, certes, mais aussi par d'autres. Il n'en reste pas moins que cet effort pour reconnaître les diverses manières d'écrire met sur la voie de discernements fructueux dans l'écheveau des sources et de leur exploitation.

La critique littéraire met en jeu la critique historique. La genèse littéraire que nous venons d'évoquer entraîne que les formes des paroles ou des récits résultant d'une longue évolution de la tradition n'ont pas la même authenticité que celles qui se trouvent à l'origine. Certains des lecteurs de cet ouvrage seront peut-être surpris, ou gênés, d'apprendre que telle parole de Jésus, telle parabole, telle annonce de sa destinée n'ont pas été prononcées comme nous les lisons, mais qu'elles ont été retouchées et adaptées par ceux qui nous les ont transmises. Pour ceux qui ne sont pas accoutumés à ce genre d'enquête historique, il y a là une source possible d'étonnement, voire de scandale.

Ils auraient tort cependant de s'en troubler. Déjà sur le terrain de la pure critique historique, la tradition évangélique se présente dans des conditions fort bonnes, meilleures certainement que bien des traditions contemporaines. Peu d'années se sont écoulées entre ses origines et sa fixation : quarante ou cinquante ans pour les rédactions finales, vingt ou dix ans, ou moins encore, pour les premières mises par écrit. Bien moindre que pour l'Ancien Testament et pour mainte tradition profane, un intervalle de temps si bref permettait une sérieuse préservation des souvenirs. A cela il faut ajouter l'honnêteté et la sincérité des témoins et de ceux qui ont transmis leur témoignage. Les premiers disciples de Jésus étaient de petites gens, simples et modestes, qui n'avaient ni l'astuce ni l'habileté voulues pour créer de l'histoire ou de la littérature à partir de rien. Ils n'ont certes pas songé à écrire de l'histoire au sens où nous l'entendons aujourd'hui, mais ils ont eu le souci d'être des témoins fidèles et de transmettre de l'historique. Ils ont certes revécu et rapporté les événements à la lumière de leur foi, mais ce fut pour mettre en valeur leur signification, non pour les fausser.

Or ce travail de réflexion, d'adaptation, de présentation, ils l'ont accompli sous la conduite de l'Esprit Saint. Ici intervient, du moins pour le croyant, une donnée supérieure d'importance capitale: celle de l'inspiration des Écritures. Bien comprise, cette donnée garantit la vérité théologique de la tradition évangélique à travers tous ses avatars littéraires. Bien comprise, dis-je, car cette notion de l'inspiration peut être mal entendue, et l'a été trop souvent. On y voyait naguère un charisme qui aurait donné aux écrivains sacrés de reproduire avec une parfaite exactitude la réalité matérielle des paroles ou des actions rapportées. Mais une telle manière de voir était si cruellement démentie par les faits qu'elle a dû être abandonnée. Les résultats de la critique littéraire et historique, même la plus raisonnable, ne permettent plus de rêver d'une préservation miraculeuse, invraisemblable et somme toute inutile, des souvenirs. Ceux-ci ont été portés et transmis par toute une communauté qui les a vécus, formulés, explicités selon sa foi, adaptés selon ses besoins. Or l'action de l'Esprit Saint a consisté précisément à diriger et contrôler cette gestation du message. La communauté était l'Église, habitée par l'Esprit du Christ. Comme une mère, elle a digéré les aliments bruts de l'expérience que Dieu lui a fait vivre pour en tirer le lait qui nourrirait au mieux ses enfants. La communauté, l'Église, ce sont en fait tous les premiers frères qui ont eu à témoigner du Christ, ou à transmettre le témoignage, à l'expliquer, bref à produire cette explicitation dont le résultat est consigné dans nos évangiles. L'Esprit du Christ, présent parmi les siens, a dirigé tous ceux qui ont pris une part active à ce travail, chacun selon sa part, et tout spécialement les principaux acteurs et rédacteurs dont le rôle a été prépondérant, en sorte que l'œuvre produite a les garanties de la divine vérité, dans tout ce qui est enseigné à la foi. Telle formule qui ne reproduit plus exactement la parole de Jésus, telle narration qui raconte en l'arrangeant une action qu'il a posée, sont en fait la présentation la meilleure, voulue par Dieu, de la façon dont je dois entendre cette parole, comprendre cette action à travers la foi de l'Église.

Si Dieu a permis, et même voulu, cet aménagement du message, c'est qu'il était nécessaire pour rendre assimilable un mystère de soi inexprimable. La conception de l'inspiration que nous venons de dire, bien admise aujourd'hui, implique une conception de la révélation qui est peut-être moins clairement perçue. Trop souvent encore on conçoit celle-ci comme une certaine doctrine, enfermée dans un certain vêtement de mots, de concepts. En réalité, elle est plus que cela. Elle est une expérience que Dieu a fait vivre aux hommes. La révélation biblique est une histoire, une geste de Dieu parmi les hommes, qui a été vécue et parlée avant d'être méditée et écrite. Au sommet de cette histoire est la rencontre du Sauveur, Jésus le Christ, qu'il a été donné à une certaine génération d'expérimenter. Rencontre de soi ineffable, mais qu'il faut cependant traduire en mots pour la faire vivre à d'autres. Expérience qui peut et doit se formuler en notions, en doctrine, mais qui les dépassera toujours de sa vivante réalité. Cette expérience du Christ et de son œuvre de salut est au centre de la conscience de l'Église. Elle est à la base de sa Tradition, de l'Écriture qui en exprime l'essentiel, et de l'explicitation qui ne cesse de se faire au cours des siècles par une prise de conscience toujours plus profonde du mystère jadis rencontré et toujours présent.

Puisque cette révélation est une réalité concrète, une rencontre de foi, une expérience spirituelle en même temps que tout historique, on comprend que la meilleure façon de la transmettre, voire la seule, ne pouvait être une transmission purement matérielle des paroles ou des circonstances. Ce devait être une réflexion de foi de la part des témoins qui ont vécu cette rencontre, réflexion provoquée, dirigée, contrôlée par l'Esprit de Dieu, en sorte que leur témoignage permette à d'autres d'expérimenter à leur tour la même rencontre et de croire au même message.

Le lecteur de cet ouvrage ne s'étonnera donc pas d'assister, textes en main, à l'évolution littéraire qui a mené des origines, obscures et conjecturées, aux évangiles canoniques tels que les a reçus l'Église. Il admirera bien plutôt la croissance de foi et de réflexion théologique qui s'est ainsi engrangée au cours des premières années du christianisme. Car c'est grâce à elle qu'il peut communier à son tour, à travers la génération qui a reçu le Christ, au mystère de vie qu'il doit revivre à son tour, avec toute la richesse, variée et multiforme, qu'ont déjà su y découvrir les premiers frères chrétiens. S'il doit renoncer dans plus d'un cas à entendre la voix directe de Jésus, il entend celle de l'Église, et il se confie à elle comme à l'interprète divinement autorisée du Maître qui, après avoir parlé jadis sur notre terre, nous parle aujourd'hui dans sa gloire.

Six années se sont écoulées depuis la publication du premier volume de cette Synopse. C'est que la tâche était longue et ardue. Après m'être attelé moi-même avec enthousiasme à la rédaction de ces Notes, je m'en suis vu bientôt distraire par d'autres occupations, moins intéressantes mais non moins pressantes. Le P. Boismard a dû prendre alors sur lui-même tout le fardeau. Les rédactions que j'avais déjà pu réaliser ont été reprises et transformées par lui de telle façon qu'il doit assumer tout l'honneur et toute la responsabilité de ce qu'il propose aujourd'hui. Ne sont entièrement de ma main que les notes concernant les chapitres de l'Enfance, Mt 1-2 et Lc 1-2, une section de l'évangile où le problème synoptique ne se pose guère et où il était donc permis d'adopter un commentaire d'un genre différent. Pour le reste, je n'ai pu que suivre avec admiration le travail acharné de mon confrère et considérer avec un grand intérêt, sinon toujours avec un entier assentiment, les résultats auxquels il parvenait. Je laisse au lecteur le soin d'en apprécier à son tour la valeur et le bien-fondé. Il pourra n'être pas toujours convaincu; il aurait tort de passer outre facilement à une argumentation riche et soignée, subtile parfois mais toujours perspicace, qui apporte à un problème séculaire des éléments de solution originaux et valables.

fr. Pierre Benoit, o.p.

INTRODUCTION

Plan général

Le premier volume de cette Synopse mettait « sous les yeux des lecteurs les textes confrontés des quatre évangiles » de façon à « souligner leurs différences et leurs ressemblances » (vol. I, p. VII). Ce deuxième volume en est un commentaire, section par section, dont le but est d'aider le lecteur à scruter les textes évangéliques afin de « mieux comprendre leurs parentés littéraires, la genèse de leur rédaction, leurs emprunts mutuels et leurs sources » (*ibid.*). C'est, en un mot, la « préhistoire » de nos évangiles actuels qu'il s'agit de reconstituer. Depuis longtemps, les commentateurs ont essayé de trouver une théorie qui puisse rendre compte de *toutes* les données littéraires de ce qu'on a l'habitude d'appeler le « problème synoptique »; il faut bien avouer que pas une n'a réussi à s'imposer. Même la théorie des « Deux Sources », qui a pourtant connu un succès certain et, encore maintenant, est tenue pour un « dogme » indiscutable par beaucoup de commentateurs, surtout en Allemagne, se trouve soumise à de virulentes attaques venant d'horizons divers. Le fait même que le problème synoptique continue à susciter études et polémiques est un indice qu'il se pose en termes complexes; s'il est possible de lui trouver une solution (ce qui n'est pas certain), cette solution ne peut être que complexe. Dans cette Introduction, nous voudrions exposer les grandes lignes d'une théorie que nous avons élaborée en étudiant toutes les péricopes évangéliques; nous donnerons ensuite une justification de cette théorie en renvoyant de façon systématique au commentaire de la Synopse.

I. LES ÉVANGILES ET LEUR PRÉHISTOIRE

Il est au moins un point sur lequel la plupart des commentateurs sont tombés d'accord : parmi les matériaux évangéliques, il faut distinguer, comme appartenant à des sources différentes, ceux qui sont connus de Mt, Mc et Lc et ceux qui, ignorés de Mc, sont utilisés par Mt et Lc. C'est un des principes fondamentaux de la théorie des Deux Sources. Nous adopterons cette distinction, avec toutefois des mises au point importantes qui seront signalées en leur temps. Mais précisons tout de suite que Jn, dont le témoignage est ignoré d'ordinaire par ceux qui traitent du problème synoptique, doit entrer en ligne de compte quand on parle des matériaux connus de Mt, Mc et Lc, surtout en ce qui concerne les récits de la passion et de la résurrection.

A) LES SECTIONS COMMUNES A MATTHIEU, MARC LUC (ET JEAN)

Il est vrai, comme l'affirme la théorie des Deux Sources, que Mc a exercé une influence prépondérante sur la rédaction de Mt et de Lc, soit pour leur structure générale, soit pour la forme littéraire de la plupart de leurs péricopes. Mais ce n'est là qu'un des aspects d'une réalité beaucoup plus complexe.

1. LA TRADITION MARCIENNE

Au moment de son édition définitive, l'évangile de Mc a subi une révision assez importante; il faut donc distinguer dans sa formation deux étapes successives : le Mc-intermédiaire (on verra plus loin la raison d'être de ce nom) et l'ultime rédaction marcienne.

a) Le Mc-intermédiaire a utilisé, et souvent fusionné, trois Documents fondamentaux qui étaient déjà des évangiles formant chacun un tout homogène; nous les avons appelés les Documents A, B et C. Le Document A est d'origine palestinienne, émanant de milieux judéo-chrétiens. Le Document B est une réinterprétation plus ou moins large du Document A, à l'usage des Églises pagano-chrétiennes. Le Document C représente une tradition indépendante, très archaïque, probablement d'origine palestinienne. La source principale du Mc-intermédiaire est le Document B, qu'il complète au moyen du Document A et, dans une beaucoup moindre mesure, du Document C. Il est possible que le Document B corresponde, en fait, à la forme la plus primitive de l'évangile de Mc; on aurait pu l'appeler un « proto-Mc », mais ce terme aurait prêté à confusion, car il fut déjà utilisé par des auteurs pour désigner une réalité assez différente de ce que nous avons appelé le Document B. Par ailleurs, l'apport, au niveau du Mc-intermédiaire, des matériaux repris

15

aux Documents A et C a rendu ce Mc-intermédiaire trop différent du Document B pour que l'appellation « Mc » puisse s'appliquer sans équivoque à l'un et à l'autre. Le terme de « Mc-intermédiaire » veut toutefois signaler que la tradition marcienne ne commence pas avec l'évangile de Mc tel qu'il fut élaboré avant les ultimes modifications de son édition définitive, mais qu'elle a ses racines principales dans ce que nous avons appelé le Document B : Document B, Mc-intermédiaire, ultime rédaction marcienne se situent dans la même ligne traditionnelle.

b) Le Mc-intermédiaire avait à peu près la structure et la forme littéraire de l'évangile actuel de Mc. Au moment de son édition dernière, il subit toutefois une révision importante : on le compléta au moyen d'éléments en provenance, soit du Mt-intermédiaire (cf. *infra*), soit même du proto-Lc (cf. *infra*); on remania certains passages en fonction d'une théologie et d'un vocabulaire pauliniens; enfin, l'ultime Rédacteur marcien retoucha le texte du Mc-intermédiaire en fonction de son vocabulaire propre et de son style; on verra plus loin que ce vocabulaire et ce style ont une forte coloration lucanienne, d'où le nom de Rédacteur marco-lucanien que nous lui avons donné.

Précisons tout de suite que ce n'est pas le Mc actuel, comme le suppose la théorie des Deux Sources, mais le Mc-intermédiaire, qui a largement influencé les rédactions matthéenne et lucanienne (cf. *infra*).

2. La tradition matthéenne

Comme ce fut le cas pour l'évangile de Mc, celui de Mt a subi une révision importante; il faut donc distinguer deux niveaux rédactionnels différents : le Mt-intermédiaire et l'ultime rédaction matthéenne.

a) Le Mt-intermédiaire a comme source principale le Document A; il l'a complété en y insérant des matériaux repris du Document Q (source d'où proviennent de nombreuses sections communes à Mt/Lc, mais ignorées de Mc). Il ne semble pas que le Mt-intermédiaire ait eu connaissance des Documents B et C, et il n'a subi aucune influence de la tradition marcienne. Comme le Document A, le Mt-intermédiaire émane de milieux judéo-chrétiens et continue la même tradition; nous lui avons donné le nom de « Mt-intermédiaire » précisément pour souligner que la tradition matthéenne ne commence pas avec lui, mais a son origine dans le Document A.

b) Le Mt-intermédiaire subit une refonte complète (ultime rédaction matthéenne) dont voici les principales caractéristiques. Dans les sections qu'il avait en parallèle avec le Mc-intermédiaire, son texte fut en grande partie remplacé par celui du Mc-intermédiaire; de même, l'ordonnance de ses sections fut presque entièrement remplacée par celle du Mc-intermédiaire. Par ailleurs, l'ultime Rédacteur matthéen ajouta un certain nombre de sections nouvelles, reprises de sources qu'il nous est impossible pour l'instant de préciser.

Enfin, il imprima ici ou là son vocabulaire ou son style au texte qu'il refondait; ce vocabulaire et ce style ont, comme dans l'ultime rédaction marcienne, une forte coloration lucanienne, d'où le nom de Rédacteur matthéo-lucanien que nous lui avons donné.

3. La tradition lucanienne

A la suite de beaucoup d'auteurs, nous avons distingué deux niveaux rédactionnels dans Lc.

a) Le proto-Lc a connu et utilisé, directement ou indirectement, tous les Documents dont nous avons parlé jusqu'ici (cf. Lc 1 1-4, qui atteste la variété des sources de Lc). Sauf pour les récits de la passion et de la résurrection, sa source principale fut le Mt-intermédiaire; par lui, il a donc connu indirectement les matériaux remontant au Document A. Il a connu et utilisé directement les Documents B et Q. Enfin, pour les récits de la passion et de la résurrection, sa source principale fut le Document C, qu'il utilisa encore sporadiquement dans le reste de l'évangile. Le style et le vocabulaire du proto-Lc sont tellement apparentés à ceux du livre des Actes qu'il faut admettre qu'un même auteur est à l'origine des deux ouvrages.

b) Le proto-Lc subit une révision profonde en fonction du Mc-intermédiaire, dont le Rédacteur lucanien adopta en grande partie la structure et les formes littéraires. Cette intrusion marcienne dans le proto-Lc (dont la source principale était le Mt-intermédiaire) explique les accords de Lc, tantôt avec Mt, tantôt avec Mc. Il est impossible de distinguer le vocabulaire du Rédacteur lucanien de celui du proto-Lc; c'est donc Lc lui-même qui a remanié son premier évangile sous l'influence du Mc-intermédiaire. Quant aux sections que Lc a en propre, il est souvent impossible de dire si elles ont été ajoutées au niveau du proto-Lc ou de l'ultime rédaction lucanienne, de même qu'il est impossible d'en préciser l'origine.

4. L'évangile de Jn

Il ne semble pas que Jn ait fait usage de sources propres lorsqu'il raconte les mêmes scènes que les Synoptiques. Sa source principale est alors le proto-Lc, surtout dans les récits de la passion et de la résurrection; mais il utilisa aussi les Documents B et C. Il se montre assez libre à l'égard de ses sources, qu'il amplifie de développements théologiques destinés à mettre en lumière leur sens profond. Jn a subi aussi l'influence de l'ultime rédaction matthéenne, mais ce fut au dernier stade de son développement.

B) LES SECTIONS PROPRES A MATTHIEU/LUC

En accord avec la théorie des Deux Sources, nous avons attribué à un Document Q la plupart des sections propres à Mt/Lc (absentes de Mc). Apportons toutefois quelques précisions.

1. Il n'est pas certain que ce que nous avons appelé « Document Q » forme une unité bien définie; ce vocable pourrait recouvrir en fait des sources diverses. Nous avons préféré garder l'unique appellation « Document Q » afin de ne pas compliquer une théorie déjà passablement complexe.

2. Parmi les sections propres à Mt/Lc, quelques-unes ne remontent pas au Document Q, mais au Mt-intermédiaire ou, plus rarement, au Document A (dans ce dernier cas, Mc les a omises). En revanche, certaines sections données par le seul Mt ou le seul Lc peuvent remonter au Document Q, l'un ou l'autre des deux évangélistes les ayant omises.

3. Le proto-Lc a connu les sections propres à Mt-Lc, non seulement par le Document Q, qu'il connut directement, mais encore par le biais du Mt-intermédiaire.

C) SECTIONS PROPRES A CHAQUE ÉVANGÉLISTE

Mt, Lc et, plus rarement, Mc ont en propre certains récits ou paroles de Jésus qu'ils tiennent de sources particulières difficiles à identifier.

Toutes les relations possibles entre les divers évangiles et leurs sources peuvent être schématisées dans le tableau suivant (pour plus de clarté, le Document Q a été mentionné à deux endroits différents; il s'agit évidemment d'un seul et même Document).

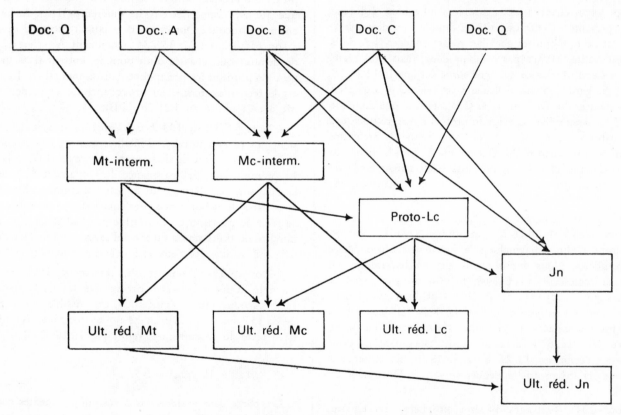

II. JUSTIFICATION DE LA THÉORIE

Après avoir exposé rapidement les grandes lignes de notre théorie synoptique, nous allons la justifier en développant ses articulations essentielles avec référence aux notes du commentaire de la Synopse; bien entendu, il faudra se reporter à ces notes dont nous ne pouvons donner ici qu'un très bref résumé.

A) LE MARC-INTERMÉDIAIRE

C'est par le Mc-intermédiaire qu'il faut commencer l'examen plus approfondi de notre théorie synoptique, puisque, nous le concédons volontiers à la théorie des Deux Sources, il eut une influence prépondérante sur les rédactions de Mt et de Lc.

1. Le Mc-intermédiaire et ses sources

Mc (= le Mc-intermédiaire; nous le désignerons toujours ainsi dans la suite de cet exposé) a utilisé trois sources : le Document B, sa source principale, le Document A et, dans une moindre mesure, le Document C. La façon la plus obvie de le prouver est de se référer aux récits où Mc fond les textes parallèles de ces divers Documents.

a) *Récits où Mc fusionne les trois Documents.*

Ils ne sont pas très nombreux, du fait que Mc n'a utilisé que sporadiquement le Document C.

– Note § 337 (L'agonie à Gethsémani). Le caractère composite de ce récit (Mc **14** 32-42) fut mis en évidence par G. C. Kuhn; il en conclut à la fusion par Mc de deux récits parallèles appartenant à deux sources différentes. Le récit marcien présente en effet quantité de doublets (et de triplets) et contient de nombreuses chevilles rédactionnelles (I A de la note). En réalité, Mc n'a pas combiné deux, mais trois récits parallèles. Cette affirmation se fonde sur le fait que Jn **12** 23.27; **14** 30-31 a gardé substantiellement les éléments du récit en provenance du Document C (I B), tandis que le texte de Lc, écho assez fidèle de celui du proto-Lc malgré quelques contaminations en provenance de Mc, donne la structure du récit en provenance du Document A (par le biais du Mt-intermédiaire; cf. I C). Il est alors relativement facile de voir comment Mc a fusionné les récits des Documents A, B et C.

– Note § 340 (Reniements de Pierre). Le caractère composite de ce récit (Mc **14** 66-72) fut souligné par C. Masson qui, comme Kuhn, en conclut à la fusion par Mc de deux récits parallèles. Nous avons retenu de son hypothèse que le premier reniement (vv. 66b-68) formait un récit complet primitivement indépendant; il faut l'attribuer au Document B, source première de Mc (II 1). Mais les deux autres reniements fusionnent les récits du Document A, en partie conservé par Mt **26** 71-72 (II 2), et du Document C, dont on trouve l'écho en Lc **22** 58 et Jn **18** 25 (ils dépendent tous deux ici du proto-Lc, lequel suivait le Document C; cf. II 3).

– Note § 343 (Outrages à Jésus prophète). Ici encore, la recherche des sources utilisées par Mc est facilitée par les témoins non marciens du récit (Mc **14** 65). Selon le Document B, Jésus aurait été bafoué en tant que « fils de Dieu » ou « Messie », comme en témoigne encore l'évangile de Pierre (I 2). Selon le Document A, c'était comme prophète (I 1), et le récit fut conservé dans la tradition lucanienne par le biais du Mt-intermédiaire (II 1). Enfin, Mc ajoute en finale de son récit les gifles que Jésus reçoit des valets, détail conservé par Jn **18** 22 et qui provient du Document C (I 3). Ici encore, Mc a fusionné les trois récits parallèles.

b) *Récits où Mc fusionne C avec A ou B.*

Les trois exemples suivants sont liés entre eux car, phénomène assez curieux, Mc a inséré dans trois récits différents, en provenance des Documents A ou B, un même récit d'exorcisme qu'il tient, vraisemblablement, du Document C.

– Notes § 32, 33 (Mc **1** 21-28). Un récit d'exorcisme, qui offre des contacts littéraires très précis avec celui que nous verrons dans l'exemple suivant (II 2 de la note), fut inséré par Mc dans un récit racontant la première prédication de Jésus dans la synagogue de Capharnaüm, en provenance du Document B (cf. au § 144 le récit parallèle en provenance du Document A).

– Note § 142 (Mc **5** 1-20). Dans Mc, le récit du possédé de Gérasa contient de nombreuses incohérences et présente un certain nombre de doublets qui invitent à conclure que Mc a fusionné deux récits différents (II A). Le premier, en provenance du Document B et connu encore d'Épiphane, a son parallèle en Mt **8** 28-34 (Document A); c'est l'épisode de démons qui, chassés d'un homme, entrent dans un troupeau de porcs et les précipitent dans la mer (II C). Le second est le récit d'exorcisme en provenance du Document C que Mc a déjà utilisé en **1** 21-28 (II B).

– Note § 171 (Mc **9** 14-29). Ici encore, le récit de Mc présente un certain nombre d'incohérences et de doublets qui trahissent la fusion de deux récits différents (I B de la note). Le premier récit, en provenance du Document A, concernait la guérison par Jésus d'un enfant épileptique; Mt **17** 14-15 en a gardé le début à peu près intact (I A). Mc a transformé ce récit de guérison en exorcisme par l'addition d'un certain nombre de traits repris du récit d'exorcisme du Document C déjà utilisé dans les deux exemples précédents (I B 2 a).

– Note § 336 (Annonce du reniement de Pierre). Cet exemple, d'une tout autre nature que les trois précédents, est beaucoup moins significatif. Il est possible que la citation de Za **13** 7, en Mc **14** 27b, ait été ajoutée par Mc sous l'influence d'un texte du Document C repris par Jn **16** 32.

c) *Récits où Mc fusionne B et A.*

Les récits dans lesquels Mc a fusionné les textes parallèles des Documents B et A sont relativement nombreux. Dans presque tous les cas, une des composantes du récit complexe de Mc est attestée, sous sa forme simple, par un témoin non marcien. Outre les exemples mentionnés plus haut (II A 1 a), on peut encore citer :

– Note § 122 (La vraie parenté de Jésus). Mc a inséré dans le texte en provenance du Document B (**3** 32b.35) le texte parallèle du Document A (**3** 33-34; I B 1 de la note). Le proto-Lc, dont dépendent Lc et Thomas 99 (I A), avait seulement le texte du Document B; le texte actuel de Mt reflète, en partie seulement, celui du Mt-intermédiaire, qui dépendait du récit du Document A.

— Note § 143 (Mc **5** 21-43). Pour la résurrection de la fille de Jaïre (I A 2 de la note), comme pour la guérison d'une hémorroïsse (I B 2), le texte de Mc se compose de détails qui se lisent, soit dans Lc (mais pas dans Mt), soit dans Mt (mais pas dans Lc). Mc a donc fusionné un récit du Document B que le proto-Lc avait relativement bien conservé, et un récit parallèle du Document A qui passa dans le Mt-intermédiaire.

— Note § 146 (Jugement d'Hérode sur Jésus). Mc **6** 16 forme en partie doublet avec Mc **6** 14 : une même opinion concernant Jésus (il serait Jean-Baptiste revenu à la vie) est mise sur les lèvres de gens anonymes (v. 14) et d'Hérode (v. 16). Les vv. 14-15 correspondent au récit du Document B, le v. 16 à celui du Document A que Mt a conservé presque intact.

— Note § 151 (La première multiplication des pains). Dans Mc, l'introduction de la première multiplication des pains (**6** 30-34) est complexe puisqu'elle suppose deux mouvements différents de Jésus et des foules (voir les textes en parallèle à la note § 151, I A 4 c). Le premier mouvement correspond à l'introduction du premier récit de la multiplication des pains, en provenance du Document A, partiellement conservée dans Mt, Lc et Jn (voir textes à la note § 151, I B 4 a); le second mouvement correspond à l'introduction du second récit de la multiplication des pains (§ 159) en provenance du Document B.

— Note § 152 (Jésus marche sur les eaux). Les doublets du récit de Mc **6** 45-52 et ses incohérences prouvent que Mc a fusionné deux récits distincts en provenance des Documents A et B. Cette conclusion est d'autant plus certaine que Jn dépend ici directement du Document B dont on peut donc reconstituer en partie la structure.

Il résulte des notes § 151 et § 152 (cf. § 159) que les Documents A et B contenaient chacun un récit de multiplication des pains, précédé d'une introduction et suivi du récit de la marche sur les eaux; Mc a laissé séparés les deux récits de multiplication des pains, pour une raison théologique (cf. note §§ 151-159), mais il a fusionné leurs introductions et les deux récits de la marche sur les eaux.

— Note § 250 (Le danger des richesses). Le récit de Mc **10** 23-27 offre des incohérences (I 1 de la note) qui trahissent la fusion de deux récits d'origine différente. Dans le premier (Document A), il s'agissait de l'impossibilité pour les riches d'entrer dans le royaume (I 3); dans le second (Document B), de la difficulté pour tous les hommes d'entrer dans le royaume (I 2).

— Note § 313 (L'onction de Béthanie). Les difficultés internes du récit de Mc **14** 3-9 permettent de séparer les deux textes en provenance des Documents A et B; cette séparation

est d'autant plus aisée que Jn dépend fondamentalement du récit du Document B.

— Note § 315 (Préparation de la Pâque). Les doublets du récit de Mc **14** 12-16 (I 2 de la note) trahissent la fusion de deux textes parallèles, en provenance des Documents A et B. La reconstitution du récit du Document A est facilitée par le fait que Mt en a conservé la structure fondamentale.

— Note § 317 (Annonce de la trahison de Judas). Ici encore, les doublets du texte de Mc **14** 17-21 indiquent que Mc a fusionné deux récits parallèles. Ceci nous est confirmé par le fait qu'ici Lc dépend seulement du Document A (par le biais du proto-Lc et du Mt-intermédiaire; I 2 de la note), tandis que Jn **13** 18 dépend seulement du Document B (I 3).

— Note § 318 (Institution eucharistique). Les incohérences du texte de Mc **14** 22-25 permettent d'y distinguer deux récits différents : celui du Document A, mieux conservé par Lc, ne parlait que d'une liturgie pascale célébrée par Jésus; celui du Document B décrivait l'institution de l'Eucharistie par Jésus (I 1 de la note) et serait d'origine liturgique.

— Note § 342 (Jésus devant le Sanhédrin). Les incohérences du récit de Mc **14** 55-64 (et de Mt) trahissent la fusion par Mc de deux récits parallèles (I A et B de la note), appartenant aux Documents A et B. Le proto-Lc (cf. Lc **22** 66-71 et Jn **10** 24-36) ne dépendait ici que du récit du Document B.

Il existe encore d'autres passages où Mc combine des récits en provenance du Document A et des récits en provenance du Document B; nous avons limité l'inventaire précédent aux cas où Mc fusionne deux récits *parallèles*.

d) *Récits de B, de A et de C qui forment doublets chez Mc.*

Nous avons parlé jusqu'ici des cas où Mc fusionne en un seul récit les textes parallèles des Documents A, B ou C. Pour prouver que Mc utilise trois Documents différents, il faut encore envisager les cas où il a repris les récits parallèles de ces Documents, mais en les laissant séparés de sorte qu'ils forment des doublets (ou triplets) dans Mc.

1. Il n'existe qu'un seul exemple où Mc a gardé, sans les fusionner, des récits parallèles appartenant aux Documents A, B et C : les annonces de la Passion. Celle du Document A se lit, amplifiée, en Mc **9** 31 (§ 172); celle du Document B a son écho en Mc **9** 12b (§ 170; cf. Mc **8** 31, § 166); celle du Document C se lit en Mc **14** 41c (§ 337). Sur ce problème, voir la note générale concernant les annonces de la passion, avant la note § 166.

2. Depuis longtemps, la plupart des commentateurs admettent que les deux récits de multiplication des pains (Mc **6** 30-44, § 151; Mc **8** 1-10, § 159) ne sont que deux versions à peine différenciées (seulement par les chiffres

donnés) d'un seul épisode. Nous avons attribué la première au Document A et la seconde au Document B.

3. La mission des Douze par Jésus est mentionnée à deux reprises par Mc : une première fois en **3** 14-15, récit qui provient du Document B; une seconde fois en **6** 7, récit qui provient du Document A (voir note § 49, I 1 b).

4. A la note § 144, on établira les points suivants : le récit primitif de la « Visite de Jésus à Nazareth » (Mc **6** 1-6) ne contenait que les vv. 1 et 2 de Mc; c'était un récit parallèle à celui de la première prédication de Jésus à Capharnaüm (Mc **1** 21-22a.27b, §§ 32, 33), dans lequel Jésus était *bien accueilli* par ses compatriotes (note § 144, I 2). Dans le Mt-intermédiaire (et le Document A), ce récit avait sa place, non pas vers le milieu du ministère de Jésus, mais au début de sa vie publique, comme l'atteste encore Lc **4** 16 ss. (note § 144, I 2 a). Suivait une réflexion d'ordre général concernant la renommée de Jésus qui, à la suite de sa prédication, se répandit par toute la Galilée (texte conservé en Lc **4** 14b; cf. Mt **9** 26; note § 144, I 2 b). Un petit sommaire montrait enfin Jésus parcourant villes et villages et enseignant partout (Mc **6** 6b; Lc **4** 15; Mt **9** 35a; note § 144, II 1 c). On trouvera une reconstitution de ce texte à la note § 144, II 1 c (fin).

On constate alors que Mc contient deux séquences semblables, dont la seconde se trouve attestée d'une façon plus complète chez Lc :

	Mc	Mc	Lc
Jésus prêche dans une synagogue	1 21-22a.27b	6 1-2	4 16 ss.
Sa renommée se répand	1 28		4 14b
Il prêche dans les villes	1 39	6 6b	4 15

La première séquence (Mc **1**) décrivait le début du ministère de Jésus selon le Document B; la seconde (Mc **6**), le début du ministère de Jésus selon le Document A (cf. sa place dans Lc).

e) *Le Document B, principale source de Mc.*

Les exemples cités aux paragraphes précédents ont montré que Mc utilisait et, souvent, fusionnait les récits de trois Documents : A, B et C. Mais, de ces trois Documents, quelle était sa source principale? Le Document C est exclu, car il est utilisé par Mc de façon trop sporadique. Entre les Documents A et B, on donnera la primauté au Document B pour les raisons suivantes :

1. Tandis que le Document A est d'origine judéo-chrétienne (cf. *infra*, II H 1), le Document B fut composé en milieu pagano-chrétien (cf. *infra*, II I 1). Or, on verra plus loin que le Mc-intermédiaire fut certainement composé pour des chrétiens issus du paganisme; le souci de se faire comprendre d'eux l'apparente donc au Document B et non au Document A.

2. Comme on l'a noté plus haut (II A 1 d 4), le Mc-intermédiaire commence le ministère de Jésus par une scène reprise du Document B : la prédication de Jésus dans la synagogue de Capharnaüm (Mc **1** 21 ss.), tandis qu'il repousse vers le milieu du ministère en Galilée l'épisode parallèle repris du Document A (Mc **6** 1 ss.); il n'aurait pas agi ainsi si le Document A avait été sa source principale.

3. Quand Mc combine les textes des Documents B et A, il lui arrive souvent d'insérer le texte du Document A dans le cours d'un développement homogène appartenant au Document B. Voici quelques exemples de ce procédé littéraire : le logion sur Satan (Mc **3** 24-26, Doc. A) est inséré entre l'introduction du logion sur le « fort » (**3** 22b) et le logion lui-même (**3** 27, Doc. B; note § 117, II 2 b). Dans l'épisode sur la vraie parenté de Jésus, Mc **3** 33-34 proviennent du Document A, mais **3** 32b.35 du Document B (note § 122, I B 1). Dans la discussion sur le pur et l'impur (Mc **7**), les vv. 15a et 20-23 sont repris du Document B, mais le v. 15b est une reprise assez libre d'un texte du Document A (note § 155, II B 3). Le logion sur le levain des Pharisiens (Mc **8** 15, Doc. A) est inséré dans l'épisode des pains oubliés (**8** 14a.16 s.), en provenance du Document B (note § 161, II 1). Dans le logion sur la difficulté d'entrer dans le royaume (Mc **10** 24 ss.), la comparaison du chameau (v. 25, Doc. A) est insérée dans le logion du Document B (vv. 24b.26 s.; note § 250, II 2). De même, le logion sur la récompense promise au détachement (Mc **10** 28-30, Doc. A) coupe en deux le logion du Document B sur la difficulté d'entrer dans le royaume (Mc **10** 26-27 et 31; note § 251, II 2). C'est encore Mc qui insère l'épisode du figuier maudit (Doc. A) entre l'expulsion des vendeurs du Temple et la discussion sur l'autorité de Jésus qui lui faisait suite dans le Document B (notes § 275, II 2, et § 276, I B 1 c). Dans le récit de la comparution de Jésus devant le Sanhédrin (Mc **14** 55 ss.), les vv. 57 et 59 ne sont qu'un dédoublement du v. 56 (Doc. B), effectué pour insérer le v. 58, en provenance du Document A (note § 342, I B 1 a). Dans les récits du crucifiement et de la mort de Jésus, la trame principale est constituée d'épisodes repris du Document B, dans lesquels viennent se glisser quelques épisodes repris du Document A (notes §§ 352, 355). Cette façon de procéder, assez habituelle, prouve que le Document B est la source principale de Mc.

f) *Autres sources de Mc?*

Mc a-t-il utilisé d'autres sources que les Documents B, A et C? C'est possible, mais difficile à prouver. Le cas se pose spécialement pour un certain nombre de logia dont on ne peut préciser l'origine : les logia de Mc **13** 30-32 (§ 299), dont le second a son équivalent dans le Document Q; les logia de Mc **4** 21-25, artificiellement groupés dans la trame de l'enseignement de Jésus en paraboles, et dont plusieurs ont leur équivalent dans le Document Q. Certains ont pensé que Mc aurait connu même le Document Q; il est plus prudent de réserver son jugement sur ce point.

2. Caractéristiques du Mc-intermédiaire

Sans entreprendre une étude complète des tendances théologiques, des procédés littéraires, du vocabulaire et du style du Mc-intermédiaire, nous allons signaler quelques points qui rendent compte de certaines modifications que Mc a fait subir à ses sources.

a) *Mc fut écrit pour des lecteurs chrétiens issus du paganisme.*
Deux caractéristiques le prouvent.

1. Il a systématiquement mis l'accent sur le thème de l'appel des païens au salut. L'exemple le plus clair est fourni par la grande section marcienne qui va de la première multiplication des pains (§ 151) à la seconde (§ 159), section dans laquelle Mc a utilisé des matériaux en provenance des Documents A et B et les a organisés de façon à mettre en lumière ce thème de l'appel des païens au banquet eucharistique et au salut (note générale sur les §§ 151 à 159). – En reprenant au Document B le récit des vendeurs chassés du Temple, Mc a mis sur les lèvres de Jésus une citation de Jr **7** 11 qui, par ses prolongements (**7** 12-15), évoquait la ruine du Temple et le rejet du peuple juif comme peuple élu (note § 275, II 2); la même intention lui a fait ajouter, après le récit de l'expulsion des vendeurs, l'épisode du figuier maudit qui évoquait le rejet d'Israël par Dieu (note § 276, II 2), et modifier la présentation de la parabole des vignerons homicides (note § 281, 3 a).

2. Tout au long de son évangile, Mc prend soin de modifier ou de gloser le texte de ses sources pour le rendre plus clair à des lecteurs venus du paganisme. Dans l'épisode de la guérison du paralytique, il ajoute le v. 7b (chap. **2**) pour expliquer en quoi consiste le « blasphème » dont il est parlé au v. 7a (note § 40, IV 3). – Dans le récit de la demande de signe (Doc. B), il supprime toute référence au « signe de Jonas », qui ne devait plus être compréhensible pour ses lecteurs venus du paganisme (note § 160, 2). – Lorsqu'il raconte la confession de foi de Pierre (Mc **8** 29), il remplace la formule du Document B : « tu es le Saint de Dieu », encore attestée par Jn **6** 69, par « tu es le Christ » (note § 165, I 3). – Dans la controverse sur la résurrection, il ajoute la citation explicite de Dt **25** 5 (Mc **12** 19) afin de faire comprendre

à ses lecteurs que le point de départ de la discussion entre Jésus et les Sadducéens est la loi du lévirat (note § 284, I 2 a). – De même, dans la discussion sur le Christ, fils et seigneur de David, Mc ajoute la citation de Ps **110** 1, qui n'était qu'implicitement contenue dans l'argumentation de Jésus (note § 286, I B 2). – Lorsqu'il rapporte les paroles de Jésus concernant l'hypocrisie des scribes (Mc **12** 38b-39), Mc ne dit plus que ceux-ci « élargissent leurs phylactères et allongent leurs franges », ce qui suppose connues les coutumes religieuses des Juifs, mais les montre simplement circulant en « longues robes » (note § 287, I 4 c). – Dans l'épisode de l'obole de la veuve, il remplace la transcription grecque de l'araméen *qorbana* par le mot « Trésor », moins bien adapté mais plus compréhensible pour des lecteurs de culture grecque (note § 290, 2).

3. On vient de voir, dans les deux paragraphes précédents, la tendance de Mc à ajouter des citations de l'AT, soit dans un but théologique, soit pour rendre plus explicite une allusion à l'AT contenue dans une de ses sources. Les exemples suivants se situent dans la même ligne de préoccupation : faciliter à ses lecteurs l'intelligence de la vie de Jésus, à la lumière des textes de l'AT. Dans la scène de l'agonie à Gethsémani, Mc **14** 34 remplace une réminiscence de Ps **42** 7 (« mon âme est troublée »), qu'il lisait dans le Document C (cf. Jn **12** 27), par une citation plus claire de Ps **42** 6 : « Mon âme est triste » (note § 337, I B 3 et II 4). – De même, dans l'épisode précédent (annonce du scandale de tous les disciples), Mc ajoute une citation de Za **13** 7 (Mc **14** 27b) qui s'adaptait bien à l'annonce de la dispersion des disciples qu'il lisait dans le Document C (cf. Jn **16** 32; note § 336, II 2). – D'une façon plus systématique, Mc réinterprète le récit de la mort du Baptiste, qu'il tenait du Document A, en fonction du précédent d'Esther et d'Assuérus (note § 147, II 3). Il réinterprète de même le récit de la tempête apaisée en fonction du Ps **107** (note § 141, I 1 b). Il est possible enfin que, au début du récit du baptême de Jésus, Mc introduise une formule de Ex **2** 11 par laquelle commence le « ministère » de Moïse, voulant ainsi accentuer le parallèle entre Jésus et Moïse qui imprègne tout son récit du baptême (note § 24, I A 1 b).

On notera que tous les emprunts de Mc à l'AT sont faits d'après la version des Septante, sauf lorsqu'il s'agit du livre de Daniel.

b) Il est intéressant de voir *comment Mc utilise et combine ses diverses sources.*

1. Souvent, il combine les matériaux que lui donnent ses sources pour former des ensembles à portée plus ou moins théologique. En Mc **1** 21-39, il complète le Document B (première prédication à Capharnaüm suivie de plusieurs « sommaires ») en ajoutant des récits repris, soit du Docu-

ment A (guérison de la belle-mère de Pierre), soit du Document C (exorcisme dans la synagogue de Capharnaüm, épisode des gens qui partent à la recherche de Jésus), de façon à donner la description d'une journée-type de l'activité missionnaire de Jésus (note sur les §§ 32-36). – En Mc 3 20-35, il organise en forme de chiasme des matériaux repris des Documents B et A, de façon à former un ensemble opposant ses disciples, qui croient en lui à la vue de ses miracles et qui écoutent son enseignement, à ses « frères » qui ne veulent pas croire en lui (cf. notes §§ 115 à 122, et surtout note § 117, II 2 a). – En 6 30-8 10, il insère entre les deux récits de multiplication des pains (Doc. A et B) plusieurs épisodes qu'il remanie quelque peu, de façon à obtenir un vaste tableau illustrant le thème de l'appel des païens au salut (note §§ 151-159). – En 8 34-9 1, il regroupe un certain nombre de logia en provenance des Documents A et B et les place après la première annonce de la passion, de façon à montrer que Jésus souffrant est le modèle du chrétien; ce dernier devra aussi souffrir pour entrer dans le royaume (note § 168, II 4). – Aux §§ 275 à 283, il regroupe un certain nombre de récits : vendeurs chassés du Temple, épisode du figuier maudit, parabole des vignerons homicides, question sur l'impôt dû à César, pour illustrer le thème du rejet d'Israël comme peuple choisi par Dieu; afin de mieux réaliser son dessein, il ajoute des touches « polémiques » aux récits qu'il reprend à ses sources (voir notes §§ 275 à 283).

D'une manière plus générale, on peut dire que c'est Mc qui a donné aux évangiles leur structure actuelle, structure qu'il a créée en combinant les matériaux des Documents B, A et C, et qui est passée en grande partie du Mc-intermédiaire dans les ultimes rédactions matthéenne et lucanienne.

2. A l'intérieur d'une même péricope, il est souvent facile de remarquer la fusion par Mc, grâce à certaines « sutures rédactionnelles », de matériaux en provenance de sources différentes. Tantôt Mc répète une expression de sa source principale après l'insertion d'un petit passage provenant d'une autre source (cf. notes § 133, I 2 b, et §§ 352, 355, II 6). Tantôt il ajoute un verset rédactionnel pour mieux lier deux passages d'origine différente (cf. notes §§ 32, 33, I 1 b; § 250, II 2; § 255, II 2; § 317, I 1 d; § 342, I B 1 a; § 142, II D 1), ou simplement une expression plus ou moins complexe (cf. notes § 31, I 3 b; § 34, 3; § 35, II; § 42, I 1 a. c. d; §§ 157, 158, II 1; § 313, I 1 c). On a noté depuis longtemps que Mc liait souvent des logia d'origine diverse par la cheville rédactionnelle : « et il leur disait » (cf. note § 130, introd.); l'adverbe « de nouveau » est également une suture rédactionnelle classique (voir des exemples de ces diverses sutures : notes § 250, I 1 a; § 337, I A 2 c; § 340, II 4 b).

c) Il arrive assez souvent au Mc-intermédiaire d'*amplifier le texte de ses sources* suivant divers procédés littéraires.

1. *Il dédouble certains épisodes*. En 1 16-20, le Document A donnait à Mc un récit de la vocation des seuls Jacques et Jean; Mc le dédouble de façon à obtenir aussi un récit de la vocation de Simon et André (note § 31, I 3 b). – En 15 29-32a, le Document B ne donnait à Mc qu'une scène de moqueries, celle des grands prêtres; Mc la dédouble pour avoir une scène de moqueries faites par les passants; il obtient ainsi trois scènes de moqueries (cf. les larrons en croix), chiffre qu'il affectionne spécialement (cf. note §§ 352, 355, II 4 et II 6 c). – La manière dont Mc traite les diverses annonces de la Passion est significative. Il dédouble, en l'amplifiant, l'annonce que lui donnait le Document B (Mc 8 31 et 9 12b); il procède de même pour l'annonce que lui donnait le Document A (9 31 et 10 33-34); il obtient ainsi *trois* formes longues de l'annonce de la passion, de la mort et de la résurrection de Jésus (8 31; 9 31 et 10 33 s.; voir note générale avant la note § 166). – Les doublets ou même « triplets » de Mc peuvent encore provenir de ce qu'il utilise à plusieurs reprises un même texte fourni par une de ses sources. On en a donné un exemple plus haut à propos de l'exorcisme repris du Document C et que Mc combine avec les récits de la première prédication de Jésus à Capharnaüm (§§ 32, 33), du possédé de Gérasa (§ 142) et de la guérison de l'enfant épileptique (§ 171; cf. *supra*, II A 1 b). – Dans le récit de l'expulsion d'un démon, en 1 23 ss., Mc réutilise, non seulement l'exorcisme du Document C, mais encore des éléments repris au récit de la tempête apaisée (note §§ 32, 33, II 2, à la fin). – La conclusion du récit de la guérison du lépreux (Mc 1 45) aurait été amplifiée par Mc au moyen d'éléments repris du Document C, déjà utilisés en 1 35-38 (note § 39, II 2). – Mc 3 11-12 n'est probablement que le dédoublement du thème déjà exprimé en Mc 1 24-25 (note § 47, III 2 a). – Pour assurer un lien entre l'épisode sur le danger des richesses et celui du jeune homme riche, Mc forge le v. 23b (chap. 10) qu'il calque sur le v. 24b (note § 250, II 2). – Dans le récit du « Cortège messianique vers Jérusalem », les vv. 4b-6a de Mc (chap. 11) ne font que reprendre, avec des détails nouveaux, les éléments des vv. 2b-3 (note § 273, I B 3 a). – En finale du récit de l'expulsion des vendeurs du Temple, Mc ajoute la volonté des grands prêtres de mettre Jésus à mort (11 18), anticipant ainsi les données de Mc 14 1 (note § 275, I B 2 b). – Dans le récit du procès devant le Sanhédrin (Mc 14), Mc dédouble un détail du récit du Document B (vv. 57.59, qui reprennent le v. 56) pour introduire un trait en provenance du Document A (note § 342, I B 1 a).

2. D'une façon plus radicale, certaines scènes ou certaines paroles attribuées à Jésus peuvent être considérées comme *des créations* du Mc-intermédiaire, souvent faites à partir de réminiscences d'autres passages. On pourra ranger dans cette catégorie de textes la troisième annonce (longue) de la Passion (Mc 10 33-34, § 253), dont il a été parlé plus haut.

– Le « sommaire » qui suit le récit de la marche sur les eaux (Mc **6** 53-56, § 153) est une création marcienne faite à partir de réminiscences de Mc **1** 32; **5** 21.27-28; **6** 33-34 (note § 153, 1). – Mc complète l'épisode du figuier maudit (§ 276) en ajoutant le détail du figuier qui s'est desséché sous l'effet de cette malédiction (§ 278), afin d'accentuer la note anti-juive de l'épisode (note § 276, I B 1 c). – Dans le discours eschatologique de Mc **13**, les vv. 9-10 et 12-13 ont été composés par Mc pour « christianiser » ce discours d'origine juive en fonction des expériences missionnaires de Paul (note §§ 291-301, I B 3 a).

3. Les additions faites par le Mc-intermédiaire sont parfois plus systématiques et montrent *l'intérêt de Mc pour certains thèmes théologiques*. La plupart des *consignes de silence* contenues dans les évangiles ont été introduites par lui. En Mc **1** 25 et **3** 11, la consigne est adressée aux démons qui connaissent la véritable identité de Jésus (notes §§ 32, 33, II 2 a et § 47, III 2 a); il en va de même dans le « sommaire » de Mc **1** 34 (note § 35, II); en Mc **5** 43a; **7** 36; **8** 23.26, elle est imposée par Jésus après une guérison qu'il vient d'opérer (notes § 143, I A 2 b; §§ 157, 158, II 1; § 162); en Mc **8** 30, la consigne de silence porte spécialement sur le titre de Messie, que Pierre vient de reconnaître à Jésus (note § 165, I 5); en Mc **9** 9, elle porte sur l'événement de la transfiguration, au cours duquel une voix céleste a certifié la mission divine de Jésus (note § 170, I 1 b). On notera que dans le récit de la prédication de Jésus à Nazareth, en provenance du Document A, Mc a supprimé le « sommaire » montrant comment la renommée de Jésus se répandait aux alentours (note § 144, II 3). Jésus refuse le titre de « Messie » parce que ce titre impliquait, pour les Juifs de son temps, une note politique que Jésus ne peut assumer : le « Messie » devait effectuer la délivrance du peuple de Dieu, asservi au joug de la domination romaine (cf. Jn **6** 14-15). – Mc manifeste un grand intérêt pour les *exorcismes*. On a déjà vu qu'il avait introduit un récit d'exorcisme repris du Document C : dans l'épisode de la première prédication à Capharnaüm (§§ 32, 33), dans celui du possédé de Gérasa (§ 142), enfin dans celui de la guérison de l'enfant épileptique (§ 171). Dans le récit de l'envoi en mission des Douze (Mc **6** 7), Mc change l'expression « pouvoir de guérir les maladies » (Doc. A) en « pouvoir sur les esprits impurs » (note § 145, I B 3). Dans le récit de la tempête apaisée, il montre Jésus s'adressant au « vent » comme à un « esprit impur » (le même mot grec signifie « vent » et « esprit »; note § 141, I 3 c). C'est lui, semble-t-il, qui ajoute la mention des esprits impurs dans les sommaires des §§ 35 et 47 (note § 47, II 2 b). Dans le récit de la guérison de l'enfant épileptique (§ 171), qu'il a transformé, on vient de le dire, en exorcisme, Mc introduit le thème des disciples qui sont incapables de chasser les démons; il veut donner la raison pour laquelle, dans l'Église primitive, les exorcismes pratiqués par les premiers chrétiens demeuraient souvent sans effet (note § 171, II 2). – *Le thème de la foi* revêt une importance spéciale chez Mc. Il l'ajoute dans le récit de la tempête apaisée (note § 141, I 3 e et II 2 c); dans l'épisode de l'aveugle de Jéricho, il change la guérison par « attouchement », de sa source, en une guérison opérée par cette parole de Jésus : « Va, ta foi t'a sauvé » (note § 268, II 2 b); au récit du figuier maudit, Mc ajoute une seconde partie, le figuier desséché (**11** 20-21), et il en profite pour donner un enseignement sur l'efficacité de la foi et de la prière (vv. 22-23; note § 276, I B 1 c). – On a noté déjà les deux thèmes connexes, chers à Mc, du *rejet des Juifs* en tant que peuple élu (notes §§ 275 à 283) et de *l'appel des païens* au salut (note §§ 151 à 159).

On le voit, le Mc-intermédiaire n'est pas un simple compilateur. En reprenant les matériaux de ses différentes sources, les Documents B, A et C, il a su les organiser en fonction de thèmes bien déterminés, n'hésitant pas, éventuellement, à les compléter pour mieux mettre en lumière ces thèmes privilégiés. Étant donné l'influence très grande qu'eut le Mc-intermédiaire sur les ultimes rédactions matthéenne et lucanienne (cf. *infra*), on peut dire que c'est lui qui a donné aux trois Synoptiques leur structure actuelle. Sur ce point essentiel, et avec les réserves exposées plus haut (I A 1), nous rejoignons une des affirmations les plus fondamentales de la théorie des Deux Sources.

B) L'ULTIME RÉDACTION MARCIENNE

Selon la théorie des Deux Sources, prise au sens strict, Mt et Lc dépendraient de l'évangile de Mc tel que nous l'avons maintenant. Nous allons voir que cette position est insoutenable. Avec de nombreux commentateurs (on a souvent parlé d'un « proto-Mc » ou d'un « UrMarkus »), nous admettrons qu'il y eut une ultime rédaction marcienne qu'il faut distinguer de ce que nous avons appelé le « Mc-intermédiaire », ce dernier seul ayant influencé les rédactions matthéenne et lucanienne.

1. EXISTENCE D'UNE ULTIME RÉDACTION MARCIENNE

Elle peut être prouvée de diverses manières.

a) *Les paulinismes de Mc.*

Il est possible de déceler, dans l'évangile de Mc, des paulinismes qui sont absents des parallèles de Mt et de Lc.

1. Mc **1** 14b-15 (§ 28) contient presque tous les éléments de Mt **4** 17, moyennant une inversion et quelques diver-

gences grammaticales. Quelle que soit l'origine de ce texte, on constate que toutes les expressions que Mc a en plus de Mt se retrouvent ailleurs dans le NT presque exclusivement chez Paul : « évangile de Dieu » (Rm **1** 3; **15** 16; 1 Th **2** 2.8-9; 2 Co **11** 7; cf. cependant 1 P **4** 17); « le temps est accompli » (même idée en Ga **4** 4; Ep **1** 10); « croyez à l'évangile » (cf. Ep **1** 13; et pour le thème : Ph **1** 17; Rm **1** 16; **10** 16. Cf. aussi note § 28, 1 a, deuxième partie). – Mc **1** 14b-15 forme inclusion avec Mc **1** 1; or ce premier verset de Mc contient l'expression « évangile de Jésus-Christ » (ou « bonne nouvelle »), qui est absente de Mt/Lc, et a son équivalent dans l'expression paulinienne « évangile du Christ » (Rm **15** 19; 1 Co **9** 12; 2 Co **2** 12; **9** 13; **10** 14; Ga **1** 7; Ph **1** 27; 1 Th **3** 2; cf. 2 Th **1** 8; nulle part ailleurs dans le NT).

2. Le logion sur la raison d'être des paraboles (§ 127) est exprimé de façon très similaire en Mt **13** 11.13a (le v. 12, avec les derniers mots du v. 11 et les premiers du v. 13, est un ajout; voir note § 127, I 1 a *aa*) et en Lc **8** 10. En revanche, le texte de Mc présente de nombreuses divergences par rapport à celui de Mt/Lc. Or, ces divergences donnent au texte de Mc **4** 11 une saveur paulinienne indéniable. Au lieu d'être au pluriel (Mt/Lc), le mot « mystère » est au singulier (Paul a dix-huit fois le singulier contre trois fois le pluriel); l'expression « ceux du dehors » ne se lit ailleurs que dans Paul, où il désigne les païens (1 Th **4** 12; 1 Co **5** 12-13; Col **4** 5; cf. 1 Tm **3** 7); l'adjectif substantivé « tout » (*ta panta*) est rare en dehors de Paul où il se lit vingt-neuf fois. Par ailleurs, les formules : « le mystère a été donné » et « tout arrive en paraboles » (opposer les formules de Mt/Lc), donnent au logion une orientation théologique nettement paulinienne (voir note § 127, II 2).

3. Mentionnons tout de suite le logion sur le « sel » (Mc **9** 50); dans Mc seul, il a une portée philosophique qui l'apparente à ce que dit Paul en Col **4** 5-6; ce passage de Col contient justement l'expression « ceux du dehors » dont on a parlé au paragraphe précédent ! Mc **9** 50 contient par ailleurs le verbe « être en paix », qui ne se lit ailleurs que chez Paul (Rm **12** 18; 2 Co **13** 11 et surtout 1 Th **5** 13). Voir la note § 177 (3).

4. Mc **3** 5 contient les mots : « avec colère et navré de l'endurcissement de leur cœur », absents de Mt/Lc. Rare dans les évangiles et les Actes, le mot colère se lit une vingtaine de fois chez Paul. Quant à l'expression « endurcissement du cœur », elle ne se lit ailleurs dans le NT qu'en Ep **4** 18 (cf. Rm **11** 25. Voir note § 45, I 3 a).

5. Mc **3** 28-29 se distingue de son parallèle matthéen par un vocabulaire insolite chez les Synoptiques, mais de saveur paulinienne : « fils des hommes » (ailleurs seulement en Ep **3** 5); « péché » (*hamartèma*, ailleurs seulement en Rm **3** 25; 1 Co **6** 18; 2 P **1** 9); « avoir rémission » (ailleurs seulement en Ep **1** 7; Col **1** 14); « éternellement » (rare dans les Synoptiques, cette expression se lit sept fois chez Paul). Voir la note § 118 (I 3).

6. En Mc **7** 5, au lieu de « transgresser » (Mt), Mc a « se comporter selon »; employé au sens métaphorique comme ici (« marcher » = « se comporter »), ce verbe ne se lit nulle part ailleurs dans Mt/Mc/Lc, tandis qu'on le trouve trente et une fois chez Paul ! Suivi de « selon » (*kata*), il ne se trouve ailleurs que chez Paul (Rm **8** 4; **14** 15; 1 Co **3** 3; 2 Co **10** 2; Ep **2** 2. Voir note § 154, II 1 a).

7. En Mc **9** 1, l'expression « en puissance », absente des parallèles de Mt/Lc, est typiquement paulinienne Rm **1** 4; **15** 13.19; 1 Co **2** 5; **4** 20; **15** 43; 2 Co **6** 7; 1 Th **1** 5; 2 Th **2** 9). Voir la note § 168 (I 6).

8. En Mc **9** 41, au lieu du mot « disciple » (Mt), on a l'expression « être du Christ », qui est paulinienne (2 Co **10** 7; cf. 1 Co **1** 12; Rm **8** 9. Voir la note § 175, II).

Tous ces exemples n'ont évidemment pas même valeur; les deux premiers sont les plus caractéristiques, car Mc se distingue de Mt ou de Mt/Lc précisément par ses notes pauliniennes. Dans le deuxième exemple en particulier, comment penser que Mt et Lc, s'ils dépendaient du Mc actuel, se soient trouvés d'accord pour en éliminer systématiquement toutes les notes pauliniennes, obtenant ainsi deux textes très semblables? La seule solution plausible est d'admettre que c'est un ultime Rédacteur marcien qui a introduit dans la trame du Mc-intermédiaire les mots ou les thèmes pauliniens relevés plus haut.

b) *Influences de Mt sur l'ultime rédaction marcienne.*

L'existence d'une ultime rédaction marcienne, distincte du Mc-intermédiaire, est encore prouvée par les passages de Mc où l'on peut déceler une influence matthéenne (le Mt-intermédiaire, cf. *infra*). Pour comprendre les exemples que nous allons citer maintenant, il faudra se reporter aux notes correspondantes.

1. Un des meilleurs exemples est fourni par la « Discussion sur les traditions pharisaïques » (§ 154). Mc **7** 9-13 a son parallèle en Mt **15** 3-6; or le thème est spécifiquement matthéen (une certaine conception de l'« accomplissement » de la Loi); Mt veut opposer les traditions pharisaïques, qui « annulent » la Loi mosaïque, à l'enseignement de Jésus exposé en Mt **5** 17.21-48, qui « accomplit » la Loi. L'ajout du thème dans Mc est confirmé par la cheville rédactionnelle : « et il leur disait » (**7** 9), et par le doublet que constituent les vv. **7** 8

et **7** 9. Pour les détails, voir la note § 154 (II 2 c), que l'on complétera par la note § 155 (II B 1 d).

2. Le « sommaire » de Mc **3** 7-12 (§ 47) est manifestement complexe puisque s'y trouvent décrits deux mouvements de foule : « une multitude nombreuse... (le) suivit » (v. 7), « une multitude nombreuse... vinrent à lui » (v. 8). Le parallèle de Mt **12** 15 ne donne au contraire qu'un mouvement de foule (elle « suit » Jésus), selon un schéma très simple et typiquement matthéen dont presque tous les éléments se retrouvent dans Mc, y compris le verbe « se retirer » (ici seulement dans Mc mais dix fois dans Mt). On notera de plus que, à l'inverse de Mc **3** 7 ss., le parallèle de Lc **6** 17-19 ne contient aucun des éléments de Mt **12** 15, sinon le verbe « guérir », peu significatif. Il faut donc distinguer dans Mc **3** 7 ss. deux niveaux rédactionnels : le Mc-intermédiaire, dont dépend Lc **6** 17 ss.; l'ultime rédaction marcienne qui a ajouté au Mc-intermédiaire les éléments de Mt **12** 15 (note § 47, II 1).

3. Mc **1** 32-34 donne également un sommaire complexe, avec des doublets qui sont absents des parallèles de Mt/Lc. Cette complexité du texte de Mc provient de ce que l'ultime Rédacteur marcien a complété un sommaire du Mc-intermédiaire avec le sommaire parallèle qu'il lisait dans le Mt-intermédiaire (note § 35, II).

4. Le récit marcien de la guérison du lépreux (Mc **1** 40-44) contient plusieurs détails matthéens et non marciens, qui se lisent d'ailleurs dans le récit parallèle de Mt (note § 39, I A 1). Si l'on enlève du texte de Mc ces détails matthéens, on obtient un récit parfaitement cohérent et qui correspond au récit que nous donne, moyennant quelques traits secondaires, un texte du papyrus Égerton 2 (note § 39, I A 2). Ici encore, le récit du Mc-intermédiaire fut complété par celui du Mt-intermédiaire.

5. Mc **1** 14b-15 a son parallèle en Mt **4** 17. Or, les éléments communs à Mt et à Mc sont de saveur matthéenne beaucoup plus que marcienne; pourquoi vouloir à toute force que ce soit ici Mt qui dépende de Mc? (note § 28, 1 a).

6. Voici tous les autres cas où nous avons cru pouvoir reconnaître une influence de Mt-intermédiaire sur l'ultime rédaction marcienne; nous reconnaissons d'ailleurs que les preuves données ne sont pas, dans tous les cas, aussi convaincantes. Note § 19, II 1 f; note § 22, II 4; note § 40, IV 3; note § 43, I 1 c; note § 44, I 3 c; note § 45, I 3 b; note § 126, I 1; note § 127, I 3 b *aa*; note § 129, I B 3; note § 130, II; note § 144, II 4; note § 165, I 1; note § 168, I 4; note § 171, I B 1 b; note § 175, II; note § 246, IV 2 c; note §§ 276, 278, I A 1; note § 284, I 1 a et c; note § 285, I A 1 c; note §§ 291-301, I B 3 b; note § 315, I 2 b; note § 338, II 1 a; note § 339, I A 3; note §§ 347, 349, fin de I B; note §§ 352, 355, III 3.

7. Les remarques faites ci-dessus (a et b) se complètent souvent, en ce sens que bien des notes pauliniennes signalées en a se trouvent justement dans des passages que l'ultime Rédacteur marcien a repris au Mt-intermédiaire. C'est dans la « Discussion sur les traditions pharisaïques » (*supra*, b 1) que se lit chez Mc l'expression paulinienne « se comporter selon » (*supra*, a 6). – En Mc **1** 14b-15 se mêlent expressions matthéennes (b 5) et pauliniennes (a 1). – Le logion de Mc sur la raison d'être des paraboles (Mc **4** 11, § 127) provient du Mt-intermédiaire (*supra*, b 6) et abonde en mots et en thèmes pauliniens (a 2). – Le logion de Mc **9** 41 est, à quelques variantes près, semblable à celui de Mt **10** 40 (§ 175); dans Mc comme dans Mt, on a le mot « récompense », attesté ici seulement chez Mc mais dix fois chez Mt, ce qui indiquerait une influence de Mt sur l'ultime rédaction marcienne (*supra*, b 6); or le Rédacteur marcien a remplacé le mot « disciple » par l'expression paulinienne « être du Christ » (a 8). – Ainsi, en insérant dans le Mc-intermédiaire des passages repris du Mt-intermédiaire, l'ultime Rédacteur marcien leur a donné, à plusieurs reprises, une coloration paulinienne.

c) *Influences de Lc sur l'ultime rédaction marcienne.*

Le problème se pose ici en des termes plus complexes que pour les influences matthéennes. Non seulement nous allons recenser quelques textes de Lc qui ont influencé l'ultime rédaction marcienne, mais nous verrons que l'ultime Rédacteur marcien utilise un vocabulaire, des formes grammaticales, des expressions, qui offrent des affinités évidentes avec ceux de Lc et de Ac. Nous ne pourrons tirer les conclusions de ces faits qu'après avoir envisagé le problème sous tous ses aspects.

1. *Textes de Lc ayant influencé la rédaction marcienne.*

– Note § 19, II 1 c. L'activité de Jean-Baptiste est formulée en termes identiques par Mc **1** 4 et Lc **3** 3 : « prêchant un baptême de repentir pour la rémission des péchés ». Cette façon de parler n'est pas marcienne, mais lucanienne : le mot « repentir » ne se lit nulle part ailleurs dans Mc, mais onze fois dans Lc/Ac; l'expression « baptême de repentir » ne se lit ailleurs dans le NT qu'en Ac **13** 24 et **19** 4; si la formule « pour la rémission des péchés » appartient à la théologie primitive (Mt **26** 28; Col **1** 14; Ep **1** 7), cette rémission des péchés n'est liée au « repentir » qu'en Lc **24** 47; Ac **2** 38; **3** 19; **5** 31; **8** 22; **26** 18.20.

– Note § 27, I A 1. Dans le récit de la tentation de Jésus, le v. 13a de Mc : « (Et il était) dans le désert quarante jours tenté par (Satan) », est probablement dû à une influence du parallèle de Lc **4** 1b-2a; cette conclusion, il est vrai, découle d'une analyse interne du texte de Mc et non du vocabulaire, assez neutre, de la phrase en question.

– Note § 142, II D 2 a. L'ultime Rédacteur marcien a certainement remanié de façon assez considérable le récit du possédé de Gérasa (Mc **5** 1-20); or son texte offre, entre autres, les particularités suivantes : Mc **5** 15 et Lc **8** 35 disent que, après sa guérison, l'ex-possédé se trouvait « vêtu » (aucune variante textuelle n'est signalée en Mc); mais Lc est le seul à avoir dit que cet homme « ne portait pas de vêtement » (**8** 27). – Mc et Lc ont en commun des mots qui ne se lisent jamais ailleurs dans Mc, mais sont relativement fréquents chez Lc et typique de son style (dans les statistiques qui suivront, les chiffres renvoient, dans l'ordre, à : Mt, Mc, Lc, Jn, Ac, reste du NT) : au v. 7, « Très-Haut » (*hypsistos*: 0/1/5/0/2/1); au v. 14, « ce qui s'était passé » (*to gegonos*: 0/1/5/0/2/0); au v. 16, l'adverbe « comment » après les verbes « annoncer » ou « raconter » : cf. Lc **8** 36; Ac **9** 27; **11** 13; **12** 17; la phraséologie des vv. 16 et 19 de Mc ressemble étrangement à celle de Ac **12** 17. – Le récit de Mc contient encore des mots qui, absents du récit parallèle de Lc, sont nettement plus lucaniens que marciens (sans être toujours typiques du style de Lc); pour plus de détails, voir la note § 142.

– Note § 143, I B 2 c. L'expression « va en paix » a son parallèle en Lc **8** 48; le mot « paix » ne se lit qu'ici dans Mc tandis qu'il est fréquent dans Lc (4/1/14/6/7); l'expression « aller » ou « partir en paix » ne se lit ailleurs dans le NT qu'en Lc **7** 50; Ac **16** 36 et Jc **2** 16.

– Note § 285, I A 2. Dans la discussion sur le plus grand commandement, Mc **12** 32-34 ne va évidemment pas avec le contexte qui précède; c'est un ajout de l'ultime Rédacteur marcien qui reprend et adapte le parallèle de Lc **10** 25-28. Dans son ensemble, le vocabulaire est peu marcien; on notera certaines expressions lucaniennes ou pauliniennes : au v. 32, « que lui » (*plèn*: 5/1/15/0/4/6; suivi du génitif comme ici : seulement trois fois dans Ac); au v. 33, dans la citation, « âme » est remplacée par « intelligence » (*synesis*: Lc **2** 47 et cinq fois dans Paul); au v. 34, « loin » (1/1/2/1/3/2); au v. 28 (remanié par le Rédacteur marcien en même temps qu'il ajoutait les vv. 32b-34), « les ayant entendus discuter » (*akouein* + pronom au génitif + participe au génitif : Mc **14** 58 par influence lucanienne, jamais dans Mt/Jn, mais onze fois dans Lc/Ac; cf. note § 285, I A 2 d).

– Note § 314, I 1. Dans l'épisode de la « Trahison de Judas », Mc **14** 11 dit, comme Lc **22** 5, que les grands prêtres « se réjouirent »; hormis les cas où il équivaut à une salutation, ce verbe ne se lit nulle part ailleurs dans Mc, mais onze fois dans Lc et cinq fois dans Ac. L'emprunt de Mc à Lc est confirmé par l'expression : « ceux-ci en l'écoutant » (*hoi de akousantes*), jamais attestée ailleurs dans Mc, mais qui se lit en Lc **18** 23; Ac **4** 24; **5** 33; **21** 20.

– Note § 339, I A 4. En Mc **14** 54b, le thème de Pierre qui se chauffe « à la flambée » (littéralement, « à la lumière »)

se comprend beaucoup mieux dans le parallèle de Lc **22** 56 : on sait que des gens ont allumé du feu dans la cour (ce qui n'est pas dit dans Mc), et la servante peut reconnaître Pierre parce qu'il est assis « à la lumière » du feu. On notera que le mot « lumière » (*phôs*) ne se lit en aucun autre texte de Mc, mais est fréquent dans Lc (sept fois) et Ac (dix fois). Ajoutons que le verbe « était assis » de Mc (littéralement, « était assis ensemble », *synkathèmai*) a son équivalent en Lc **22** 55 et ne se lit ailleurs dans le NT qu'en Ac **26** 30; on connaît par ailleurs le goût de Lc pour les verbes composés, et ici le préfixe est pléonastique !

– Note § 359, II B 1 a. Mc **26** 1 dit que, avant de se rendre au tombeau le matin de Pâques, les femmes achetèrent des aromates pour aller oindre le corps de Jésus. Ce détail ne devait pas se lire dans le Mc-intermédiaire, étant donné la remarque de Mc **14** 8 (§ 303); il est d'ailleurs omis par Mt; l'ultime Rédacteur marcien l'a ajouté sous l'influence de Lc **23** 56 et **24** 1. On notera que, chez Mc, le mot « sabbat » est au singulier, ce qui est rare chez lui (une fois ailleurs, contre cinq fois le pluriel) mais régulier chez Lc (quatorze fois, contre cinq fois seulement le pluriel); le verbe « être passé » (*diaginomai*) ne se lit ailleurs dans le NT qu'en Ac **25** 13 et **27** 9, au sens temporel comme ici; le verbe « oindre », absent du récit de l'onction à Béthanie (Mt/Mc), se lit au contraire deux fois dans le récit lucanien de la pécheresse pardonnée (Lc **7** 38.46).

Signalons encore quelques influences possibles de Lc sur l'ultime rédaction marcienne, moins immédiates ou moins significatives : note §§ 291-301, I B 3 b; note § 338, III b; note § 342, I B 2; note §§ 347, 349, I B 2 a; note § 357, I C.

2. *Notes lucaniennes dans les sections reprises du Mt-intermédiaire.*

On a vu plus haut que l'ultime Rédacteur marcien avait inséré dans le Mc-intermédiaire des sections reprises au Mt-intermédiaire; il est intéressant de constater que plusieurs de ces sections offrent des mots ou des expressions lucaniennes.

– Note § 22, II 4. Le logion sur les deux baptêmes, de Mc **1** 8, est repris du Mt-intermédiaire. Or il a une structure identique à celle du même logion en Ac **1** 5; **11** 16; l'expression « Esprit Saint » n'a pas l'article, seul cas dans Mc, mais particularité grammaticale très fréquente dans Lc/Ac; expression « mais lui » (*autos de*), attestée encore en Mc **5** 40 mais fréquente surtout chez Lc (neuf fois).

– Note § 47, II 1 b *bc*. On a vu plus haut (b 2) que le sommaire de Mc **3** 7 ss., de forme complexe, avait combiné un sommaire du Mc-intermédiaire avec celui de Mt **12** 15. Or Mc **3** 7-8 a deux fois le mot « multitude » (*plèthos*), jamais attesté ailleurs dans Mc mais typique du style de Lc (0/2/8/2/17/3); plus spécialement, avec l'adjectif « nombreux » (*polus*), il ne se lit ailleurs dans le NT qu'en Lc **5** 6;

6 17; **23** 27; Ac **14** 1; **17** 4. On ajoutera deux mots lucaniens aux vv. 9 et 10 de Mc : « tenir à la disposition de » (*proskarterein*: 0/1/0/0/6/3) et « se précipiter sur » (*epipiptein*: 0/1/2/0/7/2).

– Note § 126, I 2 et 3. Dans Mc, la parabole du semeur fut révisée en fonction de sa version matthéenne; or Mc **4** 4 contient la construction grammaticale : « et il arriva (que) comme il semait » (*kai egeneto en tôi* + infinitif), qu'on ne rencontre nulle part ailleurs dans Mc mais qui est typique du style de Lc (par imitation de la Septante).

– Note § 144, II 4. Dans l'épisode de la visite de Jésus à Nazareth (Mc **6** 1-6), le Mc-intermédiaire, en dépendance du Document A, ne contenait que les vv. 1-2 jusqu'aux mots « qui lui a été donnée »; la fin du v. 2 et les vv. 3-6 ont été ajoutés par l'ultime Rédacteur marcien sous l'influence du Mt-intermédiaire. Or, à la fin du v. 2, l'expression « par ses mains » est typiquement lucanienne: « par la main de », au singulier ou au pluriel, ne se lit ailleurs dans le NT que dans les Actes, huit fois; spécialement à propos des miracles (Ac **19** 11) ou des prodiges (Ac **5** 12; **14** 3), et avec le verbe « arriver », comme ici (Ac **5** 12; **14** 3; **19** 26). Au v. 3a, le Rédacteur marcien remplace « le fils du charpentier » (Mt) par « le charpentier, le fils de Marie », en harmonie avec Lc **1** 34-35 qui affirme ainsi la conception virginale de Jésus. Au v. 4, le mot « parenté », absent du parallèle de Mt, jamais attesté ailleurs dans Mt/Mc, est fréquent dans Lc/Ac sous cette forme ou des formes voisines : *syggeneus* (ici et Lc **2** 44); *syggenès* (quatre fois dans Lc/Ac); *syggenis* (Lc **1** 36); *syggeneia* (trois fois dans Lc/Ac).

– Note § 171, I B 1 b. Dans le récit de la guérison de l'enfant épileptique (Mc **9** 14-29), en ajoutant le v. 22a repris du Mt-intermédiaire (cf. Mt **17** 15c), le Rédacteur marcien doit se ménager une transition avec le récit du Mc-intermédiaire et il ajoute le v. 21, où se trouvent deux mots lucaniens : « temps » (*chronos*: 3/2/7/4/17) et « que » (*hôs*: 0/2/26/20/34); sans être exclusivement lucaniens, ces mots sont spécialement fréquents chez Lc.

3. *Autres notes lucaniennes chez Mc.* Nous ne nous étendrons que sur celles qui se trouvent groupées en quelques versets.

– Note § 127, I 3 a. Mc **4** 10 est certainement un verset de l'ultime Rédacteur marcien voulant reproduire en **4** 2 ss. un jeu de scène qu'il lisait dans le Mc-intermédiaire en **7** 14 ss. En voici les notes lucaniennes : « quand il fut » (*hote egeneto*: 0/1/3/0/2/0); « à l'écart » (*kata monas;* ailleurs seulement en Lc **9** 18); « ceux qui (étaient) autour de lui » (*hoi peri* + accusatif), jamais ailleurs dans Mc qui préfère dire *hoi meta* + génitif mais encore en Lc **22** 49; Ac **13** 13; **28** 7; « avec » exprimé par *syn*, relativement rare dans Mc et souvent rédactionnel (4/6/23/3/52), au lieu de l'habituel *meta* (quarante-trois fois dans Mc); « interroger » (*erôtan*: 4/3/15/27/7/6, au lieu de

l'habituel *eperôtan*: 8/25/17/1/2). La plupart des expressions du v. 10 sont donc inhabituelles chez Mc, tandis qu'elles correspondent très bien au style de Lc (sans qu'elles appartiennent toutes exclusivement à son style). Cette impression est renforcée quand on compare ce vocabulaire avec celui du parallèle de Mc **7** 17 (voir la note).

– Note § 135. Il s'agit de la conclusion du discours en paraboles, que l'ultime Rédacteur marcien complète en fonction du Mt-intermédiaire. Ce remaniement est solidaire de l'ajout du v. 10, étudié à l'instant. On y notera l'adjectif possessif *idios*, jamais attesté ailleurs dans Mc, qui utilise ce mot uniquement dans la formule adverbiale *kat'idian;* placé devant le substantif qu'il qualifie, on le trouve dans la proportion suivante : 3/1/3/3/9. Quant au verbe « expliquer », on ne le lit ailleurs dans le NT qu'en Ac **19** 39.

– Note § 143, I B 2 c. Dans Mc **5**, la seconde partie du récit de la guérison de l'hémorroïsse contient deux gloses explicatives absentes du parallèle de Lc et qui sont de l'ultime Rédacteur marcien. Dans la première (v. 29b), on lit le verbe « guérir », jamais employé ailleurs dans Mc mais fréquent chez Lc (*iaomai*: 4/1/11/3/4); dans la seconde (v. 33b), la formule : « ce qui lui était arrivé », est plus lucanienne que marcienne (« arriver » + datif : 5/2/1/0/7; l'autre cas dans Mc est en **5** 16, verset rédactionnel). Rappelons que, dans la finale de cet épisode (v. 34), l'expression « va en paix » est passée de Lc dans Mc (cf. *supra*).

– Note § 147, II 4. Dans le récit de la mort du Baptiste, Mc **6** 20-21 contient un grand nombre d'expressions non marciennes, mais de saveur lucanienne. Au v. 20, l'expression « homme juste et saint »; le mot « homme » (*anèr*) est typique du style de Lc (8/4/27/7/100); suivi d'un double qualificatif, on ne le lit ailleurs que sept fois dans Lc et trente-neuf fois dans Ac (cf. spécialement Lc **23** 50; Ac **10** 22; **11** 24); pour le double qualificatif, cf. Ac **3** 14. Au v. 21, l'expression « faire un dîner » ne se lit ailleurs qu'en Lc **14** 12.16; « officier » (*chiliarchos*: 0/1/0/1/17/2); « notable » (*prôtos*, en ce sens : Lc **19** 47; Ac **13** 50; **25** 2; **28** 7); « tout de suite » (*exautès*: 0/1/0/0/4/1).

– Note § 151, I A 4 c. Mc **6** 30 établit un lien artificiel entre le récit de la mort du Baptiste et celui de la multiplication des pains; c'est un verset rédactionnel. On y trouve les notes lucaniennes suivantes : « apôtre » (1/1/6/1/28); « enseigner », jamais dit des disciples ailleurs dans Mc (qui préfère employer « prêcher »), mais quinze fois en ce sens dans Ac (le couple « faire/enseigner » a son équivalent en Ac **1** 1); on notera de plus que le verbe « annoncer », sans être typique de Lc, est beaucoup plus lucanien que marcien (8/3/11/1/16; les deux autres cas dans Mc sont rédactionnels : **5** 14.19).

– Note § 156, I 1. En Mc **7** 26, la phrase : « or la femme était grecque, syro-phénicienne de naissance », est manifestement une glose qui rompt le fil du récit. Son vocabulaire est lucanien : « grecque » (*hellènis*, ailleurs seulement en Ac **17** 12; mais *hellènistès* : 0/0/0/0/3/0; *hellèn* : 0/0/0/3/10/13); « syrophénicienne », *hapax* du NT, mais composé de deux adjectifs que Lc est le seul à employer dans le NT : « syrien » et « phénicien » (Lc **4** 27; ·Ac **11** 19; **15** 3; **21** 2); « de naissance » (*genos* : 1/2/0/0/9/8; au datif précédé d'un adjectif d'origine, comme ici, ne se lit ailleurs qu'en Ac **4** 36; **18** 2.24).

– Note § 174, I A 2. Chez Mc, l'épisode concernant la « Dispute sur la préséance » (**9** 33-37) a été fortement remanié par l'ultime Rédacteur. Or, dans l'introduction de cette péricope, on notera deux expressions beaucoup plus lucaniennes que marciennes : au v. 33, le verbe « arriver » (*ginomai*) n'est nulle part ailleurs dans Mc construit avec la préposition *en*, construction en revanche fréquente dans Lc/Ac (cf. spécialement Lc **23** 19; Ac **7** 38; **8** 8; **13** 5; **14** 1); au v. 34, le verbe « discuter » (*dialegomai* : 0/1/0/0/10/3).

– Note §§ 276, 278, I B 2 b. Dans l'épisode du figuier maudit, Mc **11** 12 est certainement rédactionnel; or, on trouve dans ce verset deux mots jamais utilisés ailleurs chez Mc mais fréquents chez Lc : « le lendemain » (1/1/0/5/10) et « sortir de » (*exerchesthai apo* : 5/1/13/2/3).

– Note § 336, II 3. Dans l'annonce du reniement de Pierre, Mc **14** 29.31 contient trois expressions insolites chez Mc mais habituelles chez Lc : « même si » (*ei kai*, ailleurs dans les évangiles seulement en Lc **11** 8.18 et **18** 4); verbe « lalein » (dire, parler) suivi du discours direct (trois fois dans Mt, quatre fois dans Lc/Ac); et surtout le *de kai* marquant l'emphase (3/2/25/8/7; voir spécialement Lc **20** 31 et Lc **5** 10; **10** 32).

– Note § 350, I 2 a. L'épisode des « Outrages à Jésus roi » a été déplacé par l'ultime Rédacteur marcien; il contient cinq mots, qui, ne se lisant jamais ailleurs dans Mc, sont, sauf un, mieux attestés chez Lc : « appeler » (*sygkalein* : 0/1/4/0/3/0); « revêtir », ailleurs dans le NT seulement en Lc **16** 19; « saluer » (2/1/2/0/5); « fléchir le genou » (0/1/1/0/4/0); « conduire dehors » (*exagein* : 0/1/1/1/8/1).

Que conclure de ces analyses? La distinction que nous avons proposée au début, entre un Mc-intermédiaire, qui a largement influencé les rédactions matthéenne et lucanienne, et une ultime rédaction marcienne, nous semble certaine. Elle a pour elle plusieurs preuves convergentes. Le Mc actuel contient un certain nombre de paulinismes absents de Mt/Lc; au lieu de supposer que Mt et Lc, chacun de leur côté, les auraient systématiquement éliminés, il vaut mieux penser qu'ils ont été ajoutés dans Mc après l'utilisation de Mc par Mt et Lc. – On a noté des influences matthéennes et lucaniennes sur Mc; si l'on maintient, comme il se doit, que Mc a largement influencé Mt et Lc, il faut nécessairement distinguer

deux niveaux littéraires différents chez Mc : le Mc-intermédiaire, qui a influencé Mt et Lc, et l'ultime rédaction marcienne, qui fut influencée par Mt et par Lc. – Les mots et les expressions non marciens abondent : dans les passages repris de Mt ou de Lc (mots et expressions absents aussi, évidemment, de ces passages matthéens ou lucaniens) comme dans les passages de Mc qu'une analyse interne ou une comparaison avec les parallèles de Mt et de Lc font apparaître comme secondaires; ce n'est donc pas la même main qui a rédigé la substance de l'évangile de Mc et qui est responsable de ces mots et expressions non marciens. Il y eut donc une ultime rédaction marcienne, distincte du Mc-intermédiaire.

Est-il possible d'identifier cet ultime Rédacteur marcien? En faisant le relevé du vocabulaire non marcien contenu dans les passages secondaires de l'évangile de Mc, on a noté combien ce vocabulaire, comme aussi certaines expressions grammaticales, rejoignaient le vocabulaire et le style de Lc (évangile et Actes). Bien entendu, tous les exemples que nous avons donnés ne sont pas aussi probants; à côté de mots ou d'expressions que Lc est le seul à employer dans tout le NT, il y en a d'autres, moins significatifs, dont Lc n'a pas l'exclusivité mais qu'il utilise dans une proportion assez grande. Pour juger de la valeur de ces « lucanismes », il faut tenir compte aussi du fait qu'ils sont souvent groupés, ce qui leur donne plus de poids. Il est difficile de le nier, *l'ensemble* des exemples que nous avons apportés est impressionnant. Lc serait-il celui qui mit la dernière main à l'évangile de Mc? C'est possible; mais on pourrait penser aussi à un disciple de Lc, fortement imprégné de son vocabulaire et de son style. De toute façon, c'est pour souligner cette parenté entre l'ultime Rédacteur marcien et la façon d'écrire de Lc que nous avons parlé d'un Rédacteur marco-lucanien.

2. Procédés littéraires du Rédacteur marcien

Donnons un bref aperçu de quelques-unes des tendances littéraires de l'ultime Rédacteur marcien.

a) Quand il insère dans le Mc-intermédiaire des passages nouveaux ou repris d'ailleurs, il lui arrive d'utiliser le procédé classique qui consiste à *répéter un ou plusieurs mots de sa source principale*, afin de renouer le fil du récit (cf. notes : § 27, I A 1 b; §§ 291-301, I B 3 b; § 340, II 1 b). D'autres fois, il ajoute quelques mots de liaison (notes : § 126, I 1 b; § 284, I 2 b; § 313, I 1 c). Comme le Mc-intermédiaire, il connaît la formule rédactionnelle d'introduction d'un logion nouveau : « et il leur disait » (notes : § 127, I 3 b *aa*; § 154, II 2 c).

b) L'ultime Rédacteur marcien a tendance à *harmoniser l'un sur l'autre des récits différents* que lui donne le Mc-intermédiaire, afin de les rapprocher parce qu'il voit en eux une certaine parenté (notes : § 141, I 2 et II 2 c; § 143, I A 2 c; § 159, II 2). Il lui arrive aussi de créer des « sommaires » ou des jeux de scènes qui s'inspirent littérairement de récits du Mc-intermédiaire (notes : § 127, I 3 a; § 47, II 2 b).

c) Outre les passages repris de Mt ou de Lc et insérés dans le Mc-intermédiaire, le Rédacteur marcien a procédé à divers *ajouts de son cru.*

1. Il a tendance à multiplier les *citations de l'AT,* faites d'ordinaire d'après la Septante (notes : § 19, I 2 b; § 127, I 3 b *bb;* § 131, II 1 a; § 161, I 1; § 176, II 2; § 285, I A 1 c). Un certain nombre de ces citations ont été ajoutées sous l'influence du Mt-intermédiaire.

2. Il ajoute des *gloses explicatives* quand le texte de sa source ne lui paraît pas assez clair (notes : § 42, I 2 b; § 43, I 1 c et II 2; § 49, II 1; § 118, I 3; § 126, I 2; § 135; § 143, I B 2 c; § 146, II 4; § 154, II 1 a; § 155, II B 1 a, b, c; § 169, I A 2; §§ 276, 278, I B 2 b; § 359, II B 1 b).

3. Il ajoute souvent des *détails pittoresques,* pour donner plus de vivacité à ses récits (notes : § 22, I A 2 a; § 35, I 3 b; § 169, I A 2; § 249, II 2; § 268, II 3; § 273, I B 2).

4. Il montre un intérêt spécial pour les *noms propres.* A deux reprises, il mentionne la présence des quatre disciples : Pierre, Jacques, Jean et André (notes § 34, 2 a et §§ 291-301, I A 3). Il précise que le publicain appelé par Jésus s'appelait Lévi (note § 41, II 2), et que l'aveugle de Jéricho avait nom Bartimée (note § 268, II 3). On notera spécialement la précision que celui qui porta la croix derrière Jésus était « le père d'Alexandre et de Rufus » (note § 351, I 4 a), indice possible que l'ultime Rédacteur marcien destine la nouvelle « édition » de l'évangile de Mc aux communautés chrétiennes de Rome.

5. Certaines additions du Rédacteur marcien ont une *portée théologique ou apologétique* (notes : § 145, II 1; § 273, II 3; § 338, V en liaison avec § 359, II B 1 d; § 357, I C et II 5).

d) Notons enfin certains détails qui prouvent que l'ultime Rédacteur marcien destine l'évangile de Mc *à des lecteurs issus du paganisme.* Dans l'épisode des épis arrachés, il change le prétendu délit des disciples : ils arrachent des épis, non plus pour calmer leur faim, mais pour se frayer un chemin (note § 44, I 3 a). Dans le même épisode, le logion sur le Fils de l'homme « maître du sabbat » prend un sens beaucoup plus libéral à l'égard de la loi du repos sabbatique (note § 44, II 4); – Mc 7 2 contient une glose expliquant au lecteur le sens juif du mot « impur » (note § 154, II 1 a). – En Mc 10 12, le logion sur la répudiation contient un ajout qui tient compte de la législation gréco-romaine (note § 246, IV 2 c). – En 14 70, la proposition : « ton langage te trahit », devient : « car tu es Galiléen », remarque plus claire pour un lecteur

ignorant des parlers palestiniens (note § 340, II 4 b). – En 15 42, une glose explique le sens du mot « Préparation » (note § 357, I C; cf. Mc 3 17; 5 41; 7 11; 7 34; 12 42).

C) LE MATTHIEU-INTERMÉDIAIRE

Selon la théorie des Deux Sources, Mt ne dépendrait que de Mc (nous l'avons vu, il faudrait alors préciser : du Mc-intermédiaire) dans toutes les sections qu'ils ont en commun. C'est une vue simpliste et le problème est plus complexe. Il faut distinguer dans Mt deux niveaux différents : le Mt-intermédiaire était complètement indépendant de la tradition marcienne; mais, au niveau d'une ultime rédaction matthéenne, son texte fut en grande partie remplacé ou complété par celui du Mc-intermédiaire.

1. EXISTENCE D'UN MT-INTERMÉDIAIRE

L'existence d'un Mt-intermédiaire, indépendant de la tradition marcienne, peut être prouvée par plusieurs arguments convergents.

a) *Mt connaît le Document A.*

Nous avons vu plus haut (II A 1) que le Mc-intermédiaire avait assez souvent fusionné des récits plus ou moins parallèles en provenance des Documents B, A et C. Or, dans plusieurs de ces cas, le récit matthéen montre une connaissance directe du Document A.

– Note § 142. Racontant la guérison du possédé de Gérasa, le Mc-intermédiaire a fusionné un récit centré sur l'épisode où des démons, chassés d'un possédé, entrent dans un troupeau de porcs et les précipitent dans la mer (Document A), avec un récit d'exorcisme en provenance du Document C. On ne trouve aucune trace de ce récit d'exorcisme dans le texte de Mt, qui dépend donc directement du Document A.

– Note § 171. Dans le récit de la guérison de l'enfant épileptique, le Mc-intermédiaire a fusionné un récit où il n'était question que d'un enfant épileptique avec le récit d'exorcisme dont on vient de parler à propos de la note § 142, faisant ainsi de l'enfant un « possédé ». Or, le début du récit matthéen (17 14-15) ne parle que d'un enfant épileptique, sans qu'il soit fait allusion à une possession diabolique; le thème de la « possession » n'intervient qu'à partir du v. 18, ce qui donne un récit très peu cohérent (note § 171, I A 1). Mt 17 14-15 est un écho direct du récit simple du Document A; la suite a subi l'influence du récit complexe du Mc-intermédiaire.

– Note § 143. Pour la résurrection de la fille de Jaïre,

le texte de Mc se compose de détails attestés aussi, tantôt par Mt, tantôt par Lc; il combine donc deux récits (note § 143, I A 2) dont l'un, celui du Document A, se retrouve plus ou moins bien conservé dans le texte de Mt. Les mêmes remarques valent pour le récit de la guérison de l'hémorroïsse (I B 2).

– Note § 146. Dans le récit du jugement d'Hérode sur Jésus, le Mc-intermédiaire a fusionné deux récits dont l'un, celui du Document A, est encore attesté par le texte de Mt.

– Note § 315. Pour la préparation de la Pâque, le Mc-intermédiaire fusionne deux récits parallèles dont l'un, celui du Document A, se retrouve presque intégralement ·conservé dans le récit matthéen.

– Note § 340. Dans le récit du reniement de Pierre, le Mc-intermédiaire a fusionné les textes des Documents B, A et C. Il est probable que le récit du Document A trouve un écho direct dans Mt **26** 71b-72, le récit matthéen ayant été ensuite complété en fonction du texte complexe du Mc-intermédiaire (II 2 de la note).

– Note § 342. Dans le récit du procès de Jésus devant le Sanhédrin, l'analyse interne du texte de Mt fait apparaître l'existence d'un récit plus simple, en provenance du Document A, récit qui fut ensuite complété en fonction du Mc-intermédiaire, lequel a fusionné les textes des Documents A et B (I A 1 et 2 de la note).

– Note § 122. Dans le récit sur la vraie parenté de Jésus, le Mc-intermédiaire a fusionné les textes des Documents A et B. Si, avec les meilleurs témoins manuscrits et en s'appuyant sur des critères philologiques, on tient le v. 47 de Mt **12** pour une addition de scribe, on obtient un texte matthéen (vv. 48-49) qui pourrait être l'écho direct du récit du Document A, le v. 50 ayant été ajouté sous l'influence du Mc-intermédiaire (cf. I B 2 b de la note).

Tous ces exemples prouvent que Mt (le Mt-intermédiaire, cf. *infra*) connaît, au moins dans certains cas, directement le Document A, et non les textes complexes du Mc-intermédiaire.

b) *Influences matthéennes sur Mc.*

Pour prouver l'existence d'une ultime rédaction marcienne, nous avons relevé un certain nombre de passages communs à Mt/Mc (et éventuellement Lc) où ce n'est pas Mc qui a influencé Mt, mais Mt qui a influencé Mc. Il n'est pas question de reprendre l'examen de ces textes fait ci-dessus (II B 1 b). Nous voulons seulement rappeler ici que la théorie des Deux Sources ne peut pas rendre compte de ces faits. Par ailleurs, pour expliquer les influences réciproques entre Mc et Mt, il est nécessaire, sous peine de contradiction, de supposer l'existence de deux niveaux littéraires dans Mt comme dans Mc : le Mc-intermédiaire a influencé l'ultime rédac-

tion matthéenne, et le Mt-intermédiaire l'ultime rédaction marcienne.

c) *Les accords Mt/Lc contre Mc.*

C'est un problème très controversé et difficile à résoudre. Qu'il existe un grand nombre d'accords Mt/Lc contre Mc, nul ne songe à le nier; mais que signifient-ils? Selon la théorie des Deux Sources, puisque Mt et Lc dépendent de Mc et sont indépendants l'un de l'autre, les accords Mt/Lc contre Mc ne peuvent être que fortuits. Les partisans de cette théorie se sont donc efforcés, d'une part d'en diminuer le nombre en faisant appel à la critique textuelle, d'autre part de les expliquer comme des réactions spontanées de Mt et de Lc devant le texte de Mc. Mais il est difficile de les suivre jusqu'au bout dans cette voie ! Nous concédons volontiers qu'il existe des cas où les accords Mt/Lc contre Mc sont factices et doivent être attribués à la main de quelque scribe recopiant les manuscrits évangéliques et voulant harmoniser Mt et Lc. Mais, pour sauvegarder les principes de la théorie des Deux Sources, certains auteurs ont abusé de la critique textuelle et se sont enfermés dans un cercle vicieux ! Chaque fois qu'ils trouvent quelques témoins du texte évangélique, même de troisième ou quatrième ordre, qui donnent une variante rompant l'accord Mt/Lc contre Mc, ils déclarent sans plus d'examen que cette variante correspond au texte primitif de Mt ou de Lc; mais ils ne font ce choix qu'en vertu du principe admis sans discussion que, la théorie des Deux Sources étant vraie par définition, tout témoin du texte évangélique qui permet d'éliminer un accord Mt/Lc contre Mc *doit* avoir raison ! En fait, devant chaque cas, il faudrait étudier les tendances propres de chaque témoin, voir, par exemple, s'ils harmonisent d'habitude Lc sur Mt ou sur Mc, travail très minutieux et qui n'est pour ainsi dire jamais fait. Par ailleurs, s'il est vrai que certains accords Mt/Lc contre Mc peuvent être dus au hasard, à ce que Mt et Lc emploient, à l'occasion, les mêmes procédés littéraires ou qu'ils ont voulu corriger le texte difficile attesté par Mc, les partisans de la théorie des Deux Sources ont argué abusivement de ce qui, en chaque cas, ne peut être qu'une simple possibilité. Quand, en l'espace de quelques versets seulement, on trouve cinq ou six accords Mt/Lc contre Mc (positifs ou négatifs), est-il raisonnable d'affirmer qu'à cinq ou six reprises successives Mt et Lc, sans se connaître, ont réagi exactement de la même façon devant le texte de Mc? Ce qui peut être admis pour un cas isolé, deux à la rigueur, devient beaucoup plus problématique à mesure que les cas se multiplient, surtout s'ils se multiplient sur une portion de texte relativement restreinte.

Mais, même si l'on se refuse à suivre les partisans des Deux Sources dans les excès de leurs méthodes critiques, le problème des accords Mt/Lc contre Mc n'est pas résolu pour autant; ils peuvent en effet s'expliquer, théoriquement, de plusieurs façons. On a vu plus haut qu'il fallait admettre la distinction entre un Mc-intermédiaire et une ultime rédaction marcienne; devant un accord Mt/Lc contre Mc, on pourrait supposer que Mt et Lc avaient tous deux gardé le texte du Mc-intermédiaire, dont ils dépendraient, et que leur accord contre Mc viendrait de ce que l'ultime Rédacteur marcien aurait modifié le texte du Mc-intermédiaire. Mais d'autres hypothèses restent possibles : dépendance de Mt et de Lc à l'égard d'une source différente de Mc, influence directe de Mt sur Lc... Il nous faut donc maintenant examiner un certain nombre de cas pour tester ces différentes possibilités. Comme il n'est pas question de reprendre ici les analyses littéraires qui seront faites dans les notes, le lecteur désireux de nous suivre voudra bien aller consulter les paragraphes des notes que nous citerons dans les développements suivants.

– Note § 127 : logion de Jésus sur la raison d'être des paraboles. Tous les commentateurs sont d'accord pour admettre que Mt **13** 12 est un ajout matthéen d'un logion qui se lit ailleurs dans Mc et Lc; pour faire le lien entre ce logion adventice et le contexte primitif, le Rédacteur matthéen a ajouté aussi la fin du v. 11 et le début du v. 13 (voir I 1 a de la note). Si l'on enlève cet ajout matthéen, on s'aperçoit que les textes de Mt et de Lc sont très proches l'un de l'autre (I 2 b); en revanche, Mc est très différent, et les accords Mt/Lc contre Mc sont si nombreux qu'il est absolument impossible de les attribuer à l'activité de Mt et de Lc réagissant, indépendamment l'un de l'autre, sur le texte de Mc. D'ailleurs, les variantes de Mc par rapport à Mt/Lc sont presque toutes des paulinismes (de vocabulaire ou de thèmes), et la seule solution raisonnable est d'admettre que c'est Mc qui a retouché dans un sens paulinien le texte attesté par Mt/Lc (I 3 b *bb*). D'où vient ce logion? Pas du Mc-intermédiaire, car Mc **4** 11-12 est manifestement un ajout dans le récit de Mc (I 3 b *ba*); le logion est au contraire très bien en situation dans le récit de Mt **13**, où les vv. 10 et 11 sont parfaitement en harmonie. La solution la plus simple qui permet d'expliquer *tous* ces faits littéraires est alors celle-ci : le logion sur la raison d'être des paraboles se lisait dans le Mt-intermédiaire (l'ultime Rédacteur matthéen ayant ajouté le v. 12 et ses annexes, cf. *supra*); du Mt-intermédiaire, il est passé directement dans Lc moyennant quelques modifications mineures; il fut également ajouté au texte du Mc-intermédiaire mais fortement « paulinisé », ce qui explique les accords Mt/Lc contre Mc.

– Note § 129 : explication de la parabole du semeur. Dans Mt, Mc et Lc, la parabole du semeur reçoit deux interprétations qui interfèrent plus ou moins profondément : selon l'une, la semence représente la parole de Dieu et les terrains sur lesquels tombe la semence représentent diverses catégories d'hommes; selon l'autre, la semence symbolise les hommes eux-mêmes. A ces deux interprétations concur-

rentes répondent des formules littéraires différentes. Nous sommes là évidemment devant deux traditions parallèles. Le texte de Mt est le plus homogène, au point de vue thématique aussi bien que littéraire : la semence y représente toujours les hommes, sauf dans un détail du premier exemple de semailles (note § 129, I B 1 b et I B 2 a); l'interprétation qui identifie la semence aux hommes est donc de tradition matthéenne. Mc et Lc commencent par identifier la semence à la parole de Dieu et les hommes aux terrains, puis glissent insensiblement vers l'autre interprétation pour revenir (Lc) finalement à leur interprétation initiale; on peut en conclure que Mc et Lc se sont laissés contaminer par Mt. Mais, comme cette contamination ne s'est pas faite de la même manière dans Mc et dans Lc, il faut admettre que Mc et Lc ont subi l'influence de Mt indépendamment l'un de l'autre, et donc que Lc a subi directement (et non par l'intermédiaire de Mc) l'influence de Mt. Ajoutons que l'interprétation matthéenne de la parabole est secondaire par rapport à celle de Mc/Lc; on peut donc l'attribuer au Mt-intermédiaire et non à la source commune aux trois Synoptiques (ici, le Document A; cf. I B 3). C'est donc le Mt-intermédiaire qui a influencé Lc.

– Note § 145. Dans le récit de la mission des Douze, Lc **9** 1-2 n'offre qu'un contact négatif mineur avec Mc contre Mt; il a au contraire même structure que le récit de Mt et, en partie, même vocabulaire (I A 1); on ne voit pas comment on pourrait, ici, faire dépendre Mt et Lc de Mc ! Les divergences entre Mt et Lc viennent d'ailleurs de ce que l'ultime Rédacteur matthéen a inséré des sections en provenance d'un autre contexte, comme on le reconnaît d'ordinaire (I A 2). Ajoutons que Mc connaît un autre récit de vocation et de mission des Douze, en **3** 14-15, qui correspond à la tradition marcienne (Document B). Reconnaissons cependant que, au § 145, s'il est certain que Mt et Lc ne peuvent dépendre de Mc, il est plus difficile de dire si Mt et Lc dépendent d'une même source (le Document A) ou si Lc dépend seulement du Mt-intermédiaire.

– Note § 151. Dans son introduction au récit de la multiplication des pains, Lc **9** 10b-11 donne les éléments d'un « sommaire » typiquement matthéen, avec la séquence : Jésus se retire à l'écart, les foules le suivent, il leur rend la santé (= il les guérit). Ce sommaire se lit aussi dans Mt, mais compliqué d'ajouts faits par l'ultime Rédacteur matthéen sous l'influence du Mc-intermédiaire (note § 151, I A 1 a et b); on le retrouve aussi dans Mc, mêlé à un autre sommaire en provenance du Document B (I A 4 a et b), mais avec un vocabulaire entièrement différent ! Mis à part le détail de Jésus qui parle aux foules du royaume de Dieu (Lc **9** 11b), il est évident que Lc **9** 10b-11 dépend du Mt-intermédiaire et non de Mc. On notera que pour dire « se retirer », Lc a changé le très matthéen *anachôrein* (10/1/0/0/2) en *hypochôrein*. – Dans le récit lui-même de la multiplication des pains, les textes des trois

Synoptiques sont assez parallèles, à une exception près : Mc **6** 37b-38 offre un texte plus complexe que celui de Mt/Lc (qui gardent la même structure) et offre un jeu de scène qui correspond à un passage du *second* récit de la multiplication des pains (§ 159). La seule explication plausible de ce fait littéraire consiste à supposer que l'ultime Rédacteur marcien a inséré un détail du second récit dans la trame du premier récit, où Mt, Mc et Lc suivent en substance, directement ou indirectement, la même source (Document A); ici, l'accord Mt/Lc contre Mc est dû à l'activité de l'ultime Rédacteur marcien.

– Note § 142. On a déjà vu que, dans l'épisode du possédé de Gérasa, le Mc-intermédiaire avait combiné un récit en provenance du Document A, conservé intact par Mt, 'avec un récit d'exorcisme en provenance du Document C. Dans cette perspective, il faut admettre que les vv. 18b-20 de Mc **5**, absents de Mt et qui se concilient difficilement avec les vv. précédents (note § 142, II A 7), proviennent du récit d'exorcisme et ont été insérés dans la trame du récit en provenance du Document A. Mc **5** 17b.18a.21a nous donne alors la même séquence que Mt **8** 34b-**9** 1. Quel est le comportement de Lc dans ce passage? Son v. **8** 37b.c, malgré un vocabulaire en partie lucanien, correspond exactement à la séquence de Mt **8** 34b-**9** 1; par ailleurs, Lc s'accorde avec Mt sur la formule : « étant monté en barque », au lieu du « comme il montait dans la barque » de Mc. Même si, dans la suite de son récit, Lc montre qu'il connaît celui de Mc, il faut bien admettre qu'il dépend aussi (et en premier, cf. *infra*) du récit de Mt (I B 1).

– Note § 39. Dans le récit de la guérison du lépreux, Lc **5** 12-13 offre un grand nombre de contacts avec Mt contre Mc; si quelques-uns peuvent s'expliquer en faisant appel aux habitudes littéraires de Mt et de Lc, ils sont trop nombreux pour que l'ensemble puisse raisonnablement se justifier ainsi : comment Mt et Lc auraient-ils pu, en l'espace de deux versets, avoir exactement les mêmes réactions devant le texte de Mc et aboutir à un texte très voisin? (note § 39, I B 6). Comme le récit des Synoptiques, sous sa forme actuelle, offre un certain nombre de caractéristiques matthéennes (absentes du récit parallèle du papyrus Egerton 2, cf. I A 2), il faut admettre une influence du Mt-intermédiaire sur Lc.

– Note § 141. Dans le récit de la tempête apaisée, il existe sans doute des contacts Lc/Mc contre Mt, mais les contacts Lc/Mt contre Mc, positifs ou négatifs, sont nettement plus nombreux. Si certains peuvent s'expliquer par des remaniements dus à l'ultime Rédacteur marcien, d'autres nous obligent à admettre une influence du Mt-intermédiaire sur Lc; ils sont trop nombreux pour pouvoir s'expliquer comme des réactions spontanées de Mt et de Lc sur le texte de Mc.

– Note § 273. Les contacts Mt/Lc contre Mc sont nombreux aussi dans le récit de l'entrée de Jésus à Jérusalem, surtout si l'on tient compte des deux scènes parallèles de Mt **21** 15-16 et Lc **19** 39-40 (I A 1 b). Mais les notes secondaires du texte actuel de Mt prouvent que Lc ne peut pas dépendre de ce texte; par ailleurs, les thèmes de Lc **19** 39-40 et Mt **21** 15-16, ignorés de Mc, ne remontent pas au Document A, mais ont été ajoutés par le Mt-intermédiaire (I A 2 h); il faut en conclure que Lc dépend, au moins en partie, du Mt-intermédiaire.

On trouvera encore d'importants accords Mt/Lc contre Mc aux notes § 284 (I 1 b et c), § 338 (I 2 a et b), §§ 347, 349 (I A 3), § 357 (I A 1). Nous n'avons signalé ici (c) que les plus importants et les plus significatifs; il s'en trouve évidemment beaucoup d'autres qui, même s'ils ne sont pas très significatifs, peuvent indiquer une certaine indépendance de la tradition Mt/Lc par rapport à celle de Mc.

En analysant dans leur ensemble les contacts Mt/Lc contre Mc, nous avons rencontré deux difficultés qui nous ont obligés à laisser une certaine part d'hypothèse dans notre théorie. Il n'est pas toujours possible de préciser si un accord Mt/Lc contre Mc est dû au fait que Lc dépend du Mt-intermédiaire, ou au fait que le Mt-intermédiaire et Lc dépendraient tous deux du Document A; comme nous n'avons trouvé aucune preuve décisive d'une dépendance directe de Lc par rapport au Document A, nous avons toujours admis que Lc ne l'avait connu que par le biais du Mt-intermédiaire; mais ce point pourrait être remis en question. Par ailleurs, il existe des péricopes où le texte du Mt-intermédiaire fut presque entièrement remplacé par celui du Mc-intermédiaire au niveau de l'ultime rédaction matthéenne; dans certains cas, nous avons dû postuler l'existence de ce Mt-intermédiaire pour une péricope donnée, même si le texte actuel de Mt n'en a plus gardé de traces discernables. Signalons même un fait paradoxal : dans l'épisode de l'obole de la veuve (Mc **12** 41-44 et Lc **21** 1-4), il semble que Lc dépende du Mt-intermédiaire, alors que l'évangile actuel de Mt n'a gardé aucune trace de ce récit (voir note § 290).

d) *Les citations patristiques.*

Certaines citations de Mt faites par des auteurs anciens nous confirment qu'il faut distinguer Mt-intermédiaire et ultime rédaction matthéenne, en même temps qu'elles prouvent la disparition, dans cette ultime rédaction matthéenne, de certaines formules caractéristiques de Mt. Nous nous contentons ici de renvoyer aux notes : pour la parabole de l'ivraie et son interprétation, voir notes § 132, II 1, 2, 3 et § 136, 1 et 3; pour le logion de Jésus concernant la continence volontaire, voir note § 247, I 1 c; pour le début de l'épisode du jeune homme riche, voir note § 249, I A 2; rappelons aussi l'épisode de l'obole de la veuve, note § 290.

2. Sources du Mt-intermédiaire

La source principale du Mt-intermédiaire fut le Document A (cf. *supra*). En accord avec la théorie des Deux Sources, mais avec des nuances importantes qui seront précisées plus tard, nous admettons que Mt (le Mt-intermédiaire) a utilisé également le Document Q dans les sections qu'il a en commun avec Lc et qui sont ignorées de Mc. Sans qu'on puisse parler de source proprement dite, notons ici l'importance qu'eut sur la rédaction de certaines sections du Mt-intermédiaire (le chap. **5** en particulier) le traité des Deux Voies (sur la nature de ce traité, d'origine juive mais christianisé ensuite, et son influence sur Mt, voir la note générale sur les §§ 53-59).

3. Procédés littéraires du Mt-intermédiaire

Nous ne mentionnerons que quelques aspects plus importants de l'activité littéraire du Mt-intermédiaire.

a) *Modifications de ses sources.*

En reprenant certains récits ou logia de ses sources, le Mt-intermédiaire n'hésite pas à leur faire subir quelques transformations qui, sans en changer le sens fondamental, leur donnent une portée nouvelle; on pourrait dire qu'il les « habille » autrement.

1. C'est le cas, par exemple, des paroles de Jésus citées aux §§ 54 à 59, dont la plupart sont attestées par d'autres témoins que Mt; le Mt-intermédiaire les a reprises en les intégrant dans un cadre de sa composition qui les oppose à telle ou telle loi de l'AT; il veut montrer par là en quel sens il comprend la parole de Jésus citée en **5** 17 : « ... je ne suis pas venu abolir (la Loi), mais accomplir » (voir note §§ 54-59). Le même procédé littéraire se retrouve dans la controverse sur la pureté légale (Mt **15** 1 ss.); ici, Mt veut opposer l'enseignement des scribes, qui « annule » la Loi, à celui de Jésus tel qu'il fut exposé en Mt **5** 17 ss. (note § 154, II 2 a et b; cf. note § 155, II A). C'est encore dans la perspective de Mt **5** 17, telle que la comprend le Mt-intermédiaire, que ce dernier apporte certains compléments à l'épisode du jeune homme riche (note § 249, I B 2).

2. Pour construire les oppositions entre Loi ancienne et enseignement de Jésus, aux §§ 54-59, le Mt-intermédiaire fut fortement influencé par le traité des Deux Voies (cf. note §§ 53-59). En Mt **7** 12, il souligne le lien entre la « règle d'or » et ce traité en ajoutant la finale du logion : « car ceci est la Loi et les prophètes » (note § 71, III), et en faisant suivre ce logion d'une autre parole de Jésus à laquelle il ajoute le thème explicite des « deux voies » qui mènent, l'une à la vie, l'autre à la perdition (note § 72, 2). C'est encore sous l'influence du traité des Deux Voies que, dans la controverse sur le plus grand commandement, Mt ajoute la mention du commandement de l'amour de Dieu à celle de l'amour du prochain (note § 285, II 3 b).

3. Le Mt-intermédiaire a tendance à accentuer le caractère de « controverse » de certains récits. Le cas le plus clair est la discussion portant sur « le Christ, fils et seigneur de David », que Mt transforme en controverse en s'inspirant de Ps **2** 7 (note § 286, II 3). Dans la discussion au sujet du divorce, Mt oppose plus nettement que dans sa source l'enseignement de Jésus à celui des Pharisiens et des scribes (note § 246, IV 1 b et IV 2 b). Dans la controverse sur la résurrection des morts, Mt ajoute un passage où Jésus répondrait d'une façon plus topique à l'objection formulée par les Sadducéens (note § 284, I 2 b). On pourra rattacher à ce genre de remaniements la transformation que Mt fit subir au récit de la prédication de Jésus à Nazareth (§ 144); dans le Document A, Jésus était bien accueilli par ses compatriotes, mais, par l'addition de la seconde partie du récit, Mt transforma l'épisode en un rejet de Jésus par les siens (note § 144, II 2).

4. On notera enfin comment le Mt-intermédiaire fusionne plus ou moins profondément des logia repris au Document A et au Document Q : certaines consignes du discours de mission (notes §§ 98 à 104, 2), certains éléments de la controverse sur Béelzéboul (note § 117, II 1 b), deux versions de la parabole sur le grain de sénevé (note § 133, I 1 b).

b) *Amplifications matthéennes.*

Le Mt-intermédiaire n'hésite pas à créer des scènes nouvelles. Il faut probablement lui attribuer une partie de la prédication du Baptiste, calquée sur celle de Jésus (notes § 20, 1 et § 22, II 1 et 2), le logion sur la raison d'être des paraboles, qui ne semble pas correspondre à la notion primitive de « parabole », telle que la comprenaient Jésus et les rabbis de son temps (note § 127, I (fin) et II 1 a et b), le logion sur le Fils de l'homme qui a pouvoir de remettre les péchés (note § 40, II 2) et celui sur le Fils de l'homme qui est maître du sabbat (note § 44, I 2 b), la conclusion du discours en paraboles (note § 139, 1). Précisons encore que c'est le Mt-intermédiaire qui a considérablement amplifié le récit de Jésus au désert (Mt **4** 1 ss.) en y ajoutant le thème de la triple « tentation » (note § 27, I B).

c) *Mt et l'Ancien Testament.*

Le Mt-intermédiaire a introduit dans ses récits un certain nombre de citations de l'AT. L'épisode de la tentation de

Jésus au désert (Mt **4** 1 ss.) est tissé de citations empruntées pour la plupart au Deutéronome : Jésus est vainqueur là où le peuple de Dieu avait été vaincu (note § 27, I B 1). – Le logion sur le Fils de l'homme qui a pouvoir de remettre les péchés s'inspire de trois textes parallèles de Dn **4** (note § 40, II 2 b). – Pour montrer comment Jésus est venu « accomplir » la Loi, Mt introduit aux §§ 54-59 une citation tirée des sections législatives du Pentateuque (note §§ 54-59, 1). – Il ajoute de même les citations de Gn **1** 27 et **2** 24 dans la controverse sur le divorce (note § 246, IV 2 b). – Pour transformer en controverse la question sur le Christ, fils et seigneur de David, le Mt-intermédiaire ajoute une citation de Ps **2** 2 (notes § 285, II 1 et § 286, II 3). On notera que presque toutes les citations de l'AT sont faites d'après le texte de la Septante; seule, la citation de Dn **4** 7-9, en Mt **13** 32, semble suivre la traduction grecque connue de Théodotion. Le Mt-intermédiaire ne cite jamais selon le texte hébreu.

d) *Quelques thèmes matthéens.*

Il n'est pas question de relever ici les principales caractéristiques de la théologie du Mt-intermédiaire. On se contentera de souligner un des aspects majeurs de sa pensée : le souci de mettre en valeur *l'enseignement* de Jésus. Le Christ n'est pas venu abolir la Loi mosaïque, mais la parfaire; ce thème est développé le plus explicitement dans les cinq cas de « dépassement » dans l'accomplissement de la Loi qui suivent Mt **5** 17 (voir note § 53, I 2 b; note §§ 54-59; notes § 54, I; § 55, I; § 57, II 2; § 58, II 1; § 59, III 2); mais il apparaît encore dans la controverse sur le pur et l'impur (note § 154, II 2 a et b), la discussion sur le divorce (note § 246, IV 1 b), l'épisode du jeune homme riche (note § 249, I B 2), la parabole des mines (note § 270, II 2 b). – Par ailleurs, le Mt-intermédiaire souligne la supériorité de l'enseignement de Jésus sur la casuistique des scribes et des Pharisiens : dans la séquence des §§ 54 à 59 (note §§ 54-59, 1 b), la controverse sur le pur et l'impur (note § 154, II 2), la discussion sur le divorce, l'épisode du jeune homme riche et la parabole des vignerons homicides (mêmes références que *supra*). Le Mt-intermédiaire veut, semble-t-il, revaloriser la Loi mosaïque aux yeux de ceux qui la tenaient pour complètement abolie par l'enseignement de Jésus (tendance pagano-chrétienne qui avait durci les positions tenues par S. Paul). Il montre donc d'abord que l'enseignement de Jésus, loin d'abolir la Loi, ne fait qu'en renforcer la rigueur; il prend soin ensuite de bien séparer la Loi mosaïque de toute la casuistique rabbinique qu'il faut, en effet, abandonner, car elle n'aboutissait en fait qu'à « détruire » la Loi.

On notera encore comment le Mt-intermédiaire se fait l'écho d'idées qui étaient courantes dans certains milieux influencés par l'apocalyptique telle que l'avait systématisée, par exemple, le prophète Daniel. Le logion sur la raison

d'être des paraboles (qui est du Mt-intermédiaire) suppose une conception de l'enseignement en paraboles qui implique une vue « apocalyptique » de la révélation apportée par Jésus (note § 127, II 1 b). C'est peut-être sous cette même influence que, dans la parabole du grain de sénevé, le Mt-intermédiaire remplace la citation de Ez **17** 23 par une citation de Dn **4** 7-9 (note § 133, II 3).

4. ORIGINE ET DATE DU MT-INTERMÉDIAIRE

Les remarques précédentes permettent de donner quelques précisions sur les milieux d'où procède le Mt-intermédiaire. L'importance qu'il donne à la Loi mosaïque, dont il veut maintenir les exigences contre ceux qui la disaient caduque, est un indice que le Mt-intermédiaire fut composé dans des cercles judéo-chrétiens. Si, comme nous l'avons fait, on attribue à son auteur la finale du discours en paraboles (Mt **13** 51-52), on peut même préciser avec quelque vraisemblance que cet auteur était un scribe, un lettré juif converti au christianisme (note § 139, 2). Le fait toutefois qu'il cite l'AT en utilisant, non pas le texte hébreu, mais des traductions grecques (Septante, traduction connue sous le nom de Théodotion), indique que cet auteur ne vivait pas en Palestine, mais plutôt dans ce que l'on appelle la « Diaspora »; il appartenait à ces communautés judéo-chrétiennes qui se développèrent en se recrutant parmi les Juifs dispersés en monde païen, de culture grecque. Il est difficile de préciser davantage. On notera toutefois le grand cas qu'il fait du traité des Deux Voies (cf. *supra*); or, ce traité, certainement fort répandu en Palestine, connut aussi une grande diffusion en Égypte, spécialement à Alexandrie (cf. note § 71, II 2 a). Serait-il téméraire de proposer comme lieu de composition du Mt-intermédiaire Alexandrie, cette ville où la Diaspora juive, si active, avait su assimiler en partie la culture hellénistique? – A quelle date fut-il composé? Certainement avant la ruine de Jérusalem (70), sans qu'on puisse préciser davantage.

D) L'ULTIME RÉDACTION MATTHÉENNE

Le Mt-intermédiaire subit une révision profonde qu'il nous faut analyser maintenant.

1. ACTIVITÉ DE L'ULTIME RÉDACTEUR MATTHÉEN

Elle fut considérable, beaucoup plus importante que celle de l'ultime Rédacteur marcien.

a) Tout d'abord, *l'ultime Rédacteur matthéen a systématiquement aligné le texte du Mt-intermédiaire sur celui du Mc-intermédiaire.* En reconnaissant cette influence très grande de Mc sur Mt, nous rejoignons en partie les positions de la théorie des Deux Sources. On peut dire que l'ordre actuel des péricopes, surtout dans la seconde partie de l'évangile de Mt (à partir du chap. **13**), dépend en grande partie de l'ordre des péricopes que présentait le Mc-intermédiaire. Par ailleurs, le texte même d'un grand nombre de péricopes fut, dans une mesure plus ou moins grande, remplacé par celui du Mc-intermédiaire. Il est impossible ici de développer ce point en détail (les notes seront plus explicites). Disons seulement qu'on pourrait classer les diverses péricopes de Mt selon un éventail où l'on irait de celles qui ont presque intégralement gardé le texte du Mt-intermédiaire (cf. l'énumération donnée plus haut, II C 1 a, des péricopes où Mt a conservé, au moins en partie, le texte du Document A), jusqu'à celles où le texte du Mt-intermédiaire fut presque entièrement remplacé par celui du Mc-intermédiaire (cf. notes : § 24, I B; § 31, I 3 c; § 152, I 3 b; § 318, II 4). Dans le cas du Discours eschatologique, où les textes de Mc et de Mt sont souvent presque identiques, l'ultime Rédacteur matthéen a repris le texte du Mc-intermédiaire parce que ce discours avait disparu du Mt-intermédiaire (sauf son introduction; voir notes §§ 291-301). Entre les deux extrémités de cet éventail, se situent tous les récits où l'influence du Mc-intermédiaire fut plus ou moins profonde : parfois de simples ajouts dans la trame du récit du Mt-intermédiaire, plus souvent une refonte assez profonde en fonction du texte du Mc-intermédiaire. Bien entendu, cette influence marcienne ne s'est pas exercée sur les textes que le Mt-intermédiaire tenait du Document Q, puisque le Mc-intermédiaire ne contenait aucun de ces textes.

b) L'ultime Rédacteur matthéen a introduit dans la trame du Mt-intermédiaire *des sections nouvelles*, inconnues aussi de Mc.

1. *Certaines sections sont reprises d'une ou de plusieurs sources particulières :* les trois logia de Mt **6** 1-18 concernant l'aumône, la prière et le jeûne (note §§ 60, 61, 63, 2); le logion sur la primauté de Pierre (note § 165, I 4); le logion sur la nécessité de redevenir comme un enfant (note § 174, II 3 b); le logion sur la prière en commun (note § 180); deux malédictions contre les scribes et les Pharisiens (Mt **23** 16-22, cf. note § 288, II 1). En général, certains indices littéraires (voir les notes) permettent de penser que ces logia ne sont pas des créations matthéennes.

2. D'autres sections semblent bien des *créations matthéennes*, étant donné leur vocabulaire et leur style, typiques de ceux du Rédacteur matthéen. Il peut s'agir d'épisodes complets : Pierre marchant sur les eaux (note § 152, II 3), l'impôt du Temple acquitté par Jésus et Pierre (note § 173, 1), la parabole des deux fils (note § 280, 1), la parabole des dix vierges, qui rassemble d'ailleurs divers thèmes de la tradition évangélique (note § 305), la parabole du Jugement dernier, qui

réutilise aussi des matériaux de provenance diverse (note § 307), les deux épisodes de la garde mise au tombeau de Jésus (note § 358) et des soldats soudoyés (note § 363). – Il peut s'agir aussi de développements nouveaux apportés à des textes reçus du Mt-intermédiaire : le dialogue entre Jésus et le Baptiste au moment du baptême de Jésus (Mt **3** 14-15; note § 24, I B b), quatre béatitudes nouvelles (Mt **5** 7-10; note § 50, I B 1 et 2) et deux « demandes » nouvelles dans la prière du *Pater* (note § 193, I 1), la conclusion de ton apocalyptique qui termine l'explication de la parabole de l'ivraie (note § 136, 2) et la parabole du filet (note § 138, 1), l'introduction des malédictions contre les scribes et les Pharisiens (Mt **23**, 2-3.5a; note § 287, I 1 a et c), la scène de Pilate et de sa femme, ou de Pilate qui se lave les mains, dans le récit de la comparution de Jésus devant le gouverneur romain (Mt **27** 19.24-25; note § 349, I B 2 b bb). Cette énumération n'est pas exhaustive; elle donne un certain nombre d'exemples parmi les plus significatifs.

3. Parmi les additions de l'ultime Rédacteur matthéen, il faut faire une place spéciale aux *gloses explicatives*, telle la proposition : « de sorte que personne ne pouvait passer par ce chemin-là », dans la description des démoniaques « très sauvages » qui vivaient près de Gadara (Mt **8** 28; note § 142, I A 2 b). De telles gloses sont signalées aux notes suivantes : § 142, I A 5 et 6; § 144, II 1 a; § 145, I A 2; § 151, I B 1 a et b; § 154, II 1 b; § 170, II 2; § 288, I 4 b; §§ 291-301, I B 2 a; § 317, I 1 e; § 339, I A 4.

4. Le Rédacteur matthéen ajoute encore un grand nombre de *citations de l'AT*. Les plus caractéristiques sont celles qui sont introduites par la formule stéréotypée (malgré de menues variantes) : « ... afin que s'accomplît ce qui a été dit par Un tel le prophète » (Mt **1** 22; **2** 15.17.23; **4** 14; **8** 17; **12** 17; **13** 35; **21** 4; **27** 9; cf. **3** 3; **26** 56), qui implique toute une théologie (cf. *infra*). – On trouvera des renseignements sur les autres citations ajoutées par le Rédacteur matthéen aux notes : § 24, I B e; § 42, I 2 a; § 44, I 2 a; § 57, I 1; § 97, b; § 120, I 2 b; § 127, I 1 a bb; § 168, I 4; § 286, I B 2; §§ 291-301, I B 2 a; §§ 352, 355, II 1 b et II 4 b; § 370, 2. – Parfois, ce ne sont que de simples allusions ajoutées par le Rédacteur; cf. notes : § 19, I 1 c; § 48, 3; § 169, I A 1; § 171, II 1; § 174, II 3 c; § 275, II 3; § 314, I 2 b; § 346, I 2; § 357, II 4. – Il est assez remarquable de constater que l'ultime Rédacteur matthéen utilise indifféremment le texte hébreu ou le texte de la Septante. En Mt **2** 6 et **12** 15, le texte hébreu est modifié en fonction de celui de la Septante; ailleurs, les citations sont faites, soit d'après le texte hébreu (cf. Mt **4** 15-16; **8** 17; **16** 27), soit d'après la Septante (**13** 14-15; **3** 3).

c) *Certains procédés littéraires* de l'ultime Rédacteur matthéen sont assez faciles à noter.

1. Il a tendance à *regrouper les récits ou les logia de ses sources*, de façon à former de grands ensembles. Le cas le plus caractéristique est celui des cinq « discours » de Jésus qui scandent l'évangile et qui se terminent par la formule stéréotypée : « Et il arriva, quand Jésus finit ces discours... » (Mt **7** 28; **11** 1; **13** 53; **19** 1; **26** 1). Le Discours inaugural (ou « Sermon sur la montagne »), en **5** 3-**7** 28, se lisait déjà dans le Mt-intermédiaire, mais le Rédacteur matthéen l'a considérablement amplifié en y incorporant des logia qui se lisaient ailleurs dans le Mt-intermédiaire ou qu'il reprend de sources particulières (voir presque toutes les notes §§ 50 à 74). Le Discours missionnaire (Mt **10**) se lisait aussi dans le Mt-intermédiaire, qui avait fusionné les textes des Documents A et Q; l'ultime Rédacteur matthéen s'est contenté d'y ajouter quelques logia qui se lisaient ailleurs dans le Mt-intermédiaire (cf. note §§ 98 à 104). De même, le Rédacteur matthéen reprend au Mt-intermédiaire le Discours en paraboles, se contentant d'y insérer la finale du Mc-intermédiaire (note § 135) et de compléter quelques-unes des paraboles (§§ 136 et 138). En revanche, le Discours ecclésiastique (Mt **18** 1-35) est une composition du Rédacteur matthéen à partir de logia qui se lisaient ailleurs dans le Mt-intermédiaire ou qui proviennent de sources particulières (voir note §§ 174-182). Quant au Discours eschatologique (Mt **24**-**25**), le Mt-intermédiaire l'avait omis, et le Rédacteur matthéen le reprend au Mc-intermédiaire, en le complétant par adjonction de paraboles sur la vigilance qu'il trouvait en d'autres passages du Mt-intermédiaire, ou qu'il a composées à partir d'éléments que lui fournissait la tradition synoptique (cf. *supra*). – Un autre cas de « regroupement » fait par le Rédacteur matthéen est celui des dix miracles contenus dans les chap. **8** et **9**, dont certains seulement étaient groupés dans le Mt-intermédiaire; pour obtenir le chiffre de « dix » (cf. *infra*), le Rédacteur matthéen a ajouté les deux derniers miracles qui sont en fait des « doublets » de récits rapportés ailleurs dans l'évangile (voir notes § 95 et § 96).

2. On vient de voir que le Rédacteur matthéen avait augmenté le nombre des « Discours » qu'il trouvait dans le Mt-intermédiaire, de façon à en obtenir *cinq*. Ce chiffre, qui revêt une importance spéciale dans le judaïsme (cf. note §§ 40-45), se retrouve en d'autres passages dus à l'activité du Rédacteur matthéen : il y a cinq épisodes dans l'évangile de l'enfance (Mt **1** 18-25; **2** 1-12; **2** 13-15; **2** 16-18; **2** 19-23), cinq vierges folles et cinq vierges sages (§ 305; ce qui donne le chiffre de « dix », cf. la série des miracles de Mt **8**-**9**), cinq talents (§ 306); en Mt **4** 25, le Rédacteur matthéen ajoute la mention de la Décapole à la liste des villes et régions d'où les foules viennent à Jésus, pour obtenir encore ce chiffre de cinq (note § 37, 2 d).

3. Le Rédacteur matthéen manifeste une tendance évidente à *harmoniser différents textes* entre eux. Mt **2** 22-23 et **4** 12-14

ont exactement la même structure (note § 28, 2 a), de même que les deux sommaires de Mt **4** 23 et **9** 35. Dans le récit de la guérison du fils du centurion, le Rédacteur matthéen apporte à sa source les mêmes modifications que dans le récit narrant la guérison de la fille de la Cananéenne; on notera spécialement l'identité des finales (Mt **8** 13b; **15** 28c; note § 84, II 2). Le sommaire de Mt **14** 34-36, repris du Mc-intermédiaire, est harmonisé avec celui de Mt **8** 16, en provenance du Mt-intermédiaire (note § 153, 2). En Mt **15** 22b, les mots : « aie pitié de moi, Seigneur, fils de David », sont repris de Mt **20** 30 (note § 156, II 2). Le second récit de la multiplication des pains, repris du Mc-intermédiaire, est harmonisé avec le premier, en provenance du Mt-intermédiaire (note § 159, II 3). Le récit sur la demande de signe (Mt **16** 1-4), repris du Mc-intermédiaire, est harmonisé sur celui de Mt **12** 38-39 qui se lisait dans le Mt-intermédiaire, en provenance du Document Q (note § 160, 3 b). Dans le récit de la transfiguration, le Rédacteur matthéen complète ce que dit la « voix » venant du ciel d'après le récit du baptême de Jésus (note § 169, I A 1). Le logion de Mt **10** 34 fut retouché en fonction de celui de Mt **5** 17 (note § 212, 2 b). Comme les finales des deux récits de guérison : fils du centurion et fille de la Cananéenne (cf. *supra*), les finales des récits de l'envoi de deux disciples pour préparer, d'une part l'entrée de Jésus à Jérusalem, d'autre part la Pâque, ont été harmonisées (Mt **21** 6 et **26** 19; note § 273, I A 2 d). De même les deux logia sur la foi qui se lisent en Mt **21** 21 et **17** 20 (note §§ 276, 278, I A 2). Dans le récit de l'agonie à Gethsémani, le Rédacteur matthéen a modelé la deuxième prière de Jésus (**26** 42, à la fin) sur la troisième demande du *Pater* (note § 337, I C 2 b). En Mt **26** 63, la phrase du Grand Prêtre : « Je t'adjure par le Dieu vivant de nous dire si tu es le Christ, le fils de Dieu », rappelle la confession de foi de Pierre à Césarée, sous sa forme longue matthéenne (note § 342, I A 2 c). Le Rédacteur matthéen a voulu faire un rapprochement littéraire entre le récit de la mort de Judas et celui du massacre des Innocents (**27** 3.9 et **2** 16.18; note § 346, I 3). En Mt **27** 58b, il existe un contact littéraire entre le récit de la mort de Jésus et celui de la mort du Baptiste (note § 357, I A 2). Un tel contact est également évident entre le récit de l'apparition de Jésus aux femmes (§ 362) et celui · de l'apparition de l'ange aux mêmes femmes le matin de Pâques (§ 359; note § 362, 2 a).

4. Signalons quelques *sutures rédactionnelles* de l'ultime Rédacteur matthéen. Comme l'ultime Rédacteur marcien, il utilise le procédé classique qui consiste, dans le cas d'une insertion un peu importante, à répéter, après le texte inséré, des mots du texte fondamental, de façon à renouer plus facilement le fil du récit (voir notes §§ 98 à 104, 2; § 282, II c; § 286, I B 2; § 339, I A 2; § 351, I 3 a). – La cheville rédactionnelle : « en ce temps-là » (ou une formule analogue), marque toujours un changement de source (notes : § 146,

II 2; § 174, I A 1; § 338, III, introd.). – Le si matthéen « alors » *(tote)* n'est souvent qu'une simple cheville rédactionnelle (notes : § 28, 2 b; § 141, II 2 c; § 166, I; § 171, I A 1 b; §§ 179, 181, 3 d *aa*; § 273, I A 2 a; § 314, I 2 a).

5. Enfin, l'ultime Rédacteur matthéen a *disloqué certains récits qu'il lisait dans le Mt-intermédiaire*. Laissant en place (**9** 27-31) quelques éléments annexes du récit de la guérison du lépreux, qui lui servent à créer le récit de la guérison de deux aveugles, il transfère en **8** 2-4 la substance du récit concernant le lépreux (note § 39, I A 3 et I B 4). – Il a coupé en deux le bloc de cinq controverses qu'il trouvait dans le Mt-intermédiaire : guérison du paralytique, repas avec des pécheurs, question sur le jeûne d'une part (**9** 1-17), les épis arrachés, guérison de l'homme à la main sèche d'autre part (**12** 1-14; note §§ 40-45). – Il a disloqué un sommaire du Mt-intermédiaire en dédoublant certains de ses éléments; les fragments de ce sommaire se retrouvent maintenant en : **4** 25; **5** 1-2; **12** 15; **15** 21a.29b.30 (note § 47, I 2 c; cf. aussi notes § 156, II 1 et §§ 157, 158, I 1 b). – Il a coupé en deux la finale du récit de l'ensevelissement, pour y insérer son épisode de la garde placée au tombeau par les chefs des Juifs (note § 357, I A 1 f).

d) Notons enfin *quelques thèmes théologiques* qui ont été spécialement développés par l'ultime Rédacteur matthéen.

1. Le Rédacteur matthéen a le souci de montrer *le lien qui existe entre les divers événements de la vie de Jésus et les prophéties de l'AT*. On a déjà noté (*supra*, II D 1 b 4) qu'il a truffé le texte de ses sources d'un grand nombre de citations de l'AT, introduites par la formule stéréotypée : « ... afin que s'accomplît ce qui a été dit par Un tel le prophète »; ces ajouts ont évidemment pour but de prouver que la vie de Jésus s'est déroulée conformément aux Écritures, et donc selon le dessein salvifique de Dieu manifesté dans les Écritures. Dans la même perspective, le Rédacteur matthéen ajoute les mots : « et les prophètes » au logion de Mt **5** 17, puis « avant que tout soit arrivé » au logion de **5** 18 (note § 53, I 1 a; I 2 a; II 1). Peut-être est-ce pour le même motif qu'il apporte certaines retouches au texte de ses sources; ainsi, lorsqu'il précise que Joseph d'Arimathie était « riche » (**27** 57), ne serait-ce pas pour faire allusion au texte d'Is **53** 9 : « On lui a dévolu son tombeau avec les riches » (note § 357, II 4)?

2. L'ultime Rédacteur matthéen s'intéresse beaucoup *à l'apocalyptique et à la fin du monde*. Lorsqu'il reprend ces récits qui sont comme les jalons les plus importants de la vie du Christ : le baptême (**3** 13-17), la transfiguration (**17** 1-8), la découverte du tombeau vide (= la résurrection, **28** 1-8), il leur donne un revêtement littéraire qu'on trouve dans

certaines visions d'Ézéchiel et surtout de Daniel, comme dans l'Apocalypse de Jean (notes : § 359, II A 1 et 2; § 24, I B c; § 169, I A 1; § 359, II A 3 a). – Il introduit l'expression « fin du monde » (**24** 3; **13** 39-40.49; **28** 20) qui semble avoir pour lui la signification suivante : cette « fin du monde » sera plutôt une « régénération » (*paliggenesia*, **19** 28), une nouvelle naissance; le monde ancien disparaîtra pour faire place à un monde nouveau, analogue à l'ancien mais glorifié. En même temps que cette transformation du monde ancien, se produira l'avènement du Christ, sa « parousie » (Mt **24** 3.27.37.39); il est curieux de constater que le Rédacteur matthéen introduit ce terme dans le texte du Discours apocalyptique, tandis que Paul va l'abandonner progressivement (quatre fois dans 1 Th, une fois dans 1 Co **15**, jamais après); c'était un terme technique dans le monde gréco-romain pour désigner la venue du souverain dans une de ses villes; lors de la « nouvelle naissance » du monde, le Christ reviendra régner dans ce monde régénéré et glorifié (Mt **25** 31) et les douze apôtres siégeront avec lui pour juger (= gouverner) les douze tribus d'Israël (Mt **19** 28). Alors se produira le grand Jugement dernier, marquant la séparation définitive des « bons » et des « mauvais » (Mt **13** 49-50; cf. **13** 41-43), que le Rédacteur matthéen décrit dans la grande fresque de **25** 31-46. Les « bons » seront appelés à venir auprès du Christ pour jouir des bienfaits du royaume nouveau (**25** 34), la lumière (**13** 43; cf. Dn **12** 3) et la vie (**25** 46; cf. Dn **12** 2), tandis que les « mauvais » seront expulsés du royaume pour s'en aller au feu éternel (terme presque exclusivement matthéen : **5** 22; **7** 19; **13** 40.42.50; **18** 9; **25** 41), dans les « ténèbres extérieures » (expression propre à Mt et qui fait probablement allusion au shéol : **8** 12; **22** 13; **25** 30).

3. Cet intérêt pour le destin final de l'homme explique en partie l'importance donnée par le Rédacteur matthéen aux *valeurs morales de la vie humaine*. Le lien entre ces deux thèmes est clair dans la parabole des invités qui se dérobent; le Rédacteur matthéen y ajoute le thème du vêtement de noces, symbole de la pureté de cœur indispensable pour pouvoir participer au banquet eschatologique (note § 282, IV 3). Ailleurs, il insiste sur la « justice » (Mt **5** 6.10.20; **6** 1.33; **21** 32; jamais dans Mc et une seule fois dans Lc), qui est accomplissement parfait de la Loi jusqu'en ses moindres détails (cf. **5** 19-20, note § 53, III et IV), condition indispensable pour entrer dans le royaume des Cieux. En ajoutant aux béatitudes initiales quatre nouvelles béatitudes (**5** 7-10), dont trois insistent sur l'attitude que nous devons avoir envers le prochain, il veut faire du « Discours inaugural » un programme de vie indiquant les vertus à pratiquer par le parfait disciple de Jésus (note § 50, I B 1 a et b). – Mais cette insistance sur certaines valeurs morales de la vie chrétienne se colore d'une note anti-pharisaïque que l'on trouvait déjà dans le Mt-intermédiaire; très claire en Mt **5** 20 (note

§ 53, IV), cette polémique contre l'enseignement des scribes et des Pharisiens, contre leur « hypocrisie » qui les pousse à agir contre la volonté de Dieu tout en gardant les apparences d'une fidélité parfaite, se retrouve dans d'autres passages; voir notes : §§ 60, 61, 63, 1; § 288, I 1; § 121, 2; § 155, II C 3; § 161, II 1; § 280, 2.

4. Les remarques précédentes expliquent pourquoi le Rédacteur matthéen a renchéri sur *le thème du rejet d'Israël et de l'appel des païens au salut* (voir notes : § 84, II 1; § 281, 5 a; § 282, IV 3; § 346, I 4; § 347, 349, I B 2 b *bb*).

5. Notons enfin que l'ultime Rédacteur matthéen a remanié certains passages du Mt-intermédiaire en fonction de la pensée ou des *coutumes des Esséniens de Qumrân;* voir notes : § 19, I 1 b et e; II 3 b; § 59, I B 1 a; § 155, II C 2; §§ 179, 181, 3 b.

2. Caractéristiques lucaniennes du Rédacteur matthéen

On a vu déjà que l'ultime Rédacteur marcien avait un vocabulaire et un style apparenté à celui de Lc/Ac. On peut faire la même constatation pour l'ultime Rédacteur matthéen.

a) Dressons d'abord la liste des *mots ou des expressions* qui ne reviennent qu'une fois dans Mt, alors qu'ils sont relativement fréquents dans Lc/Ac. Nous donnerons d'abord les mots qui, soit dans Lc, soit dans Ac, se lisent autant ou plus que dans tout le reste du NT (moins l'autre ouvrage lucanien); puis les mots qui, relativement fréquents dans Lc ou Ac, ne sont rares que dans la tradition évangélique. Nous ajouterons à cette liste deux mots très significatifs utilisés deux fois par Mt; mais le premier est redoublé (« Jérusalem, Jérusalem »), le second revient en deux versets successifs dont le deuxième renvoie manifestement au premier (« en un instant »).

		Mt	Lc	Ac	Mc	Jn	Reste du NT
2 1	« aux jours de (Un tel) »	1	6	0	0	0	0
3 5	« toute la Judée »	1	3	3	0	0	0
3 7	« suggérer »	1	2	2	0	0	0
4 24	« en proie à » (*synechein*)	1	6	3	0	0	2
	« tourments » (*basanos*)	1	2	0	0	0	0
9 32	« être stupéfait » (*existanai*)	1	3	8	4	0	1
11 7	« commencer à dire »	1	9	0	4	0	0
11 19	« ami »	1	15	3	0	6	4
14 31	« saisir » (*epilambanesthai*)	1	5	7	1	0	4
15 30	« aux pieds de »	1	4	5	0	0	0
	« beaucoup d'autres »	1	3	1	0	0	0
21 19 s.	« en un instant » (*parachrèma*)	2	10	6	0	0	0
23 37	« Jérusalem » (*Hierousalèm*)	2	27	37	0	0	11
	« ceux qui ont été envoyés »	1	2	7	0	1	0
	« à la manière de » (*hon tropon*)	1	0	4	0	0	1
24 12	« abonder » (*plèthynein*)	1	0	5	0	0	5

		Mt	Lc	Ac	Mc	Jn	Reste du NT
26 55	« saisir » (*syllambanein*)	1	7	4	1	1	2
	« chaque jour »	1	5	7	1	0	6
27 25	« tout le peuple » (*pas ho laos*)	1	12	6	0	1	2
27 32	« du nom de »	1	7	22	1	0	0
28 11	« tout » (*apas* + article)	1	9	2	0	0	2
	particule *te* (non redoublée)	1	1	74	0	1	10
	ikanos (= nombreux)	1	7	15	1	0	3
3 9	« s'aviser » (*dokein* + infin.)	1	5	9	1	2	17
10 2	« apôtre »	1	6	28	1	1	—
21 32	« voie » (au sens métaphorique)	1	1	9	0	1	12
22 10	particules *te kai* (liées)	1	4	26	0	0	—
24 14	« univers » (*oikoumenè*)	1	3	5	0	0	6
26 22	« un chacun »	1	2	6	0	0	7
27 8	« c'est pourquoi » (*dio*)	1	2	8	0	0	—
27 9	« fils d'Israël »	1	1	5	0	0	7
28 12	« Juifs » (sauf « roi des Juifs »)	1	2	69	1	61	—

Dans cette liste, on remarquera spécialement : en 21 19 s., pour dire « aussitôt » l'emploi de *parachrèma* au lieu de l'habituel *eutheôs* de Mt (douze fois; Mt emploie aussi sept fois *euthus*, mais toujours sous l'influence de Mc); en 23 37, la forme *Hierousalèm*, au lieu de la forme habituelle *Hierosolyma* (onze fois dans Mt); en 26 55, pour dire « saisir », le verbe *syllambanein* au lieu de l'habituel *kratein* (douze fois dans Mt, spécialement pour indiquer l'arrestation du Christ : 21 46; 26 4.48.55.57; cf. 14 3); en 27 32, « du nom de » (*onomati*) au lieu de l'habituel *legomenos* (Mt 9 9; 26 3.14.36; 27 16.33); en 28 11, « nombreux », signifié par l'adjectif *ikanos* au lieu de l'habituel *polus* (très fréquent dans Mt/Mc). – Spécialement convaincants sont les exemples de Mt 23 37 et 28 11, où l'on trouve accumulés trois mots typiquement lucaniens !

On pourrait allonger cette liste en tenant compte des mots ou expressions lucaniens attestés deux ou trois fois dans Mt, mais chaque fois en des textes qui sont certainement de l'ultime Rédacteur matthéen; on va retrouver d'ailleurs ces exemples plus loin (3).

b) Il faut encore signaler certaines sections, ou parties de sections, de Mt, où l'on trouve une *accumulation de notes lucaniennes* moins caractéristiques, mais dont la convergence n'est pas sans signification.

– Entrée en scène de Jean-Baptiste (Mt 3 1-6) : note § 19, II 3 a; II 3 c et d.

– Jean-Baptiste prêche la repentance (Mt 3 7-10) : note § 20, I 2 (on trouvera dans cette note deux lucanismes s'ajoutant à ceux qui ont été mentionnés plus haut en 3 7 et 3 9).

– Prédications, guérisons, concours de foules (Mt 4 23-24) : note § 37, 2 a et c (un autre lucanisme s'ajoutant aux deux qui ont été signalés *supra*, Mt 4 24).

– Question de Jean-Baptiste à Jésus (Mt 11 2-6) : note § 106, I 1 a.

– Témoignage de Jésus sur Jean-Baptiste (Mt 11 7-15) :

note § 107, I 1 a (un autre lucanisme s'ajoutant à celui qui a été signalé plus haut, en Mt **11** 7).

- Guérison d'un démoniaque muet (Mt **12** 22-23) : note § 116, 2.

- Guérisons au bord du lac (Mt **15** 30-31) : note §§ 157, 158, I 2 a. Ce sommaire reprend les éléments d'un sommaire du Mt-intermédiaire qui fut divisé en plusieurs sections par l'ultime Rédacteur matthéen; on y trouve une accumulation impressionnante d'expressions ou de thèmes non matthéens et de saveur lucanienne indéniable (outre les deux expressions signalées plus haut, en Mt **15** 30).

- Apostrophe à Jérusalem (Mt **23** 37-39) : note § 222, I 1. Ici encore, l'accumulation des expressions non matthéennes, de saveur lucanienne (sans compter celles qui ont été notées plus haut en Mt **23** 37), est impressionnante. Mais ici le cas est spécial, car ces expressions se lisent aussi dans le parallèle de Lc **13** 34-35; ne serait-on pas alors en présence d'un texte lucanien passé dans l'ultime rédaction matthéenne?

- Parabole des deux fils (Mt **21** 28-32) : note § 280, 1.

- Parabole des invités qui se dérobent (Mt **22** 1-14) : note § 282, II b et d.

- Introduction au discours sur la ruine du Temple (Mt **24** 1-3) : note §§ 291-301, I A 2 et I B 2 b.

- Mort de Judas (Mt **27** 3-10) : note § 346, II 1.

- Dans le récit de la comparution de Jésus devant Pilate, l'épisode de Pilate qui se lave les mains en présence de la foule, ajouté par l'ultime Rédacteur matthéen (Mt **27** 25) : note §§ 347, 349, I B 2 b *bb*.

- L'épisode de Simon de Cyrène (Mt **27** 32) : note § 351, I 3 a.

- La garde du tombeau, épisode propre à Mt (**27** 62-66) : note § 358, I.

- Les femmes au tombeau (Mt **28** 1-8) : note § 359, II B 2 a, b, c.

- Les soldats soudoyés (Mt **28** 11-15), épisode propre à Mt et qui correspond à celui de la garde du tombeau : note § 363, 2; on y trouve une accumulation impressionnante d'expressions non matthéennes, de saveur nettement lucanienne.

c) Les *cinq formules stéréotypées* qui terminent chacun des grands discours de Mt, et qui sont certainement de l'ultime Rédacteur matthéen, méritent une mention spéciale. Leur style est imité de celui de la Septante, ce qui est une caractéristique lucanienne reconnue depuis longtemps. Par ailleurs, on y trouve la structure sémitique : « et il arriva (que)... » (*kai egeneto* + un verbe fini, sans particule de liaison), qui ne se lit nulle part ailleurs dans Mt, est inconnue de Jn, se lit deux fois dans Mc et vingt-deux fois dans Lc ! (cf. note § 76, 1).

d) On a vu plus haut qu'une des caractéristiques de l'ultime Rédacteur matthéen était de souligner comment les divers épisodes de la vie de Jésus ont « *accompli* » les *Écritures* (supra, II D 1 b 4); or cette préoccupation se trouve aussi chez Lc (Lc **18** 31; **21** 22; **22** 37; **24** 44; sans parler des Actes où ce thème est assez courant; voir spécialement Ac **13** 29). – On a vu aussi que l'ultime Rédacteur matthéen avait donné à certaines scènes un revêtement « apocalyptique » correspondant à un schéma traditionnel (*supra* II D 1 d 2); or Lc utilise le même schéma lorsqu'il décrit la vision qu'eut Paul du Christ ressuscité (Ac **9** 3 ss.; **22** 6 ss.; **26** 13 ss.; voir note § 359, II A 2 c).

3. Ultimes Rédacteurs matthéen et marcien

Les remarques précédentes nous invitent à nous demander si les ultimes Rédacteurs matthéen et marcienne ne seraient pas identiques, étant donné le style et le vocabulaire lucanien que tous deux emploient. Certains faits permettraient de le penser. Dans le récit de l'arrestation (§ 338), la parole de Jésus adressée à ceux qui l'arrêtent, comme l'allusion à l'accomplissement des Écritures qui la suit (Mt **26** 55-56a; Mc **14** 48-49) sont certainement des ajouts des ultimes Rédacteurs matthéen et marcien (note § 338, III, introd.). Or on trouve, dans Mt comme dans Mc, deux expressions typiquement lucaniennes : le verbe « saisir » (*syllambanein* : 1/1/7/1/4/2) et l'expression « chaque jour » (*kath'hèmeran* : 1/1/5/0/7); par ailleurs, ces mots de Jésus font allusion à une situation que seul décrit l'évangile de Lc (**19** 47); enfin, l'allusion à l'accomplissement des Écritures ne se lit jamais ailleurs dans Mc et, sous cette forme vague, correspond parfaitement à la manière de Lc (**18** 31; **21** 22; **22** 37; **24** 27.32.44-45; Ac **13** 27-29). Dans Mt comme dans Mc, le passage doit être attribué à l'ultime Rédacteur; la similitude de ces ajouts invite à penser que c'est le même Rédacteur qui en est responsable; le Rédacteur matthéo-lucanien serait donc identique au Rédacteur marco-lucanien (voir note § 338, III). – Dans l'épisode du « Jugement d'Hérode sur Jésus » (§ 146), on lit une phrase identique dans Mt et dans Mc : « et c'est pourquoi les puissances (miraculeuses) agissent en lui »; le vocabulaire ne correspond pas à celui de la tradition synoptique mais serait plutôt paulinien avec le mot « puissances » (cf. Ga **3** 5; 1 Co **12** 10) et surtout le verbe « agir » (*energein*, jamais ailleurs dans Mt/Mc/Lc/Jn/Ac, mais seize fois chez Paul, spécialement en Ga **3** 5). Ce ton paulinien correspond à une des caractéristiques du Rédacteur marco-lucanien (*supra*, II B 1 a); puisque la phrase en question se lit dans Mt comme dans Mc, elle aurait été introduite dans Mt et dans Mc par le même Rédacteur. – Un cas analogue se lit encore dans le logion sur le Fils de l'homme venu pour servir (Mc **10** 45; Mt **20** 28); la finale de ce logion : « et donner sa vie en rançon pour beaucoup », apparaît comme un ajout dans Mc et dans Mt; elle contient un vocabulaire étranger à celui des

Synoptiques et le thème est de saveur paulinienne. Nous serions devant un ajout effectué par le même Rédacteur dans Mt et dans Mc (note § 255, II 2). – Sur ces ajouts faits simultanément par les Rédacteurs matthéen et marcien, voir encore les notes : § 19, II 1 b; § 144, II 1 a; § 152, II 1 a; § 285, III; § 313, II 5; § 317, I 1 f; §§ 347, 349, I B (fin); § 350, I 1; § 357, I A 2.

Si l'on se refuse à identifier Rédacteurs matthéen et marcien (leurs tendances théologiques ne sont pas toujours identiques), les faits énumérés ci-dessus invitent à penser qu'ils appartiennent à la même école lucanienne.

E) LE PROTO-LUC

Beaucoup d'auteurs admettent aujourd'hui qu'il faut distinguer deux niveaux rédactionnels dans Lc : un proto-Lc, indépendant de Mc et dont on essaie sans grand succès de préciser l'origine; une ultime rédaction lucanienne dans laquelle le proto-Lc fut complété et révisé en fonction de l'évangile de Mc. Une analyse serrée des textes nous a amenés à adopter cette théorie, avec des nuances qui seront précisées plus loin.

1. Existence d'un proto-Lc

Il nous faut d'abord prouver la distinction de deux niveaux littéraires dans Lc.

a) *Les accords Lc/Jn.*

Cette distinction entre un proto-Lc et une ultime rédaction lucanienne apparaît nettement quand on étudie les rapports entre Lc et Jn, spécialement dans les récits de la passion et de la résurrection. Les contacts littéraires entre Jn et Lc y sont spécialement nombreux (on les relèvera en détail en traitant de l'évangile de Jn); seule peut les expliquer l'utilisation par Lc et par Jn de sources communes. Or, l'une de ces sources doit être un proto-Lc, comme le prouvent les remarques suivantes :

1. Dans le double récit de la comparution de Jésus devant Pilate (§ 347) et de la condamnation à mort (§ 349), les contacts Lc/Jn sont spécialement nombreux et il est possible de reconstituer le schéma de leur source commune (note §§ 347, 349, I A). Or, beaucoup de ces contacts Lc/Jn sont caractérisés par un vocabulaire et des thèmes lucaniens, qu'on retrouve en particulier dans les procès de Paul racontés par les Actes (I A 2). Jn dépendrait-il directement de Lc? Non, car le Lc actuel a transféré, d'une part dans l'épisode de Jésus envoyé à Hérode, d'autre part dans la scène de moqueries au pied de la croix, des traits du récit de la comparution de Jésus devant Pilate que Jn a conservés dans leur contexte primitif (notes § 348, I 3 a; §§ 347, 349, I A 3 c). Il faut en conclure que Jn ne dépend pas du Lc actuel, mais d'un proto-Lc auquel il a été plus fidèle que le Lc actuel.

2. Dans le récit de Jésus et Pierre chez le Grand Prêtre, Lc et Jn s'accordent sur un certain nombre de mots communs dont deux au moins, inconnus par ailleurs de Jn, sont relativement fréquents chez Lc; ils s'accordent également sur le détail des gens qui ont allumé du feu dans la cour (note § 339, I B 1). Mais le récit actuel de Lc apparaît tronqué par rapport à celui de Jn; ce dernier, en effet, utilise ici un procédé littéraire qu'on retrouve dans l'épisode de Pierre et de l'autre disciple allant au tombeau de Jésus (§ 360); ce procédé suppose un texte de Lc plus complet que celui existant actuellement au § 339 (note § 339, I B 2). Il faut en conclure que, ici encore, Jn ne dépend pas du Lc actuel, mais d'un proto-Lc que le Lc actuel a remanié.

3. Dans le récit du procès devant le Sanhédrin (§ 342), Jn dépend certainement d'une tradition lucanienne dont il a transféré les éléments essentiels en **10** 24 ss. (note § 342, I C 1). Mais le texte actuel de Lc est certainement tronqué, tandis que les détails (début et fin du récit) qui lui font défaut sont connus de Jn et utilisés par lui (§ I C 2); Jn ne dépend pas ici du Lc actuel, mais d'un proto-Lc plus complet.

4. Le sommaire de Lc **21** 37-38 a son équivalent en Jn **8** 1-2 (§ 308). Mais le texte de Jn offre des caractéristiques lucaniennes qui sont absentes du texte de Lc **21** 37-38, et apparaît plus archaïque. Jn **8** 1-2 ne dépend donc pas du Lc actuel, mais d'un proto-Lc remanié par un ultime Rédacteur lucanien (voir note § 308, 1).

5. Le cas maximum est fourni par le récit de Jn **11** 47-54 décrivant une réunion du Sanhédrin où l'on décide la mort de Jésus. Le caractère lucanien de cette scène est indéniable, mais elle a disparu du texte de Lc ! Jn l'avait reprise au proto-Lc, mais l'ultime Rédacteur lucanien n'a pas jugé bon de la conserver (note § 267).

b) *Les citations anciennes.*

Le témoignage de Jn est confirmé par celui de textes anciens citant l'évangile de Lc. Épiphane nous donne une version du récit de l'entrée en scène de Jean-Baptiste qu'il lisait dans l'évangile des Ébionites; or, malgré des notes tardives, cette citation reflète un vocabulaire et un style qui sont de saveur nettement lucanienne. Le texte de l'évangile des Ébionites correspondrait à celui du proto-Lc, que l'ultime

Rédacteur lucanien (Lc 3 1-6) aurait profondément remanié (note § 19, II 2 a). – Mt 5 17 est cité par Marcion sous une forme plus simple que celle de Mt : « Je ne suis pas venu abolir la Loi, mais (l')accomplir », forme qui est confirmée par divers auteurs anciens. Or Marcion ne reconnaissait et n'utilisait que l'évangile de Lc; il citerait donc ici le logion de Mt 5 17 sous une forme qui était celle qu'on lisait dans le proto-Lc; l'ultime Rédacteur lucanien aurait omis de reproduire ce logion (note § 53, I 1). – Il est possible encore que Marcion ait cité Lc 12 4-5 sous une forme plus archaïque, et qui remonterait donc au proto-Lc (note § 204, II A 2 d). – Dans l'épisode sur la vraie parenté de Jésus, Thomas 99 et l'évangile des Ébionites ont un texte qui a même structure que celui de Lc, mais qui est certainement plus archaïque; ils dépendent probablement d'un proto-Lc (note § 122, I A 1). – La citation que fait Épiphane du début du récit concernant l'obole de la veuve permet de reconstituer les étapes anciennes de la transformation du récit primitif, étapes qui comportent le passage par un proto-Lc, remanié dans l'ultime rédaction lucanienne sous l'influence de Mc (note § 290, 1 et 2).

c) *L'analyse interne de Lc.*

Même sans quitter l'évangile de Lc tel que nous l'avons maintenant, l'analyse de certains passages permet de déceler des remaniements faits à partir d'un proto-Lc.

1. Dans le récit de l'annonce des reniements de Pierre, Lc et Jn dépendent d'une même source, qui donnait la parole de Jésus à Pierre sous une forme assez différente de ce qu'elle est dans Mt/Mc (Lc 22 34; Jn 13 38; note § 323, 3). Mais Lc, racontant le reniement lui-même, relève avec Mt et Mc que Pierre se souvint de la parole qui lui avait été adressée par Jésus (Lc 22 61), détail absent du parallèle de Jn. Or, cette parole de Jésus, Lc la donne sous une forme marcienne (Mc 14 72b), et non telle qu'il l'avait donnée en 22 34 ! Il est difficile d'attribuer à la même main ces deux formes différentes de la parole de Jésus à Pierre; celle de Lc 22 34 se lisait dans le proto-Lc, mais celle de 22 61 est due à une influence de Mc sur l'ultime rédaction lucanienne.

2. Dans le discours eschatologique de Lc 21 18-36, on constate un phénomène littéraire très caractéristique : Lc insère dans un discours archaïque des passages qui sont repris, souvent littéralement, du Mc-intermédiaire (note §§ 291-301, I B 1). Examinons alors d'une façon plus particulière Lc 21 14-18; il est clair que les vv. 16-17, qui sont proches de Mc 13 12-13a, ont été insérés entre les vv. 14-15 et 18, dont le vocabulaire est si typiquement lucanien qu'on peut penser à une composition de Lc. On est en droit de conclure que ces vv. 14-15 et 18 appartenaient au proto-Lc, et que l'ultime Rédacteur lucanien a inséré les vv. 15-16 par influence du Mc-intermédiaire.

d) *Les accords Mt/Lc contre Mc.*

On a déjà parlé dans cette Introduction de la valeur, contestée par les partisans de la théorie des Deux Sources, des accords Mt/Lc contre Mc (*supra*, I C 1 c). Ces accords s'expliquent, tantôt par le fait que l'ultime Rédacteur marcien a abandonné ou modifié le texte de la source commune aux trois Synoptiques, tantôt par le fait que Lc dépend, non de Mc, mais du Mt-intermédiaire. D'une façon plus précise, l'alternance chez Lc d'accords Mt/Lc contre Mc et Mc/Lc contre Mt prouve la dépendance de Lc par rapport à deux textes différents, l'un matthéen et l'autre marcien. Par lui-même, ce fait ne suffirait pas à prouver l'existence de deux niveaux rédactionnels dans Lc. Dans les exemples donnés aux paragraphes précédents, on a vu cependant que la différence entre le proto-Lc et l'ultime rédaction lucanienne provenait, en plusieurs cas, d'une influence de Mc (Mc-intermédiaire) sur l'ultime rédaction lucanienne, ce qui correspond d'ailleurs à l'opinion des tenants de l'hypothèse d'une distinction entre proto-Lc et ultime rédaction lucanienne. Il existe donc une forte présomption pour que, lorsque Lc est d'accord avec Mt contre Mc, cet accord remonte au proto-Lc; lorsque Lc est d'accord avec Mc contre Mt, cet accord ne remonte qu'à l'ultime rédaction lucanienne. Illustrons ce principe par un exemple concret : la finale du récit du possédé de Gérasa, dont nous avons déjà parlé plus haut. Mettons en parallèle les textes de Mt, Mc et Lc :

Mt	Mc 5	Lc 8
8 34b ... qu'il s'éloignât de leur territoire.	17b ... de s'en aller de leur territoire.	37b ... de s'en aller (loin) d'eux...
9 1 Et, étant monté en barque, *il traversa* (le lac).	18a Et, comme il montait dans la barque...	37c Or lui, étant monté en barque, *s'en retourna*...
	21a Et Jésus, *ayant traversé* dans la barque...	40a Or, alors que Jésus *s'en retournait*...

Il est clair que le verbe très lucanien « s'en retourner » correspond au verbe « traverser » utilisé en Mt 9 1 et Mc 5 21a ; la dualité des sources de Lc, soulignée par le redoublement du verbe « s'en retourner », est ici évidente. Si Lc avait simplement voulu combiner les textes de Mt et de Mc, il est probable qu'il aurait procédé d'une façon plus habile, évitant le premier verbe « s'en retourner » qui semble conclure le récit du possédé de Gérasa ; le texte de Lc, avec sa rédaction maladroite, s'explique mieux si un ultime Rédacteur lucanien *complète* un proto-Lc, qui serait son texte fondamental, en insérant les vv. 38-39 sous l'influence des vv. 18b-20 de Mc, puis en continuant par le v. 40a qui correspond à Mc 5 21a.

Les analyses précédentes permettent donc d'adopter l'hypothèse d'un bon nombre de commentateurs : il faut distinguer dans Lc deux couches rédactionnelles différentes ; un proto-Lc, indépendant de Mc, aurait été complété et retravaillé en fonction de l'évangile de Mc (pour nous, en fonction du Mc-intermédiaire).

2. Les sources du proto-Lc

Dans le prologue de son évangile (Lc 1 1-4), adressé à un « illustre Théophile » qui nous est du reste parfaitement inconnu, Lc (proto-Lc) laisse entendre qu'il a connu et utilisé un nombre relativement grand de récits évangéliques (v. 1). C'est en effet ce que nous a permis de constater l'analyse littéraire de Lc.

a) *Lc et le Mt-intermédiaire.*

Sauf pour les récits de la passion et de la résurrection, la source principale du proto-Lc fut le Mt-intermédiaire. On en a pour preuve les nombreux accords Mt/Lc contre Mc qui ne peuvent s'expliquer par des retouches marciennes. Comme ce problème a déjà été traité plus haut, à propos du Mt-intermédiaire (II C 1 c), nous nous contentons de renvoyer à ce passage de l'Introduction pour l'étude des différentes sections où la dépendance de Lc par rapport au Mt-intermédiaire est la plus apparente. Les autres cas seront notés au cours du commentaire de la Synopse.

b) *Lc et le Document Q.*

Selon la théorie des Deux Sources, Lc et Mt ne se sont pas connus ; toutes les fois qu'ils s'accordent sur un récit ou sur un logion ignoré de Mc, c'est qu'ils dépendent l'un et l'autre du Document Q. Pour nous, le problème se pose de façon assez différente. Nous admettons en effet que le proto-Lc dépend du Mt-intermédiaire ; il aurait donc pu, théoriquement, reprendre au Mt-intermédiaire les sections

du Document Q qui s'y trouvaient. Il devient alors très difficile de prouver que le proto-Lc a connu directement le Document Q ; même si l'on trouve, dans Lc, des notes plus archaïques que dans Mt, cela ne prouve pas nécessairement une dépendance de Lc par rapport au Document Q ; la note secondaire de Mt pourrait en effet provenir d'une retouche effectuée à l'ultime niveau rédactionnel, tandis que le Mt-intermédiaire contenait la note archaïque attestée encore par Lc. En fait, l'analyse de certaines sections en provenance du Document Q permet de conclure que le proto-Lc a connu ces sections à la fois par le biais du Mt-intermédiaire et en puisant directement au Document Q.

1. Un premier exemple nous est donné par le discours de mission. Il se lisait, et dans le Document Q (§ 185), et dans le Document A d'où il est passé dans le Mt-intermédiaire et dans le Mc-intermédiaire (§ 145). Or, Lc 10 1-12 donne le discours de mission en provenance du Document Q, tandis que Lc 9 1-2 contient le début du discours de mission en provenance du Document A, non pas sous sa forme marcienne mais certainement sous sa forme matthéenne (note § 145, I A 1). Il faut en conclure que le proto-Lc a connu le discours de mission par deux voies différentes : le Document Q et le Mt-intermédiaire.

2. Dans le Discours inaugural de Jésus, Lc 6 27-36 est parallèle à Mt 5 38-48 mais ne donne pas le principe du dépassement pour l'accomplissement de la Loi : « Vous avez entendu qu'il a été dit... Or moi je vous dis... » Des indices littéraires permettent de penser que certains versets du texte de Lc (vv. 29b-30, par exemple) ne peuvent dépendre du parallèle matthéen (note § 58, I B 2). Bien mieux, grâce au témoignage de la *Didachè*, de Justin, des Homélies Clémentines, il est possible de reconstituer le texte du Document Q pour cette section (note § 59, I A 1) et de voir que Lc dépend *à la fois* de ce Document Q et du Mt-intermédiaire (note § 59, I C).

3. Toujours dans le Discours inaugural de Jésus, le logion de Lc 6 46 dépend directement du Document Q pour ce qui est de son contenu ; mais Lc le place dans le Discours sous l'influence du Mt-intermédiaire (note § 74, II 3).

4. Dans la controverse sur Jésus et Béelzéboul, il semble bien que Lc dépende à la fois du Document Q et du Mt-intermédiaire (voir note § 117, II 1 a et b).

Nous avons signalé les rares cas où l'on peut prouver que le proto-Lc dépend à la fois du Document Q et du Mt-intermédiaire. En fait, il sera presque toujours impossible de dire si le proto-Lc dépend du Document Q directement ou par le biais du Mt-intermédiaire – ou les deux à la fois ; nous en avons dit la raison au début de ce paragraphe b. Dans les notes du Commentaire, nous serons donc obligés de laisser ce problème sans solution.

c) *Lc et le Document B.*

Le proto-Lc a connu directement le Document B. Nous avons déjà traité ce point lorsque nous avons parlé des récits où Mc fusionne les Documents A et B; dans quelques cas, il est certain que Lc dépend directement du Document B, et non du texte fusionné du Mc-intermédiaire (*supra* II A 1 c; notes : § 122, I B 1; § 143, I A 3 a, I B 2 et 3; § 315, I 3 d; § 342, I C 3). Ajoutons quelques autres exemples. Dans le récit du baptême de Jésus, Lc est très différent de Mt et de Mc; selon toute vraisemblance, le récit de Lc dépend directement du Document B (note § 24, I C 3). – Dans le discours eschatologique du Document Q, Lc **17** 25 insère une annonce de la passion qui correspond à celle du Document B, sous sa forme courte; le proto-Lc doit la reprendre directement du Document B. – Enfin, le proto-Lc a connu le discours eschatologique du Document B, qu'il est même seul à nous transmettre. Il en a placé l'introduction en **19** 41-44, au moment où Jésus arrive en vue de Jérusalem (note § 274). Quant au discours lui-même, il se lit en Lc **21** 8 ss., mais l'ultime Rédacteur lucanien y a inséré par fragments successifs le discours parallèle du Mc-intermédiaire (Mc **13**), en provenance du Document A (note §§ 291-301, I B 1 b).

d) *Lc et le Document C.*

Plusieurs études récentes ont mis en évidence le fait que, dans les récits de la passion et de la résurrection, Lc connaît une source différente de celle (ou celles) suivie par Mc et Mt; nous l'avons appelée le Document C. Voici les récits que le proto-Lc lui reprend : Annonce du reniement de Pierre (note § 323, 1 ss.). – Pierre et Jean chez le Grand Prêtre (note § 339, I B 3; Jn, qui dépend ici du proto-Lc, a mieux gardé son récit, tandis que l'ultime Rédacteur lucanien l'a profondément remanié). – Le reniement de Pierre (Lc **22** 58; Jn **18** 25; cf. note § 340, II 3 a et c). – Les femmes au tombeau (l'ultime Rédacteur lucanien n'a gardé que le début de cet épisode du proto-Lc, en **24** 1-2; note § 359, I 2). – Pierre au tombeau (Lc **24** 12, repris et développé par Jn **20** 3-10; note § 360). – Apparition de Jésus aux disciples à Jérusalem (note § 365; le récit du proto-Lc fut amplifié par l'ultime Rédacteur lucanien). – A cette liste, il faut ajouter le récit de la pêche miraculeuse (Lc **5** 1-11), attesté aussi en Jn **21** 1 ss. et qui, dans le Document C, était un récit d'apparition du Christ ressuscité, comme le comprend Jn **21** (note § 38, 1 et 3). – En dehors des récits de la passion et de la résurrection, le proto-Lc utilise encore le Document C dans le récit de la transfiguration, mais en le combinant avec le récit parallèle du Mt-intermédiaire, en provenance du Document A (note

§ 169, I B). – Quant au logion de Lc **14** 26-27.33 (Se renoncer pour suivre Jésus), il fusionne des éléments en provenance du Document Q, du Mt-intermédiaire, mais aussi du Document C; dans ce dernier cas, le texte de Lc est confirmé par celui de Jn **12** 25-26 (note § 227, 2 c *cc*).

e) *Sources particulières.*

Quant aux nombreux récits que Lc a en propre, il est impossible d'en préciser l'origine. Signalons simplement que, dans le récit de la guérison des dix lépreux (Lc **17** 11-19), le proto-Lc a probablement puisé à un recueil de miracles le récit de la guérison d'un lépreux, qu'il a amplifié dans un but théologique; c'est de ce récit que dépendraient le papyrus Egerton 2 et surtout Mc **1** 40 ss. (note § 241, 3).

3. Activité littéraire du proto-Lc

Il est souvent impossible de préciser si certains remaniements littéraires apportés aux sources du proto-Lc doivent être attribués à celui-ci ou à l'ultime Rédacteur lucanien. Voici toutefois certains faits littéraires que l'on peut attribuer au proto-Lc :

a) A maintes reprises, *le proto-Lc remanie profondément le texte de ses sources*, soit en en modifiant le vocabulaire, soit en y ajoutant des détails nouveaux; ces modifications donnent aux récits du proto-Lc un air de parenté évident avec certains récits des Actes. Le cas le plus clair est celui de la comparution de Jésus devant Pilate et de sa condamnation à mort (§§ 347, 349). La source fondamentale du proto-Lc est ici le Mt-intermédiaire (note §§ 347, 349, I A 3); mais le récit de Lc contient de nombreux traits, absents des parallèles de Mt/Mc, qui offrent des affinités très nettes avec les récits des divers procès de Paul dans les Actes (I A 2); puisque ces traits se lisent également dans Jn, ils doivent remonter au proto-Lc, une des sources de Jn. – De semblables contacts avec les récits de « procès » des Actes se rencontrent encore dans des textes que Jn tient du proto-Lc, mais qui ont été abandonnés par l'ultime Rédacteur lucanien : la comparution de Jésus devant Anne (note § 340, I 1 c) et la réunion du Sanhédrin qui décide la mort de Jésus (note § 267, 2 b). – Le récit de la visite de Jésus à Nazareth (Lc **4** 16-30) contient des développements très importants qui sont absents des parallèles de Mt/Mc; or ces développements, qu'il faut probablement attribuer au proto-Lc, offrent des contacts thématiques ou littéraires avec certains passages des Actes (note § 30, I 1). – D'une façon générale, on peut dire que le style de Lc affleure dans presque tous ses récits, dans une mesure plus ou moins grande; s'il est souvent difficile de dire si ce style lucanien fut introduit par le proto-Lc ou par l'ultime Rédacteur lucanien, certains recoupements permettent de penser que le proto-Lc est en grande partie responsable de ce fait littéraire; ainsi dans l'épisode de l'apostrophe à Jérusalem (Lc **13** 34-35), où ce style lucanien est passé dans l'ultime rédaction matthéenne (note § 222, I 1); dans l'épisode « Jésus et Pierre chez le Grand Prêtre », où ce style de Lc est passé dans Jn (note § 339, I B).

b) Parfois, le proto-Lc complète le texte de ses sources en *ajoutant des épisodes nouveaux*. Pour la guérison du fils du centurion de Capharnaüm, il ajoute dans son récit le double jeu de scène des ambassades envoyées par le centurion à Jésus (note § 84, III 1); cette addition est du proto-Lc puisqu'on en trouve des traces dans le récit de Jn 4 46b-54. – Au texte des béatitudes, il ajoute le groupe des quatre malédictions (Lc **6** 24-26; note § 50, I A).

c) Parfois encore, le proto-Lc *déplace certains épisodes* de ses sources. Ainsi, pour le discours eschatologique qu'il tient du Document B, il a séparé le discours de son introduction, plaçant celle-ci au moment où Jésus arrive en vue de Jérusalem (§ 274). – Lc **13** 22-30 regroupe des logia en provenance du Document Q (note § 220, II). – Les invectives de Jésus contre les villes des bords du lac (Lc **10** 12-15) ont été déplacées par le proto-Lc et insérées dans le discours de mission du Document Q; cette insertion est reconnaissable aux modifications que Lc a dû faire subir au texte de sa source pour l'adapter à son nouveau contexte (note § 109).

D'autres données concernant le proto-Lc suivront l'étude de l'ultime rédaction lucanienne.

F) ULTIME RÉDACTION LUCANIENNE

Nous avons vu plus haut (E) qu'il fallait distinguer deux niveaux rédactionnels dans Lc : le proto-Lc et l'ultime rédaction lucanienne. L'existence de cette ultime rédaction lucanienne n'est donc plus à prouver ici.

1. Activité de l'ultime Rédacteur lucanien

a) Tous ceux qui admettent une distinction entre proto-Lc et ultime rédaction lucanienne sont d'accord sur l'activité principale de l'ultime Rédacteur lucanien : il a *complété et remanié le proto-Lc en fonction de Mc* (pour nous, le Mc-intermédiaire). L'ultime Rédacteur lucanien a donc fait pour le proto-Lc ce que l'ultime Rédacteur matthéen a fait pour le Mt-intermédiaire. Puisque nul ne songe à nier une influence de Mc sur Lc, nous n'allons pas perdre de temps à la prouver. Signalons simplement les sections où l'ultime rédaction lucanienne ne dépend, semble-t-il, que du Mc-intermédiaire : les

§§ 32 à 36, qui forment la « journée-type » de l'activité missionnaire de Jésus (Lc **4** 31 à **6** 19); les récits de la « Vocation de Lévi » et du « Repas avec des pécheurs » (Lc **5** 27-32; notes § 41, I 2 b; § 42, I 2 c); le sommaire de Lc **6** 17-19 (note § 47, II 1 a); le « Jugement d'Hérode sur Jésus » (Lc **9** 7-9; note § 146, II 5); la « Guérison de l'enfant épileptique » (Lc **9** 37-43a; note § 171, I C 2).

b) L'ultime Rédacteur lucanien a *tronqué certains récits*, ou même les a omis complètement.

1. Dans le récit lucanien narrant la guérison du fils du centurion de Capharnaüm (Lc **7** 1b-10), il est étrange qu'on ne trouve chez le Lc actuel aucune mention de la parole par laquelle Jésus déclare guéri le fils (ou le serviteur, chez Lc) de ce centurion; une telle parole se lit dans tous les autres récits parallèles, mais elle fut supprimée par l'ultime Rédacteur lucanien (note § 84, III 2). – Dans l'épisode « Jésus et Pierre chez le Grand Prêtre », il existe entre les vv. 54 et 55 de Lc **22** une lacune qui rend le texte actuel de Lc assez incohérent; cette lacune est confirmée par le parallèle de Jn, qui dépend ici du proto-Lc, et elle doit donc être attribuée à l'ultime Rédacteur lucanien (note § 339, I B 2). – La version lucanienne du procès de Jésus devant le Sanhédrin (**22** 66-71) est amputée de son introduction et de sa conclusion (note § 342, I C 2); mais cette introduction et cette conclusion sont connues de Jn, qui dépend ici encore du proto-Lc; leur suppression doit donc être attribuée à l'ultime Rédacteur lucanien. – Dans le récit lucanien de la comparution de Jésus devant Pilate, il semble y avoir une lacune vers le centre de ce récit : le personnage de Barabbas y est nommé sans aucune préparation; le témoignage de Jn, qui dépend du proto-Lc, confirme l'existence de cette lacune qu'il faut attribuer au Rédacteur lucanien (note §§ 347, 349, I A 1 b). – Enfin, le début du récit du baptême de Jésus (Lc **3** 21-22) semble tronqué puisque, contrairement à Mt/Mc, Lc ne mentionne pas la venue de Jésus au Jourdain (note § 24, I C 2). A l'analogie des autres cas, on attribuera cette omission au Rédacteur lucanien.

2. Le Rédacteur lucanien élimine certains récits du proto-Lc. Le récit de la marche sur les eaux, attesté par Mt/Mc (§ 152), est omis par Lc; mais on en trouve des vestiges dans le récit lucanien de l'apparition de Jésus aux Onze (note § 365, 3 b); c'est le Rédacteur lucanien qui, voyant une analogie de situation entre les deux épisodes, a effectué ce transfert. – De même, Lc n'a pas le récit du figuier maudit et desséché (§§ 276, 278), mais il donne en revanche une parabole de même portée théologique sur le figuier stérile (Lc **13** 6-9, § 216). – Lc ne rapporte plus la demande des fils de Zébédée, attestée par Mt/Mc (§ 254), mais il en garde l'enseignement essentiel qu'il transfère dans son petit « discours après la

Cène » (§ 321). – Il omet le récit de l'onction à Béthanie, attesté par Mt/Mc (§ 313); il omet également le récit de la femme adultère, attesté par Jn **8** 1-11 et qui, de rédaction lucanienne, devait se lire dans le proto-Lc (note § 259, 2 et 3); il donne au contraire le récit de la pécheresse pardonnée (**7** 36-50, § 123), ignoré de Mt/Mc/Jn, mais qui offre des analogies certaines avec les épisodes de l'onction à Béthanie et de la femme adultère. – Les récits johanniques de la réunion du Sanhédrin qui décide la mort de Jésus (Jn **11** 47-53) et de la comparution de Jésus devant Anne (Jn **18** 19-23) sont de saveur lucanienne et devaient se lire dans le proto-Lc (notes § 267, 2 c et § 340, I); ils ont été omis par le Rédacteur lucanien. – De même, le logion de Mt **5** 17 sur l'accomplissement de la Loi n'est pas donné par le Lc actuel; ce logion est cependant cité par Marcion, sous une forme plus simple attestée chez d'autres auteurs anciens; puisque Marcion ne reconnaissait que l'évangile de Lc, il doit citer ici un proto-Lc dont le texte a disparu du Lc actuel (note § 53, I 1 c). – Étant donné les exemples précédents, on pourra encore attribuer à l'activité du Rédacteur lucanien la suppression de deux épisodes attestés par Mt/Mc : la « Réprimande de Pierre » par Jésus (§ 167; voir sa note 3) et la « Question au sujet d'Élie » (§ 170; voir sa note, II 2). Dans le premier cas, le Rédacteur lucanien a voulu éviter un texte où Pierre était traité de « Satan » (Jn a une réaction semblable, voir la note § 167); dans le second cas, il a voulu éviter un texte où Jean-Baptiste était assimilé à Élie *redivivus*.

c) S'il tronque certains récits, le Rédacteur lucanien n'hésite pas à *en compléter d'autres*. Dans la « Question sur le jeûne », le logion de Lc **5** 39 est un ajout du Rédacteur lucanien reflétant l'expérience personnelle du missionnaire, compagnon de Paul, qui voit les Juifs refuser le vin nouveau de l'évangile (note § 43, II 4). – Lc **7** 1a est un ajout du Rédacteur lucanien destiné à ménager une transition entre le discours inaugural de Jésus et la section suivante (note § 76, 2). – Dans le récit du « Témoignage de Jésus sur Jean-Baptiste », Lc **7** 29-30 est un ajout de style lucanien, mais qui reprend librement un thème attesté en Mt **21** 32 et contenant une pointe contre les Pharisiens et les légistes – ou scribes (note § 107, V). – Dans le récit de la « Comparution de Jésus devant Pilate », le Rédacteur insère l'épisode de Jésus envoyé à Hérode, de vocabulaire lucanien et qui reprend certains éléments du récit de la comparution devant Pilate (note § 348, I). – Au récit du « Chemin de croix », le Rédacteur lucanien ajoute l'apostrophe de Jésus au peuple et aux femmes qui le suivent (**23** 27 ss.), composée d'ailleurs d'éléments divers (note § 351, II 3). - Dans la scène du crucifiement de Jésus, il ajoute l'épisode des deux larrons dont il trouvait toutefois le noyau chez le Mc-intermédiaire (note § 353, 2 a).

d) Quant aux *récits propres à Lc*, il est souvent impossible de dire s'ils remontent au proto-Lc ou seulement à l'ultime rédaction lucanienne. Le style en est souvent très lucanien, ce qui ne veut pas dire que Lc les ait inventés de toutes pièces.

e) Signalons encore quelques *modifications mineures apportées* par le Rédacteur lucanien *au texte du proto-Lc*, ou au texte du Mc-intermédiaire. Dans l'épisode de Jésus enseignant dans la synagogue de Capharnaüm (Lc **4** 31-37), qu'il reprend au Mc-intermédiaire, le Rédacteur lucanien pense à ses lecteurs d'origine grecque : il précise la situation géographique de Capharnaüm (cf. Lc **1** 26; **2** 4; **8** 26; **23** 51), il supprime la référence au mode d'enseignement des scribes, qui n'aurait pas intéressé ses lecteurs (v. 32), il modifie le v. 27b de Mc, de façon à enlever ici toute allusion à l'enseignement de Jésus et à unifier le récit de l'expulsion d'un démon (note §§ 32, 33, I 2). – En reprenant le récit du proto-Lc concernant la pêche miraculeuse (Lc **5** 1-11), le Rédacteur lucanien y fait deux additions importantes, sous l'influence de Mc : l'introduction de la scène, reprise de Mc **4** 1, mais surtout la mention de Jacques et Jean (v. 10a) et l'indication que Pierre, Jacques et Jean laissèrent tout pour suivre Jésus (v. 11); on sent ici l'influence du récit de Mc **1** 16-20 (note § 38, 2). – Le sommaire de Lc **5** 15-16 est une création du Rédacteur lucanien qui reprend certains éléments d'origine marcienne (note § 39, II 3). – Dans la même perspective, ce Rédacteur modifie et amplifie le début du récit de la guérison du paralytique (note § 40, III c). – Il a modifié la finale du passage sur la vraie parenté de Jésus afin d'y introduire le thème de ceux qui « écoutent la parole de Dieu », créant ainsi un lien entre cet épisode et l'explication de la parabole du semeur (note § 122, I A 2 a). – L'introduction de la parabole de la brebis perdue (Lc **15** 1-2) est une composition du Rédacteur lucanien qui reprend en partie les données de Lc **5** 30 (note §§ 230, 231, I 1 a). – Tout en gardant la structure du récit de l'agonie à Gethsémani que lui donnait le proto-Lc, le Rédacteur lucanien a changé un certain nombre de détails sous l'influence de Mc; on notera spécialement, au v. 46 (Lc **22**), la reprise de la consigne touchant la prière, en provenance du Mc-intermédiaire, qui se lisait déjà au v. 40; le récit actuel de Lc se trouve ainsi encadré par deux consignes de prière (note § 337, II 6). – Dans le récit de la mise au tombeau, le Rédacteur lucanien ajoute un certain nombre de traits, comme la description de Joseph d'Arimathie (Lc **23** 50) ou la mention des femmes qui préparent les aromates en vue de l'ensevelissement (vv. 55a.56; voir note § 357, I A 3).

Dans ce paragraphe F, nous n'avons cité que les remaniements les plus importants du Rédacteur lucanien; il faudrait encore signaler tous les remaniements d'ordre grammatical, perceptibles surtout lorsque ce Rédacteur modifie le style du Mc-intermédiaire pour le rendre plus clair ou plus coulant.

Ces remaniements seront signalés, du moins en partie, dans les notes.

f) Notons enfin l'*usage* que fait *de la Septante*, le Rédacteur lucanien (ou parfois le proto-Lc?), soit grâce à des citations formelles de l'AT, soit par de simples allusions; nous renvoyons simplement aux notes où ce fait est signalé : § 19, I 3 b et d; § 30, I 2; § 105, II 2; § 183, I 1; § 223, 1; § 351, I 2 *aa*; §§ 352, 355, II 4 c et 7 a.

2. Proto-Lc et ultime rédaction lucanienne

a) Les commentateurs qui admettent une distinction entre proto-Lc et ultime rédaction lucanienne se sont souvent demandé *si l'auteur du proto-Lc était le même* que celui de l'ultime rédaction lucanienne. Autrement dit, est-ce le même Lc qui écrivit une première rédaction évangélique (proto-Lc) et la refondit ensuite en fonction de l'évangile de Mc, dont il aurait eu connaissance entre-temps? Certains répondent par la négative, en décelant des tendances théologiques différentes entre les deux niveaux rédactionnels de Lc. Cet argument n'est pas décisif, car les idées d'un auteur peuvent se modifier, surtout lorsqu'il bénéficie d'une documentation nouvelle. En revanche, il est à peu près impossible de distinguer le vocabulaire et le style du proto-Lc de ceux de l'ultime rédaction lucanienne, l'un et l'autre s'apparentant étroitement au vocabulaire et au style des Actes. L'explication la plus probable est donc d'admettre l'unité d'auteur entre proto-Lc et ultime rédaction lucanienne.

b) Mentionnons ici une hypothèse déjà proposée par divers commentateurs et qui ne manque pas de vraisemblance. Il est évident que la finale actuelle de l'évangile de Lc, comprenant la mission universelle des apôtres (**24** 48-49, § 366) et le récit de l'ascension (**24** 50-53, § 374) forme doublet avec le début des Actes (Ac **1** 4-12); ce dédoublement pourrait s'expliquer ainsi : *le proto-Lc et les Actes* ne formaient qu'*un seul ouvrage de Lc.* Quand celui-ci eut connaissance de l'évangile de Mc, il en inséra les matériaux dans son propre évangile; mais le tout formait un ensemble trop considérable; Lc le coupa donc en deux : évangile d'un côté, Actes de l'autre; mais il dédoubla les deux récits de la mission des apôtres et de l'ascension de façon à donner une conclusion à son évangile tout en conservant une introduction au livre des Actes.

c) A propos de l'*ultime Rédacteur matthéen*, nous nous sommes demandé s'il ne serait pas *identique à l'ultime Rédacteur marcien* (*supra*, II D 3), nous appuyant principalement sur le fait qu'ils ont tous deux un vocabulaire et des expressions typiquement lucaniens; mais ne seraient-ils pas alors *identiques à l'ultime Rédacteur lucanien?* On notera que, dans l'épisode de Jésus

mal accueilli (Lc **7** 31-35; Mt **11** 16-19 : § 108), les vv. 19 de Mt et 34 de Lc contiennent le même ajout : « ... des publicains ami, et des pécheurs », qui renvoie au récit du § 42 et contient le très lucanien « ami »; à moins d'admettre une influence, peu probable, de l'ultime rédaction lucanienne sur l'ultime rédaction matthéenne, il faut penser que la même addition a été faite par le même Rédacteur, ou par deux Rédacteurs de même école. Le cas est encore plus net pour les ajouts, en partie identiques, faits en Mt **26** 55, Mc **14** 48-49, Lc **22** 52-53, plus « lucaniens » dans Mt/Mc que dans Lc ! (cf. note § 338, III). On notera d'ailleurs la même technique des trois Rédacteurs évangéliques : le Mt-intermédiaire est complété par emprunts au Mc-intermédiaire; il en va de même du proto-Lc; quant au Mc-intermédiaire, il est complété par emprunts au Mt-intermédiaire; autrement dit, les trois évangiles sont systématiquement harmonisés les uns sur les autres. Si l'on se refuse à admettre que Lc soit l'ultime Rédacteur des évangiles de Mt, de Mc (et de Lc !), il faut reconnaître au moins que les trois Rédacteurs évangéliques appartenaient à la même école lucanienne.

3. Théologie de Lc

Nous voudrions simplement souligner ici quelques tendances apologétiques ou théologiques de Lc, qui ont été moins souvent notées. Nous ne ferons pas de distinction entre proto-Lc et ultime Rédacteur lucanien.

a) L'évangile de Lc manifeste une *tendance anti-pharisaïque* qui étonne un peu de la part d'un auteur d'origine grecque, écrivant pour des lecteurs issus du paganisme et de formation grecque. A la fin de l'épisode du « Témoignage de Jésus sur Jean-Baptiste » (§ 107), Lc ajoute les vv. 29-30 (chap. **7**) pour souligner que, dès la prédication du Baptiste, les Pharisiens et les légistes (= les scribes) ont refusé d'entendre le message de Dieu, tandis que tout le peuple, et les publicains en particulier, se sont convertis en acceptant le baptême de Jean. L'épisode de la pécheresse pardonnée (§ 123) oppose l'attitude du Pharisien sûr de sa justice à celle de la femme qui obtient son pardon de Jésus. L'introduction (Lc **14** 7) et la conclusion (**14** 11) que Lc donne à la parabole sur le choix des places (§ 224) lui confère une pointe anti-pharisaïque qu'elle ne comportait pas primitivement (note § 224, 3 b). De même, en ajoutant l'introduction de la parabole de la brebis perdue (Lc **15** 1-2) et en remaniant le v. 7 de façon à expliciter l'opposition « justes/pécheurs », Lc donne une importance beaucoup plus grande à l'intention polémique de la parabole, dirigée contre les scribes et les Pharisiens (note §§ 230, 231, II 2); cette intention polémique se retrouve dans la seconde partie de la parabole de l'enfant prodigue, ajoutée peut-être par Lc (note § 232, 2). Lc complète sa polémique en insérant ici le logion « contre l'orgueil des Pharisiens », reprise du Document Q (§ 134). Enfin, il termine sa section « péréenne » par la parabole du Pharisien et du publicain (§ 245), qui n'est pas à l'avantage du premier ! On aura noté que, dans presque tous ces exemples, Lc s'en prend aux Pharisiens, non pas tellement à cause de leur hypocrisie religieuse ou de leur casuistique (cf. le Mt-intermédiaire), qu'à cause de leur mépris pour ceux qu'ils tenaient pour des « pécheurs » invétérés : les publicains et les femmes de mauvaise vie. A la suite de Jésus, Lc veut montrer que tous les « pécheurs », quels qu'ils soient, peuvent bénéficier de la miséricorde de Dieu, plus facilement que les Pharisiens endurcis dans leur confiance en eux-mêmes.

b) Dans un monde où la corruption morale allait en s'accentuant, Lc s'est fait le *défenseur de la virginité*. Il est significatif que, dans deux passages où il est parlé de l'abandon de tous les siens pour suivre le Christ : « Récompense promise au détachement » (§ 251) et « Se renoncer pour suivre Jésus » (§ 227), Lc ajoute la mention « et (sa) femme », absente des parallèles de Mt ou de Mc (Lc **18** 29b ; **14** 26). Dans la discussion sur la résurrection des morts (§ 284), il réinterprète le logion de Jésus dans ce sens que l'abstention du mariage concerne, non seulement ceux qui sont ressuscités, mais encore ceux qui, dès cette vie, ont été jugés dignes de participer au monde futur (note § 284, II 3). Dans le récit de la visite de Jésus à Nazareth (§ 144), il supprime la mention des « frères » et des « sœurs » de Jésus, ces mots pouvant être interprétés par des lecteurs grecs au sens propre, et non au sens de « cousins », possible dans une langue sémitique (note § 144, II 6). Plus que Mt **1** 18-25, Lc insiste sur la virginité de Marie (Lc **1** 27.34-35).

c) Notons encore quelques *points particuliers*. Lc met en relief le rôle essentiel de l'Esprit qui pousse Jésus dans l'accomplissement de sa mission messianique (note § 28, 3 a). Il souligne la nécessité vitale, pour le disciple de Jésus, de rester à l'écoute de la parole de Dieu (notes § 140 ; § 192, 3 ; § 199, 1). Il fut préoccupé par le problème des richesses et nous a transmis un certain nombre de paraboles qui s'y rapportent (notes § 233, § 236, § 269).

G) L'ÉVANGILE DE JEAN

Puisque, dans ce volume, nous ne parlons de l'évangile de Jn que dans la mesure où il intéresse le problème synoptique, nous nous contenterons ici de traiter des sources utilisées par Jn.

1. JN ET LE PROTO-LC

a) Dans les récits de la passion et de la résurrection, le proto-Lc est la source principale de Jn. Dans l'épisode « Jésus et Pierre chez le Grand Prêtre », Jn dépend du proto-Lc dont il a repris en partie le vocabulaire (note § 339, I B 1). – Le second reniement de Pierre, en Jn **18** 25, offre des affinités certaines avec le second reniement qui se lit en Lc **22** 58 ; Lc et Jn dépendent du proto-Lc, lui-même en dépendance du Document C (note § 340, II 3). – Jn utilise la version lucanienne du procès de Jésus devant le Sanhédrin, bien qu'il en ait transféré les éléments essentiels en **10** 24 ss. (note § 342, I C 1). – Pour l'épisode « Jésus conduit à Pilate », Lc et Jn sont proches l'un de l'autre et différents de Mt/Mc ; Jn dépend encore ici du proto-Lc (note § 345, 2). – Le double épisode de la « Comparution de Jésus devant Pilate » et de la « Condamnation à mort » de Jésus est le passage où la dépendance de Jn à l'égard du proto-Lc est la plus évidente. Les récits de Lc et de Jn reflètent le même schéma fondamental, différent de celui de Mt/Mc, et présentent un vocabulaire et des thèmes que l'on retrouve abondamment dans les Actes ; Jn et l'ultime Rédacteur lucanien ont remanié, chacun à sa manière, le texte du proto-Lc (note §§ 347, 349, I A 1 et 2). – Malgré l'insertion par l'ultime Rédacteur lucanien de l'épisode de Simon de Cyrène, la dépendance de Jn par rapport au proto-Lc est encore visible dans le « Chemin de croix » ; d'ailleurs, dans Jn comme dans Lc, ce sont les Juifs, et non les soldats romains, qui emmènent Jésus pour le crucifier (note § 351, I 2 a *bb*). – Jn suit encore le proto-Lc pour le double épisode du « Crucifiement » et de la « Mort de Jésus » (note §§ 352, 355, II 1 a, 3, 7 b, 10). – Une influence du proto-Lc sur Jn est possible dans la scène de l'ensevelissement (note § 357, I B 3 a). – Jn dépend enfin du proto-Lc pour le début du récit « Les femmes au tombeau » (Jn **20** 1-2 ; Lc **24** 1-2 ; note § 359, I 2), auquel faisait suite l'épisode de Pierre allant au tombeau (note § 360, 1 et 2) que Jn reprend encore au proto-Lc.

b) En dehors des récits de la passion et de la résurrection, Jn dépend du proto-Lc pour les passages suivants : « Entrée en scène de Jean-Baptiste » (note § 19, II 2 a). – « Pêche miraculeuse », qui était dans le proto-Lc un récit d'apparition du Christ ressuscité (note § 38, 1 et 3). – Pour la guérison du fils de l'officier royal de Capharnaüm, le récit de Jn dépend à la fois du Document C et du proto-Lc (note § 84, IV 2). – Introduction du récit de la multiplication des pains (note § 151, I A 3). – « Jésus enseigne dans le Temple et passe les nuits au mont des Oliviers » (Jn **8** 1-2 et Lc **21** 37-38 ; note § 308, 1).

c) Il existe enfin plusieurs récits johanniques, absents du Lc actuel, qui offrent une forte coloration lucanienne ; ils devaient se lire dans le proto-Lc, mais furent abandonnés par l'ultime Rédacteur lucanien. Ce sont : l'épisode de la femme adultère (Jn **8** 3-11 ; note § 259, 1) ; le récit de la réunion du Sanhédrin qui décide la mort de Jésus (Jn **11** 47-53 ;

note § 267, 2); enfin le récit de la comparution de Jésus devant le Grand Prêtre Anne (Jn **18** 13a.19-23; note § 340, I 1).

2. JN ET LE DOCUMENT C

Jn dépend directement, et non seulement par l'intermédiaire du proto-Lc, du Document C. Il lui reprend : le logion sur la nécessité de « haïr son âme » (Jn **12** 25-26), dont on trouve un écho en Lc **14** 26 (note § 227, 2 c *cc*). – Le récit sur l'approche de la Pâque de Jn **11** 55-57 (note § 271, à la fin). – L'annonce du reniement de Pierre (Jn **13** 36-38; note § 323, 1, 2, 3, 5). – Peut-être l'annonce de la dispersion des disciples (Jn **16** 32, note § 336, I 2). – Le récit de l'agonie de Jésus (à Gethsémani), que Jn a coupé en deux : Jn **12** 23.27 et **14** 30-31, et que le Mc-intermédiaire fusionne avec les récits parallèles des Documents A et B (note § 337, I B). – Pour le reniement de Pierre (Jn **18** 25), il est possible que Jn dépende, non du proto-Lc, mais directement du Document C (note § 340, II 4 e). – Enfin, le récit de l'ensevelissement de Jésus (note § 357, I B 2).

3. JN ET LE DOCUMENT B

Jn dépend encore directement du Document B. Voici les épisodes qu'il lui reprend : « Entrée en scène de Jean-Baptiste » (Jn **3** 23; note § 19, II 1 f). – « Jean-Baptiste annonce la venue du Messie » (Jn **1** 27.30; note § 22, I A 1 a, II 3, 6). – « La première multiplication des pains » (note § 151, I B 2). – « Jésus marche sur les eaux » (Jn **6** 16-21; note § 152, I 1), récit du Document B que le Mc-intermédiaire fusionne avec celui du Document A. – « Demande d'un signe du ciel » (Jn **6** 30-31; note § 160, 1). – « La confession de Pierre » (Jn **6** 69; note § 165, I 3). On notera que ces quatre derniers épisodes repris par Jn formaient un bloc dans le Document B. – « Expulsion des vendeurs du Temple » (Jn **2** 13-21; note §§ 275, 277, 279, I A 1 c). – « L'onction de Béthanie » (Jn **12** 1 ss.; note § 313, II 6), récit du Document B que le Mc-intermédiaire fusionne avec celui du Document A. – « Annonce de la trahison de Judas » (Jn **13** 18; note § 317, I 3 a et c).

4. JN ET LES RECUEILS DE MIRACLES

On verra plus loin que, par-delà les rédactions des Documents A ou C, il faut supposer l'existence de divers Recueils : miracles, paraboles, logia... Il existe trois cas où Jn semble dépendre directement d'un Recueil de miracles : la guérison du paralytique (Jn **5** 5 ss.; note § 40, I 1 et 2), la guérison du fils du fonctionnaire royal (Jn **4** 46b-53; note § 84, IV 1), la guérison de l'aveugle de naissance (Jn **9** 1 ss.; note § 268, I).

5. JN ET L'ULTIME RÉDACTION MATTHÉENNE

Dans certains récits, enfin, Jn a subi l'influence de l'ultime rédaction matthéenne, mais c'est à son ultime niveau rédactionnel. Voici la liste des passages où l'on peut déceler une telle influence : « Jean-Baptiste annonce la venue du Messie » (note § 22, I A 1 a). – « Baptême de Jésus » (note § 24, I D 2). – « Guérison du fils du fonctionnaire royal » (note § 84, IV 3). – Introduction du récit de la première multiplication des pains (note § 151, I A 3). – « Les chefs juifs décident la mort de Jésus » (note § 267, 1). – « Cortège messianique vers Jérusalem » (note § 273, I C 1). – « L'onction de Béthanie » (note § 313, II 6). – « Annonce de la trahison de Judas » (note § 317, I 4). – « Jésus et Pierre chez le Grand Prêtre » (note § 339, I B 3). – Insertion du récit de la comparution devant Anne dans celui des reniements de Pierre (note § 340, II 3 d). – Un certain nombre de gloses ont été introduites dans le récit de l'ensevelissement de Jésus sous l'influence de l'ultime rédaction matthéenne (note § 357, I B 3 b).

H) LE DOCUMENT A

Le Document A fut utilisé : par le Document B, qui en est une réinterprétation à l'usage de milieux pagano-chrétiens; par le Mt-intermédiaire, qui lui adjoignit les matériaux en provenance du Document Q; par le Mc-intermédiaire, qui le fusionna avec le Document B. Il faut en préciser les caractéristiques.

1. ORIGINE PALESTINIENNE

Le Document A est d'origine palestinienne et fut écrit pour des milieux judéo-chrétiens. Voici quelques réflexions qui tendraient à le prouver :

a) C'est le Document A qui a transformé l'épisode des épis arrachés (§ 44) et la guérison de l'homme à la main sèche (§ 45) en controverses concernant l'observation du sabbat (note §§ 40-45; cf. notes § 44, II 2; § 45, I 1 et IV 2). Cette transformation suppose un milieu où, sans abolir la loi du repos sabbatique, on cherchait à l'observer de façon plus humaine en assouplissant l'application de ses interdits; de telles discussions étaient courantes dans les écoles rabbiniques. La transformation des deux épisodes en controverses sur l'observation du sabbat suppose donc un milieu judéo-chrétien, et non pagano-chrétien. – La discussion de Jésus et des Pharisiens au sujet des purifications rituelles et du « Corban » (§ 154) suppose des lecteurs connaissant les traditions pharisaïques et la subtilité de la casuistique pharisienne (note § 154, I 1 et 2). – On en dira autant de la discussion concernant la légitimité de la répudiation et du divorce (note § 246, II 1). – Le récit de la controverse sur la résurrection des morts, tel qu'on le lisait dans le Document A, suppose connue la loi du lévirat : parler d'une femme épousée successivement par sept frères l'évoque suffisamment (note § 284, II 1). – Dans la discussion sur le grand commandement, un scribe pose à Jésus une question souvent agitée dans les écoles rabbiniques : « Quel est le commandement le premier de tous ? » (note § 285, I A 1). – Les invectives de Jésus contre les scribes et les Pharisiens supposent connues certaines prescriptions assez obscures de la Loi : port de phylactères et de vêtements munis de franges (Mt **23** 5b; détails remplacés par d'autres, plus compréhensibles, dans la tradition marcienne; note § 287, II 1). – Le récit de l'obole de la veuve suppose connue la distinction entre la salle du Trésor et la caisse (corbana) où l'on jetait les offrandes; la tradition marcienne supprimera cette distinction (note § 290, 2). – Au niveau du Document A, le Discours eschatologique (Mc **13**) n'offre rien de spécifiquement chrétien; il suppose au contraire un nationalisme juif exacerbé par la domination romaine et qui rêve d'être délivré de l'oppresseur; on pense à des milieux judéo-chrétiens qui n'avaient pas rompu avec les espérances juives d'un messianisme politique (note §§ 291-301, II 1 e). – Le récit de l'onction à Béthanie, tel qu'on le lisait dans le Document A, tient compte, et des coutumes juives concernant l'ensevelissement des morts, et des traditions rabbiniques touchant ce qu'il fallait comprendre sous le terme d'« œuvres bonnes » (note § 313, I 2). – Le Document A ne contenait aucun récit de l'institution eucharistique, mais seulement un récit racontant comment Jésus, au cours d'un repas pascal, avait annoncé de façon voilée sa mort prochaine; ce récit implique que les lecteurs connaissent les rites de ce repas pascal (note § 318, II 1 a). – Selon le Document A, dans l'épisode de l'arrestation de Jésus, le baiser donné par Judas à Jésus n'était pas un signe destiné à désigner Jésus, mais simplement le geste par lequel un disciple saluait son maître (note § 338, I 2 c).

b) On relèvera, dans le Commentaire, quelques formules sémitisantes gardées par le Document A. Dans la deuxième annonce de la Passion, l'expression : « être livré aux mains de... », reprise de Dn **7** 13.25; elle fera place, dans le Document B, à une formule plus spécifiquement grecque (note § 172, II B 1 et 2). – Dans les logia du § 168, « ruiner son âme (= sa vie) » et « venir derrière » (note § 168, I 1, I 3). – Dans le récit de la marche sur les eaux, « parler avec » est un sémitisme (note § 152, I 1 a). – La forme paradoxale du logion sur le chameau et le trou d'une aiguille est très sémitique (note § 250, I 3). – Le récit de l'onction à Béthanie, dans le Document A, contenait les deux expressions sémitisantes : « accomplir sur », « d'avance elle a parfumé » (note § 313, I 2 c). – Pour parler de la mort de Jésus, le Document A employait la formule sémitique : « il laissa (partir) son esprit »,

où le mot « esprit » a le sens de « souffle vital » (note §§ 352, 355, III 1 f).

c) L'origine palestinienne du Document A est confirmée par certains rapprochements que l'on peut établir entre plusieurs de ses récits et certains ouvrages, juifs ou chrétiens, d'origine palestinienne : les Testaments des douze Patriarches (notes § 27, I A 2 et 3; § 152, II 1 c); l'Apocalypse de Baruch (note § 169, II 2 b); l'évangile des Hébreux (note § 249, I B c; note § 250, I 3).

2. Caractéristiques littéraires

Il n'est pas question ici d'étudier le vocabulaire et le style du Document A, mais seulement de signaler quelques-uns de ses procédés de composition littéraire.

a) En général, *les récits du Document A étaient simples et concrets*. Donnons quelques exemples pour opposer cette simplicité primitive aux développements ultérieurs de la tradition évangélique. Le récit de la tentation de Jésus au désert était notablement plus court que les récits, non seulement de Mt et de Lc, mais encore de Mc (note § 27, I A 3). – Le récit sur la vraie parenté de Jésus était à l'origine très concret, mais il fut augmenté, au niveau du Mc-intermédiaire, d'une réinterprétation théologique faite par le Document B (note § 122, II 1). – Pour la résurrection de la fille de Jaïre et la guérison de l'hémorroïsse, les récits, dans le Document A, ne contenaient que les éléments strictement nécessaires à l'intelligence des événements (note § 143, I A 1 et I B 1). – Le passage sur la préparation de la Pâque se caractérisait par sa sobriété littéraire et servait simplement d'introduction au récit du repas pascal (note § 315, II 1 d). – L'annonce de la trahison de Judas était beaucoup plus simple et concrète que dans le récit actuel de Mt/Mc (note § 317, I 1 b). – Le récit de l'entrée en scène de Jean-Baptiste ne contenait qu'une simple notice destinée à préparer le logion par lequel Jean annonce la venue du Christ (note § 19, II 3). – Cette caractéristique des récits du Document A apparaîtra dans de nombreuses notes du Commentaire.

b) Il arrive cependant que le Document A *réinterprète des récits plus anciens* en leur ajoutant certains détails. Il ajoute au récit primitif de la guérison du paralytique la controverse concernant le problème de la rémission des péchés (note § 40, II 1). – Il réinterprète le récit de la guérison du fils du centurion et ajoute le logion par lequel ce centurion de Capharnaüm exprime sa foi en Jésus (note § 84, IV 1 et V). – La tradition représentée par le Document A réinterprète un récit d'exorcisme (cf. Document C) en fonction d'un épisode folklorique : la noyade d'un troupeau de porcs dans le lac de Tibériade (note § 142, IV 2). – Dans le Document A, le récit de la multiplication des pains a déjà reçu une réinterprétation eucharistique (note § 151, II 2). – On peut donc conclure de ces remarques que le Document A doit la simplicité de ses récits, signalée au paragraphe précédent, aux sources utilisées par lui (cf. *infra*); il reste qu'il fait preuve d'une assez grande réserve quand il lui arrive de remanier le texte de ses sources.

c) Un certain nombre des récits du Document A ont été composés en *tenant compte de précédents qui se lisaient dans l'AT*. Le récit de la vocation de Jacques et Jean reprend le schéma de la vocation d'Élisée par Élie (note § 31, I 1), schéma qui se retrouve dans le récit de la vocation du publicain (note § 41, I 1) et, d'une façon plus inattendue, dans la scène de la guérison de la belle-mère de Pierre (note § 34, 3). – Le récit de la tempête apaisée offre avec le précédent de Jonas des analogies évidentes, qui indiquent une dépendance littéraire (note § 141, I 1 a et II 2 a). – Le récit de la multiplication des pains s'inspire certainement du précédent d'Élisée effectuant le même miracle (note § 151, II 1 a). – Bien que les affinités littéraires soient beaucoup moins marquées, on rapprochera le procès de Jésus devant le Sanhédrin, tel qu'il se lisait dans le Document A, du précédent de Jérémie, menacé de mort parce qu'il a prédit la destruction du Temple (note § 342, I A 1 b).

d) En général, le Document A ne contient pas de citations explicites de l'AT; en revanche, les *allusions à tel ou tel texte de l'AT* y sont nombreuses. Dans le récit du baptême de Jésus, allusions à Is **63** 11.19 et à Is **42** 1-2 (les deux fois d'après l'hébreu; cf. note § 24, I A 1 a et c, I A 2 a). – En continuité avec le récit du baptême de Jésus, celui de la «tentation» (simple séjour au désert, dans le Document A) fait une allusion discrète à Is **65** 25 (note § 27, I A 3). – La controverse sur les épis arrachés contient une allusion au précédent de David affamé, se nourrissant des pains de proposition (note § 44, I 4). – La parabole du grain de sénevé fut complétée par l'addition du thème des oiseaux du ciel venant s'abriter sous l'ombre de l'arbuste; c'est une allusion à Ez **17** 22-24 (note § 133, II 2). – La voix qui se fait entendre, lors de la transfiguration, fait allusion à la fois à Is **42** 1, Ps **2** 7 et Dt **18** 15 (note § 169, II 2 c). – Dans l'annonce de la Passion, l'expression «être livré aux mains de» fait allusion à Dn **7** 13.25 et peut-être aussi à Jr **26** 24 (note § 172, II B 1 b). – Dans la discussion sur le divorce, on ne lisait qu'une simple allusion à Dt **24** 1 : «Moïse a permis d'écrire un acte de divorce et de répudier» (note § 246, IV 2 a). – Le récit du cortège messianique vers Jérusalem contenait ces allusions à l'AT : à Gn **49** 8-12 dans les mots «un ânon attaché»; à

2 R **9** 13 dans le geste des disciples étalant leurs manteaux sur le chemin; à Ps **118** 25 dans «Hosanna» (note § 273, II 1 a *bb* et *cc*, II 2 c). – Dans la discussion sur le problème de la résurrection, la loi du lévirat était évoquée simplement par la mention de la femme épousée successivement par sept frères morts l'un après l'autre en la laissant sans enfant (note § 284, I 2 a). – Dans la discussion sur le Christ, fils et seigneur de David, le Document A n'avait qu'une allusion au Ps **110** 1 : «David le dit Seigneur» (note § 286, II 2).

On notera toutefois les citations explicites suivantes : celles de Daniel dans le discours eschatologique de Mc **13**, mais elles proviennent d'une source juive christianisée; celle de Ex **3** 6 dans la discussion sur la résurrection, mais il s'agit d'un argument qui devait être classique puisqu'il y est fait allusion dans le quatrième livre des Maccabées (note § 284, I 2 b); celle de Lv **19** 18 dans la discussion sur le grand commandement, mais il s'agit ici aussi d'un texte classique vulgarisé par le traité des Deux Voies (note § 285, III).

3. Ordre des péricopes

L'ordre actuel des péricopes évangéliques dépendant en grande partie du Mc-intermédiaire, qui a influencé les ultimes rédactions matthéenne et lucanienne, il est souvent impossible, à quelques exceptions près, de retrouver l'ordre des récits du Document A. Le début du ministère public de Jésus avait cette séquence : Jean-Baptiste, présenté de façon très sobre (note § 19, II 3 d), annonçait la venue de celui qui doit baptiser dans l'esprit (= vent) et le feu (note § 22, II 1). Venait ensuite le récit du baptême de Jésus (note § 24, I A) et de sa retraite au désert (note § 27, I A). Après être retourné en Galilée, à Nazara (note § 28, 2 c), Jésus donne son premier enseignement dans la synagogue de cette ville; les auditeurs sont émerveillés et la renommée de Jésus se répand aux alentours; Jésus s'en va alors prêcher dans villes et villages de Galilée (voir la reconstitution de cet ensemble à la note § 144, II 1 c). Cette renommée de Jésus parvient jusqu'à Hérode, qui se demande si Jean ne se serait pas réveillé de chez les morts (texte à la note § 146, II 1). Après ces péricopes du début de l'évangile devait suivre, presque immédiatement, le récit très bref de la vocation des disciples (note § 48, 1) et de leur envoi en mission (note § 145, I B 1). – Les cinq controverses des §§ 40, 42-45 étaient déjà groupées dans le Document A (note §§ 40-45). – On y lisait à la suite ces récits : la tempête apaisée, la guérison du possédé de Gadara, la résurrection de la fille de Jaïre (note § 143, introd.). – Quant aux récits de la Passion, leur séquence dans le Document A sera facile à reconstituer d'après les notes.

I) LE DOCUMENT B

1. Son origine

Le Document B est essentiellement une réinterprétation du Document A faite en milieux pagano-chrétiens, ce qui explique le parallélisme des récits.

a) Pour prouver le fait que le Document B *réinterprète le Document A*, nous nous contenterons de renvoyer aux notes suivantes : § 22, II 3; §§ 32, 33, I 1 a; § 37, 1; § 49, I 1 b; § 122, II 2 a; § 142, IV 3; § 143, II A 2 a; § 145, I B 1 et III 1; § 146, I 1; § 170, III 2; § 250, I 2; § 273, II 2; §§ 291-301, II 4 e; § 313, I 3; § 315, II 3; § 317, I 1 c; § 318, II 2 a; § 337, II 3; § 340, II 4; § 342, I B 1 b; § 357, II 3. – Dans bien des cas, les récits des Documents A et B différaient assez peu l'un de l'autre et il est parfois impossible de les distinguer à travers nos récits évangéliques actuels, surtout là où l'ultime Rédacteur matthéen a remplacé le texte du Mt-intermédiaire par celui du Mc-intermédiaire. Dans ces cas-là, nous avons fait dépendre Mc directement du Document A, mais il est possible qu'il y ait eu un récit parallèle du Document B dont le Mc-intermédiaire dépendait.

b) Dans les notes citées plus haut, on trouvera un certain nombre de caractéristiques prouvant que le Document B fut *composé en milieux pagano-chrétiens;* nous signalerons ici les plus importantes. Le second récit de la multiplication des pains (Document B) se distingue du premier (Document A) par des traits indiquant qu'il fut écrit pour des chrétiens issus du paganisme (note § 159, I 2 a). L'annonce de la Passion du Document B, caractérisée par le verbe « souffrir », n'a pu être écrite qu'en milieux grecs (note § 170, III 1 et 2). La formule par laquelle est exprimée la mort de Jésus est grecque, et non sémitique comme dans le Document A (note §§ 352, 355, III 2 h). – On notera aussi la pointe anti-juive de certains passages. L'annonce de la Passion fait allusion à Ps **118** 22 et souligne la culpabilité des chefs du peuple juif dans le « rejet » de Jésus (note § 170, III 1 d). Le récit sur la vraie parenté de Jésus avait une introduction dirigée contre les « frères » du Seigneur; on aurait là l'écho de polémiques ayant opposé les chrétiens issus du paganisme, de tendance paulinienne, aux chrétiens issus du judaïsme, dont le chef de file était Jacques, le frère du Seigneur (note § 122, II 2 b; cf. Ga **2** 12). Le logion à portée universelle sur la difficulté d'entrer dans le royaume reçoit une application plus particulière en fonction des Juifs qui, appelés les premiers à entrer dans le royaume, seront en fait les derniers à y entrer (note § 250, I 2).

c) *Le Document B cite l'AT d'après la Septante*, ce qui est encore une preuve de son origine grecque; voir les cas signalés aux notes : § 24, I C 3; § 117, I 3 b; § 152, II 2 c et d; § 154, II 3; § 159, I 1; § 273, II 2 c; §§ 291-301, I B 1 c et II 4e; § 315, II 3 a; § 342, I B 1 b *bb*; § 343, I 2; §§ 352, 355, III 2 b, c, f, h.

2. Sa date

Il est probable que Paul a connu et cité le Document B. En Col **2** 8-22, il utilise la discussion sur les traditions pharisaïques telle qu'elle se lisait dans le Document B (note § 154, II 3). L'appel à la vigilance qui terminait le discours eschatologique dans le Document B est cité en Ep **6** 18. En Rm **8** 15 (cf. Ga **4** 6) Paul se réfère probablement au récit de l'agonie à Gethsémani tel qu'on le lisait dans le Document B (note § 337, II 3). Ajoutons que 1 Th **5** 3 connaît l'appel à la vigilance du Document B (Lc **21** 34.36); mais il n'est pas certain que ce passage de 1 Th soit de Paul lui-même. Si ces remarques sont valables, le Document B existait déjà lorsque Paul écrivait son épître aux Romains, vers 57-58. Puisque le Document B est une réinterprétation du Document A, il faudrait assigner à la rédaction de ce dernier une date encore plus haute, au moins aux environs de l'an 50.

J) LE DOCUMENT C

Son importance vient de ce qu'il représente une tradition très différente de celle du Document A, et donc aussi de celle du Document B; malheureusement, nous ne pouvons plus atteindre qu'une partie relativement minime de sa teneur primitive.

1. Existence du Document C

a) Nous avons été amenés à postuler l'existence d'un Document C *à partir des récits où Mc fusionne trois textes différents;* il connaît donc une troisième source indépendante des Documents A et B. De ce point de vue, le récit le plus important est celui de l'agonie à Gethsémani, car il ouvre un certain nombre de perspectives sur la nature du Document C. Le troisième récit fusionné par Mc se retrouve en Jn **12** 23.27 et **14** 30-31 (note § 337, I B); il contient un thème, celui de l' « heure » du Christ, fréquent chez Jn mais inconnu par ailleurs des Synoptiques. Il contient aussi une annonce de la Passion sous sa forme courte (Mc **14** 41b; Jn **12** 23) qui s'ajoute aux deux autres annonces de forme courte, attestées par Lc **9** 44b (Document A) et Mc **9** 12b ou Lc **17** 25 (Document B), ce qui nous donne trois annonces de la Passion sous forme courte, remontant aux trois Documents A, B et C (cf. note générale sur les annonces de la Passion, précédant la note § 166). – Dans le récit des reniements de Pierre (§ 340), Mc fusionne encore trois textes : les deux premiers proviennent des Documents A et B; le troisième, attesté par Lc et Jn, se lisait dans le proto-Lc qui devait le tenir du Document C (note § 340, II 4). – Signalons enfin le récit des outrages à Jésus prophète; outre les textes des Documents A et B, Mc y fusionne un troisième texte dont on trouve un écho dans Jn **18** 22 : Jésus reçoit une gifle d'un des valets du Grand Prêtre (note § 343, I 3). Ce fait, ici aussi, contient des résonances importantes. Dans le Document A, Jésus était bafoué comme prophète (note § 343, I 1), ce qui complète très bien le récit du procès devant le Sanhédrin, selon le Document A (Jésus y avait prophétisé la ruine du Temple); dans le Document B, Jésus était bafoué comme roi-messie, ce qui complète le récit du procès devant le Sanhédrin selon le Document B; en Jn **18** 19-23, Jésus reçoit une gifle en conclusion de la scène où il comparaît devant le Grand Prêtre Anne; on peut donc penser que, dans le Document C, la comparution de Jésus devant Anne était l'équivalent du procès de Jésus devant le Sanhédrin dans les Documents A et B. – Ces trois exemples nous permettent de donner certaines caractéristiques du Document C, qui aideront à découvrir quels récits pourront lui être attribués. Attesté par Mc, il l'est aussi par Jn et par le proto-Lc qui en ont une connaissance directe; il suit une tradition nettement différenciée par rapport à celle des Documents A et B; il contient des thèmes (et un vocabulaire) insolites dans la tradition synoptique courante.

b) A propos du Mc-intermédiaire, on a noté *trois cas où Mc combine un même récit d'exorcisme avec trois récits différents* en provenance des Documents B (« Jésus enseigne à la synagogue de Capharnaüm », §§ 32 et 33; « Le possédé de Gérasa », § 142) et A (« Guérison de l'enfant épileptique », § 171). Ce récit d'exorcisme contient un vocabulaire étranger à celui de la tradition synoptique courante : « un homme en esprit impur » (Mc **1** 23 ; **5** 2) et « Que nous (me) veux-tu? » (Mc **1** 24; **5** 7); pour cette raison, nous avons pensé pouvoir attribuer ce récit d'exorcisme au Document C. – C'est aussi en raison de son vocabulaire insolite que nous avons attribué au Document C le petit épisode : « Jésus quitte secrètement Capharnaüm » (§ 36), dont le début forme doublet avec la conclusion du récit de la guérison du lépreux (§ 39, Document A; comparer Mc **1** 35 et Mc **1** 45b).

c) Puisque, on l'a vu plus haut, le Document C a exercé une grande influence sur Jn, et aussi sur le proto-Lc, nous lui avons attribué les *récits où Jn et Lc suivent une tradition indépendante* de celle de Mt/Mc. Ils sont nombreux surtout dans le bloc passion/résurrection : « Annonce du reniement de Pierre » (Lc/Jn, § 323); annonce de la dispersion des disciples (Jn **16** 32; note § 336, I 2); « Jésus et Pierre chez le Grand Prêtre » (§ 339), épisode qui introduisait la comparution de Jésus devant Anne (note § 340, I), dont le récit,

on l'a vu, appartenait au Document C; ensevelissement de Jésus (note § 357, I B 2; attesté par Jn); très court récit des femmes au tombeau (Lc **24** 1-2; Jn **20** 1-2; note § 359, I 2) qui introduisait la scène de Pierre au tombeau (Lc/Jn; note § 360); apparition de Jésus aux disciples rassemblés à Jérusalem (Lc/Jn; note § 365); apparition de Jésus lors de la pêche miraculeuse (Lc/Jn, mais Lc a changé ce récit en un récit de vocation de Pierre; note § 38). Si l'on ajoute à cette liste celle des épisodes mentionnés à propos de Mc (a), on voit que la tradition évangélique a gardé un assez grand nombre de récits de la passion et de la résurrection appartenant au Document C. – Il faut y ajouter probablement : le récit de la transfiguration tel qu'il se lisait dans le proto-Lc (note § 169, I B); le logion sur Satan précipité du ciel (Lc **10** 17-20, cf. Jn **12** 31; note § 187, 2); un logion sur la nécessité de haïr son âme (= soi-même; Lc **14** 26 comparé à Jn **12** 25; note § 227, 2 c *cc*); la mention de l'approche de la dernière Pâque (Jn **11** 55-57), qui pourrait impliquer une conception du dernier séjour de Jésus à Jérusalem fort différente de celle que nous donnent les Synoptiques (note § 271).

2. Nature du Document C

Est-il possible de préciser quel était ce Document C? Nous ne pouvons faire ici que des conjectures en nous appuyant sur les faits suivants :

a) Nous avons attribué au Document C le récit de l'apparition de Jésus aux disciples rassemblés à Jérusalem, attesté par Lc **24** 36-43 et Jn **20** 19-20 (§ 365). Ignace d'Antioche rapporte un événement semblable (cf. vol. I, p. 337; comparer son texte à celui de Lc **24** 39b) et il l'introduit par ces mots : « ... lorsqu'il vint vers ceux qui (étaient) avec Pierre, il leur déclara... »; la source à laquelle puise Ignace donnait donc une importance particulière à Pierre. Ceci nous est confirmé par Origène, qui attribue la parole de Jésus : « Je ne suis pas un démon incorporel », laquelle se trouve aussi dans le texte cité par Ignace, à un « petit livre qui s'appelle Doctrine de Pierre ». Le récit de l'apparition aux Onze à Jérusalem, différent il est vrai de la source commune à Jn et à Lc, devait donc se lire dans un ouvrage appelé « Doctrine de Pierre », où Pierre avait le premier rôle puisqu'on y désignait les autres disciples en référence à lui : « ceux qui (étaient) avec Pierre » (cf. Ignace). Notons tout de suite que Justin, dont nous reparlerons dans un instant, connaît lui aussi un ouvrage dont Pierre est le personnage principal : les « Mémoires de Pierre » (Dial. 106 *3*; cf. vol. I, p. 43). Il a donc certainement existé des matériaux de la tradition évangélique qui ont circulé sous le nom de Pierre et qui avaient Pierre comme personnage principal.

b) On notera alors un certain nombre d'épisodes que nous

avons attribués au Document C et qui présentent des notes analogues. Le récit de Pierre au tombeau (Lc **24** 12, amplifié par Jn **20** 2-10 : § 360) donne évidemment le premier rôle à Pierre dans la découverte du tombeau vide, puisque les femmes, d'après le début de ce récit, n'ont fait qu'apercevoir la pierre enlevée du tombeau, sans y entrer (voir note § 359, I). Le récit de la pêche miraculeuse (Lc **5** 3 ss.; Jn **21** 1 ss.; note § 38), sous sa forme primitive, ne mettait en scène que Pierre; par ailleurs, il contient l'expression : « et tous ceux qui (étaient) avec lui », caractéristique des récits circulant sous le nom de Pierre. L'épisode de Jésus quittant secrètement Capharnaüm, que nous avons attribué au Document C à cause de son vocabulaire non synoptique (§ 36), contient lui aussi l'expression typique « Simon et ses compagnons » (littéralement : « Simon et ceux qui (étaient) avec lui » (Mc **1** 36). Même expression encore dans le récit lucanien de la transfiguration (Lc **9** 32), qui remonte au Document C.

c) Il faut tenir compte enfin des traditions qui nous ont été transmises par l'évangile de Pierre (pseudo-Pierre). Certes, sous la forme que nous lui connaissons, l'évangile de Pierre est relativement tardif (début du second siècle?) et contient de nombreux développements qui n'ont rien à voir avec la tradition évangélique authentique; il a d'ailleurs connu et utilisé les évangiles que nous connaissons aujourd'hui. Mais pourquoi ce nom : « évangile de Pierre »? Ne serait-ce pas que certains des matériaux utilisés par le pseudo-Pierre proviendraient de l'ouvrage connu par Justin sous le nom de « Mémoires de Pierre »? Serait-ce un hasard alors si le pseudo-Pierre offre un certain nombre de recoupements avec les traditions johannique et lucanienne? On a vu que, d'après Lc et Jn (en dépendance du proto-Lc), ce sont les Juifs, et non les soldats romains, qui ont emmené Jésus après sa condamnation à mort et l'ont crucifié (note § 351, II 4); il en va de même dans le récit du pseudo-Pierre : « Et (Hérode) le livra au peuple... Or eux, ayant pris le Seigneur, le poussaient en courant et disaient : Traînons le Fils de Dieu... Et ils l'enveloppèrent de pourpre et le firent asseoir sur le tribunal en disant : Juge avec équité, roi d'Israël » (vol. I, p. 321); même récit chez Justin : « Jésus-Christ étendit ses mains, ayant été crucifié par les Juifs... Et en effet, comme a dit le Prophète, l'ayant traîné (de côté et d'autre), ils le firent asseoir sur le tribunal et dirent : Juge-nous » (1 Apol. 35 *6*). Le récit beaucoup plus sobre de Justin ne peut guère dépendre de celui du pseudo-Pierre; ne proviendrait-il pas des « Mémoires de Pierre » que connaît Justin et qu'aurait utilisé aussi le pseudo-Pierre? On aura noté en passant le détail commun au pseudo-Pierre et à Justin : on fait asseoir Jésus sur le tribunal en signe de dérision; cet épisode se retrouve, transposé, en Jn **19** 13 (pour le sens de ce texte, voir note § 350, II 2 b). Par ailleurs, lorsqu'il raconte la mort de Jésus, le pseudo-Pierre a cette expression : « ... il fut

enlevé » (vol. I, p. 326); en mourant, Jésus est « enlevé » vers Dieu, comme l'avait été Élie (2 R **2** 11, Septante); or Lc parle aussi de la mort de Jésus comme d'un « enlèvement » (Lc **9** 51; cf. note § 183, II 1), ou comme d'un « exode » (Lc **9** 31). Tous ces thèmes, communs à Lc/Jn, au pseudo-Pierre et à Justin, ne proviendraient-ils pas des « Mémoires de Pierre »?

En définitive, on peut se demander si le Document C, source des récits communs à Lc et à Jn, dont plusieurs donnent une importance particulière à Simon (Pierre), spécialement dans le cycle de la résurrection, n'aurait pas été connu sous le nom de « Mémoires de Pierre » ou de « Doctrine de Pierre ».

3. ORIGINALITÉ DU DOCUMENT C

Tandis que le Document B fut composé en étroite dépendance du Document A, le Document C se fait l'écho de traditions assez différentes et qui apparaissent souvent plus archaïques. L'épisode de la transfiguration y apparaît comme une révélation faite à Jésus, et non aux disciples préférés (note § 169, I B; récit plus archaïque que celui du Document A). D'après Jn **11** 55-57, Jésus aurait vécu la dernière semaine de sa vie comme un proscrit qui se cache, et non comme un rabbi qui enseigne chaque jour dans le Temple (note § 271). On a vu plus haut que, dans le Document C, ce seraient les Juifs, et non les soldats romains, qui auraient emmené Jésus et l'auraient crucifié. Au témoignage de Jean, ce seraient également les Juifs qui auraient procédé à l'ensevelissement de Jésus (note § 357, II 1). Ce sont là seulement quelques exemples, mais ils suffisent à nous faire regretter que la tradition évangélique ne nous ait pas conservé davantage de matériaux de ce Document C.

K) LE DOCUMENT Q

Selon la théorie des Deux Sources, tous les matériaux communs à Mt/Lc, mais ignorés de Mc, proviendraient d'une source particulière que l'on désigne par la lettre Q, initiale du mot allemand *Quelle* (= « source »); en effet, puisque, au dire des partisans de cette théorie, Mt et Lc sont indépendants l'un de l'autre, il faut bien qu'ils aient puisé leurs matériaux communs à une même source, autre que Mc. La reconstitution de cette source, purement hypothétique, se heurte cependant à certaines difficultés. Les matériaux propres à Mt/Lc sont, pour la plupart, constitués de *logia* ou « paroles » de Jésus; on serait donc tenté de se représenter cette source Q comme une simple collection de *logia*, analogue à l'évangile de Thomas récemment découvert parmi les écrits gnostiques de Nag Hammadi. Mais que faire alors de récits tels que la tentation de Jésus (§ 27), la guérison du fils du centurion de Capharnaüm (§ 84), la guérison d'un hydropique le jour du sabbat (§ 223)? Cette source Q, telle qu'on voudrait la reconstituer à partir de Mt/Lc, manque donc d'homogénéité. Par ailleurs, malgré tous les efforts qui ont été faits dans ce sens, il est impossible de lui trouver une structure déterminée. Enfin, est-il possible d'attribuer au même processus littéraire la présence en Mt/Lc, d'une part, de textes qui revêtent une forme presque identique en chacun des deux évangélistes (cf. les paroles du Baptiste aux §§ 20 et 22b, les §§ 106 à 110, le logion sur la prière du § 195, l'apostrophe contre Jérusalem au § 222), et, d'autre part, de textes aussi différenciés que la parabole des invités qui se dérobent (§ 226) ou le logion sur le renoncement du § 227? Pour ces raisons et d'autres encore, de nombreux auteurs en sont venus à mettre en doute l'unité de la source Q, voire son existence. Pour nous, le problème se pose en termes différents puisque nous avons admis une dépendance du proto-Lc par rapport au Mt-intermédiaire (*supra*, II C 1 c). Pouvons-nous encore parler d'un Document Q?

1. Existence du Document Q?

a) *Le témoignage de Lc.*

Nous venons de dire que le proto-Lc dépendait en partie du Mt-intermédiaire. Dans certains cas cependant, il est possible de prouver que, en ce qui concerne les matériaux propres à Mt/Lc, le proto-Lc a connu et utilisé, non seulement le Mt-intermédiaire, mais encore la source, ou les sources, dont Mt a tiré ces matériaux. Nous avons déjà traité ce sujet plus haut (II E 2 b) et nous nous contenterons ici de ce rappel.

b) *Le témoignage de Mt.*

Le fait que Mt contienne des matériaux ignorés de Mc ne suffit pas à prouver qu'il ait connu une source différente de celles que nous avons recensées jusqu'ici; on pourrait supposer, par exemple, que ces matériaux se lisaient dans le Document A, source principale du Mt-intermédiaire, et qu'ils auraient été négligés par le Mc-intermédiaire, celui-ci s'intéressant plus aux récits qu'aux « paroles » de Jésus. En ce sens, M. Vaganay admettait que tout le Sermon sur la montagne avait été omis par Mc ! En fait, la plupart des auteurs admettent que les matériaux de la double tradition (Mt/Lc) ont une autre origine que ceux de la triple tradition (Mt/Mc/Lc); c'est la façon la plus satisfaisante d'expliquer le silence de Mc concernant les matériaux attestés seulement par Mt et Lc. En faveur de cette hypothèse, on peut invoquer aussi la présence chez Mt de nombreux doublets, l'une des formes du doublet étant attestée par la triple tradition (Mt/Mc et le plus souvent Lc aussi), l'autre par la double tradition (Mt/Lc).

Voici la liste des principaux doublets : logion contre le divorce (Mt **19** 9 ; Mc **10** 11 : § 246, et Mt **5** 32 ; Lc **16** 18 : §§ 56, 235); logion sur le trésor dans les cieux (Mt **19** 21 et par., § 249; Mt **6** 19-21 et Lc **12** 33-34 : §§ 64, 207); les consignes concernant la mission (Mt **10** 9-15; Mc **6** 8-11; Lc **9** 3-5 : §§ 99, 145, et Mt **10** 9-15; Lc **10** 4-12 : §§ 99, 185); le logion sur la nécessité de « suivre » Jésus (Mt **16** 24-25 et par., § 168; Mt **10** 38-39 et Lc **14** 27; **17** 33 : §§ 103, 227, 243); épisode de la demande de signe (Mt **16** 1-4; Mc **8** 11-13 : § 160, et Mt **12** 38-39; Lc **11** 29 : §§ 120, 213); logion sur la nécessité de reconnaître Jésus pour Messie devant les hommes (Mt **16** 26-27 et par., § 168; Mt **10** 33 et Lc **12** 9 : §§ 101, 204); logion contre les Pharisiens (Mt **23** 6 et par., § 287; Mt **23** 4.6 et Lc **11** 46.43 : §§ 287, 202); logion sur la division dans les familles, inspiré plus ou moins de Mi **7** 6 (Mt **10** 21 et par., §§ 100, 293; Mt **10** 35-36 et Lc **12** 53 : §§ 102, 212). Ces doublets sont la preuve que Mt (le Mt-intermédiaire) combine des récits et surtout des paroles de Jésus qui ont été transmis selon plusieurs traditions différentes, et qu'il lisait dans des Documents différents.

c) *Limite de ces témoignages.*

Il faut reconnaître cependant que le témoignage de Mt et de Lc reste limité. Il est très probable, on vient de le dire, que les matériaux de la double tradition (Mt/Lc), dans leur majorité (cf. cependant *infra*), proviennent de Documents autres que les Documents A, B ou C, mais il est impossible de prouver que ce soit d'une seule et unique source. On pourrait imaginer des recueils de paraboles, ou de *logia*, auxquels aurait été puiser Mt, et probablement aussi Lc. Le problème se complique d'ailleurs du fait qu'on peut discerner, par-delà ce que nous avons appelé le Document Q, des formes plus archaïques de telles ou telles paroles du Christ, comme les Béatitudes (voir note § 50), les avertissements concernant les persécutions (note § 204), ou les appels à la confiance en Dieu dans les besoins de la vie (note § 206). Malgré tout, nous avons attribué à un unique Document Q une grande partie des matériaux communs à Mt et à Lc mais absents de Mc, afin de ne pas compliquer une théorie générale déjà passablement complexe; le lecteur en est averti, l'appellation « Document Q » pourrait en réalité recouvrir des sources différentes, mais qu'il n'est guère possible de distinguer.

2. Matériaux du Document Q

En règle générale, nous avons attribué au Document Q les matériaux communs à Mt/Lc et ignorés de Mc; il existe toutefois un certain nombre d'exceptions.

a) Étant donné leur tonalité matthéenne, nous avons attribué au Mt-intermédiaire les appels du Baptiste à la pénitence donnés par Mt **3** 7.10.12 et Lc **3** 7.9.17; ces développements matthéens sont passés du Mt-intermédiaire dans le proto-Lc (voir notes § 20 et § 22). De même, le récit de la tentation de Jésus, en Mt **4** 1-11, est un développement théologique fait par le Mt-intermédiaire à partir d'un récit beaucoup plus simple en provenance du Document A; du Mt-intermédiaire, ce développement est ensuite passé dans le proto-Lc (Lc **4** 1-13; voir note § 27).

b) La guérison du fils du centurion de Capharnaüm (Mt **8** 5-13; Lc **7** 1b-10) n'est pas rapportée dans Mc; nous en avons attribué toutefois le récit au Document A, car il offre un schéma qui se retrouve pour la guérison de la fille d'une Cananéenne, récit attesté par Mt **15** 21-28 et Mc **7** 24-30 (voir note § 84). Mc aura omis le premier de ces deux récits en raison précisément de leur très grande similitude littéraire et théologique. Le proto-Lc dépend ici du Mt-intermédiaire.

c) Mt **13** 31-33 et Lc **13** 18-20 donnent deux paraboles jumelles, le grain de sénevé et le levain, que nous avons attribuées au Document Q. Mt **13** 44-46 contient deux autres paraboles jumelles, le trésor et la perle, de structure analogue aux deux paraboles précédentes; malgré le silence de Lc, il est probable que les paraboles du trésor et de la perle proviennent du Document Q (voir note § 137). Lc **15** 1-10 donne encore deux paraboles jumelles, la brebis perdue et la drachme perdue; elles devaient se lire toutes les deux dans le Document Q, mais Mt n'a retenu que la première (note §§ 230, 231, introd.). Des textes attestés, soit par le seul Mt, soit par le seul Lc, peuvent donc remonter au Document Q; dans les cas précités, le fait qu'il s'agit de paraboles jumelles en est un indice, mais il existe probablement d'autres cas similaires qu'il est impossible de déceler, faute de preuve suffisante.

En résumé, dans la mesure où l'on peut parler d'un Document Q, il ne faut pas lui attribuer systématiquement tous les textes communs à Mt/Lc et ignorés de Mc; on peut en revanche lui attribuer certains textes que Mt ou Lc n'ont pas cru devoir reprendre dans leur évangile. Notre conception du Document Q est beaucoup moins rigide que dans la théorie des Deux Sources.

L) RECUEILS PRÉ-ÉVANGÉLIQUES

Au cours des analyses ultérieures, nous aurons l'occasion de faire une constatation : certains récits du Document A, ou certaines « paroles » de Jésus que nous attribuerons au Document Q, ont connu une forme littéraire plus archaïque; devrons-nous en conclure à l'existence d'évangiles encore plus anciens? Plutôt que de Documents, nous avons préféré parler de Recueils divers, dont l'existence est admise par nombre de commentateurs. Avant de s'intégrer dans des évangiles voulant donner une vue globale de l'activité messianique de Jésus, certains matériaux de la tradition évangélique auraient été groupés par affinités de « genre », ce qui permettait une utilisation plus facile dans la prédication ou la catéchèse. On aurait eu ainsi des Recueils de miracles de Jésus, ou de *logia*, ou de paraboles, voire de controverses entre Jésus et les Pharisiens. L'existence de tels Recueils ne peut évidemment pas être prouvée; elle demeure assez vraisemblable. Ce point particulier a d'ailleurs peu d'importance pour la théorie synoptique que nous avons essayé d'élaborer, et nous ne nous y attarderons pas.

M) TÉMOINS NON CANONIQUES DU TEXTE ÉVANGÉLIQUE

Pour reconstituer la préhistoire de nos évangiles actuels, nous ferons souvent appel à des témoins qui utilisent les données évangéliques en recourant, non pas aux évangiles tels que nous les connaissons maintenant, mais à des formes plus anciennes. Ce point, négligé trop souvent par ceux qui se sont préoccupés de résoudre le problème synoptique, est d'une extrême importance et nous allons nous y arrêter quelque peu.

1. LA TRADITION MANUSCRITE

Lc **14** 7-11 contient une parabole sur « le choix des places » qui est inconnue de Mt et de Mc. Certains témoins de la tradition « occidentale » (*D VetLat, SyrCur*) placent une parabole semblable après le texte de Mt **20** 28, mais le vocabulaire et la formulation littéraire en sont très différents (voir les textes en parallèle à la note § 224, 4). Nous sommes en présence d'une même parabole qui a circulé au moins sous deux formes assez différenciées, dont une seule a été conservée par les évangiles canoniques; la seconde forme, existant encore vers le milieu du second siècle, fut incorporée à l'évangile de Mt par quelque scribe recopiant cet évangile. – Relevons un cas analogue à propos de la parabole du Jugement dernier (Mt **25** 31-46), dont une partie est citée à quatre reprises par les Homélies Clémentines, qui utilisent un vocabulaire très différent de celui de Mt. L'homogénéité du vocabulaire, dans ces quatre citations, prouve que l'ouvrage se réfère à un texte déterminé, qui n'est pas notre Mt canonique (voir note § 307, b *bc*). – Ces deux exemples attestent que nos évangiles canoniques, ou leurs sources, ont fait un choix parmi les matériaux de la tradition évangélique, matériaux qui devaient circuler sous des formes diverses, et qui ont continué à être utilisés dans les Églises particulières au moins jusqu'au milieu du second siècle. Il est évident que de tels matériaux ont pu se conserver sous une forme plus archaïque que celle qu'ils ont dans les évangiles canoniques, comme on le constatera plus loin.

2. Les textes sur papyrus

a) Le papyrus Egerton 2, daté de la première moitié du second siècle, contient le récit d'une guérison de lépreux qui offre des affinités évidentes avec celui de Mc **1** 40-44 et par. Malgré certains traits manifestement tardifs, le texte fondamental du papyrus apparaît plus archaïque que celui des Synoptiques et serait l'écho d'un récit très primitif ayant servi de source au Document A (voir note § 39, I A 2 et I B 2). Ce même récit utilisé par le papyrus Egerton 2 aurait servi de canevas au récit de la guérison de dix lépreux donné par Lc **17** 11-19 (voir note § 241, 3). – Le même papyrus Egerton 2 contient un logion de Jésus qui ressemble beaucoup à celui de Lc **6** 46 (cf. Mt **7** 21); mais Jésus y est appelé « Maître », ce qui correspond beaucoup mieux à l'idée centrale du logion que le titre de « Seigneur » attesté par Lc/Mt (note § 74, I 1).

b) Le papyrus Oxyrhynque 1224 donne un récit analogue à celui de Mc **2** 15-17 et par. : Jésus prend un repas avec des pêcheurs, ce qui provoque la colère des scribes et des Pharisiens. Le récit du papyrus, plus dépouillé que celui des Synoptiques, pourrait remonter à une source utilisée par le Document A (voir note § 42, I 3).

3. Les évangiles non canoniques

a) *Évangile des Ébionites.*

Nous n'en connaissons que quelques extraits donnés par Épiphane. Le récit de l'entrée en scène de Jean-Baptiste (cf. Mc **1** 2-6 et par.) se présente sous deux recensions différentes. L'une correspond au récit du Document B, amplifié d'un appendice repris de Mt (note § 19, II 1 f); l'autre correspond au récit du proto-Lc moyennant quelques interpolations en provenance de Lc **1** 5 (note § 19, II 2). – Le récit du baptême de Jésus (cf. Mc **1** 9-11) combine manifestement des matériaux repris de Mt, de Mc et de Lc; or les matériaux repris de Lc apparaissent sous une forme assez originale, attestée encore par des auteurs anciens tels que Cérinthe, Justin, les Oracles Sybillins, voire Hilaire; ces matériaux ne proviennent pas du Lc actuel, mais du proto-Lc (note § 24, I C). – Le récit concernant la vraie parenté de Jésus se présente sous une forme originale confirmée par Thomas 99 et, en partie, par 2 Clément et Clément d'Alexandrie. L'évangile des Ébionites dépend ici du proto-Lc moyennant une insertion en provenance de Mt (note § 122, I A 1 et II 3). Ces trois exemples prouvent la dépendance fondamentale de

l'évangile des Ébionites – malgré les notes secondaires qu'il contient – par rapport au proto-Lc.

b) *Évangile de Thomas.*

Depuis la découverte d'une version copte de ce Recueil de logia, parmi un groupe d'écrits appartenant à une secte gnostique, on a beaucoup discuté pour savoir si l'évangile de Thomas dépendait directement des Synoptiques ou s'il n'aurait pas utilisé, au moins en partie, des matériaux plus anciens; actuellement encore, les commentateurs restent divisés. Voici quelques exemples où il nous a semblé que l'évangile de Thomas, malgré des traits secondaires, suivait une tradition plus archaïque que nos évangiles actuels : le logion sur Jean-Baptiste correspondant à Mt **11** 11 et Lc **7** 28 (Thomas 46, voir note § 107, II). – Le récit concernant la vraie parenté de Jésus, déjà mentionné à propos de l'évangile des Ébionites, récit que Thomas 99 tient du proto-Lc (note. § 122, I A 1). – La parabole de l'ivraie (cf. Mt **13** 24-30), que Thomas 57 pourrait tenir du Mt-intermédiaire (note § 132, II 1 et 3). – La parabole des vignerons homicides, que Thomas 65 connaît dépourvue de certains traits plus tardifs ajoutés dans la tradition synoptique (note § 281). – La controverse sur l'impôt dû à César (Thomas 100; cf. note § 283, II 1 a).

c) *Évangile des Hébreux.*

Dans l'épisode du jeune homme riche (Mt **19** 16-22 et par.), l'évangile des Hébreux a conservé la distinction primitive entre le thème de la « bonté », apanage de Dieu, et le thème de la condition essentielle pour entrer dans le royaume de Dieu (note § 249, I, introd.). – Le logion sur le danger des richesses, qui suit immédiatement cet épisode (Mt **19** 23-26 et par.), n'a pas subi l'influence du logion parallèle sur l'impossibilité d'entrer dans le royaume, influence que l'on constate au contraire dans les trois Synoptiques (note § 250, I 3). – L'évangile des Hébreux donne un logion analogue à celui de Lc **13** 26-27, attesté sous une forme très voisine par 2 Clément 4 *5*, et qui est certainement indépendant de Lc (note § 220, II 2 b).

4. Citations faites dans le NT

Les cas que nous allons présenter ne rentrent évidemment pas sous la rubrique générale de « témoins non canoniques » (§ M), puisqu'il s'agit de textes tirés des épîtres du NT; nous les avons placés ici parce qu'ils introduisent le paragraphe 5 qui traitera de la question très délicate des citations faites par les auteurs anciens.

a) Mt **5** 37 contient la finale d'un logion dans lequel Jésus demande à ses disciples de ne pas prononcer de serments.

Un texte, différent de celui de Mt, est attesté sous une forme identique par les auteurs suivants : Paul (2 Co **1** 17), Jacques (Jc **5** 12), Justin, Homélies Clémentines, Clément d'Alexandrie, Épiphane (note § 57, I 3). Il est remarquable que cette tradition différente, déjà connue de Paul, se continue jusqu'à Épiphane, donc à la fin du quatrième siècle. Nous reviendrons évidemment sur ce problème à propos des citations faites par Épiphane.

b) Mt **5** 45.48 et Lc **6** 35b-36 donnent un logion en provenance du Document Q qui se lit sous une forme plus archaïque en Ep **4** 32 et dans Justin, les Homélies Clémentines, Épiphane (note § 59, I A 2).

c) Le logion sur la lumière, de Mt **5** 16, est cité sous une forme plus ancienne par 1 P **2** 12, Justin et, bien que leur citation soit tronquée, par Clément d'Alexandrie et Origène (note § 52, I 1).

Ces trois exemples sont remarquables parce qu'ils nous offrent des formes de textes, déjà attestées dans le NT (Paul, Jacques, Pierre), qui se retrouvent dans la tradition patristique depuis Justin (3 cas sur 3) jusqu'à Épiphane (2/3), en passant par les Homélies Clémentines (2/3) et Clément d'Alexandrie (2/3). C'est par ces auteurs que nous allons commencer l'examen des citations patristiques.

5. Citations faites par les auteurs anciens

Que ce soit en critique textuelle ou en critique littéraire, beaucoup de spécialistes négligent le témoignage des citations patristiques : lorsqu'elles s'écartent du texte couramment reçu, on soupçonne leurs auteurs d'avoir cité de mémoire, sans s'attacher à la lettre du texte. Ceci, en effet, arrive fréquemment. Nous avons toutefois tenu compte des citations patristiques dans les trois cas suivants : lorsque deux auteurs, indépendants l'un de l'autre, s'accordent assez régulièrement pour attester les mêmes formes de texte originales (cf. les exemples cités au paragraphe 4); lorsqu'un auteur cite un texte déterminé, dans des passages différents de ses œuvres, en restant constant dans la façon dont il s'écarte du texte couramment reçu; lorsqu'un auteur, rentrant dans une des catégories précédentes, confirme par ses citations le résultat d'analyses littéraires menées indépendamment de son témoignage.

a) *Justin et les Homélies Clémentines.*

La parenté des citations faites par Justin et les Homélies Clémentines, ainsi que leur indépendance à l'égard de nos évangiles canoniques, avait été reconnue dès 1891 par W. Bousset. Outre les trois exemples donnés ci-dessus (4), voici la liste des principales citations faites par Justin et les Homélies Clémentines (désignées par le sigle HC).

1. Justin, et éventuellement HC, dépendent directement d'un Recueil de logia ou du Document Q.

– Note § 54, II 3. Justin cite Mt **5** 22 sans les détails du texte que l'analyse littéraire démontre être secondaires.

– Note § 59, I A 1. Justin, appuyé par HC et la Didachè, connaît directement le texte réutilisé par Mt **5** 44.46-47 et Lc **6** 27-28.32.

– Note § 59, I C 3. Justin cite le texte du Document Q réutilisé par Lc **6** 34 et Mt **5** 42b.

– Note § 71, II 3 et 4. Justin et HC connaissent la « règle d'or » concernant l'amour du prochain, sous une forme plus ancienne que celle de Mt **7** 12 et Lc **6** 31.

– Notes § 110, § 111, I 2 c. Justin, HC, Tatien, Épiphane, Tertullien, citent Mt **11** 27 et Lc **10** 22 (logion sur la connaissance réciproque du Père et du Fils) moyennant une inversion des clauses; cette forme de texte, moins satisfaisante que celle de Mt/Lc, pourrait toutefois permettre de remonter à un texte plus court et plus archaïque.

– Note § 204, II A 3. Justin, appuyé par 2 Clément, cite Lc **12** 4-5 selon une forme de texte indépendante de Lc, plus archaïque, mais qui fut contaminée par le parallèle matthéen, de rédaction nettement plus tardive.

– Note § 206, 1 a b. Justin cite le logion de Mt **6** 25-26 et Lc **12** 22-24 sans certains détails que l'analyse littéraire démontre être secondaires.

2. Justin, et éventuellement HC, dépendent directement, soit du Document A, soit du Mt-intermédiaire.

– Note § 126, I 4. Justin, appuyé par Tatien, donne la parabole du semeur (Mc **4** 3-9 et par.) sous une forme très courte; ne serait-ce pas la forme la plus primitive de cette parabole?

– Note § 147, II 1. Justin se réfère assez librement au récit de la mort de Jean-Baptiste selon sa version matthéenne (Mt **14** 3-12); il ignore certains traits secondaires du récit matthéen et pourrait citer, soit le Mt-intermédiaire, soit le Document A.

– Note § 247, I 1 c. Justin et Épiphane citent le logion sur la continence volontaire (Mt **19** 10-12) sans mentionner certains traits secondaires du récit matthéen.

– Note § 249, I A 2. Justin, HC, les Marcosiens, l'évangile des Naasséniens, citent Mt **19** 17a (épisode du jeune homme riche) sous une forme plus matthéenne que celle du texte actuel de Mt; ils ont probablement gardé le texte du Mt-intermédiaire.

– Note § 283, II 1 a et c, II 2 a. Justin (cf. Thomas 100) se réfère à la scène du tribut versé à César, selon une forme de texte qui remonte probablement au Document A; l'épisode n'y revêtait pas l'aspect de « controverse » que lui ont donné les Synoptiques.

b) *Clément d'Alexandrie.*

Le témoignage de Clément d'Alexandrie recoupant presque toujours celui de Justin, des Homélies Clémentines ou d'Épiphane, nous nous contenterons de rappeler les notes où il est question de ses citations : § 52, II 1 ; § 53, I 1 ; § 57, I 3 ; § 122, I A 1 (cf. *supra* les témoignages de l'évangile des Ébionites et de l'évangile de Thomas) ; § 246, IV 1 c ; § 248, I 1).

c) *Épiphane.*

Cet évêque de Salamine vivait à la fin du quatrième siècle ; étant donné cette date relativement tardive, comment concevoir qu'il ait pu citer les évangiles en se servant, non des évangiles actuels, mais de leurs sources ? Il ne faut pas oublier cependant qu'Épiphane était un érudit et qu'il avait à sa disposition une bibliothèque abondante. Son ouvrage *Contre les Hérésies*, même s'il n'est pas entièrement original (des passages entiers sont repris d'Irénée), suppose qu'il lisait directement les œuvres d'un grand nombre des « hérétiques » qu'il dépistait et poursuivait avec une constance inlassable. Par ailleurs, il avait à sa disposition l'évangile des Ébionites, dont il nous donne des extraits ; or, actuellement, nous ne possédons plus aucun exemplaire de cet écrit. Vers la même époque, Jérôme affirme avoir sous la main l'évangile des Hébreux dont nous ne connaissons plus aucun exemplaire. Il est donc certain que bien des textes évangéliques, bien des ouvrages anciens, qui ont aujourd'hui complètement disparu, existaient encore dans les bibliothèques vers la fin du quatrième siècle. La difficulté du cas d'Épiphane ne réside donc pas dans le fait qu'il aurait connu des textes évangéliques ignorés de nous, mais dans le fait que le canon des évangiles n'était pas encore absolument fixé puisque notre auteur cite comme matériaux évangéliques des textes dont la forme littéraire est différente de celle qu'ils ont dans les évangiles « canoniques ».

1. Rappelons tout d'abord un certain nombre de cas examinés dans les pages précédentes. Épiphane cite Mt **5** 37 sous une forme différente de celle du Mt canonique, mais qui se lisait déjà chez Clément d'Alexandrie, les Homélies Clémentines et Justin, et aussi en Jc **5** 12 et 2 Co **1** 17 (note § 57, I 3 a). – Il cite Mt **5** 45.48 ou Lc **6** 35b-36 sous une forme plus archaïque attestée par les Homélies Clémentines, Justin et même Ep **4** 32 (note § 59, I A 2). – La parenté des citations faites par Épiphane avec celles faites par Justin ou les Homélies Clémentines est confirmée aux notes §§ 110, 111, I 2 c (logion sur la connaissance réciproque du Père et du Fils), et § 247, I 1 c (logion sur la continence volontaire). – Ajoutons un cas dont nous n'avons pas encore parlé ; Épiphane cite Mt **5** 17 sous une forme plus simple que celle du Mt canonique, attestée encore par Ptolémée (gnostique du milieu du

second siècle), Marcion (milieu du second siècle), les Homélies Clémentines, Clément d'Alexandrie et Tertullien. Ainsi, bien qu'il écrive à la fin du quatrième siècle, Épiphane cite les évangiles comme les citaient Justin, l'auteur des Homélies Clémentines, Ptolémée, Marcion, auteurs qui tous nous font remonter au milieu du second siècle ; bien mieux, ses citations évangéliques rejoignent celles faites par Paul, Jacques et l'auteur de la lettre aux Éphésiens (disciple de Paul).

2. Nous sommes maintenant en mesure d'examiner un certain nombre de cas où Épiphane n'est appuyé par aucun témoin extra-évangélique, mais où l'analyse littéraire permet de conclure qu'il utilise encore les sources de nos évangiles actuels.

– Note § 290. Épiphane cite le début du récit sur l'obole de la veuve (Lc **21** 1-4 ; Mc **12** 41-44). Il y mentionne le « Corbôna », transcription grecque du nom araméen par lequel on désignait la cassette servant à recueillir les offrandes destinées au Temple. Ce mot est absent des récits de Lc et de Mc, mais le texte de Lc permet de croire qu'il se lisait bien dans le récit évangélique primitif ; on imagine d'ailleurs difficilement Épiphane introduisant dans son texte grec cette transcription d'un mot araméen. Épiphane connaît, soit le Mt-intermédiaire (qui ne fut pas repris dans l'ultime rédaction matthéenne), soit même le Document A.

– Note § 142, II C. Dans l'épisode du possédé de Gérasa, Mc **5** 1-20 fusionne deux récits différents, un récit parallèle à Mt **8** 28-34, et un récit d'exorcisme en provenance du Document C. Épiphane cite la première moitié du récit de Mc, qu'il attribue explicitement à cet évangéliste. Or, sa citation ne contient pas les éléments marciens en provenance du Document C ; il connaît donc un texte antérieur au Mc-intermédiaire (niveau où fut effectuée la fusion des deux récits primitivement distincts), probablement le Document B.

– Note § 142, I A. Avant de citer l'épisode du possédé de Gêrasa selon sa version marcienne, Épiphane en avait fait une première citation qu'il attribue explicitement à Mt. Or, sa citation ignore un certain nombre d'éléments secondaires du texte de Mt, que nous avons attribués à l'ultime Rédacteur matthéen. Épiphane connaît donc un texte plus archaïque que celui du Mt actuel et qui remonterait, soit au Mt-intermédiaire, soit même au Document A.

– Note § 132, II 1-3. Épiphane cite intégralement la parabole de l'ivraie de Mt **13** 24-30, mais sous une forme plus archaïque, en partie attestée aussi par Thomas 75 ; son témoignage nous permet probablement d'atteindre le texte du Mt-intermédiaire.

– Note § 136. La même conclusion peut être retenue pour l'explication de la parabole de l'ivraie (Mt **13** 36-43), citée presque intégralement par Épiphane.

– Note § 154, III. Épiphane cite en partie l'épisode de la discussion sur les traditions pharisaïques (Mt **15** 3-6 ;

Mc **7** 9-13), mais il semble ignorer les citations explicites de Ex **20** 12 et **21** 17 que l'analyse littéraire permet d'attribuer au Mt-intermédiaire. Épiphane n'aurait-il pas connu ce récit selon la forme qu'il avait dans le Document A?

– Note § 248, I 1 et 3. L'épisode où Jésus accueille les petits enfants (Mt **19** 13-15 et par.) contient un certain nombre de traits secondaires absents de la citation faite par Épiphane, appuyé ici en partie par Clément d'Alexandrie; Épiphane n'aurait-il pas connu, soit le Mt-intermédiaire, soit le Document A?

– Note § 284, I 2 a. Dans la controverse sur la résurrection des morts, l'analyse littéraire montre que la citation explicite de Dt **25** 5-6 faite par les Synoptiques (Mt **22** 24b et par.) est une addition; Épiphane semble ignorer cette addition : ne citerait-il pas ce récit en se référant au Document A?

d) *Les gnostiques du second siècle.*

Voir notes § 53 (I 1), § 246 (IV 1 c), § 249 (I A 2). Ces cas ont déjà été examinés plus haut.

e) *Marcion.*

On sait que Marcion ne reconnaissait comme canonique que l'évangile de Lc. Il est possible, comme l'ont admis déjà divers auteurs, qu'il ait utilisé, non pas le Lc actuel, mais le proto-Lc. Ce problème n'a pas été étudié systématiquement dans ce volume, étant donné la difficulté de reconstituer la teneur exacte du texte de Marcion au moyen des citations qu'en ont faites Épiphane, Tertullien ou Adamantius. Nous signalons seulement trois cas où une utilisation par Marcion du proto-Lc nous a paru possible : notes § 53 (I 1), § 204 (II A 2 d), § 249 (I A 2 et II 4).

f) *2 Clément.*

Mentionnons enfin la seconde épître, apocryphe, de Clément de Rome qui fut écrite vers le milieu du second siècle. Ses citations évangéliques proviennent : soit de l'évangile des Hébreux (note § 220, II 2 b), soit du proto-Lc (ou de sa source, note § 122, I A 1), soit du Document Q (note § 204, II A 3), soit de Recueils de logia (note § 233, II 1).

Voici terminé l'exposé de notre théorie synoptique, fondée sur l'existence de quatre Documents primitifs. Certains pourront la juger trop complexe; elle s'appuie cependant sur un principe très simple : le souci qu'ont eu les réviseurs évangéliques *d'harmoniser* entre eux les diverses traditions écrites qu'ils connaissaient. Ce souci d'harmonisation se poursuivra après la publication définitive des évangiles canoniques; il explique en partie les variantes qu'on trouve dans un très grand nombre de manuscrits évangéliques.

Nous n'avons pas la naïveté de penser que cette théorie va rallier, d'un coup, tous les suffrages ! Certains la rejetteront en bloc; d'autres pourront n'en retenir que certains aspects; nous-même avons conscience qu'elle n'est pas exempte de faiblesses, que les critiques des uns et des autres nous amèneront à corriger. Nous avons conscience toutefois d'avoir apporté un grand nombre d'analyses nouvelles qui sont autant d'éléments dont il faudra tenir compte pour proposer une solution au problème synoptique.

M.-E. Boismard

ENFANCE DE JÉSUS

§§ 3 - 18

Note § 3. *ANNONCE A ZACHARIE*

A la différence de Mt, Lc fait précéder l'« Enfance de Jésus » d'une « Enfance de Jean-Baptiste » (**1** 5-25, 57-80). On a voulu y reconnaître un document qu'il aurait reçu des milieux « johannites » attachés à la mémoire du Précurseur, document hébreu ou araméen traduit ou qu'il aurait traduit, et qui exaltait Jean-Baptiste comme un précurseur immédiat de Dieu, voire comme le Messie. Tout en l'utilisant, Luc lui aurait opposé une « Enfance de Jésus » pour rétablir la supériorité de ce dernier. Ces vues ne s'imposent pas. Rien ne prouve de façon décisive l'existence de cet original sémitique ; les nombreux hébraïsmes du grec s'expliquent suffisamment par la volonté d'imiter la langue des Septante. Jean-Baptiste n'est pas donné comme le Messie (voir note § 8 sur **1** 78-79) ; et si le « Seigneur » dont il doit être précurseur (**1** 15-17) n'est pas identifié au Messie Jésus, c'est par un souci élémentaire d'éviter l'anachronisme ; aucun lecteur chrétien ne pouvait d'ailleurs se tromper sur la personne de ce « Seigneur » (cf. **1** 43 ; **2** 11). Il est certain que Luc a construit les deux « Enfances » de Jean-Baptiste et de Jésus de façon parallèle ; mais celle de Jésus, qui l'intéresse au premier chef, a dû être première dans son esprit, et celle de Jean-Baptiste a dû s'y ajouter comme un simple prologue, à l'instar des relations qui devaient exister entre Jean et Jésus adultes.

Le style des chap. **1-2** est typiquement lucanien. Luc aura rédigé à sa façon des traditions reçues oralement des milieux apparentés à Marie et à Élisabeth. A ces traditions il doit les informations qui constituent le fond de son récit : les noms de Zacharie et d'Élisabeth ; les circonstances de temps et de lieu : aux jours d'Hérode, dans le Temple, au cours d'un service liturgique qu'il évoque de façon succincte mais exacte ; l'intervention divine qui accorde une naissance aux parents stériles et âgés ; le mutisme qui sanctionne une hésitation de la foi. Mais il raconte tout cela en recourant à des précédents vétéro-testamentaires, afin de suggérer la signification providentielle des événements dans le déroulement du plan divin : naissances merveilleuses d'Isaac (Gn **17** 15-21 ; **18** 9-15), de Samson (Jg **13**) et de Samuel (1 S **1**), apparitions d'anges à Gédéon (Jg **6** 11-24), à Daniel (Dn **8** 15-19 ; **9** 20-23 ; **10** 5-19) et à Tobie (Tb **12** 14-15) : autant de modèles dont il s'inspire librement, non en les copiant servilement pour créer un récit fictif, mais en les choisissant et combinant selon les exigences d'une réalité historique qui le commande. Il n'oublie pas non plus ce que l'Évangile dira de la mission du Précurseur (Lc **3** 4 ; **7** 27 ; Mt **17** 10-13) et que préparent les paroles de l'Ange. Histoire théologique, mais histoire, qui raconte les démarches divines dans la lumière de la révélation qu'elles expriment.

Note § 4. *ANNONCE A MARIE*

Mt n'a pas de récit analogue, et son « Annonce à Joseph » (Mt **1** 18-25) est d'un genre littéraire tout différent. Dans le plan de Lc, cette « Annonce à Marie » vient en parallèle de l' «Annonce à Zacharie» et raconte comme elle une rencontre historique, mais de soi ineffable, avec les mêmes allusions aux préparations de l'AT. La tradition qui est à la base de ce récit ne peut remonter en définitive qu'à Marie.

Après un salut (v. 28) qui évoque les appels prophétiques à la Fille de Sion (So **3** 14 s. ; Za **9** 9), la première partie du dialogue (30-33) expose la qualité davidique et messianique de l'Enfant à naître, en termes qui s'inspirent notamment de 2 S **7** 12 ss. ; Is **7** 14 ; **9** 5 s. ; Mi **4** 7. Après une question de Marie (34) qui rappelle opportunément qu'elle est fiancée mais vierge, et où rien n'oblige à voir l'expression d'un vœu, le dialogue rebondit en une déclaration qui en marque le sommet (35) : l'Enfant naîtra par une intervention directe de l'Esprit créateur, qui lui vaudra d'être Saint et appelé « Fils de Dieu ». Le dénouement attendu mais libre est dans l'humble acquiescement de Marie au dessein divin.

Trois données essentielles de cette scène se retrouveront

sous une autre forme chez Mt : la descendance davidique, la naissance virginale, la filiation divine. Nous apprécierons ces accords fonciers en commentant Mt **1** 18-25.

La scène elle-même se passe à Nazareth, le sixième mois

après l'annonce à Zacharie (26), c'est-à-dire, apparemment, encore « aux jours d'Hérode » (**1** 5). Nous aurons aussi à apprécier comment ces données de temps et de lieu peuvent s'organiser avec celles de Mt : cf. note § 9, sur Lc **2** 1-7.

Note § 5. *VISITATION*

S'appuyant comme les précédents sur une tradition orale, ce récit sert de charnière entre les deux « Enfances » de Jean-Baptiste et de Jésus. La rencontre entre les deux mères et leurs deux enfants illustre leurs situations respectives, qu'exprime bien le titre de Kyrios mis par Luc, au v. 43, sur les lèvres d'Élisabeth (Lc est le seul des Synoptiques à désigner ainsi Jésus de son vivant au nominatif *ho kyrios* : **7** 13; **10** 1.39.41; **11** 39; **12** 42, etc.). La rédaction de la scène s'inspire-t-elle d'un précédent biblique? et lequel? On a songé aux deux enfants s'agitant dans le sein de Rébecca (Gn **25** 22 s.) ou encore à l'entrée de l'Arche d'Alliance dans Jérusalem (2 S **6** 2 ss.). Les paroles d'Élisabeth rappellent Jg **5** 24; Jdt **13** 18; Dt **28** 4...

L'important est que son enfant tressaille d'une allégresse messianique (voir l'usage de *skirtaô* en Ps **114** 4.6; Sg **19** 9; Ml **3** 20; comp. Lc **6** 23), et c'est sans doute par ce début prophétique de sa carrière de Précurseur qu'il réalise la promesse faite par l'ange à Zacharie (**1** 15).

La localisation de la scène n'est pas claire. Si *polin Iouda* était mis par erreur pour « province de Juda », un araméen *medinat Jehudah* ayant été mal traduit, ce serait un indice positif en faveur d'un original sémitique. Mais cette explication n'est pas la seule possible : *polin Iouda* reprenant *tèn oreinèn* après *meta spoudès* donne l'impression que le texte est remanié et corrompu.

Note § 6. *MAGNIFICAT*

L'insertion de ce morceau poétique dans le récit en prose se manifeste d'une double manière : 1° par son introduction brève et stéréotypée : « Et Marie dit », qui rappelle, par exemple 1 S **2** 1, autre cas d'un cantique inséré après coup dans un récit. On peut même penser que la rédaction primitive, ici comme là, comportait seulement : « Elle dit ». C'est ce qui aura permis à certains copistes d'expliciter le sujet en « Élisabeth », interprétation tout à fait invraisemblable, quoi qu'en aient pensé certains critiques, car ni Élisabeth ni Luc n'ont pu avoir le mauvais goût de conclure la rencontre de la Visitation par un éloge de la vieille cousine fait par elle-même ! 2° par sa conclusion (v. 56), où « avec elle » ne peut désigner Élisabeth qu'en se rattachant au v. 45 par-dessus l'hymne rajoutée.

Cette conclusion tirée du contexte est confirmée par le contenu même du cantique. Rien n'y fait allusion à la naissance messianique confiée à Marie, et l' « humiliation » (sens normal

de *tapeinôsis* plutôt que « humilité », cf. les LXX) s'applique mal à la jeune Vierge. Le cantique doit venir en fait du milieu des Pauvres, dont il chante les relèvements par Dieu. Il semble bien refléter un original sémitique. Sans doute mis d'abord sur les lèvres de la Fille de Sion, cette personnification qui chez les prophètes est l'épouse de Yahvé, éprouvée, humiliée, secourue et délivrée, donnant naissance au peuple messianique (Is **54** 1; **66** 7-12; Mi **4** 10; Jr **4** 31) et au Messie (Is **7** 14; Mi **5** 1-2), il convenait par ce biais à Marie, en qui Luc voit l'accomplissement typique de la Fille de Sion (cf. **1** 28 et **2** 35).

L'insertion du morceau poétique dans un récit en prose ne signifie pas que ce récit était un document préexistant reçu par Luc, mais seulement que celui-ci a composé par étapes : il a rédigé d'abord la scène de la Visitation (**1** 39-45.56), il l'a complétée ensuite par l'hymne 46-55.

Note § 7. *NAISSANCE ET CIRCONCISION DE JEAN-BAPTISTE*

L' « Enfance de Jésus » racontera aussi sa naissance et sa circoncision, mais le parallélisme s'avère ici plus apparent qu'organique. Alors que, pour Jean-Baptiste, tout l'intérêt est concentré sur la circoncision (59-66), sa naissance étant énoncée d'un mot (57-58), c'est le contraire dans le cas de Jésus : naissance entourée de détails (**2** 1-20) et circoncision tout juste mentionnée (21).

Dans les deux cas pourtant, l'imposition du nom retient l'attention. A propos du petit Jean, c'est l'occasion de manifester la conduite divine qui préside à sa destinée : son père et sa mère, sans se concerter, choisissent ce nom qui n'est pourtant pas en usage dans la famille ! L'économie du récit exige, on le voit, que Zacharie n'ait rien dit à Élisabeth, et ceci n'est pas étranger à l'opportunité de son mutisme. Aussi celui-ci cesse-t-il dès que Zacharie a manifesté sa soumission aux desseins révélés d'en haut.

Le v. 58 semble utiliser Gn **21** 6b (seul cas des LXX où l'on rencontre *sygchairein*); déjà le v. 25 utilisait Gn **21** 6a (en remplaçant *gelôta* par *houtôs*) : de fait cette parole de la vieille Sara après la naissance d'Isaac s'appliquait trop bien à Élisabeth pour ne pas venir à la pensée. Si cette référence est exacte, elle invite à postuler une étape littéraire où le v. 57 se soudait au v. 25 en une « Enfance » continue de Jean-Baptiste avant l'insertion de l'annonce à Marie, de la Visitation et du Magnificat (**1** 26-56). Cette fois encore (cf. note § 3), cela ne prouve pas que l' « Enfance de Jean-Baptiste » a constitué un document reçu par Luc, cela montre seulement que, dans sa composition par étapes, Luc a rédigé les deux « Enfances » séparément avant de les fusionner. Aussi bien est-ce son procédé ordinaire de travail, tant dans l'Évangile que dans les Actes.

Note § **8.** *BENEDICTUS*

Comme le Magnificat, ce cantique a été rajouté au récit en prose. Sa place eût été normalement au v. 64; adopté par Luc après la rédaction de la péricope 59-66, il a été placé en appendice avec sa propre introduction typiquement lucanienne : c'est la « plénitude de l'Esprit Saint » qui fait prophétiser (cf. **1** 41; Ac **4** 8. 31; **7** 55; **13** 9).

Ce cantique, qui doit venir lui aussi de milieux juifs ou judéo-chrétiens et semble traduit d'un original sémitique, célèbre les démarches salvifiques de Dieu, accordant le Messie promis à David (68-71), la possession paisible du pays promise aux patriarches (72-75), la lumière annoncée par les prophètes (78-79). Le soleil levant de cette dernière strophe est le Messie, nullement Jean-Baptiste à qui cette hymne n'était primitive-ment pas destinée. Pour l'adapter à la situation, Luc a ajouté les vv. 76-77 qui annoncent la mission du petit Précurseur en des termes qui évoquent à la fois la description prophétique de sa mission d'adulte (cf. Lc **3** 4; **7** 27) et le Kérygme apostolique de l'Église primitive (cf. Ac **5** 31; **10** 43; **13** 38; **16** 17; **28** 28).

Le v. 80 sert de conclusion à l' « Enfance de Jean-Baptiste ». Ce genre de refrain, stéréotypé pour l'enfance des héros bibliques (Isaac, Gn **21** 8; Samson, Jg **13** 24a; Samuel, 1 S **2** 26; **3** 19), sera également appliqué par Luc à Jésus (**2** 40.52) et même à l'enfance de l'Église (Ac **2** 47; **5** 14; **6** 7; **12** 24; **16** 5; **19** 20).

Note § **9.** *NAISSANCE DE JÉSUS*

Tandis que Mt énonce d'un simple mot la naissance de Jésus-Christ (Mt **2** 1), Lc l'entoure de circonstances détaillées. La divergence littéraire de ces deux traditions qui s'ignorent ne rend que plus significative leur rencontre sur les conditions de lieu et de temps.

Tous deux placent la naissance à Bethléem. Le recours de Mt **2** 5-6 à Mi **5** 1 a pu faire croire à certains que c'était là une conclusion purement théologique; mais, outre que cette prophétie de Michée sur Bethléem est unique dans l'AT et ne devait pas s'imposer à l'esprit, le témoignage de Luc, indépendant de Mt et, semble-t-il, de Michée, confirme qu'il s'agit là d'un souvenir historique. Jn **7** 41 s. le confirme peut-être à son tour, avec son procédé de suggérer ironiquement la vérité au moyen de l'erreur des adversaires.

La chose est encore plus vraisemblable si Bethléem était le domicile habituel de Joseph. C'est l'impression que donne Mt : Nazareth n'apparaît dans son récit qu'à titre de refuge propice pour éviter Archélaüs (**2** 22-23); sans cette circonstance imprévue, Joseph serait normalement rentré en Judée. On peut donc penser, sans harmonisation forcée, que Marie était de Nazareth, ou du moins y vivait jeune fille, et que Joseph était de Bethléem. Après le mariage à Nazareth, le retour à Bethléem pour le recensement s'explique alors mieux : le rassemblement en cette ville de tous les lointains descendants de David est difficile à imaginer, mais la présence d'un résident comme Joseph s'imposait. Le manque de place dans le *katalyma* ne doit pas faire difficulté : il ne s'agit pas là d'une « hôtellerie » (Lc **10** 34 dit en ce sens *pandocheion*) mais de la grande chambre commune (cf. 1 S **9** 22; Lc **22** 11), de la maison de Joseph. Cette chambre était si occupée qu'on ne put trouver, pour coucher le nouveau-né, meilleure place que la mangeoire des animaux, aménagée sans doute dans l'un des murs du pauvre logis. Humble pauvreté qui a légitimement frappé la tradition chrétienne.

Les circonstances de temps sont moins claires. La date du recensement de Quirinius est mal connue. Celui-ci a pu être gouverneur de Syrie, soit de 11 à 9 av. J.-C., ce qui est trop tôt, soit de 4 à 1 av. J.-C. Mais, dans ce dernier cas, ce n'a pu être qu'après la mort d'Hérode, car son prédécesseur P. Quintilius Varus occupait encore le poste quand mourut le vieux tyran, à Pâques de l'an 4 av. J.-C. La donnée lucanienne du recensement est en soi très vraisemblable; Josèphe ne mérite pas la confiance que lui accordent ici les critiques, et son recensement par Quirinius en l'an 6 ap. J.-C. n'est pas plus sûr que d'autres événements de cette année-là, consécutifs à la déposition d'Archélaüs, qu'il a confondus avec ceux de l'an 4 av. J.-C., consécutifs à la mort d'Hérode. Le difficile est de concilier la donnée de Lc avec celle de Mt, « aux jours du roi Hérode »; la solution la moins mauvaise est sans doute d'imaginer un recensement mené, ou du moins commencé, par Quirinius à titre extraordinaire, avant qu'il prît régulière-ment en mains la légation de Syrie.

Note § **10.** *ANNONCE AUX BERGERS*

Annonce de la lumière du Christ, qui peut d'autant plus se comparer à l'apparition de l'étoile aux Mages en Mt **2** 1-12 qu'étoiles et anges étaient pour les anciens des représentations voisines de messagers célestes. Là, le monde païen est appelé en la personne des Mages; ici, le monde des pauvres.

Le message angélique est formulé d'une manière toute lucanienne : *euangelizesthai* est propre à son vocabulaire, comme aussi la joie est caractéristique de sa spiritualité; Sauveur (Ac **5** 31; **13** 23), Seigneur (voir note § 5, sur **1** 43) sont des titres qui, avec Christ, définissent dès son enfance la personne et la mission de Jésus.

Mais le cantique chanté par le chœur angélique doit être, comme le Magnificat et le Benedictus, un chant liturgique déjà existant. Il semble traduit de l'hébreu et consiste en un distique à parallélisme chiastique. Il se peut qu'un autre fragment de ce cantique se retrouve en Lc **19** 38 (Entrée des Rameaux). Les textes de Qumrân ont confirmé de façon décisive que la « bonne volonté » est la bienveillance de Dieu pour les hommes, qu'il veut sauver et qu'il aime sauvés.

« Marie méditant ces choses en son cœur » (cf. encore **2** 51) est une indication discrète de la source première d'où viennent ces souvenirs.

Note § **11.** *CIRCONCISION ET PRÉSENTATION DE JÉSUS AU TEMPLE*

La circoncision de Jésus intéresse Luc, moins pour elle-même que pour l'imposition du nom qui l'accompagne : la révélation angélique de ce nom à Marie (**1** 31) fait pendant à la révélation angélique à Joseph (Mt **1** 21); si la signification de ce nom n'est pas suggérée comme chez Mt, c'est sans doute que Lc la suppose bien connue des chrétiens.

La purification de la mère et le rachat du premier-né, prescrits par la Loi (Lv **12** 1-8; Ex **13** 2.11-16), deviennent chez Lc une « présentation » de l'Enfant, dont l'obligation était beaucoup moins claire. C'est que Luc attache une grande importance à cette première venue de Jésus dans le Temple de Jérusalem, qui est pour lui le centre du plan divin de salut.

La prophétie de Siméon est rythmée, au moins dans sa première partie (29-32), mais elle s'applique trop bien à la situation pour dériver d'une hymne antérieure. Ses deux parties correspondent aux deux étapes historiques du plan divin : 1º l'appel des païens à la lumière du salut par l'intermédiaire d'Israël, qui doit y trouver sa gloire; c'est le programme des prophètes, que Jésus a loyalement tenté de réaliser malgré la résistance des Juifs; 2º le refus de beaucoup en Israël, qui amènera crise et division à l'intérieur du peuple élu : le glaive qui doit traverser l'âme de Marie désigne moins sa souffrance personnelle au pied de la croix (ici seulement implicite) que le déchirement du cœur de la Fille de Sion par les coups de l'épée de Yahvé dévastant le pays mais épargnant un petit Reste (cf. Ez **14** 17.21-23; **5** 1-3; **6** 3.8; **12** 14.16; **17** 21; **23** 10.25).

« Leur ville », dit de Nazareth (39), est la simplification d'une situation que Mt nous montre plus complexe (**2** 22-23; cf. note § 17); et ce retour en Galilée quarante jours (Lv **12** 1-4) après la Nativité ne peut s'accorder avec Mt **2** 16 sans une harmonisation forcée, à laquelle la confession de notre ignorance est préférable.

Note § **12.** *GÉNÉALOGIE DE JÉSUS*

Comme pour bien des héros bibliques, cette généalogie montre en Jésus l'héritier et l'accomplissement d'un plan divin. Cette liste d'ancêtres commencée à Abraham et passant par David fait de lui le représentant du peuple élu et de la lignée messianique. La répartition en trois groupes de quatorze générations enseigne par sa régularité même que cette histoire est dirigée par un calcul d'en haut; plus précisément peut-être (cf. Exodus Rabba sur Ex **12**, 2) : une montée, d'Abraham à David, un déclin, de Salomon à la captivité, une remontée, de la captivité à Jésus. Le souci d'obtenir cette répartition a pu contribuer à faire omettre trois rois entre Ozias et Joathan, et à compter deux fois Jechonias, encore que des confusions dans l'onomastique (notamment des Septante) puissent y être aussi pour quelque chose : même nom d'Ozias donné à Ochozias et à Azarias (comp. dans TM et LXX mss *A* et *B* : 1 Ch **3** 11; 2 Ch **26** 1) ; confusion entre Joiaqim et Joiâkin (Jechonias) transcrits tous deux par *Iôakeim* (2 R **23** 36; **24** 8). La mention de femmes, inaccoutumée dans les généalogies, s'explique peut-être par leur célébrité dans l'histoire biblique; l'évocation de ces femmes, toutes étrangères à Israël, et quelques-unes pécheresses, peut vouloir enseigner que Jésus a assumé le passé historique de son peuple avec ses vicissitudes et son ouverture sur l'universalisme du salut.

Plutôt que d'un document traduit de l'hébreu, il doit s'agir d'une composition libre, rédigée en grec, où Mt a utilisé, soit des listes bibliques (de Pharès à David, Ruth **4** 18-22; de Salomon à Josias, 1 Ch **3** 10-14), soit des informations inconnues de nous (de Zorobabel à Joseph). Le terme est Joseph, dont la paternité légale suffit à faire de Jésus un authentique « fils de David », cf. vv. 18-25. La variante très peu attestée qui dit Jésus engendré par Joseph est dérivée d'une autre variante, également faible, qui a voulu éviter l'expression « époux de Marie » du texte original.

Conçue indépendamment de la généalogie de Lc **3** 23-38, celle de Mt la rejoint pour la série Abraham – David, puisée à la même source, et s'en écarte pour le reste. L'examen de ces désaccords se fera à propos de Lc.

Note § **13.** *ANNONCE A JOSEPH*

Exposé didactique plus que description pittoresque, cette péricope veut répondre à la question soulevée par le v. 16 et enseigner deux choses : 1º que Jésus a été engendré de façon virginale par l'action du Saint Esprit; 2º que Joseph, sur avertissement du ciel, a accepté d'être son père légal, en sanctionnant son mariage avec Marie et en nommant l'Enfant. De cette façon Jésus est vraiment « fils de David ».

Ceci, qui consigne une tradition orale plutôt qu'écrite, est raconté sur le mode biblique d'une apparition de l'« Ange du Seigneur ». Comme l'exige l'économie du récit et comme l'ont admis les anciens Pères, Joseph, ignorant la conception virginale, hésite à épouser celle qu'il voit enceinte : sa « justice » consiste à ne pas accepter de couvrir une situation irrégulière, mais aussi à ne pas exposer au décri public sa jeune fiancée qui ne le mérite sans doute pas. Averti par le ciel, il accepte la mission qui lui est confiée et assume son rôle de père en donnant à l'Enfant le nom sauveur indiqué par l'ange.

Sous une forme différente et indépendante, Mt rejoint Lc sur les deux enseignements essentiels de la naissance davidique

et de la naissance virginale. La naissance davidique, par Joseph, était suggérée par Lc **1** 27.32; **2** 4.11; elle est explicitement affirmée par Mt. Aussi bien est-elle une donnée attestée ailleurs dans l'évangile (Mc **10** 47-48 par.), notamment de Mt (**9** 27; **12** 23; **15** 22; **21** 9.15), et dans le reste du NT (Ac **2** 29-31; Rm **1** 3; 2 Tm **2** 8; Ap **3** 7; **5** 5; **22** 16). La naissance virginale au contraire n'apparaît qu'ici et en Lc **1** 35 (et peut-être aussi en Jn **1** 13). Révélée tardivement, elle n'est pas pour autant le résultat d'une réflexion théologique sur Is **7** 14. Mt **23** renvoie à ce texte, mais Lc n'y fait aucune allusion explicite. Aussi bien le judaïsme ne semble-t-il pas avoir envisagé une naissance virginale du Messie; la vierge de Is **7** 14 pouvait être entendue collectivement de la Fille de Sion. Il a fallu l'intervention de Dieu en Marie pour apporter cette révélation et donner son sens plénier à l'oracle isaïen. Quant à la filiation divine, qui ne résulte pas nécessairement de la naissance virginale, mais qui est affirmée par le reste de la révélation chrétienne, elle est énoncée clairement par Lc **1** 35 et implicitement, dans le nom d'Emmanuel, par Mt **1** 23.

Note § **14.** *ADORATION DES MAGES*

Après avoir présenté la personne du Messie Jésus à la lumière de sa naissance virginale et davidique, Mt annonce au chap. 2 sa mission de salut dans une aurore de lumière et de souffrance. Sous forme d'épisodes anecdotiques, il donne le même enseignement profond que Luc recueille sur les lèvres du vieillard Siméon : appel des païens au salut (adoration des mages), crise et contradiction en Israël (massacre des Innocents, fuite en Égypte et séjour obscur à Nazareth).

Tous ces épisodes sont centrés sur des textes scripturaires, qui en dégagent le sens théologique. Ici c'est l'oracle de Michée **5** 1, qui s'accomplit par la naissance du Messie Jésus à Bethléem; l'oracle n'est pas pour autant l'origine de cette tradition, il est seulement la confirmation prophétique d'un fait attesté par ailleurs (cf. note § 9). Ce texte n'épuise pourtant pas la signification de l'épisode des mages. Le récit recourt à d'autres précédents bibliques, par mode d'allusions discrètes mais certaines.

C'est d'abord l'Étoile de Jacob annoncée par le prophète Balaam contre le gré du méchant roi Balaq (Nb **24** 17). L'exploitation de cet épisode se trahit déjà par l'emprunt verbal « d'Orient » (*apo anatolôn*) : Nb **23** 7, et Mt **2** 1. Elle

s'exprime surtout par une analogie profonde de situation qui n'a pas échappé aux Pères. L'utilisation de Nb **24** 17 était très vivante à l'époque du NT : l'Étoile de Jacob était un symbole favori du Messie (citation explicite dans les Testaments des Douze Patriarches, dans des textes de Qumrân, chez Justin, etc., et allusion probable en 2 P **1** 19; Ap **2** 26-28; **22** 16), et Balaam passait pour un mage, voire le fondateur des mages, et le père de toutes sortes d'hérésies (cf. 2 P **2** 15; Jude 11; Ap **2** 14-16). Dans les mages d'Orient guidés par l'Étoile et adorant Jésus à Bethléem, Mt voit le monde païen – particulièrement le monde si dangereux alors des astrologues – attiré par la lumière du Messie (cf. Is **2** 1-5; **4** 5; **9** 1; **24** 23; **30** 26, etc.) et venant lui rendre hommage dans la ville de David.

Cet hommage est décrit à l'aide d'un autre thème scripturaire, celui des rois d'Arabie qui apportent leurs présents au Roi Messie (Is **60** 1-6; Ps **72** 10-11.15).

A travers un fait concret et frappant l'imagination, Mt réussit ainsi à inculquer cet enseignement capital de Jésus « lumière pour éclairer les nations » que le Siméon de Luc prononce sur l'Enfant présenté au Temple (Lc **2** 32; cf. déjà **1** 78-79 dans le Benedictus).

Note § **15.** *FUITE EN ÉGYPTE*

De l'événement lui-même on trouve des précédents dans la Bible : fuite de Jéroboam devant Salomon (1 R **11** 40; ce texte, avec Ex **2** 15, a même pu fournir des éléments littéraires de Mt **2** 13-14), fuite d'Uriyyahu devant Joiaqim (Jr **26** 21-23),

fuite de Jérémie, avec d'autres, après le meurtre de Godolias (2 R **25** 26; Jr **43**).

Mais ce qui retient l'attention de Mt dans cet événement, c'est le retour qu'il comporte, c'est-à-dire un parallèle à l'Exode. Il cite en effet Os **11** 1, et il est remarquable que Balaam, qu'on a présent à l'esprit dans l'épisode précédent, avait dit lui aussi, par deux fois, d'Israël : « Dieu le fait sortir d'Égypte » (Nb **23** 22; **24** 8). Mt voit donc dans cet épisode un premier trait qui fait de l'enfance de Jésus un accomplissement typologique de la destinée douloureuse d'Israël : première épreuve et première délivrance. Jésus est le Fils par excellence, sens plénier du titre de « fils » accordé jadis à Israël (Ex **4** 22-23; Jr **31** 9, etc.); en l'appelant du pays de la captivité, Dieu appelle avec lui tout le peuple messianique qu'il porte en lui (Mt **1** 1-17) et doit sauver (Mt **1** 21). Son retour est le gage messianique de la délivrance tant de fois promise (Is **10** 25-27; **11** 11-16, etc.; Mi **7** 14-15; Jr **16** 14-15, etc.

Note § 16. *MASSACRE DES INNOCENTS*

L'histoire profane parle plus d'une fois d'un monarque menacé dans son trône et cherchant à tuer un rival possible. Aussi bien cela est-il fondé dans la nature des choses. Moïse lui-même a été poursuivi de la sorte par le Pharaon (Ex **1** 7 – **2** 15) et la littérature rabbinique a donné à ce fait un relief qui n'aura pas été sans influencer la piété chrétienne dans sa réflexion sur l'enfance de Jésus nouveau Moïse.

Toutefois le texte-clé est ici Jr **31** 15. Il a pu venir à l'esprit parce qu'une tradition fixait à Bethléem le tombeau de Rachel (Gn **35** 19; **48** 7). Mais une autre tradition le situait, sur les confins de Benjamin (1 S **10** 2), à Rama où Jérémie entend l'ancêtre des Éphraïmites (Gn **30** 22-24; **41** 52) et des Benjaminites (Gn **35** 16-18) pleurer ses enfants. Ces pleurs sont chez Jérémie une allusion à l'exil en Babylonie des tribus du Nord et notamment d'Éphraïm (Jr **31** 6.9.18.20). Il est d'ailleurs remarquable que Rama fut un lieu d'où partirent des convois de déportés (Jr **40** 1).

Puisée dans une telle atmosphère de réflexion sur les Écritures, cette citation permet à Mt d'évoquer, par-delà le massacre des enfants de Bethléem, la déportation de l'Exil à Babylone. Cette grande épreuve de l'histoire d'Israël a donc son reflet dans la destinée de Jésus enfant, et son retour en Terre promise évoquera aussi le retour de cet Exil, le deuxième Exode des prophètes (surtout Isaïe), qui reproduit le premier et annonce le définitif, dans l'ère messianique, réservé précisément à Jésus.

Si l'on prend en rigueur de termes le délai de deux ans comme maximum envisagé entre la naissance et le massacre, on doit admettre que la sainte Famille est demeurée durant tout ce temps à Bethléem : cela peut s'entendre à l'intérieur de Mt, surtout si l'on admet que pour lui Joseph a là son domicile normal (cf. note § 9); mais cela s'accorde mal avec Lc, qui place le retour à Nazareth après la Purification, c'est-à-dire quarante jours après la naissance. Peut-être « deux ans et au-dessous » est-il une précision en partie fictive, ayant une origine ou une portée qui nous échappe.

Note § 17. *RETOUR D'ÉGYPTE A NAZARETH*

Le rapprochement de Jésus avec Moïse, fréquent par ailleurs dans le NT (par exemple Ac **7** 17 ss.; He *passim;* etc.), est ici rendu évident par le v. 20 qui reprend à la lettre Ex **4** 19 : comme Moïse, Jésus peut rentrer après la mort de ses persécuteurs (au pluriel comme dans Ex !).

Mais l'intérêt principal se porte, comme dans les épisodes précédents, sur l'oracle prophétique qui explique et qu'accomplit l'établissement à Nazareth. Cette fois pourtant, on voit mal à quel texte peut songer Mt : à un seul? ou à plusieurs (« dit par les prophètes »)? En tout cas, il veut justifier par les Écritures le nom établi par ailleurs de *Nazôraios.* Ce nom a pu être primitivement un nom de secte mais, en l'appliquant à Jésus (Mt, Lc, Jn, Ac), on le mettait certainement en relation avec Nazareth, tout comme l'autre forme *Nazarènos* (Mc, et un peu Lc). Mt lui trouve ici une étymologie fondée dans l'Écriture. Plutôt qu'à *Nazir* (Nb **6**; Jg **13** 5) ou à *Nèçèr* (Is **11** 1), morphologiquement trop différents, on peut songer au participe *naçûr,* « gardé », « conservé », qui ferait allusion au Serviteur (Is **42** 6 en comprenant, non pas « formé », mais « gardé ») et au Reste messianique (Is **49** 6 : « les gardés d'Israël »). Jésus obligé de se réfugier dans l'obscure Nazareth serait pour Mt le type du Reste rentré d'exil dans une situation humiliée, mais préservé par Dieu afin que de son sein jaillisse le salut messianique. Par cette profonde vue théologique, Mt rejoindrait à sa manière la pensée parallèle de Lc sur Marie Fille de Sion (cf. notes §§ 4.6 et 11).

Note § 18. *RECOUVREMENT DE JÉSUS AU TEMPLE*

Sans parallèle dans Mt, cet épisode très vraisemblable n'a rien de merveilleux; bien compris, il ne suppose pas chez Jésus une sagesse miraculeuse, mais seulement une intelligence précoce et droite qui frappe les docteurs. En fait, c'est pour la parole du v. 50 que l'épisode a été retenu : parole où Jésus, opposant son Père, dont le Temple est la maison, au père qui avec Marie le cherche, laisse percevoir dès son enfance une claire conscience de ses relations exceptionnelles et filiales avec Dieu. C'est encore Marie qui aura conservé un tel souvenir (51). Ce Fils de Dieu n'en grandit pas moins à la façon des hommes (52; cf. **2** 40).

DÉBUTS EN JUDÉE - BAPTÊME ET TENTATION

NOTE SUR LES §§ 19-27

Les paragraphes 19 à 28 forment comme l'introduction du ministère de Jésus; deux personnages entrent successivement en scène : Jean-Baptiste et Jésus. Quel lien la tradition évangélique a-t-elle mis entre ces deux personnages? C'est ce que nous allons essayer de dégager ici, en utilisant les résultats des analyses suivantes.

1. *Au niveau du Document A.* Dès le Document A, on trouve un premier essai de préciser les fonctions respectives de Jean et de Jésus en référence au plan de salut de Dieu. Dans le logion sur les deux baptêmes (note § 22, I B 1 b), Jean lui-même annonce que, s'il est venu inviter les hommes à la pénitence en les baptisant dans l'eau, un autre vient qui doit effectuer la grande purification eschatologique, la séparation des bons et des impies, prélude à l'établissement du royaume de Dieu.

2. *Au niveau du Document B.* Dans le Document B, le souci de souligner la différence entre Jean et Jésus est plus accentué; en rapportant le logion du Baptiste sur « le plus digne » (Mc 1 7a), ce Document veut souligner comment Jean lui-même a affirmé que Jésus était plus digne que lui (note § 22, II 3) : Jean était un rabbi entouré de disciples; mais Jésus est un rabbi tellement supérieur que Jean ne se sent pas digne de rendre ce service qu'un maître ne pouvait exiger de son disciple : lui délier ses sandales !

3. *Dans le Mc-intermédiaire.* C'est au niveau du Mc-intermédiaire que l'on sent une volonté beaucoup plus affirmée d'établir un parallélisme antithétique entre Jean et Jésus.

a) Ce parallélisme antithétique se manifeste d'abord sur le plan littéraire; la venue de Jean et celle de Jésus sont décrites en formules parallèles :

Mc 1 4.5b	Mc 1 9
Il y eut	Il y eut
	dans ces jours-là
Jean ()	(que) vint Jésus
et ils étaient baptisés	et il fut baptisé
par lui	
dans le fleuve Jourdain.	dans le Jourdain
	par Jean.

Mais ce parallélisme des formules littéraires recouvre une opposition. La formule « Il y eut dans ces jours-là (que) vint... » rappelle sans doute Ex 2 11, texte qui introduit le personnage de Moïse au début de sa mission. Jean n'est qu'un prophète, mais Jésus est le nouveau Moïse qui vient effectuer la délivrance du peuple de Dieu, comme le souligne le récit du baptême de Jésus par Jean (note § 24, I A 1 b et I A 2 b).

b) Cette opposition entre Jean et Jésus est renforcée, dans le logion sur « le plus digne » (§ 22), par l'addition de l'expression « plus puissant que moi » (Mc 1 7). Dans le Document B, Jean ne faisait qu'affirmer la suréminente dignité de Jésus; le Mc-intermédiaire en explicite le pourquoi en référence à la scène du baptême : Jésus est « plus puissant » que Jean parce qu'il va recevoir l'Esprit qui lui donnera la force de vaincre Satan et donc, nouveau Moïse, d'effectuer la délivrance du peuple de Dieu asservi au joug des puissances mauvaises (note § 22, 11 4; cf. note § 24, I A 2 b).

4. *L'ultime Rédacteur marcien* ne fera qu'accentuer les tendances du Mc-intermédiaire. En introduisant le thème de Jean au désert (Mc 1 4), en référence à la citation de Is 40 3, il accentue le parallélisme littéraire entre Jean et Jésus : Jean baptise, il est dans le désert, il prêche un baptême de repentir (Mc 1 4); Jésus est baptisé par Jean (1 9-11), il est dans le désert (1 12-13), il prêche le repentir (1 14-15). Ce parallélisme littéraire est souligné par l'inclusion que forment les vv. 1 et 14-15, dans lesquels l'ultime Rédacteur marcien introduit le mot « bonne nouvelle », ou « évangile » (*euaggelion*). Mais il accentue l'opposition entre Jean et Jésus; non seulement Jésus est « plus puissant que Jean » (cf. *supra*), mais il existe une différence essentielle entre le baptême de Jean et celui que Jésus apportera aux hommes : Jean baptise seulement dans l'eau, Jésus baptisera dans l'Esprit Saint (Mc 1 8, ajouté par l'ultime Rédacteur marcien; cf. note § 22, II 4).

5. *Le Mt-intermédiaire,* d'une part établit un parallélisme entre Jean et Jésus, en mettant dans la bouche du Baptiste une prédication dont on retrouvera les thèmes principaux sur les lèvres de Jésus (§ 20 et note correspondante), mais d'autre part souligne l'opposition entre les deux personnages, en accentuant les rapprochements entre les figures de Moïse et de Jésus, dans la scène de la tentation au désert (note § 27, II b). – L'ultime Rédacteur matthéen, comme

l'ultime Rédacteur marcien, systématise le parallélisme anti-thétique entre Jean et Jésus : le même verbe « paraît/survient » (*paraginesthai*) introduit l'un et l'autre personnage (Mt **3** 1.13; ailleurs seulement en **2** 1 chez Mt); Jean et Jésus invitent les hommes au repentir dans les mêmes termes (**3** 2 et **4** 17) et leur ministère s'exerce en fonction d'une prophétie d'Isaïe (**3** 3 et **4** 14-16); les foules viennent à eux en provenance de régions en partie identiques (**3** 5 et **4** 25); en les « voyant », ils leur adressent un discours-programme (**3** 7-12 et **5** 1 ss.). L'ultime Rédacteur matthéen veut montrer la continuité entre le ministère de Jean et celui de Jésus : tous les deux ont été envoyés par Dieu pour montrer aux hommes la voie du salut.

6. *Chez Lc*, il existe une différence très nette entre les récits gravitant autour de la scène du baptême de Jésus et les récits de l'enfance.

a) Dans les récits gravitant autour de la scène du baptême de Jésus, on constate une tendance du proto-Lc, et plus encore de l'ultime Rédacteur lucanien, à réduire l'activité baptismale de Jean, ce qui a pour effet de diminuer la gran-deur du personnage. Au niveau du proto-Lc, il n'est même pas question de foules qui viennent se faire baptiser (§ 19); Jean n'est même pas nommé lors de la scène du baptême de Jésus (§ 24); pour bien marquer la différence entre les deux personnages, le proto-Lc rappelle les discussions populaires pour savoir si Jean ne serait pas le Christ (Lc **3** 15, note § 22, II 5 a) : le lecteur comprend que ce n'est pas Jean, mais Jésus, qui est le messie (cf. d'ailleurs le logion sur les deux baptêmes : **3** 16-17). – L'ultime Rédacteur lucanien présente Jean comme un simple prophète en introduisant son personnage au moyen d'une expression reprise de Jr **1** 1 (Lc **3** 2); il refuse l'identi-fication Jean/Élie, qu'avaient établie les disciples de Jean (note § 19, I 3 b). Pour lui, il semble que Jean ne baptise pas lui-même, car les foules viennent se faire baptiser « devant lui » (Lc **3** 7a; note § 20, I 1); Jean est simplement celui qui proclame un « baptême de repentir » (note § 19, I 3 c). Cette tendance à minimiser le personnage de Jean se retrouvera dans la suite de l'évangile, spécialement le refus d'identifier Jean à Élie (cf. la suppression des logia de Mt **17** 10-13; Mc **9** 11-13 : § 170). Pour Lc, en effet, c'est Jésus qui est le nouvel Élie, renouvelant les miracles du prophète (Lc **7** 11-16, note § 105), et surtout, comme Élie, étant « enlevé » dans les cieux au terme de sa vie (2 R **2** 11; Lc **24** 51; Ac **1** 2. 9.22).

b) Lc connaît malgré tout le parallélisme antithétique entre Jean et Jésus, mais il l'a transféré dans les récits de l'enfance, spécialement dans les deux récits d'annonciation : à Zacharie (**1** 15-17) et à Marie (**1** 32-35). L'annonce à Zacharie correspond au récit de l'entrée en scène du Baptiste (§ 19); ce dernier y est présenté comme un nouvel Élie (cf. les citations de Ml **2** 6; **3** 1; **3** 22-23). L'annonce à Marie reprend les éléments essentiels du récit du baptême de Jésus : venue de l'Esprit Saint (**1** 35a), en suite de quoi l'enfant né de Marie sera appelé « Fils de Dieu » (**1** 35c; cf. Lc **3** 22) et régnera pour toujours sur le trône de David (**1** 32-33; cf. le sens d'intronisation royale du Ps **2** cité en Lc **3** 22). La supériorité de Jésus sur Jean est toutefois évidente. Sans doute, l'un et l'autre sont « grands », mais Jean n'a qu'une grandeur relative, « devant Dieu » (**1** 15), tandis que Jésus a une grandeur transcendante (**1** 32); Jean agira avec « la puissance d'Élie » (**1** 17), tandis que Jésus sera conçu de « la puissance du Très-Haut » (**1** 35), c'est-à-dire de l'Esprit de Dieu.

7. *Chez Jn.* Comme Lc **3**, Jn **1** ignore le parallélisme anti-thétique entre Jean-Baptiste et Jésus. Son récit souligne surtout les oppositions : le Baptiste n'est même pas Élie (Jn **1** 21); Jésus est la lumière, Jean n'en est que le témoin (Jn **1** 8); Jésus est l'époux, Jean n'est que l'ami de l'époux (**3** 29); les miracles de Jésus manifestent sa gloire (**2** 11), Jean n'a accompli aucun miracle (**10** 41). Il n'existe donc aucun point de comparaison valable entre Jean et Jésus : Jean fut seulement le « témoin » (**1** 7-8) chargé de « mani-fester » le nouveau messie à Israël (**1** 31). Lui-même d'ailleurs proclame que Jésus doit maintenant « passer devant lui », parce qu'avant lui, « il était » (Jn **1** 30); c'est une allusion à peine voilée à la transcendance de Jésus, Parole de Dieu qui s'est faite chair (Jn **1** 1.14).

L'importance de plus en plus grande donnée aux récits concernant le Baptiste, le souci de rappeler les paroles du Baptiste dans lesquelles lui-même proclame la supériorité de Jésus sur Jean, ces divers faits se font l'écho de polémiques qui opposèrent très tôt disciples de Jean et disciples de Jésus. Pour les disciples de Jean, le Baptiste fut l'homme envoyé par Dieu pour préparer l'avènement du royaume, il fut le nouvel Élie préparant les cœurs en vue de la venue de Dieu (Ml **3** 22-23); les disciples de Jésus durent montrer que Jean ne fut qu'un « précurseur », et que ce fut Jésus qui eut pour mission d'instaurer le royaume de Dieu.

Note § **19.** *ENTRÉE EN SCÈNE DE JEAN-BAPTISTE*

Le récit de l'entrée en scène de Jean-Baptiste nous est donné par les trois Synoptiques; on en trouve des échos dans Jn **1** 6 ss.; **1** 19 ss. et **3** 22 ss. Si l'intention générale de ce récit est relativement facile à saisir, les problèmes littéraires qu'il souligne sont très complexes et les solutions proposées ne pourront être que nuancées.

I. LE SENS GÉNÉRAL DU RÉCIT

1. *Le récit de Mt.*

a) L'indication chronologique « en ces jours-là » (v. 1) ne se réfère à aucun récit antérieur; elle a valeur absolue, comme en Ex **2** 11 où il s'agit de la venue de Moïse au début de son envoi par Dieu (cf. Mc **1** 9, § 24). A l'inverse de Lc, Mt n'a pas mentionné le Baptiste dans les récits de l'enfance, et celui-ci « paraît » brusquement dans le désert de Judée, i.e. dans la région qui descend des collines de Judée vers la vallée du Jourdain, à l'est de Jérusalem. Depuis l'Exode, le « désert » est le lieu privilégié des rencontres de Dieu et de son peuple (Os **2** 16-25; Jr **2** 2-3; Dt **8** 2 s.); c'est donc dans le désert que Jean lance son appel au repentir (v. 2), selon une formule que l'on retrouvera identique sur les lèvres de Jésus (Mt **4** 17, § 28) et dans la prédication des apôtres (Mt **10** 7, § 99); Mt veut souligner par là la continuité du message de salut aux hommes.

b) Selon un procédé fréquent chez lui (cf. Introd.), Mt montre que cette activité du Baptiste se situe dans la ligne des prophéties de l'AT, ici Is **40** 3. La formule habituelle : « ... afin que fût accompli ce qui fut dit par un tel le prophète », est légèrement modifiée et vise directement la personne du Baptiste, littéralement : « C'est lui qui fut dit par Isaïe le prophète » (cf. Mt **11** 10, § 107). La citation est faite d'après le grec de la Septante, mais l'expression « les sentiers de notre Dieu » est devenue « ses sentiers ». C'est ici (et dans les parallèles de Mc/Lc) le seul passage du NT où Is **40** 3 soit cité; même à propos du Baptiste, on se réfère d'ordinaire à Ml **3** 1.22 s. (cf. surtout Mt **11** 10 et par.; Mt **17** 11 et par.; Lc **1** 17.76; Ac **13** 24-25 et la note § 24; Jn **3** 28). En revanche, comme l'ont noté de nombreux auteurs, ce texte d'Is **40** 3 est utilisé par la communauté de Qumrân pour justifier sa retraite au désert : « ... ils se sépareront du milieu de l'habitation des hommes pervers pour aller au désert afin d'y frayer la voie de Lui (= Dieu), ainsi qu'il est écrit : Dans le désert, etc. » (Règle 8 *13-14*; cf. 9 *19-20*); on reviendra plus loin sur le problème d'une influence possible des textes de Qumrân sur Mt.

c) Mt décrit ensuite le vêtement de Jean (v. 4), en référence à deux textes de l'AT : « (les prophètes) revêtiront une peau de poils » (Za **13** 4; cf. le parallèle de Mc **1** 6), et surtout 2 R **1** 8 où les émissaires du roi Achab décrivent le prophète Élie comme « ceint d'un pagne de peau quant aux reins »;

Jean-Baptiste est donc le nouvel Élie que la tradition juive disait devoir revenir un jour pour préparer l'avènement du Royaume de Dieu (Ml **3** 23-24; cf. note §§ 19-28). A propos de la nourriture de Jean, on notera que la Loi permettait expressément de manger des sauterelles (Lv **11** 22); chez les esséniens de Qumrân, on précisait cependant qu'il fallait les faire cuire – bouillies ou rôties – tandis qu'elles étaient encore vivantes (Document de Damas, 12 *15*). Sur le miel sauvage, cf. Dt **32** 13; Jg **14** 8; 1 S **14** 26 ss.

d) Les foules viennent à Jean : de Jérusalem, de toute la Judée et de toute la région du Jourdain; une nomenclature semblable, plus complète, se retrouvera en Mt **4** 25 pour décrire les foules qui viennent à Jésus. Mt veut établir un parallélisme entre l'activité de Jean et celle de Jésus; sur ce problème, voir note précédente.

e) L'origine du baptême donné par Jean (v. 6) est très discutée. Ce baptême doit être distingué, et du baptême des prosélytes, utilisé pour les païens qui se convertissaient au judaïsme (dans le but, semble-t-il, de remplacer la circoncision), et des ablutions rituelles pratiquées par les esséniens de Qumrân. C'était en tout cas un rite de pénitence, accompagné de la « confession des péchés »; il ne s'agit pas là d'une accusation des péchés personnels, mais de la reconnaissance des péchés du peuple de Dieu, comme en Ne **9** 2 ss., ou comme elle était pratiquée à Qumrân au moment de l'admission des néophytes dans la Communauté : « Et les lévites raconteront les iniquités des fils d'Israël et toutes leurs révoltes coupables et leurs péchés (commis) sous l'empire de Bélial; et tous ceux qui passent dans l'alliance feront leur confession après eux en disant : nous avons été iniques, etc. » (Règle 1 *22-26*). Les gens de Qumrân n'étaient probablement pas les seuls à pratiquer ce rite de pénitence, mais ils le faisaient régulièrement; c'était chez eux comme une institution; on a vu par ailleurs qu'ils attachaient une importance particulière au texte d'Is **40** 3, cité en Mt **3** 3; peut-être faut-il voir ici une double influence des textes de Qumrân sur la rédaction évangélique (O. J. F. Seitz; sur ces influences des textes de Qumrân sur Mt, voir Introd.); on aurait voulu souligner que Jean, d'une façon ou d'une autre, avait été en étroit contact avec les ascètes de Qumrân.

2. *Le récit de Mc.* Au moins sous sa forme actuelle, il est relativement proche de celui de Mt et a même portée.

a) Le v. 1 forme inclusion avec Mc **1** 14-15 (cf. note précédente). Le mot « commencement » (*archè*) veut dire que « l'évangile, celui que l'on prêchait sur la personne de Jésus-Christ, Fils de Dieu, avait commencé par la prédication de Jean » (Lagrange). C'est là un thème du kérygme primitif (Ac **1** 22; **10** 37; cf. Lc **1** 2) tel que Lc le conçoit. Par ailleurs, l'expression « bonne nouvelle (= évangile) de Jésus-Christ » est de saveur paulinienne (« évangile du Christ », huit fois dans Paul et jamais ailleurs dans le NT). L'expression « Fils de Dieu » (à maintenir, malgré le silence de quelques manuscrits) forme « inclusion » avec la confession de foi du centurion romain, au moment de la mort de Jésus (Mc **15** 39, § 355);

il faut probablement lui donner le même sens, messianique et non transcendant (cf. Sg **2** 18 et note § 355).

b) Comme Mt, Mc justifie la prédication de Jean dans le désert en se référant à Is **40** 3 (vv. 2a.3); il place toutefois cette référence avant la description du Baptiste, et non après comme Mt/Lc, mais l'intention est la même. Il est étrange que, entre la citation d'Isaïe et son introduction, Mc glisse une citation de Ml **3** 1, parallèle à celle d'Is **40** 3 et qui est habituelle dans le NT pour caractériser le Baptiste (cf. I 1 b). Quelle que soit la façon dont on explique ce doublet dans Mc (voir *infra*), il signifie une volonté d'identifier Jean au prophète Élie, que la tradition juive disait devoir revenir sur la terre pour préparer l'avènement du Royaume de Dieu (Ml **3** 1.23-24); l'intention est donc la même que celle de Mt **3** 4 (cf. I 1 c).

c) Au v. 4a, il faut adopter le texte attesté par une partie de la tradition alexandrine (dont le ms B) et lire : « Il y eut Jean le Baptisant dans le désert, proclamant... »; l'expression « le Baptisant » doit se comprendre comme un qualificatif de Jean et correspond à « le Baptiste » de Mt (cf. Mc **6** 14.24, comparé aux parallèles de Mt). Mc ne dit donc pas que Jean baptise « dans le désert », ce qui ferait difficulté puisqu'il n'y a pas d'eau dans le désert (mais cf. la difficulté du v. 5, *infra*). Jean proclame « un baptême de repentir pour la rémission des péchés »; le « baptême », grâce au symbolisme de l'eau qui lave, signifie la rémission des péchés; mais en fait, c'est le « repentir » des hommes, leur conversion, leur volonté de changer de vie qui leur mérite le pardon de Dieu (cf. Lc **24** 47; Ac **3** 19; **11** 18; **26** 18.20).

d) Mc **1** 5 est proche de Mt **3** 5 (pour les détails, voir I 1 e). Il existe une difficulté topographique, mieux marquée dans Mc que dans Mt : étant donné le lien étroit entre les vv. 4 et 5, on a l'impression que le « fleuve Jourdain » du v. 5 se trouve « dans le désert » (v. 4); or les deux régions doivent être soigneusement distinguées (cf. Mc **1** 12). Il est possible que cette difficulté du texte de Mc provienne d'une insertion un peu maladroite (cf. II).

e) Si l'on en croit la tradition textuelle dite « occidentale » (cf. vol. I), Mc dit que Jean était « vêtu d'une peau de chameau ». Nous aurions là une allusion à Za **13** 4 (LXX), qui décrit le vêtement des prophètes en général. Le texte de Mc serait donc moins précis que Mt **3** 4 et présenterait Jean simplement comme un prophète, non comme Élie *redivivus*. Sur la nourriture de Jean, voir I 1 c.

3. Le récit de Lc. Des trois Synoptiques, Lc est celui qui se montre le plus indépendant; il est clair qu'il retravaille profondément la source qu'il utilise ici, quelle qu'elle soit.

a) Il commence son récit par une longue notice historique (vv. 1-2) comprenant sept noms, de façon à situer le personnage du Baptiste et son ministère selon des coordonnées temporelles précises. Au v. 2a, la mention de Anne et Caïphe semble vouloir concilier deux données de traditions différentes : selon Ac **4** 6, c'était Anne qui était Grand Prêtre à cette époque-là; mais selon Mt **26** 3.57; Jn **11** 49; **18** 24, c'était Caïphe, ce qui correspond aux données historiques que nous connaissons par ailleurs.

b) Au v. 2b, les mots : « il y eut (= fut) une parole de Dieu sur Jean, le fils de Zacharie... », reprennent ceux de Jr **1** 1, d'après la Septante : « La parole de Dieu qui fut sur Jérémie, le (fils) de Helkias... » Jean est donc présenté ici simplement comme un prophète. On notera que Lc évite, et la citation de Ml **3** 1 connue de Mc **1** 2, et la description du vêtement de Jean en référence à 2 R **1** 8, attestée par Mt **3** 4; d'une façon générale, Lc (sauf dans l'évangile de l'enfance) refuse de voir en Jean un nouvel Élie, ou Élie revenu sur la terre, et Jn **1** 21 témoigne du même refus (sur ce problème, voir note précédente).

c) Sachant que la « région du Jourdain » n'est pas le désert, Lc distingue la vocation de Jean au désert (v. 2b) et sa venue « dans tout le pays autour du Jourdain » (v. 3) où il va exercer son ministère; mais la référence à Is **40** 3 (v. 4) convient moins bien, puisque ce n'est plus dans le désert que Jean « prêche », mais dans la région du Jourdain. On notera que, des vv. 4-6 de Mt et 5-6 de Mc, Lc ne retient qu'une brève réminiscence au début de l'épisode suivant (v. 7a : « qui s'en allaient pour être baptisés... »); ici, Jean, auquel Lc ne donne même pas le titre de « Baptiste », apparaît surtout comme celui qui « prêche »; même s'il invite les hommes à un « baptême de repentir », on a l'impression qu'il ne baptise pas lui-même, comme le suggère la leçon « occidentale » de Lc **3** 7a : « pour être baptisés devant lui », et non « par lui ». Lorsqu'il parlera du baptême de Jésus, Lc ne nommera même pas Jean (§ 24) !

d) Lc enfin prolonge la citation de Is **40** 3 (vv. 4-6) de façon à terminer sur l'évocation du « salut de Dieu », thème qui lui est cher (cf. Lc **1** 47.69.71.77; **2** 11.30; Ac **28** 28).

II. PROBLÈMES LITTÉRAIRES

L'accord fondamental entre les trois Synoptiques, sous leur forme actuelle, masque des divergences littéraires primitivement plus accentuées, qui se sont estompées par harmonisation des divers textes les uns avec les autres.

1. La tradition marcienne.

a) Le v. 1, on l'a noté, forme inclusion avec Mc **1** 14-15. Il est certainement un ajout du Rédacteur marco-lucanien comme le prouvent les expressions, soit du kérygme primitif, soit de la théologie paulinienne, qu'il contient (« commencement », « évangile de Jésus-Christ », voir I 2 a); ces expressions répondent aux ajouts des vv. 14-15 (voir note § 28).

b) En Mc **1** 2-3, la citation de Is **40** 3 a pour but de montrer que l'activité du Baptiste est conforme aux oracles des prophètes, et donc se situe dans la ligne du plan salvifique de Dieu. Mais un tel procédé d'apologétique par l'Écriture n'est pas marcien. Nulle part ailleurs, dans Mc, l'Écriture n'est citée *par l'évangéliste lui-même*, comme une réflexion personnelle; elle l'est seulement par Jésus et, sous forme de citation formelle, presque toujours comme argument employé contre les adversaires (Mc **7** 6.10; **11** 17; **12** 10.26.36).

D'ailleurs, la formule d'introduction elle-même : « ainsi qu'il est écrit *dans Isaïe le prophète* », ne se lit jamais ailleurs dans Mc; il ignore l'expression « un tel le prophète », et dans les trois autres cas où une citation est introduite par la formule « il est écrit » (commune aux trois Synoptiques), ce verbe est immédiatement suivi de la citation qu'il introduit (cf. Mc **7** 6; **11** 17; **14** 27). Cette citation d'Isaïe est au contraire parfaitement en situation dans son contexte matthéen, où elle correspond à un procédé littéraire très fréquent chez Mt (cf. I 1 b); la formule « un tel le prophète » est régulière chez Mt lorsqu'il cite ainsi l'Écriture. Nous sommes donc devant une insertion matthéenne dans l'évangile de Mc.

Un détail de la formule d'introduction de la citation doit encore nous retenir : « Ainsi qu'il est écrit *dans...* » Une telle formule ne se lit jamais ailleurs dans Mc, ni dans Mt; en revanche, elle se trouve huit fois dans Lc/Ac (ailleurs seulement deux fois dans Paul). Nous rencontrons ici pour la première fois un phénomène qui se retrouvera souvent ailleurs dans Mc : les remaniements du texte de Mc (ici, l'insertion de la citation de Is **40** 3, en provenance de Mt) sont souvent signés de caractéristiques littéraires lucaniennes; c'est donc le Rédacteur marco-lucanien qui a harmonisé le texte de Mc avec celui de Mt.

c) En Mc **1** 4, la prédication de Jean est formulée en termes identiques à ceux de Lc **3** 3 : « prêchant un baptême de repentir pour la rémission des péchés ». Cette façon de parler n'est pas marcienne, mais lucanienne. Si Mc connaît le verbe « se repentir » (**1** 15; **6** 12), il n'utilise nulle part ailleurs le substantif « repentir » (*metanoia*), qui se lit au contraire onze fois dans Lc/Ac (« baptême de repentir », cf. Ac **13** 24; **19** 4). Quant au thème de la « rémission des péchés » (*eis aphesin hamartiôn*), s'il appartient à la théologie primitive (Mt **26** 28; Col **1** 14; cf. Ep **1** 7 avec *paraptôma*), Lc est le seul qui le mette en relation immédiate avec le « repentir » (Lc **24** 47; Ac **2** 38; **3** 19; **5** 31; **8** 22; **26** 18.20). On se trouve donc devant un

thème spécifiquement lucanien ajouté dans Mc par l'ultime Rédacteur marco-lucanien.

d) Au v. 5, le verbe « s'en aller » est bien dans le style de Mc (*ekporeuesthai* : 5/11/3/2/3), mais il n'en va pas de même de son double sujet. Le premier (« tout le pays de Judée », *pasa hè ioudaia chôra*) est de saveur nettement lucanienne; l'adjectif « juif », joint à un nom qu'il qualifie, ne se lit qu'ici dans Mc, tandis qu'il est très fréquent dans Ac (0/1/0/1/11; cf. Ac **2** 14; **10** 28; **13** 6; **16** 1; **18** 2.24; **19** 13-14; **21** 39; **22** 3); quant au mot « pays » (*chôra*), il est accompagné d'un adjectif indiquant une région : ici seulement dans Mc, jamais dans Mt/Jn, mais en Lc **3** 1; Ac **16** 6 et **18** 23. Le second sujet est également d'une tonalité beaucoup plus lucanienne que marcienne : d'une part, cette façon de nommer les habitants d'une ville ou d'une région est dans le style de Lc et surtout de Ac (cf. « Juifs » : 1/1/2/67/69; « Galiléen » : 1/1/4/1/3; « Samaritain » : 0/1/3/4/1; « Romains » : 0/0/0/1/11); d'autre part et surtout, le rejet de l'adjectif « tout » (*pas*) après le mot qu'il qualifie (ici : *Hierosolymitai pantes*) ne se lit jamais ailleurs dans Mc, tandis qu'il est fréquent dans Lc/Ac (2/1/2/4/7). On peut donc conclure que le double sujet du verbe « s'en allaient » fut ajouté par l'ultime Rédacteur marco-lucanien; l'emploi d'un verbe au pluriel sans sujet est d'ailleurs typique du style de Mc (cf. spécialement la fin de Mc **1** 45 : « et ils venaient à lui de toutes parts »).

e) A la fin du v. 5, le thème de la « confession des péchés » semble lié, d'une part à l'ajout du v. 4 : « un baptême de repentir pour la rémission des péchés », d'autre part à la citation de Is **40** 3 (v. 3) en référence aux pratiques des gens de Qumrân (cf. *supra*, I 1 e); il serait donc lui aussi de l'ultime Rédacteur marco-lucanien.

f) Les analyses littéraires précédentes, qui pourront paraître assez radicales, trouvent une confirmation très claire dans le second texte ébionite cité au vol. I (Ébion. 2) et dans Jn **3** 23. Mettons les textes en regard :

Mc **1**	Jn **3** 23	Ébion. 2
3 (citation de Is **40** 3)		
4 Il y eut	Était aussi	Il y eut
Jean le Baptisant	Jean baptisant	Jean baptisant
dans le désert	à Aenon près de Salim...	
proclamant un baptême de repentir pour la rémission des péchés		
5 et s'en allaient	et ils arrivaient	et partirent
vers lui		vers lui
tout le pays de Judée		
et tous les hiérosolymitains		
		des Pharisiens
et ils étaient baptisés	et ils étaient baptisés.	et ils furent baptisés
		et tout Jérusalem.
dans le fleuve Jourdain par lui en confessant leurs péchés.		

Le texte de Jn **3** 23 dépend certainement de ces récits sur le Baptiste, d'autant qu'il est suivi d'un logion du Baptiste (Jn **3** 30) qui offre des analogies certaines avec le logion qui se lit en Mc **1** 7 : le Baptiste est inférieur à Jésus. Le texte de Ébion. 2 aussi, qui se poursuit par une description du vêtement et de la nourriture de Jean. Malgré certains remaniements secondaires et certains ajouts, surtout dans le texte de Ébion. 2 (en provenance de Mt), les textes de Jn **3** 23 et de Ébion. 2 permettent de découvrir un schéma qui se retrouve aussi en Mc mais qui ne comporte pas les nombreuses additions attribuées plus haut à l'ultime Rédacteur marco-lucanien. Le parallélisme du noyau primitif de Mc avec Jn et Ébion. 2 permet de résoudre un dernier problème; selon toute vraisemblance, la mention du « fleuve Jourdain », ignorée de Jn (qui donne une autre localisation) et de Ébion. 2, ne se lisait pas dans le noyau primitif du texte de Mc; elle provient, on le verra plus loin, de la tradition matthéenne et fut insérée dans le texte de Mc par l'ultime Rédacteur.

g) Avant de reconstituer l'évolution des récits dans la tradition marcienne, il faut considérer le cas du v. 6 de Mc, donnant la description du vêtement et de la nourriture du Baptiste. Cette description rompt de façon maladroite le lien entre le v. 5 et le v. 7 de Mc (surtout si l'on admet au v. 7 la leçon « occidentale » donnée par *D* et *VetLat* (*a r*): « et il leur disait » au lieu de « et il prêchait »); il faudrait donc la considérer comme un ajout dans le texte de Mc. Mais comme ce passage de Mc a influencé la rédaction de Mt **3** 4 (cf. *supra*, I 1 *c*), il serait du Mc-intermédiaire et non de l'ultime Rédacteur marcien.

Pour résumer ces longues analyses, voici comment on pourrait se représenter l'évolution des récits dans la tradition marcienne :

a) Le noyau primitif du récit de Mc remonterait au Document B, source principale du Mc-intermédiaire. Il aurait eu approximativement cette teneur :

> Il y eut Jean baptisant
> et (des gens) partaient vers lui
> et ils étaient baptisés.

Sous cette forme très courte, ce récit ne servait qu'à introduire la parole du Baptiste sur Jésus rapportée en Mc **1** 7 (voir en note § 22 sa teneur exacte dans le Document B); il se poursuivait donc par les mots : « et il leur disait : Vient derrière moi, etc. »

b) En reprenant ce petit récit, le Mc-intermédiaire changea le verbe « partir » (*exerchesthai*) en « s'en aller » (*ekporeuesthai*, typique, on l'a vu, du style de Mc); mais surtout, il inséra après les mots « ils étaient baptisés » tout un développement sur le vêtement et la nourriture de Jean (v. 6), de façon à le présenter comme un « prophète ».

c) Tout le reste du récit actuel de Mc fut ajouté par l'ultime Rédacteur marco-lucanien.

2. *La tradition lucanienne.* On a déjà vu que le récit de Lc, très indépendant, représentait un texte assez fortement remanié. Mais à partir de quel texte travaille Lc? Une analyse du texte ébionite cité en premier lieu par Épiphane (vol. I) va nous permettre de formuler l'hypothèse d'un proto-Lc (voir Introd.) remanié ensuite pour former le Lc actuel (noter que ce texte Ébion. 1 n'est pas de la même tradition que Ébion. 2).

a) Ébion. 1 offre un texte assez curieux. Le début est identique à Lc **1** 5 : « Il y eut, aux jours d'Hérode, roi de Judée... »; la mention du Grand Prêtre Caïphe et de la venue de Jean, comme l'expression « baptême de repentir », rappellent Lc **3** 2-3; la description de l'ascendance de Jean est une parenthèse qui rompt manifestement la trame du récit et qui rappelle encore Lc **1** 5; la mention du fleuve Jourdain et des gens qui partent vers le Baptiste rejoint les données de Mc **1** 5 et Mt **3** 5-6, données qui ne sont plus dans le Lc actuel mais que ce Lc a dû connaître, puisqu'on en trouve des traces dans son v. 7 : « ... qui s'en allaient pour être baptisés » (§ 20). La première impression est que l'on se trouve en présence d'un texte tardif qui réutilise divers passages de Lc et de Mc. Une analyse littéraire précise va nous obliger cependant à réviser ce premier jugement, au moins en partie.

aa) Ébion. 1 commence par une structure grammaticale de forme sémitique, fréquente dans la Septante mais intolérable en grec : « Il y eut... vint » (*egeneto... èlthen*; cf. Gn **8** 13); rare dans Mc (**1** 9; **4** 4) et dans Mt (seulement dans chacune des cinq formules stéréotypées qui terminent les cinq discours), une telle structure est au contraire extrêmement fréquente dans Lc (vingt deux fois ! cf. Lc **1** 8.23.41.59; **2** 1.6; etc.); or elle ne se lit, ni dans Lc **1** 5, ni dans Lc **3** 1-3. Nous avons donc ici une note lucanienne dans le texte attesté par Ébion. 1 qui ne se lit pas dans les parallèles de la tradition synoptique.

ab) Dans la formule de Ébion. 1 « il y eut... vint », le verbe « venir » a le sens de « survenir », « apparaître » et convient très bien dans ce texte où il s'agit de l'entrée en scène du Baptiste (cf. Lc **3** 16; **7** 19; Mt **11** 3; Jn **4** 25; **7** 27.31). En Lc **3** 3, au contraire, le verbe « venir » implique un changement de lieu, du désert au Jourdain, et convient donc moins au thème de l'entrée en scène du Baptiste. Le texte attesté par Ébion. 1 ne serait-il pas alors plus archaïque que celui de Lc?

ac) Ébion. 1 dit, littéralement : « ... vint un certain Jean quant au nom » (*èlthen tis Iôannès onomati*); est-ce une imitation de la formule de Lc **1** 5 : « un certain prêtre du nom de Zacharie » (*hiereus tis onomati Zacharias*)? Il ne semble pas, car encore ici Ébion. 1 contient deux caractéristiques lucaniennes absentes de Lc **1** 5 ou **3** 1 ss. L'indéfini *tis* (« un certain ») est accolé à un nom propre personnel : « un certain Jean »; rare dans Mc (**15** 21), Lc (**23** 26) ou Jn (**11** 49), une telle construction grammaticale est au contraire fréquente dans les Actes (**9** 43; **10** 5-6; **19** 14.24; **21** 16; **22** 12; **24** 1; **25** 19). Par ailleurs, le datif *onomati* (« quant au nom ») est placé, non pas avant le nom propre, comme souvent dans Lc/Ac, mais *après* lui; or, dans tout le NT, cette particularité ne se lit qu'en Ac **5** 1; **9** 12; **18** 24; **19** 24. Ce·dernier texte est spécialement intéressant puisqu'il contient les deux caractéristiques lucaniennes de Ébion. 1 : « un certain Démétrios quant au nom » (*Dèmètrios gar tis onomati*).

ad) Au lieu de « prêcher un baptême de repentir pour la rémission des péchés » (Lc **3** 3), Ébion. 1 dit : « baptiser un baptême de repentir ». La formule « baptiser un baptême », de facture sémitique, se lit au passif en Mc **10** 38-39 et en Lc **7** 29; mais le cas le plus intéressant est Ac **19**, 4, qui se réfère explicitement à ce récit de la venue du Baptiste, en ces termes : « Jean a baptisé un baptême de repentir »; ceci correspond exactement au texte attesté par Ébion. 1, non seulement pour la formule « baptiser un baptême », mais encore pour l'omission de « pour la rémission des péchés ». On notera de plus que Lc/Ac affectionne cette construction grammaticale d'un verbe renforcé par un substantif de même sens (cf. Lc **22** 15; **23** 46; Ac **5** 28; **23** 14).

Tous ces contacts avec le style et les thèmes des Actes ne peuvent s'expliquer par l'activité rédactionnelle d'un quelconque auteur qui aurait rédigé l'évangile des Ébionites. Une hypothèse se présente alors : même en admettant que Ébion. 1 offre des traits tardifs, en provenance spécialement de Lc **1** 5, ne serait-il pas un écho d'un texte plus archaïque que Lc **3** 1 ss., texte qui serait le proto-Lc?

Un argument vient étayer cette hypothèse, tiré de l'évangile de Jn. Un certain nombre de commentateurs admettent, avec raison, que Jn **1** 6-7 formait, à un certain stade de développement de Jn, le début des récits concernant Jean-Baptiste, et que ces versets ne furent insérés que plus tard dans la trame du Prologue; à un stade plus ancien, Jn **1** 6-7 précédait donc immédiatement Jn **1** 19 ss. Mais on verra à la note § 22 (II 6) que Jn dépend du proto-Lc pour plusieurs thèmes des vv. 19-27 : l'interrogation demandant si Jean est le Christ (vv. 19-20.25), et les propositions : « Moi je baptise dans l'eau » (v. 26)..., « celui qui vient derrière moi » (v. 27). La question se pose alors de savoir si Jn ne dépendrait pas aussi du proto-Lc pour les vv. 6-7, primitivement liés aux vv. 19 ss. Précisément, Jn **1** 6-7 offre des affinités incontestables avec le début du texte attesté par Ébion. 1. On a dans Jn : « Il y eut un homme envoyé par Dieu qui (avait) nom Jean; celui-ci vint... », et dans Ébion. 1 : « Il y eut... vint quelqu'un du nom de Jean ». Les deux textes suivent un même schéma, remanié par Jn : il ajoute les mots « envoyé par Dieu » afin d'évoquer le texte de Ml **3** 1, et il évite le sémitisme : « il y eut... vint » (sans copule), en insérant un démonstratif devant le verbe « venir », de façon à obtenir deux phrases distinctes. Ceci confirmerait donc que Ébion. 1 est un écho assez fidèle du proto-Lc.

b) Pour reconstituer le texte du proto-Lc à partir de Ébion. 1, il reste un problème à résoudre : quel en était le début exact? Ébion. 1 commence ainsi : « Il y eut, aux jours d'Hérode, roi de Judée, sous le Grand Prêtre Caïphe, vint un (homme), etc. » On a vu plus haut que la formule « il y eut... vint » appartenait au proto-Lc, mais que la mention d'Hérode (anachronique ici) et probablement celle de Caïphe (pour Lc, c'est Anne qui était Grand Prêtre, cf. Ac **4** 6) étaient des ajouts de Ébion. 1. Toutefois, dans l'AT, la formule : « il y eut... vint » (ou un autre verbe), contenait toujours une indication de temps après le verbe « il y eut »; il devait en être de même dans le proto-Lc. Puisque celui-ci dépend d'ordinaire du Mt-intermédiaire, on peut supposer qu'il avait

comme indication de temps le « en ces jours-là » de Mt **3** 1 (cf. *infra* sur les rapports entre Mt **3** 1 et le proto-Lc). On pourrait donc reconstituer ainsi le texte du proto-Lc :

> Or il y eut, en ces jours-là, vint un (homme) nommé Jean, baptisant un baptême de repentir dans le fleuve Jourdain, et tous partaient vers lui.

On comparera le début de ce texte avec Ex **2** 11, par exemple, d'après la Septante : « Or il y eut, en ces nombreux jours-là, devenu grand, Moïse partit... »

3. *La tradition matthéenne.* Essayons de séparer ce qui devait se lire dans le Mt-intermédiaire et ce qui fut changé ou ajouté par l'ultime Rédacteur matthéo-lucanien.

a) Le texte actuel de Mt commence ainsi : « Or, en ces jours-là, paraît Jean le Baptiste... » Le verbe « paraître » (*paraginesthai*) n'est pas matthéen; on ne le lit dans Mt qu'ici, en **3** 13 et en **2** 1; il est au contraire typique du style de Lc (3/1/8/1/20). Or ce verbe offre des analogies avec la formule qui se lisait dans le proto-Lc : « il y eut... vint » (*egeneto... èlthen*); c'est un composé du verbe *ginesthai* (cf. *egeneto*), et la préposition préfixée au verbe *ginesthai* lui donne le sens de « venir », « survenir ». Ce n'est certainement pas un hasard si le second emploi de *paraginesthai* dans Mt (hormis l'évangile de l'enfance) correspond à un texte de Mc (**1** 9, § 24) où l'on a la même formule qu'ici dans le proto-Lc : *egeneto... èlthen*. Selon toute vraisemblance, c'est l'ultime Rédacteur matthéo-lucanien qui a voulu éviter le sémitisme « il y eut... vint », intolérable en grec, en le remplaçant par un verbe de forme voisine (*ginesthai/paraginesthai*) et de sens voisin (venir/survenir). On peut donc conjecturer que le Mt-intermédiaire, source du proto-Lc, commençait ainsi : « Or il y eut, en ces jours-là, vint Jean... »

b) On a vu en **I** 1 *b* que la citation de Is **40** 3, avec sa formule d'introduction (Mt **3** 3), était typique de la manière de Mt et pouvait avoir été introduite sous l'influence des textes de Qumrân. Mais ce genre de citation, destinée à prouver que la vie de Jésus s'est déroulée conformément aux Écritures, ainsi que sa formule d'introduction, sont partout ailleurs de l'ultime Rédacteur matthéen. C'est aussi au niveau de l'ultime rédaction matthéenne que s'est exercée l'influence des textes de Qumrân. Il faut donc en conclure que le v. 3 de Mt est de l'ultime Rédacteur matthéen. Il n'a d'ailleurs aucun écho dans le texte du proto-Lc (Ébion. 1). Par ailleurs, le thème de la prédication dans le désert (v. 2) est intimement lié à la citation de Is **40** 3 : « Voix de celui qui crie dans le désert, etc. », et ne trouve aucun écho dans le proto-Lc où il est dit seulement de Jean qu'il baptisait, et non qu'il prêchait. Il est donc vraisemblable que l'ultime Rédacteur matthéen a ajouté au Mt-intermédiaire, non seulement le v. 3 (citation de Is **40** 3), mais encore le v. 2 (prédication dans le désert). Il a donc changé la formule « Jean baptisant » du Mt-intermédiaire (cf. le proto-Lc) en « Jean le Baptiste » (cf. note § 146), et il a ajouté le thème de la prédication de Jean (sous l'influence de Is **40** 3) en en explicitant le contenu d'après Mt **4** 17 (§ 28), obtenant ainsi un parallélisme entre les deux figures de Jean et de Jésus (sur ce parallélisme, voir note précédente, §§ 19-28).

c) La description du vêtement et de la nourriture de Jean, au v. 4, est parallèle à celle de Mc **1** 6, avec addition d'une citation de 2 R **1** 8 (cf. I 1 c). Elle commence par la formule « Or lui » (*autos de*), beaucoup plus lucanienne que matthéenne (2/2/9/1/1). Ici encore, on peut suspecter l'ultime Rédacteur matthéo-lucanien de l'avoir ajoutée au Mt-intermédiaire, sous l'influence du Mc-intermédiaire.

d) Les vv. 5 et 6 de Mt sont très proches du v. 5 de Mc et commencent par le verbe « s'en aller » (*ekporeuesthai*), de saveur marcienne (5/11/3/2/3); des cinq emplois dans Mt, **4** 4 est une citation de l'AT, **15** 11.18 proviennent du parallèle de Mc, voir note § 155, et **20** 29 pourrait être aussi un emprunt à Mc. L'expression « toute la Judée » ne se lit qu'ici dans Mt, mais on l'a encore en Lc **6** 17; Ac **1** 8 avec l'adjectif *pas*, en Lc **7** 17; **23** 5; Ac **9** 31; **10** 37 avec l'adjectif *holos*; « le pays autour » (*perichôros*) est aussi plutôt lucanien (2/1/5/0/1). On a vu à propos de Mc que le thème de la « confession des péchés » était lié à la citation de Is **40** 3, de même provenance qumranienne. En définitive, on peut penser que ces vv. 5-6 de Mt ont été ajoutés au Mt-intermédiaire, sous l'influence de Mc, par l'ultime Rédacteur matthéo-lucanien. On fera une exception toutefois pour la mention du « fleuve Jourdain », attestée dans le proto-Lc (cf. Ébion. 1), et qui devait se lire aussi dans le Mt-intermédiaire au v. 1, après le participe « baptisant ».

Proche de celui du proto-Lc, dont il est la source, le texte du Mt-intermédiaire avait probablement cette teneur :

> Or il y eut, en ces jours-là, vint Jean
> baptisant dans le fleuve Jourdain...

Comme dans le Document B, ce texte servait seulement d'introduction au message du Baptiste, et il se continuait par Mt **3** 7 ss. : « ... et voyant beaucoup de Pharisiens (...) qui venaient au baptême, il leur dit : etc. ».

e) On admettra sans difficulté que le Mt-intermédiaire reprend le petit sommaire sur la venue de Jean-Baptiste au Document A, sa source principale. On peut se demander si la mention du « fleuve Jourdain » se lisait déjà dans ce Document A, car on ne la retrouve plus dans le Document B qui dépend lui aussi du Document A (avec suppression des mots : « il y eut en ces jours-là », pour éviter le sémitisme intolérable en grec : « il y eut... vint »).

La reconstitution que nous avons donnée des diverses étapes de l'évolution de ce texte concernant le Baptiste n'est que conjecturale. La difficulté de reconstituer ces étapes vient de ce qu'ici, à ce qu'il semble, l'activité des ultimes Rédacteurs, matthéen, marcien ou lucanien, semble avoir été considérable. Ceci provient de l'intérêt croissant donné à la personne du Baptiste dans le christianisme primitif, sous l'influence des controverses qui, très tôt, ont opposé disciples de Jésus et disciples du Baptiste. On aura remarqué que l'activité des divers Rédacteurs, surtout matthéen et marcien, est très parallèle; ce fait provient de ce que tous sont de la même école « lucanienne » (sur ce problème, voir Introd., II D 3).

Note § **20**. *JEAN-BAPTISTE PRÊCHE LA REPENTANCE*

I. PROBLÈMES LITTÉRAIRES

1. Mt et Lc offrent un texte assez semblable qui, dans son ensemble, doit dépendre du Mt-intermédiaire. Les thèmes sont en effet spécifiquement matthéens : « engeance de vipères », ailleurs seulement en Mt **12** 34 et **23** 33; « échapper » au jugement eschatologique, cf. Mt **23** 33 (verbe *pheugein*: 8/5/3/3/2); le thème de l'arbre et des fruits est commun à Mt **12** 33 s. et Lc **6** 43-45, mais Mt **3** 10 et Lc **3** 9 sont identiques à Mt **7** 19 (même contexte que Mt **12** 33-34), qui n'a pas de parallèle en Lc **6** 43 ss.; enfin, le thème du « feu » eschatologique est développé surtout par Mt, dans les paraboles du jugement dernier (Mt **13** 40.42.50; **25** 41).

La divergence principale entre Mt et Lc se trouve dans l'introduction du logion; mais celle de Lc **3** 7a est certainement secondaire puisqu'elle reprend simplement les données de Mc **1** 5 (verbe *ekporeuesthai*, « s'en aller » : 5/11/3/2/3). On notera qu'il faut probablement préférer ici, dans Lc, la leçon occidentale qui a « devant lui » au lieu de « par lui »; elle est conforme au souci qu'a Lc d'atténuer le plus possible, dans ces récits, l'activité baptismale de Jean. – Dans le texte de Mt, il est possible que la mention des « Sadducéens » soit un ajout de l'ultime Rédacteur matthéen, comme en Mt **16** 1.6.11-12 (opposer les parallèles de Mc). Il est possible également que la relative « qui venaient au baptême » soit un ajout de l'ultime Rédacteur matthéen, en fonction de la scène précédente : dans les invectives qui suivent (vv. 7-12 de Mt), en effet, il n'est plus question de baptême.

2. Il est curieux de constater la présence d'un certain nombre de notes « lucaniennes », soit communes à Mt et à Lc, soit même chez Mt seul ! En Mt **23** 33 on lit : « engeance de vipères, *comment* échapperiez-vous... »; mais aux vv. 7 de Mt et de Lc on lit : « engeance de vipères, *qui vous a suggéré* d'échapper... »; or le verbe « suggérer » (*hypodeiknumi*) ne se lit ailleurs, dans tout le NT, qu'en Lc **6** 47; **12** 5 (ajouté, dans les deux passages, au parallèle matthéen); Ac **9** 16; **20** 35. Aux vv. 8 de Mt et de Lc, l'expression « digne du repentir » est beaucoup plus lucanienne que matthéenne; l'adjectif « digne » (*axios*) est fréquent dans Mt (neuf fois) et dans Lc/Ac (quinze fois en tout), mais *axios* suivi du génitif de la chose est spécialement fréquent dans Lc (cinq fois) et Ac (six fois), tandis qu'il ne se lit qu'une fois ailleurs dans Mt; quant au mot « repentir » (*metanoia*), on le lit en Lc/Ac autant que dans tout le reste du NT (2/1/5/0/6/8); ce passage de Mt/Lc trouve un excellent parallèle en Ac **26** 20 : « accomplissant des œuvres dignes du repentir » (*axia tès metanoias*). Enfin, en Mt **3** 9, le verbe « s'aviser » (*dokein*), suivi de l'in-

finitif, ne se lit jamais ailleurs dans Mt, mais on le trouve cinq fois dans Lc et neuf fois dans Ac.

Comment rendre compte de ces notes lucaniennes dans Mt? On pourrait proposer l'hypothèse suivante. Dans le Mt-intermédiaire, comme dans le proto-Lc qui en dépend, le logion aurait été plus court, ne comportant que les vv. 7 et 10 de Mt, 7 et 9 de Lc. Le thème des vv. 8-9 aurait été ajouté dans le Mt-intermédiaire par l'ultime Rédacteur matthéo-lucanien (d'où les lucanismes), qui aurait également retouché le v. 7 en y introduisant le verbe « suggérer ». De même, le v. 8 de Lc serait un ajout de l'ultime Rédacteur lucanien, de même école que l'ultime Rédacteur matthéen.

II. LE MESSAGE DE JEAN-BAPTISTE

Ces invectives du Baptiste se continueront au § 22, dans Mt comme dans Lc, centrées sur l'annonce du jugement eschatologique par le feu (Mt 3 10-12; Lc 3 9.16-17). Les §§ 20 et 22 forment donc un tout dans la tradition Mt/Lc (Mt-intermédiaire).

1. Aux vv. 7 et 10 de Mt (cf. vv. 7 et 9 de Lc), qui seuls remonteraient au Mt-intermédiaire (cf. *supra*), le message du Baptiste est un écho de la prédication prophétique de l'AT. L'apostrophe « engeance de vipères » rappelle Is 59 5 : « ils couvent des œufs de vipères... qui mange de leurs œufs en crève; écrasés, il en sort des vipereaux »; ce texte d'Isaïe

est inséré dans un développement stigmatisant les péchés du peuple de Dieu. Le v. 10 de Mt reprend un thème également connu de l'AT (cf. Is 10 5.15.18; Jr 46 22-24); il pourrait plus spécialement faire écho à Jr 22 7 : « Je prépare contre toi des destructeurs : chacun a sa cognée; ils abattront les plus beaux de tes cèdres qu'ils jetteront au feu »; ici, les « arbres » représentent les membres du peuple de Dieu (cf. Ps 1 3) dont les « fruits » sont les œuvres bonnes; ceux qui ne portent pas de bons fruits seront coupés et jetés au feu. – Dans l'addition des vv. 8-9 de Mt (v. 8 de Lc), on aurait peut-être une allusion à Is 51 1b-2 : « Regardez le roc d'où vous fûtes taillés, la tranchée d'où vous êtes issus; regardez Abraham votre père et Sara qui vous a enfantés... »

2. Ces invectives de Jean-Baptiste sont difficiles à comprendre dans ce contexte. Dans le Mt-intermédiaire, Jean s'adresse aux Pharisiens (Lc 3 7a, on l'a vu, est de l'ultime Rédacteur lucanien qui reprend Mc 1 5); mais est-il vraisemblable que ceux-ci soient venus au baptême de Jean? Ceci semble démenti par des textes comme Lc 7 30; Mt 21 32 et même Jn 1 24; 5 33, où les Pharisiens envoient des messagers vers Jean sans venir eux-mêmes. La solution la plus probable est celle-ci. On a vu plus haut (I 1) que les thèmes des vv. 7 et 10 de Mt (= Mt-intermédiaire) se lisaient ailleurs dans Mt, mais dits par Jésus; le Mt-intermédiaire aurait alors voulu établir un parallélisme entre la prédication de Jean et celle de Jésus (cf. le parallélisme entre Mt 3 2 et Mt 4 17). Sur ce problème, voir la note §§ 19-28.

Note § **21.** *JEAN-BAPTISTE DONNE DES AVIS PARTICULIERS*

1. Jean donne ici des avis particuliers à trois catégories de personnes venues recevoir le baptême.

a) Aux foules anonymes (v. 10, qui renvoie au v. 7), il demande, non de se dépouiller de tout en faveur des pauvres, mais de partager; c'est déjà ce que demandait Is 58 7 : « partager ton pain avec l'affamé... vêtir celui que tu vois nu ».

b) Les « publicains » étaient les collecteurs d'impôts; ils s'enrichissaient souvent en exigeant des contribuables des sommes supérieures à celles officiellement fixées. Ils avaient donc mauvaise réputation, et dans le monde gréco-romain (« Tous les publicains sont tous des voleurs », Xénon), et dans le monde juif où la fonction de publicain était jugée malhonnête en soi et incompatible avec l'observation de la Loi (cf. note § 230, 2 a). Un Pharisien de la stricte observance aurait demandé aux publicains d'abandonner leur métier jugé « dégradant »; Jean leur demande seulement de l'accomplir honnêtement.

c) La troisième catégorie ne comprend pas des soldats au sens propre (*stratiôtai*), mais des Juifs enrôlés pour prêter main-forte aux collecteurs d'impôts (*strateuomenoi*); Jean leur demande de ne pas extorquer l'argent par force, et de ne pas

dénoncer à tort des gens qu'ils accuseraient de cacher leurs revenus.

2. Ces recommandations se tiennent sur un autre plan que celles de Lc 3 7-9. La note eschatologique s'y estompe; surtout, le ton a perdu toute virulence ! Plutôt que de croire ces avis présents dans le Mt-intermédiaire et omis par Mt, on les attribuera à Lc dont ils reflètent bien les préoccupations de justice sociale (Lc 6 24-25; 16 19-31; 19 1-10), ainsi que l'intérêt pour les publicains (Lc 7 29; 15 1; 18 10 ss.); au fond, les foules anonymes des vv. 10-11 ne semblent mentionnées ici que pour accrocher aux vv. 7-9 les consignes données aux publicains et à leurs comparses. Le style est très lucanien. Le triple « que ferons-nous? » (vv. 10.12.14a), venant après la mention du « baptême pour la rémission des péchés » (v. 3), doit être comparé à Ac 2 37-38. Au v. 11, l'expression « qu'il fasse de même » a son équivalent en Lc 6 31 et 10 37. Au v. 13, les expressions sont typiques du vocabulaire de Lc : « faire » (*prassein*: 0/0/5/2/13); « rien au-delà de » (*mèden pleon*, comme en Ac 15 28); « ce qui est fixé » (*to diatetagmenon*, seulement ici et Lc 17 9-10; Ac 23 31 dans le NT). Au v. 14, « dénoncer faussement » (*sykophantein*, ici et Lc 19 8 dans tout le NT).

Note § **22.** *JEAN-BAPTISTE ANNONCE LA VENUE DU MESSIE*

Cet épisode est attesté par les quatre évangiles et trouve un écho en Ac **13** 24 s. Il donne deux logia distincts attribués au Baptiste : dans l'un, Jean annonce la venue d'un plus digne que lui; dans le second, il oppose son baptême au baptême que donnera cet autre. Nettement séparés dans Mc, les deux logia semblent inbriqués l'un dans l'autre en Mt/Lc/Jn. On a l'impression qu'ils ont eu à l'origine une existence séparée et qu'ils se sont unis ensuite en se transformant plus ou moins. L'histoire de leur évolution doit donc être assez complexe.

I. LES DIVERSES FORMES DES LOGIA

A) LE LOGION SUR LE PLUS DIGNE

Il se présente sous deux formes nettement différenciées. La première forme est attestée par Mc **1** 7 et Lc **3** 16b; la seconde par Jn **1** 27 et Ac **13** 24s. Comme la seconde forme, on le verra tout à l'heure, est en fait la plus archaïque, c'est par elle que nous allons commencer l'analyse des textes.

1. *Le logion de Jn/Ac.*

a) Sa forme littéraire. Mettons en regard les deux textes de Jn et de Ac :

Jn **1** 27	Ac **13** 25b
« ... celui qui vient derrière moi, dont je ne suis pas digne de délier la courroie de sa sandale. »	« Mais voici que vient après moi (celui) dont je ne suis pas digne de délier la sandale des pieds. »

Ces deux textes offrent trois accords littéraires contre le parallèle de Mc **1** 7 : ils omettent l'expression « le plus puissant que moi », ils ont le mot *axios* pour dire « digne » (au lieu de *ikanos*), ils ont le mot « sandale » au singulier (au pluriel dans Mc). Les divergences entre Jn et Ac peuvent s'expliquer de la façon suivante : dans Ac, le début « Mais voici que » provient d'une influence de Ml **3** 1-2, discernable déjà au v. 24 dans les mots « devant la face de son entrée » (*pro prosôpou... tès eisodos autou*). Dans Jn, le début « celui qui vient » (*ho erchomenos*) provient d'une influence du parallèle matthéen, comme on le verra plus loin. Le logion devait donc commencer par le verbe « vient », à l'indicatif présent. Ceci nous est confirmé, et par Mc **1** 7, dont le logion n'est qu'une transformation de celui attesté par Jn/Ac, et par Jn **1** 30, qui dépend lui aussi du logion attesté par Jn/Ac (cf. *infra*). Au lieu de « derrière moi » (Jn), Ac a « après moi » (*met'eme*); le changement s'explique par le fait que la préposition *opisô*, attestée par Jn, peut avoir le sens local (derrière) ou le sens temporel (après); Ac a voulu employer une préposition ne pouvant avoir que le sens temporel. Après le verbe « délier », Jn ajoute « la courroie » sous l'influence du parallèle de Mc; l'expression de Ac « délier la sandale » est confirmée

par son usage biblique (cf. Ex **3** 5; dans la Septante : *lusai to hypodèma*, dont on retrouve l'équivalent exact en Ac **13** 25b) et rabbinique. Il est possible que l'expression « des pieds » soit un ajout de Ac. Le logion attesté par Jn et Ac devait donc avoir cette forme :

> « Vient derrière moi (celui)
> dont je ne suis pas digne
> de délier la sandale. »

b) Sens du logion. Il doit se comprendre en référence aux traditions juives telles que nous les ont transmises les écrits rabbiniques. L'expression « venir derrière » quelqu'un est habituelle pour caractériser le « disciple » qui marchait « derrière » son maître (cf. Mc **1** 17.20 et note § 31). Par ailleurs, on lit ce texte dans les écrits rabbiniques : « Tous les services qu'un esclave rend à son seigneur, un disciple doit les rendre à son maître, sauf dénouer ses sandales » (K^eth. 96a). Venant « derrière » Jean, ou « après » lui, Jésus pourrait être considéré comme un « rabbi » inférieur au Baptiste, voire comme un de ses disciples. Or Jean déclare lui-même qu'il ne se sent pas digne de rendre à Jésus ce service spécial qu'un disciple ne devait pas rendre à son maître, parce que jugé trop humiliant : lui délier la sandale ! C'est affirmer la suréminente dignité de Jésus par rapport au Baptiste.

*c) Le logion en Jn **1** 30.* Jn **1** 30 (§ 24) reprend ce logion et le développe en le modifiant profondément. Il introduit un jeu de scène à portée symbolique : « Vient derrière moi un homme qui est passé devant moi... » Il va donc y avoir un renversement de situation : jadis, Jésus était « derrière » le Baptiste; maintenant, il passe « devant » lui. Le texte johannique voudrait insinuer que Jésus fut d'abord disciple du Baptiste, mais que maintenant c'est au Baptiste de se mettre à l'école de Jésus. Le texte de Jn en donne la raison fondamentale : « ... parce qu'avant moi, il était ». Rejeté en fin de phrase, le verbe « il était » prend un sens transcendant, comme dans Jn **8** 58 et **1** 1-2 : en tant que Parole ou Sagesse de Dieu, Jésus peut donner un enseignement qui dépasse infiniment celui de tous les rabbis, y compris le Baptiste; il dit aux hommes ce qu'il a vu et entendu auprès de son Père (Jn **3** 31 ss.; **8** 38).

2. *Le logion de Mc/Lc.*

a) La forme du logion. Les textes de Mc **1** 7 et Lc **3** 16b sont presque identiques. Mc offre deux additions par rapport au texte de Lc. Tout d'abord, l'expression « derrière moi »; mais elle est omise par un manuscrit grec (*Delta*) et placée devant « le plus puissant que moi » dans d'autres manuscrits; on peut en induire qu'elle est une addition de copiste voulant harmoniser le texte de Mc avec celui de Mt. D'autre part, Mc a en plus de Lc le participe « en me courbant » (*kupsas*); comme on ne voit pas pourquoi Lc l'aurait omis s'il l'avait trouvé dans sa source, on peut admettre qu'il fut ajouté par l'ultime Rédacteur marcien. Le logion attesté par Mc/Lc avait donc cette teneur :

« Vient le plus puissant que moi
dont je ne suis pas digne de délier
la courroie de ses sandales. »

b) Sens du logion. Outre de minimes modifications de détail, ce logion se distingue du précédent en ce qu'il remplace « derrière moi » par l'expression « le plus puissant que moi ». L'adjectif « puissant » ou « fort » (*ischyros*) ne se lit ailleurs dans les évangiles que dans la controverse sur Béelzéboul (§§ 117 ou 197), où Lc 11 22 a même le comparatif *ischyroteros*, comme ici. Le « fort » y désigne Satan (= Béelzéboul); le « plus fort » est Jésus, qui réussit à le vaincre et à lui arracher ses « dépouilles », i.e. les hommes qu'il tenait captifs (thème repris de Is 49 24-25; cf. 53 12; voir note § 117). D'après Mt 12 28, c'est grâce à l'Esprit de Dieu que Jésus peut vaincre Satan, et donc qu'il est plus fort que lui; c'est également le thème de Ac 10 38. Or, dans Mc 1 9-11 et par., Jésus reçoit l'Esprit charismatique (cf. note § 24), puis cet Esprit le pousse au désert où il remporte sa première victoire sur les puissances du mal (Mc 1 12 s.; cf. note § 27). Il est donc vraisemblable que c'est dans cette ligne de pensée que doit s'interpréter Mc 1 7, moyennant une transposition : Jésus est « plus puissant » que le Baptiste, non pas en ce sens qu'il l'a vaincu, mais en ce sens qu'il se trouve mieux armé que lui pour vaincre Satan, parce qu'il possède en plénitude l'Esprit de Dieu, source de puissance et de force. – Cette forme du logion est certainement secondaire par rapport à celle du logion de Jn/Ac. Celui-ci est parfaitement homogène, tout entier centré sur les rapports entre « disciple » et « maître »; celui-là introduit un thème nouveau : le thème du « plus puissant », étranger au thème « maître/disciple » et exprimant une théologie plus élaborée, étroitement liée à la scène du baptême de Jésus.

B) Le logion sur les deux baptêmes

Malgré les apparences, sa forme primitive ne doit pas être cherchée en Mc 1 8, dont la structure parfaite pourrait faire illusion (cf. *infra*); dans Mc, en effet, le logion du v. 8 ne peut pas se comprendre sans celui du v. 7, qui seul donne une signification au « mais lui » du v. 8b. Pour retrouver la forme primitive du logion, il faut donc partir d'un autre texte, celui de Mt.

1. *Le logion sous sa forme matthéenne.*

a) Sa forme primitive. Pour retrouver la forme primitive du logion, il faut éliminer du texte de Mt tout ce qui peut apparaître comme addition tardive. Tout d'abord, les mots « en vue du repentir », absents des parallèles de Lc 3 16a et Jn 1 26a. Ensuite, le logion sur le plus puissant, inséré tardivement dans le logion sur les deux baptêmes. On retiendra toutefois comme primitive l'expression : « mais celui qui vient derrière moi », car elle n'a pas même forme que dans le logion sur le « plus digne » (dans Mt : *ho opisô mou erchomenos;* dans l'autre logion : *erchetai opisô mou*), et il faut un sujet au verbe « baptisera ».

b) Plus délicat est le problème posé par la finale du v. 11. Selon la plupart des témoins du texte matthéen, il faudrait lire : « ... dans l'Esprit Saint et le feu ». Toutefois, deux manuscrits grecs (61 et 63) et plusieurs auteurs anciens (Clément d'Alexandrie, Épiphane, Tertullien, Augustin) omettent l'adjectif « saint » après le mot « esprit » : « lui vous baptisera dans l'esprit et le feu ». Cette leçon courte est certainement primitive parce qu'elle seule permet de comprendre le lien avec la suite du texte de Mt/Lc : « ... (lui) qui tient en sa main la pelle à vanner, etc. » En Orient, pour vanner le blé ou l'orge déjà battus, on profite d'un jour de vent, on jette en l'air les grains avec la pelle à vanner, et *le vent* se charge de faire le tri entre la bale, emportée plus loin, et le grain qui retombe sur place; c'est la scène décrite en Mt 3 12 et Lc 3 17. Mais il faut noter que dans la proposition : « ... lui vous baptisera dans l'esprit (*pneuma*) et le feu », le mot grec *pneuma* (comme *ruah* en hébreu) revêt les divers sens de « vent », « souffle », « esprit »; dans la Bible, le « souffle » de Yahvé est son « esprit », et le vent est souvent conçu comme le souffle de Dieu. En accord avec l'image agricole du verset suivant, il faut donc traduire Mt 3 11 : « ... lui vous baptisera dans le souffle (= vent) et le feu ». Le verbe « baptiser », qui signifie « plonger dans », est commandé par le thème du baptême d'eau donné par Jean; mais à la fin du v. 11, ce verbe prend un sens figuré et indique le résultat du baptême, à savoir la « purification » (cf. Si 34 25; Mc 7 1 ss.). Jésus vient pour effectuer un « baptême », i.e. une purification beaucoup plus radicale que celle de Jean : par le vent et le feu.

On retrouve ici un thème traditionnel de l'eschatologie juive. On lit par exemple en Sg 5 23 : « Le souffle (*pneuma*) de la Toute-Puissance s'élèvera contre eux et les vannera comme un ouragan. » Et en Is 41 15-16 : « Voici que je fais de toi un traîneau à battre, neuf, à double dents; tu broieras, tu hacheras les montagnes, tu réduiras les collines en menue paille. Tu les vanneras et le vent (*ruah*) les enlèvera, l'ouragan les dispersera » (cf. Jr 23 19 ss.). Dans Is 30 28-33, le « souffle » de Dieu (*ruah*, *pneuma*) a pour fonction, non seulement de « trier » les hommes (v. 28), mais encore d'attiser la fournaise qui va brûler la paille (v. 33). Isaïe localise cette fournaise à Tophet, dans la vallée de la Géhenne où se trouvait le brûloir servant aux sacrifices d'enfants en l'honneur du dieu cananéen Molek (cf. Jr 7 30 ss.; 19 1-13; 2 R 23 10); de même, l'expression « au feu inextinguible » de Mt/Lc renvoie à Is 66 24 (cf. Mc 9 48), jugement eschatologique des impies que la tradition juive (Targum) localise dans la Géhenne.

La tradition matthéenne situe donc le message du Baptiste dans la ligne prophétique traditionnelle. Il annonce l'imminence (cf. Mt 3 10) du jugement eschatologique; les hommes doivent se repentir, et c'est pour les inviter au repentir (cf. Ml 3 23-24) qu'il baptise dans l'eau; s'ils refusent, ils seront détruits par la colère de Dieu comme la paille est brûlée au feu (cf. Ml 3 19; 3 1-3). Le peuple de Dieu se trouvera purifié par cette destruction des impies : « Ton peuple ne sera composé que de justes qui posséderont pour toujours le pays » (Is 60 21). Et Jean précise que l'exécuteur de ce jugement eschatologique, c'est « celui qui vient derrière moi », Jésus. Mais la mission de Jésus sera différente de ce que Jean se représentait; d'où son incertitude future : « Es-tu celui qui vient, ou devons-nous en attendre un autre? » (Mt 11 3; § 106).

On verra *infra* (II) que le v. 12 de Mt n'appartient probablement pas à la même couche rédactionnelle que le v. 11c;
mais si ce verset 12 a pu être ajouté à la fin du v. 11, c'est
parce que ce v. 11c devait s'interpréter comme nous venons
de le faire : « ... lui vous baptisera dans l'esprit (= vent)
et le feu ».

2. *Le logion en Mc 1 8.* Dans Mc 1 8, le *logion* sur les deux
baptêmes a un sens différent. Ignorant la mention du feu
et parlant certainement de « Esprit Saint », il doit se comprendre dans une perspective chrétienne : en référence, soit
au baptême chrétien (cf. 1 Co 6 11; Tt 3 5), soit plus probablement à l'effusion de l'Esprit charismatique le jour de la
Pentecôte (Ac 1 5; 11 16). De toute façon, l'annonce aussi
précise d'un phénomène essentiellement chrétien se conçoit
difficilement sur les lèvres du Baptiste, et c'est pourquoi les
Actes l'attribuent à Jésus. Malgré sa forme littéraire plus
parfaite, le logion sous sa forme marcienne est certainement
postérieur au logion sous sa forme matthéenne.

II. L'ÉVOLUTION DES LOGIA

Elle est assez complexe; voici l'hypothèse que l'on pourrait
proposer.

1. Dans le Document A, source principale de la tradition
matthéenne, on ne lisait que le logion sur les deux baptêmes
et il avait cette teneur :

« Moi je vous baptise dans l'eau
mais celui qui vient derrière moi,
lui vous baptisera dans l'esprit (= vent) et le feu. »

(Cf. Mt 3 11a et 11c.) On en a précisé plus haut le sens.

2. Le Mt-intermédiaire reprit le logion tel qu'il le trouvait
dans le Document A, mais il développa l'image du baptême
« dans le vent et le feu » en ajoutant le v. 12; ce v. 12 offre
en effet des analogies manifestes avec Mt 3 7.10 (§ 20), que
nous avons attribué au Mt-intermédiaire. – L'ultime Rédacteur
matthéen inséra dans le logion primitif sur les deux baptêmes
le logion sur le « plus puissant », repris du Mc-intermédiaire
(cf. *infra*). Puisque ce logion sur le « plus puissant » commençait par le verbe « vient », on comprend pourquoi l'ultime
Rédacteur matthéen l'inséra aussitôt après les expressions du
logion sur les deux baptêmes : « ... mais celui *qui vient* derrière
moi... » Mais ce Rédacteur fut obligé d'introduire un verbe
« être » au début des mots qu'il reprenait au Mc-intermédiaire :
« ... (est) plus puissant que moi, dont je ne suis pas digne
d'enlever les sandales ».

3. Le Document B ne contenait que le logion sur le « plus
digne » qui, on l'a vu en I A 1 a, avait cette teneur :

« Vient derrière moi (celui)
dont je ne suis pas digne
de délier la sandale. »

Il faut probablement voir dans ce logion une réinterprétation
de celui du Document A, effectuée dans un but apologétique :

faire proclamer par le Baptiste lui-même que Jésus, celui qui
vient après lui, est plus digne que lui. Sur ces controverses
entre disciples de Jésus et disciples du Baptiste, voir note
§§ 19-28. – Le texte de Ac 13 25 dépend directement du
Document B (l'auteur des Actes est identique à celui du proto-
Lc, et l'on sait que l'auteur du proto-Lc connaît directement
le Document B; cf. Introd., II E 2 c).

4. En reprenant le logion du Document B, le Mc-intermédiaire le modifia en remplaçant les mots « derrière moi »
par « le plus puissant que moi », de façon à lier plus intimement le logion à la scène du baptême de Jésus qui va
suivre : c'est grâce à l'Esprit reçu lors de son baptême que
Jésus devient plus fort que Jean pour engager la lutte contre
Satan. Il est possible que le Mc-intermédiaire ait gardé la
finale du texte du Document B : « de délier sa sandale »
(ou « ses sandales »); on comprendrait alors le texte de
l'ultime Rédacteur matthéen : trouvant l'expression du
Mc-intermédiaire trop concise, il aurait changé « délier » en
« enlever ». La formule « délier la courroie de ses sandales »
serait également un effort pour rendre moins concise la
formule du Mc-intermédiaire, introduite par les ultimes
Rédacteurs marco-lucanien et lucanien. – Le logion sur les
deux baptêmes (Mc 1 8) fut ajouté par l'ultime Rédacteur
marco-lucanien sous l'influence du Mt-intermédiaire. N'étant
pas obligé de reprendre les mots « mais celui qui vient derrière
moi » (cf. Mt), puisque ce second logion s'accrochait à un
logion commençant par le verbe « vient » (Mc 1 7), l'ultime
Rédacteur marco-lucanien put donner au logion sur les deux
baptêmes une forme beaucoup mieux balancée que dans le
logion primitif, forme qui se retrouve en Ac 1 5 et 11 16.
Au lieu de « je vous baptise » (Mt 3 11a), Mc a « je vous ai
baptisés », comme dans les deux textes des Actes; il emploie
les mots « Esprit Saint » sans les faire précéder de l'article,
ce qui est un cas unique chez lui où le mot *pneuma*, s'il désigne
l'Esprit de Dieu, est toujours précédé de l'article, qu'il soit
employé seul (Mc 1 10.12) ou qu'il soit suivi de l'adjectif
« saint » (Mc 3 29; 12 36; 13 11); cette omission de l'article
est au contraire extrêmement fréquente en Lc/Ac; on notera
enfin le « mais lui » (*autos de*) de Mc, ailleurs seulement en
5 40 (dans un passage fortement remanié par l'ultime Rédacteur marcien, voir note § 143), mais neuf fois dans Lc. Toutes
ces notes « lucaniennes » de Mc 1 8 nous confirment que le
logion sur les deux baptêmes fut introduit dans Mc à l'ultime
niveau rédactionnel (Rédacteur marco-lucanien).

5. Il faut distinguer deux niveaux rédactionnels différents
dans le texte de Lc.

a) Le proto-Lc dépendait du Mt-intermédiaire et devait
avoir un texte à peu près identique; on retrouve ce texte
aux vv. 16a, 16c et 17. Le v. 15 (discussions dans le peuple
pour savoir si Jean ne serait pas le Christ) fut également
introduit par le proto-Lc, car on va en retrouver la substance
chez Jn.

b) L'ultime Rédacteur lucanien inséra dans le texte du
proto-Lc le logion sur le plus puissant, repris du Mc-intermédiaire sans changement (d'où la quasi-identité des mots

entre Mc **1** 7 et Lc **3** 16b, tandis qu'ailleurs Lc [= le proto-Lc] est presque identique à Mt). L'insertion du logion sur le plus puissant fut faite d'une manière un peu différente de celle de l'ultime Rédacteur matthéen; celui-ci avait gardé les mots du Mt-intermédiaire : « mais celui qui vient derrière moi », puis ajouté le verbe « être » avant « plus puissant que moi »; l'ultime Rédacteur lucanien laisse tomber les mots : « mais celui qui vient derrière moi » (qui se lisaient dans le proto-Lc comme dans le Mt-intermédiaire), et les remplace par le verbe « vient » repris du Mc-intermédiaire.

6. Le texte de Jn dépend à la fois du Document B et du proto-Lc. Au proto-Lc il reprend : la discussion sur l'identité de Jésus (Jn **1** 19-20.25; cf. Lc **3** 15 et Ac **13** 25), les expressions « moi je baptise dans l'eau » et « celui qui vient derrière moi » (cette dernière expression est absente de Lc, mais on a vu plus haut qu'elle devait se lire dans le proto-Lc comme dans le Mt-intermédiaire). Au Document B, Jn reprend le logion sur le plus digne (cf. Ac **13** 25) dont le début « vient derrière moi » est remplacé par les mots repris du proto-Lc « celui qui vient derrière moi ».

Note § **23.** *EMPRISONNEMENT DE JEAN-BAPTISTE*

Selon son goût d'ordonnance logique, peut-être aussi pour ôter tout prétexte à ceux qui faisaient de Jean-Baptiste le maître de Jésus (cf. note §§ 19-28; note § 22, II 3), Lc élimine le premier avant qu'apparaisse le second. Anticipant sur la donnée de Mc **1** 14; Mt **4** 12 (§ 28), il note dès à présent l'emprisonnement de Jean-Baptiste (en contraste avec Jn **3** 24), en transposant ici les données essentielles de Mc **6** 17 et Mt **14** 3; il accentue d'ailleurs la note péjorative contre Hérode, qui aurait commis bien d'autres méfaits que celui

d'emprisonner Jean (cf. dans le même sens Lc **13** 32). Lc ne nommera pas Jean à propos du baptême de Jésus (cf. le § suivant), ne le dira pas prisonnier lors de la requête à Jésus (comparer Lc **7** 18 à Mt **11** 2, § 106), et ne fera à sa mort qu'une brève allusion (Lc **9** 9). Comme le v. 18 auquel elle se soude étroitement, cette insertion rédactionnelle est marquée par le style de Lc; comparer dans le grec le v. 19b à Lc **19** 37; Ac **10** 39; **13** 38; **22** 10; **26** 2; et le v. 20 à Ac **12** 3.

Note § **24.** *BAPTÊME DE JÉSUS*

Le récit du baptême de Jésus est donné par les trois Synoptiques; Jn ne le raconte pas, mais en **1** 29-34 il y fait certainement allusion. La tradition évangélique a bien compris et mis en lumière la densité théologique de cet épisode qui marque le début de la mission de Jésus, mais elle l'a fait selon des orientations différentes, délicates à préciser.

I. ANALYSE DES TEXTES

A) LE RÉCIT DE MC

1. *Ses attaches vétéro-testamentaires.*

a) Les oracles d'Is **40-66**, composés durant l'exil à Babylone, annoncent la délivrance du peuple de Dieu et la présentent souvent comme un renouvellement de l'Exode sous la conduite de Moïse; ce thème est explicitement développé en Is **63** 7 ss. Or, ces oracles d'Is **63** ont fortement influencé la rédaction du récit du baptême de Jésus dans Mc (I. Buse, A. Feuillet). Au v. 10, Mc précise que c'est en « remontant de l'eau » que Jésus vit l'Esprit descendre vers lui; or on lit en Is **63** 11, d'après le texte hébreu (mais non la Septante) : « Ils se souvinrent des jours passés, de Moïse son serviteur : Où est celui *qui fit remonter de la mer* le pasteur de son troupeau? Où est celui qui *mit en lui son Esprit saint?* » Les expres-

sions soulignées font allusion, d'une part à l'épisode de Moïse sauvé des eaux par la fille de Pharaon (Ex **2** 1 ss.), d'autre part au don de l'Esprit fait par Dieu à Moïse afin qu'il puisse conduire le peuple saint (Nb **11** 17). Le parallélisme de situation entre Mc **1** 10 et Is **63** 11 est indéniable. Or deux détails du texte de Mc confirment sa dépendance à l'égard de Is **63**. Selon Mc, Jésus « vit les cieux se déchirant » et l'Esprit « descendre »; l'allusion à Is **63** 19 est certaine : « Ah ! Si tu déchirais les cieux et si tu descendais... » (d'après l'hébreu, non la Septante); Mc **1** 10 et Is **63** 19 sont les deux seuls textes de la Bible où il est dit des cieux qu'ils se « déchirent », tandis que la formule habituelle est que les cieux « s'ouvrent ». Par ailleurs, au lieu de dire que l'Esprit vient « sur » (*epi*) Jésus (cf. Mt, en accord avec Is **11** 2; **42** 1; **61** 1), Mc dit « vers lui », ou plus littéralement « en lui » (*eis auton*); ceci correspond à Is **63** 11 : « ... qui mit en lui (littéralement « à l'intérieur de lui ») son Esprit saint ». Cet ensemble de rapprochements littéraires entre Mc **1** 10 et Is **63** 11.19 n'est pas fortuit, ils indiquent une dépendance de Mc par rapport à Is **63**.

b) Ces références à l'histoire de Moïse, par l'intermédiaire de Is **63**, pourraient expliquer la phrase initiale du récit de Mc : « Et il arriva, en ces jours-là, Jésus vint... » Cette structure grammaticale, sans particule de liaison entre les deux verbes, est sémitique; fréquente dans Lc sous l'influence de la Septante, elle est très insolite chez Mc (cf. seulement Mc **4** 4, sous une forme d'ailleurs un peu différente). Elle pourrait provenir de Ex **2** 11 où nous lisons, d'après la Septante : « Or il arriva, en ces nombreux jours-là, devenu grand, Moïse partit... » Après les récits de l'enfance de Moïse, ce texte introduit les récits de sa vie « publique »; Mc n'aurait-il pas voulu introduire un parallélisme entre le début de la vie publique de Jésus et le début de la vie publique de Moïse? On reviendra plus loin sur le fait qu'ici l'emprunt à Ex **2** 11 serait fait d'après la Septante, non d'après l'hébreu.

c) Le contenu de la voix céleste (v. 11) pose un problème assez difficile, car les attaches vétéro-testamentaires y sont moins nettes. On reconnaît d'ordinaire, avec raison, que la clause finale : « en toi je me suis complu », liée au don de l'Esprit par Dieu (v. 10), est une allusion à Is **42** 1-2 : « Voici mon Serviteur... en qui se complaît mon âme; j'ai mis sur lui mon Esprit... », allusion faite d'après le texte hébreu (la Septante a un sens différent). Mais comment comprendre la première partie de la phrase : « Tu es mon Fils bien-aimé »? On a pensé au Ps **2** 7 : « Tu es mon Fils, aujourd'hui je t'ai engendré »; mais l'expression « bien-aimé » reste alors inexpliquée. En fait, l'expression « fils bien-aimé » (*huios agapètos*) ne se lit dans l'AT qu'en Gn **22** 2.12.16, où il s'agit d'Isaac que, sur l'ordre de Dieu, Abraham son père s'apprête à immoler en sacrifice. Une telle référence à Isaac se lit explicitement dans un passage du Testament de Lévi, interpolation chrétienne qui fait certainement allusion à la scène du baptême de Jésus : « Les cieux s'ouvriront et du temple de la gloire viendra sur lui la sanctification, avec une voix paternelle, comme d'Abraham à Isaac » (18 *6*). Au v. 11 de Mc, la voix qui se fait entendre dirait donc à Jésus qu'il est à la fois Isaac, dont Dieu demande à Abraham le sacrifice, et le Serviteur de Yahvé annoncé par l'oracle de Is **42** 1-2.

2. *Les divers niveaux rédactionnels.* Il semble que l'on puisse distinguer dans le récit de Mc au moins deux niveaux rédactionnels différents.

a) Le v. 10 contient, on l'a vu, non pas une citation proprement dite, mais plutôt une allusion assez claire à Is **63** 11.19 faite d'après l'hébreu. De même au v. 11, on trouve une allusion à Is **42** 1 faite d'après l'hébreu. On verra plus loin que ces deux allusions, à Is **63** 11.19 et Is **42** 1, se complètent parfaitement. Ce genre d'allusions à l'AT faites d'après l'hébreu correspond tout à fait à la façon de procéder du Document A, une des sources de Mc. On peut donc conjecturer avec assez de vraisemblance que le v. 10 de Mc et, en partie, le v. 11, sont un écho assez fidèle du récit du baptême de Jésus dans le Document A.

b) Si l'on admet une référence du v. 9 de Mc à Ex **2** 11, cf. *supra*, il faudra l'attribuer, non au Document A, mais à un remaniement du Mc intermédiaire. Ce n'est pas, en effet, une allusion à un texte de l'AT faite d'après l'hébreu, mais une *citation* faite d'après la *Septante*. Bien entendu, le Document A devait avoir une introduction notant le baptême de Jésus par Jean, mais son expression littéraire fut remaniée par le Mc-intermédiaire afin de l'harmoniser avec Ex **2** 11. On attribuera aussi au Mc-intermédiaire l'expression « mon Fils bien-aimé », au v. 11; cette référence à Gn **22** 12.16 semble faite

d'après la Septante et introduit un thème étranger au thème principal du Document A (parallélisme entre Jésus et Isaac). Il est impossible de déterminer quel était le texte exact du Document A au v. 11; peut-être la référence à Is **42** 1-2 était-elle plus marquée. – Si l'ultime Rédacteur marcien a effectué quelques retouches littéraires au texte du Mc-intermédiaire, elles sont impossibles à déceler.

3. *Sens du récit dans le Document A.*

a) Au temps de Jésus, l'attente messianique était souvent formulée en référence à trois paroles du livre d'Isaïe annonçant la venue de l'Esprit de Dieu sur le libérateur d'Israël : Is **11** 1-2; **42** 1 ss.; **61** 1 ss. Cette libération était conçue comme un nouvel Exode, un nouveau passage de la mer Rouge (Is **11** 15-16; **43** 16-21; **51** 10; **63** 11-13), d'où la parfaite harmonie entre les allusions à Is **63** 11.19 et Is **42** 1-2 que l'on trouve dans le récit du Document A. Le sens premier de la scène est donc celui-ci : en voyant l'Esprit descendre sur lui et en entendant la voix céleste lui dire qu'il est le « Serviteur » en qui Yahvé s'est complu, Jésus apprend ou, si l'on veut éviter ce terme, reçoit confirmation qu'il est celui que Dieu a choisi pour effectuer la délivrance de son peuple (cf. toutefois les explications données en II), qu'il est comme un nouveau Moïse.

b) Certains pourront s'étonner que Jésus puisse « recevoir » l'Esprit de Dieu lors de son baptême; ne possédait-il pas en plénitude l'Esprit dès sa naissance? Mais il faut bien comprendre le rôle que doit jouer cet Esprit. D'après Is **11** 1 ss., c'est un « esprit de sagesse et d'intelligence » donné au descendant de David afin qu'il puisse conduire le peuple de Dieu en lui donnant la vraie « connaissance de Yahvé » (Is **11** 9; cf. **42** 3-4). D'après Is **63** 19 - **64** 1 ss. (cf. **63** 11.13), Dieu, par son Esprit, va effectuer la délivrance d'Israël en combattant contre ses ennemis. En bref, c'est grâce à l'Esprit qu'il vient de recevoir que Jésus pourra délivrer le peuple de Dieu de toutes les puissances du mal. Il ne s'agit donc pas ici de l'Esprit conçu comme principe de sanctification personnelle pour Jésus, mais de l'Esprit charismatique, qui est une puissance divine travaillant en vue de réaliser l'œuvre messianique.

c) La référence à Is **63** 11 permettait aussi de présenter le baptême de Jésus comme le « prototype » du baptême chrétien. Le jeu de scène de Jésus remontant de l'eau, puis recevant aussitôt l'Esprit, évoquait sans conteste le rite du baptême chrétien : après s'être plongé dans l'eau, le catéchumène remontait de la cuve baptismale, puis recevait l'onction d'huile qui lui communiquait l'Esprit. Par ailleurs, le contexte de Is **63** 11 (vv. 12-14) donnait une importance accrue au thème du passage de la mer Rouge, conçu très tôt, dans la tradition chrétienne, comme une préfiguration du baptême (cf. 1 Co **10** 2). Enfin, dans la ligne de Ex **2** 1 ss. (Moïse sauvé des eaux; cf. Is **63** 11), la tradition chrétienne a interprété Is **63** 11 dans le sens d'une victoire de Jésus sur la mort, comme en témoigne He **13** 20 qui cite ce texte sous cette forme : « ... lui (Dieu) qui a fait remonter *des morts* le pasteur des brebis ». Cette allusion à la mort et à la résurrection du Christ permettait d'évoquer une théologie du baptême chrétien analogue à celle que développe Paul en Rm **6** 3 ss.

B) Le récit de Mt

Le récit de Mt peut s'expliquer entièrement comme un remaniement du récit de Mc (le Mc-intermédiaire) fait par l'ultime Rédacteur matthéo-lucanien, qui abandonne ici le Mt-intermédiaire (cf. note § 31, I c).

a) Au v. 13, pour éviter la construction sémitique de Mc : « et il arriva... Jésus vint » (sans copule entre les deux verbes : *egeneto... élthen*), le Rédacteur matthéo-lucanien emploie le verbe « survenir » (*paraginomai*), qui avait l'avantage de ressembler au verbe *ginomai* (*egeneto*) du Mc-intermédiaire tout en comportant l'idée d'une « venue » de Jésus (cf. déjà la même correction en Mt **3** 1, note § 19); on remarquera que ce verbe *paraginomai* est de saveur très lucanienne (3/1/8/1/20).

b) Les vv. 14 et 15 sont certainement de l'ultime Rédacteur matthéen. La formule : « mais répondant Jésus lui dit » (*apokritheis de* + sujet + *eipen*), est typique de son style; l'adverbe « pour l'instant » (*arti*) est chez Mt toujours rédactionnel (7/0/0/12/0); le mot « justice » (*dikaiosynè* : 7/0/1/2/4) ne se lit chez Mt que dans des textes tardifs, ou est ajouté aux parallèles lucaniens; l'adverbe « alors » (*tote*) est une des meilleures caractéristiques du style de l'ultime Rédacteur matthéen. – En insérant ces vv. 14-15, le Rédacteur matthéen fut obligé de changer le : « et il fut baptisé dans le Jourdain par Jean », en : « au Jourdain vers Jean pour être baptisé par lui », quitte à renouer le fil du récit en ajoutant le participe « ayant été baptisé » après l'insertion des vv. 14-15 (cf. le même participe dans le texte de Lc).

c) Au v. 16a, le « aussitôt » (*euthus* : 7/42/1/3/1/0; contre *eutheôs* : 12/0/6/3/9) est certainement un emprunt à Mc, car les six autres emplois de cet adverbe sont toujours attestés aussi par Mc. A partir du v. 16b, Mt devient plus indépendant. La raison en est qu'il introduit dans le récit un style « apocalyptique », comme il le fera dans le récit de la transfiguration (note § 169) et des femmes au tombeau (note § 359). Ici, les mots « les cieux s'ouvrirent et il vit » sont empruntés à Ez **1** 1 : « et les cieux s'ouvrirent et je vis »; le contexte est d'ailleurs semblable : comme Jésus, Ézéchiel se trouve sur la rive d'un fleuve (v. 1a), il va entendre une voix lui parler (**1** 28), l'Esprit va venir sur lui (**2** 2 : « l'Esprit vint sur moi », phrase qui rend compte de la redondance matthéenne : « descendre... *et venir sur lui* »). On notera enfin les deux « et voici » (*kai idou*, vv. 16 et 17), typiques du style apocalytique.

d) Dernière retouche faite par le Rédacteur matthéen : la voix venant des cieux ne s'exprime plus à la deuxième personne (Mc), mais à la troisième personne du singulier (v. 17). A la suite de ce changement, la « révélation » est faite beaucoup plus aux foules qu'à Jésus lui-même, puisque c'est aux assistants que la voix s'adresse maintenant (cf. le même glissement dans le récit de la transfiguration, note § 169).

e) Ces divers remaniements modifient quelque peu la portée du récit dans sa version matthéenne. En remplaçant le verbe « se déchirer » de Mc par le verbe « s'ouvrir », Mt estompe la référence à Is **63** 11. En revanche, le fait de mettre à la troisième personne du singulier les paroles de la voix céleste accentue le rapprochement avec Is **42** 1 s. : « Voici mon Serviteur... en qui je me suis complu. » L'introduction dans le récit du style « apocalyptique » accentue l'aspect de « révélation »; mais, on l'a noté plus haut, cette révélation atteint maintenant les assistants plus que Jésus lui-même.

C) Le récit de Lc

1. Le premier problème qui se pose est de redécouvrir le texte authentique de Lc; c'est un problème de critique textuelle. Pour le résoudre, il nous faut analyser un certain nombre de témoins anciens en partant d'une expression propre à Lc : « sous forme corporelle, comme une colombe » (*sômatikôi eidei*). Une expression semblable se lit chez Cérinthe, un gnostique de la fin du premier siècle; il se réfère à la scène du baptême de Jésus par ces mots : « ... et après le baptême, le Christ descendre (*katelthein*) en lui (*eis auton*)... sous forme de colombe (*en eidei peristeras*) » (cité par Irénée, Haer. I 26 *1*; cf. Épiphane et Hippolyte). Cette citation de Cérinthe trouve un écho remarquable dans l'évangile des Ébionites (vol. I, p. 17); cet évangile mêle manifestement des phrases reprises aux trois Synoptiques, mais il est facile d'isoler celles qui proviennent de Lc : « ... l'Esprit Saint en forme de colombe (*en eidei peristeras*) descendre (*katelthousès*) et entrer en lui (*eis auton*) »; le contenu de la voix céleste est donné sous deux formes successives, la première reprend le texte de Mt/Lc, la seconde un texte attesté seulement dans des témoins du texte de Lc : « Moi, aujourd'hui, je t'ai engendré » (Ps **2** 7); ajoutons enfin que l'évangile des Ébionites mentionne qu'aussitôt après « une grande lumière fit resplendir le lieu alentour ». Justin connaît aussi le thème du feu qui s'allume, mais il le place au moment où Jésus descend dans l'eau; puis il cite : « Donc l'Esprit Saint, ... sous forme de colombe (*en eidei peristeras*) vola sur lui et en même temps une voix vint des cieux : 'Tu es mon Fils, je t'ai engendré aujourd'hui' » (cf. vol. I, p. 18). Les Oracles sybillins (chap. 7) font allusion à l'Esprit qui vole (cf. Justin), au feu qui s'allume (cf. Justin) et enfin à la voix qui prononce les paroles du Ps **2** 7. Tatien connaît le thème de la grande lumière qui brille et la formule « sous forme de colombe ». Tertullien connaît aussi la formule « en forme de colombe » (Bapt. 8 *3*). Citons enfin Hilaire : « En effet, lui ayant été baptisé... l'Esprit Saint est envoyé et est reconnu, rendu visible sous forme de colombe... Puis une parole (venue) des cieux parle ainsi : 'Tu es mon Fils, aujourd'hui je t'ai engendré'... et des portes célestes l'Esprit Saint vole en nous » (in Mt 3 *17*; cf. in Ps 54 *7*). On pourrait invoquer encore d'autres témoins; ceux-ci suffisent pour attester un réseau de variantes inconnues de Mt/Mc, mais attestées, on va le voir, par certains manuscrits du texte de Lc. Reprenons-les dans leur ordre.

a) Le verbe « descendre » n'est pas *katabainein*, comme dans Mt/Mc, mais *katerchesthai* (Cérinthe, Ébion.), verbe attesté également par le manuscrit 1241 (au texte de Lc). On notera que ce verbe *katerchesthai* est remplacé par le verbe « voler » dans plusieurs témoins : Justin, Hilaire, les Oracles Sybillins; c'est une leçon facilitante et plus tardive.

b) L'expression « sous forme de colombe » (*en eidei peristeras*) est la mieux attestée : Cérinthe, Ébion., Justin, Tatien, Tertullien, Hilaire ; elle se retrouve dans le manuscrit 999 qui a

« corporellement, en forme de colombe ». Il est évident que le texte donné par la quasi-totalité des manuscrits de Lc : « *sous forme* corporelle (*sômatikôi eidei*) comme une colombe » est une harmonisation du texte authentique de Lc avec celui de Mt/Mc.

c) Au lieu de « sur lui » (*ep'auton*; cf. Mt), on lit « en lui » (*eis auton*) chez Cérinthe, Ébion., Hilaire; cette expression est attestée pour Lc par le codex *D* et la *VetLat*.

d) La citation du Ps **2** 7 faite par la voix céleste : « Tu es mon Fils, aujourd'hui je t'ai engendré », se retrouve dans Ébion., Justin, les Oracles Sybillins, Hilaire; elle est attestée pour Lc par le codex *D* et la *VetLat* (Cérinthe ne cite pas la voix céleste; on ne peut donc pas savoir sous quelle forme il la lisait).

e) Enfin le thème de la lumière qui resplendit se retrouve dans Ébion., Tatien, et celui du feu chez Justin et dans les Oracles Sybillins. Le thème de la lumière est attesté par deux manuscrits latins (*a l*), mais à Mt **3** 15; le texte du manuscrit *l* (*lumen ingens circumfulsit*) correspond au texte grec de Ébion. : *perielampse... phôs mega*.

Aucun des différents témoins cités pour ces variantes (sauf les manuscrits) ne semble connaître le thème du ciel qui s'ouvre; il est probable qu'il fut introduit dans Lc par des scribes, sous l'influence des parallèles de Mt/Mc.

On peut donc reconstituer ainsi le texte authentique de Lc :

> ... et Jésus ayant été baptisé et priant, l'Esprit Saint descendit (*katelthein*) en lui (*eis auton*) sous forme de colombe (*en eidei peristeras*) et il y eut une voix, du ciel : « Tu es mon Fils, aujourd'hui je t'ai engendré. »

L'appartenance du thème de la lumière au texte de Lc n'est pas certaine, puisque deux manuscrits de la *VetLat* l'attestent, mais pour Mt.

2. Il est possible de distinguer, dans Lc, deux niveaux rédactionnels. Le début de son récit semble tronqué puisqu'il n'est pas question d'une venue de Jésus au Jourdain; le génitif absolu « et Jésus ayant été baptisé » vient sans aucune préparation. Cette tendance de l'ultime Rédacteur lucanien à écourter les récits se retrouve ailleurs (cf. Introd., II F *1* b 1). Le proto-Lc devait avoir une introduction qui mentionnait l'arrivée de Jésus auprès du Baptiste.

3. Le récit du proto-Lc est trop différent de celui de Mc pour pouvoir en dépendre. Par ailleurs, il n'offre que peu de contacts avec Mt contre Mc (le participe « ayant été baptisé » est certainement rédactionnel chez Mt, cf. *supra*, et peut-être aussi chez Lc); il n'est donc pas possible de faire dépendre le proto-Lc du Mt-intermédiaire. Selon toute vraisemblance, il reprend ici le texte du Document B; la citation textuelle de Ps **2** 7, faite d'après la Septante, confirmerait cette hypothèse. Il est assez remarquable que la variante de Lc « sous forme de colombe », au lieu de « comme une colombe » (Mt/Mc), puisse s'expliquer comme une traduction différente, et aussi valable, d'un original araméen; dans cette langue, en effet, la préposition comparative « comme » était normalement rendue par l'expression *bid*e-*mout*, qui pouvait donc se traduire littéralement « en forme de ». Ceci nous confirme que Lc ne dépend pas ici de la même tradition grecque que Mt/Mc; ceci nous indique également

que les Documents A et B pourraient correspondre à deux traductions différentes d'un même original araméen (compte tenu des réinterprétations effectuées dans le Document B).

4. Dans le Document B, le récit n'offrait aucune allusion à Is **63** 11 puisqu'il ne mentionnait, ni la remontée de Jésus après le baptême, ni les cieux « déchirés ». La venue de l'Esprit Saint avait même signification que dans le Document A, en référence aux oracles d'Is **11** 1 ss.; **42** 1 ss.; **61** 1 ss. (cf. *supra*). L'introduction de la citation du Ps **2** 7 présente la scène du baptême comme l'intronisation du roi-messie et laisse entrevoir la victoire de Jésus sur les puissances du mal (cf. Ps **2** 2 ss.). – Au niveau du proto-Lc, la mention du baptême de « tout le peuple » (v. 21) a pour but de présenter Jésus comme le chef du peuple nouveau régénéré par le baptême.

D) LE RÉCIT DE JN

1. *Analyse du texte de Jn.*

a) Comme dans les Synoptiques, les vv. 32 et 33 de Jn opposent « baptême dans l'eau », donné par Jean-Baptiste, et « baptême dans l'Esprit Saint », que donnera Jésus. Certains ont vu là un emprunt fait par le Rédacteur johannique à la tradition synoptique (Bultmann). Toutefois, les mots « dans l'eau » aux vv. 31 et 33, « qui baptise dans l'Esprit Saint » au v. 33, sont omis par de nombreux témoins patristiques du texte johannique (voir vol. I, p. 18); ils doivent bien être considérés comme des ajouts à ce texte, mais attribuables aux scribes qui ont recopié l'évangile de Jn; ils doivent donc être omis du texte de Jn (comparer alors la finale du v. 33 à Jn **9** 37 qui se termine également par « c'est lui »).

b) Le récit de Jn se caractérise par ses nombreux doublets : les vv. 35-36 reprennent, à peine modifiées, les expressions du v. 29, surtout la proclamation de Jean : « Voici l'agneau de Dieu... »; les vv. 31 et 33 commencent dans les mêmes termes : « et moi je ne le connaissais pas, mais... »; la descente de l'Esprit sur Jésus est mentionnée deux fois (vv. 32.33b), et chaque fois en liaison avec un témoignage de Jean : « Et Jean attesta : J'ai vu... » (v. 32a), « Et moi j'ai vu et j'atteste... » (v. 34). Par ailleurs, le v. 31 (ou 33) ne suivait-il pas primitivement le v. 26b : « ... quelqu'un que vous ne connaissez pas; () et moi (= moi non plus) je ne le connaissais pas, mais, etc. »? Il est vraisemblable que l'on se trouve devant un texte fortement remanié. On pourrait penser à un texte primitif contenant les vv. 26b.31.33b.34.28-30, complété par un Rédacteur qui aurait emprunté aux Synoptiques et redoublé certains thèmes (Bultmann, van Iersel avec de légères modifications); on peut songer aussi à deux textes parallèles, représentant deux stades successifs dans la rédaction évangélique, qui auraient été combinés en un seul récit par l'ultime Rédacteur johannique (Boismard, Brown).

c) On notera les contacts de Jn avec Mt. Au v. 29 de Jn, les mots « Jésus venant vers lui » sont à rapprocher des mots du v. 13 de Mt : « Alors survient Jésus... vers Jean ». Par ailleurs, aux vv. 32 et 33b, la double séquence: « voir l'Esprit descendre (comme une colombe) et demeurer sur lui », correspond exactement à la séquence matthéenne : « voir l'Esprit de

Dieu descendre comme une colombe et venir sur lui » (opposer la séquence marcienne). Il semble que nous soyons en présence de textes johanniques tardifs, en dépendance de l'ultime rédaction matthéenne.

2. *Signification théologique.* On vient de voir que Jn **1** 32.33b donnent un texte de même structure que Mt **3** 16; les perspectives de Jn vont donc se situer dans la ligne matthéenne beaucoup plus que dans la ligne marcienne. Réservant à un autre volume le soin de dégager la signification théologique du récit de Jn, on se contentera de mettre en évidence le point suivant. On a vu plus haut que l'ultime Rédacteur matthéen avait effectué une transposition à propos de la voix qui se fait entendre; elle ne s'adresse plus à Jésus, mais aux assistants. Jn va accentuer encore cette tendance à supprimer toute révélation faite à Jésus, en effectuant une double transposition. D'une part, ce n'est plus Jésus qui « voit » l'Esprit descendre, mais Jean-Baptiste (**1** 32.34), et la venue de l'Esprit sur Jésus est pour lui le signe que ce Jésus est bien le Messie annoncé par Isaïe. D'autre part, ce n'est plus la voix céleste qui annonce à Jésus (Mc) ou aux assistants (Mt) : « Celui-ci est mon Fils, etc. », c'est le Baptiste qui annonce à tous : « Celui-ci est l'Élu de Dieu » (v. 34). Le personnage de Jean-Baptiste, absent du récit de Lc, mentionné seulement au début des récits de Mt/Mc, prend chez Jn une place exceptionnelle; il apparaît comme le « témoin » (Jn **1** 7-8.19.32.34), celui qui garantit que Jésus est vraiment le Christ, et le manifeste comme tel à Israël (**1** 31).

II. SIGNIFICATION HISTORIQUE

1. Il semble difficile de nier que Jésus se soit volontairement soumis au baptême de Jean. Ce geste, qui pouvait s'interpréter comme une infériorité de Jésus par rapport à Jean, a dû beaucoup gêner les premiers chrétiens, surtout à cause de leurs polémiques contre les disciples du Baptiste. Mt essaie de justifier ce geste en ajoutant les vv. 14-15, et il en profite pour faire proclamer par Jean la dignité suréminente de Jésus. Lc estompe ici la figure de Jean, qui n'est même pas nommé ! Jn ne mentionne pas explicitement ce baptême; il juge toutefois nécessaire de faire affirmer par le Baptiste la transcendance de Jésus : « Avant moi, il était » (**1** 30). Dans ces conditions, on conçoit difficilement que les premières communautés chrétiennes aient eu l'idée « d'inventer » le fait du baptême de Jésus par Jean.

2. La « réalité » de la théophanie doit se concevoir d'une autre façon.

a) Si l'investiture messianique de Jésus s'était effectuée le jour de son baptême par Jean, grâce à la descente *visible* de

l'Esprit sous forme de colombe et à la proclamation *audible* à tous de la voix céleste, en présence de Jean et des foules accourues sur les bords du Jourdain, on ne comprendrait pas comment, plus tard, le Baptiste pourra douter de la véritable mission de Jésus (Mt **11** 3, § 106), comment les disciples de Jean pourront s'étonner que Jésus fasse des disciples (Jn **3** 26, § 79), comment la tradition chrétienne a pu placer l'investiture royale de Jésus à sa résurrection seulement (Ac **2** 36; **13** 32-34; Rm **1** 4), sans parler de Lc qui la suppose accomplie dès la conception virginale (Lc **1** 32-35). Nous sommes donc invités à reconsidérer la façon de concevoir l'historicité de la théophanie du baptême.

b) D'après les évangiles, Jésus aurait reçu l'Esprit aussitôt après son baptême par Jean. On a vu qu'il s'agissait là de l'Esprit charismatique qui va assister Jésus tout au long de sa mission messianique. Il ne s'agit pas là évidemment d'un « quelque chose » de physique que Jésus aurait reçu, mais d'une « puissance » de Dieu qui s'empare de Jésus et qui va le rendre capable d'enseigner avec sagesse et d'accomplir des miracles. Selon toute vraisemblance, ce n'est pas parce que Jésus aurait reçu l'Esprit de façon visible que les communautés chrétiennes en ont conclu qu'il enseignait et guérissait sous l'influence de cet Esprit; à l'inverse, c'est parce que Jésus enseignait avec sagesse et guérissait les malades que les premières communautés chrétiennes en ont conclu qu'il possédait l'Esprit de Dieu, et donc qu'il était Celui qu'avait annoncé Isaïe (cf. en ce sens la scène de Mt **11** 2 ss., § 106). Forts de cette conviction, fondée sur l'expérience réelle des miracles et de l'enseignement de Jésus, les apôtres, et à leur suite la tradition évangélique, ont voulu exprimer cette réalité dans un récit dont les résonances théologiques sont indéniables. Et si ce récit eut pour cadre le baptême de Jésus, c'est parce que ce baptême marquait, en fait, le moment où Jésus reçut l'impulsion décisive pour sa mission messianique.

c) Il en va de même pour la « voix » céleste. Rien n'oblige à croire qu'une voix, physiquement audible, a retenti soudain dans le silence du désert. Elle doit se comprendre dans le sens de ce que sera plus tard la *bath qôl* des écrits rabbiniques, comme un « écho » de la voix divine, i. e. essentiellement une « révélation » intérieure. Le récit évangélique veut exprimer par là la conviction profonde que Jésus eut de sa mission messianique, conviction née de son union avec ce Dieu qu'il retrouvait au plus profond de son cœur, peut-être au cours d'expériences mystiques à l'occasion de certains événements plus précis (et le baptême a pu en être un; cf. aussi la transfiguration, note § 169).

En résumé, par-delà le revêtement théologique et la systématisation de cette scène, nous atteignons une double réalité : la présence en Jésus de l'Esprit qui le pousse et le fait agir, à partir de son baptême par Jean; la conscience qu'eut Jésus, éclairé par Dieu, de sa mission messianique.

Note § **26.** *GÉNÉALOGIE DE JÉSUS*

Au lieu de la placer comme Mt en tête de l'évangile (voir § 12), Lc a choisi de donner la généalogie de Jésus au commencement de son ministère public, ainsi que la Bible avait fait pour Moïse et Aaron (Ex **6** 14-27), Esdras (Esd **7** 1-5), Judith (Jdt **8** 1); et ceci, à l'âge de trente ans, qui marque la maturité et l'aurore de la vie sociale (Joseph, Gn **41** 46; David, 2 S **5** 4). Cette généalogie prolonge la perspective ouverte par la citation du Ps **2** 7 en Lc **3** 22b; progressant d'un mouvement ascendant (et non descendant comme Mt), Lc remonte jusqu'à Adam pour montrer en Jésus le nouvel Adam qui récapitule toute la race humaine, et jusqu'à Dieu, le véritable Père de Jésus (Lc **1** 35).

Lc établit l'ascendance de Joseph, non de Marie, comme on l'a parfois prétendu, contre l'évidence du texte, afin d'expliquer ses désaccords avec Mt. En fait, ceux-ci s'expliquent parce que Lc a puisé en partie à d'autres sources. D'Abraham à Adam, il utilise Gn **5** 7-32 et **11** 10-26 (selon les LXX; cf. Kainan, ignoré de TM, et l'orthographe des noms); de David à Abraham, il puise comme Mt dans Ruth **4** 18-22, avec de menus changements de forme pour Arni/Admin et Sala. De Zorobabel à David, il semble qu'il remonte par la branche de Nathan, fils de David plus âgé que Salomon (cf. 2 S **5** 14; 1 Ch **3** 5; **14** 4). De Joseph à Zorobabel, il exploite comme Mt des informations inconnues de nous et différentes de celles de Mt. Cette différence de traditions explique la différence des noms; mais, menée jusqu'au père de Joseph, Jacob selon Mt, Héli selon Lc, elle soulève une difficulté célèbre. On n'a pas encore trouvé de meilleure solution que celle de Jules l'Africain, qui assurait la tenir de la famille même de Jésus : Jacob et Héli auraient été frères du côté maternel; Héli étant mort sans enfant, Jacob aurait épousé sa veuve selon la loi du lévirat, lui donnant un fils Joseph, qui serait donc fils réel de Jacob et fils légal de Héli.

Ne répondant à aucun comput numérique clairement perceptible (encore qu'on en ait proposé plusieurs), la généalogie de Lc est moins systématique que celle de Mt. Toutes deux relèvent d'ailleurs d'un genre littéraire qui n'est pas celui de notre diplomatique ordinaire, qui ne cherche même pas à prouver l'origine davidique de Jésus admise par ailleurs (Lc **1** 32), mais qui obéit plutôt à l'intention théologique de situer le personnage, ici le Messie Jésus, dans les grandes dimensions du plan divin de salut.

Note § **27.** *TENTATION DE JÉSUS*

Le récit de la tentation de Jésus est donné par les trois Synoptiques, mais sous une forme beaucoup plus concise chez Mc qui ne raconte pas le détail des trois tentations, ne fait aucune allusion à un jeûne et ne cite explicitement aucun texte scripturaire. Comment expliquer la genèse de ces récits? Quelle valeur historique donner à cette scène?

I. GENÈSE DES DIFFÉRENTS RÉCITS

A) LE RÉCIT DE MC

1. *Critique littéraire.* Mc décrit deux modalités différentes du séjour de Jésus au désert : la première est commune aux trois Synoptiques, c'est la « tentation » (v. 13a; cf. par.); la seconde est propre à Mc, c'est la cohabitation avec les bêtes sauvages (v. 13b), à laquelle fait suite le service des anges, que Mt connaît aussi. Il semble que le premier de ces deux thèmes représente une addition au texte primitif de Mc par influence lucanienne, comme l'indiqueraient les raisons suivantes :

a) Au v. 12, Mc se montre assez indépendant de Mt et surtout de Lc. Jésus n'est pas nommé explicitement (contre Mt/Lc); la phrase est formulée à l'actif, avec le mot « Esprit » comme sujet du verbe (au passif avec Jésus comme sujet dans Mt/Lc); au lieu du verbe « mener » (*agein*, Lc) ou de son composé « conduire » (*anagein*, Mt), on lit dans Mc le verbe « pousser » (littéralement « chasser », *ekballein*) qui pourrait correspondre à un verbe hébreu signifiant « faire sortir » ou « faire partir » (cf. 2 Ch **29** 16); contre Lc enfin, mais avec Mt, Mc dit simplement que l'Esprit fait venir Jésus au désert, et non qu'il le menait dans le désert. Au v. 13a, au contraire, les mots de Mc « dans le désert quarante jours tenté par Satan » se retrouvent identiques dans Lc **4** 1-2, sauf le remplacement de « diable » (jamais utilisé par Mc) par « Satan »; on ne peut penser à une influence de Mc sur Lc, car la mention des « quarante jours », on le verra plus loin, convient très bien au récit de Lc reprenant le texte de Dt **8** 4. Ce v. 13a de Mc ne serait-il pas alors une addition du Rédacteur marco-lucanien?

b) Deux indices littéraires confirment le caractère additionnel du v. 13a. Tout d'abord, la répétition de la mention du désert, à la fin du v. 12 et en 13a; celle du v. 13a correspond à Lc **4** 1. Ensuite, la répétition du verbe « était » aux vv. 13a et 13b (même expression « et il était »), qui trahit une suture rédactionnelle.

On peut donc conclure que, au v. 13a de Mc, les mots : « Et il était dans le désert quarante jours tenté par Satan », sont une addition au texte primitif de Mc faite par l'ultime Rédacteur marco-lucanien, insertion analogue à celle de Mc **1** 4b (cf. note 19).

2. *Sens de la scène.* Ignorant le thème de la « tentation » de Jésus par Satan, le Mc-intermédiaire mentionnait seulement la cohabitation de Jésus dans le désert avec les bêtes sauvages et le service des anges. On retrouve ici un thème fréquent dans l'eschatologie prophétique : le retour aux conditions de

vie du peuple de Dieu pérégrinant au désert (lieu idéal des rencontres de l'homme avec Dieu) et la restauration des relations amicales entre bêtes et hommes telles qu'elles étaient au paradis terrestre. Os **2** 16-20 est peut-être immédiatement visé par le texte de Mc : « C'est pourquoi je vais la séduire, *la conduire au désert* et parler à son cœur... En ce jour-là, je ferai pour elle un pacte *avec les bêtes* des champs... et je l'y ferai dormir en sécurité » (cf. Dt **32** 10; Is **11** 6-9 repris en Is **65** 25; Is **35** 5-10; Ez **34** 23-28). Quant au service des anges, il évoque probablement la protection de Dieu décrite en Ps **91** 11-13 : « Il a pour toi donné ordre à ses anges de te garder en toutes tes voies. Eux sur leurs mains te porteront pour qu'à la pierre ton pied ne heurte; sur le lion et la vipère tu marcheras, tu fouleras le lionceau et le dragon. » Puisque, dans la tradition juive, les « bêtes sauvages » ont été considérées comme les suppôts des démons vivant au désert, le texte de Mc évoquerait à la fois, et un retour aux conditions de vie du paradis terrestre dans la paix universelle restaurée, et une victoire sur les démons et toutes les puissances du mal.

Deux textes des Testaments des Douze Patriarches illustrent parfaitement l'intention théologique du récit de Mc. Le premier est Test. Nepht. 8 *4* : « Si donc vous faites le bien, les hommes et les anges vous béniront et Dieu sera glorifié par vous parmi les nations, et le diable fuira loin de vous, et *les bêtes sauvages vous craindront*, et le Seigneur vous aimera, et *les anges s'attacheront à vous*. » L'autre texte est Test. Lév. 18; aux vv. 1-4, l'auteur annonce le lever d'un astre royal, comme le soleil, qui apportera aux hommes la connaissance de Dieu et la paix (cf. Is **11** 9); suit une scène qui offre des analogies indéniables avec le baptême de Jésus (cf. § 24, vol. I, 3e registre); puis l'auteur conclut : « Et lui, il ouvrira les portes du paradis (i. e. le paradis terrestre), et il détournera le glaive dirigé contre Adam (cf. Gn **3** 24), et il donnera aux Saints de manger de l'arbre de vie, et l'Esprit de sainteté sera sur eux. Et Béliar (= Satan) sera lié par lui et il donnera à ses enfants *puissance de marcher sur les esprits mauvais* (cf. Lc **10** 19; Ps **91** 13). »

3. *Origine du récit de Mc.* Débarrassé de son v. 13a, ajouté par l'ultime Rédacteur marco-lucanien, le récit de Mc est celui du Mc-intermédiaire. Mais ce n'est pas le Mc-intermédiaire qui

l'a créé, il l'a reçu de l'une de ses sources habituelles : le Document A. C'est bien la manière de ce Document, en effet, de tisser son récit, en général très sobre, sur des allusions à certains thèmes de l'AT. De ce point de vue, le récit de la tentation en Mc **1** 12.13b est de même facture que le récit du baptême de Jésus (cf. note § 24, I A 1 et I A 2 a). On notera spécialement que, dans le Document A, le récit du baptême de Jésus reprenait le thème de Is **63** 11.19; or le récit de la tentation, ou plus exactement le récit de Jésus vivant au désert avec les bêtes sauvages (Mc-intermédiaire) répond au thème de Is **65** 25 (paix avec les bêtes sauvages); il est donc parfaitement dans la ligne du récit du baptême selon le Document A. L'unité foncière entre récits du baptême et de la tentation est prouvée par le Testament de Lévi; on a vu que Test. Lév. 18 *6-8* fait allusion au baptême de Jésus tel qu'on le lisait dans le Document A, avec une référence plus ou moins explicite au thème du sacrifice d'Isaac (cf. note § 24, I A 1 c); or ce passage du Testament de Lévi se continue par le thème du retour aux conditions de vie du paradis terrestre (cf. *supra*) et de la victoire sur les puissances du mal, comme dans Mc **1** 12-13a; il est probable que, comme le Mc-intermédiaire, le Testament de Lévi sous sa forme actuelle dépend du Document A.

Dans le Document A, le lien entre baptême de Jésus et retraite de Jésus au désert est facile à saisir : c'est parce qu'il a reçu l'Esprit charismatique (baptême) que Jésus peut affronter et vaincre les puissances du mal (retraite au désert).

B) Le récit de Mt/Lc

1. *Attaches vétéro-testamentaires.* Dans Mt/Lc, le récit de la tentation ressemble à une joute entre deux adversaires qui se provoquent ou se défendent en faisant appel à des textes scripturaires, tirés pour la plupart du Deutéronome; les influences scripturaires se font d'ailleurs sentir, non seulement dans le dialogue, mais encore dans le récit lui-même (J. Dupont).

a) Introduction et première tentation. L'introduction à l'ensemble de la scène forme aussi l'introduction à la première tentation, celle de la faim; elle s'inspire de Dt **8** 2-3a, qui lui-même fait allusion à l'épisode de la manne durant l'Exode (Ex **16** 2 ss.; Nb **11** 4 ss.) :

Dt 8 (LXX)	Mt **4**	Lc **4**
2 Souviens-toi du chemin par lequel t'a mené le Seigneur ton Dieu dans le désert	1 Alors Jésus fut conduit au désert par l'Esprit	1 ... et il était mené par l'Esprit dans le désert quarante jours
pour t'humilier et te tenter	pour être tenté par le diable	tenté par le diable
et connaître le fond de ton cœur... 3 Il t'a humilié il t'a affamé...	2 ... il eut faim.	2 ... il eut faim.

Pour éviter de mettre Dieu directement en cause, le texte de Mt/Lc fait subir deux transformations à celui de Dt : ce n'est pas Dieu qui mène Jésus, mais l'Esprit (cf. Is **63** 14) ; ce n'est pas Dieu qui « tente », mais le diable (sur cette transposition, comparer 2 S **24** 1 et 1 Ch **21** 1). Lc est plus proche de Dt **8** en montrant Jésus pérégrinant dans le désert sous la conduite de l'Esprit (dans Mt comme dans Mc, l'Esprit fait simplement venir Jésus au désert) ; en revanche, Mt montre mieux la finalité de la venue au désert : « pour y être tenté », comme dans Dt **8**.

Le thème du jeûne de Jésus reprend probablement Ex **34** 28 et Dt **9** 9 : « Et Moïse était là, devant le Seigneur, quarante jours et quarante nuits, et il ne mangea pas de pain et ne but pas d'eau. » L'expression de Lc : « il ne mangea rien » (cf. Ex et Dt), est certainement plus primitive que le terme technique de Mt : « il jeûna » ; mais Lc remplace la mention des « quarante jours et quarante nuits » (Mt) par le très vague « en ces jours-là », ayant déjà utilisé la mention des « quarante jours » à propos du séjour de Jésus au désert, pour évoquer les « quarante ans » dont parle Dt **8** 4.

A la tentation du diable (vv. 3 de Mt et de Lc) Jésus répond en citant Dt **8** 3. Le texte grec correspond exactement à celui de la Septante. La citation de Lc est plus courte que celle de Mt, car Lc réserve la deuxième partie de cette citation pour son texte de **4** 22 (cf. note § 30, I 2).

b) Deuxième tentation (selon l'ordre de Mt). Pour formuler la deuxième tentation, le diable invoque un texte de l'Écriture : Ps **91** 11-12, qui assure le juste du secours de Dieu devant les dangers qui le menacent (Mt **4** 6 ; Lc **4** 10 s.). Cette citation est faite d'après la Septante, un peu plus complète chez Lc que chez Mt. La réponse de Jésus reprend Dt **6** 16, toujours d'après la Septante, qui fait allusion à l'épisode de Massa et Mériba, lorsque les Hébreux exigèrent de Dieu un miracle afin de ne pas mourir de soif dans le désert (Ex **17** 1-7 ; Nb **20** 1-13).

c) Troisième tentation. Dans Mt, la description de la troisième tentation (**4** 8 ss.) évoque la scène de Moïse arrivant en vue de la terre promise : « Et Moïse monta des plaines de Moab *sur le mont* Nébo... Et le Seigneur *lui montra toute la terre* de Galaad... Et le Seigneur dit à Moïse : Voici la terre que j'ai jurée à Abraham et à Isaac et à Jacob, disant : *Je la donnerai à votre descendance* » (Dt **34** 1-4). Le diable se montre plus généreux que Dieu en promettant à Jésus, non plus la terre de Canaan, mais « tous les royaumes du monde » ; pour les lui montrer, il fait monter Jésus « sur une très haute montagne » (Mt **4** 8). A ce réalisme invraisemblable, Lc substitue une vision instantanée de l'esprit (**4** 5) et il introduit un développement concernant la puissance du diable sur le monde (v. 6) inspiré de Dn **4** 29 (d'après la LXX, v. 31) : « ...afin que tu saches que le Dieu du ciel a *puissance* sur *les royaumes* des hommes *et il les donne à qui il veut* » (cf. Ap **13** 2 ; Jn **12** 31 ; et aussi note § 40, I 2 b) ; ce remaniement a entraîné un déplacement maladroit des mots « et leur gloire ».

La réponse de Jésus invoque Dt **6** 13, d'après le manuscrit A de la Septante. Ce texte met en garde les Hébreux contre le danger d'idolâtrie qui les menacera lorsqu'ils seront entrés en possession du pays que Dieu leur donne (v. 14) ; mais le texte

synoptique veut peut-être évoquer aussi l'épisode du veau d'or (Ex **32**), auquel il est fait allusion en Dt **9** 7-21 (se rappeler que Dt **9** 9 est cité en Mt **4** 2).

2. *Sens de l'épisode.* Dans Mt/Lc, la retraite de Jésus au désert est présentée comme un combat personnel de Jésus contre le diable, au plan de la « décision », du « choix ». Ce combat se déroule en trois temps, selon trois « tentations » qui reprennent trois épisodes de l'Exode auxquels il est fait allusion dans le discours de Moïse, en Dt **5-9** ; c'est un procédé littéraire bien connu de la tradition juive. Les deux premières tentations ont même portée générale, commandée par la reconnaissance d'un fait : « Si (= puisque) tu es fils de Dieu... » (Mt **4** 3.6 ; Lc **4** 3.9), établi par la voix céleste lors du baptême : « Celui-ci est mon fils bien-aimé... » (Mt **3** 17, § 24). Prononcés par le diable au début de la mission de Jésus, ces termes ne doivent pas se comprendre au sens transcendant (fils par nature), mais au sens messianique, impliquant une *protection efficace* de Dieu (cf. Sg **2** 13-20 ; Mt **27** 43). Les deux « tentations » se comprennent alors beaucoup mieux. Jésus, sur le point de défaillir de faim après son jeûne prolongé, peut se prévaloir de son titre de « fils de Dieu » pour exiger de Dieu un miracle destiné à sauver sa vie. Bien mieux, il peut mettre Dieu à l'épreuve (comme les Hébreux à Massa) en se jetant du haut du pinacle du Temple : Dieu *se doit* de le soustraire à la mort inévitable afin de protéger celui qu'il a déclaré son « fils ». La troisième tentation est d'un autre ordre. Le diable offre à Jésus la domination sur le monde entier, à condition qu'il le reconnaisse pour son souverain maître. En fait, elle implique un « choix » que Jésus doit faire tout au long de sa mission messianique (cf. *infra*, II).

3. *Origine et évolution du récit.* Sous cette forme très élaborée, le récit de la tentation de Jésus remonte au Mt-intermédiaire, dont dépendent le Mt actuel et le proto-Lc (repris par le Lc actuel), qui a développé dans un sens plus théologique le récit très sobre du Document A, sa source habituelle. Ces principes permettent de préciser les divers remaniements subis par le récit primitif, aux différents stades de sa transmission.

a) En comparant les vv. 1 de Mt et 1-2a de Lc, il est facile de remarquer deux additions effectuées soit par le proto-Lc, soit par l'ultime Rédacteur lucanien (il est difficile de préciser) : l'expression « rempli de l'Esprit Saint » (cf. Lc **1** 15.41.67 ; Ac **6** 3.5 ; **7** 55 ; **11** 24) et la formule « revint du Jourdain » (verbe « revenir », *hypostrephein* : 0/1/21/0/12/3). Par ailleurs, on l'a noté plus haut (I B 1 a), la phrase de Lc : « il était mené par l'Esprit dans le désert », est plus proche de Dt **8** 2 que Mt ; on serait tenté d'en conclure qu'il a, mieux que Mt, gardé la forme du Mt-intermédiaire. Toutefois, en disant que Jésus « fut conduit au désert », Mt donne un texte assez semblable à celui de Mc : « l'Esprit le pousse au désert » ; Mt et Mc se contentent de dire que Jésus vient au désert poussé par l'Esprit, sans insister, comme Lc, sur une action de l'Esprit durant tout le séjour de Jésus au désert. Plus proche de Mc, qui dépend, on l'a vu, du Document A, le texte de Mt ne serait-il pas un écho plus fidèle que Lc de ce Document A, et donc du Mt-intermédiaire ? Lc aurait accentué le parallélisme avec Dt **8** 2, ce qui ne serait pas surprenant, étant donné l'intérêt qu'il porte à la Septante.

b) C'est probablement Lc qui a changé l'ordre des tentations, de façon à terminer la scène par la mention de Jérusalem (thème qui lui est cher) et à préparer ainsi son v. 13, qui évoque l'ultime tentation à Gethsémani; l'addition de l'expression « jusqu'au temps » (cf. Ac **13** 11) prépare en effet Lc **22** 3.31.53, où l'on voit Satan mener le dernier combat contre Jésus. Dans cette ligne de remaniements, Lc omet ici la mention du service des anges (cf. Mt/Mc), se réservant de montrer comment Jésus fut assisté par un ange lors de l'agonie à Gethsémani (Lc **22** 43, § 337).

c) Notons encore quelques détails littéraires. C'est probablement à l'ultime Rédacteur matthéen qu'il faut attribuer certains mots conformes à son style : « alors » (**4** 1.5.10-11), « s'approcher » (vv. 3.11), « emmène » (vv. 5.8), « tombant » (v. 9; cf. **2** 11; **18** 26.29), et au début du v. 11 la proposition : « alors le diable le quitte » (cf. **3** 15, de l'ultime Rédacteur matthéen). – Quant à Lc, on a noté déjà qu'il avait effectué d'importants remaniements au v. 6 (I B 1 *c*); au v. 5, il change « monde » en « univers » (1/0/3/0/5); au v. 7, il ajoute l'expression « devant moi » (*enôpion*: 0/0/22/1/13); on a vu plus haut que le v. 13 était tout entier de la main de Lc; il faut y noter le verbe « s'éloigner », typique du style de Lc (0/0/4/0/6/4). Dans tous ces cas, il est impossible de préciser si les modifications viennent du proto-Lc ou de l'ultime Rédacteur lucanien.

II. HISTORICITÉ DU RÉCIT

Le problème de l'historicité des récits de Jésus au désert se pose dans les mêmes termes que pour le baptême de Jésus (voir note § 24, II). Sur un événement réel de la vie de Jésus (au § 24, le baptême de Jésus par Jean; ici, la retraite de Jésus au désert), la tradition évangélique a greffé un développement visant à exprimer, sous forme d'événement, une *réalité* d'un ordre théologique ou psychologique.

a) Il n'existe aucune raison de douter du fait que Jésus ait voulu se retirer au désert avant de commencer la mission pour laquelle Dieu l'envoyait. Paul fera de même, comme il le dit en Ga **1** 17. Dans la tradition prophétique, le « désert » est souvent conçu comme le lieu idéal de la rencontre de l'homme avec son Dieu (cf. Dt **32** 10; Os **2** 16). Partant donc de cet événement précis, la retraite de Jésus au désert, la tradition représentée par le Document A y greffe une vérité théologique : la victoire de Jésus, et par lui de l'humanité, sur les puissances du mal symbolisées par les « bêtes sauvages » au milieu desquelles Jésus passe le temps de son séjour au désert (cf. *supra*, I A 2). En précisant que c'est l'Esprit qui pousse Jésus au désert, le Document A laisse entendre que cette victoire du Christ sur les puissances du mal est une conséquence de la présence en lui de cet Esprit qu'il vient de recevoir lors de son baptême par Jean. Tous ces développements sont « vrais », en ce sens qu'ils expriment une réalité, mais une réalité qui se place sur le plan théologique : le salut de l'homme, réalisé par l'Esprit et dans le Christ.

b) Le Mt-intermédiaire greffe sur l'événement de la retraite de Jésus au désert une réalité théologique différente, exprimée surtout dans la troisième tentation. Le diable offre à Jésus la domination sur le monde entier, à condition qu'il le reconnaisse pour son souverain et maître. Cette troisième tentation implique un « choix » que Jésus dut faire tout au long de sa mission messianique. Beaucoup de Juifs se berçaient de l'espoir de dominer un jour le monde entier (cf. Is **60-62**; Dn **7**); asservi au joug des Romains, ils attendaient un libérateur politique. Mais la mission de Jésus est d'annoncer la venue du royaume des cieux, qui doit se réaliser en Dieu (cf. le sens des béatitudes, note § 50). D'où ce choix qui commande toute la mission de Jésus : refuser le rêve d'une domination terrestre sur le monde (cf. Jn **6** 14 s.), au contraire, « annoncer aux pauvres la bonne nouvelle » du royaume des cieux (Is **61** 2; Mt **5** 3). C'est pour être resté fidèle à sa mission que Jésus, finalement, sera rejeté par ses compatriotes et mis à mort (cf. Mt **16** 21-23). Le Mt-intermédiaire a voulu condenser en une scène aux descriptions plutôt théologiques ce drame profond qui a dominé toute la vie de Jésus, et sa mort, mais qui dut prendre une acuité particulière au moment même où il allait commencer sa mission. En décrivant cette scène en référence à Dt **5-9**, le Mt-intermédiaire a voulu montrer en Jésus le nouveau Moïse, celui qui incarne en sa personne le nouveau peuple de Dieu, vainqueur de la « tentation » là où le peuple de Dieu avait été vaincu.

MINISTÈRE DE GALILÉE

(§§ 28 - 155)

Note § **28.** *JÉSUS RETOURNE EN GALILÉE*

Les trois Synoptiques sont d'accord pour faire revenir Jésus en Galilée aussitôt après son baptême et sa retraite au désert; mais, cette donnée fondamentale mise à part, ils offrent entre eux de grandes divergences dont il faut essayer de rendre compte.

1. *Le texte de Mc.* Essayons d'en préciser les divers niveaux rédactionnels.

a) Les vv. 14b-15 ont été ajoutés par l'ultime Rédacteur marcien sous l'influence du Mt-intermédiaire. Il est clair, en effet, que ces vv. 14b-15 contiennent tous les éléments de Mt **4** 17, compte tenu d'une inversion et de quelques divergences grammaticales : « prêchant... et disant que : ... le royaume (de Dieu) est proche, repentez-vous ». Or ces éléments communs à Mt/Mc sont de saveur matthéenne et non marcienne. Le vocabulaire est plutôt matthéen. Mc n'utilise qu'une fois ailleurs le verbe « se repentir », en **6** 12, verset dont on reconnaîtra plus loin le caractère rédactionnel (note § 145); Mt l'utilise au contraire ailleurs en **3** 2; **11** 20-21; **12** 41. De même, Mc n'utilise jamais ailleurs le verbe « être proche » au sens temporel, tandis qu'on le rencontre encore en Mt **3** 2; **10** 7; **21** 34 et **26** 45. L'ultime Rédacteur matthéen reprendra les données de Mt **4** 17 en **3** 2 et **10** 7 pour montrer la continuité qui existe entre les messages du Baptiste (**3** 2), de Jésus (**4** 17) et des apôtres (**10** 7) (voir notes § 19 et § 99). Les éléments communs à Mt/Mc sont donc de saveur matthéenne. Par ailleurs, Mc insère dans ce texte matthéen des éléments dont la tonalité est nettement paulinienne : « évangile de Dieu » (cf. Rm **1** 3; **15** 16; 1 Th **2** 2.8-9; 2 Co **11** 7; cf. 1 P **4** 17); « le temps est accompli » (cf. Ga **4** 4; Ep **1** 10); « croyez à l'évangile », comme dans Ep **1** 13 : « ...l'évangile de votre salut; c'est en y croyant (*en hôi kai pisteusantes*) que vous avez été marqués d'un sceau... » (Mc **1** 15 et Ep **1** 13 sont les deux seuls textes du NT où le verbe « croire » est construit avec *en*); pour le thème, voir encore Ph **1** 27; Rm **1** 16; **10** 16. On peut donc conclure que les vv. 14b-15 ne se lisaient pas dans le Mc-intermédiaire : ils sont repris du Mt-intermédiaire (Mt **4** 17) avec addition de thèmes de saveur nettement paulinienne; on reconnaît là l'activité de l'ultime Rédacteur marcien (cf. Introd., II B 1 a).

b) Le v. 14a est de même structure que Mc **14** 28 (§ 336); en traduisant littéralement, on obtient : « Et après Jean avoir été livré, Jésus vint en Galilée » (**1** 14a) – « Mais après moi être ressuscité, je vous précéderai en Galilée » (**14** 28); la structure grammaticale *meta to* + infinitif ne se lit dans Mc que dans ces deux passages, ils sont donc de la même main. Or Mc **14** 28, que l'on retrouve en Mt **26** 32, doit être du Mc-intermédiaire; on attribuera donc au Mc-intermédiaire la formulation littéraire de Mc **1** 14a.

c) On verra plus loin que le récit des premières vocations (Mc **1** 16-20, § 31) ne se lisait pas dans le Document B, tandis que le récit de l'enseignement de Jésus à Capharnaüm (Mc **1** 21 ss., § 32) est repris par Mc au Document B. Mais ce Document B devait avoir une transition entre les récits précédents (Jean-Baptiste, baptême de Jésus) et le début du ministère en Galilée; elle devait être très simple, par exemple : « Et Jésus vint en Galilée... », puis le Document B continuait : « ... et ils pénètrent à Capharnaüm, etc. » (cf. Mc **1** 21).

2. *Le texte de Mt.* On peut y discerner les couches rédactionnelles suivantes :

a) Les vv. 12-14 de Mt offrent un parallélisme strict avec un passage de l'évangile de l'enfance : Mt **2** 22-23 :

Mt **4** 12-14	Mt **2** 22-23
Or, ayant appris que Jean avait été livré il se retira (*anechôrèsen*) en Galilée et, quittant Nazareth, étant venu, il s'établit (*katôkèsen*) à Capharnaüm...	Or, ayant appris qu'Archelaüs régnait... il se retira (*anechôrèsen*) dans la région de Galilée et, étant venu, il s'établit (*katôkèsen*) dans une ville appelée Naza-[reth
pour que fût accompli ce qui fut dit par Isaïe le prophète...	afin que fût accompli ce qui fut dit par les prophètes...

Nous sommes évidemment devant deux textes appartenant à la même couche rédactionnelle; or Mt **2** 22-23 appartient à l'évangile de l'enfance qui, dans son ensemble, est attribué à l'ultime Rédacteur matthéen; la formulation litté-raire de Mt 4 12-14 doit donc être aussi de l'ultime Rédacteur matthéen. On lui attribuera également la citation de Is 8 23 - 9 1, faite d'après l'hébreu moyennant quelques simplifi-cations; cette citation, en effet, ne peut être séparée de son introduction (v. 14 de Mt), l'ensemble nous donnant une structure littéraire typique de l'ultime Rédacteur matthéen.

b) Le v. 17, on l'a noté plus haut à propos de Mc, est de tradition matthéenne et, repris par l'ultime Rédacteur mar-cien, doit avoir appartenu au Mt-intermédiaire. Au début de ce v. 17, le « dès lors » (apo tote) est une cheville rédac-tionnelle destinée à lier le v. 17 (Mt-intermédiaire) et les vv. précédents (ultime rédaction matthéenne), cf. Mt 16 21; 26 16 et aussi Lc 16 16. Mais, c'est évident, dans le Mt-inter-médiaire, la description de la prédication de Jésus (v. 17) devait être précédée par un texte mentionnant la venue de Jésus en Galilée, comme au v. 12; et puisque, on l'a vu, la formulation littéraire de ce v. 12 est de l'ultime Rédacteur matthéen, on devait avoir dans le Mt-intermédiaire un texte plus simple, tel que : « Et Jésus se retira en Galilée... », la mention de l'emprisonnement du Baptiste étant reprise par l'ultime Rédacteur matthéen au récit du Mc-inter-médiaire.

Il reste à préciser un point touchant le Mt-intermédiaire. Dans le parallélisme entre Mt 4 12-14 et Mt 2 22-23 que l'on a souligné ci-dessus (2 a), Mt 4 13 contient un élément qui n'a pas de parallèle en Mt 2 : « quittant Nazareth ». Au lieu de « Nazareth », il faut très probablement lire « Nazara », avec B, Origène, quelques minuscules grecs et le vieux texte africain représenté par k. Cette forme rare ne se lit qu'une fois ailleurs dans tout le NT, en Lc 4 16 (§ 30); l'accord Mt/Lc sur cette forme est donc très remarquable. Or on verra à la note § 30 que la visite de Jésus à Nazara racontée par Lc 4 16 ss. appartenait au Mt-intermédiaire et que Lc l'a gardée en bonne place. Il faut en conclure que le « quittant Nazara » de Mt 4 13 est un écho du Mt-intermé-diaire qui, après avoir mentionné le retour de Jésus en Galilée, notait sa venue à Nazara, comme en Lc 4 16a.

c) Comme le Document B, le Document A devait certai-nement avoir un verset de transition entre les événements se passant près du Jourdain et l'activité de Jésus en Galilée. D'après les analyses précédentes, on peut conjecturer que ce verset de transition avait une forme très simple, par

exemple : « Et Jésus se retira (?) en Galilée et il vint à Nazara... » (cf. Mt 4 12-13a et Lc 4 16a).

3. *Le texte de Lc.*

a) Lc 4 14a contient la même donnée fondamentale que Mc 1 14a et Mt 4 12 : Jésus revient en Galilée. Le style est très lucanien : verbe « revenir » (*hypostrephein:* 0/1/21/0/12); « sous la puissance de l'Esprit », Lc aime souligner cette action de l'Esprit sur Jésus (cf. 4 1.18; 10 21; 11 13), qu'il qualifie aussi de « puissance » (Lc 1 35; 24 49; Ac 1 8). Comme Lc reprend la scène suivante (§ 30) au Mt-intermédiaire (voir note § 30), on peut penser que son v. 14a dépend aussi du Mt-intermédiaire plutôt que de Mc. Si Lc a omis la des-cription de la prédication de Jésus (Mt 4 17, appartenant au Mt-intermédiaire), c'est qu'il se proposait de la décrire plus abondamment en 4 17-21.

b) Lc 4 14b-15 offre un problème assez délicat. Ce texte n'est pas le parallèle lucanien de Mc 1 14b-15 et Mt 4 17; il s'agit plutôt d'un double « sommaire » concernant l'activité de Jésus, dont on trouve l'équivalent en Mc 1 28.39 et surtout en Mt 9 26.35; Lc se rapproche de ces textes matthéens par deux caractéristiques : d'une part le substantif « rumeur » (*phèmè*) qui ne se lit jamais ailleurs dans le NT et serait de saveur plutôt matthéenne (cf. *phèmizein* en Mt 28 15; *diaphè-mizein* en Mt 9 31); d'autre part, l'expression « enseigner dans leurs synagogues » au lieu de « prêcher dans leurs synagogues » (Mc 1 39). Mais ce double « sommaire » de Lc semble actuellement hors de contexte, surtout celui du v. 14b : comment la réputation de Jésus peut-elle se répandre puisqu'il n'a encore fait ni miracles ni prédication? On oppo-sera cette situation du sommaire lucanien à celle de Mc 1 28, parfaitement en situation. Il est très probable que dans le Document A, source du Mt-intermédiaire et donc, indirec-tement, du proto-Lc, ce sommaire *suivait* la visite de Jésus à Nazara et en formait la conclusion. Aux notes § 30 et surtout § 144, on verra que, dans le Document A, la visite de Jésus à Nazara était racontée dans un sens favorable à Jésus; ce n'est qu'au niveau du Mt-intermédiaire que l'on a changé un accueil favorable en un rejet. Ce changement faisait perdre sa signification au sommaire disant : « et une rumeur (= bonne réputation) se répandit par toute la région d'alentour à son sujet... » (cf. Lc 4 14b); pour éviter cette difficulté, le Mt-inter-médiaire a placé ledit sommaire *avant* la visite de Jésus à Nazara, d'où sa place actuelle dans Lc (proto-Lc), qui dépend ici du Mt-intermédiaire.

Note § 30. *VISITE DE JÉSUS A NAZARETH*

Ce récit présente des affinités certaines avec celui de Mc 6 1-6a et Mt 13 54-58; mais il en diffère aussi considérablement, tant par son contenu que par sa place dans l'évangile. Comment expliquer ces affinités et ces divergences?

I. LE RÉCIT DE LUC

1. L'ensemble est écrit dans un style et avec un vocabulaire typiquement lucaniens, plus exactement dans le style et avec le vocabulaire des Actes des Apôtres. Au v. 16 : « selon

sa coutume », comme dans Ac **17** 2; « le jour du sabbat », comme dans Ac **13** 14; **16** 13. – Au v. 20 : « étaient fixés », construction périphrastique fréquente dans Lc/Ac; verbe *atenizein*, deux fois dans Lc, dix fois dans Ac, ailleurs seulement deux fois dans Paul. – Au v. 21 : « il commença à leur dire » (*legein pros autous*), style habituel de Lc/Ac; « s'est accomplie cette Écriture », cf. Ac **1** 16; « à vos oreilles », cf. Lc **1** 44; **7** 1; **9** 44; Ac **11** 22. – Au v. 22 : « lui rendaient témoignage » (*martyrein tini*: une fois dans Mt, au sens péjoratif, mais six fois dans Ac); verbe *thaumazein* (« s'étonner »), construit avec *epi*: quatre fois dans Lc, une fois dans Ac, nulle part ailleurs dans le NT; « paroles de grâce » (= Ac **14** 3; **20** 32). – Au v. 28: « furent remplis de fureur » (verbe *pimplèmi*: deux fois dans Mt, mais vingt-deux fois dans Lc/Ac); le verbe « être rempli », au sens figuré, pour indiquer un sentiment de l'âme, ne se lit ailleurs qu'en Lc **6** 11; Ac **3** 10; **5** 17; **13** 45.

Non seulement le vocabulaire et le style, mais la situation générale évoque plusieurs passages des Actes des Apôtres.

a) Paul à Antioche de Pisidie (Ac **13** 14 ss.) : il entre dans la synagogue « le jour du sabbat » (Ac **13** 14; cf. Lc **4** 16); après la lecture des Écritures, il est invité à prendre la parole pour commenter le texte que l'on vient de lire (Ac **13** 15 s.; cf. Lc **4** 17-21); dans son discours, il mentionne le témoignage du Baptiste sur Jésus (**13** 24 s.; cf. Lc **3** 3 ss.), puis insiste sur « l'accomplissement des Écritures » (**13** 27.33, cf. Lc **4** 21); le discours de Paul est bien accueilli par beaucoup de Juifs et de prosélytes (**13** 42-43; cf. Lc **4** 22), mais, le sabbat suivant, d'autres sont « remplis de jalousie » (**13** 45; cf. Lc **4** 28) et, devant cette fureur, Paul abandonne les Juifs pour annoncer l'évangile aux païens (**13** 46-48), ce qui est le sens de Lc **4** 25-27.

b) Paul à Iconium : il prêche dans la synagogue (**14** 1), puis, avec Barnabé, « ils prolongèrent leur séjour assez longtemps, pleins d'assurance dans le Seigneur *qui rendait témoignage à sa parole de grâce* (cf. Lc **4** 22) en opérant signes et prodiges par leurs mains » (Ac **14** 3). Mais le parti des Juifs irréductibles veut lapider Paul et Barnabé, et ceux-ci sont obligés de fuir (**14** 5 s.; cf. Lc **4** 29 s.).

c) La lapidation d'Étienne : « En entendant cela, leurs cœurs frémissaient de rage » (Ac **7** 54; cf. Lc **4** 28)... « ils le jetèrent hors de la ville et se mirent à le lapider » (Ac **7** 58; cf. Lc **4** 29, où il s'agit probablement d'un essai de lapidation).

d) L'étonnement des sanhédrites après le discours de Pierre et de Jean, raconté en Ac **4** 13 : « Considérant l'assurance de Pierre et de Jean et se rendant compte que c'étaient des gens sans instruction et sans culture, ils étaient dans l'étonnement (*ethaumazon*) »; de même les gens de Nazareth « s'étonnaient » en entendant parler Jésus, sachant qu'il était « fils de Joseph », et donc un homme sans instruction, n'ayant pas fréquenté les écoles rabbiniques (Lc **4** 22).

C'est donc bien le Lc des Actes des Apôtres qui a donné à cette scène de la première prédication à Nazareth son style et son cachet particulier.

2. Comme il le fait ailleurs, mais peut-être d'une façon plus marquée ici, Lc s'inspire du grec de la Septante. Outre la citation explicite de Is **61** 1 s., complétée par Is **58** 6

(Lc **4** 18 s.), et les allusions à 1 R **17** 8 s.; **18** 1 s.; 2 R **5** 14, faites aux vv. 25-27, on notera : « le jour du sabbat » (v. 16), qui est l'expression technique lue dans le Décalogue (Ex **20** 8; Dt **5** 12); l'expression « à vos oreilles » (v. 21), rapprochée du v. 17 (*biblion*, au lieu de l'habituel *biblos* de Lc) évoque la lecture du livre de l'Alliance par Moïse, selon Ex **24** 7 : « ... et prenant le livre (*biblion*) de l'Alliance, il le lut aux oreilles du peuple », ou selon Dt **5** 1 : « Écoute Israël tout ce que je dis à tes oreilles en ce jour-là »; enfin, au v. 22, les mots « paroles de grâce qui sortaient de sa bouche » complètent la citation de Dt **8** 3 faite en Lc **4** 4 : « L'homme ne vit pas seulement de pain, mais de toute parole qui sort de la bouche du Seigneur. » Tous ces échos vétéro-testamentaires sont obtenus, on le notera, en référence au grec de la Septante, non à l'hébreu.

3. L'ensemble donne un récit plein de majesté et dont le caractère dramatique est fortement marqué. Lc a spécialement apprêté sa plume pour décrire cette première prédication de Jésus, car elle apparaît comme le fruit de la venue en lui de l'Esprit. Lc est le seul à noter que Jésus revient en Galilée « sous la puissance de l'Esprit » (**4** 14a), voulant ainsi mettre un lien étroit entre les scènes du baptême (§ 24), de la tentation (§ 27) et de la prédication à Nazareth. Jésus lit et commente dans la synagogue Is **61** 1 s., texte qui commence par ces mots : « L'Esprit du Seigneur est sur moi... »; le lien avec Lc **3** 22 est d'autant plus net que, on l'a noté (note § 24, I A 3 b), il s'agit ici de la venue sur Jésus de « l'esprit de sagesse et d'intelligence » (Is **11** 2); le jeu de scène de Lc **4** 22 se comprend alors très facilement en fonction de Lc **3** 22-23 : il existe une opposition entre la personne de Jésus telle qu'elle apparaît au regard des hommes (il est « fils de Joseph », ou du moins on le croit, **3** 23), et telle qu'elle est en réalité (il est fils de Dieu et en possède l'Esprit, **3** 22.38); et de même, lorsque Jésus enseigne pour la première fois, les gens sont dans l'étonnement parce que, tandis qu'on le croit « fils de Joseph » (v. 22b), et donc un homme sans instruction rabbinique, ce sont des paroles divines qui « sortent de sa bouche » (v. 22a; cf. Dt **8** 3) en vertu de l'Esprit « de sagesse et d'intelligence » (Is **11** 2) qui est en lui.

II. RAPPORTS DE LUC AVEC MT/MC

1. Malgré son caractère lucanien très fortement marqué, ce récit n'est pas une création de Lc; Lc remanie un récit dont on trouve un parallèle en Mc **6** 1 ss. et Mt **13** 54 ss. Abstraction faite des amplifications lucaniennes, le schéma reste le même : Jésus prêche dans la synagogue de sa « patrie » (Nazara), les auditeurs sont d'abord frappés d'un étonnement admiratif (c'est le sens de Lc **4** 22a, cf. Ac **4** 13; **14** 3), mais ils lui reprochent aussitôt sa parenté et Jésus constate leurs mauvaises dispositions à son égard en citant le même proverbe (v. 24).

2. La mention, au début du récit (Lc **4** 16a), de « Nazara », forme très rare du nom Nazareth, est attestée aussi en Mt **4** 13

(voir note § 28, 2 b). Comme ce sont les deux seuls emplois de cette forme dans tout le NT, on peut penser que l'accord Lc 4 16a/Mt 4 13 sur ce nom n'est pas fortuit. Par ailleurs, on verra à la note § 144 que le récit de la visite de Jésus à Nazareth était primitivement un récit dans lequel Jésus était *bien accueilli* de ses compatriotes, récit parallèle à celui de Mc 1 21 ss. En fait, nous nous trouvons devant un récit qui servait d'introduction au ministère de Jésus en Galilée dans le Document A, d'où il sera passé dans le Mt-inter-médiaire, puis dans le proto-Lc; le proto-Lc (et le Lc actuel) en a gardé la bonne place, tandis que l'ultime Rédacteur matthéen l'a rejeté en 13 54 ss. sous l'influence du Mc-inter-médiaire; dans la rédaction actuelle de Mt, la mention de Nazara en 4 13 est comme un « organe témoin » de la situation primitive du récit dans la tradition matthéenne.

Sur le détail des rapports entre le récit de Lc et celui de Mt/Mc, voir note § 144.

Note § **31**. *PREMIÈRES VOCATIONS AU BORD DU LAC*

Ce récit, commun à Mt et à Mc, contient deux épisodes parallèles : la vocation de Simon et d'André, celle de Jacques et de Jean. Lc omet ce récit et le remplace par celui de la pêche miraculeuse suivie de la vocation de Pierre, Jacques et Jean (Lc 5 1-11, § 38).

I. GENÈSE LITTÉRAIRE DES RÉCITS

1. *Le précédent d'Élisée.* Il est évident que les récits de la vocation de Simon et André d'une part, de Jacques et Jean d'autre part, suivent un schéma analogue, qui se retrouve encore dans le récit de la vocation du publicain (Lévi?) en Mc 2 13 s. et par. (§ 41). La raison en est que la vocation de ces divers apôtres est décrite en référence à la vocation d'Élisée par Élie racontée en 1 R **19** 19-21. Mettons en parallèle ces différents textes :

Mc **1** 16 s.	Mc **1** 19 s.	Mc **2** 13 s.	1 R **19** 19 ss.
Et passant...	Et avançant un peu	Et (en) passant	Et il partit de là
il vit	il vit	il vit	et rencontra
Simon	Jacques	Lévi	Élisée
	(fils) de Zébédée	(fils) d'Alphée	(fils) de Shafat
et André son frère	et Jean son frère		
			et lui labourait avec
			douze paires de bœufs
	et eux	assis	et lui
	dans la barque	à la douane	à la douzième
jetant l'épervier	arrangeant		
dans la mer...	les filets		et il passa près de
			lui et il jeta son
et il leur dit :	et il les appela	et il lui dit :	manteau sur lui
« venez derrière moi... »		« Suis-moi »	
et aussitôt	aussitôt		et il laissa
laissant	et laissant		les bœufs...
les filets	leur père Zébédée		
	dans la barque		
		et se levant	et il se leva
ils le suivirent.	ils partirent	il le suivit.	et il partit
	derrière lui.		derrière lui
			et il le servait.

Le schéma commun est facile à reconnaître : rencontre du futur disciple dont on nous dit le nom et la profession; puis vient « l'appel » (dans 1 R **19**, Élie jette son manteau sur Élisée; le manteau symbolise la personnalité et le droit de son possesseur; Élie acquiert ainsi un droit sur Élisée); le disciple abandonne alors son métier et part à la suite de son nouveau maître. On notera le détail plus particulier de la vocation de Jacques et Jean : « laissant leur père dans la barque »; de même Élisée demande à Élie d'aller d'abord « embrasser » son père et sa mère, mais Élie le lui refuse (1 R **19** 20; cf. Lc 9 57-62, § 184), ce qui laisse entendre qu'Élisée « abandonne » aussi ses parents. Nous sommes donc devant des récits dont la formulation littéraire est surtout théologique : Jésus recrute ses disciples comme Élie avait jadis appelé son disciple Élisée ; Jésus est un prophète, le nouvel Élie, et donc celui qui vient préparer les cœurs à recevoir la « visite » de Dieu (cf. Ml **3** 23-24).

2. *Un récit dédoublé*. Des deux épisodes jumeaux : appel de Simon et d'André, appel de Jacques et de Jean, le second est nettement plus conforme que le premier à l'archétype commun : la vocation d'Élisée, du moins dans Mc. Jacques est qualifié de « (fils) de ·Zébédée », tandis que Simon est désigné par son seul nom; la tradition évangélique connaissait pourtant le nom de son père (cf. Mt **16** 17; Jn **1** 42). L'expression « *et eux* dans la barque » (traduite par « eux aussi », v. 19b de Mc) est copiée sur celle de 1 R **19** 19 : « *et lui* labourait... *et lui* à la douzième ». La précision que les deux disciples « laissèrent leur père » (v. 20a de Mc) rappelle le thème de 1 R **19** 20 : Élisée ne peut même pas aller embrasser son père et sa mère. Enfin la proposition finale : « ils partirent derrière lui », correspond exactement à celle que l'on trouve vers la fin du récit de 1 R **19** : « et il partit derrière lui »; cette proposition est remplacée dans le récit de la vocation de Simon et d'André par « ils le suivirent » (*akolouthein*), verbe technique souvent utilisé dans les évangiles pour indiquer le fait d'être « disciple ». Si ces contacts littéraires plus étroits avec le précédent d'Élisée se trouvaient dans le premier récit (Simon et André), on pourrait à la rigueur penser que le rédacteur de ce double récit a suivi d'une façon moins stricte son modèle en écrivant le deuxième épisode. Mais c'est le second récit qui est le plus fidèle à l'archétype ! Ce fait oblige à proposer l'hypothèse suivante : les deux épisodes appartiennent à deux couches rédactionnelles différentes; le second (Jacques et Jean) est le plus ancien et lui seul fut composé en référence au récit de la vocation d'Élisée; le premier (Simon et André) est plus récent et fut composé d'après le récit de la vocation de Jacques et Jean.

3. *Genèse littéraire des récits*. Voici dès lors comment on pourrait expliquer la genèse littéraire des récits :

a) La source de Mc ne contenait que le récit de la vocation de Jacques et Jean (Mc **1** 19-20). Cette source doit être le Document A, pour les raisons suivantes : la façon de se référer à une scène de l'AT, d'en reprendre le schéma sans faire de citations trop précises, se retrouvera dans le premier récit de la multiplication des pains (voir note § 151), qui appartient certainement au Document A; l'identité du procédé littéraire mis en œuvre permet donc de penser que le récit de la vocation de Jacques et Jean appartient, lui aussi, au Document A. Par ailleurs, le même schéma de « vocation » va se retrouver dans le récit *matthéen* de la guérison de la belle-mère de Pierre (§ 34), tandis que Mc/Lc ont une présentation différente. Comme Mt ignore le Document B, il faut conclure que ce schéma de vocation appartient au Document A.

b) C'est le Mc-intermédiaire qui a dédoublé le texte de sa source, de façon à obtenir un récit de vocation de Simon et d'André; en plaçant ce « double » avant l'original, il faisait de Simon-Pierre le premier disciple de Jésus (chronologiquement parlant). Cette façon de « dédoubler » des récits est le propre du Mc-intermédiaire. Deux précisions sont à noter. D'une part, le Mc-intermédiaire laisse en tête du récit concernant Simon et André les premiers mots du récit primitif : « Et passant sur le bord de la mer de Galilée » (cf. Mc **2** 14, § 41 : « Et, en passant, il vit... »); la transition entre les deux récits : « et avançant un peu », au v. 19, est de sa main. D'autre part, le Mc-intermédiaire ajoute en finale de la vocation de Simon et d'André : « je vous ferai devenir pêcheurs d'hommes ». Cette phrase n'est cependant pas une création de Mc; on la retrouve dans le récit de Lc **5** 1-11 sous cette forme : « Désormais, tu prendras des hommes », récit qui doit remonter au Document C (voir note § 38), que Mc connaît et utilise à l'occasion.

c) Le récit actuel de Mt dépend entièrement du Mc-intermédiaire, moyennant quelques retouches littéraires. Au v. 18, Mt remplace le participe « passant » par « cheminant », peut-être parce qu'il a déjà dit que Jésus était établi à Capharnaüm (Mt **4** 13) et qu'il le montre maintenant « se promenant » au bord du lac. Au même verset, Mt ajoute les expressions « deux frères » et « qui est appelé Pierre » (cf. Mt **10** 2); il remplace le verbe « jeter (l'épervier) » (*amphiballein*) par l'expression plus explicite *ballein amphiblèstron*. Au v. 21, il ajoute les mots « deux autres frères » et « avec Zébédée leur père », ce dernier ajout ayant pour but de préparer la finale du récit où l'on voit les deux disciples laisser même leur père. Au v. 22, il remplace l'expression « ils partirent derrière lui », conforme au précédent d'Élisée, par le verbe plus habituel : « ils le suivirent ». – Le Mt-intermédiaire avait probablement le récit de la vocation de Jacques et Jean, qu'il tenait directement du Document A; mais ce récit fut entièrement remplacé par le récit actuel, plus complet, en dépendance du Mc-intermédiaire.

II. PROBLÈMES HISTORIQUES

Tout en faisant la part d'une certaine systématisation dans la présentation littéraire (cf. *supra* le parallélisme avec la vocation d'Élisée), nous n'avons aucune raison de douter que Jacques et Jean furent appelés à « suivre » Jésus tandis qu'ils vaquaient à leurs occupations de pêcheurs. Il n'en va pas de même pour Simon-Pierre et André; Jn **1** 37 ss. présente en effet leur vocation d'une façon très différente : ni le lieu, ni les circonstances ne sont les mêmes. On peut donc penser que, en dédoublant le récit primitif afin d'obtenir un récit de la vocation de Simon-Pierre et d'André, le Mc-intermédiaire a obéi à un motif plus théologique qu'historique : faire de Pierre le premier des disciples de Jésus. Ce dédoublement du récit primitif effectué par le Mc-intermédiaire n'était peut-être pas tout à fait arbitraire. Selon Lc **5** 1-11, qui dépend du Document C, Jésus aurait dit à Pierre, après la pêche miraculeuse : « Désormais, ce sont des hommes que tu prendras. » Même si l'ultime Rédacteur lucanien a transformé cette scène de pêche miraculeuse en récit de « vocation » (voir note § 38), à l'origine, il ne s'agissait pas là d'une vocation spéciale de Pierre, mais seulement d'une parole de circonstance dite à Pierre. On a vu plus haut (I 3 b) que le Mc-intermédiaire connaissait probablement cette parole, et donc le récit de pêche miraculeuse du Document C; c'est peut-être sous l'influence de ce récit qu'il aurait eu l'idée de dédoubler le texte racontant la vocation de Jacques et de Jean, en provenance du Document A.

NOTE SUR LES §§ 32-36

La vocation des premiers disciples est suivie, chez Mc et Lc, de quelques épisodes (Mc 1 21-38) qui groupent à Capharnaüm, en une journée modèle, les principaux aspects du ministère de Jésus : enseignement dans les synagogues, expulsions de démons, guérisons de malades, concours empressé des foules, prière dans la solitude. Lc, qui commence ici sa première « section marcienne » (4 31-6 19), reprend tous ces épisodes dans le même ordre. Mt au contraire en a seulement certains, qu'il raconte ailleurs; sa dépendance directe de Mc n'est effective que pour 7 28-29, de l'ultime Rédacteur matthéen. En fait, cette journée modèle à Capharnaüm est une composition du Mc-intermédiaire, rassemblant des matériaux de provenance diverse, comme le montreront les analyses suivantes (et voir Introd., II A 2 b); les parallèles lucaniens, en dépendance étroite du Mc-intermédiaire, sont tous de l'ultime Rédacteur lucanien.

Note § 32. *JÉSUS ENSEIGNE A LA SYNAGOGUE DE CAPHARNAÜM* § 33. *GUÉRISON D'UN DÉMONIAQUE*

Mc 1 21-28 situe dans la synagogue de Capharnaüm deux épisodes distincts : un enseignement de Jésus qui provoque l'admiration des auditeurs, l'expulsion d'un esprit impur qui fait naître une crainte révérentielle chez les assistants. Cet ensemble offre plusieurs difficultés. L'expression « dans *leur* synagogue », au v. 23, est curieuse après celle du v. 21 « dans *la* synagogue ». La réflexion du v. 27b : « qu'est-ce que cela, un enseignement nouveau donné d'autorité! », se rapporte manifestement aux vv. 21-22 et s'accroche mal au thème de la « crainte » du v. 27a; les vv. 22 et 27b font d'ailleurs double emploi. On se trouve certainement devant un texte complexe. Mc aurait-il repris d'une source antérieure un récit d'expulsion de démon, auquel il aurait ajouté les éléments relatifs à l'enseignement de Jésus : vv. 21b-22.27b (Bultmann)? Aurait-il fusionné deux récits primitivement distincts :

enseignement dans une synagogue et expulsion d'un démon (Haenchen)? Une analyse précise des textes permettra seule de répondre.

I. L'ENSEIGNEMENT DE JÉSUS

Examinons d'abord les passages relatifs à l'enseignement de Jésus, auxquels on joindra la conclusion du v. 28 sur la renommée de Jésus qui se répand aux alentours.

1. *Le texte de Mc.* Il peut être mis en parallèle avec deux autres récits provenant du Document A, l'un de rédaction marcienne (Mc 6 1 ss., § 144), l'autre de rédaction lucanienne (Lc 4 16 ss., § 30) :

Mc 1	Mc 6	Lc 4
21 Et ils pénétrèrent à Capharnaüm et aussitôt, le sabbat, étant entré dans la synagogue il enseignait	1 ... et il vient dans sa patrie... 2 et, le sabbat arrivé,	16 Et il vint à Nazara... et le jour du sabbat il entra... dans la synagogue il se leva pour lire...
22 et ils étaient frappés de son enseignement car il les enseignait comme ayant autorité et non pas comme les scribes.	il commença à enseigner dans la synagogue et la plupart en l'écoutant étaient frappés	22 Et tous... s'étonnaient devant
27 ... disant : Qu'est-ce cela? « Un enseignement nouveau donné d'autorité!... »	disant : « D'où lui (viennent) ces (choses)? Et quelle est la sagesse qui lui a été donnée? »	les paroles de grâce qui sortaient de sa bouche.
28 Et sa renommée se répandit aussitôt... en toute la région d'alentour de Galilée.		14 Et une rumeur se répandit par toute la région d'alentour à son sujet.

Donnons ici brièvement les conclusions des notes § 30 et § 144. L'épisode de Jésus « rejeté » de Nazareth (§§ 30 et 144) résulte de la transformation d'un récit provenant du Document A, qui racontait simplement la première prédication de Jésus à Nazareth et l'étonnement admiratif des auditeurs, puis comment la renommée de Jésus se répandit partout (Lc 4 14b); lorsque cet épisode fut transformé, dans le Mt-intermédiaire, par addition du thème du « rejet » de Jésus, la nouvelle orientation du récit obligea à déplacer le « sommaire » sur la renommée de Jésus et à le placer *avant* l'épisode auquel il servait primitivement de conclusion. C'est au récit du Document A qu'il faut comparer Mc 1 21 ss.

a) Malgré la différence de localisation : Nazareth ou Capharnaüm, le parallélisme est évident. Dès son retour en Galilée (Mc 1 14 s.), Jésus vient à Capharnaüm, prend la parole dans la synagogue pour commenter l'Écriture, et tous les auditeurs sont frappés d'étonnement parce que Jésus ne se contente pas de répéter l'enseignement que se transmettaient les rabbins, mais il interprète les Écritures avec une autorité qui lui vient (on le comprend facilement) de l'Esprit de sagesse (cf. Is 11 1 ss.) qu'il a reçu lors de son baptême (Mc 1 10, § 24). Il parle avec tant de persuasion que sa renommée se répand vite aux alentours. Nous avons là un petit récit parfaitement homogène et qui convient très bien pour l'inauguration de la mission messianique de Jésus. Il doit provenir du Document B, la source principale de Mc, où il correspondait au récit semblable du Document A attesté par Lc au § 30 et par Mt/Mc au § 144.

b) Le texte de Mc 1 21 ss. se distingue des parallèles en provenance du Document A par l'addition du v. 22, à l'exception du verbe initial « et ils étaient frappés ». Puisque ce v. 22 est connu de Lc, qui le reproduit substantiellement en 4 32, il devait se trouver déjà dans le Mc-intermédiaire, source de Lc. Malgré le parallélisme de Mt 7 28b-29, il faut voir dans ce verset 22 de Mc une création du Mc-intermédiaire, car le vocabulaire est plus marcien que matthéen (pour apprécier les statistiques suivantes, se rappeler que Mt est presque deux fois plus long que Mc) : « enseignement » (*didachè*, 3/5; le premier chiffre correspond à Mt, le second à Mc); « enseigner » (*didaskein*, 14/17); « scribe » (*grammateus*, employé seul, 5/8); on notera encore la tournure périphrastique *èn didaskôn* (il enseignait), fréquente surtout chez Lc mais aussi chez Mc. On comprend d'ailleurs fort bien pourquoi ce v. 22 fut forgé par le Mc-intermédiaire : après avoir inséré l'épisode du démoniaque dans le récit de l'enseignement à Capharnaüm, il a voulu laisser en finale du récit le thème de l'émerveillement des foules (v. 27b) pour que la « renommée » de Jésus (v. 28) soit causée à la fois par son enseignement (thème initial) et par l'expulsion du démon. Il lui fallait alors une conclusion provisoire après avoir mentionné l'enseignement de Jésus (v. 21), d'où la rédaction du v. 22 à partir du verbe initial : « ils étaient frappés », repris du récit du Document B. Du Mc-intermédiaire, ce verset sera passé au niveau de l'ultime rédaction matthéenne en Mt 7 28b-29, comme conclusion du Sermon sur la montagne.

c) Une comparaison des vv. 28 de Mc et 37 de Lc permet de déceler certains remaniements de ce « sommaire » sur la renommée de Jésus, faits par l'ultime Rédacteur marco-lucanien. Pour dire que la renommée de Jésus « se répand », Mc a le verbe *exerchesthai*, qui est celui que l'on trouve dans le sommaire parallèle du Document A (cf. Lc 4 14b et Mt 9 26); Lc au contraire a le verbe *ekporeuesthai* (« se propager »); or ce dernier verbe ne se lit que deux fois ailleurs dans Lc : en 3 7 où il est manifestement repris de Mc 1 5, et en 4 22 qui est une citation de Dt 8 3 d'après la Septante (voir note § 30); en revanche, il est typique du style de Mc (5/11/3/2/3); ce verbe *ekporeuesthai* se lisait donc dans le Mc-intermédiaire, d'où il sera passé dans Lc; c'est l'ultime Rédacteur marco-lucanien qui l'a remplacé par *exerchesthai*, probablement sous l'influence du parallèle attesté par Lc 4 14b et Mt 9 26. Il est vraisemblable que l'ultime Rédacteur marco-lucanien a ajouté deux expressions au texte du Mc-intermédiaire : d'une part l'adverbe « de tous côtés » (*pantachou*), absent du parallèle lucanien, ici seulement chez Mc, mais une fois dans Lc et trois fois dans Ac (0/1/1/0/3/1); d'autre part le mot « région d'alentour » (*perichôros*), ici seulement dans Mc, mais cinq fois dans Lc et une fois dans Ac (2/1/5/0/1/0). Le v. 28, dans le Mc-intermédiaire, devait donc avoir cette teneur : « Et sa renommée se propageait (*exeporeueto*) en toute la Galilée »; sur cette finale, cf. Mc 1 39 : « Et il vint, prêchant... dans toute la Galilée ».

2. Le texte de Lc. L'ultime Rédacteur lucanien a repris le texte du Mc-intermédiaire, le rendant plus clair pour ses lecteurs non juifs et l'améliorant pour en éliminer les difficultés. Il précise la situation géographique de Capharnaüm (cf. Lc 1 26; 2 4; 8 26; 23 51) et indique, en évitant le pluriel impersonnel et le présent historique de Mc, que Jésus y « descendit », puisqu'il venait de Nazareth (4 16 ss.). Au v. 32, il évite la référence au mode d'enseignement des scribes, qui n'aurait pas intéressé ses lecteurs. Surtout, il modifie Mc 1 27b de façon à enlever ici toute allusion à l'enseignement de Jésus et à unifier le récit de l'expulsion d'un démon.

II. L'EXPULSION D'UN DÉMON (§ 33)

1. Au temps de Jésus, on attribuait nombre de maladies à l'influence perverse des démons (esprits impurs). Mc ne nous dit pas ici l'infirmité dont était affligé le possédé; son récit ne s'intéresse pas à ces détails, mais est dominé par deux idées principales :

a) Le fait lui-même que Jésus a puissance sur les démons : il leur commande d'un mot : « sors de lui » (1 25) et aussitôt les démons sortent (1 26); d'où l'étonnement des gens : « il commande même aux esprits impurs et ils lui obéissent » (1 27c). Comme le fait d'enseigner « avec autorité », cette puissance sur les démons a sa cause dans l'Esprit que Jésus a reçu au baptême, et qui le rend « plus fort » que Jean pour lutter contre Satan et ses suppôts (Mc 1 7; cf. note § 22, II 2). Le premier miracle de Jésus est donc le signe que la puissance de Satan sur le monde prend fin (cf. Ac 10 38), que le « royaume de Dieu » est arrivé, avec la puissance de l'Esprit.

b) La seconde idée dominante est celle du « secret messia-nique ». Le démon affirme devant tous : « je sais qui tu es : le Saint de Dieu » (**1** 24) et Jésus lui ordonne de se taire : « Silence » (**1** 25; cf. **3** 11-12). L'expression « le Saint de Dieu » n'est pas à proprement parler un titre messianique, mais plutôt un titre « prophétique ». On notera en effet comment la parole de l'esprit impur : « Que nous veux-tu, Jésus le Nazarénien, es-tu venu pour nous perdre? » (**1** 24), semble reprendre celle de la veuve de Sarepta au prophète Élie : « Que me veux-tu, homme de Dieu? Es-tu venu chez moi pour rappeler mes fautes et faire mourir mon fils? » (**1 R 17** 18). Cet emprunt littéraire voudrait donc insinuer que Jésus est un prophète analogue à Élie. La veuve de Sarepta l'appelle « homme de Dieu », expression qui devient, dans le récit parallèle concernant Élisée, *saint* homme de Dieu » (**2 R 4** 9); le prophète n'est-il pas celui qui a été « sanc-tifié » (i. e. mis à part, consacré) par Dieu en vue de sa mission prophétique (**Jr 1** 5; **Jn 10** 35-36)? On comprendrait alors le titre donné à Jésus par l'esprit impur : « le Saint de Dieu ». Mais une allusion plus précise se cache peut-être sous ce titre. La tradition juive a souvent associé « prophètes » et

« nazirs » – ou « naziréens » – (cf. **Am 2** 11-12; **Si 46** 13), ces derniers étant des ascètes gardant leur chevelure et ne buvant aucune boisson fermentée (**Nb 6** 1 ss.; cf. **Lc 1** 15-17, de Jean-Baptiste le nouvel Élie); or, à plusieurs reprises, la Septante traduit l'expression « nazir de Dieu » par « saint de Dieu » (**Jg 13** 7; **16** 17 d'après le ms *B;* cf. **Jg 13** 5 d'après la leçon double du ms *A;* **Am 2** 11-12). Ne pourrait-on supposer ici un original araméen dans lequel l'esprit impur reconnaissait en Jésus le « nazir de Dieu », cette expression faisant jeu de mots avec le titre « Jésus le Nazaréen » (Fr. Mussner)? Quoi qu'il en soit de ce dernier point plus précis, il reste probable qu'en nommant Jésus « le Saint de Dieu », l'esprit impur le reconnaît pour un prophète, en raison de l'Esprit qu'il a reçu au baptême (cf. **Is 61** 1). Jésus refuse que ce titre soit divulgué et impose silence au démon.

2. Ce récit de **Mc 1** 23-27 offre des contacts littéraires précis avec deux autres récits de Mc : le possédé de Gérasa (**Mc 5** 1 ss., § 142) et la tempête apaisée (**Mc 4** 35 ss., § 141). Mettons les textes en regard :

Mc 1	Mc 5	Mc 4
23 Et aussitôt, il y avait dans leur synagogue un homme en esprit impur et il s'écria (Lc : d'une voix forte)	2 ... aussitôt vint à sa rencontre... un homme en esprit impur...	
24 disant : « Que nous veux-tu, Jésus le Nazarénien? Es-tu venu pour nous perdre?... »	7 et criant (Lc : s'écriant) d'une voix forte il dit : « Que me veux-tu, Jésus, fils du Dieu Très-Haut? Je t'adjure par Dieu, ne me tourmente pas! »	
25 Alors il le menaça disant : « Silence! et sors de lui... »	8 Car il lui disait : « Sors, esprit impur, de cet homme. »	39 ... il menaça le vent et dit à la mer : « Tais-toi, silence! »
27 Et tous furent effrayés « ...il commande même aux esprits impurs et ils lui obéissent! »		41 Et ils craignirent... « ... même le vent et la mer lui obéissent! »

Comment apprécier ces rapports littéraires?

a) Ceux qui existent entre **Mc 1** 25.27 et **4** 39.41 ne sont pas négligeables. Dans les deux textes, l'ordre de « faire silence » est suivi d'une réflexion admirative des assistants sur la façon dont les esprits impurs ou les vents (= esprits) obéissent à Jésus. Le parallélisme littéraire est souligné par l'utilisation de deux verbes qui ne se lisent pas ailleurs dans Mc : « faire silence » (*phimoun*) et « obéir » (*hypakouein*, ailleurs dans les Synoptiques seulement une fois chez Lc). Or, **Mc 4** 39.41 est plus primitif que **Mc 1** 25.27 puisqu'il s'explique par emprunt à **Ps 107** 29, comme on le verra à la note § 141. **Mc 1** 25.27 s'expliquerait donc par influence de **Mc 4** 39.41

(sur l'intérêt de Mc pour les consignes de silence, voir Introd. II A 2 c 3).

b) Les rapports littéraires entre **Mc 1** 23 ss. et **Mc 5** 2 ss. sont plus étroits. Ce sont les deux seuls textes où se rencontre l'expression maladroite « un homme en esprit impur » (**1** 23; **5** 2); ce sont les deux seuls textes des Synoptiques où se lise l'expression biblique : « Que (nous) me veux-tu? » (littéra-lement : « Quoi à nous et à toi? », **Mc 1** 24; **5** 7); enfin l'expression « crier d'une voix forte » (**Mc 1** 23.26; **Lc 4** 33; cf. **Mc 5** 7; **Lc 8** 28) ne se retrouvera que dans le récit de la mort de Jésus. Ces contacts littéraires sont si précis qu'on a l'impression de se trouver en présence d'un même récit dédoublé. De fait, un schéma analogue d'exorcisme se retrouvera au § 171, ajouté à un récit de guérison d'enfant épileptique (voir note § 171, I B 2 a). On verra à la note § 142 que, dans l'épisode du possédé de Gérasa (Mc 5 1 ss.), ce schéma d'exorcisme fut ajouté à un récit correspondant au parallèle matthéen des possédés de Gadara. On peut donc penser qu'ici aussi le Mc-intermédiaire a réutilisé le même récit d'exorcisme (en provenance peut-être du Document C; voir note § 142, II B 6) pour l'insérer ici.

Le parallélisme entre Mc 1 25.27 et 4 39.41 d'une part, entre Mc 1 23 ss. et 5 1 ss. d'autre part, nous amène à la même conclusion : le récit de l'expulsion d'un démon en Mc 1 23 ss. est une composition du Mc-intermédiaire, qui réutilise des matériaux se trouvant aux §§ 141 (tempête apaisée) et 142 (possédé de Gérasa). Le Mc-intermédiaire a voulu ainsi étoffer le thème de la première journée de Jésus à Capharnaüm, pour en faire une « journée type » de l'activité missionnaire du Christ.

III

On peut donc résumer ainsi la genèse du récit de Mc 1 21-28. Le Document B fournit au Mc-intermédiaire un récit racontant le premier enseignement de Jésus à Capharnaüm et la renommée que Jésus en retira (vv. 21-22a.27b.28; voir la reconstitution de ce récit en I 1 a). Pour étoffer le groupement de récits constituant la première journée de Jésus à Capharnaüm, le Mc-intermédiaire inséra dans le récit du Document B une expulsion de démon formée d'éléments en provenance de deux épisodes distincts : l'expulsion d'un démon racontée en Mc 5 2.7-8, et la tempête apaisée (cf. Mc 4 39.41; voir les textes en II 2). Cette insertion l'obligea à forger le v. 22 à partir du verbe « et ils étaient frappés », qui se trouvait déjà dans le récit du Document B. – L'ultime Rédacteur lucanien reprit ce récit complexe du Mc-intermédiaire, moyennant un certain nombre de retouches littéraires. Quant à l'ultime Rédacteur matthéen, il n'en reprit que le v. 22 pour former la conclusion du Sermon sur la montagne.

Note § **34.** *GUÉRISON DE LA BELLE-MÈRE DE SIMON*

Dans Mc et dans Lc, ce récit fait suite à la première prédication de Jésus dans la synagogue de Capharnaüm et contribue à étoffer la première journée-type du ministère de Jésus (voir début de la note § 32). Mt relate l'épisode dans un tout autre contexte, comme le troisième des dix miracles groupés aux chapitres **8** et **9**; mais il le fait suivre du même sommaire relatant des guérisons multiples (§ 35). On notera enfin que la séquence : guérison d'une personne atteinte de fièvre + sommaire concernant des guérisons multiples se trouve aussi en Ac **28** 8-9.

1. *Le récit de Lc.* La dépendance de Lc par rapport à Mc est certaine. Mais en reprenant le texte de sa source, Lc le marque de son style et de son vocabulaire. Au v. 38, l'expression « quittant » (littéralement « se levant de ») est un sémitisme imité de la Septante très fréquent chez Lc; « en proie à » (*synechein*) se lit neuf fois dans Lc/Ac contre trois fois dans le reste du NT; le verbe *erôtan* au sens de « demander » et non d' « interroger » est surtout fréquent dans Lc et Jn. Au v. 39, le verbe « se tenir » (*ephistanai*) se lit dix-huit fois dans Lc/Ac contre trois fois dans le reste du NT; l'adverbe « à l'instant » (*parachrèma*) se lit seize fois dans Lc/Ac contre deux fois dans le reste du NT. La principale divergence de Lc par rapport à Mc consiste dans le mode de guérison, non par un geste impliquant un contact physique (Mc/Mt), mais par un ordre : « Il menaça la fièvre et elle la quitta. » Lc aura assimilé la fièvre à un « démon » mauvais auquel Jésus intime l'ordre de sortir, comme il a « menacé » l'esprit impur en Lc **4** 35 (§ 33) et comme il « menacera » l'esprit impur de l'enfant épileptique (Lc **9** 42, § 171). Tout ce récit est de l'ultime Rédacteur lucanien qui le reprend, non au récit actuel de Mc, mais au récit du Mc-intermédiaire (cf. *infra*).

2. *Le récit de Mc.* Le problème d'éventuels remaniements du Mc-intermédiaire par le Mc actuel se pose en fait surtout à propos de deux passages où les variantes de Lc par rapport à Mc sont appuyées par le récit matthéen.

a) Au v. 29, après avoir mentionné la maison de Simon, Mc ajoute : « ... et d'André, avec Jacques et Jean », précision absente de Lc et de Mt. Dans Mc, ces quatre noms correspondent évidemment aux quatre premiers disciples appelés par Jésus au § 31. Lc n'ayant pas encore raconté la vocation des premiers disciples (il omet le § 31 et n'en donnera une version parallèle qu'au § 38), on comprendrait qu'il ait volontairement omis ici la mention d'André, de Jacques et de Jean. On notera cependant que Mc **13** 3 (§ 291) contient également la mention des quatre mêmes disciples, absente des parallèles de Mt et de Lc. Il serait étrange que, aux deux passages, Lc (et Mt) aient systématiquement omis le nom de ces disciples; le mieux est de penser qu'ils ne se lisaient pas dans le Mc-intermédiaire, le seul connu de Lc et de Mt, et qu'ils ont été ajoutés dans l'ultime rédaction marcienne, ici pour faire le lien avec la scène du § 31.

b) Au v. 31, Mc écrit : « Et s'approchant, il la fit se lever en lui prenant la main et la fièvre la quitta. » Au lieu du verbe actif « il la fit se lever » (*ègeiren autèn*), Mt et Lc ont un verbe intransitif (*ègerthè* dans Mt, remplacé par *anistasa* dans Lc) qu'ils placent tous deux après l'expression « et la fièvre la quitta ». Ce double accord de Mt/Lc contre Mc viendrait-il de ce que l'un et l'autre auraient voulu améliorer, chacun de son côté, le texte un peu étrange de Mc? Il ne semble pas, car dans les deux autres passages où Mc emploie l'expression « prendre la main », il a lui aussi la séquence « prendre la main »... « se lever », comme ici dans Mt/Lc (cf. Mc **5** 41-42; **9** 27). On peut donc penser que le Mc-intermédiaire avait un texte de cette forme : « il lui prit la main et la fièvre la quitta et elle se leva et elle les servait ». Mais pourquoi l'ultime Rédacteur marcien a-t-il changé le texte du Mc-intermédiaire ? L'introduction de la forme active (« il la fit se lever ») et la nouvelle place du verbe font penser que le Mc actuel veut mettre en relief une idée nouvelle, celle de « résurrection », le même mot grec signifiant « faire lever » et « ressusciter ». Il est significatif que, dans Mc, le geste de « prendre la main » ne se lit que deux fois ailleurs : à propos de la fille de Jaïre (Mc 5 41, § 143) et de l'enfant épileptique (Mc 9 27, § 171) ; or la fille de Jaïre était déjà morte, et l'enfant épileptique était « comme mort », de sorte que beaucoup disaient « il est mort » (Mc 9 26). Ce geste de « prendre la main » semble donc évoquer plus spécialement la résurrection d'un mort. Cette évocation pourrait d'ailleurs remonter à l'AT ; quand Dieu « prend la main » de quelqu'un, c'est pour lui communiquer une puissance surnaturelle (Is **41** 13 ; **42** 6 ; **45** 1) ; mais le parallèle le plus intéressant est Ps **73** 23-24 : « Et moi, qui (restais) devant toi, tu m'as pris par la main droite (*ekratèsas tès cheiros*), par ton conseil tu vas me conduire, puis, dans la gloire, tu m'accueilleras. » Quel que soit le sens exact de cette dernière phrase, elle pouvait être comprise par un lecteur chrétien dans le sens d'une résurrection glorieuse ; on aurait donc dans ce psaume le thème de Dieu qui prend l'homme par la main pour l'introduire dans la gloire céleste.

3. *Le récit de Mt.* Dans Mt, le récit a une allure plus dépouillée, plus impersonnelle. Les assistants disparaissent et il ne reste plus que Jésus, nommé en tête du récit (son nom n'est même pas cité dans Mc/Lc), sujet de la plupart des verbes (il vient, il voit, il touche), et la belle-mère de Pierre qui « se lève » en fin de récit pour « servir » Jésus (noter le pronom au singulier, tandis qu'il est au pluriel dans Mc/Lc). Mt dépendrait-il du récit de Mc (le Mc-intermédiaire), qu'il aurait simplifié ? Il ne semble pas. En effet, la structure du récit matthéen correspond à une structure que l'on retrouve dans les récits de « vocation », structure commune aux trois Synoptiques (cf. note § 31, I 1). Comparons par exemple Mt **8** 14-15 avec Mt **9** 9 (§ 41) :

Mt 8 14 s.	Mt 9 9
Et Jésus, étant allé dans la maison de Pierre, vit sa belle-mère couchée et fiévreuse et il toucha sa main et la fièvre la quitta et elle se leva et elle le servait.	Et Jésus, passant, par là, vit un homme assis à la douane... et il lui dit : « Suis-moi » et se levant il le suivit.

Le parallélisme est d'autant plus frappant que le thème de « servir » Jésus est parallèle à celui de le « suivre » (Jn **12** 26) ; surtout, le récit de la vocation d'Élisée, qui a servi de modèle aux récits de vocations du NT (voir note § 31, I 1), se termine par ces mots : « et il partit derrière lui (= il le suivit) et il le servait » ; le rapprochement avec le récit de la vocation d'Élisée est d'autant plus intéressant que, dans Mt, il s'agit de servir *Jésus*, et non tout le groupe des disciples (Mc/Lc). Or une telle structure, provenant du récit de la vocation d'Élisée, est caractéristique du Document A, comme on l'a vu à la note § 31 et comme on le verra à la note § 41. Il faut donc conclure que le récit de la guérison de la belle-mère de Pierre appartenait primitivement au Document A. Il passa ensuite dans le Mt-intermédiaire, sans modification appréciable, et dans le Mc-intermédiaire qui s'en servit pour « étoffer » le groupement d'épisodes formant la première journée de Jésus à Capharnaüm (c'est donc lui qui ajoute « sortant de la synagogue » au v. 29). L'ultime Rédacteur marcien modifia le texte du Mc-intermédiaire, d'une part en ajoutant les noms de André, Jacques et Jean au v. 29, d'autre part en modifiant la finale du récit (v 31) afin de l'harmoniser avec celui de la résurrection de la fille de Jaïre, et donc d'introduire ici le thème de la résurrection. L'ultime Rédacteur lucanien reprend le texte du Mc-intermédiaire en lui imprimant son style. L'ultime Rédacteur matthéen ne dépend ici que du Mt-intermédiaire auquel il apporte de menues retouches, comme le changement de « Simon » en « Pierre » au v. 14 (cf. Mt **4** 18).

Note § **35.** *GUÉRISONS MULTIPLES*

Après le récit de la guérison de la belle-mère de Simon (§§ 34 et 85), les trois Synoptiques donnent un « sommaire » dans lequel on décrit les gens amenant leurs malades à Jésus pour qu'il les guérisse. Par-delà les divergences entre les Synoptiques, est-il possible de retrouver le texte de leur source commune ? Quelle était cette source ?

I. ANALYSES LITTÉRAIRES

Nous ne nous occuperons ici que des textes suivant immédiatement la guérison de la belle-mère de Simon ; le parallèle de Mt **4** 24b, de rédaction tardive, sera étudié à la note § 37.

1. *Le texte de Mt.*

a) Mt **8** 16-17 est de facture très matthéenne. Dans Mt, l'expression « le soir venu » (*opsias genomenès*) est introduite d'ordinaire, comme ici, par la particule « or » (*de* : cf. Mt **14** 15.23 ; **20** 8 ; **26** 20 ; **27** 57). Les mots « présenter » (*prospherein* : 15/3/4/2/3) et « démoniaque » (*daimonizomenos* : 6/3/0/0/0) sont très matthéens, comme le verbe « guérir » (*therapeuein* : 16/5/14/1/5). Enfin, l'illustration d'un fait concret de la vie de Jésus au moyen d'une citation de l'AT, introduite par la formule stéréotypée (à de menues variantes près) : « afin que s'accomplit ce qui a été dit par un tel le prophète », est une des caractéristiques de Mt, absente de Mc/Lc. Ici, la citation d'Is **53** 4 est faite sur le texte hébreu, et non d'après la Septante.

b) Ces caractéristiques matthéennes se situent toutefois à deux niveaux rédactionnels différents. Mentionnons tout de suite le datif « par (sa) parole », attribuable à l'ultime Rédacteur matthéen (cf. Mt **7** 22, note § 74). Mais surtout, la citation d'Isaïe avec sa formule d'introduction (v. 17) est certainement, comme partout ailleurs, de l'ultime Rédacteur matthéen. Or, l'addition de cette citation a obligé cet ultime Rédacteur à inverser les deux thèmes parallèles : guérisons de malades et expulsions de démons ; la citation d'Isaïe ne parlant que de maladies et d'infirmités, il était nécessaire de mentionner en second lieu la guérison des malades par Jésus, de façon à obtenir un lien meilleur entre la citation et l'action de Jésus. D'ailleurs, dans Mc **1** 32, Lc **4** 40 et Mt **4** 24b, la mention des malades est immédiatement liée au verbe initial du sommaire (« porter » dans Mc, « conduire » dans Lc, « présenter » dans Mt **4** 24b). Le Mt-intermédiaire devait alors avoir approximativement ce texte :

> Or, le soir venu, on lui présenta
> tous les mal-portants et beaucoup de démoniaques
> et il les guérit et il chassa les esprits.

2. Le *texte de Lc*.

A son habitude, Lc remanie profondément la source qu'il utilise. On lui attribuera en particulier les expressions « tous ceux qui avaient des malades » (cf. Ac **28** 9 ; aussi **8** 7a), « les conduisirent » (verbe *agein* au sens transitif : 3/1/12/8/25), le thème de « l'imposition des mains » (cf. Ac **28** 8), le verbe « sortir » à propos des démons (cf. Ac **8** 7), le verbe « permettre » (*eaô :* neuf fois dans Lc/Ac, deux fois dans le reste du NT), l'addition explicative « qu'il était le Christ », la confession de foi des démons : « tu es le Fils de Dieu », reprise du parallèle de Mc **3** 11 (§ 47). Mais à partir de quel texte travaille Lc ? Un certain nombre de traits le rapprochent de Mc : la mention du soleil qui se couche, la formule « les lui conduisirent » qui améliore celle de Mc « ils lui portaient », la consigne de silence imposée aux démons. Mais il est clair que la structure de son texte, qui distingue soigneusement guérisons (v. 40) et exorcismes (v. 41), peut difficilement dépendre de celle du Mc actuel, de structure si complexe ! Si Lc ne dépend pas du Mc actuel, ne pourrait-il pas dépendre du Mc-intermédiaire, dont la structure aurait été plus simple que celle du Mc actuel ? Pour répondre à cette question, il faut analyser maintenant le texte actuel de Mc.

3. Le *texte de Mc*

a) Mc **1** 32-34 étonne par sa complexité et ses incohérences. Il commence par deux indications chronologiques dont l'une se lit en Mt **8** 16 et l'autre en Lc **4** 40. Il redouble l'expression « les mal-portants », la première sous la forme « tous les mal-portants », comme en Mt **8** 16, la seconde sous la forme « beaucoup de mal-portants (atteints) de divers maux » (cf. Mt **4** 24b) qui pourrait avoir donné naissance à celle de Lc : « des malades (atteints) de divers maux » ; par ailleurs, on aurait attendu la précision « (atteints) de maux divers » après la première mention des mal-portants, et non après la seconde ! Tout ceci prouve le caractère composite et secondaire du texte actuel de Mc.

b) Il est facile de remarquer que les éléments qui forment doublets dans le texte actuel de Mc se lisent dans le Mt-intermédiaire (cf. *supra*), mais sont ignorés de Lc : « or le soir venu » (v. 32a), « tous les mal-portants et les démoniaques » (v. 32b). D'autre part, on a noté plus haut le caractère matthéen de ces expressions : « or le soir venu » (seul cas dans Mc où le génitif absolu « le soir venu » est introduit par *de* au lieu du *kai* habituel chez Mc), « démoniaques » (6/3/0/0/0 ; des trois cas dans Mc, l'un est ici et les deux autres sont en **5** 15-16, par influence matthéenne, voir note § 142). La conclusion s'impose : le texte du Mc-intermédiaire (dont dépend Lc) a été surchargé, d'une part d'éléments repris au Mt-intermédiaire, d'autre part de détails propres, comme le v. 33 dont on ne trouve aucun écho dans Lc ou dans Mt. Le Mc-intermédiaire devait avoir approximativement cette teneur :

> Lorsque le soleil fut couché, on lui portait beaucoup de mal-portants (atteints) de maux divers et il les guérit et il chassa beaucoup de démons et il ne laissait pas parler les démons parce qu'ils le connaissaient.

II. L'ÉVOLUTION LITTÉRAIRE

Il est possible maintenant de retracer l'évolution littéraire de ce sommaire. Lié dans les trois Synoptiques au récit de la guérison de la belle-mère de Pierre, il doit avoir même origine que ce récit, et donc dépendre du Document A (cf. note § 34) ; il avait primitivement même structure que dans le Mt-intermédiaire (voir le texte à la fin de I 1 b), mais nous ne pouvons connaître quel contexte il avait dans le Document A, puisque son insertion dans le groupement de dix miracles de Mt **8-9** est artificielle et qu'elle est le fait de l'ultime Rédacteur matthéen. Il est possible qu'en passant dans le Mt-intermédiaire, ce sommaire ait subi de légères retouches de vocabulaire, difficiles à déceler. C'est au niveau de l'ultime rédaction matthéenne qu'il subit une transformation assez profonde, rendue nécessaire par l'insertion de la citation d'Is **53** 4 (voir *supra*, I 1 b). – Ce sommaire fut introduit dans la tradition marcienne au niveau du Mc-intermédiaire, en même temps que le miracle de la guérison de la belle-mère de Simon, pour étoffer la « journée-type » du ministère de Jésus à Capharnaüm. Comme cette journée était un sabbat (cf. Mc **1** 21), le Mc-intermédiaire change l'expression « le soir venu » en « lorsque le soleil fut couché », pour mieux préciser que, le sabbat étant terminé, les gens pouvaient amener leurs malades sans enfreindre la loi du repos sabbatique. C'est le Mc-intermédiaire qui introduisit la consigne de silence imposée aux démons (fin des vv. 34 de Mc et 41 de Lc), thème prédominant dans la tradition marcienne (cf. Introd. II A 2 c 3). L'ultime Rédacteur marcien, trouvant ce sommaire après le récit de la guérison de la belle-mère de Simon, et dans le Mc-intermédiaire, et dans le Mt-intermédiaire, mais avec un vocabulaire assez différent, eut l'idée de les joindre ensemble, en ajoutant le détail anecdotique du v. 33, pour former le petit tableau des vv. 32-34 ; on le verra agir de même au § 47. – Le sommaire de Lc dépend de celui du Mc-intermédiaire; il est donc tout entier de la main de l'ultime Rédacteur lucanien qui y a introduit son style et son vocabulaire (cf. I 2). – Ac **28** 9, qui donne à la suite la guérison du père de Publius, atteint de fièvres, et un « sommaire » décrivant des guérisons nombreuses, doit dépendre du Mt-intermédiaire (l'auteur des Actes est aussi l'auteur du proto-Lc, qui ne connaît que la tradition matthéenne).

Note § **36.** *JÉSUS QUITTE SECRÈTEMENT CAPHARNAÜM*

1. Ce petit récit, commun à Mc et à Lc, sert de transition entre la première journée-type à Capharnaüm et le ministère en Galilée. Le récit précédent nous laissait sur la description des foules venant apporter leurs malades à Jésus, au soir de la première journée à Capharnaüm. Dès le lendemain, tandis qu'il faisait encore nuit, Jésus se retire dans un lieu désert pour y prier. Simon et ses compagnons finissent par le trouver et lui annoncent que tous les gens de Capharnaüm le cherchent. Mais Jésus déclare qu'il lui faut évangéliser les villages voisins, et donne le signal du départ. La section suivante (Mc **1** 39) sera un petit sommaire montrant Jésus prêchant dans toute la Galilée. Il est possible que, dans Mc, ce petit récit placé au début du ministère de Jésus fasse inclusion avec le récit de la découverte du tombeau vide au matin de Pâques (Mc **16** 2 ss., § 359). Dans ces deux textes seulement on trouve l'expression « très tôt » (*prôï lian*, traduite moins littéralement en **1** 35); par ailleurs, le participe « se levant » (*anastas*) peut avoir aussi le sens de « étant ressuscité » et pouvait donc évoquer la résurrection de Jésus (cf. dans la finale apocryphe de Mc **16** 9 : « ressuscité le matin », *anastas prôï*); dans les deux textes enfin, il est question de « chercher » Jésus (**1** 37; **16** 6), et l'ange de Pâques dit aux femmes que c'est en Galilée que Jésus donne rendez-vous à ses disciples.

2. Lc suit le texte de Mc, mais d'assez loin. La raison en est que, n'ayant pas encore parlé de la vocation de Simon-Pierre (cf. Mc **1** 16-18), il ne le mentionne pas et fait jouer aux foules le rôle que Mc assigne à Simon. Par ailleurs, il introduit son propre vocabulaire pour remplacer celui de Mc. Le simple « prêcher » de Mc devient son favori « annoncer la bonne nouvelle » (*euaggelizesthai*: 1/0/10/0/15), qu'il fait suivre de « royaume de Dieu », comme en **8** 1 et **16** 16, et qu'il fait précéder du verbe « il faut » (*dei*) qui évoque une mission reçue de Dieu (**9** 22; **13** 33; **17** 25; **22** 37; **24** 7.26.44).

Ceci est d'ailleurs dit en clair par l'expression « je fus envoyé » qui tranche dans le sens théologique ce que l'expression de Mc « je suis sorti » pouvait avoir d'ambigu : sorti de Capharnaüm, ou de Dieu (cf. Jn **8** 42; **13** 3; **16** 27-30; **17** 8)?

3. Repris par l'ultime Rédacteur lucanien, ce récit se lisait donc déjà dans le Mc-intermédiaire. Mais d'où Mc le tient-il? Puisqu'il est ignoré de Mt, on pourrait penser au Document B, qui a déjà fourni à Mc le récit du § 32. Il est toutefois étrange que, dans un si court récit, on rencontre un grand nombre de termes qui ne se lisent jamais ailleurs dans le NT : « à la nuit » (*ennycha*), « poursuivre » (*katadiôkein*), « ailleurs » (*allachou*), « villages » (*kômopoleis*), sans compter le participe *echomenos* (« voisins ») qui ne se lit jamais ailleurs dans Mc/Mt. Comment expliquer cette abondance de termes étrangers à la tradition synoptique commune? Ce récit met en scène « Simon et ses compagnons », littéralement « Simon et ceux (qui étaient) avec lui » (*Simôn kai hoi met'autou*); c'est également Simon qui est seul nommé dans le récit primitif de la pêche miraculeuse raconté en Lc **5** 1 ss. (cf. Jn **21** 1 ss.), récit dans lequel les compagnons de Simon sont appelés « ceux (qui étaient) avec lui » (*hoi syn autô*, Lc **5** 9); or, ce récit appartenait probablement au Document C. C'est également au Document C que l'on attribuera le récit de Pierre se rendant au tombeau, récit dans lequel Pierre est seul en scène (cf. Lc **24** 12, § 360 et sa note). Enfin, dans un récit parallèle à celui de l'apparition aux Onze (§ 365), de même tradition que celui de Pierre au tombeau, Jésus serait venu « vers ceux (qui étaient) avec Pierre », d'après le témoignage d'Ignace d'Antioche (vol. I, p. 337, 3ᵉ registre). Comme Mc utilise à l'occasion ce Document C, on peut émettre l'hypothèse que Mc **1** 35-38 proviendrait aussi du Document C. Ce dernier étant ignoré de Mt et peu utilisé par Mc, on aurait l'explication du vocabulaire insolite qui se rencontre dans ce récit.

Note § **37.** *PRÉDICATION, GUÉRISONS, CONCOURS DES FOULES*

1. *Le texte de Mc/Lc.* Juste après avoir décrit une journée-type du ministère de Jésus à Capharnaüm (cf. note §§ 32-36), Mc donne un petit « sommaire » montrant Jésus élargissant le cercle de ses activités et parcourant toute la Galilée en prêchant et en chassant les démons. Ce sommaire remonte au Document B et a son équivalent dans le Document A en Mc **6** 6b et par. (cf. note § 144, II 1 c). La finale « et chassant les démons » fut probablement ajoutée par l'ultime Rédacteur marcien; aucun exorcisme, en effet, n'est mentionné dans le parallèle du Document A, ni dans Lc **4** 44 ou Mt **4** 23 qui dépendent, en tout (Lc) ou en partie (Mt), du Mc-intermédiaire (pour Mc **1** 39). – Le texte de Lc **4** 44 est de l'ultime Rédacteur lucanien puisqu'il dépend du Mc-intermédiaire. Pour obtenir une phrase plus coulante, Lc change le « il vint prêchant » de Mc en « il prêchait »; par ailleurs, il remplace la mention de la Galilée par celle de la Judée, ces deux données

topographiques lui semblant plus ou moins identiques (cf. 7 17).

2. *Le texte de Mt.* Le groupement et l'arrangement des quatre « sommaires » de Mt 4 23-25 est de l'ultime Rédacteur matthéen. Ayant déplacé en Mt 13 54-58 et Mt 9 26.35 l'épisode de la première prédication de Jésus à Nazara, que le Mt-intermédiaire tenait du Document A, afin de conformer l'évangile de Mt à celui du Mc-intermédiaire (cf. note § 144, II), l'ultime Rédacteur matthéen a comblé le vide ainsi creusé en rassemblant ici ces sommaires repris en partie du Mt-intermédiaire, en partie du Mc-intermédiaire (cf. *infra*), ce qui lui permettait de préparer la scène du Sermon sur la montagne qu'il laissait à la place où il le lisait dans le Mt-intermédiaire (§ 50). Précisons l'origine de ces divers sommaires et les modifications que l'ultime Rédacteur matthéen leur fait subir.

a) Mt 4 23 est presque identique à Mt 9 35, sommaire qui dépend du Mt-intermédiaire (cf. note § 144, II 1 c) mais que l'ultime Rédacteur matthéen a complété au moyen d'expressions reprises du sommaire parallèle de Mc 1 39 (Mc-intermédiaire). En 9 35, la première moitié du sommaire est reprise du Mt-intermédiaire; l'expression « et prêchant » provient de Mc 1 39 (Mc-intermédiaire), et l'ultime Rédacteur matthéen ajoute les expressions « l'évangile du royaume » (seulement ici et Mt 4 23; 24 14 dans tout le NT) et « guérissant toute maladie et toute langueur » que l'on retrouvera en Mt 10 1b : le Rédacteur veut montrer la continuité entre l'activité de Jésus (9 35) et celle des apôtres (10 1b). Mt 4 23 est identique à 9 35, à deux variantes près. Au lieu de « toutes les villes et les villages », on lit « toute la Galilée » sous l'influence de Mc 1 39; les textes du Mt-intermédiaire (« il parcourait... enseignant dans leurs synagogues ») et du Mc-intermédiaire (« toute la Galilée... et prêchant ») sont donc davantage mêlés qu'en 9 35. Par ailleurs, en finale du sommaire,

il ajoute l'expression « dans le peuple », typique du style de Lc (*laos*: 14/2/36/2/48; des quatorze emplois dans Mt, quatre proviennent de citations de l'AT, cinq se lisent dans les expressions stéréotypées « scribes » ou « anciens du peuple »; des quatre restant en dehors du présent passage, deux au moins sont sûrement de l'ultime Rédacteur matthéen : 1 21 et 27 64); c'est ici la signature de cet ultime Rédacteur dont les caractéristiques « lucaniennes » abondent chez Mt.

b) Le deuxième sommaire (v. 24a) est calqué sur celui de Mc 1 28 tel qu'il se lisait dans le Mc-intermédiaire : « Et sa renommée se propageait dans toute la Galilée » (cf. note § 32, I 1 c). Mt remplace seulement le verbe « se propager » (*ekporeuesthai*) par « s'en aller » (*aperchesthai*) et il substitue la mention de la Syrie à celle de la Galilée, pour une raison qui nous échappe.

c) Le troisième sommaire (v. 24b) est formé d'éléments de provenance diverse. Les expressions : « on lui présenta tous les mal-portants... des démoniaques... et il les guérit », sont reprises du sommaire de Mt 8 16 (Mt-intermédiaire; cf. note § 35, I 1 b); la précision « (atteints) de divers maux » provient du sommaire parallèle de Mc 1 34 (Mc-intermédiaire; cf. note § 35, I 3 a); les autres expressions « en proie à des tourments... et des lunatiques et des paralytiques » sont des ajouts de l'ultime Rédacteur matthéo-lucanien. On notera spécialement les mots « en proie à des tourments » (*basanois synechomenous*): le verbe *synechein* ne se lit ailleurs dans tout le NT qu'en Lc/Ac (neuf fois); de même, le mot *basanos* ne se lit ailleurs dans tout le NT qu'en Lc 16 23.28.

d) Le quatrième sommaire (v. 25) est extrait d'un sommaire plus complet du Mt-intermédiaire (voir note § 47). L'ultime Rédacteur matthéen ajoute la mention de la Décapole à la liste des contrées d'où viennent les foules, afin d'obtenir le chiffre de cinq, typique de la tradition matthéenne (cf. note §§ 40-45).

Note § 38. *PÊCHE MIRACULEUSE, VOCATION DE SIMON*

Lc est le seul des Synoptiques à raconter la pêche miraculeuse, scène qui remplace, chez lui, le récit de la vocation des quatre premiers disciples (Mt/Mc, § 31). Essayons de préciser la genèse littéraire du récit lucanien.

1. La partie du récit de Lc concernant spécifiquement la pêche miraculeuse (vv. 4-9) trouve un bon parallèle en Jn 21 1-13 (§ 371). Malgré des divergences de temps et de circonstances assez considérables, le fond du récit est commun à Lc et à Jn; on notera spécialement deux détails typiques : la pêche miraculeuse a lieu après toute une nuit passée en vains efforts (vv. 5 de Lc et 3 de Jn); malgré la grande quantité de poissons pris, le (ou les) filet ne se rompt pas (vv. 6 de Lc et 11 de Jn; dans Lc, le « se rompaient » doit se comprendre au sens de « étaient sur le point de se rompre »; mais il est clair que, en fait, ils ne se rompent pas, comme dans Jn). Il faut remarquer aussi que le récit de Lc se termine sur une

parole de Jésus à Pierre qui évoque son apostolat futur (v. 10b), de même que le récit de Jn contient, dans sa seconde partie, une parole de Jésus à Pierre, « suis-moi », qui évoque la qualité essentielle du disciple de Jésus. Cette dernière remarque doit être complétée par le fait suivant : Jn 1 44 note que Philippe était de la même ville que André et Pierre, Bethsaïde; or ce nom signifie « maison » ou « lieu de pêche »; Jn ne voudrait-il pas insinuer ici que Pierre et André, dont il vient de raconter la vocation par Jésus, seront des « pêcheurs d'hommes », comme en Lc 5 10b? Quoi qu'il en soit de ce dernier point, Jn et Lc suivent une source commune qui doit être le proto-Lc, et ce dernier tient probablement du Document C ce récit de pêche miraculeuse, comme souvent lorsqu'il rapporte un épisode ignoré de Mt et de Mc, ou tout au moins très incomplètement utilisé par Mc ou Mt. Les divergences entre Lc et Jn s'expliquent par le fait que Jn se montre souvent très libre à l'égard des sources qu'il utilise.

2. En reprenant le récit du proto-Lc, l'ultime Rédacteur lucanien y introduit deux additions importantes.

a) Les vv. 1 et 3 ont leur parallèle en Mc 4 1 (introduction au discours en paraboles) : Jésus est au bord de la mer, les foules le pressent, il monte alors dans une barque et enseigne la foule après s'être quelque peu éloigné du rivage. Comme Lc n'a rien de semblable en 8 4 (qui correspond à Mc 4 1-2), on en conclut d'ordinaire, avec raison, qu'il a transposé en 5 1.3 les éléments de Mc 4 1. Mais ceci est le fait de l'ultime Rédacteur lucanien, qui seul connaît la tradition marcienne. Il est donc impossible de retrouver le contexte immédiat de cette pêche miraculeuse dans le proto-Lc ou dans le Document C.

b) Il est évident que le v. 10a, mentionnant Jacques et Jean, les compagnons de Simon, est une addition de l'ultime Rédacteur lucanien en provenance de Mc 1 16-20 (§ 31); le récit du proto-Lc parlait des compagnons de Simon d'une façon très générale, sans les nommer (vv. 2 et 7). Le v. 11 est également une addition de l'ultime Rédacteur lucanien, faite elle aussi sous l'influence de Mc 1 16-20; le passage du singulier (v. 10b) au pluriel (v. 11) le confirme. Ces additions de l'ultime Rédacteur lucanien sont faciles à interpréter. Le récit du proto-Lc, d'une part n'était pas un vrai récit de vocation (le v. 10b évoque l'apostolat futur de Pierre, mais sans être vraiment un « appel » de Jésus au sens strict), d'autre part ne mentionnait que Pierre. L'ultime Rédacteur lucanien a donc voulu en faire un récit de vocation au sens strict,

d'où l'addition du v. 11 (cf. Mc 1 18), et associer Jacques et Jean à la « vocation » de Pierre (cf. Mc 1 19), d'où l'addition du v. 10a.

3. Un dernier point reste à approfondir. Dans Lc, cette pêche miraculeuse a lieu au début du ministère de Jésus; dans Jn, c'est une « apparition » du Christ ressuscité. Qu'en était-il dans le proto-Lc et dans le Document C? Il est difficile de répondre. On a vu cependant que les vv. 1 et 3 de Lc sont de l'ultime Rédacteur lucanien, preuve qu'il change le cadre du récit primitif. Par ailleurs, dans le récit de l'apparition de Jésus aux Onze, en provenance du Document C par le biais du proto-Lc (que suivent Lc et Jn; cf. note § 365), l'ultime Rédacteur lucanien ajoute des traits qui ont leur parallèle en Jn 21 1 ss. La parole de Jésus : « avez-vous ici quelque aliment? » (Lc 24 41b), rappelle celle de Jésus en Jn 21 5 : « enfants, avez-vous quelque nourriture? »; en Lc 24 42-43 comme en Jn 21 9.13 il est question de manger des poissons. Il est probable que ces deux détails appartenaient au récit de la pêche miraculeuse selon le proto-Lc : Jn les a gardés en bonne place, tandis que l'ultime Rédacteur lucanien les a transférés dans le récit d'apparition aux Onze. Si cette remarque est juste, on pourrait en conclure que la pêche miraculeuse était primitivement (dans le proto-Lc et dans le Document C) un récit d'apparition de Jésus ressuscité. Ce serait l'ultime Rédacteur lucanien qui en aurait fait un récit de vocation de Pierre, Jacques et Jean, et l'aurait placé au début du ministère de Jésus.

Note § **39.** *GUÉRISON D'UN LÉPREUX*

Ce récit se lit dans les trois Synoptiques; il est donné aussi par le papyrus Egerton 2 (cf. vol. I) sous une forme qui offre des traits manifestement secondaires, mais qui pourrait refléter aussi un état archaïque de la tradition synoptique (cf. *infra*). Pour suivre l'analyse assez complexe qui va suivre, se reporter à l'Annexe I où l'on trouvera en colonnes parallèles tous les textes utilisés dans cette note.

I. LE RÉCIT DE GUÉRISON

Analysons d'abord le récit de guérison lui-même, réservant à une seconde partie l'étude du « sommaire » qui suit la guérison dans Mc et dans Lc.

A) STRUCTURE DU RÉCIT PRIMITIF

1. Une analyse du récit de Mc fait apparaître les anomalies suivantes :

a) Dans Mc, comme dans Mt/Lc, Jésus guérit le lépreux par un geste (il le touche) et par une parole (« Je veux, sois purifié »). Or, le geste de Jésus touchant le malade pour le purifier est de tradition matthéenne et non marcienne.

L'expression « étendant la main » (Mc 1 41 et par.) est un sémitisme attesté déjà dans l'AT. Mais sous la forme qu'elle revêt ici, elle est typiquement matthéenne. Au participe (*ekteinas tèn cheira*) et dite de Jésus, on ne la lit nulle part ailleurs dans Mc/Lc tandis qu'elle se retrouve en Mt 12 49; 14 31; 26 51, ajoutée par Mt aux parallèles de Mc/Lc dans le premier et le dernier de ces textes. Le geste d'étendre la main ne se lit ailleurs que dans le récit de la guérison de la main sèche (§ 45), dit du malade et sous une forme littéraire différente, geste repris peut-être de 1 R 13 4-6 (voir note § 45, III 2). – Pour guérir le lépreux, Jésus « le toucha » (*èpsato*). Chez Mc, d'ordinaire, ce sont les malades qui « touchent » Jésus pour être guéris (Mc 3 10; 5 27-31; 6 56); Jésus leur « impose les mains » (Mc 5 23; 6 5; 7 32; 8 23.25) quand il veut faire un geste guérisseur. En 8 22, les gens demandent bien à Jésus de « toucher » le malade, mais Jésus va le guérir en lui imposant les mains. Le seul cas dans Mc où Jésus « touche » effectivement le malade est 7 33 : il met ses doigts dans les oreilles du sourd-muet et « touche » sa langue avec sa salive; mais il s'agit là d'un geste très précis et l'attention porte sur le détail insolite de la salive plus que sur le fait de « toucher ». A l'inverse de Mc, Mt ne montre jamais Jésus « imposer les mains » pour guérir (la demande, en Mt 9 18, n'est suivie d'aucun effet); à trois reprises au contraire (sans compter le présent récit), il note que Jésus « touche » le malade pour le guérir : en **8** 15 (le verbe *aptomai* est absent du parallèle de Mc), en **9** 29 et en **20** 34 (§§ 34, 95 et 268). – Ainsi, tant par le geste d'étendre la main que par le fait de toucher le malade pour le guérir, nous sommes devant un mode de guérison matthéen et non marcien.

b) Au v. 42, Mc indique la guérison du lépreux au moyen de deux formules : « la lèpre le quitta », comme dans Lc et le papyrus Egert. 2; « il fut purifié (de sa lèpre) », comme dans Mt. Il semble que Mc combine ici deux textes de tradition différente.

c) Au v. 44a, Mc contient une consigne de silence donnée par Jésus qui se lit également dans Mt/Lc. C'est un thème certes courant chez Mc, mais il est exprimé ici sous une forme inhabituelle et qui, par certains traits, serait plutôt matthéenne. Quand Mc mentionne une consigne de silence, il l'introduit d'ordinaire, soit par le verbe « admonester » (*epitiman*: Mc **1** 25; **3** 12; **4** 39; **8** 30), soit par le verbe « commander » (*diastellein*: Mc **5** 43; **7** 36; **9** 9), jamais par le simple verbe « dire », comme ici dans Mc/Mt. De plus, la consigne de silence est exprimée ailleurs chez Mc en discours indirect : « il leur commanda de ne pas... »; mais nous avons ici le discours direct, ce qui correspond au style de Mt (cf. Mt **9** 30 et surtout **17** 9 opposé à Mc **9** 9). On notera encore l'interjection « vois » (*ora/orate*), suivie d'une défense, caractéristique du style de Mt (**9** 30; **18** 10; **24** 6; dans ce dernier cas, l'expression est absente des parallèles de Mc/Lc; sur le « voyez » de Mc **8** 15, qui n'est d'ailleurs par suivi d'une défense, voir note § 161).

d) Enfin, l'ordre d'offrir ce qu'a prescrit Moïse (v. 44c de Mc et par.) est d'expression plutôt matthéenne : « offrir » (*prospherein*: 15/3/4/2/3) et « prescrire » (*prostassein* ou *syntassein*: cinq fois dans Mt, jamais ailleurs dans Mc/Lc; opposer spécialement Mt **21** 6; **26** 19 et Mc **11** 6a; **14** 16).

Au terme de ces analyses, on peut affirmer que le récit de Mc contient un certain nombre de traits beaucoup plus matthéens que marciens. L'ultime Rédacteur marcien aurait-il repris ce récit de miracle au Mt-intermédiaire? L'étude du texte du papyrus Egert. 2 va nous obliger à adopter une solution plus complexe.

2. On a vu plus haut que le récit de guérison du lépreux se lisait aussi dans le papyrus Egert. 2. Sans doute, Egert. 2 contient des traits manifestement secondaires : circonstances dans lesquelles le lépreux fut contaminé, expression « le Seigneur » pour désigner Jésus; mais à quelle sorte de texte ces notes secondaires ont-elles été ajoutées? Si l'on compare au récit de Mc celui donné par Egert. 2, un fait saute aux yeux : Egert. 2 ignore les traits de tonalité matthéenne : le geste de Jésus qui touche le lépreux, l'expression « il fut purifié », la consigne de silence (amputé de la fin du récit, Egert. 2 ne nous donne aucun renseignement sur l'ordre d'apporter ce qui est prescrit pour la purification d'un lépreux). Une hypothèse se présente alors : le texte de Egert. 2 aurait repris, moyennant quelques ajouts, un récit plus archaïque que celui de nos évangiles actuels, récit qui aurait été amplifié dans la tradition matthéenne. Deux détails le confirment.

D'une part, la formule de Egert. 2 : « si tu veux, je suis purifié », est certainement plus primitive que celle des Synoptiques : « si tu veux, tu peux me purifier ». D'autre part, la finale du récit des Synoptiques : « comme attestation *pour eux (autois)* », suppose un récit qui avait au début de Mc **1** 44b : « montre-toi *aux prêtres* », comme dans Egert. 2; ce serait à un stade ultérieur que le pluriel « prêtres » aurait été changé en singulier.

On a fait remarquer plus haut que, amputé de sa finale, Egert. 2 ne nous donnait aucun renseignement sur le thème d'expression matthéenne : « et offre pour ta purification ce qu'a prescrit Moïse ». Malgré le silence de Egert. 2, on peut penser que c'est un ajout, comme les autres passages de saveur matthéenne. Il est clair, en effet, que la finale « en attestation pour eux » se rapporte, non pas au don prescrit par Moïse, mais au fait d'aller se montrer aux prêtres. D'après Lv **14** 2 ss., en effet, c'était aux prêtres qu'il appartenait de constater officiellement la guérison d'un lépreux; dans le récit primitif, Jésus disait donc simplement au lépreux « purifié » d'aller se montrer aux prêtres « en attestation pour eux », i. e. pour faire constater sa guérison. Cette conclusion serait confirmée par les citations de Mc **1** 44 faites par Clément d'Alexandrie et Tatien (cf. vol. I); tous deux semblent lire : « montre-toi aux prêtres pour attestation »; le fait que le mot « prêtres » ici soit au pluriel et qu'il n'y ait aucune allusion au don prescrit par Moïse indiquerait que ces deux auteurs citent le récit sous la forme archaïque attestée par Egert. 2.

3. Il reste encore un problème littéraire assez délicat à résoudre. Le récit de Mc offre plusieurs traits inconnus de Mt et de Lc : tout le v. 43, avec le verbe rare « rudoyer » (*embrimaomai*), et au v. 45 les expressions : « Mais lui, étant sorti », et « divulguer ». Or il est curieux de constater que ces traits se retrouvent en partie dans le récit propre à Mt de la guérison des deux aveugles, au § 95 (Mt **9** 27-31), joints à d'autres traits par lesquels le récit des Synoptiques se distingue de celui de Egert. 2. Dressons-en la liste : en **9** 28, le verbe « pouvoir », comme à la fin du v. 40 de Mc; en **9** 29, l'action de « toucher » le malade, comme en Mc **1** 41 (même verbe *aptomai*); en **9** 30, la consigne de silence introduite par le verbe « rudoyer », comme en Mc **1** 43-44a; au v. 31, la formule : « Mais eux, étant sortis, le divulguèrent », comme en Mc **1** 45 (mais au singulier dans Mc puisque le lépreux est seul). Il existe un contact littéraire certain entre le récit de Mt **9** 27 ss. et celui de Mc **1** 40 ss., car on trouve dans les deux récits les deux mêmes verbes rares : « rudoyer » (*embrimaomai*, ailleurs dans les Synoptiques seulement en Mc **14** 5), et « divulguer » (*diaphèmizein;* ailleurs dans tout le NT seulement en Mt **28** 15). Comment expliquer ces accords entre le récit de la guérison de deux aveugles en Mt **9** 27 ss. et le récit marcien de la guérison du lépreux? Un emprunt de Mt à Mc semble exclu : il serait étrange que Mt ait repris à Mc juste ce par quoi Mc se distinguait de ses parallèles matthéen et lucanien. C'est plutôt Mc qui dépend de Mt, comme semblerait d'ailleurs l'indiquer le doublet du v. 45 de Mc : « proclamer hautement » et « divulguer la nouvelle » cf. le doublet du v. 42). Mais pourquoi Mc aurait-il complété son récit de la guérison du lépreux en allant chercher des expressions rares dans le

récit matthéen de la guérison des deux aveugles? Fait d'autant plus improbable que ce récit matthéen appartient sans doute à l'ultime rédaction matthéenne (voir note § 95). Pour sortir de l'impasse, voici la solution que nous proposons :

Dans le Mt-intermédiaire, le récit de la guérison du lépreux contenait, non seulement les éléments de Mt 8 2-4, mais aussi ceux de Mt 9 27 ss. qui se retrouvent dans Mc 1 43 ou 1 45. Ce serait l'ultime Rédacteur matthéen qui aurait repris des éléments du récit de la guérison du lépreux pour constituer son récit de la guérison des deux aveugles, soit en les dédoublant (verbes « pouvoir » et « toucher », consigne de silence), soit en les transférant (verbe « rudoyer » et formule de 9 31 : « Mais eux, étant sortis, le divulguèrent »). Le récit actuel de Mc aurait subi l'influence, non du Mt actuel, mais du Mt-intermédiaire, plus complet. Un argument vient étayer cette hypothèse. On a dit plus haut (I A 1 c) que, dans les Synoptiques et spécialement dans Mc, une consigne de silence (cf. Mc 1 44 et Mt 8 4) n'était jamais introduite par le simple verbe « dire », mais par un verbe de commandement. Or, au témoignage des lexicographes (Hesychius, Suidas), le verbe *embrimaomai* (traduit par « rudoyer » dans Mc comme dans Mt) signifie premièrement « prescrire avec force », ajoutant une note d'intensité aux verbes synonymes « ordonner » (*epitiman*) ou « commander » (*diastellein*); ce verbe est donc parfaitement en situation en Mt 9 30, où il précède une consigne de silence; il faudrait traduire : « Et Jésus leur prescrivit fortement en disant : etc. » Ce verbe *embrimaomai* devait donc se lire également avant la consigne de silence dans le récit de la guérison du lépreux; il a disparu du récit matthéen, puisque transféré en 9 30; on le retrouve en Mc 1 43, mais séparé de la consigne de silence (cf. *infra*); il aurait son écho dans le verbe « enjoindre » (*paraggellein*) de Lc 5 14 (2/2/4/0/11).

B) Évolution du récit

Pour reconstituer l'évolution complète du récit de la guérison d'un lépreux par Jésus, il faut tenir compte, non seulement des textes analysés plus haut, mais encore de l'épisode de la guérison de dix lépreux raconté en Lc **17** 12 ss.; Lc en effet a composé cet épisode à partir d'un récit très archaïque, où il n'était question que d'un seul lépreux, et qui serait aussi à l'origine du récit attesté par Egert. 2. Sur ce problème, voir les développements de la note § 241.

1. D'après les remarques faites à la note § 241, le récit le plus archaïque devait avoir approximativement cette structure (mais exprimée en termes moins lucaniens) :

... vint à sa rencontre un lépreux qui se tint à distance et éleva la voix, disant : « Jésus, maître, aie pitié de moi ! » L'ayant vu, il lui dit : « Étant parti, montre-toi aux prêtres. » Et il arriva, tandis qu'il (y) allait, il fut purifié.

Ce récit tient compte de toutes les coutumes juives. Il était interdit à un lépreux de s'approcher des autres gens; le récit précise donc que le lépreux « se tint à distance ». Par ailleurs, d'après Lv **14** 2 ss., il appartenait au prêtre de constater officiellement la guérison d'un lépreux; Jésus dit donc au lépreux d'aller se montrer aux prêtres. Et c'est ici que se

trouve la « pointe » du récit : le lépreux doit aller se montrer aux prêtres *avant* d'être purifié; sa guérison ne se produira qu'en chemin ! Le récit veut donc mettre en évidence la foi extraordinaire du lépreux : il croit sur une simple promesse implicite de Jésus; il ne doute pas que, si Jésus lui dit d'aller se montrer aux prêtres, c'est qu'il promet une guérison imminente et que cette guérison va s'accomplir sans tarder. Sous cette forme très simple, le récit dut appartenir à une collection de miracles effectués par Jésus.

2. Incorporé dans le Document A, le récit reçut une forme nouvelle, attestée par Egert. 2, que l'on peut restituer en éliminant les ajouts trop voyants qui se lisent dans le texte du papyrus :

Et voici, un lépreux, s'approchant (), dit : « Maître, Jésus, si tu veux, je suis purifié ! » Et il lui dit : « Je veux, sois purifié. » Et aussitôt la lèpre le laissa. Et il lui dit : « Étant parti, montre-toi aux prêtres pour attestation. »

Ce récit tient déjà moins compte des coutumes juives, puisque le lépreux s'approche de Jésus, ce qui lui était interdit. Par ailleurs, la « pointe » du récit a changé : ce n'est plus telle-ment la foi du lépreux qui est mise en évidence, que la toute-puissance de Jésus, soulignée par la répétition du verbe « vouloir »; il suffit à Jésus de « vouloir » pour que la purifi-cation s'accomplisse. Sa parole est toute-puissante. Sous cette nouvelle forme, l'ordre d'aller se montrer aux prêtres perd une grande partie de son intérêt; dans le récit précédent, cet ordre conditionnait la foi du lépreux; ici, il n'est plus qu'une simple prescription d'ordre juridique, soulignée par l'addition de la clause explicative finale : « pour attestation ».

3. Le Mt-intermédiaire reprit le récit du Document A, sa source principale, mais il l'augmenta d'un certain nombre d'additions : pour guérir le lépreux, Jésus ne se contente pas d'ordonner sa purification, il le touche (Mt 8 3), mode de guérison souvent attesté chez Mt; il ordonne ensuite au lépreux de ne pas divulguer sa guérison (v. 4), et il complète l'ordre d'aller se montrer au prêtre par celui d'apporter le don prescrit par Moïse dans le cas de guérison d'un lépreux. Comme on l'a dit plus haut, le récit du Mt-intermédiaire était un peu plus ample que le récit du Mt-actuel :

Et voici, un lépreux s'approchant se prosternait devant lui en disant : « Seigneur, si tu veux, tu peux me purifier. » Et, étendant la main, il le toucha et lui dit : « Je veux, sois purifié. » Et aussitôt il fut purifié. Et Jésus lui prescrivit avec force disant : « Vois, ne le dis à personne, mais va, montre-toi au prêtre et offre le don prescrit par Moïse comme attestation pour eux. » Mais lui, étant sorti, le divulgua dans tout ce pays-là.

Ce récit tient encore moins compte des coutumes juives que le précédent; non seulement le lépreux s'approche de Jésus et de ses compagnons, mais Jésus le touche, ce qui, d'après la Loi mosaïque, était contracter soi-même une impu-reté. Le caractère légaliste du récit est cependant accentué par l'ordre d'apporter au prêtre le don prescrit par Moïse. Cette accumulation de prescriptions légales et d'interdictions, qui tiennent plus de la moitié du récit, enlève tout relief à l'intention du récit précédent : mettre en valeur la toute-puissance de Jésus.

4. L'ultime Rédacteur matthéen dédouble en partie le récit du Mt-intermédiaire. Le miracle reste substantiellement le même, mais est placé en 8 2-4 de façon à former le premier des dix miracles rassemblés aux chapitres 8 et 9 de Mt. Le Rédacteur matthéen en reprend toutefois un certain nombre d'éléments pour constituer le récit de la guérison de deux aveugles, en 9 27-31; ces éléments sont, soit dédoublés (verbes « pouvoir » et « toucher » aux vv. 28 et 29; consigne de silence), soit transférés d'un récit dans l'autre : verbe « prescrire avec force » (*embrimaomai* au v. 30), finale du récit (9 31). Une légère anomalie littéraire en est résultée : dans le récit du lépreux, en 8 4, la consigne de silence n'est plus précédée par un verbe signifiant « commander, prescrire », comme c'est de règle dans les Synoptiques. On pourrait s'étonner que, pour composer son récit de la guérison de deux aveugles (9 27-31), l'ultime Rédacteur matthéen soit allé reprendre certains détails du récit de la guérison du lépreux. Mais il faut tenir compte du fait que, dans le Mt-intermédiaire, ce récit de la guérison du lépreux devait être situé au début du ministère de Jésus, presque aussitôt après la première prédication à Nazareth et un peu avant l'appel des premiers disciples (cf. sa place dans Mc, en 1 40-44). Or, ce complexe se trouve maintenant situé en Mt 9 26 ss. et 13 54 ss.; sur ce problème, voir note § 144, II. En fait, l'ultime Rédacteur matthéen aura laissé à peu près à leur place primitive des éléments du récit de la guérison du lépreux (cette guérison se trouvant placée, dans le Mt-intermédiaire, peu avant l'appel des Douze, placé dans le Mt actuel en 10 1 ss.), et c'est le récit de la guérison du lépreux qu'il aura, moins quelques détails réutilisés en 9 27 ss., transféré au début de sa série de dix miracles.

5. Le Mc-intermédiaire reprit le récit du Document A en n'y apportant que des modifications d'ordre littéraire, comme le changement de « et voici » en « vient » qui se retrouve ailleurs (cf. début des récits des §§ 90 et 94). C'est l'ultime Rédacteur marcien qui introduisit dans le récit du Mc-intermédiaire les éléments « matthéens » qu'il lisait dans le Mt-intermédiaire : geste de Jésus qui touche le malade, consigne de silence, ordre d'offrir ce qu'a prescrit Moïse, finale du récit (cf. au v. 45). En reprenant la consigne de silence, le Rédacteur marcien a donné au verbe « prescrire avec force » (*embrimaomai*, v. 43) le sens de « rudoyer »; ce changement pourrait provenir du fait que le Rédacteur marcien aura assimilé le cas du lépreux à celui d'une expulsion de démon, ce qui était facile puisque la guérison du lépreux est une « purification » et que, pour Mc, les démons sont des « esprits impurs » (cf. Mc 1 23.26; 3 11; 5 2 ss.; etc.); on comprendrait alors l'addition marcienne en 1 43b : « aussitôt il le chassa » (*exebalen*), verbe couramment utilisé dans les cas d'exorcisme. Ce glissement de perspective expliquerait aussi l'addition par Mc, en 1 41a, du participe « en colère » (qu'il faut probablement préférer à la leçon courante « ému de compassion »); Jésus s'en prend, non au lépreux, mais à un « esprit impur ».

6. Le récit de Lc se lisait déjà dans le proto-Lc qui le tenait du Mt-intermédiaire, d'où les nombreux accords Mt/Lc

contre Mc accumulés aux vv. 12b-13 : « et voici »; simple participe « disant » au lieu de la forme complexe de Mc « en lui disant que »; addition du vocatif « Seigneur »; ordre des mots *èpsato autou*, différent de celui de Mc; « en disant » au lieu de « et lui dit »; adverbe « aussitôt » sous la forme *eutheôs* et non *euthus*. Surtout, Lc semble connaître la consigne de silence sous la forme qu'elle avait dans le Mt-intermédiaire, i.e. introduite par un verbe de commandement (*embrimaomai*), que Lc change en « enjoindre », verbe qu'il affectionne (*paraggellein*: 2/2/4/0/11); comme ce verbe est d'ordinaire construit avec l'infinitif, Lc met le verbe suivant à l'infinitif (« de ne le dire... »), mais laisse le reste de la phrase au discours direct : « ... étant parti, montre-toi » ! – L'ultime Rédacteur lucanien apporte quelques modifications au proto-Lc sous l'influence du Mc-intermédiaire. Si l'on fait confiance à la masse des manuscrits, on tiendra pour influence marcienne la fin du v. 13 : « et aussitôt la lèpre le quitta »; mais une partie de la tradition textuelle occidentale (*D e*) lit « et aussitôt il fut purifié », ce qui rapprocherait ici encore Lc de Mt, contre Mc. Au v. 14, Lc suit le texte marcien : « et offre pour ta purification »; mais surtout, la finale de son récit est beaucoup plus proche de celle de Mc que de celle du Mt-intermédiaire, comme on va le voir.

II. LA CONCLUSION DU RÉCIT

Elle est beaucoup plus développée dans Mc (v. 45) et dans Lc (vv. 15-16) que dans le Mt-intermédiaire (cf. Mt 9 31).

1. Mt 9 31 a son équivalent en Mc 1 45a et Lc 5 15a. Mais on a vu plus haut que, dans Mc, les mots : « mais lui, étant sorti... et à divulguer », avaient été ajoutés par l'ultime Rédacteur marcien sous l'influence du Mt-intermédiaire (Mt 9 31); le Mc-intermédiaire devait donc avoir seulement : « il se mit à proclamer () la nouvelle » (*èrxato kèrussein ton logon*, cf. Mc 5 20; 11 29). L'ultime Rédacteur lucanien reprend ce mot de « nouvelle » (*logos*), mais l'insère dans une phrase de son style (cf. *infra*).

2. Le reste des textes de Mc et de Lc n'a pas d'équivalent chez Mt. Les rédactions marcienne et lucanienne sont d'ailleurs très différenciées, n'ayant en commun que le thème de la retraite de Jésus au désert et celui des foules qui viennent vers lui. Il est vraisemblable que le Mc-intermédiaire avait seulement, comme conclusion du récit de la guérison du paralytique : « Il se mit à proclamer la nouvelle. Et Jésus se tenait dans des lieux déserts et l'on venait à lui de toutes parts. » Le reste aura été ajouté par l'ultime Rédacteur marcien. On remarquera par ailleurs que le double thème de Jésus au désert et des foules qui viennent à lui se lisait déjà dans Mc 1 35-37 (§ 36) et surtout dans son parallèle lucanien (Lc 4 42). On se trouve probablement devant un doublet que le Mc-intermédiaire lisait, d'une part dans le Document A (§ 39), d'autre part dans le Document C (cf. note § 36).

3. Lc 5 15-16 est dû à l'ultime Rédacteur lucanien qui

reprend le double thème du Mc-intermédiaire (Jésus au désert, mouvement des foules), mais l'amplifie en fonction du « sommaire » du § 47 (Lc **6** 17-19), dont il va reporter quelques éléments au début de l'épisode suivant, la guérison du paralytique (§ 40). Pour s'en convaincre, il suffit de mettre en regard les deux séries de textes :

Lc 5 15.17	Lc 6 17-19
15a ... et accouraient des foules nombreuses	17 ... et une foule nombreuse.
17b ... de tous les bourgs de la Galilée et de Judée et de Jérusalem...	de toute la Judée et de Jérusalem et du littoral de Tyr et [Sidon
	18 qui vinrent
15b pour l'entendre et être guéris de leurs maladies...	pour l'entendre et être guéris de leurs maux; et ceux qui étaient tour- [mentés par des esprits impurs étaient guéris,
	19 et toute la foule cherchait

17c ... et il y avait une puissance du Seigneur	à le toucher parce que une puissance sortait de lui
pour qu'il guérisse (les gens).	et il les guérissait tous.

Le vocabulaire et le style de Lc 5 15-17 sont dans leur ensemble spécifiquement lucaniens. Au v. 15 : « se répandre » (*dierchesthai*: 2/2/10/2/21); addition de « à son sujet » (*peri autou*; cf. Lc **4** 14 b.37 comparé aux parallèles de Mt ou de Mc; Lc **7** 17); « accourir » (*synerchesthai*: 1/3/2/2/17); « guérir de » (*therapeuein* construit avec *apo*: 0/0/5/0/0); « maladie » (*astheneia*: 1/0/4/2/1). – Au v. 16, la formule « mais lui » (*autos de*: 2/2/9/1/1); « se retirer » (*hypochôrein*, ici et Lc **9** 10 dans tout le NT); construction périphrastique *èn hypochôrôn* (« se tenait retiré »), très fréquente chez Lc; le thème de la prière de Jésus est également très lucanien. – Au v. 17, le verbe « faire des guérisons » (*iasthai*: 4/1/11/3/4). L'ensemble est donc de rédaction lucanienne; comme on l'a dit plus haut, l'ultime Rédacteur lucanien reprend au Mc-intermédiaire le double thème de Jésus au désert et des foules qui viennent à lui, mais il l'amplifie en s'inspirant du « sommaire » de Lc **6** 17-19, et il marque le tout de son propre style.

NOTE SUR LES §§ **40-45**

Mc **2** 1 à **3** 6 (§§ 40-45), suivi par Lc, donne une série de cinq controverses opposant Jésus à divers interlocuteurs, surtout des scribes et des Pharisiens, série dans laquelle est inséré le récit de la vocation du publicain (§ 41). Cette série se trouve coupée en deux chez Mt : §§ 90-93 d'une part, 112-113 d'autre part. On dit souvent que Mc aurait inséré dans la trame de son évangile ce bloc de cinq controverses qu'il aurait déjà trouvé comme un ensemble homogène et indépendant. Cette hypothèse est partiellement vraie, mais demande à être nuancée et complétée. Nous résumons ici les conclusions des analyses qui seront menées aux notes §§ 40-45.

1. Les trois controverses des §§ 42-44 sont liées par un certain nombre de traits communs. Ce sont *essentiellement* des controverses, i.e. des récits centrés sur un fait qui suscite par lui-même une controverse : repas avec des pécheurs (§ 42), manger tandis que d'autres jeûnent (§ 43), endommager le bien d'autrui (§ 44). Elles portent sur le comportement de Jésus (§ 42), mais davantage sur celui des disciples (§§ 43, 44) et, même au § 42, c'est aux disciples et non à Jésus que les opposants adressent des reproches. Le problème envisagé est d'ordre social : relations avec les publicains, non-respect d'une coutume de jeûne, non-respect de la propriété d'autrui. Dans les trois cas, il s'agit d'une question de nourriture. Enfin, la structure est la même : énoncé du fait qui va motiver la controverse (Mc **2** 15b.18a.23 et par.), reproche adressé sous forme de question introduite par « pourquoi? » (Mc **2** 16. 18b.24), réponse de Jésus faisant appel, soit à des proverbes

populaires (Mc **2** 17a.19), soit à un précédent tiré de l'Écriture (Mc **2** 25s.). Ainsi, sous leur forme primitive, ces trois controverses des §§ 42-44 sont étroitement liées et doivent avoir même origine. On pourrait penser qu'elles proviennent d'un recueil de controverses tel que pouvaient en emporter les prédicateurs de l'évangile.

2. Repris dans le Document A, ce groupement de trois controverses reçut certaines modifications. On lui adjoignit deux controverses nouvelles : une au début (guérison du paralytique, § 40) et une à la fin (guérison de l'homme à la main sèche, § 45). Ces deux nouvelles controverses se distinguent en effet des trois controverses centrales en ce que les événements racontés ne sont pas par eux-mêmes des controverses, mais des miracles; ils ne sont des controverses qu'en raison de circonstances annexes : en guérissant le paralytique, Jésus s'arroge le pouvoir de déclarer que ses péchés lui sont remis; Jésus guérit l'homme à la main sèche un jour de sabbat, ce qui était interdit par la Loi. L'analyse littéraire montre d'ailleurs que le thème de la rémission des péchés (Mc **2** 2c-5) fut ajouté à un récit de miracle plus simple (§ 40), et que le récit primitif de la guérison de l'homme à la main sèche ne se faisait pas un jour de sabbat : ce sont deux miracles qui ont été « habillés » en controverses. Ce changement a dû être effectué au moment où ces deux récits de miracles sont venus grossir le groupe primitif des trois controverses, donc au niveau du Document A. – L'analyse littéraire montre aussi que la quatrième controverse a changé de « pointe »; le reproche d'avoir pris des épis pour apaiser

sa faim s'est changé en reproche de l'avoir fait le jour du sabbat. Ce changement a même origine que celui qui a affecté le récit du § 45 puisqu'il pose lui aussi le problème de l'observation du repos sabbatique ; il s'est donc effectué au niveau du Document A. .

La transformation de l'épisode des épis arrachés (§ 44) et de la guérison de l'homme à la main sèche (§ 45) en controverses concernant le sabbat suppose un milieu où, sans abolir la loi du repos sabbatique, on cherchait simplement à l'observer de façon plus humaine ; il s'agirait donc d'un milieu judéo-chrétien. Ce même milieu aura changé la guérison du paralytique en controverse concernant la remise des péchés. Par ailleurs, l'augmentation du nombre des controverses de façon à en obtenir cinq est significatif. Ce chiffre de cinq est en effet traditionnel dans le judaïsme : cinq livres dans le Pentateuque, cinq dans le recueil des Psaumes, cinq dans l'ouvrage de Jason de Cyrène (2 M **2** 23), cinq Megilloth dans le canon juif des Écritures (Cantique, Ruth, Lamentations, Ecclésiaste, Esther) ; on retrouve cet intérêt pour le chiffre cinq dans la tradition matthéenne : cinq discours (Mt **5-7** ; **10** ; **13** 1-52 ; **18** ; **24-25**) terminés par la même formule : « Et il arriva, quand Jésus eut terminé ces discours... » (**7** 28 ; **11** 1 ; **13** 53 ; **19** 1 ; **26** 1), cinq épisodes dans l'évangile de l'enfance (**1** 18-25 ; **2** 1-12 ; **2** 13-15 ; **2** 16-18 ; **2** 19-23), cinq pains pour cinq mille personnes (§ 151, de tradition matthéenne), cinq vierges folles et cinq vierges sages (§ 305), cinq talents (§ 306). – Ce sont toutes ces raisons, apologétiques ou littéraires, qui invitent à placer les divers remaniements des trois controverses primitives au niveau du Document A, émané de milieux judéo-chrétiens et de tradition matthéenne.

3. En reprenant le Document A, le Mt-intermédiaire ajoute les deux logia sur le Fils de l'homme, l'un dans le récit de la guérison du paralytique (Mt **9** 6a, § 40), l'autre dans la controverse sur les épis arrachés (Mt **12** 8, § 44). C'est lui qui ajoute aussi les logia sur le vieux et le neuf (Mt **9** 16-17)

dans la controverse sur le jeûne (§ 43) et un argument nouveau dans la controverse sur les épis arrachés (Mt **12** 5-6).

4. Le Mc-intermédiaire reprend les cinq controverses directement au Document A, mais il intercale le récit de la vocation du publicain (§ 41), en provenance d'ailleurs du Document A, entre la première et la deuxième controverses ; cette vocation d'un publicain permettait d'illustrer de façon encore plus concrète l'attitude de Jésus envers les publicains, thème de la seconde controverse (§ 42). C'est le Mc-intermédiaire qui a ménagé une transition entre les récits des §§ 41 et 42 (Mc **2** 15a), et ajouté le logion de Mc **2** 17c à la fin de la seconde controverse, qui renvoyait clairement à l'épisode nouvellement inséré de la vocation du publicain. C'est également le Mc-intermédiaire qui a ajouté le logion de Mc **2** 20 dans la controverse concernant le jeûne (§ 43), logion qui avait pour but de justifier la coutume de jeûner, reprise dans l'Église.

5. Outre des retouches littéraires, les ultimes Rédacteurs matthéen et marcien ont harmonisé les différents récits, Mt ajoutant au texte du Mt-intermédiaire les additions effectuées au niveau du Mc-intermédiaire, Mc ajoutant au texte du Mc-intermédiaire les additions effectuées au niveau du Mt-intermédiaire.

6. Les contacts de Lc, tantôt avec Mt contre Mc, tantôt avec Mc contre Mt, obligent à distinguer deux niveaux dans son texte : celui du proto-Lc, en dépendance du Mt-intermédiaire, et celui de l'ultime rédaction lucanienne, qui révise le proto-Lc en fonction du Mc-intermédiaire.

7. Notons pour terminer que la place actuelle des cinq controverses doit être attribuée au Mc-intermédiaire, d'où elle sera passée dans l'ultime rédaction lucanienne. C'est l'ultime Rédacteur matthéen qui a coupé en deux le bloc des cinq controverses, qu'il trouvait encore intact dans le Mt-intermédiaire (§§ 90-93 et 112-113).

Note § **40.** *LE PARALYTIQUE PARDONNÉ ET GUÉRI*

Cet épisode se lit dans les trois Synoptiques. Dans Mt, il est le second d'une série de dix miracles, groupés artificiellement par l'évangéliste ; dans Mc et Lc, il constitue le début d'une série de cinq controverses de Jésus avec les Pharisiens ou les scribes. Son unité littéraire a souvent été contestée, soit que l'on ait tenu le logion sur le Fils de l'homme (Mc **2** 10 et par.) comme une addition, soit que l'on ait considéré toute la section médiane, concernant le thème de la rémission des péchés (vv. 5-10 de Mc et par.), comme une insertion dans un récit plus simple racontant la guérison d'un paralytique. Les analyses suivantes vont

essayer de reconstituer la genèse littéraire de cet épisode.

I. LE MIRACLE LUI-MÊME

1. Si l'on fait abstraction de la partie centrale du récit complet, concernant la rémission des péchés, on obtient un récit parfaitement cohérent et qui correspond à un schéma classique de guérison de paralytique, utilisé encore en Jn **5** 5 ss. et Ac **9** 33 ss. ; un tel schéma est surtout perceptible dans la version matthéenne du récit :

Mt 9	Jn 5	Ac 9
2a Et voici on lui apportait	Or il y avait là un homme	Or il trouva là un homme du nom d'Énée
un paralytique	qui était malade depuis 38 ans en le voyant gisant	depuis 8 ans gisant sur un grabat qui était paralysé
étendu sur une couche		
et Jésus voyant leur foi dit au paralytique	Jésus lui dit : « Veux-tu recouvrer la santé ? »	et Pierre lui dit : « Énée, Jésus-Christ te guérit
. . . .	. . . .	
6b (il dit au paralytique) : « Lève-toi prends ta couche et va dans ta maison »	Jésus lui dit : « Lève-toi prends ton grabat et marche » et aussitôt il recouvra la santé et prit son grabat et marchait.	lève-toi fais toi-même (ton lit) » et aussitôt il se leva
7 et se levant il s'en alla dans sa maison 8 en voyant cela...		
		et le virent tous les habitants de Lydda...

Ce schéma est très simple : description du malade et de sa maladie, commandement de Jésus (Pierre) au malade, le malade obéit et se trouve guéri, réaction des assistants. Le récit des Actes donne le schéma sans aucune addition importante; Jn ajoute une réflexion du malade (v. 7 = les points de suspension) liée au fait que le miracle est localisé à la piscine du Bézétha; Mt contient en plus du schéma tout un développement sur la rémission des péchés (vv. 2c-6a) qui apparaît comme un ajout, avec la suture rédactionnelle marquée par la reprise de l'expression « il dit au paralytique ». Il est étonnant d'ailleurs que les scribes apparaissent brusquement en Mc 2 6 (cf. Mt) et disparaissent en Mc 2 12 (cf. Mt/Lc), verset qui ne tient pas compte du thème de la rémission des péchés (sauf en Mt), et où l'admiration des foules est typique des récits de miracles (cf. Mc 5 42; 6 51; Lc 7 16; 13 13; 17 15; 18 43).

2. Avant d'être augmenté du thème de la rémission des péchés, qui lui donne une intention apologétique, et d'être joint aux quatre polémiques des §§ 42-45, ce récit a dû faire partie d'un recueil de miracles de forme très schématique. On peut le déduire des remarques suivantes :

a) Ce récit offre des analogies de structure indéniables avec le récit de la résurrection de la fille de Jaïre (§§ 94 et 143; en Mc 5, les mots placés entre crochets sont probablement des harmonisations faites par l'ultime Rédacteur marcien; cf. note § 143, I A 2 d) :

Mc 2	Mc 5
5 (il) dit au paralytique : « Enfant...	41 il lui dit : « Fillette
11 ... je te (le) dis lève-toi prends ton grabat et va dans ta maison. ».	[je te (le) dis] lève-toi. »
12 Et il se leva et aussitôt prenant son grabat il sortit devant tous de sorte que tous étaient stupéfaits.	42 Et aussitôt la fillette se leva [et elle marchait] et ils furent stupéfaits.

On se trouve devant deux récits de facture littéraire semblable, et donc ayant vraisemblablement même origine.

b) Or il est remarquable que Ac 9 32-43 donne à la suite deux récits, dont l'un est une guérison de paralytique ayant même schéma que le récit de Mc 2 5 ss. (cf. *supra*) et dont l'autre est une résurrection de mort qui a même schéma que celui de Mc 5 22 ss. (voir note § 143). D'ailleurs, même dans la tradition synoptique, les récits de la guérison du paralytique et de la résurrection de la fille de Jaïre sont liés : l'un et l'autre suivent immédiatement le récit du possédé de Gérasa (§§ 89 et 142), soit dans Matthieu (guérison du paralytique, § 90), soit dans Mc (résurrection de la fille de Jaïre, § 143). Le recueil de miracles ne donnait-il pas à la suite ces trois miracles ?

3. Pour beaucoup de commentateurs, Mc donnerait le récit

sous sa forme la plus primitive; Mt et Lc dépendraient de Mc, Mt ayant d'ailleurs simplifié sa source pour en éliminer tous les détails pittoresques, spécialement la descente du malade par le toit de la maison (Mc **2** 4). La comparaison avec Jn **5** et Ac **9** invite à donner une conclusion différente. Puisque le schéma-type de ce genre de récits se retrouve plus pur dans Mt que dans Mc, c'est que Mt a gardé la tradition la plus primitive, tandis que Mc a surchargé le récit primitif de détails anecdotiques. On reviendra plus loin sur les rapports littéraires entre les trois Synoptiques.

II. LA RÉMISSION DES PÉCHÉS

On vient de le voir, le développement sur la rémission des péchés (Mt **9** 2c-6a) est un ajout au récit primitif de la guérison du paralytique. Mais même l'unité littéraire de cet ajout doit être mise en question. Il est clair en effet que la parole concernant le Fils de l'homme, en Mt **9** 6a, fait l'effet d'un corps étranger : le « Or, pour que vous sachiez... » reste en l'air, sans être rattaché à un verbe principal. Il est donc probable que cette parole sur le Fils de l'homme est une addition au thème de la rémission des péchés (cf. Ch. P. Ceroke); si on l'enlève, le passage du v. 5 de Mt au v. 6b n'offre plus aucune difficulté.

1. L'addition du thème de la rémission des péchés (abstraction faite du logion de Mt **9** 6a) fut effectuée dans la tradition matthéenne, plus précisément au niveau du Document A (cf. note §§ 40-45, 2). Un détail littéraire le confirme :

La formule « tes péchés » (*sou hai hamartiai :* vv. 5b et 9 de Mc, 2c et 5 de Mt), dans laquelle le pronom au génitif est placé *avant* le nom qu'il détermine, est nettement matthéenne; une telle construction grammaticale est en effet fréquente chez Mt, tandis qu'on ne la lit ailleurs dans Mc qu'en **10** 37.

2. *Le logion sur le Fils de l'homme* (Mt **9** 6).

a) Il est l'écho de plusieurs passages du prophète Daniel. Le premier qui doit entrer en considération est Dn **7** 13-14 (A. Feuillet) : « Voici, venant sur les nuées du ciel, comme un Fils d'homme... A lui fut donnée puissance (*exousia*)... sa puissance est puissance à jamais. » Dans Mt **9** 6 et par. comme dans Dn **7** 13 s., le Fils de l'homme reçoit de Dieu une « puissance »; dans Dn, il s'agit de l'empire sur toute la terre, de la royauté eschatologique; dans les Synoptiques, du pouvoir de remettre les péchés; mais le passage d'un thème à l'autre était facile, comme on le verra plus loin. On notera que ce rapprochement entre les deux textes est surtout sensible avec la Septante (Théodotion, par exemple, traduit « puissance » par *archè* et non par *exousia*).

b) Mais il faut se référer encore et surtout à Dn **4** 14.22.29, selon la traduction de la Septante (vv. 17.27.31, la numérotation des versets étant différente de celle du texte araméen). Le texte araméen de ces trois passages est presque identique, sauf un simple changement de personne : « ... jusqu'à ce que sache tout vivant que puissant est le Très-Haut sur le royaume des hommes; il le donne à qui il lui plaît » (Dn **4** 14; cf. Lc **4** 6). La Septante grecque prend de grandes libertés et donne au contraire les trois passages sous une forme assez différente; comparons-les avec Mt **9** 6 :

Mt **9** 6	Dn **4** 31	Dn **4** 27	Dn **4** 17
« Pour que vous sachiez	« Pour que tu saches		Jusqu'à ce que il sache que le Seigneur du ciel
qu'a pouvoir le Fils de l'homme	qu'a pouvoir le Dieu du ciel	Le Seigneur vit dans le ciel et son pouvoir (s'étend)	a pouvoir sur tout ce qui est au ciel
sur la terre	sur le royaume des hommes... »	sur toute la terre	et sur la terre...
de remettre les péchés... »		prie-le au sujet de tes péchés et rachète tes iniquités par des aumônes...	

Le début de Mt **9** 6a est très proche de Dn **4** 31, avec changement de « Dieu du ciel » en « Fils de l'homme », en accord avec Dn **7** 13 s. (c'est le Fils de l'homme qui reçoit le « pouvoir » de Dieu). Cette influence littéraire de Dn **4** 31 expliquerait le difficile « pour que vous sachiez... » des Synoptiques, construit en porte-à-faux. Le thème du « pouvoir sur la terre » se lit dans les Synoptiques et dans Dn **4** 17.27. Quant au thème du pardon des péchés, c'est celui de Dn **4** 27; sans doute, dans Dn, le « pouvoir » de Dieu est de changer les

empires, et non immédiatement de remettre les péchés, mais une transposition était facile à effectuer puisque Dieu restitue son empire à Nabuchodonosor après lui avoir remis ses péchés en raison des aumônes qu'il a faites. Dans les Synoptiques, le thème du pardon des péchés prend le pas sur celui de la restitution de l'empire, mais on doit comprendre que pour obtenir le royaume de Dieu, il faut que nos péchés nous aient été pardonnés par Dieu (cf. 2 M **12** 38-46).

c) Les principaux thèmes du logion de Mt **9** 6 et par. se retrouvent ailleurs dans Mt. On se reportera spécialement à Mt **28** 18 : « Toute puissance m'a été donnée dans le ciel et sur la terre », qui combine probablement Dn **7** 14 et Dn **4** 17 (cf. *supra*). Pour le thème de la rémission des péchés, on se reportera, non seulement à Mt **26** 28, mais encore à Mt **16** 19 et **18** 18 qui semblent étendre aux chefs des communautés chrétiennes le pouvoir accordé au Fils de l'homme en Mt **9** 6a (cf. **9** 8b !). Ce logion sur le pouvoir donné au Fils de l'homme de remettre les péchés a dû être élaboré dans la tradition matthéenne.

III. L'INTRODUCTION DU RÉCIT

Elle diffère beaucoup selon chacun des Synoptiques.

a) *Dans Mt*, l'épisode du paralytique fait suite à celui du possédé de Gadara (§ 89) ; comme cette expulsion de démons avait lieu à l'est du lac de Tibériade, Mt doit faire revenir Jésus vers la rive ouest (**9** 1a) puisque la guérison du paralytique se fait « dans sa ville », i.e. à Capharnaüm. Cet enchaînement des deux épisodes existait déjà dans le Mt-intermédiaire puisque, vers la fin de l'épisode du possédé de Gadara, Lc **8** 37c a la même formule que Mt **9** 1a : « Or lui, étant monté en barque, s'en retourna » (Lc change simplement le « il traversa » de Mt en « s'en retourna », introduisant le verbe *hypostrephein* typique de son style).

b) *Dans Mc*, les vv. 1 et 2 sont probablement une création du Mc-intermédiaire. Après avoir raconté la journée-type du ministère de Jésus à Capharnaüm (Mc **1** 21-38), le Mc-intermédiaire insère l'épisode de la guérison d'un lépreux (Mc **1** 40-45) sans nous dire où se situa cette guérison, mais sûrement hors de Capharnaüm (cf. Mc **1** 39) ; le Mc-intermédiaire est donc obligé de nous indiquer le retour de Jésus à Capharnaüm (**2** 1a), ville où se passe la guérison du paralytique. La fin du v. 1 et le v. 2 ont pour but de préparer le détail anecdotique du v. 4 : Jésus se trouve dans une maison (v. 1b) et il y a une telle foule autour de lui que la porte en est obstruée (v. 2) ; ceux qui apportent le paralytique seront donc obligés de le faire descendre par un trou pratiqué dans le toit de la maison (v. 4). Puisque, on l'a vu en I 3, ce détail anecdotique fut ajouté par Mc (le Mc-intermédiaire, puisqu'il est connu de Lc, cf. *infra*), il faut en dire autant des vv. 1b-2 : ils sont du Mc-intermédiaire. Il est possible toutefois que la finale du v. 2 : « et il leur disait la parole », soit de l'ultime Rédacteur marco-lucanien ; cette expression *(lalein ton logon)* ne se lit ailleurs dans Mc qu'en **8** 32 où, ignorée de Mt/Lc, elle est probablement de l'ultime Rédacteur marco-lucanien, tandis qu'on la trouve sept fois dans les Actes (avec ou sans le déterminatif « de Dieu »).

c) *Dans Lc.* Puisque le proto-Lc suivait le Mt-intermédiaire pour l'épisode du possédé de Gadara (voir note § 142), il devait avoir aussitôt après le récit de la guérison du paralytique, comme dans le Mt-intermédiaire. C'est sous l'influence du Mc-intermédiaire que l'ultime Rédacteur lucanien déplaça ce récit et le mit à la suite de l'épisode de la guérison d'un lépreux (§ 39). Ayant déjà utilisé Mt **9** 1 en **8** 37c, Lc compose

une nouvelle introduction au récit de la guérison du paralytique (**5** 17). Pour cela, il s'inspire très librement de Mc : mention du mot « jours » et thème des *scribes* (et des Pharisiens) *assis* autour de Jésus (cf. Mc **2** 6) ; mais surtout, il reprend les éléments d'un « sommaire » commencé à la fin du récit précédent (Lc **5** 15) et qui a son parallèle en Lc **6** 17-19 (voir note § 39, II 3).

IV. ÉVOLUTION LITTÉRAIRE DU RÉCIT

Il est possible maintenant de reconstituer l'évolution littéraire de ce récit.

1. A l'origine, on avait un récit très simple racontant la guérison par Jésus d'un paralytique, dont le schéma stéréotypé (vv. 2ab.6b.7 - 8a de Mt) se retrouve dans d'autres récits de guérison de paralytique (cf. I 1). Un tel récit faisait partie d'un recueil de miracles utilisé par les missionnaires chrétiens (I 2) pour faire connaître le pouvoir de thaumaturge de Jésus.

2. Repris dans le Document A (de tradition matthéenne), ce récit fut augmenté de toute une section traitant du problème de la rémission des péchés (vv. 2c-5 de Mt). Le miracle prend alors une valeur de « signe » : puisque Jésus peut guérir un paralytique, et donc forcer les lois de la nature à l'égal de Dieu, il peut également déclarer que les péchés du paralytique lui sont remis, même si une telle déclaration ne peut être faite que par Dieu. Ce thème de la rémission des péchés est traité ici sous forme de controverse entre les scribes et Jésus (vv. 3-5), ce qui permettait d'adjoindre ce récit à un groupe de controverses déjà existant (§§ 42-44) de façon à obtenir le chiffre de cinq controverses (après addition de la controverse racontée au § 45 ; voir note §§ 40-45). – Mais dans ce Document A, il n'était pas dit explicitement que c'était à Jésus qu'il appartenait de remettre les péchés ; la formule passive utilisée au v. 2c de Mt : « tes péchés sont remis », pouvait indiquer que c'est Dieu lui-même, et non Jésus, qui remet les péchés (cf. 2 S **12** 13), Jésus se contentant de les « déclarer » remis (ce qui pouvait déjà être considéré comme un blasphème). Au niveau du Mt-intermédiaire, on a donc ajouté le logion du v. 6a, dont la formulation littéraire s'inspire fortement de Dn **7** 13 s et surtout **4** 17.27.31 (II 2) : le Fils de l'homme a reçu de Dieu pouvoir, sur la terre, de remettre les péchés. Il est difficile de dire si le v. 1 de Mt (introduction du récit) se lisait déjà dans le Document A ou est du Mt-intermédiaire. – Il faut probablement attribuer à l'ultime Rédacteur matthéo-lucanien le v. 8b : « ... et glorifièrent Dieu d'avoir donné un tel pouvoir aux hommes ». L'expression « glorifier Dieu », en effet, ne se lit ailleurs dans Mt qu'en **15** 31, passage où les influences lucaniennes sont nombreuses (cf. note § 158), jamais ailleurs dans Mc, mais sept fois dans Lc et trois fois dans Ac. La reprise du mot « pouvoir » *(exousia ;* cf. v. 6) indique que la perspective est la même que celle du v. 6 : il s'agit du pouvoir de remettre les péchés ; l'ultime Rédacteur matthéen a donc voulu montrer

que ce pouvoir de remettre les péchés fut conféré par Dieu, non seulement au Fils de l'homme, mais encore à d'autres hommes.

3. Le Mc-intermédiaire reprend ce récit directement du Document A, en même temps que tout le bloc des cinq controverses des §§ 40-45 (cf. note §§ 40-45). Il ajoute au récit primitif le détail pittoresque de son v. 4, ainsi que les vv. 1-2 destinés à lier cet épisode au précédent en même temps qu'à préparer ce détail du v. 4. Outre un certain nombre de retouches littéraires, on attribuera encore au Mc-intermédiaire (cf. le parallèle de Lc) l'addition du v. 7b, destinée à expliquer à des lecteurs non juifs en quoi consiste le « blasphème » dont il est parlé au v. 7a : « Qui peut remettre les péchés, sinon Dieu seul ? » – L'ultime Rédacteur marco-lucanien ajouta au Mc-intermédiaire le logion sur le Fils de l'homme (v. 10), repris du Mt-intermédiaire (avec probablement suppression de la précision « sur la terre »; cf. le registre de critique textuelle du vol. I); il ajouta également au v. 12b l'expression « et glorifiaient Dieu », typique du style de Lc (2/1/7/1/3).

4. On a noté déjà que le proto-Lc, tenant du Mt-intermédiaire l'épisode du possédé de Gadara, devait connaître aussi le récit de la guérison du paralytique sous sa forme matthéenne (cf. *supra*, III c). Ce fait rend compte d'une partie des accords Lc/Mt contre Mc : au v. 18, les mots « et voici » et « sur une couche », comme peut-être aussi l'omission du détail donné par Mc « soulevé par quatre hommes ». Au v. 25, Lc note comme Mt que l'homme guéri « s'en alla dans sa maison », tandis que Mc a : « il sortit devant tout le monde ». Au v. 26, Lc a en commun avec Mt le thème de la « crainte ». Malgré tout, il faut bien reconnaître que, pour l'essentiel, Lc dépend du texte du Mc-intermédiaire et que la rédaction de son récit est due à l'ultime Rédacteur lucanien. Cette double influence sur le récit actuel de Lc (proto-Lc dépendant du Mt-intermédiaire, puis Mc-intermédiaire) est très claire au v. 26, où Lc combine le thème de la « peur » (cf. Mt) avec celui de la « stupeur » (cf. Mc). On notera que, si l'ultime Rédacteur lucanien connaît le détail pittoresque de Mc **2** 4, il le décrit de façon très libre (vv. 18b-19), puisque son vocabulaire diffère presque entièrement de celui de Mc, sauf pour l'expression « à cause de la foule ». Pour ce qui est du v. 17 de Lc, voir *supra*, III c.

Note § **41.** *VOCATION DE LÉVI*

Ce récit, commun aux trois Synoptiques, décrit la vocation d'un douanier (i. e. un « publicain »; cf. Lc **5** 27).

I. ORIGINE DU RÉCIT

1. *Le schéma de vocation.* La vocation du publicain par Jésus est décrite selon un schéma identique à celui de la vocation des premiers disciples (§ 31), qu'on retrouve encore dans la version matthéenne du récit de la guérison de la belle-mère de Simon (§ 34, voir note); ce schéma provient du récit de l'appel d'Élisée par Élie (1 R **19** 19-21; voir note § 31, où ces divers textes sont mis en parallèle). Lc accentue le rapprochement avec l'histoire d'Élisée en précisant que Lévi « quitta tout »; le verbe qu'il utilise (*kataleipô*) est celui de la Septante en 1 R **19** 20 et non celui de Mc **1** 18.20; Lc connaît donc la référence de ce récit à celui de la vocation d'Élisée. Utilisant un schéma analogue à celui des récits des §§ 31 et 34 (Mt), le récit de la vocation de Lévi doit provenir, comme eux, du Document A.

2. *Lien avec le contexte.*

a) Le lien de ce récit avec le récit précédent (guérison du paralytique) est factice. Sans doute, Mc, suivi par Lc, dit que Jésus « sortit », ce qui pourrait se comprendre en ce sens que Jésus « sortit » de la maison où il vient de guérir le paralytique; mais dans le grec du Nouveau Testament, sous l'influence des langues sémitiques, le verbe « sortir »

a souvent le sens de « partir », « s'en aller », et c'est ce sens que lui donne Mc, autrement il aurait précisé « de la maison » Ceci est confirmé par la remarque suivante : au v. 13 de Mc les mots : « Et Jésus sortit... au bord de la mer et toute la foule venait à lui », proviennent d'un « sommaire » que Mc utilisera encore en **3** 7 s. et qu'il a coupé en deux, comme nous le verrons à la note § 47 (III 2 b); il est possible que Mc ait détaché du « sommaire » du § 47 le thème de Jésus se rendant au bord de la mer afin de rappeler la vocation des premiers disciples, qui se passe elle aussi au bord de la mer. Le récit primitif devait donc commencer comme celui de la vocation de Jacques et Jean : « Et, en passant, il vit... » (cf. note § 31, I 3 b; Jn **9** 1). Mt ajoute l'adverbe « par là » ou plus littéralement « de là », qui est de son style (*ekeithen*, 12/5/3/2/4).

b) Le lien avec l'épisode suivant est également factice. Sans doute, Lc dit explicitement que Lévi organisa le festin au cours duquel Jésus va se trouver mêlé aux publicains (Lc **5** 29a), mais c'est là un artifice rédactionnel de Lc qui a voulu unir plus étroitement les trois épisodes des §§ 41-43; il fera de même en **5** 33 : les adversaires de Jésus sont les mêmes dans la deuxième controverse (§ 42) et dans la troisième (§ 43). Dans Mt/Mc, rien ne permet de penser que le repas avec les publicains se tient dans la maison de celui qui vient d'être appelé par Jésus. En fait, cet épisode a été placé avant la seconde controverse (§ 42), en même temps qu'était ajouté le logion de Jésus qui termine cette seconde controverse : « Je ne suis pas venu appeler les justes, mais les pécheurs » (Mc **2** 17b et par.); les « douaniers » ou

« publicains » étaient en effet tenus pour des pécheurs de par leur métier même qui les incitait à toutes sortes d'exactions; on voit dès lors le lien entre Jésus qui « appelle » un publicain et le logion où Jésus affirme qu'il est venu appeler les pécheurs. On verra à la note § 42 (I 1 d) que c'est le Mc-intermédiaire qui a ajouté le second logion du § 42; c'est donc lui qui a inséré avant la deuxième controverse l'épisode de l'appel de Lévi. Du Mc-intermédiaire, cet arrangement est passé dans les ultimes rédactions matthéenne et lucanienne. Sur ce problème, voir encore la note §§ 40-45. – Il est impossible de préciser quel était le contexte de ce récit dans le Document A et dans le Mt-intermédiaire.

II. LE NOM DU PUBLICAIN

Il est difficile de savoir quel était le nom de ce publicain appelé par Jésus.

1. Selon Mt, il se serait appelé Matthieu; mais Lc lui donne le nom de Lévi. Le texte de Mc 2 14 n'est pas sûr. La plupart des manuscrits portent « Lévi (fils) d'Alphée »; mais l'ensemble formé par D, une partie du Texte Césaréen, les anciennes versions latines et la tradition syriaque ont « Jacques (fils) d'Alphée ». On rejette d'ordinaire cette leçon comme provenant d'une harmonisation avec Mc 3 18 (§ 49). Il est remarquable cependant que, dans les listes apostoliques

(§ 49), on ne précise le nom d'un apôtre que lorsqu'il peut y avoir confusion : Jacques fils de Zébédée et Jacques fils d'Alphée, Simon-Pierre et Simon le Zélé, Jude fils de Jacques et Judas Iscarioth (Lc 6 16). Même souci lorsqu'il s'agit de nommer les femmes qui assistent à la mort de Jésus ou qui viennent au tombeau : Salomé et Jeanne ne prêtent pas à confusion, mais on précise « Marie de Magdala » et « Marie mère de Jacques et de José » (Mc 15 40; 16 1; Lc 24 10). Selon ce principe, il faudrait lire en Mc 2 14 : « Jacques (fils) d'Alphée », le nom de « Lévi » ayant supplanté celui de Jacques par harmonisation avec Lc.

2. Comment expliquer alors cette multiplicité de noms? On peut se demander si, dans le Document A, ce petit récit de vocation n'aurait pas été anonyme; en faveur de cette hypothèse, on pourra comparer Mt 9 9 : « en passant il vit un homme (assis à la douane) », et Jn 9 1 : « en passant il vit un homme (aveugle de naissance) ». Si le Document A se rattache étroitement à l'apôtre Matthieu, celui-ci aurait tu son nom, par humilité; mais la tradition matthéenne avait gardé le souvenir de la véritable identité du « douanier », et le nom de Matthieu aurait été ajouté, soit au niveau du Mt-intermédiaire, soit au niveau de l'ultime rédaction matthéenne. Les ultimes Rédacteurs marcien et lucanien n'ont pas voulu laisser ce « douanier » anonyme, mais il n'est pas possible de voir pour quelle raison ils ont choisi les noms de Jacques (fils) d'Alphée et de Lévi.

Note § **42**. *REPAS AVEC DES PÉCHEURS*

Cet épisode forme la deuxième des cinq controverses données en Mc 2 1 - 3 6; il est raconté par les trois Synoptiques et l'on en trouve une version plus simple dans le papyrus Oxyrh. 1224 (vol. I, 3e registre).

I. PROBLÈMES LITTÉRAIRES

1. *Lien avec l'épisode précédent.*

a) Dans Mc, l'introduction du récit contient une anomalie. La première partie (v. 15a) suppose connu celui dont on parle : « ... *il* est à table dans *sa* maison », alors qu'en fait on ne peut dire si les pronoms *auton* (« il ») et *autou* (« sa ») désignent Jésus ou le publicain qu'il vient d'appeler à sa suite; en revanche, la seconde partie (v. 15b) présente les acteurs : publicains, pécheurs, Jésus, les disciples, comme si on ne les connaissait pas encore. Le récit primitif commençait donc en Mc 2 15b : « De nombreux publicains et pécheurs, etc. » Deux indices littéraires le confirment : le changement de verbe signifiant « être à table » (*katakeimai-sysanakeimai*) et le désaccord entre le présent « il arrive » et l'imparfait « ils étaient à table ». On notera comment Lc a su habilement faire disparaître ces heurts. – Le texte de Mt contient la même difficulté, aggravée d'une anomalie gram-

maticale. Il commence par ces mots : « Il arriva, comme il était à table dans la maison, et voici... » Or, si l'expression « et voici » (*kai idou*) est très fréquente chez Mt, elle se trouve toujours en début de phrase; il faut donc en conclure que les mots : « Et il arriva, comme il était à table dans la maison », sont un ajout au texte primitif de Mt. Les vv. 15a de Mc et 10a de Mt, qui se correspondent, ont donc été ajoutés au récit primitif.

b) L'épisode se termine par une double conclusion dont les deux parties ne sont pas homogènes. La réponse de Jésus à ses censeurs est directe en Mc 2 17a et par.; en termes imagés, il signifie aux membres du parti des Pharisiens qu'ils n'ont pas besoin de lui, tandis que d'autres, les mal-portants, ont besoin d'un médecin. En Mc 2 17b et par., au contraire, nous avons une thèse théologique où il est question de « justes » et de « pécheurs ». De plus, alors que dans le corps du récit les rapports de Jésus avec les pécheurs sont occasionnels (le fait que ces gens mangent avec Jésus ne signifie pas une adhésion au groupe des disciples), en Mc 2 17b il est question de les « appeler », et il semble difficile de ne pas entendre le verbe au sens fort : un appel à devenir disciple. On doit donc considérer le logion de Mc 2 17b et par. comme un ajout.

c) L'addition des vv. 15a de Mc et 10a de Mt, celle du logion final (Mc 2 17b et par.), ont le même but : établir un lien étroit entre ce repas avec des pécheurs et la vocation du « douanier » racontée juste avant (§ 41). Le v. 15a de Mc (cf. Mt) est une simple cheville rédactionnelle dans laquelle l'expression « sa maison » désigne la maison du « douanier » appelé par Jésus, comme l'a compris Lc. Quant au v. 17b, il renvoie évidemment au récit de la vocation de ce « douanier » (publicain) que l'opinion publique tenait pour « pécheur » du fait même du métier qu'il exerçait. Le lien entre les §§ 41 et 42 est donc secondaire.

d) Qui est responsable de ce lien? Dans Mt, il s'agit certainement de l'ultime Rédacteur. La formule « et il arriva » (*kai egeneto*) ne se lit ailleurs dans Mt que dans la phrase stéréotypée qui termine chacun des cinq discours (**7** 28; **11** 1; **13** 53; **19** 1; **26** 1), phrase qui est de l'ultime Rédacteur matthéen. Par ailleurs, ce *kai egeneto* est suivi ici d'un génitif absolu (*autou anakeimenou*, « comme il était à table »); or une telle construction grammaticale, ignorée de Mc et de Jn, se lit encore en Lc **2** 2; **9** 37; **11** 14; **20** 1 et Ac **16** 16; elle doit donc être de l'ultime Rédacteur matthéo-lucanien. – Dans Mc, le lien entre les deux épisodes a pu se faire au niveau du Mc-intermédiaire (d'où il serait passé dans l'ultime rédaction matthéenne). Il est vrai que la construction grammaticale *ginesthai* + infinitif est surtout lucanienne (0/2/5/0/16), mais on va la retrouver un peu plus loin dans Mc (**2** 23), et Lc/Ac n'ont jamais cette construction grammaticale avec le verbe *ginesthai* au présent, comme ici; or on sait que le présent historique est assez typique du style de Mc. Par ailleurs, le verbe « être à table » (*katakeisthai*) de Mc **2** 15a se retrouve en Lc à la fin du v. 29, et l'on verra que Lc dépend ici entièrement du Mc-intermédiaire. Ce serait donc le Mc-intermédiaire qui aurait inséré l'épisode de la vocation du publicain (§ 41) dans la trame des cinq controverses héritées du Document A; ce serait lui qui, pour mieux assurer le lien entre les §§ 41 et 42, aurait ajouté Mc **2** 15a et 17b. Du Mc-intermédiaire, ces ajouts sont passés dans les ultimes rédactions matthéenne et lucanienne.

2. *Rapports entre les divers récits.* Le récit du repas de Jésus avec les pécheurs se lisait déjà dans le Document A, de tradition matthéenne, dans le groupement des cinq controverses de Jésus avec les scribes et les Pharisiens (cf. note §§ 40-45). L'appartenance de ce récit à la tradition matthéenne, et non marcienne, est confirmée ici par un fait significatif. Les « publicains » n'apparaissent qu'ici dans Mc tandis qu'il est question d'eux en 6 circonstances différentes dans Mt et 5 fois dans Lc; du reste, le couple « publicains et pécheurs » ne se lit pas ailleurs si ce n'est dans les deux textes parallèles de Mt **11** 19 et Lc **7** 34 (cf. encore Lc **15** 1, mais probablement en dépendance du présent récit). Il est difficile de préciser les modifications stylistiques apportées par le Mt-intermédiaire ou le Mc-intermédiaire (en dehors de l'addition, chez Mc, des vv. 15a et 17b). En revanche, un certain nombre de traits attribuables aux ultimes Rédacteurs sont facilement discernables.

a) La citation de Os **6** 6, en Mt **9** 13a, avec son introduction, est certainement de l'ultime Rédacteur matthéen; il ajoutera la même citation dans l'épisode des épis arrachés (Mt **12** 7, note § 44).

b) On attribuera à l'ultime Rédacteur marcien deux additions ignorées de Mt et de Lc. La première (fin du v. 15) commence par un « car ils étaient... » (*èsan gar*) fréquent chez Mc; la seconde (v. 16a : « ayant vu... publicains ») correspond à un phénomène qu'on rencontre encore en Mc **2** 18 : il décrit une situation avant de poser une question concernant cette situation, alors que le parallèle de Mt n'a pas cette description; il semble plus normal de conclure à des additions de l'ultime Rédacteur marcien plutôt qu'à des suppressions de Mt et de Lc.

c) Lc ne semble dépendre ici que du Mc-intermédiaire et le récit serait donc tout entier de l'ultime Rédacteur lucanien. Il n'offre qu'un contact positif avec Mt : l'expression « pourquoi » rendue par *dia ti* au lieu de *hoti* chez Mc (v. 30b de Lc); mais cet accord Mt/Lc contre Mc peut s'expliquer comme un souci identique d'éviter le difficile *hoti* de Mc. En revanche, les accords Lc/Mc contre Mt sont relativement nombreux. Au v. 29 de Lc, addition du possessif au mot « maison »; même verbe *katakeisthai* pour dire « être à table » (Mt a *anakeisthai*). Au v. 30, la formule « les Pharisiens et leurs scribes » est une transformation de l'expression marcienne « les scribes des Pharisiens », qui ne se lit jamais ailleurs dans les évangiles; au même verset, on notera l'accord Lc/Mc sur l'omission des mots « votre maître ». Au v. 31, Lc a la même conjonction que Mc pour introduire la phrase : « et » (*kai*, mais *de* dans Mt); comme Mc, il explicite le sujet du verbe : « Jésus »; comme Mc encore il ajoute un pronom après le verbe « dire ». – On a signalé déjà comment Lc évitait les heurts de Mc **2** 15 en remaniant considérablement le texte de sa source.

3. *Un récit archaïque.* On lit dans le papyrus Oxyrh. 1224 un récit analogue à celui de Mc **2** 15 ss. et par. (mais il en manque le début). La principale divergence de ce récit d'avec celui des Synoptiques est l'absence des disciples qui ne sont même pas nommés; dans les Synoptiques au contraire, non seulement les disciples prennent part au banquet offert à Jésus (Mc **2** 15b et par.), mais c'est à eux que les mécontents s'adressent pour exprimer leur désapprobation. Cette présence des disciples et le rôle qu'ils jouent dans l'épisode remontent certainement au Document A, car les disciples vont encore tenir une place essentielle dans les deux controverses suivantes. Le récit du papyrus Oxyrh. 1224 donne donc une version de l'épisode plus archaïque que celle du Document A, sans qu'il soit possible d'en préciser l'origine.

II. LES DIVERSES FORMES DU RÉCIT

Il est possible maintenant de reconstituer les diverses formes du récit et de préciser l'évolution théologique qu'il a subie.

1. La forme la plus archaïque du récit se lit dans le papyrus Oxyrh. 1224 (cf. vol. I). La trame en est très simple : Jésus mange en compagnie de pécheurs; des scribes et des Pharisiens s'en scandalisent; Jésus se justifie en faisant appel à un proverbe populaire : « Les gens bien-portants n'ont pas

besoin de médecin, mais les mal-portants. » Pour comprendre cette controverse qui ne pouvait intéresser que des milieux judéo-chrétiens, il faut la replacer dans son contexte religieux. « Sous le nom de 'pécheurs' on désignait soit ceux qui avaient une conduite immorale (adultères, menteurs, cf. Lc **18** 11), soit ceux qui exerçaient des professions 'déshonnêtes' (i. e. des professions qui, de façon notoire, portaient à la dépravation ou à la malhonnêteté); on leur retirait leurs droits civiques...; c'était le cas des publicains, des collecteurs d'impôts, des bergers, des âniers, des colporteurs, des tanneurs » (J. Jeremias). Mais le contact de tels gens, en particulier les repas pris en commun, était prohibé par le parti rigoriste des Pharisiens, car on considérait que c'était contracter soi-même une souillure légale que de frayer avec des pécheurs. Jésus rompt avec cette façon de penser pleine d'hypocrisie (cf. Lc **15** 1-2, § 230; **19** 7, § 269), et il se justifie en citant un proverbe dont la signification ne pouvait échapper à ses auditeurs. En agissant comme il le fait, il ne veut pas nier la réalité du péché : les pécheurs restent des malades; mais il entend placer le problème sur un autre plan que ne le faisaient les Pharisiens. Pour lui, les pécheurs ne sont pas des gens contaminés qu'il faut fuir, mais des malades qu'il faut guérir; il refuse de se placer sur le plan légaliste, comme si un contact « physique » pouvait rendre un homme bon ou mauvais (cf. la discussion des §§ 154-155); il voit dans le pécheur l'homme que Dieu poursuit de son amour et veut « guérir » en l'invitant à se convertir (cf. note § 230). C'est cette leçon fondamentale que l'ultime Rédacteur matthéen a voulu mettre en lumière en ajoutant la citation d'Osée **6** 6 (Mt **9** 13a) : en se montrant miséricordieux, Jésus ne fait qu'imiter Dieu.

2. En introduisant dans la controverse les disciples de Jésus, auxquels les Pharisiens adressent leurs reproches, le Document A veut insinuer que le principe invoqué ici par Jésus vaut également pour ses disciples (cf. l'importance des disciples dans les deux controverses suivantes); il a donc une valeur

atemporelle. On veut justifier la politique de miséricorde pratiquée par l'Église primitive envers les pécheurs, politique héritée de Jésus mais que certains rigoristes critiquaient; on discerne dans le récit un parallélisme entre les critiques des Pharisiens adressées aux disciples de Jésus et les critiques de certains rigoristes adressées aux responsables de l'Église primitive.

3. Le logion ajouté par le Mc-intermédiaire en finale du récit (Mc **2** 17b et par.) peut se comprendre dans deux perspectives différentes :

a) Primitivement, il dut avoir une existence indépendante. Il y était question de ceux qui sont « appelés » à faire partie du royaume de Dieu (cf. Mt **22** 3 ss.; **22** 14; **24** 22.24.31). Le paradoxe du logion doit se comprendre au sens ironique : ce ne sont pas ceux qui s'imaginent être justes qui entreront dans le royaume de Dieu, mais ceux qui se reconnaissent coupables devant Dieu, car ceux qui s'imaginent être « justes » (les Pharisiens) s'en tiennent souvent à une « justice » purement extérieure. Sur ce problème, voir les développements de la note § 230, 2 *a*. En ajoutant l'expression « au repentir », Lc **5** 32 enlève la note paradoxale du logion et n'évite pas une certaine banalité.

b) Inséré ici en même temps que l'épisode de la vocation du « douanier » (§ 41), le logion prend une coloration différente : il ne s'agit plus de l'appel au royaume de Dieu, mais d'une façon plus spéciale de l'appel à « suivre Jésus »; c'est comme « pécheur » que le publicain du § 41 a entendu l'appel « suis-moi ». Les rapports entre Jésus et les pécheurs ne sont plus momentanés; ils doivent se poursuivre et se développer, ils amènent à un partage de vie. Il y a là une notion importante de la nature de l'Église : elle est formée de pécheurs. Les noms de « Matthieu » ou de « Jacques fils d'Alphée » (cf. note § 41), donnés au publicain par Mt et Mc, mettent en relief ce à quoi peuvent être appelés les pécheurs à qui Jésus dit de le suivre : devenir apôtres du Christ !

Note § **43.** *QUESTION SUR LE JEÛNE. LE VIEUX ET LE NEUF*

Cet épisode forme la troisième des cinq controverses rassemblées en Mc **2** 1- **3** 6; comme ce bloc de cinq controverses était déjà constitué dans le Document A (cf. note §§ 40-45), la controverse sur le jeûne provient de ce Document A. Mais en se transmettant dans la tradition évangélique, elle a subi des modifications et des amplifications qu'il faut essayer de découvrir.

I. PROBLÈMES LITTÉRAIRES

1. *Le texte de Mc.*

a) Aux vv. 33-35, qui seuls concernent la « question sur le jeûne » proprement dite, Lc n'offre pratiquement aucun contact positif avec Mt contre Mc. En revanche, il s'accorde

avec Mc contre Mt sur plusieurs points. Au v. 33, dans la question qui est posée à Jésus, Lc a : « les disciples de Jean... jeûnent », texte proche de celui de Mc, tandis que Mt a : « nous... jeûnons-nous »; au même verset, il a : « mais les tiens » (*hoi de soi*), ce qui est probablement le véritable texte de Mc (cf. les mss B 127 565). Au v. 34, Lc a « pendant que », avec Mc, tandis que Mt a « tant que ». A la fin du v. 35, Lc ajoute « en ces jours-là », ce qui le rapproche de Mc qui a la même addition, mais au singulier. Lc **5** 33-35 dépend donc du Mc-intermédiaire, comme pour l'épisode précédent, et fut rédigé par l'ultime Rédacteur lucanien. Son témoignage sera précieux pour reconstituer le récit du Mc-intermédiaire.

b) Le récit de Mc commence par cette phrase : « Les disciples de Jean et les Pharisiens étaient en train de jeûner » (v. 18a), qui ne trouve aucun parallèle dans Lc. Une telle phrase se concilie difficilement avec la suite du texte; grammaticalement, ce sont ces mêmes gens qui viennent et demandent à Jésus : « Pourquoi les disciples de Jean et les disciples des Pharisiens jeûnent-ils...? » (v. 18b); mais, dans leur bouche, la reprise « disciples de Jean... disciples des Pharisiens » est impossible ! On aurait attendu un texte analogue à celui de Mt. Il faut donc conclure que le v. 18a est une addition de l'ultime Rédacteur marcien; le Mc-intermédiaire commençait simplement par : « Et (des gens) viennent et lui disent... »; un tel pluriel impersonnel est bien dans la manière de Mc, et expliquerait le texte de Lc qui change ce pluriel impersonnel en attribuant la réflexion scandalisée aux personnages qui étaient déjà en scène dans l'épisode précédent : « Mais eux lui dirent... »

c) La fin du v. 19 de Mc : « tant qu'ils ont l'époux avec eux ils ne peuvent pas jeûner », n'a pas de parallèle dans Lc (ni dans Mt) et ne fait que reprendre les données du v. 19a, avec changement de « pendant que » en « tant que », qui rappelle la formulation matthéenne. Nous sommes devant une addition de l'ultime Rédacteur marcien.

Ces additions des vv. 18a et 19b sont de même ordre que celles qui ont été notées au récit précédent (vv. 15c et 16b de Mc); ce sont de simples additions ou reprises explicatives.

d) Une citation de Mc faite par la Didascalie syriaque (V **12** 6) va nous permettre d'apporter d'autres précisions; la citation est faite en ces termes : « Comme l'a dit notre Seigneur et maître quand on lui demanda : Pourquoi les disciples de Jean jeûnent-ils et les tiens ne jeûnent-ils pas? Il répondit et leur dit : Les compagnons de l'époux ne peuvent pas jeûner pendant que l'époux est avec eux; mais des jours viendront où l'époux leur sera enlevé, et alors ils jeûneront en ces jours-là. » Ce texte suppose des interlocuteurs anonymes (« quand on lui demanda ») et ignore l'addition du v. 19b; il dépend donc vraisemblablement du Mc-intermédiaire et non du Mc actuel. Examinons alors deux autres variantes qu'il offre par rapport au Mc actuel. Tout d'abord, il ne mentionne pas « les disciples des Pharisiens » dans la question posée à Jésus (Mc **2** 18b); or cette mention des Pharisiens semble bien un ajout dans le texte de Lc, rejetée après les verbes « jeûnent... et font des prières » et précédée de l'adverbe « ainsi que »; elle ne devait donc pas se lire dans le Mc-intermédiaire et aurait été ajoutée dans Lc par l'ultime Rédacteur lucanien et dans Mc par l'ultime Rédacteur marco-lucanien. Par ailleurs, à la fin du v. 20 de Mc, la citation de la Didascalie syriaque a « en ces jours-là », comme Lc, tandis que Mc a le singulier. On verra en II que le singulier de Mc répond à un problème très particulier et n'est probablement pas primitif. Le Mc-intermédiaire avait le pluriel, comme Lc.

e) Le cas des vv. 21-22 est plus difficile à trancher. On s'accorde à reconnaître que ces logia sur le vieux et le neuf ont dû avoir une existence séparée avant d'être joints artificiellement à la controverse sur le jeûne. Mais qui est responsable de cette addition? Une analyse du texte de Lc va nous apporter quelque lumière. On a vu qu'aux vv. 33-35 Lc suivait le texte du Mc-intermédiaire; mais il en va autrement aux vv. 36-38 où les accords Lc/Mt contre Mc sont nombreux : « rajouter » (*epiballein*) au lieu de « coudre » (*epiraptein*); au

v. 37, « autrement en effet » (*ei de mè ge*) au lieu de « autrement » (*ei de mè*); addition du verbe « se répandre » à propos du vin, et verbe « être perdu » se rapportant aux autres; au v. 38, addition du verbe « mettre ». Malgré quelques contacts Lc/Mc contre Mt, dus peut-être à des remaniements tardifs de Mt, il semble que Lc suive ici un texte de forme matthéenne et non marcienne. Comment expliquer ce changement? Voici l'hypothèse que nous proposons : l'épisode de la question sur le jeûne, avec l'addition des deux logia sur le neuf et le vieux, se lisait déjà dans le proto-Lc, en dépendance du Mt-intermédiaire. Mais l'ultime Rédacteur lucanien a remplacé ce texte du proto-Lc aux vv. 33-35 par un texte de sa composition dépendant du Mc-intermédiaire. Pourquoi ne l'a-t-il pas fait aux vv. 36-38? Probablement parce que les logia sur le vieux et le neuf ne se lisaient pas dans le Mc-intermédiaire. L'addition de Lc au début du v. 36 : « Or, il leur disait encore une parabole », serait peut-être l'indice que l'ultime Rédacteur lucanien avait conscience du caractère additionel des logia sur le vieux et le neuf : il les aurait lus dans une de ses sources (le proto-Lc) et non dans l'autre (le Mc-intermédiaire). L'addition des logia sur le neuf et le vieux aurait donc été faite au niveau du Mt-intermédiaire, puis serait passée dans l'ultime rédaction marcienne.

Au terme de ces analyses, on peut reconstituer ainsi le récit du Mc intermédiaire :

Et (des gens) viennent et lui disent : « Pourquoi les disciples de Jean () jeûnent-ils mais les tiens ne jeûnent-ils pas? » Et Jésus leur dit : « Est-ce que peuvent jeûner les compagnons de l'époux pendant que l'époux est avec eux? Mais viendront des jours quand l'époux leur sera enlevé; et alors ils jeûneront en ces jours-là. »

2. *Le texte de Mt.* Mis à part le « alors » initial, typique du style de l'ultime Rédacteur matthéen, le texte du Mt-intermédiaire devait avoir à peu près la teneur du texte actuel de Mt. On pourrait expliquer alors comme une influence du Mt-intermédiaire sur l'ultime rédaction marcienne la mention des « disciples de Jean » au v. 18a de Mc, comme aussi la mention des « Pharisiens ». On peut toutefois émettre des doutes sur l'authenticité matthéenne du v. 15b : « Mais viendront des jours quand l'époux leur sera enlevé; et alors ils jeûneront. » On verra plus loin (II) que beaucoup de commentateurs tiennent cette phrase pour un ajout au récit primitif de la tradition synoptique, avec raison semble-t-il. Or ici, l'accord presque parfait entre les vv. 15b de Mt et 20 de Mc est suspect et fait penser à une harmonisation. On notera d'ailleurs le changement de verbe entre les vv. 15a et 15b de Mt : « mener le deuil » (*penthein*), puis « jeûner » (*nèsteuein*), le second seul correspondant au verbe de Mc. Ce léger indice permettrait de penser que le v. 15b de Mt fut ajouté par l'ultime Rédacteur matthéen, sous l'influence du Mc-intermédiaire qui serait responsable de l'addition de cette phrase.

II. LES DIVERSES FORMES DU RÉCIT

1. Dans le Document A, comme dans le Mc-intermédiaire, cet épisode était étroitement lié au précédent. Jésus fait un

bon repas en compagnie de publicains et de pécheurs (§ 42); on lui reproche d'abord de frayer avec des gens impurs (§ 42), puis de festoyer tandis que d'autres jeûnent (§ 43). Jésus aurait donc fait un bon repas juste le jour où certains gens « pieux » observaient un jeûne rigoureux ! On sait que beaucoup de Pharisiens jeûnaient deux fois par semaine (Lc **18** 12), le lundi et le jeudi; les disciples du Baptiste devaient eux aussi se conformer à une coutume semblable; eux seuls étaient en question dans le récit du Document A. Comme dans l'épisode précédent, Jésus répond à ses détracteurs en citant un proverbe dont la forme semble mieux conservée en Mt **9** 15a, avec le verbe moins technique « mener le deuil ». Précisons que cette réponse de Jésus, dans le Document A, ne comportait pas l'addition des vv. 15b de Mt et 20 de Mc. Le sens de la réponse de Jésus est facile à comprendre (J. Jeremias, Haenchen). Il n'y a pas là une allégorie « époux/Messie », car la proposition « pendant que l'époux est avec eux » pourrait primitivement n'être qu'une périphrase pour « pendant les noces » (J. Jeremias); Jésus reprend un proverbe populaire qu'il applique à la situation présente: les disciples participent dès maintenant à la joie messianique, l'avènement du royaume rend inutile la pratique du jeûne, rite de pénitence qui ne se justifiait que dans l'ancienne Alliance. A ceux qui lui reprochent de ne pas jeûner, Jésus répond que le jeûne est une pratique de pénitence périmée puisque les temps messianiques sont arrivés.

2. En reprenant ce récit du Document A, le Mc-intermédiaire y ajoute les paroles attribuées à Jésus au v. 20 : si les disciples ne jeûnent pas tant que l'époux (= Jésus, le Messie) est là, ils devront jeûner à nouveau après le départ, i. e. la mort, de l'époux. Cette addition eut pour but de justifier la pratique du jeûne réintroduite dans l'Église primitive pour éviter les reproches des Juifs. On sait que les premiers chrétiens jeûnaient le vendredi, en souvenir de la mort du Christ; d'où l'allusion à cette mort dans le v. 20 de Mc : « Viendront des jours où l'époux leur sera enlevé, et alors ils jeûneront en ces jours-là. » – L'ultime Rédacteur marcien a remplacé le pluriel « en ces jours-là » par le singulier « en ce jour-là » probablement pour évoquer le jour précis où les chrétiens jeûnaient : le vendredi. On a vu plus haut qu'il fallait attribuer à l'ultime Rédacteur marcien l'introduction du récit (v. 18a), la mention des Pharisiens et de leurs disciples, la reprise pléonastique constituant la fin du v. 19, enfin les logia sur le vieux et le neuf aux vv. 21-22; ces additions ont été faites en partie sous l'influence du Mt-intermédiaire.

3. Le Mt-intermédiaire dépend lui aussi directement du Document A, et ne connaissait pas l'addition du v. 20 de Mc (v. 15b de Mt); la parole de Jésus avait donc encore pour lui son sens primitif : la pratique du jeûne est maintenant périmée. C'est dans cette perspective qu'il joint au récit primitif les deux logia sur le vieux et le neuf (vv. 16-17), qui ont eu probablement au début une existence séparée. Cette opposition entre vieux et neuf fait probablement allusion à l'ancienne Alliance opposée à la nouvelle (cf. Jn **2** 9-10; 2 Co **5** 17), mais il est difficile d'en voir l'application exacte primitive. Dans le contexte actuel, c'est le problème des disciples de Jean qui est en cause : pourquoi s'obstinent-ils à garder des pratiques vieillies, révolues, comme le jeûne ? Pourquoi vouloir rapiécer de vieux vêtements? Il faut faire de l'entièrement neuf : vêtement neuf qui sera solide, outres neuves pour contenir le vin de l'esprit nouveau qu'il apporte. – C'est à l'ultime Rédacteur matthéen qu'il faut attribuer l'addition du v. 15b, reprise au texte du Mc-intermédiaire.

4. Le proto-Lc dépendait ici, comme souvent ailleurs, du Mt-intermédiaire; son texte émerge encore dans les logia des vv. 36-38, mais l'ultime Rédacteur lucanien le remplaça complètement aux vv. 33-35 par un autre texte suivant assez fidèlement celui du Mc-intermédiaire. – C'est probablement à l'ultime Rédacteur lucanien qu'il faut attribuer le logion final du v. 39, qui répond moins à la situation des disciples de Jean mais reflète une expérience personnelle : celle du missionnaire, compagnon de Paul, qui voit les Juifs refuser le vin nouveau de l'évangile sous prétexte que le vin ancien de la loi mosaïque est bon, voire meilleur.

Note § **44.** *LES ÉPIS ARRACHÉS*

Cette quatrième controverse s'ajoute aux précédentes sans aucune attache précise de lieu ni de temps, sinon qu'on est un sabbat et qu'on traverse des moissons. Comme ce bloc de cinq controverses était déjà constitué dans le Document A (cf. note §§ 40-45), l'épisode des épis arrachés doit remonter au moins à ce Document A. Essayons de reconstituer l'histoire de sa transmission.

I. PROBLÈMES LITTÉRAIRES

1. *Le texte de Lc*. Les contacts littéraires entre Lc et Mc contre Mt sont évidents et communément reconnus; ils tra-hissent une dépendance de Lc par rapport à Mc. Mais le texte de Lc contient aussi un assez grand nombre d'accords avec Mt contre Mc, positifs ou négatifs. Au v. 1, « arracher » et « manger » au lieu de « se frayer un chemin en arrachant » (Mc). Au v. 2, « dirent » (*eipan*) au lieu de « disaient » (*elegon*); « le sabbat » placé après « ce qui n'est pas permis » et non avant, comme dans Mc. Au v. 3, *eipen* au lieu de *legei*, et omission de « il fut dans le besoin ». Au v. 4, omission de « au temps du Grand Prêtre Abiathar » (Mc); « et ses compagnons » rendu par *tois met'autou* au lieu de *tois syn autôi ousin*; addition du mot « seuls ». Au v. 5, omission de la phrase « le sabbat a été fait, etc. ». Dans le dernier logion, ordre des mots identiques dans Mt/Lc (contre Mc), et omission

du mot « même ». Il est possible que les divergences entre Mt/Lc et Mc aient été plus grandes encore; ainsi, en Mc **2** 25, le ms grec 255 omet la proposition : « et qu'il eut faim lui et ses compagnons », qui se lit dans Mt/Lc; dans Mc, cette proposition est peut-être une addition de scribe faite pour harmoniser Mc avec Mt/Lc; dans ce cas, l'expression de Mc : « il fut dans le besoin », répondrait à l'expression de Mt/Lc : « il eut faim ». – Tous ces accords Mt/Lc contre Mc n'ont pas même valeur, et certains peuvent s'expliquer par l'activité rédactionnelle de Mc, comme on le verra plus loin. Il reste que, selon toute vraisemblance, une partie des accords Mt/Lc contre Mc prouverait l'existence d'un proto-Lc, dépendant du Mt-intermédiaire, qui aurait été aligné sur le Mc-intermédiaire par l'ultime Rédacteur lucanien.

2. *Le texte de Mt.*

a) Dans Mt, trois arguments sont donnés pour justifier l'action de Jésus et de ses disciples. Le premier argument (vv. 3-4) est étroitement lié au contexte précédent; les expressions concernant l'exemple de David : « ce que fit... il eut faim... ils mangèrent... il ne lui était pas permis », reprennent volontairement les expressions du début du récit concernant Jésus et ses disciples : « ils eurent faim... à les manger... ce qu'il n'est pas permis... de faire ». En revanche, le groupement des trois arguments est artificiel; ils sont simplement enchaînés par des mots crochets : « prêtres » (vv. 4-5) et « sans faute » (vv. 5-6). Comme les deux derniers arguments sont absents de Mc et de Lc, ils ont été ajoutés dans la tradition matthéenne. A quel niveau? Il est difficile de répondre. Les vv. 5-6 pourraient être du Mt-intermédiaire, avec l'expression : « or, je vous dis » (*legô de hymin*, cf. Mt **6** 29 et par.), et surtout l'argument a fortiori du v. 6 exprimé dans les mêmes termes en Mt **12** 41-42 (cf. Lc **11** 31-32). En revanche, la citation d'Os **6** 6 serait de l'ultime Rédacteur matthéen, comme en **9** 13.

b) Le logion sur le Fils de l'homme, au v. 8, est sûrement de même origine que celui de Mt **9** 6 (§ 40) et serait donc du Mt-intermédiaire (note § 40, IV 2); il aurait été repris ensuite par le proto-Lc d'une part (cf. Lc **6** 5), l'ultime Rédacteur marcien d'autre part (Mc **2** 28).

3. *Le texte de Mc.*

a) Dans Mc, le délit des disciples a une autre portée que dans Mt/Lc; s'il s'agit toujours d'arracher des épis, les disciples le font, non pour calmer leur faim, mais pour « se frayer un chemin » à travers les moissons. Ce changement, ignoré de Lc, doit être attribué à l'ultime Rédacteur marcien estimant que, pour ses lecteurs issus du paganisme, le fait de se frayer un chemin dans un champ de blé pouvait paraître plus répréhensible que le fait d'arracher quelques épis pour les manger... un jour de sabbat.

b) C'est également l'ultime Rédacteur marco-lucanien qui introduisit la mention du prêtre Abiathar, au v. 26 (*epi archiereôs*, cf. Lc **3** 2). Au même verset, on notera le style lucanien des derniers mots : « et en donna aussi à ses compagnons »; la préposition *syn* est spécialement fréquente chez Lc (4/6/23/3/52), mais surtout, l'expression *hoi syn autôi ousin* (littéralement

« ceux étant avec lui » = « ses compagnons ») est une construction grammaticale ignorée de Mt, ici seulement chez Mc, mais quatre fois dans Lc; la place de cette phrase est d'ailleurs étrange, et l'on se trouve probablement devant un ajout de l'ultime Rédacteur marco-lucanien.

c) C'est enfin cet ultime Rédacteur qui, reprenant au Mt-intermédiaire le logion sur le Fils de l'homme du v. 28, le fit précéder d'un autre logion, de portée plus générale (v. 27), ignoré de Mt/Lc; on en précisera le sens plus loin.

4. *Le récit primitif.* Puisque l'épisode des épis arrachés est présenté comme une controverse sur l'observation du sabbat aussi bien dans le Mt-intermédiaire que dans le Mc-intermédiaire, il devait en être ainsi dans leur source commune : le Document A. Mais était-ce bien le sens primitif de l'épisode? L'argument qu'apporte Jésus contre ses détracteurs (vv. 3-4 de Mt et par.) ne met pas en cause le problème du sabbat! Ce qui était interdit à David, ce n'était pas de prendre les pains de proposition le jour du sabbat, mais simplement de les prendre et de les manger. Étant donné le parallélisme strict entre les vv. 1-2 et 3-4 de Mt, on s'attendrait donc à ce que les Pharisiens reprochent aux disciples de Jésus simplement de cueillir des épis pour les manger, non de le faire le jour du sabbat.

II. LE RÉCIT A SES DIVERS STADES

1. Avant d'être repris et incorporé dans le Document A, le récit devait avoir la signification suivante : en traversant un champ, les disciples de Jésus arrachent quelques épis pour les manger, car ils ont faim. Le reproche qui leur en est fait se situe dans la ligne de pensée de Dt **23** 26 : « Si tu traverses les moissons de ton prochain, tu pourras arracher les épis avec ta main, mais tu ne porteras pas la faucille sur la moisson de ton prochain. » On objectera évidemment que Dt **23** 26 permet explicitement d'arracher des épis en traversant un champ! Mais la portée de cette permission n'avait-elle pas été restreinte dans la tradition juive rigoriste? Il est significatif que le Targum araméen interprète Dt **23** 25-26 en parlant des mercenaires loués pour la vendange ou la moisson, non de tout homme traversant un champ ou une vigne. On remarquera d'ailleurs que l'exemple de David suppose aussi une interprétation plus stricte de la loi; dans le récit de 1 S **21** 2-7, rien ne permet de penser qu'il y avait une interdiction absolue pour des « laïcs » de manger les pains de proposition, ce que suppose au contraire la parole de Jésus en Mt **12** 4 (cf. déjà Lv **24** 9). Le récit primitif avait pour but de montrer la largeur d'esprit de Jésus contre le rigorisme des Pharisiens : en cas de besoin (ici, la faim des disciples), toute loi doit céder le pas à une nécessité vitale. La tradition évangélique a pu voir aussi, dans cet épisode, plus que l'exposé d'un « cas » de casuistique; en se mettant en parallèle avec David, Jésus laisserait entendre que, comme roi messianique, il se reconnaît le droit d'interpréter la loi.

2. C'est dans le Document A, de tradition matthéenne, que la controverse change d'objet : le fait de cueillir des épis se

place, non pas n'importe quel jour, mais le jour du sabbat. Les Pharisiens reprochent alors aux disciples de Jésus de faire pendant le sabbat ce qui était considéré comme un « travail ». De telles controverses sur l'observation plus ou moins stricte du sabbat ont dû se développer surtout en milieux judéo-chrétiens, et donc dans la tradition matthéenne.

3. Le Mt-intermédiaire corse la discussion en ajoutant un second argument pour la défense de Jésus (vv. 5-6); il invoque un autre précédent, fondé sur la loi et admis des rabbins : l'observation du sabbat doit s'effacer devant les obligations du culte du Temple (cf. Lv 24 7-9). Par ailleurs, Jésus n'est pas seulement plus grand que David (cf. Mt 22 41 ss.), il est plus grand que le Temple ! Cette tendance à exalter la véritable personnalité de Jésus se retrouve dans le logion du v. 8, ajouté lui aussi par le Mt-intermédiaire : Jésus, parce qu'il est Fils de l'homme (cf. Dn 7 13), peut disposer du sabbat en maître; c'est lui reconnaître, comme dans l'argument du v. 6, une dignité quasi divine. — En ajoutant la citation d'Os 6 6 (v. 7), l'ultime Rédacteur matthéen se situe dans la ligne de tout un courant prophétique et sapientiel

opposant le culte spirituel au culte matériel (cf. Am 5 21-25; Pr 15 8; 21 3; Si 35 1-3).

4. Il ne semble pas que le Mc-intermédiaire ait modifié substantiellement le récit du Document A. En revanche, on a vu que l'ultime Rédacteur marcien a changé la gravité du « délit » commis par les disciples : ils ne se contentent plus de cueillir quelques épis pour calmer leur faim, ils saccagent un champ en se frayant un chemin au travers des épis ! Assez remarquable est l'addition du logion du v. 27; bien que pouvant se recommander de certains parallèles rabbiniques, il les dépasse par son libéralisme antilégaliste : il soumet le sabbat à tout homme, et non au seul Fils de l'homme comme au v. 28. Un tel logion n'a pu prendre naissance que dans des milieux chrétiens issus du paganisme, ce qui correspond bien à la tradition marcienne.

5. On a vu qu'il était possible de supposer l'existence d'un proto-Lc, dépendant du Mt-intermédiaire; mais comme pour les controverses précédentes, l'ultime Rédacteur lucanien a aligné le texte de sa source sur le Mc-intermédiaire.

Note § **45.** *GUÉRISON DE LA MAIN SÈCHE*

Cet épisode est donné par les trois Synoptiques, et dans un même contexte; mais tandis que Mc et Lc offrent un récit substantiellement identique, Mt se montre beaucoup plus indépendant et contient des contacts indéniables avec l'épisode de la guérison d'un hydropique, raconté en Lc 14 1-6 (§ 223). L'ensemble des textes pose des problèmes assez délicats à résoudre.

I. LE RÉCIT DANS MARC/LUC

1. *Sa structure essentielle.* Dans Mc et Lc, cet épisode constitue la dernière des cinq controverses de Jésus avec les Pharisiens et les scribes (Mc 2 1-3 6). Comme la précédente, elle se place un jour de sabbat et a pour but de critiquer la façon trop matérielle dont les rabbins concevaient l'observation du sabbat. Le début du récit offre beaucoup d'analogies avec celui de la guérison du possédé de Capharnaüm (Mc 1 21.23, §§ 32-33). Jésus entre dans une synagogue où se trouve un homme à la main « desséchée », i. e. paralysée. Bien qu'hostiles à Jésus, les gens reconnaissent son pouvoir de thaumaturge puisqu'ils s'attendent à ce que Jésus effectue une guérison, ce qui leur donnera une occasion de l'accuser (Mc 3 2). La tradition rabbinique prohibait en effet de soigner les malades (c'était un « travail ») le jour du sabbat, sauf en cas d'absolue nécessité, quand la vie du malade était en danger, ce qui n'est pas le cas ici. Devinant la mauvaise intention de ses adversaires, Jésus prend les devants en leur posant une question qui doit les mettre dans l'embarras (3 4), mais qui

embarrasse aussi les commentateurs ! On l'a noté plus haut les rabbins admettaient que, même le sabbat, on peut « sauver une vie plutôt que de la tuer »; la question de Jésus n'est donc pas pertinente, car ses adversaires auraient pu répondre : « Oui, il est permis le sabbat de sauver une vie, mais la vie du malade n'étant pas en danger, attends à demain pour faire la guérison » (cf. Lc 13 14, § 217). Il faut donc chercher la force de l'argumentation de Jésus dans le premier membre de phrase : « Est-il permis le sabbat de faire du bien plutôt que du mal? » En transposant les données du problème sur le plan moral, Jésus veut, semble-t-il, montrer l'absurdité de la position rabbinique. Guérir un homme, c'est « faire du bien »; le laisser dans son infirmité, c'est donc « faire du mal ». En interdisant de guérir le jour du sabbat, les rabbins admettaient donc implicitement que, ce jour-là, les valeurs morales sont inversées : il est interdit de « faire du bien » et prescrit de « faire du mal » ! Les adversaires de Jésus ne trouvent rien à répondre et Jésus guérit l'homme sans plus se soucier d'eux (3 5b).

2. *Les remaniements de Lc.* Lc dépend du Mc-intermédiaire, qu'il retouche selon ses goûts littéraires. Il commence par un : « Or il arriva », qui lui est familier, et note dès le début que l'on se trouve un jour de sabbat (au v. 2 seulement dans Mc). Il note que Jésus « enseigne » dans la synagogue (cf. Lc 4 15; 13 10) et il précise que la main paralysée était la droite, probablement pour indiquer que l'homme ne pouvait plus travailler que difficilement. Au v. 7, Lc indique que les adversaires de Jésus sont les scribes et les Pharisiens, tandis qu'ils restent anonymes chez Mc (cf. déjà Lc 5 17); le désir de

« trouver » un motif d'accusation est plus marqué (cf. encore **11** 54 et **23** 14) et le grief cherché devient plus général : Jésus a-t-il l'habitude (présent) de guérir le jour du sabbat ? Au début du v. 8, Lc ajoute le détail de Jésus qui connaît les pensées des cœurs (cf. encore Lc **5** 22; **9** 47; **11** 17); il complète la formule trop prégnante de Mc en ajoutant le verbe « et place-toi »; puis il décrit le mouvement du malade. Au v. 10, il change le verbe « il l'étendit » en « il le fit », pour varier le style. Mais toutes ces modifications, on le voit, ne dépassent pas l'ordre des remaniements littéraires.

3. *Les remaniements de Mc.* L'ultime Rédacteur marcien a effectué les remaniements suivants :

a) Au v. 5, il ajoute les mots « avec colère, et navré de l'endurcissement de leur cœur », qui sont absents de Lc. On notera le caractère paulinien de cet ajout. Le mot « colère » (*orgè*), rare dans les évangiles et Actes (1/1/2/1/0), se lit une vingtaine de fois chez Paul; surtout, le substantif « endurcissement » (*pôrôsis*) ne se lit ailleurs dans le NT qu'en Rm **11** 25 et Ep **4** 18, ce dernier texte étant spécialement intéressant puisqu'il contient l'expression « endurcissement du cœur », comme en Mc **3** 5. Le thème de « l'endurcissement du cœur » se lit encore en Mc **6** 52 et **8** 17, mais avec le participe « endurci » (*pepôrômenè*); or ce verbe ne se lit ailleurs dans le NT qu'en Jn **12** 40, qui cite Is **6** 10, et en Rm **11** 7; 2 Co **3** 14; on peut penser là aussi à des additions de l'ultime Rédacteur marcien. Sur les notes « pauliniennes » du Rédacteur marcien, voir Introd., II B **1** *a*).

b) En **3** 6, comme en Mt **12** 14, Mc termine l'épisode en notant la volonté des Pharisiens (et des Hérodiens) de « perdre » Jésus, probablement en complotant sa mort. Beaucoup de commentateurs (Bultmann, Dibelius, Albertz) tiennent ce verset pour une addition; c'est vrai, mais il faut préciser qu'elle s'est faite sous l'influence du Mt-intermédiaire (Mt **12** 14).

ba) Lc **6** 11 donne bien une conclusion de même sens, mais qui ne dépend pas littérairement de Mc ou de Mt puisqu'elle n'a avec eux aucun mot commun ! Le vocabulaire y est spécifiquement lucanien : « mais eux », fréquent dans Lc/Ac; « furent remplis de fureur » (verbe « remplir », vingt-deux fois dans Lc/Ac, ailleurs dans le NT seulement deux fois dans Mt; spécialement au passif, suivi d'un génitif pour marquer un sentiment, cf. Lc **4** 28; **5** 26; Ac **3** 10; **5** 17; **13** 45); « ils discutaient » (*dialalein*, ailleurs seulement en Lc **1** 65); « entre eux » (douze fois dans Lc/Ac, contre quatre fois dans Mt et jamais dans Mc); « de ce qu'ils feraient » (optatif avec *an*). Lc semble donc ignorer Mc **3** 6 dans l'exemplaire marcien qu'il suit.

bb) Aussi bien dans Mc que dans Mt, cette conclusion est typiquement matthéenne. « Tenir conseil » (*symboulion lambanein*) se lit encore en Mt **22** 15; **27** 1.7; **28** 12, tandis que Mc n'a ailleurs *symboulion* (ici, avec le verbe *didonai*) qu'en **15** 1, avec un verbe différent et un sens différent. La conjonction « en vue de » (*hopôs*) n'est jamais employée ailleurs par Mc, mais dix-sept fois par Mt ! Enfin toute la formule et l'idée qu'elle exprime ont des parallèles frappants en Mt **27** 1 et surtout **22** 15. On est donc devant un emprunt de l'ultime Rédacteur marcien à Mt, emprunt qui sera aussi clair dans l'épisode

suivant (voir note § 47). Mc n'aura d'ailleurs pas repris ce verset matthéen sans lui ajouter son « aussitôt » (*euthus*) familier et la mention curieuse des Hérodiens (ailleurs seulement Mt **22** 16 par.; Mc **12** 13).

II. LE RÉCIT DANS MATTHIEU

Il est fort différent de celui de Mc/Lc; la raison en est que Mt combine deux récits différents : celui de la tradition Mc/Lc et celui du Document Q qui se retrouve en Lc **14** 1-6 (§ 223); comme partout ailleurs, Mt introduit aussi son style particulier.

1. A la tradition Mc/Lc, Mt reprend les vv. 9-10a et 13. On notera toutefois que le v. 9a est remanié selon son style : verbe *metabainô* (5/0/1/3/1/1) et adverbe *ekeithen* (12/5/3/2/4/1); on comparera spécialement le début de ce récit avec Mt **11** 1 et **15** 29. Au début du v. 10, Mt introduit également un « et voici » dont il a l'habitude. Au v. 13, il semble que l'addition « saine comme l'autre » soit de son cru. Dans la partie centrale du récit, on trouve encore deux échos du texte de Mc/Lc : à la fin du v. 10, l'expression « afin de l'accuser » (cf. Mc **3** 2) et à la fin du v. 12, la conclusion : « par conséquent il est permis de faire une bonne action le jour du sabbat », qui rappelle Mc **3** 4 : « Est-il permis le sabbat de faire du bien... »

2. Au récit du Document Q (cf. Lc **14** 1-6) Mt reprend :

a) L'interrogation du v. 10b, avec l'expression « de guérir » (cf. Lc **14** 3) au lieu de « de faire du bien, etc. » (Mc **3** 4). On a vu plus haut que Mt complétait le texte du Document Q en ajoutant « afin de l'accuser », qui vient dans un contexte semblable en Mc **3** 2.

b) L'argumentation du v. 11, dont on trouve l'équivalent en Lc **14** 5, bien que sous une forme littéraire assez différente. L'interrogation du début est de tour très rabbinique et revient fréquemment, avec des variantes, dans le Document Q (cf. Mt **7** 9 et Lc **11** 11; Lc **15** 4 et Mt **18** 12; Mt **6** 27 et Lc **12** 25). Cette interrogation est suivie d'un argument *a fortiori* qui correspond au *Qal wahomer* (« léger et lourd ») des rabbins. Ici, Jésus prend un exemple de la vie courante : chacun n'hésite pas à retirer d'un trou une bête de somme qui y est tombée, malgré le sabbat (c'était un travail !) et il est probable que les rabbins admettaient la légitimité du cas (mais cf. *infra*); Jésus raisonne alors ainsi (v. 12) : s'il est toléré de tirer une bête d'embarras le jour du sabbat, combien plus le peut-on s'il s'agit d'un homme ! Lc n'a pas cette conclusion de Mt **12** 12, mais elle est parfaitement dans le style du Document Q (cf. Mt **6** 26 et Lc **12** 24; Mt **10** 31 et Lc **12** 7) et devait se trouver dans le récit primitif de ce Document.

On notera que l'exemple donné par Mt **12** 11 ou Lc **14** 5 suppose une réaction populaire de bon sens qui était prohibée par les rigoristes esséniens de Qumrân; on lit en effet dans le Document de Damas : « Que nul n'aide une bête à mettre bas le jour du sabbat; si elle tombe dans un puits (cf. Lc) ou dans une fosse (cf. Mt), qu'il ne la retire pas le jour du sabbat » (11 *13-14*).

c) Mt se distingue encore du parallèle de Mc/Lc en ce que la question « est-il permis le sabbat (de guérir)? » est posée à Jésus par ses adversaires, et non par Jésus à ses adversaires. Une telle différence vient-elle de l'activité rédactionnelle de Mt, ou ne la tiendrait-il pas du Document Q? Il est vrai que Lc **14** 3 fait poser la question par Jésus, comme dans Mc/Lc; mais Lc n'aurait-il pas aligné son récit de **14** 1-6 sur celui de Lc **6** 6 ss.? Il semble bien que, à la fin du v. 1, l'expression « et eux l'épiaient » soit due à une influence du récit de Mc/Lc (cf. Mc **3** 2). Par ailleurs, Lc **14** 4 est de style typiquement lucanien : « restèrent en silence » (*hèsychazein*: 0/0/2/0/2/1); « le prenant » (*epilambanein*: 1/1/5/0/7/4); « il le guérit » (*iasthai*: 4/1/11/3/4/3). Si ce verset reflète tellement le style de Lc, n'est-ce pas parce que Lc a transféré ici la mention de la guérison, qui devait se trouver après les vv. 5 et 6 dans le Document Q? Lc ne s'est donc pas gêné pour retoucher le texte du récit du Document Q, et il a pu harmoniser **14** 3 avec le parallèle de Mc **3** 4. En résumé, il est *possible* (mais non certain) que la première partie du récit dans le Document Q ait eu la structure de Mt **12** 10 et Lc **14** 2-3; mais Mt aurait remplacé le thème de l'hydropique (Document Q) par celui de l'homme à la main sèche (Mc/Lc), tandis que Lc **14** aurait fait poser la question du v. 3 par Jésus, sous l'influence du récit parallèle de Mc/Lc.

III. UN RÉCIT PLUS ARCHAIQUE?

On peut se demander si, primitivement, le récit de la guérison de l'homme à la main desséchée était réellement présenté comme une controverse. Deux arguments inviteraient à répondre par la négative.

1. Il est étrange que, dans un récit racontant une controverse de Jésus portant sur l'observation du repos sabbatique, les adversaires de Jésus ne soient nommés que dans le verset final (Mt **12** 14; Mc **3** 6), verset qui n'existait même pas dans Mc puisqu'il lui vient de Mt (cf. *supra*). On s'étonne également que le verset d'introduction (Mt **12** 9; Mc **3** 1) ne mentionne pas que l'épisode se place un jour de sabbat (Lc a remédié à ces deux anomalies). Sans doute, Mt note indirectement le sabbat puis-

qu'il lie cet épisode au précédent par la formule : « étant parti de là », mais c'est une cheville rédactionnelle de Mt (cf. Mt **11** 1; **15** 29; **17** 20) qui ne se lisait pas dans le récit primitif.

2. Les sections où Mt et Mc sont strictement parallèles donnent un petit récit de miracle parfaitement cohérent, sans aucune allusion au problème du sabbat. Le voici sous sa forme marcienne :

> Et il entra () dans une synagogue et il y avait là un homme ayant la main desséchée et il dit à l'homme : « Étends la main », et il l'étendit et sa main fut remise en état.

On comparera ce récit avec celui de 1 R **13** 4-6 (geste d'étendre la main, main sèche) et avec Ex **4** 6-7 (main « remise en état »).

IV. TRANSFORMATIONS SUCCESSIVES DU RÉCIT

Voici comment on pourrait reconstituer l'histoire de ce récit.

1. Sous sa forme la plus archaïque, reconstituée ci-dessus, ce miracle de Jésus devait appartenir à une collection de récits très simples rapportant un certain nombre de miracles de Jésus; c'était aussi le cas, on l'a vu à la note § 40, pour le récit primitif de la guérison du paralytique.

2. Ce récit de miracle fut repris dans le Document A et changé en controverse concernant l'observation du sabbat (cf. les remaniements effectués dans le Document A pour les récits des §§ 40 et 44); de la sorte, on obtenait un groupement de cinq controverses entre Jésus et les Pharisiens (cf. note §§ 40-45).

3. Le Mt-intermédiaire reprit le récit du Document A en y ajoutant le verset final (Mt **12** 14); le drame dont Jésus va être le principal personnage se dessine : les Pharisiens décident de perdre Jésus. – Enfin, l'ultime Rédacteur matthéen combina le récit du Mt-intermédiaire avec un récit semblable en provenance du Document Q, qu'il trouvait probablement à une autre place dans le Mt-intermédiaire.

4. Le Mc-intermédiaire reprit sans le modifier substantiellement le récit du Document A. L'ultime Rédacteur marcien ajouta la conclusion du v. 6 sous l'influence du Mt-intermédiaire.

5. Lc dépend ici du Mc-intermédiaire; on peut se demander seulement si son v. 11 ne serait pas un écho du proto-Lc, et donc du Mt-intermédiaire.

Note § **46.** *APPEL DES DOUZE*

Lc est le seul à placer l'appel des Douze avant le sommaire du § 47 où se trouve décrit le rassemblement des foules auprès de Jésus, en provenance de régions diverses. Voici la raison de cette particularité : l'ultime Rédacteur lucanien a deux textes différents à sa disposition, donnant les séquences suivantes : dans le proto-Lc, qui dépend ici du Mt-intermédiaire, les foules se rassemblent près de Jésus (§ 47), Jésus monte sur la montagne (§ 48), il prononce son Discours inaugural (Sermon sur la montagne, §§ 50 et suivants); dans le Mc-intermédiaire, les foules se rassemblent auprès de Jésus (§ 47), Jésus monte sur la montagne (§ 48), il procède à

l'appel des Douze (§§ 48 et 49). L'ultime Rédacteur lucanien préfère laisser le rassemblement des foules comme introduction au sermon inaugural de Jésus, seule façon de donner à Jésus un auditoire approprié. Il commence donc par raconter l'appel des Douze après avoir fait monter Jésus sur la montagne (§ 46), comme dans le Mc-intermédiaire; il ajoute ensuite un verset rédactionnel (Lc **6** 17a) pour faire redescendre Jésus « sur un endroit plat »; c'est là que les foules se rassemblent auprès de lui d'après le sommaire du Mc-intermédiaire (Lc **6** 17bc-19, § 47); puis Jésus prononce son Discours inaugural comme dans le Mt-intermédiaire (Lc **6** 20ss., §§ 48 et 50).

Note § **47.** *CONCOURS DES FOULES ET GUÉRISONS*

Après la série des cinq controverses avec les Scribes et les Pharisiens, Mc **3** 7-12 donne un « sommaire » où l'on voit les foules venir à Jésus de partout pour se faire guérir; ce rassemblement de foules prépare la scène de la vocation des disciples (Mc **3** 13 ss.). L'histoire de la formation de ce sommaire, avec ses parallèles matthéen et lucanien, est extrêmement complexe; pour en rendre l'analyse plus facile, nous avons rassemblé à l'Annexe II et mis en colonnes parallèles les différents textes que nous allons utiliser.

I. LA TRADITION MATTHÉENNE

1. Un grand nombre des éléments qui constituent le sommaire de Mc **3** 7-12 se trouvent dispersés, chez Mt, en trois endroits différents. D'une part, en **12** 15-16 : le contexte antécédent est le même (les cinq controverses), et presque tous les mots de ces deux versets matthéens se retrouvent aux vv. 7, 10 et 12 de Mc. D'autre part, en Mt **4** 25 : le contexte suivant est analogue (Mt **5** 1 et Mc **3** 13 : Jésus monte sur la montagne et les disciples viennent à lui), et presque tous les mots de ce v. 25, sauf la mention de la Décapole, se retrouvent aux vv. 7 et 8 de Mc. Enfin, en Mt **15** 21a.29b.30; mais ici, quelques explications plus détaillées s'imposent. Renvoyons tout d'abord aux analyses qui seront faites à la note § 157 : les vv. 29-31 de Mt **15** sont composés de matériaux provenant de deux couches littéraires différentes; les uns sont authentiquement matthéens, les autres offrent de nombreuses caractéristiques lucaniennes et doivent être de l'ultime Rédacteur matthéo-lucanien; nous ne nous occuperons ici que des éléments authentiquement matthéens.

a) Le parallélisme entre Mt **15** 29-30 et Mt **12** 15 + **5** 1 (suite de **4** 25) est évident : Jésus se déplace (**15** 29a, ou mieux **15** 21a, cf. note § 157), comme en **12** 15a; il monte sur *la* montagne, s'y assied, et des gens, foules ou disciples, viennent à lui (**15** 29b.30), comme en **5** 1; enfin, il guérit les malades (**15** 30c), comme en **12** 15b.

b) Si Mt **15** 29b.30 n'est qu'un dédoublement du texte constitué par Mt **12** 15 + **5** 1 (cf. **4** 25), il est possible de donner une raison aux trois anomalies signalées à la note § 157 (I 2 b). En **15** 29b, Jésus s'assied pour guérir les foules (v. 30); or on fera remarquer à la note § 157 que partout ailleurs, dans Mt, Jésus s'assied pour enseigner, non pour guérir les malades; c'est précisément ce qui se passe en Mt **5** 1 qui introduit l'enseignement du Sermon sur la montagne; en reprenant le texte de Mt **5** 1 pour le transférer au chap. 15, le Rédacteur matthéen a perdu de vue le thème de l'enseignement de Jésus et l'a remplacé par celui des guérisons, empruntant d'ailleurs les mots « et il les guérit » à **12** 15b. – On remarquera à la note § 157 que le mot « foule » est au pluriel en **15** 30-31, tandis qu'il sera au singulier dans l'épisode suivant (multiplication des pains, § 159); c'est un indice que, au chap. 15, les vv. 29-30 ne sont pas en harmonie avec la suite du texte; or l'expression « des foules nombreuses »

(*ochloi polloi*) de Mt **15** 30 se lit précisément en Mt **4** 25 et aussi en Mt **12** 15, au témoignage de très bons manuscrits. – On fera remarquer enfin à la note § 157 que le verbe « venir à » (*proserchesthai*), typiquement matthéen, n'a jamais ailleurs dans Mt le mot « foules » comme sujet (Mt dit que les foules « suivent » Jésus); or en Mt **5** 1, ce verbe « venir à » a comme sujet l'expression « ses disciples », ce qui est très matthéen; en reprenant le texte de Mt **5** 1, le Rédacteur matthéen a changé l'expression « ses disciples » en « des foules nombreuses », expression qu'il trouvait d'ailleurs en **4** 25 et peut-être même en **12** 15 (cf. *supra*).

c) En Mt **15** 29b, il est dit que Jésus vint « au bord de la mer » de Galilée; cette indication topographique, absente de Mt **4** 25 ou **12** 15-16, se lit en Mc **3** 7; Mt **15** 29b complète donc le parallélisme des textes matthéens avec celui de Mc **3** 7-12.

2. Des analyses précédentes, on peut tirer les conclusions suivantes :

a) Les textes de Mt **4** 25-**5** 1, **12** 15 et **15** 21a.29b.30 ne formaient, dans le Mt-intermédiaire, qu'un seul et même récit qui avait cette teneur :

Et, sortant de là, Jésus se retira	(**15** 21a; cf. **12** 15a)
au bord de la mer de Galilée	(**15** 29b)
et le suivirent des foules nombreuses	(**4** 25a; cf. **12** 15b)
de la Galilée () et de Jérusalem et de	
la Judée et d'au-delà du Jourdain	(**4** 25b)
et il les guérit tous.	(**12** 15c; cf. **4** 24d; **15** 30b)
Or, voyant les foules,	(**5** 1a)
il monta sur la montagne	(**5** 1a; cf. **15** 29c)
et, quand il fut assis,	(**5** 1b; cf. **15** 29c)
ses disciples vinrent à lui	(**5** 1c; cf. **15** 30a)
et, ouvrant sa bouche, il les enseignait, disant...	(**5** 2)

b) Il faut exclure du texte du Mt-intermédiaire la mention de la Décapole (**4** 25), absente du parallèle de Mc **3** 7-8, et que l'ultime Rédacteur matthéen a ajoutée afin d'obtenir le chiffre de cinq régions ou villes, ce chiffre étant typique de la tradition matthéenne (voir note §§ 40-45). Il faut exclure également la consigne de silence de Mt **12** 16; elle est étrange dans Mt : comment demander à des *foules* de ne pas raconter les miracles dont elles sont témoins? Elle se comprend au contraire très bien dans Mc **3** 12, où elle concerne les démons qui reconnaissent en Jésus le « Fils de Dieu » et le proclament bien haut; l'expression « le faire connaître » (*phaneron auton poiein*), commune à Mt/Mc, est d'ailleurs de saveur marcienne (il aime les mots de même racine que *phaneros*). Le v. 16 de Mt **12** est donc une addition faite par l'ultime Rédacteur matthéen qui reprend Mc **3** 12 au texte du Mc-intermédiaire.

c) L'ultime Rédacteur matthéen a disloqué le sommaire du Mt-intermédiaire de la façon suivante : il a laissé en place le thème des foules qui suivent Jésus en provenance de régions diverses (**4** 25), de façon à constituer un « auditoire » nombreux pour écouter le Sermon sur la montagne (**5** 1 ss.);

cette partie du sommaire primitif fut placée à la suite d'autres sommaires, repris, soit du Mt-intermédiaire, soit du Mc-intermédiaire (cf. note § 37). – Il a repris certains éléments du sommaire du Mt-intermédiaire (ceux de Mt **12** 15) pour les placer à la suite des cinq controverses, de façon à obtenir un parallélisme avec le texte du Mc-intermédiaire, qui avait un sommaire de même sens, bien que de vocabulaire très différent, après les cinq controverses (cf. les précisions sur le texte du Mc-intermédiaire, *infra*). Comme la dernière controverse (§§ 45 et 113) se terminait, dans le Mt-intermédiaire, par la décision de mettre Jésus à mort (Mt **12** 14), l'ultime Rédacteur matthéen motiva le départ de Jésus, en **12** 15, en ajoutant l'expression « l'ayant su » (*gnous;* cf. Mt **4** 12 et **14** 13) : Jésus se retire parce qu'il a appris la décision des Pharisiens de le perdre. – Enfin, reprenant le récit de la seconde multiplication des pains au Mc-intermédiaire, l'ultime Rédacteur matthéen la trouvait sans introduction (voir notes §§ 151 et 159); pour remédier à cette lacune, il reprit encore, en les dédoublant en partie, certains éléments du sommaire du Mt-intermédiaire, ceux qui se lisent en Mt **15** 21a.29b.30; cette idée lui est venue parce qu'il trouvait déjà en Mc **7** 31.37 (§ 157) le thème de Jésus venant au bord de la mer (de Galilée) et accomplissant des miracles à la grande admiration des foules. En dédoublant le texte de Mt **5** 1, l'ultime Rédacteur matthéen y apporta toutefois deux modifications : il remplaça la mention des « disciples » (**5** 1) par celle de « foules nombreuses » (**15** 30); il substitua le thème des « guérisons » (**15** 30) à celui de l'enseignement des foules (**5** 2 ss.); les mots « foules nombreuses » et « et il les guérit » (**15** 30) lui étaient d'ailleurs fournis par le sommaire du Mt-intermédiaire (cf. **4** 25a et **12** 15c).

II. LA TRADITION MARCIENNE

Dans Mc **3** 7-12, le sommaire sur le concours de foules et les guérisons faites par Jésus est nettement plus complexe que dans Mt (même le Mt-intermédiaire). Essayons d'en donner la raison, puis de reconstituer, si possible, la teneur du sommaire dans le Mc-intermédiaire.

1. *Deux textes mêlés dans Mc.* Le texte actuel de Mc **3** 7-12 combine deux textes différents : celui du Mt-intermédiaire tel que nous l'avons restitué plus haut, et celui du Mc-intermédiaire. Ce fait peut se conclure à partir des remarques suivantes :

a) Une comparaison des textes de Mc **3** 7-12 et de Lc **6** 17-19 est très instructive pour comprendre la composition du texte de Mc. D'une part, en effet, Lc n'offre à peu près aucun contact littéraire avec Mt contre Mc, tandis qu'il appuie très souvent Mc contre Mt : au v. 17, l'expression « nombreuse multitude », l'ordre « Judée/Jérusalem », la mention de Tyr et Sidon; au v. 18, le verbe « venir », l'expression « esprits impurs » (cf. v. 11 de Mc); au v. 19, le verbe « toucher »; ajoutons que Lc a transféré en **4** 41 les données de Mc **3** 11-12

concernant la « profession de foi » des esprits impurs et la consigne de silence que Jésus leur donne. Il faut donc conclure que Lc suit un texte de tradition marcienne, et non matthéenne, même s'il lui imprime fortement son style, comme on le verra plus loin. D'autre part, il est remarquable que Lc ignore presque tous les mots que Mc **3** 7-12 a en commun avec le Mt-intermédiaire, spécialement ceux des vv. 7 et 8a de Mc. Lc les aurait-il systématiquement évités s'il les avait lus dans le texte de Mc qu'il suivait? C'est très improbable. Il est facile de voir d'ailleurs que ces mots sont de saveur nettement matthéenne, et non marcienne. Le verbe « se retirer » (*anachôrein*) est typiquement matthéen (10/1/0/0/2/0); la présence du sujet « Jésus » est étrange, car, dans les sept premiers chapitres de Mc, le nom de « Jésus » ne se trouve presque jamais au début de péricope (seulement en **1** 9.14, où Jésus apparaît pour la première fois); Mc aurait d'ailleurs placé le nom de Jésus *après* le verbe (cf. **1** 9.14; surtout **8** 27). La description de foules qui « suivent » (*akolouthein*) Jésus lorsqu'il se déplace se lit encore en Mt **4** 25; **8** 1; **14** 13; **19** 2; **20** 29; cf. **9** 27. Enfin, le thème de Jésus qui « guérit » les foules se retrouve en Mt **4** 24d; **8** 15; **14** 14; **19** 2 (opposer Mt **14** 14 et **19** 2 aux parallèles de Mc **6** 34 et **10** 1 : dans Mt, Jésus guérit les foules tandis qu'il les enseigne dans Mc). Ainsi, le sommaire de Mc **3** 7-12, surtout aux vv. 7 et 8a, contient une série d'expressions, ignorées de Lc, qui se lisent dans le sommaire du Mt-intermédiaire et qui sont de coloration nettement matthéenne et non marcienne. Il faut en conclure que ces expressions ont été introduites dans Mc, au niveau de l'ultime rédaction marcienne, en provenance du Mt-intermédiaire.

b) L'analyse interne du texte de Mc vient confirmer cette hypothèse. – *ba*) Nous avons, dans Mc, un double mouvement de foule : au v. 7, elles « suivent Jésus », comme dans Mt **12** 15 (cf. **4** 25); au v. 8b, elles « viennent » à Jésus, comme en Lc **6** 18. Or, si le premier « mouvement » de foule est assez typiquement matthéen (cf. *supra*), le second se retrouve souvent chez Mc, avec des verbes divers (Mc **2** 2.13; **3** 20.31; **4** 1; **9** 15.25; **10** 1). Le texte actuel de Mc combine donc deux textes, l'un de provenance marcienne, l'autre de provenance matthéenne. – *bb*) Un autre indice de la dualité des sources en Mc **3** 7-8 est donné par la nomenclature des régions d'où proviennent les foules. Si la mention de la Judée et de Jérusalem est commune aux trois sommaires (Mt/Mc/Lc), Mc nomme avec Mt contre Lc la Galilée et l'au-delà du Jourdain, avec Lc contre Mt la région de Tyr et de Sidon. Il est probable que Lc a omis la mention de la Galilée (cf. *infra*), qui devait se lire dans le Mc-intermédiaire; mais c'est l'ultime Rédacteur marco-lucanien qui complète la liste du Mc-intermédiaire (Galilée, Judée, Jérusalem, Tyr, Sidon), en reprenant l'au-delà du Jourdain au Mt-intermédiaire et en ajoutant la mention de l'Idumée de façon à obtenir le chiffre de sept régions ou villes (cf. Mc **10** 29). – *bc*) Notons enfin que, dans ce sommaire, l'activité de l'ultime Rédacteur marco-lucanien se trahit par plusieurs indices. L'expression « nombreuse multitude » (*polu plèthos*), qui se lit aux vv. 7 et 8 de Mc, est typiquement lucanienne (*plèthos*: 0/2/8/2/17/3; accompagné de *polu*: Lc **5** 6; **6** 17; **23** 27; Ac **14** 1; **17** 4); au v. 9, le verbe

« tenir à la disposition de » (*proskarterein*: 0/1/0/0/6/3); au v. 10, le verbe « se précipiter sur » (*epipiptein*: 0/1/2/0/7/2).

En conclusion de ces analyses, on peut donc dire que l'ultime Rédacteur marco-lucanien a combiné ici deux sommaires différents, l'un en provenance du Mc-intermédiaire et que Lc utilise aussi, l'autre en provenance du Mt-intermédiaire. Il avait agi de même, on l'a vu à la note § 35, pour le sommaire de ce §.

2. *Le texte du Mc-intermédiaire.* Essayons maintenant de reconstituer le texte du Mc-intermédiaire en tenant compte de Mc (abstraction faite des détails en provenance du Mt-intermédiaire) et du parallèle de Lc 6 17-19.

a) On a vu plus haut que les accords Lc/Mc contre Mt prouvaient que Lc dépendait fondamentalement du Mc-intermédiaire (le texte est donc de l'ultime Rédacteur lucanien puisque le proto-Lc ignore le Mc-intermédiaire); mais il montre une assez grande indépendance vis-à-vis de sa source. Le début du v. 17 est évidemment de Lc qui veut ménager une transition entre l'appel des disciples effectué par Jésus sur la montagne (vv. 12 ss.; en dépendance du Mc-intermédiaire) et le Sermon inaugural (vv. 20 ss.; en dépendance du Mt-intermédiaire); d'où la phrase initiale : « Et, étant descendu avec eux, il se tint dans un endroit plat. » Lc continue son récit par ces mots : « et une foule nombreuse de ses disciples et une multitude nombreuse du peuple »; l'expression « une foule nombreuse » (*ochlos polus*) est très marcienne (Mc 5 21.24; 6 34; 8 1; 9 14; 12 37; cf. 4 1) et doit remonter au Mc-intermédiaire; tout le reste est de Lc : il ajoute la mention des disciples puisque chez lui ce sommaire se place juste après l'appel des disciples (vv. 12 ss.), et les mots « une multitude nombreuse du peuple » (*kai plèthos polu tou laou*), qui appartiennent à son vocabulaire le plus courant. – Dans la nomenclature des régions ou villes d'où viennent les foules, Lc omet la mention de la Galilée, car il confond plus ou moins Galilée et Judée (cf. Lc 4 44; 7 17); il ajoute l'adjectif « toute » à la mention de la Judée (cf. Ac 1 8 et aussi Lc 7 17; 23 5; Ac 9 31; 10 37); il améliore les expressions peu grecques de Mc, *kai peri Tyron kai Sidôna*, en *kai tès paraliou Tyrou kai Sidônos*. – Au v. 18, c'est probablement Lc qui change le thème de Mc, « ayant entendu... vinrent à lui », en « vinrent l'entendre » (cf. Lc 11 31; 15 1; 21 38; Ac 13 7; 13 44); pour dire « guérir », il remplace le verbe de Mc *therapeuein* par *iasthai* (4/1/11/3/4). Dans la finale du verset, concernant les exorcismes, si Lc reprend à Mc l'expression « esprits impurs » (typique de Mc; Lc l'évite souvent), le reste est de son style : il a son parallèle assez exact en Ac 5 16b, et Lc est le seul qui utilise le verbe « guérir » (ici *therapeuein*) pour parler d'exorcismes (cf. Lc 8 2; Ac 5 16b), comme il est aussi le seul à construire ce verbe *therapeuein* avec la préposition *apo* (0/0/5/0/0/0). – Au v. 19, l'expression « toute la foule » (*pas ho ochlos*) est très marcienne (cf. Mc 2 13; 4 1; 9 15; 11 18) et peut donc remonter au Mc-intermédiaire.

b) Outre les insertions en provenance du Mt-intermédiaire, accumulées surtout aux vv. 7 et 8 (cf. *supra*), il faut attribuer à l'activité de l'ultime Rédacteur marco-lucanien la plus grande partie des versets 9 et 10. Ces versets, en effet, con-

tiennent un grand nombre de mots, rares dans Mc et qui se retrouvent dans l'épisode de la guérison de l'hémorroïsse (§ 143). Au v. 9, Jésus ordonne aux disciples de préparer une barque « à cause de la foule, pour qu'ils ne le pressent pas » (*hina mè thlibôsin auton*); or en Mc 5 24c, il est dit que la foule « pressait » (*synethlibon*) Jésus, et en 5 31 les disciples font remarquer : « tu vois la foule qui te presse »; ce sont les seuls passages où le verbe « presser » est utilisé dans Mc. Au v. 10, l'évangéliste note : « tous ceux qui avaient des infirmités se précipitaient sur lui pour le toucher »; de même l'hémorroïsse touche le manteau de Jésus (5 28) et se trouve guérie de son infirmité; ce mot « infirmité » (*mastix*) ne se lit dans Mc qu'en 3 10 et 5 29.34. Ces contacts littéraires avec Mc 5 24 ss. doivent appartenir au même niveau rédactionnel en Mc 3 9-10. Or, il faut les attribuer certainement à l'ultime Rédacteur marco-lucanien. Le v. 9, en effet, avec l'ordre de préparer une barque, ne se comprend qu'en fonction du v. 7 où il est dit que Jésus « se retira vers la mer », et nous avons vu que ce thème provenait du Mt-intermédiaire et avait donc été ajouté par l'ultime Rédacteur marco-lucanien; on a noté plus haut également que les verbes « tenir à la disposition de » (*proskarterein*, au v. 9) et « se précipiter sur » (*epipiptein*, au v. 10) étaient de saveur très lucanienne et devaient donc être attribués à l'ultime Rédacteur marco-lucanien. L'ensemble des vv. 9 et 10 serait donc un ajout au Mc-intermédiaire, à l'exception du verbe « toucher », attesté aussi par Lc 6 19. – En revanche, les vv. 11 et 12 doivent remonter, dans leur ensemble, au Mc-intermédiaire; l'expression « esprits impurs », très marcienne, se retrouve en Lc 6 18; la confession de foi des esprits impurs est aussi connue de Lc, qui l'a transférée en 4 41; la consigne de silence du v. 12, enfin, se lit en Mt 12 16 et l'on a vu déjà (I 2 b) que, de saveur marcienne, elle était passée du Mc-intermédiaire dans l'ultime rédaction matthéenne. Il est probable toutefois que les mots du v. 11 : « lorsqu'ils le voyaient, se prosternaient devant lui », sont de l'ultime Rédacteur marco-lucanien. En effet, ils n'ont aucun écho en Lc 4 41; la construction grammaticale *hotan* suivie de l'indicatif au lieu du subjonctif est de l'ultime Rédacteur marcien (cf. Mc 11 19.25; jamais ailleurs dans les évangiles, sinon peut-être en Lc 13 28 au témoignage de certains manuscrits); enfin le verbe « se prosterner » (*prospiptein*) semble faire écho au verbe « se précipiter sur » (*epipiptein*) du v. 10, que l'on a attribué à l'ultime Rédacteur marco-lucanien.

Au terme de ces analyses laborieuses, on pourrait proposer le texte suivant comme ayant été celui du Mc-intermédiaire, mais affecté de nombreux points d'interrogation (mettons-le en parallèle avec celui du Mt-intermédiaire) :

Mc	Mt
	Et, sortant de là, Jésus se retira au bord de la mer de Galilée;
	et le suivirent
Et une grande foule	de grandes foules
(*ochlos polus*)	(*ochloi polloi*)
de la Galilée	de la Galilée
et de la Judée et de Jérusalem	et de Jérusalem et de la Judée

et des environs de Tyr et de
[Sidon,
ayant entendu tout ce qu'il fait,
vinrent à lui;

et toute la foule cherchait à
le toucher.
Et les esprits impurs criaient
en disant : « Tu es le Fils de
Dieu ! »
Et il les admonestait de ne pas
le faire connaître.

et d'au-delà du Jourdain

et il les guérit tous.

III. UN SOMMAIRE DU DOCUMENT A

1. Dans le Mt-intermédiaire comme dans le Mc-intermédiaire, ce sommaire précédait la petite scène racontée au § suivant. Or on verra que cette scène (modifiée par le Mt-intermédiaire) doit être attribuée au Document A. Il y a donc de grandes chances pour que le sommaire du § 47 provienne lui aussi du Document A. D'ailleurs, la divergence que l'on constate ici entre Mt et Mc pour le mouvement de la foule : elle « suit » Jésus selon Mt, elle « vient à » Jésus selon Mc, se retrouve dans d'autres sommaires en provenance du Document A, comme l'introduction de la première multiplication des pains (voir note § 151) ou le début du voyage de Jésus vers Jérusalem (voir note § 246).

2. Mais il faut encore donner deux précisions sur la teneur du texte dans le Document A.

a) Le thème de la confession de foi des esprits impurs, absent de Mt, est probablement une addition du Mc-intermédiaire au texte du Document A. Elle a son équivalent en effet en Mc 1 24, suivie comme ici par une consigne de silence donnée aux démons (Mc 1 25), et ces deux textes, Mc 1 24-25 et Mc 3 11-12, forment en fait un doublet. Ajouté par le Mc-intermédiaire au récit de l'enseignement de Jésus à Capharnaüm (note §§ 32, 33), ce thème de la confession de foi des démons suivie d'une consigne de silence pourrait

bien avoir été ajouté aussi par le Mc-intermédiaire au sommaire dont nous nous occupons maintenant.

b) Un dernier problème reste à étudier. Dans ce genre de sommaire, le mouvement des foules qui « suivent » Jésus ou qui « viennent à » lui est souvent lié à un déplacement de Jésus. Ce déplacement est bien mentionné dans le texte matthéen, mais il est absent du parallèle de Mc puisque, on l'a vu, le début de Mc 3 7 est repris du Mt-intermédiaire avec le verbe typiquement matthéen « il se retira » (*anechôrèsen*). Or il est curieux de constater que la première des cinq controverses qui précèdent le sommaire du § 47 (guérison du paralytique, § 40) est précédée par la description d'un rassemblement de foules auprès de Jésus, et surtout suivie par ce petit sommaire : « Et il sortit à nouveau au bord de la mer et toute la foule venait à lui et il les enseignait » (Mc 2 13). Ce sommaire n'a pas de parallèle dans Mt, mais il trouve un écho dans Lc 5 27 : « il sortit ». Par ailleurs, il est certainement hors de contexte. N'aurait-il pas formé primitivement le début qui semble manquer au sommaire du § 47 dans le Mc-intermédiaire? On y lit que Jésus « sortit au bord de la mer », ce qui correspond en partie à Mt 15 21a.29b: « Et, sortant de là, Jésus se retira au bord de la mer... »; il ajoute que « toute la foule venait à lui », ce qui rejoint le thème du sommaire marcien du § 47 : « Et une grande foule (... et toute la foule)... vinrent à lui. » Voici alors comment on pourrait reconstituer l'histoire mouvementée du début du sommaire. Dans le Document A, il commençait par la mention de Jésus partant au bord de la mer où une grande foule vient à lui. En insérant avant ce sommaire le groupe des cinq controverses (cf. note §§ 40-45), le Mc-intermédiaire en aurait détaché le début pour l'insérer entre la première et la seconde controverse (Mc 2 13); plus exactement, il en aurait transposé la mention du départ de Jésus allant au bord de la mer (Mc 2 13) et dédoublé le thème de la foule qui « vient à » Jésus (Mc 2 13; 3 8). L'ultime Rédacteur marcolucanien a réintroduit en Mc 3 7a le thème de Jésus qui se retire au bord de la mer, qu'il lisait dans le parallèle du Mt-intermédiaire, retrouvant ainsi le thème primitif complet du Document A.

Note § **48.** *INTRODUCTION AU DISCOURS ÉVANGÉLIQUE*

Dans le Document A, ce petit passage faisait suite au « sommaire » du § 47. Il a maintenant une signification assez différente dans Mc et dans Mt.

1. *Le texte de Mc.* C'est Mc qui a gardé le plus fidèlement le récit du Document A, repris par le Mc-intermédiaire. Ce v. 13 contient tous les éléments essentiels d'une scène de « vocation » : appel par Jésus (*proskaleitai*), résultant d'un choix (« ceux qu'il voulait »), puis réponse du disciple qui « vient à Jésus ». On comparera ce passage spécialement à Mc 1 20 (vocation de Jacques et Jean, § 31) ou à Mc 2 14 (vocation du publicain, § 41). On se trouverait ici en pré

sence d'un texte très archaïque, présentant la vocation des disciples en bloc, et non par groupes ou individuellement comme aux §§ 31 et 41. On notera le très vague « ceux qu'il voulait », qui pourrait refléter l'écho d'une tradition dans laquelle le chiffre de « Douze » n'était peut-être pas encore fixé; on verra d'ailleurs à la note suivante que les noms des « Douze » ne se recouvrent pas parfaitement.

2. *Le texte de Lc.* Comme Mc, Lc fait monter Jésus sur la montagne en vue d'y placer la vocation des disciples; les vv. 12 et 13a dépendent du Mc-intermédiaire et sont donc de l'ultime Rédacteur lucanien. Comme souvent ailleurs,

Lc montre le Christ en prière; ici, sa prière est spécialement longue, car il s'agit de choisir ceux qui continueront sa mission sur la terre. En reprenant le récit du Mc-intermédiaire, Lc en élimine tout ce qui indique l'appel d'un groupe indéterminé (cf. *supra*), de telle sorte que l'appel des disciples (v. 13a) n'a plus le sens technique de « vocation », comme dans Mc, mais prépare seulement le choix des Douze qui sera développé aux vv. 13b et suivants. Sur l'interférence ici chez Lc des traditions marcienne et matthéenne, voir note § 46.

3. *Le texte de Mt*. Dans Mt, le récit change complètement de sens. Si Jésus monte sur la montagne, ce n'est pas pour « appeler » ses disciples, mais pour enseigner les foules par ce que l'on appelle communément le « Sermon sur la mon-

tagne ». Mt rappelle donc la présence des foules au début du v. 1, il précise que Jésus se tient assis, comme le faisaient tous les « rabbis » pour enseigner, et il supprime complètement le thème de « l'appel » par Jésus. Le v. 2 introduit immédiatement le Sermon sur la montagne; les mots « ouvrant sa bouche » sont probablement un écho de Ps 78 2, cité en Mt 13 35, dans la première conclusion du discours en paraboles; comme cette citation faite en 13 35 est de l'ultime Rédacteur matthéen, c'est peut-être lui qui a ajouté les mots « ouvrant sa bouche » en 5 2. Les modifications du récit du Document A ont été faites par le Mt-intermédiaire, puisqu'elles sont connues de Lc (cf. note § 46). Rappelons que l'ultime Rédacteur matthéen a réutilisé les matériaux de 5 1 en 15 29-30 (voir note § 47, I 1).

Note § **49.** *APPEL DES DOUZE*

Il faut distinguer dans cette section deux parties différentes : l'appel des Douze, raconté seulement par Mc (3 14-15), mais dont on a un écho en Lc 6 13b; la liste des noms des Douze, donnée ici par Mc (vv. 16-19) et Lc (vv. 14-16), mais que Mt a incorporée au récit de l'envoi des Douze en mission (Mt 10 2-4, §§ 98 et 145). Ces deux sections appartiennent à deux couches rédactionnelles différentes, comme le prouve la reprise maladroite de l'expression : « il fit (les) Douze » (vv. 14 et 16 de Mc), indiquant une suture rédactionnelle du Mc-intermédiaire qui joint les deux textes.

I. APPEL DES DOUZE

1. *Le récit de Mc*.

a) Il commence par une expression littérairement maladroite : « Et il fit Douze »; le verbe « faire » a ici le sens de « instituer » et l'ensemble doit évidemment se comprendre ainsi : Jésus institua douze disciples. Un double but est donné à cet appel spécial des Douze. Tout d'abord, « afin qu'ils soient avec lui ». Le « disciple » est celui qui reste aux côtés de Jésus, qui va l'accompagner dans tous ses déplacements. En 5 18, l'homme que Jésus a délivré du démon qui l'habitait demande à Jésus « qu'il soit avec lui »; cette demande étant faite au moment où Jésus va s'embarquer pour repasser le lac, le possédé guéri voudrait rester avec Jésus et l'accompagner partout où il ira. En 5 40, les trois disciples privilégiés : Pierre, Jacques et Jean, sont désignés par l'expression « ceux (qui sont) avec lui » (cf. 5 37). D'une façon moins caractéristique, c'est encore l'expression « avec Jésus » qui désigne les disciples en Mc 14 18.20.67. Lc explicitera cette caractéristique du disciple : c'est celui qui fut « avec Jésus » dès le début de son ministère et pourra donc témoigner de tout ce que Jésus a fait et dit (Lc 1 2; Ac 1 21 ss.; 10 39). Mais les Douze ne vont pas rester toujours avec Jésus; le Maître va les envoyer « prêcher et avoir pouvoir de chasser

les démons ». Jésus lui-même a parcouru la Galilée en prêchant et en chassant les démons (Mc 1 39, § 37); les Douze devront faire de même : il existe une continuité entre le ministère de Jésus et celui de ses envoyés, de ses apôtres.

b) A quel niveau rédactionnel se situe cette petite section de Mc? Elle n'appartient certainement pas au Document A. Dans ce dernier (cf. Mc 3 13, note § 48), il n'était pas précisé que le nombre des disciples choisis par Jésus était douze. Un autre argument va dans le même sens négatif. On a souvent dit que cette section de Mc ne faisait que préparer le récit de l'envoi en mission (Mc 6 7 ss.); c'est peut-être vrai au dernier niveau rédactionnel de Mc, mais il ne faut pas en conclure que Mc 3 14-15 et Mc 6 7 ss. appartiennent au même Document, car le vocabulaire est très différent : en Mc 6 7, il n'est pas question de prêcher, et les exorcismes sont désignés par l'expression « avoir pouvoir sur les esprits impurs », et non comme ici par « chasser les démons ». Puisque Mc 6 7 provient du Document A, comme on le verra à la note § 145, Mc 3 14-15 doit provenir d'une autre source. On a vu plus haut que Mc 3 14-15 assignait aux Douze la même activité missionnaire qu'à Jésus d'après Mc 1 39; ces deux passages sont homogènes l'un à l'autre. Puisque Mc 1 39 appartenait au Document B (voir note § 37), il devait en être de même pour Mc 3 14-15.

2. Lc 6 13 dépend vraisemblablement de Mc 3 13-14, qu'il retouche pour éviter le manque de lien entre un texte du Document A (Mc 3 13) et un texte du Document B (Mc 3 14s.). Lc distingue donc soigneusement les « disciples » (v. 13a), qui représentent pour lui tous ceux qui se rassemblent auprès de Jésus pour écouter son enseignement, et les Douze choisis par Jésus pour devenir « apôtres » (v. 13b). En 13a, Jésus appelle à lui tous ses disciples (le verbe « appeler » ayant un sens très général); en 13b, il choisit parmi eux douze apôtres. Ces deux actes successifs correspondent évidemment aux deux actes mentionnés par Mc 3 13-14; d'autant que le verbe « envoyer » (*apostellein*) de Mc 3 14 se retrouve dans le titre

de « apôtres » de Lc **6** 13b (littéralement : « envoyés », *apostoloi*). Lc a supprimé les deux caractéristiques des Douze : être avec Jésus, prêcher et chasser les démons, probablement parce qu'il a jugé qu'elles seraient suffisamment explicitées en Lc **9** 1 ss. (§ 145). La dépendance partielle de Lc par rapport à Mc **3** 13-14 nous confirme que le lien entre les vv. 13 et 14 s. de Mc se trouvait déjà dans le Mc-intermédiaire ; Lc **6** 13 doit être atttibué à l'ultime Rédacteur lucanien.

II. LES NOMS DES DOUZE

1. En Mc **3** 16 ss., la nomenclature des Douze offre une anomalie littéraire notée depuis longtemps. La suite des noms : « et Jacques... et Jean..., etc. » se rattache au verbe principal « et il fit les Douze », par-delà la proposition : « et il imposa comme nom à Simon : Pierre », proposition qui rompt manifestement la suite logique de la phrase. La mention du surnom donné à Simon, et donc aussi celle du surnom donné aux deux fils de Zébédée, de même forme littéraire, sont des gloses que l'on pourra attribuer à l'ultime Rédacteur marcien. C'est sans doute afin de rapprocher les trois noms auxquels des surnoms sont joints (Simon, Jacques et Jean) que l'ultime Rédacteur marcien a rejeté après Jacques et Jean le nom de André, contre le témoignage de Mt et de Lc (mais pour l'ordre actuel de Mc, cf. Ac **1** 13) ; que l'ordre « Simon, Jacques, Jean, André » soit de l'ultime Rédacteur marcien, on en a encore pour preuve la glose que ce Rédacteur introduit en Mc **13** 3, qui offre la même séquence.

2. Il est difficile de préciser à quelle source appartient cette liste de noms. De telles listes ont dû exister séparément, car on en trouve de différentes dans divers ouvrages (évangile des Ébionites, Testament du Seigneur en Galilée). Celle-ci fut probablement incorporée dans le Document A, après le récit de vocation de Mc **3** 13.

3. Même dans les Synoptiques, cette nomenclature présente des divergences qui demandent quelques explications.

a) Sur la différence de place pour André dans Mt/Lc et dans Mc/Ac, voir *supra*, II 1.

b) L'absence de la précision « frère de Jacques » après Jean, dans Lc et Ac, pourrait être le signe d'une évolution qui, après avoir cessé de référer Jean à son frère aîné (cf. Mc **9** 2 comparé à Mt **17** 1), finira par le faire passer avant lui (cf. Lc **8** 51 ; **9** 28 ; Ac **1** 13). Bien mieux, en Ac **12** 2, c'est Jacques qui est présenté comme « frère de Jean » ! Dans certaines listes apostoliques conservées en dehors du NT, Jean en viendra même à prendre le premier rang (évangile des Ébionites, Testament du Seigneur en Galilée).

c) Le rapprochement de Philippe et d'André, en Mc et Ac, n'est probablement pas accidentel ; ils apparaissent presque toujours ensemble dans Jn (**1** 40.43 ; **6** 7 s. ; **12** 21 s.) et semblent liés d'amitié ; ils étaient d'ailleurs du même village, d'après Jn **1** 44 et **12** 21.

d) Thomas semble avoir été, comme Jean, de plus en plus en faveur. N'occupant que la huitième place dans la liste de Mc et de Lc, il passe à la septième chez Mt, à la sixième dans Ac, à la seconde dans la liste du Testament du Seigneur en Galilée. Inconnu par ailleurs des Synoptiques, il joue un rôle assez important dans Jn (**11** 16 ; **14** 5 ; **20** 24-28 ; **21** 2). Dans certains milieux, il était tellement considéré qu'on lui attribua la paternité de l'évangile qui porte son nom.

e) Les trois Synoptiques mentionnent Matthieu, mais Mt seul précise qu'il était publicain (cf. Mt **9** 9, § 41).

f) Si le nom de Thaddée (Mc) est une abréviation de *Theodotos* ou de *Theodôros* (Dalman, Haenchen), cet apôtre ne serait-il pas identique au Nathanaël de Jn **1** 45 ss. et **21** 2 ? Ce nom a en effet même sens en hébreu que *Theodôros* en grec : « don de Dieu » ; Nathanaël est d'ailleurs nommé dans la liste du Testament du Seigneur en Galilée, où il occupe la neuvième place au lieu de Jacques (fils d'Alphée). Lc et Ac ignorent Thaddée (appelé Lebbée dans certains manuscrits de Mt) et nomment à l'avant-dernière place « Jude (fils) de Jacques », inconnu de Mc et de Mt, mais attesté par Jn **14** 22. Faut-il identifier Thaddée et Jude ? Le seul argument a priori serait que les diverses listes devraient obligatoirement se recouper, ce qui n'est pas certain. Précisons enfin que rien ne permet d'identifier « Jude » et « Jacques » avec les « frères du Seigneur » mentionnés en Mt **13** 55 et Mc **6** 3.

Note générale sur *LE DISCOURS INAUGURAL* (§§ **50-76**)

La place du Discours inaugural de Jésus, dans la trame de l'évangile de Mt, est due au Mt-intermédiaire ; cette place devait être sensiblement la même dans le proto-Lc. Précisons tout de suite quelle fut la teneur primitive et l'évolution de ce Discours dans la tradition évangélique, en donnant le résultat des analyses qui seront faites aux notes §§ 50-75.

1. Le noyau du Discours inaugural remonte au Document Q, et Lc en a gardé, mieux que Mt, la structure primitive. Mais on verra que, déjà au niveau du Document Q, il reçut quel-

ques additions, ce qui suppose une origine encore plus ancienne.

a) Ce Discours commençait par les « bénédictions » du § 50, qui étaient au nombre de quatre dans le Document Q (Mt **5** 3.5-6.11-12 ; Lc **6** 20-23). Toutefois, la quatrième bénédiction (Mt **5** 11-12 ; Lc **6** 22-23), d'un style et d'une tonalité très différents de ceux des trois premières, fut ajoutée au niveau du Document Q sous l'influence littéraire des textes qui suivaient (cf. *infra*).

b) Aux « bénédictions » faisait suite un ensemble assez homogène concernant l'amour des ennemis et le principe de la non-violence, dont les matériaux furent réutilisés en Mt 5 39-48 et Lc 6 27-36 (§§ 58 et 59); on trouvera une reconstitution de cet ensemble note § 59 (II 1); il était lié à la dernière des « bénédictions » (ajoutée par le Document Q) par le double thème de la « haine » et de la « malédiction » (note § 59, III 1 a).

c) Venait ensuite (probablement) la « Règle d'or » : faire à autrui ce qu'on veut qu'il nous fasse (Mt 7 12; Lc 6 31 : §§ 59 et 71). D'origine juive, cette « Règle d'or » fut radicalement transformée par Jésus qui lui donna une portée beaucoup plus rigoureuse. Il est possible qu'elle ait été introduite dans le Discours inaugural au niveau du Document Q; elle se lisait dans le traité des « Deux Voies » dont on parlera à la note §§ 53-59.

d) Ces divers commandements de Jésus concernant nos rapports avec le prochain étaient complétés par une invitation à ne pas juger autrui, i.e. à ne pas le « condamner » en jugeant souvent sur des apparences (§ 68 : Mt 7 1-5 et les parallèles de Lc).

e) Après avoir ainsi donné l'essentiel de ce qui devait régler nos rapports avec autrui, le Discours inaugural développait une courte allégorie reprenant un proverbe populaire : « on reconnaît l'arbre à ses fruits » (Mt 7 18.20.16b; Lc 6 43-44 : § 73). Les « fruits » sont évidemment, d'après le contexte antérieur et selon une façon de parler fréquente dans la Bible, les bonnes actions que nous faisons à l'égard d'autrui; ainsi, à la façon dont nous agissons envers autrui, on peut reconnaître si notre « cœur » est bon ou mauvais.

f) Dans le Document Q, le Discours inaugural se terminait par la parabole du § 75 (Mt 7 24-27; Lc 6 47-49); c'est une invitation à mettre en pratique l'enseignement de Jésus (ici, concernant nos relations avec autrui) afin de pouvoir échapper au Jugement qui, comme un torrent, emportera tout ce qui n'aura pas été construit sur le roc des paroles de Jésus.

Il est probable que Jésus n'a pas prononcé lui-même, à proprement parler, de « Discours inaugural »; c'est la tradition évangélique (antérieure, on l'a vu, au Document Q),

qui a voulu ramasser en un discours vigoureux ce qui était l'essentiel de la prédication du Christ.

2. Le Mt-intermédiaire, en reprenant le Discours inaugural du Document Q, l'a considérablement amplifié au moyen de matériaux en provenance de sources diverses. Signalons simplement les principaux de ces ajouts. Après les « bénédictions » (§ 50), il a inséré un logion sur le « sel » (§ 51) et un autre sur la « lumière » (Mt 5 14a.16, § 52), qui tous deux mettent en évidence le rayonnement du vrai disciple de Jésus. Influencé par le traité des Deux Voies (cf. note §§ 53-59), il a construit le grand ensemble des §§ 53 (Mt 5 17) à 59 pour montrer comment Jésus, à l'inverse des scribes et des Pharisiens, était venu porter la Loi mosaïque à son point d'accomplissement le plus parfait (sur ce travail du Mt-intermédiaire, voir la note §§ 54-59). Pour construire ce grand ensemble, il a réutilisé des matériaux en provenance, soit d'un recueil de logia (§§ 54, 55, 57), soit du Document Q (§§ 58, 59). C'est probablement le Mt-intermédiaire qui ajouta le logion du § 74, repris du Document Q où il se lisait hors du Discours inaugural.

3. Enfin, l'ultime Rédacteur matthéen a encore amplifié le Discours tel qu'il le lisait dans le Mt-intermédiaire. Tantôt il a complété certains logia (addition des « bénédictions » de Mt 5 7-10; insertion des logia sur la « ville » et sur la « lampe » à l'intérieur du logion sur la « lumière », au § 52; addition des vv. 19-20 au § 53; etc.); tantôt il a ajouté des sections entières, reprises, soit d'une source qui nous est inconnue (§§ 60, 61, 63), soit du Mt-intermédiaire où elles se lisaient hors du Discours inaugural (§§ 62, 64, 65, 66, 67, 70, 72). L'ultime Rédacteur matthéen a voulu donner une conception la plus complète possible du vrai disciple de Jésus.

4. Le proto-Lc dépend essentiellement du texte du Document Q, mais qu'il retouche ou complète en fonction du Mt-intermédiaire (voir surtout note § 59, I C). Il a lui-même procédé à quelques ajouts, spécialement les « malédictions » de Lc 6 24-26 et les compléments au thème de « ne pas juger autrui » (§ 68); dans ce dernier cas, il est difficile de dire s'il s'agit du proto-Lc ou de l'ultime Rédacteur lucanien.

Note § **50.** *LES BÉNÉDICTIONS ET LES MALÉDICTIONS*

Dans Mt comme dans Lc, les béatitudes forment l'introduction du Discours inaugural de Jésus, remontant au Document Q (cf. note précédente).

I. PROBLÈMES LITTÉRAIRES

Mt a neuf bénédictions tandis que Lc n'en a que quatre; mais Lc les fait suivre de quatre malédictions, en parallèle antithétique avec elles. Le problème se pose donc de savoir

quelle était la structure primitive de l'ensemble : analogue à celle du Mt actuel, ou à celle de Lc, ou seulement au noyau commun à Mt/Lc? Ces diverses solutions ont été proposées, avec des fortunes diverses.

A) LES MALÉDICTIONS (Lc 6 24-26)

1. Inconnues de Mt, elles viennent assez mal dans la perspective générale du Discours inaugural que Jésus adresse aux foules de Galilée, formées de gens du peuple; elles s'en prennent en effet aux riches, aux puissants, aux repus, gens

qui ne devaient montrer aucune hâte à se rassembler autour de Jésus ! Lc a conscience de cette difficulté puisqu'il enchaîne la suite du Discours par ces mots : « Mais je vous dis, à vous qui écoutez... » (**6** 27, § 59); n'est-ce pas reconnaître que le bloc des malédictions, malgré leur formulation à la deuxième personne du pluriel, ne concerne pas les auditeurs du Discours inaugural ? Elles apparaissent donc hors de contexte et l'hypothèse d'une addition par Lc est assez vraisemblable.

2. Sont-elles une création de Lc ou appartenaient-elles à une tradition autre que celle du Document Q? Pour répondre à cette question, le vocabulaire nous est d'un faible secours puisque c'est en grande partie le vocabulaire des béatitudes qui est réutilisé, soit celui de Lc, soit à l'occasion aussi celui attesté par Mt (les verbes « être affligé » et « être consolé » de Mt **5** 5 se retrouvent, d'une part au v. 25b de Lc où il forme doublet avec le verbe « pleurer », repris du v. 21b de Lc, d'autre part au v. 24 de Lc dans le substantif « consolation »). Le fait que, au v. 25 de Lc, on lise le verbe « être repu » (littéralement « être empli ») au lieu de « être rassasié » (vv. 6 de Mt et 21a de Lc) n'implique pas l'utilisation d'une source différente, car ce verbe « être empli » est attesté par Thomas 69b et Clément d'Alexandrie pour la béatitude de ceux qui ont faim, et devait se lire dans le Document Q (cf. *infra*), peut-être même dans le Mt-intermédiaire. On ne peut rien tirer non plus de la proposition du v. 24 : « car vous recevrez votre consolation »; sans doute, le verbe « recevoir » (*apechein*) ne se lit jamais ailleurs avec ce sens dans Lc (cf. cependant Mt **6** 2.5.16), mais un seul mot ne peut résoudre ce problème littéraire ! On notera d'ailleurs qu'en revanche le mot « consolation » (*paraklèsis*) conviendrait bien à Lc (0/0/2/0/4). Le seul argument en faveur d'une rédaction lucanienne est celui-ci : les malédictions n'ont certainement pas existé à l'état séparé; or elles sont calquées sur les bénédictions de Lc (et éventuellement de Mt, cf. *supra*), dont elles prennent le contre-pied; il est donc vraisemblable qu'elles ont été rédigées par Lc (probablement le proto-Lc), puisque, on l'a vu, elles ne se lisaient ni dans le Document Q ni dans le Mt-intermédiaire.

B) Les bénédictions propres à Mt

Elles sont au nombre de cinq : les doux (v. 4), les miséricordieux, les purs de cœur, les artisans de paix, les persécutés (vv. 7-10). Nous considérerons d'abord les trois bénédictions intermédiaires (vv. 7-9), la première et la dernière présentant des difficultés spéciales.

1. *a)* Au point de vue des thèmes traités, les béatitudes des vv. 7-9 tranchent sur celles que Mt a en commun avec Lc. Il ne s'agit plus d'états de privation (pauvreté, affliction, faim), mais de qualités actives réglant les relations avec le prochain : miséricorde, pureté de cœur, pacifisme. En conséquence, les récompenses promises n'impliquent plus un renversement de situation (possession du royaume, consolation, rassasiement), mais évoquent une relation nouvelle établie entre l'homme et Dieu : il recevra miséricorde (de la part de Dieu), il verra Dieu, il sera appelé fils de Dieu. Les

béatitudes propres à Mt ne sont donc pas de même venue que celles qu'il a en commun avec Lc.

b) En un texte de ce genre, des additions sont plus vraisemblables que des omissions. On comprendrait mal que Lc ait supprimé du texte primitif les béatitudes des artisans de paix (Lc affectionne le thème de la « paix »; *eirènè*: 4/1/14/6/7), des miséricordieux (il souligne souvent la bonté de Dieu envers les pécheurs), des cœurs purs. On comprend mieux que Mt ait ajouté ces bénédictions pour renforcer la leçon qu'il voit dans ces textes, comme dans tout le discours qui va suivre : un programme des vertus à pratiquer par le parfait disciple de Jésus. Le silence de Lc invite à penser que ces additions ont été faites au niveau de l'ultime rédaction matthéenne.

2. La béatitude des persécutés (Mt **5** 10) serait plus en harmonie avec les béatitudes communes à Mt/Lc; elle n'offre toutefois rien d'original : le participe « persécutés » anticipe le verbe « persécuter » des vv. 11 et 12 qui, on le verra plus loin, est de rédaction matthéenne; quant à la deuxième partie du verset : « car à eux est le royaume des Cieux », elle ne fait que reprendre littéralement les expressions de la première béatitude. Ainsi, la béatitude des persécutés de Mt **5** 10, ignorée de Lc, doit appartenir à la même couche rédactionnelle que les béatitudes des vv. 7-9.

3. La béatitude des « doux » (v. 4) présente un cas spécial. Ce qui est en question, ce n'est pas son appartenance au noyau primitif des béatitudes, mais son appartenance au Mt actuel. Les manuscrits, en effet, ne sont pas d'accord sur sa place, ce qui pourrait être l'indice d'une insertion tardive, au cours de la transmission manuscrite du premier évangile. De fait, cette béatitude se distingue nettement des autres béatitudes *ajoutées par Mt*. Elle est insérée dans le groupe des béatitudes primitives, tandis que les autres leur font suite; elle reprend littéralement les expressions de Ps **37** 11 : « les doux hériteront la terre », tandis que les béatitudes des vv. 7-10 n'offrent que de vagues réminiscences de l'AT (cf. II); elle donne en récompense la possession de la terre, et non une relation nouvelle avec Dieu (cf. *supra*). Notons enfin que, sans elle, Mt **5** 3-10 donne un groupement de sept béatitudes, délimitées par une inclusion (« royaume des Cieux »); or « sept » est un chiffre symbolique indiquant la totalité : l'Apocalypse contient précisément sept béatitudes (**1** 3; **14** 13; **16** 15; **19** 9; **20** 6; **22** 7.14), et Mt **23**, à l'opposé, sept malédictions contre les scribes et les Pharisiens. On peut donc sérieusement douter de l'authenticité matthéenne de la béatitude des doux.

C) Bénédictions communes a Mt/Lc

Du point de vue littéraire, les trois premières (Mt **5** 3.5-6 et par.) sont nettement distinctes de la quatrième (Mt **5** 11-12 et par.).

1. *Les trois premières bénédictions.*

a) Elles sont étroitement unies, surtout chez Mt, par leurs attaches vétéro-testamentaires : Is **61** 1-2 et Ps **107** 9, deux textes qui dépendent eux-mêmes de Is **49** 9-13, où il s'agit de la délivrance des captifs d'Israël. On lit en Is **61** 1-2 : « Il m'a envoyé porter la bonne nouvelle *aux pauvres... consoler les affligés* » (cf. Is **49** 13). La seconde béatitude de Mt : « Heureux les affligés, car ils seront consolés » (v. 5) reprend les termes de Is **61** 2. Quant aux « pauvres », ils sont dans Isaïe les bénéficiaires de la « bonne nouvelle » (= évangile) et donc de la promesse du royaume (cf. Mt **4** 23; **24** 14; Lc **4** 43; **8** 1; **16** 16), d'où la forme de la première béatitude : « Heureux les pauvres, car à eux est le royaume des Cieux. » La troisième béatitude : « Heureux ceux qui ont faim () car ils seront rassasiés », dépend de Ps **107** 9 (cf. Is **49** 10) : « Il rassasie le ventre avide, le ventre affamé il l'emplit de biens »; on notera le texte de cette béatitude dans Thomas 69, en partie soutenu par Clément d'Alexandrie : « Heureux les affamés, car *on emplira le ventre* de qui le veut »; la parenté avec Ps **107** 9 est évidente, et au moins le verbe « emplir » doit remonter au Document Q; on l'aura trouvé trop réaliste et remplacé par « rassasier » dans le Mt-intermédiaire (cf. Lc **6** 21a, que l'on opposera à Lc **6** 25a, où la traduction « être repus » correspond au verbe grec « être emplis »).

b) Ces attaches littéraires permettent de déceler deux retouches, absentes de Lc et qui doivent donc être de l'ultime Rédacteur matthéen. Au v. 3, il ajoute le mot « en esprit » après l'adjectif « pauvre »; au v. 6, il ajoute les mots « et soif de la justice », absents de Lc **6** 21a et de Ps **107** 9. Le mot « justice » signifie l'accomplissement parfait de la loi divine (cf. Mt **5** 20) et il est souvent employé par Mt (7/0/1/2/4), qui l'ajoutera à sa source encore en **6** 33 (opposer Lc **12** 31). Le thème de la « soif » fut ajouté par Mt peut-être parce qu'il a une résonance spirituelle plus nette que celui de la faim (Ps **42** 2-3). On verra en II la signification théologique de ces additions.

c) Dans Lc, les références à Is **61** 1 s. sont à peine perceptibles. L'ordre des deuxième et troisième béatitudes est inversé, ce qui rapproche les « pauvres » des « affamés »; une telle inversion se lisait probablement déjà dans le proto-Lc, car en Lc **1** 53, dans le Magnificat, la citation de Ps **107** 9 : « les affamés, il les emplit de biens », est immédiatement suivie des mots : « les riches, il les renvoya vides ». Dans l'un et l'autre texte, on rejoint le thème de 1 S **2** 5-8 : « *Les rassasiés s'embauchent pour du pain mais les affamés* cessent de travailler... C'est Yahvé *qui appauvrit* et *qui enrichit*... Il retire de la poussière le faible, du fumier il relève *le pauvre*. » – En **6** 21b, Lc remplace l'opposition « affligés/consolés » par celle de « pleurer/rire ». Le verbe « pleurer » est de son style (2/3/11/8/3). Quant au verbe « rire », il a dans ce contexte une saveur plus grecque que sémitique : « Contrairement à la 'joie', le 'rire' a généralement dans la Bible un sens péjoratif... A première vue, le terme semble donc peu approprié pour exprimer la béatitude. Son emploi se comprendrait plus facilement à partir du vocabulaire grec, où le *gelôs* est le rire joyeux des dieux et des héros » (J. Dupont). Puisque le couple antithétique « pleurer/rire » se retrouve dans les malédictions, il doit remonter lui aussi au proto-Lc. – Comme retouches lucaniennes, on notera encore l'addition de l'adverbe « maintenant » (v. 21ab), l'introduction de la deuxième personne du pluriel dans la seconde partie des phrases, moins ordinaire dans ce genre littéraire des béatitudes, et qui eut peut-être pour but d'estomper le changement de personne entre les trois premières béatitudes et la quatrième (cf. Mt).

2. *La quatrième bénédiction.*

a) Il est difficile de reconstituer le texte du Document Q par-delà les variantes de Mt et de Lc. Certaines retouches de Lc sont relativement aisées à déterminer : au v. 22, addition facilitante du sujet « les hommes »; au v. 23, l'expression « car voici » (*idou gar :* 0/0/5/0/1/1) et le verbe « exulter » (*skirtaô*, seulement ici et Lc **1** 41.44 dans tout le NT; en **1** 44, joint à « car voici »); l'expression « de la même façon » (*kata ta auta;* cf. Lc **17** 30; Ac **14** 1); « le ciel » au lieu du pluriel, seul employé en hébreu; probablement aussi la mention de « leurs pères » à la fin du v. 23, difficilement explicable ici et qui pourrait provenir d'une réminiscence de textes tels que Lc **11** 47 ss. ou Ac **7** 51-52. En s'appuyant sur Dt **22** 14, certains ont pensé que la formule de Lc : « et rejetteront votre nom comme mauvais », était plus primitive que celle de Mt; mais le parallèle antithétique de Lc **6** 26 soutient plutôt la leçon de Mt **5** 11 contre Lc **6** 22 : le texte du Document Q devait avoir « dire du mal de vous », que l'on peut comprendre au sens de « calomnier » ou au sens de « maudire » (cf. Ex **21** 16; **22** 27; Lv **20** 9; Is **8** 21 et *passim*). Lc **6** 22 a changé la formule pour évoquer la proscription du nom de chrétien, comme dans 1 P **4** 14-16; c'est dans cette même perspective de persécution politique qu'il aurait ajouté le verbe « ils vous expulseront », i. e. ils vous rejetteront de leur communauté. – De son côté, l'ultime Rédacteur matthéen a ajouté le participe « en mentant » (v. 11), retouche analogue à celle de Mt **26** 59 (opposer Mc **14** 55). Par ailleurs, comme on l'a dit à la note précédente, les vv. 11 de Mt et 22 de Lc auront leur écho dans les vv. 44 de Mt et 27-28 de Lc (§ 59); or, on le verra à la note § 59, c'est le Mt-intermédiaire qui a introduit le thème des « persécutions » en **5** 44, tout en supprimant celui de la « haine »; on peut donc penser qu'il a fait de même en **5** 11-12 : c'est lui qui a introduit les verbes « persécuter » et supprimé le verbe « haïr » attesté par Lc.

b) Quoi qu'il en soit du texte exact de cette quatrième bénédiction commune à Mt/Lc, elle présente un style totalement différent de celui des trois premières : structure littéraire beaucoup plus complexe, deuxième personne du pluriel, insistance sur l'hostilité des opposants, imprécision de la récompense promise. D'autre part, l'atmosphère devient tout autre : non plus celle du discours inaugural, qui invite à entrer dans le royaume, mais celle du discours apostolique et surtout du discours eschatologique, qui annonce aux apôtres de l'évangile les persécutions qu'ils auront à subir (« haine » et « persécutions », cf. Mt **10** 22 s.; **24** 9 s. et par.; « à cause de moi », cf. Mt **10** 18 et par.). Le précédent des prophètes persécutés suggère lui aussi que Jésus s'adresse aux apôtres leurs successeurs, ce qui est d'ailleurs insinué par le « qui (furent) avant vous » de Mt (cf. Mt **10** 40 s.; **23** 34; Lc **11** 49). On remarquera enfin que cette quatrième bénédiction, contrairement aux trois premières, ne se réfère à aucun texte de l'AT. Il faut donc admettre qu'elle ne faisait pas partie du noyau primitif des bénédictions, mais le lien avec celui-ci était déjà fait au niveau du Document Q (voir note précédente).

II. LE MESSAGE DES BÉNÉDICTIONS

1. *Parallèles extra-bibliques.* Bien qu'il n'y soit pas question à proprement parler de « béatitudes », deux textes éclairent la genèse des « bénédictions » du Sermon sur la montagne.

a) Dans les textes de Qumrân, à la colonne 18 du rouleau des Hymnes, lignes 14-15, on lit ce texte, malheureusement très lacuneux, que quelques fragments appartenant à d'autres rouleaux permettent de compléter un peu : « … pour *porter la bonne nouvelle aux pauvres* selon l'abondance de ta miséricorde, [pour…] de la source [   ] [et pour…] les abattus d'esprit et *les affligés* à la joie éternelle ». Le début de la citation reprend les expressions de Is **61** 1 ; à la fin, le thème des affligés invités à la joie éternelle est proche de Is **61** 2 : « … pour consoler *les affligés* et leur donner un diadème au lieu de cendre, l'huile *de joie* au lieu d'un vêtement de deuil » (cf. Is **61** 7 : « pour eux, joie éternelle »). Ce texte de Qumrân annonce déjà la première et la seconde béatitudes ; plus exactement, il indique l'importance que la tradition juive donnait aux deux thèmes de Is **61** 1-2 : annonce de la bonne nouvelle aux pauvres et promesse de joie pour les affligés.

b) Plus caractéristique encore est le texte du Testament de Juda cité vol. I, p. 43. Contrairement à l'opinion de Charles (suivie dans le vol. I), les commentateurs des Testaments donnent aujourd'hui la préférence au texte long attesté par la majorité des manuscrits grecs et la version slavone ; en voici la teneur :

> Et ceux qui ont fini (leur vie) dans la tristesse se lèveront
>   dans la joie,
> et ceux qui (sont) dans la pauvreté à cause du Seigneur
>   seront riches,
> et ceux qui (sont) dans la disette seront rassasiés,
> et ceux qui (sont) dans la maladie seront forts,
> et ceux qui meurent à cause du Seigneur se réveilleront dans
>   la vie.

Les thèmes sont les mêmes que dans le noyau primitif des béatitudes : la joie eschatologique (cf. Qumrân) promise à ceux qui sont tristes, la richesse à ceux qui sont pauvres, le rassasiement à ceux qui sont dans la disette. D'une façon générale, l'influence des textes de Qumrân sur les Testaments des Douze Patriarches est certaine ; on la retrouve ici dans le thème de la « joie » promise à ceux qui sont dans la tristesse. Mais on admet aussi certaines interpolations chrétiennes ; une influence du noyau primitif des béatitudes évangéliques sur ce texte des Testaments n'est donc pas exclue ; elle reste cependant douteuse, étant donné l'absence du mot caractéristique : « Heureux… » On notera la portée eschatologique du texte, avec les verbes formant inclusion « se lèveront », « se réveilleront », qui tous deux font allusion à la résurrection des morts.

2. *Le noyau primitif des bénédictions.* Antérieur même au Document Q, le noyau primitif des bénédictions avait cette teneur :

> « Heureux les pauvres, car à eux est le royaume des Cieux,
> heureux les affligés, car ils seront consolés,
> heureux les affamés, car ils seront rassasiés. »

Ces bénédictions, on l'a vu en I C 1 c, reprennent les thèmes de Is **61** 1-2 et Ps **107** 9, eux-mêmes dépendant de Is **49** 10 ss. Mais ces thèmes sont repris sous forme de « béatitudes » : « Heureux les pauvres… heureux les affligés, etc. » Cette expression revient souvent dans les Psaumes et dans la littérature sapientielle ; beaucoup de Psaumes commencent ou se terminent par elle (Ps **1** 1 ; **32** 1-2 ; **41** 2 ; **112** 1 ; **119** 1 s. ; **2** 12) ; beaucoup de « proverbes » de la sagesse juive la reprennent (Pr **3** 13 ; **8** 32.34 ; Si **14** 1-2.20 ; **25** 9 ; **34** 15). Comme on le verra, l'enseignement du Sermon sur la montagne est fortement marqué par les thèmes de la littérature sapientielle ; c'est dans cette ligne qu'il faut chercher la signification fondamentale des béatitudes. – Les Grecs réservaient généralement l'adjectif « heureux » (*makarios*) aux dieux immortels ; en ce qui concerne l'homme, les sagesses populaires, la sagesse biblique y compris, ont consacré, dans des aphorismes séculaires, une conception mesurée, et souvent terre-à-terre, du bonheur. En promettant aux « pauvres » (i.e. aux « humiliés »), non pas la richesse (cf. Test. Juda, *supra*), mais le « royaume des Cieux », Jésus rompt avec une certaine tradition juive développée surtout dans le prophétisme postérieur (Is **29** 18-19 ; **49** 6-13 ; **60-62**) qui liait le bonheur eschatologique à une restauration politique et *terrestre* de la domination d'Israël sur le monde (cf. encore Ac **1** 6), suivie d'une prospérité s'alimentant aux dépouilles des « nations » soumises à Israël. Jésus ne promet pas de rendre riches en ce monde ceux qui sont pauvres. Se situant dans la ligne déjà tracée par Nb **18** 20 ; Ps **16** ; **49** ; **73**, il enseigne que la seule vraie richesse, la seule source de bonheur, c'est la possession de Dieu, la vie avec Dieu et en Dieu (Mt **6** 19-21 ; **19** 21 ; cf. Ps **16** 10 s. ; **73** 25 s.), vie que l'homme ne peut obtenir pleinement qu'à la fin de sa vie terrestre, lorsqu'il entre dans la vie éternelle de Dieu (Ps **49** 16 ; cf. Sg **4** 7-14). D'où le paradoxe des béatitudes : heureux les pauvres, les affligés, les affamés… L'idée première n'est pas celle d'une revanche des pauvres sur les riches, c'est l'affirmation que *même* les déshérités de ce monde ne doivent pas désespérer : leur bonheur est assuré, en Dieu.

3. *Dans le Document Q.* Aux trois béatitudes initiales, le Document Q en ajoute une quatrième, de tonalité différente (vv. 11-12 de Mt et 22-23 de Lc). Elle concerne surtout les prédicateurs de l'Évangile, successeurs des prophètes, qui seront haïs et maudits à cause du message qu'ils apportent aux hommes. D'une façon plus générale, tandis que les trois béatitudes initiales concernaient les « humbles », ceux qui sont écrasés par la vie ou par les puissants de ce monde, la béatitude ajoutée par le Document Q concerne les chrétiens en tant que tels, ceux qui seront haïs et maudits parce qu'ils sont chrétiens, en tant que disciples du Christ (cf. 1 P **4** 13-14 ; Jc **1** 12). On perçoit ici l'écho des difficultés rencontrées par les premiers chrétiens, de la part des Juifs ou des païens,

parce que leur genre de vie diffère de celui des autres (1 P **3** 13-16; **4** 4).

4. *Dans le Mt-intermédiaire.* Incorporées aux matériaux repris du Document A, les béatitudes constituent dans le Mt-intermédiaire le début de la prédication de Jésus. Elles se trouvent ainsi intimement liées à la scène du baptême de Jésus par Jean (§ 24) et jettent un jour nouveau sur la véritable personnalité du Christ. Après avoir reçu *l'Esprit* lors de son baptême par Jean (Mt **3** 16), Jésus vient prêcher la bonne nouvelle (= évangile) du royaume des Cieux (Mt **4** 17.23) et, aux foules qui se rassemblent près de lui (Mt **4** 25), il annonce : « Heureux *les pauvres*, car à eux est le royaume des Cieux; heureux *les affligés*, car *ils seront consolés...* » (5 3.5). C'est bien la réalisation de l'oracle d'Is **61** 1-2 : « L'Esprit du Seigneur Yahvé est sur moi, car il m'a oint; il m'a envoyé porter la bonne nouvelle aux pauvres... consoler les affligés. » Dans Mt comme dans Is **61**, l'évangélisation des pauvres est liée au don de l'Esprit qui a fait de Jésus le Messie (= « oint »).

5. *Dans le proto-Lc.* En reprenant les béatitudes du Document Q et du Mt-intermédiaire, le proto-Lc y ajoute les malédictions des vv. 24-26. Il ne fait probablement qu'expliciter ce qui était implicitement contenu dans les béatitudes initiales : l'amour excessif de l'argent, source de béatitude terrestre, incite l'homme à oublier la loi première du royaume : « Tu aimeras ton prochain comme toi-même », clef indispensable pour entrer dans la vie éternelle (cf. § 249 et sa note). Une telle explicitation se fait dans la ligne de textes tels que Lc **12** 13-21 et surtout **16** 19 ss. (Lazare et le mauvais riche); cette tendance atteindra son point culminant dans les invectives lancées contre les riches, oppresseurs des pauvres,

par Jc **4** 13 - **5** 6. De même, en ajoutant le « maintenant » aux vv. 21a-21b, Lc ne fait qu'expliciter la perspective eschatologique des béatitudes primitives; mais, par le fait même, il insiste sur le renversement de situation qui se produira dans le monde eschatologique, sur la compensation qui est promise aux pauvres.

6. *Dans l'ultime rédaction matthéenne.* Tout autre se révèle la réinterprétation matthéenne, caractérisée par l'addition des béatitudes des vv. 7-10. Mt veut présenter à ceux qui ont adhéré à l'évangile une éthique universelle et quasi intemporelle. L'ensemble des béatitudes est conçu en fonction de la « justice » du royaume (vv. 6.10), qui est accomplissement parfait de la loi divine, et en fonction de la pauvreté « en esprit » (v. 3; esprit de pauvreté qui ne concerne pas seulement les biens matériels, mais aussi toute notre attitude devant Dieu, faite d'humilité). Comme dans Lc, mais d'une tout autre manière, il y a glissement du point de vue théologique (Dieu seul donne la vie bienheureuse) au point de vue éthique : les béatitudes deviennent des « vertus ». Cet aspect moralisateur se trouve renforcé par l'addition de bénédictions supplémentaires (miséricorde, pureté de cœur, service de la paix) qui expriment d'emblée un comportement actif et non une simple situation de fait. Ainsi, la pureté chrétienne du cœur (elle n'a rien à faire ici avec la chasteté !), i.e. la rectitude d'intention qui fait agir en chrétien, se substitue à la pureté plus matérielle qui permettait au fidèle de l'ancienne Alliance de « voir Dieu » dans son Temple, selon une ligne de pensée déjà tracée dans Ps **24** 3-4. Enfin Mt ne connaît pas ici la coupure temporelle de Lc entre l'ici-bas et l'au-delà : pour quiconque pratique la justice nouvelle, le royaume est déjà à l'œuvre.

Note § **51**. « *VOUS ÊTES LE SEL DE LA TERRE* »

Aussitôt après les béatitudes, Mt place deux logia qui n'ont pas d'équivalent dans le discours parallèle de Lc : l'un sur le sel (5 13), l'autre sur la lumière (§ 52); dans leur contexte matthéen, la parenté entre les deux logia est soulignée par la similitude des introductions : « Vous êtes le sel de la terre », « Vous êtes la lumière du monde ».

I. PROBLÈMES LITTÉRAIRES

1. Le logion sur le sel se lit encore en Mc **9** 50 et Lc **14** 34 s., dans des contextes entièrement différents. Du point de vue littéraire, il n'existe aucun accord Mt/Mc contre Lc. En revanche, les accords Mt/Lc contre Mc sont nombreux : « s'affadit »; verbe principal au passif et à la troisième personne (sujet sous-entendu : le sel); deuxième partie du logion qui mentionne l'inutilité du sel affadi et l'image finale du sel jeté dehors; enfin mention de la terre au début des vv. 13 de Mt

et 35 de Lc. On se trouve donc devant deux traditions différentes : celle de Mt/Lc et celle de Mc. La tradition Mt/Lc nous fait remonter au Document Q; dans ce Document, le logion devait se trouver à la place que Lc lui assigne; c'est le Mt-intermédiaire qui l'a inséré ici afin de compléter le Discours inaugural de Jésus. Sur la tradition marcienne, voir note § 177.

2. Par-delà les divergences entre Mt et Lc, est-il possible de retrouver le texte du Document Q? Lc s'accorde avec Mc contre Mt sur deux points : expression initiale « Bon (est) le sel », verbe « assaisonner »; ces accords Lc/Mc contre Mt proviennent probablement d'une influence du Mc-intermédiaire sur l'ultime rédaction lucanienne. Mais on peut relever aussi un certain nombre de retouches matthéennes. L'introduction : « Vous êtes le sel de la terre », parallèle à celle du logion suivant, fut ajoutée par le Mt-intermédiaire qui, on l'a vu, a inséré ici et juxtaposé les logia sur le sel (§ 51) et sur la lumière (§ 52, en partie); pour forger cette intro-

duction, il a réutilisé la mention de la « terre », attestée au début du v. 35 de Lc qui a gardé ici la formulation primitive du logion (Document Q). C'est également à la tradition matthéenne que l'on attribuera : la suppression de la mention du « fumier » (jugée malsonnante, ou dont on ne comprenait plus la signification), l'addition du châtiment final : « à être foulé aux pieds par les hommes » (cf. Mt 7 6); il est difficile de dire si ces deux modifications sont du Mt-intermédiaire ou de l'ultime Rédacteur matthéen. De toute façon, Lc dépend ici directement du Document Q, qui donnait le logion sous cette forme :

« Si le sel s'affadit, avec quoi sera-t-il salé? Ni pour la terre, ni pour le fumier il n'est apte : dehors on le jette. »

II. SENS DU LOGION

Dans Mt comme dans Lc, le logion concerne le vrai disciple de Jésus; il a une portée allégorique qu'il n'est pas facile de préciser.

1. Plutôt que « l'esprit de sacrifice, de renoncement » (O. Cullmann), le sel symbolise la « sagesse » transmise par Jésus à ses disciples et qui commande toute leur vie morale. Conforme à la tradition rabbinique, cette interprétation s'appuie sur la présence du verbe « s'affadir », qui signifie littéralement « devenir stupide », perdre toute sagesse (Is 19 11 s.; Jr 10 14; Si 23 14; Rm 1 22; 1 Co 1 20). Dans Col 4 5-6, Paul assimile également le sel à la « sagesse » (voir note § 177).

2. Il est plus difficile de saisir la pointe exacte de la comparaison. On pense d'ordinaire à la propriété qu'a le sel de donner du goût aux aliments, ce qui est effectivement le sens en Col 4 5-6 et Mc 9 50 (voir note § 177). Mais dans le Document Q, il semble que le sens était différent (H. Gressmann). Le sel affadi ne peut servir « ni pour la terre, ni pour le fumier »; cette constatation doit se comprendre en fonction d'une pratique agricole attestée en Égypte et en Palestine dès le premier siècle : on ajoutait du sel au fumier afin de le rendre plus apte à féconder la terre. Dans cette perspective, le sel symboliserait la « sagesse » des disciples de Jésus, en tant qu'ayant pouvoir de rendre les hommes (= la terre) plus aptes à porter

des fruits (leurs œuvres bonnes). Avec ce sens, le logion du Document Q devient beaucoup plus facile à comprendre : quand le sel perd ses qualités de sel, il ne peut plus servir à améliorer la terre et on le jette dehors. Au contraire, si l'on veut maintenir l'interprétation « culinaire » (cf. *supra*), le logion perd son unité interne : le sel qui perd sa saveur (qui ne donne plus de goût aux aliments) ne peut servir ni à la terre ni au fumier; on attendrait au moins : « ... ne peut *même* plus servir à la terre »; mais pourquoi cette mention d'une seconde propriété du sel?

3. Mt ne mentionne pas le « fumier »; on pourrait en conclure que le thème du sel qui sert à améliorer le fumier et donc à féconder la terre ne l'intéresse pas. Une comparaison avec le logion suivant (dans son état primitif, voir note § 52) invite toutefois à reconsidérer le problème. Aux vv. 14a.16, comme au v. 13, nous avons une allégorie commençant par une phrase analogue : « Vous êtes le sel de la terre » – « Vous êtes la lumière du monde ». En 5 14a.16, le mot « monde » s'intègre harmonieusement dans l'allégorie : de même que la lumière (le soleil) illumine le monde, ainsi les œuvres bonnes des disciples brillent devant les hommes; le mot « monde » signifie à la fois le monde physique (point de départ de l'allégorie) et les hommes qui l'habitent (application allégorique). Ne devrait-il pas en être de même au v. 13? Or ce n'est possible qu'avec l'interprétation « agricole » du logion : de même que le sel féconde la terre (par l'intermédiaire du fumier), ainsi les disciples, grâce à leur sagesse reçue de Jésus, donnent aux hommes de porter plus de fruits. Le mot « terre » désignerait à la fois la terre arable et les hommes. Il faut reconnaître que, en supprimant la mention du fumier, Mt rend l'allégorie difficilement compréhensible : le sel, répandu sur la terre, ne servait-il pas au contraire à la stériliser (cf. Jg 9 45)?

4. L'interprétation « agricole » du logion, qui était celle du Document Q, se situerait parfaitement dans la ligne de textes tels que Mc 4 3-9, où il est question de terrains (les hommes) qui portent plus ou moins de fruits; Mt 7 17-19; Jn 12 24; 15 8. On en notera la portée eschatologique : le disciple qui s'est « affadi » sera « jeté dehors », i.e. exclu du royaume de Dieu (Mt 8 12; 22 13; 13 48; Lc 13 28; Jn 15 6).

Note § 52. « *VOUS ÊTES LA LUMIÈRE DU MONDE* »

Mt 5 14-16 contient trois logia différents qu'il faut étudier séparément.

I. LE LOGION SUR LA LUMIÈRE

1. *Forme primitive.* Le logion sur la lumière se composait primitivement des vv. 14a.16, ce dernier ayant même structure que dans la citation faite par Justin :

« Vous êtes la lumière du monde; que brillent vos œuvres bonnes devant les hommes afin que, en (les) voyant, ils glorifient votre Père qui (est) dans les Cieux. »

Ces conclusions découlent d'une comparaison faite entre Mt 5 14a.16, Justin et les divers textes suivants.

a) On lit dans Pr 4 18 (LXX) : « Les chemins des justes brillent comme la lumière »; et dans Si 32 16 (LXX) : « Ils font briller leurs justes actions (*dikaiômata*) comme la lumière. » Ces deux textes, sources plus ou moins proches de notre logion, confirment le texte de Justin en liant immédiatement la conduite morale de l'homme juste à l'idée de « briller »; le mot « lumière » vient à titre de simple comparaison, ce qui rendrait compte de Mt 5 14a.

b) 1 P 2 12 cite certainement un logion semblable à celui de Mt :

Mt 5	Justin	1 P 2 12
14a « Vous êtes la lumière du monde.		Ayant
16 (Ainsi) que brille votre lumière devant les hommes pour que (*hopôs*)	« Que brillent vos œuvres bonnes devant les hommes afin que (*hina*)	votre bonne conduite devant les païens afin que (*hina*), sur le point même où ils vous calomnient comme malfaiteurs, de par vos œuvres bonnes,
ils voient vos œuvres bonnes et glorifient votre Père... »	en (les) voyant ils admirent votre Père... »	en (les) regardant, ils glorifient Dieu.

Malgré son accord avec Mt sur le verbe « glorifier » au lieu de « admirer » (pour le parallélisme des deux verbes, voir 2 Th **1** 10), l'auteur de 1 P suit certainement un texte analogue à celui de Justin; la reprise de l'expression « de par vos bonnes œuvres », qui correspond à « votre bonne conduite », est motivée par l'insertion de la glose « sur le point, etc. »; la gaucherie même de cette reprise montre que 1 P suit un texte analogue à celui de Justin.

c) Bien qu'il en prenne la contrepartie, Mt **6** 1 offre un parallélisme littéraire très étroit avec Mt **5** 16 (voir note § 60); mais, ici encore, le texte de Mt **6** 1 : « gardez-vous de pratiquer votre justice devant les hommes pour être regardés par eux », est en parallèle avec Justin : « Que brillent vos œuvres bonnes devant les hommes afin que, en les voyant... »; dans Mt **6** 1 comme dans Justin, la mention des « œuvres bonnes » ou de la « justice » à pratiquer précède l'expression « devant les hommes », tandis qu'en Mt **5** 16 elle suit le verbe voir.

Ces divers textes confirment donc, et le lien intime entre les vv. 14a et 16 de Mt, et l'excellence du texte de Justin. C'est en insérant les logia des vv. 14b et 15 que l'ultime Rédacteur matthéen aura remanié le logion du v. 16 de façon à y réintroduire le thème de la « lumière », trop éloigné par l'insertion des deux logia. Comme ce logion n'est pas attesté par Lc, il est difficile de dire s'il remonte au Document Q ou à un autre recueil de logia; de toute façon, son insertion ici doit remonter au Mt-intermédiaire qui a voulu, grâce au thème de la « lumière », préparer l'utilisation qu'il va faire dans les sections suivantes du traité des Deux Voies (cf. note suivante).

2. *Sens du logion.*

a) Dans son contexte matthéen actuel, rapproché du v. 15 dont il constitue une application pratique (« Ainsi, que brille... », le logion des vv. 14a.16 doit se comprendre en ce sens que Jésus demanderait à ses disciples d'accomplir leurs œuvres bonnes « devant les hommes », et non à leurs insu, de façon à ce que Dieu puisse être glorifié par elles.

b) Sous sa forme primitive, le logion avait une pointe un peu différente. Jésus insiste, non sur le mode selon lequel on accomplira les œuvres bonnes (devant les hommes ou à leur

insu), mais sur le fait même d'accomplir des œuvres bonnes, l'idée qu'elles puissent être accomplies à l'insu des hommes n'étant pas même envisagée. Le sens serait : « Que brillent vos bonnes œuvres, lesquelles étant faites devant les hommes, Dieu en sera nécessairement glorifié. » La pensée de Jésus se situe parfaitement dans la ligne de la tradition juive : David fut une « lumière » pour Israël (2 S **21** 17); le Serviteur de Yahvé sera « lumière des Nations » (Is **42** 6; **49** 6; cf. **60** 3); Rabbi Johannan ben Zakkaï (vers 80) fut la « lumière du monde » (Aboth R. Nathan, 25). Ici, les disciples seront « lumière du monde » en diffusant et en vivant l'enseignement empreint de sagesse divine (Ps **119** 105; Pr **6** 23; Sg **7** 26-30; **18** 4) qu'ils ont reçu de Jésus, spécialement le commandement de l'amour du prochain. En voyant ces œuvres bonnes, les hommes reconnaîtront qu'elles sont inspirées par Dieu et en feront remonter la gloire à Dieu. Ce thème est exprimé au négatif en Ez **36** 20 ss., mais se lit aussi en Test. Nepht. 8 *4* : « Si donc vous aussi vous accomplissez le bien... Dieu sera glorifié par vous parmi les Nations. »

II. LE LOGION SUR LA VILLE (v. 14b)

1. Inséré ici par l'ultime Rédacteur matthéen, le logion sur la ville a pu circuler isolément (cf. Thomas 32; Oxyrh. 1 *7*) ou faire partie d'un recueil de logia qu'il est impossible de préciser. Thomas 32 brouille les perspectives en ajoutant le trait de la ville fortifiée qui ne peut succomber. L'allusion à ce logion faite par Hom. Clém. 3 *67* ne dépend pas de Mt mais relève de la même tradition que Thomas 32 : « construite » au lieu de « située »; « sur une hauteur » (*en hypsei*) qui répond au « élevé » (*hypsèlous*) de Thomas.

2. La ville symbolise probablement la Jérusalem des temps messianiques (von Rad). Le logion fait en effet allusion à Is **2** 2-4 (= Mi **4** 1-2), la similitude entre les deux textes apparaissant mieux si l'on tient compte de la Septante pour Is **2** 2, du texte de Thomas 32 pour le logion : « Dans les derniers jours, la montagne du Seigneur *sera visible* (*emphanès*) et la maison de Dieu sera *au sommet des montagnes* (*ep'akrôn* *tôn oreôn*) et *sera élevée* (*hypsothèsetai*) au-dessus des collines... » « Une ville construite au sommet d'une montagne élevée (*ep'akrôn orous hypselous*) ne peut être cachée. » La Jérusalem des temps messianiques (l'Église, cf. Hom. Clém.) resplendira sur toutes les nations païennes parce qu'elle fera connaître la véritable loi de Dieu (Is **2** 3c), lumière qui éclaire les hommes (Is **2** 5). Dans cette perspective, le logion s'adapte parfaitement au contexte de Mt **5** 14a.16.

III. LE LOGION SUR LA LAMPE (v. 15)

Comme le logion sur le sel (§ 51), celui-ci provient du Document Q (cf. Lc **11** 33); il fut inséré ici par l'ultime Rédacteur matthéen, qui devait déjà le lire dans le Mt-intermédiaire, mais à une autre place impossible à préciser. Un logion semblable se lit également en Mc **4** 21 et Lc **8** 16 (Lc a harmonisé **8** 16 sur **11** 33).

1. *Problèmes littéraires.*

a) Mc offre la forme la plus aramaïsante, et donc la plus archaïque : double interrogation, bien dans la manière rabbinique; substantifs précédés de l'article, bien qu'ils soient indéterminés; « est-ce que vient », pour signifier « est-ce qu'est apportée ». Mais Mt garde aussi une certaine couleur sémitisante : pluriel impersonnel : « ils n'allument pas »; article devant les substantifs indéterminés (sauf pour « lampe »); parataxes : « allume... et la met... et elle brille... » Quant à Lc, il a grécisé l'ensemble, aux deux passages, et rendu la phrase plus élégante.

b) Si les diverses formes de textes sont d'accord pour affirmer que la lampe doit être placée sur le lampadaire, elles hésitent sur l'endroit où elle ne doit pas être placée : « boisseau » (Mt), « boisseau » et « lit » (Mc), « vase » et « lit » (Lc **8**), « cachette » et « boisseau » (Lc **11**). On pourrait penser spontanément que « boisseau », attesté dans trois textes, représente la tradition fondamentale; avec plus de vraisemblance, on admettra que seul le mot « lit » se lisait dans le Mc-intermédiaire (Mc **4** 21; Lc **8** 16) et que le mot « boisseau » fut ajouté par l'ultime Rédacteur marcien sous l'influence du Mt-intermédiaire.

c) Que penser de la « cachette » de Lc **11** 33, appuyé par Thomas 33? On néglige d'ordinaire cette variante de Lc, souvent pour la seule raison que, selon la théorie des Deux Sources, Lc ne peut dépendre que du Mc actuel. On remarquera cependant que le mot « caché » se lit en Si **20** 30-31, qui semble avoir fourni l'idée fondamentale du logion (cf. *infra*); on comprendrait par ailleurs que l'on ait voulu préciser cette expression très vague de « cachette » en lui substituant les termes très concrets de « boisseau » ou de « lit ». La variante de Lc n'est donc pas dénuée de toute garantie d'authenticité.

2. *Sens du logion.*

a) En se référant à des textes rabbiniques où il est recommandé d'éteindre la lampe la veille du sabbat en la couvrant d'une terrine, on a interprété le logion en ce sens que, le boisseau faisant plus que cacher la lampe, mais l'éteignant, Jésus mettrait ses disciples en garde, non seulement contre le danger de cacher leur lumière, mais bel et bien contre celui de la laisser s'éteindre (J. Jeremias). Cette interprétation pourrait se recommander de Lc **11** 33-34, où le logion sur la lampe est immédiatement suivi d'un logion comparant l'œil à la lampe, et où la lumière peut devenir ténèbres. Elle se heurte toutefois à une sérieuse difficulté : elle suppose une représentation moderne du « boisseau », sorte de vase maniable servant à mesurer les grains. En fait, selon les données de l'archéologie, le « boisseau » était « un petit meuble, une espèce de baquet, de forme tronc-conique, dont le fond était porté par trois ou quatre pieds » (Dupont-Sommer); il ne saurait donc être question de renverser le boisseau sur la lampe ! le « boisseau » de Mt aurait plutôt même signification que le « lit » de Mc, qui lui aussi était monté sur quatre pieds et sous lequel il était possible de cacher la lampe.

b) Voici dès lors le sens le plus plausible du logion : la lampe et sa lumière symbolisent l'enseignement donné par Jésus à ses disciples, empreint de sagesse divine (cf. *supra*); les disciples doivent manifester cette sagesse par leur bonne conduite morale, selon l'idée déjà exprimée en Si **20** 30-31 : « Sagesse cachée et trésor invisible, à quoi servent-ils l'un et l'autre? Mieux vaut un homme qui cache sa folie qu'un homme qui cache sa sagesse. »

NOTE SUR LES §§ **53-59**

Les développements de Mt **5** 17-48 se fondent sur l'enseignement même de Jésus; leur présentation littéraire, toutefois, revêt une forme particulière absente des parallèles de Lc et qui pourrait obéir à des motifs d'ordre littéraire propres à Mt. Pour préciser le travail rédactionnel de l'évangéliste, il faut prendre connaissance ici d'un document qui eut une grande diffusion dans le monde juif contemporain du Christ, puis dans le christianisme : les « Deux Voies » (cf. J. P. Audet).

I. LES « DEUX VOIES »

Le petit traité moral connu sous ce nom est d'origine juive et fut rédigé primitivement en araméen (voir note § 71). Nous ne le connaissons plus, directement, que sous une forme grecque reprise dans la « Didachè » moyennant certaines interpolations chrétiennes, et dans une traduction latine (faite sur le grec) qui nous est parvenue sous le titre de

« Doctrina Apostolorum ». Voici le texte de la section qui nous intéresse ici, traduit sur la Didachè (moins les interpolations chrétiennes); certaines variantes attestées par la Doctrina seront indiquées entre parenthèses.

1 1   Il y a deux voies, celle de la vie et celle de la mort (Doctr. ajoute : de la lumière et des ténèbres, sur lesquelles ont été établis deux anges, l'un de justice et l'autre d'injustice).

1 2   Telle est la voie de la vie : premièrement, tu aimeras le Dieu qui t'a fait; deuxièmement, ton prochain comme toi-même.

     Tout ce que tu voudrais qu'il ne t'arrive pas, et toi

1 3a ne le fais pas à autrui; tel est l'enseignement (Doctr. : l'interprétation) de ces paroles :

2 2   *Tu ne tueras pas, tu ne commettras pas d'adultère*, tu ne feras pas d'infanticide, tu ne forniqueras pas, *tu ne voleras pas, ... tu ne convoiteras pas* les biens de ton prochain, tu ne te parjureras pas, *tu ne témoigneras pas à faux*, etc.

2 7   Tu ne haïras personne, mais : certains, tu les réprimanderas; d'autres, tu leur feras miséricorde; d'autres, tu prieras pour eux; d'autres, tu les aimeras plus que ton âme.

3 1   Mon fils, fuis tout (ce qui est) mal.

3 2   Ne sois pas coléreux, car la colère conduit au meurtre.

3 3   Ne sois pas sujet à la convoitise, car la convoitise conduit à la fornication...

1. Le thème des « Deux Voies », l'une conduisant à la vie et l'autre à la mort, trouve son expression première en Dt 30 15-20 : « Vois, je te propose aujourd'hui vie et bonheur, mort et malheur... » Il aura de nombreux échos dans la littérature sapientielle : Ps **1** 6; Pr **4** 18-19; **15** 24; Si **15** 17; **33** 14; et surtout Pr **12** 28 : « Sur le sentier de la justice, la vie; mais le chemin des pervers (mène) à la mort. » Quant au dualisme « lumière/ténèbres » et au thème des « deux anges », ajouté par la Doctrina, il est repris de la théologie de Qumrân, spécialement de la Règle de la Communauté (3 21 - 4) où il introduit un thème analogue à celui des « Deux Voies ».

2. La « voie de la vie » mentionne d'abord deux commandements *positifs:* l'amour de Dieu et l'amour du prochain. Le commandement de l'amour de Dieu était déjà donné comme première condition de la « vie » dans Dt 30 16.20; ici, sa formulation littéraire dépend aussi de Si **7** 30 (cf. Dt **6** 5). Le commandement de l'amour du prochain reprend littéralement Lv **19** 18.

3. A ces deux commandements positifs succède une consigne négative d'ordre général : « Tout ce que tu ne voudrais pas, etc. », explicitée ensuite au moyen d'une série d'interdictions dont le noyau est repris du Décalogue tel qu'il est exprimé en Dt **5** 17-21 (plutôt que Ex **20** 13-17, d'après l'ordre des deux dernières interdictions); voir les expressions soulignées dans le texte.

4. La première partie du traité se termine, en mode d'inclusion, par un retour à Lv **19** 17-18, dont trois verbes sont repris ici : « tu ne haïras pas », « tu réprimanderas », « tu aimeras comme toi-même ». Cette reprise du texte du Lv a pour but de mettre en lumière le vrai sens du commandement de l'amour du prochain : il faut aimer même ceux qui nous font du mal. C'était probablement déjà l'intention du Lv, qui pourrait se comprendre ainsi : (celui qui te fait du mal), tu ne le haïras pas, tu le réprimanderas (pour qu'il se repente de sa malice), tu ne t'en vengeras pas, tu l'aimeras comme toi-même. C'est sûrement l'intention du traité des « Deux Voies », étant donné la disposition de son texte. On notera un certain renchérissement sur le Lv : « tu les aimeras *plus que* ton âme (= plus que toi-même) »; il faut renoncer même à ce que l'on pourrait estimer être son droit : la vengeance.

5. Un nouveau développement commence en Did 3 *1*, dont on a donné ici les deux premiers termes qui approfondissent les deux premières interdictions du Décalogue : il faut éviter même la colère, qui conduit au meurtre; il faut éviter même la convoitise, qui conduit à la fornication.

II. LES « DEUX VOIES » DANS LES TESTAMENTS DES XII PATRIARCHES

Il est possible de déceler des échos du traité des Deux Voies dans la tradition juive (Hillel, Targum sur Lv 19 *18;* voir note § 71); mais ces échos sont surtout nombreux dans les Testaments des XII Patriarches, fondamentalement juifs malgré leurs interpolations chrétiennes.

1. Le thème des Deux Voies est explicitement mentionné en Test. Asher 1 *3.5:* « Dieu a donné deux voies aux fils des hommes... Car il y a deux voies, du bien et du mal... » Un peu plus loin, ce dualisme fondamental est repris en fonction des couples antinomiques : vie et mort, gloire et déshonneur, jour et nuit, lumière et ténèbres (5 *1;* cf. Did. et Doctrina 1 *1*).

2. Test. Iss. 5 *2* joint les deux commandements de l'amour de Dieu et du prochain : « Tu aimeras le Seigneur et le prochain » (voir encore 7 *6;* cf. Did. 1 *2*).

3. Test. Gad 6-7 est un véritable commentaire de Did. 2 *7* sur l'obligation d'aimer ceux qui vous font du mal. Par mode d'inclusion, le développement commence et finit par un appel à l'amour et au rejet de la haine : « Et maintenant, *aimez chacun votre prochain* et que *la haine* soit arrachée de vos cœurs » (6 *1*) – « Arrachez donc *la haine* de vos âmes et *aimez-vous* les uns les autres d'un cœur droit » (7 *7*). Comment va se réaliser l'amour mutuel? « Si quelqu'un pèche contre toi, parle-lui pacifiquement » (6 *3*), pour le *réprimander* (d'après 6 *6* et Did. 15 *3*). S'il se repent, il faut lui pardonner; s'il refuse de reconnaître sa faute, il faut laisser à Dieu le soin de la vengeance (6 *3*b-7). De même, « si quelqu'un réussit à vos dépens, ne vous affligez pas, mais *priez* pour lui » (7 *1*). Absence de haine, réprimande, prière, amour, ce sont quatre des cinq éléments fondamentaux de Did. 2 *7*.

4. Le cinquième élément se lit d'ailleurs dans Test. Sim. 4 *4-8*, dans un contexte qui reprend Did. 2 *7* - 3 *2*. Il s'agit de Joseph et de ses frères. « Joseph était un homme bon, ayant l'esprit de Dieu en lui; étant *miséricordieux*, il ne m'a pas gardé rancune mais *m'a aimé* avec mes frères. ... Il ne nous a pas fait de reproches sur notre (mauvaise) action, mais *nous a aimés* comme son âme... Et vous, mes enfants, aimez chacun son frère de bon cœur, et rejetez de vous l'esprit d'envie, car il enflamme l'âme et corrompt le corps, il donne *colère* et guerre à l'esprit et va *jusqu'au meurtre*... »

III. LES « DEUX VOIES » CHEZ PAUL

Le traité des Deux Voies commande, semble-t-il, certains développements des épîtres pauliniennes. Deux textes parallèles sont surtout à considérer : Rm 13 8 ss. et Ga 5 13 ss. :

Rm 13	Ga 5
8 Vous ne devez rien à [personne, sinon le « s'aimer	
les uns les autres ». Car celui qui aime autrui a accompli la Loi.	13 Mais, par l'amour, soyez serviteurs les uns des autres.
9 Car le : « tu ne feras pas d'adultère, tu ne tueras pas, tu ne voleras pas, tu ne convoiteras pas » et n'importe quel autre commandement [dement	Car toute la Loi
se récapitule en cette [parole : dans le « tu aimeras ton prochain comme toi- [même ».	est accomplie en une seule [parole : dans le « tu aimeras ton prochain comme toi- [même ».
10 L'amour ne fait pas de mal au prochain; l'accomplissement de la Loi est donc l'amour.	
12 Déposons donc les œuvres de ténèbres et revêtons les armes de lumière...	19 ... les œuvres de la chair...
	22 ... le fruit de l'esprit...

On notera à propos de ces textes :

1. On retrouve dans Rm la structure même de la première partie du traité des Deux Voies : les interdictions du Décalogue (Dt 5 17-21, mais ici selon l'ordre de la Septante) sont encadrées par le commandement de l'amour fraternel de Lv 19 18. On notera également que, dans les Deux Voies, le commandement de Lv 19 18 est immédiatement suivi de la règle d'or négative, qui se termine sur ces mots : « ne (le) fais pas à ton prochain » (formule la plus ancienne, voir note § 71); de même dans Paul, après la citation explicite de Lv 19 18 vient la remarque de forme négative : « l'amour *ne fait pas de mal au prochain* » (v. 10a).

2. Le développement de Rm se poursuit (v. 12) par une référence au dualisme « lumière/ténèbres » qui répond à l'introduction du traité des Deux Voies selon la Doctrina (cf. Qumrân). Le passage parallèle de Ga 5 19-22 oppose la « chair » et « l'esprit », ce qui répondrait plutôt à l'opposition entre les deux « esprits » dans la Règle de la Communauté de Qumrân (qui représentent les inclinations bonne ou mauvaise de l'homme) : les deux « esprits » luttent l'un contre l'autre, comme la chair et l'esprit dans Ga 5 17. En revanche, l'énumération des vices qui sont les « œuvres de la chair » en Ga 5 19-20 est analogue à l'énumération des vices qui constituent la « voie de la mort » dans Did. 5. Notons enfin que Ga 6 8, reprenant par mode de conclusion les développements de 5 19.22, affirme : « celui qui sème dans sa chair, de la chair récoltera la corruption; mais celui qui sème dans l'esprit, de l'esprit récoltera la vie éternelle »; on retrouve le dualisme « vie/mort » qui est celui de l'introduction des Deux Voies (cf. Rm 8 12-14, parallèle à Ga 5 18; Rm 6 15-23).

3. Dans Rm 12 16c-21 (le développement sur la soumission aux pouvoirs publics de 13 1-7 pourrait être une parenthèse, voire une insertion), nous trouvons un développement sur le thème de la non-violence : il ne faut pas se venger; mieux, il faut faire du bien à ses ennemis. L'expression littéraire reprend, il est vrai, les termes de Pr 25 21 s., mais c'est le thème de Lv 19 17-18 et Did. 2 7, comme on l'a vu plus haut. On comparera aussi Rm 12 21 : « Ne sois pas vaincu par le mal, mais vaincs le mal par le bien », avec Test. Benj. 4 *3* : « ... même s'ils ne lui veulent pas de bonnes (choses), celui-ci vainc le mal en faisant le bien, protégé par Dieu; il aime comme son âme ceux qui (lui) font du tort. »

Tout se passe donc comme si Paul reprenait, dans un ordre inversé, le schéma du traité des Deux Voies :

Rm 12 16c-21	=	Did. 2 7
13 8-10	=	1 *2* et 2 *2-3*
13 12	=	1 *1* (cf. Doctrina)

(Voir encore 1 Co **12** 31b et **13** 4-7.)

IV. LES « DEUX VOIES » DANS MATTHIEU

Tous les éléments essentiels du traité des Deux Voies se retrouvent dans l'évangile de Mt, à l'état de membres épars il est vrai, mais dans des passages qui offrent entre eux des liens indéniables. En voici la simple nomenclature; les notes concernant ces passages fourniront de plus amples développements.

1. Mt 5 14-48 est le passage où les contacts avec le traité des Deux Voies sont les plus nombreux.

a) Le thème de la « lumière » en Mt 5 14a.16 (§ 52) comme en Doctr. 1 *1* et Rm **13** 12.

b) Le thème de *l'accomplissement* de la Loi en Mt 5 17 (§ 53) comme en Rm **13** 8.10 et Ga 5 13.

c) Une énumération des interdictions du Décalogue, comme dans Did. 2 *2-3* et Rm **13** 9 : « Tu ne tueras pas » (Mt **5** 21, § **54**); « tu ne commettras pas d'adultère » (Mt **5** 27, § **55**); « tu ne te parjureras pas » (Mt **5** 33, § **57**). Ce dernier verbe, qui ne correspond littéralement ni au Texte Massorétique ni à la Septante de Dt **5**·17, se lit précisément en Did. 2 *3* où il semble être un doublet de « tu ne témoigneras pas à faux » (voir note § **57**).

d) Un renchérissement sur les deux premières défenses du Décalogue qui se lit également dans les Deux Voies : il faut éviter, non seulement le meurtre, mais même la colère (Mt **5** 21-22, § **54**; cf. Did. 3 *2*); il faut éviter, non seulement l'adultère, mais même toute convoitise impure (Mt **5** 27-28, § **55**; cf. Did. 3 *3*).

e) L'énumération des interdictions du Décalogue est suivie par un développement sur le commandement de l'amour du prochain (Lv **19** 18) analogue à celui de Did. 2 *7* et Rm **12** 16c-21 : il faut aimer comme soi-même non seulement ses amis, mais aussi ses ennemis (Mt **5** 43 ss., § **59**).

2. Mt **7** 12-14. Nous trouvons dans ce passage :

a) La « règle d'or » exprimée sous forme positive (Mt **7** 12a, § **71**), qui est l'équivalent chrétien de la « règle d'or » négative de Did. 1 *2c* (voir les importants développements de la note § **71**).

b) Cette « règle d'or » est la Loi (et les prophètes), principe exprimé de façon analogue en Rm **13** 8.10, connu déjà de Hillel, et qui fit probablement partie du traité des Deux Voies (voir note § **71**).

c) Ces développements précèdent immédiatement une application du thème des Deux Voies : le chemin qui conduit à la mort et le chemin qui conduit à la vie (Mt **7** 13-14, § **72**).

3. Mt **19** 16-26. C'est l'épisode du jeune homme riche (§§ 249, 250). Dans Mt, il offre des contacts littéraires précis avec les développements de **5** 21-48 : l'énumération des interdictions du Décalogue (**19** 18), suivie de la consigne positive d'amour du prochain (**19** 19 = Lv **19** 18) qui doit être elle-même dépassée pour que le chrétien devienne « parfait » (*teleios;* seulement en Mt **5** 48 et **19** 21 dans les évangiles).

On notera spécialement que ce récit, centré sur le Décalogue et Lv **19** 18, comme le traité des Deux Voies, donne les conditions nécessaires pour « entrer dans la vie » (Mt **19** 17b) et se termine par une remarque de Jésus sur la difficulté pour les riches « d'entrer dans le Royaume », exprimée en termes proches de Mt **7** 13-14/Lc **13** 23-24; l'arrière-plan est bien celui des Deux Voies.

4. Mt **22** 34-40 (§ **285**). Comme dans Did. 1 *2*, cette discussion avec un Pharisien (ou un scribe) affirme que le premier commandement est celui de l'amour de Dieu, et le second celui de l'amour du prochain. Mt **22** 40 donne ces deux commandements comme un résumé de toute la Loi (et des prophètes), principe déjà posé en **7** 12b à propos de la « règle d'or »; on a l'impression que Mt dédouble un texte qui donnait à la suite : le commandement de l'amour de Dieu, le commandement de l'amour du prochain, la règle d'or, la remarque que « ceci est toute la Loi », comme dans les Deux Voies.

On notera que, dans Lc, la question du notable riche (Lc **18** 18) et celle du légiste (Lc **10** 25) sont identiques; aurait-il eu conscience que les deux épisodes étaient l'écho d'une tradition unique? De toute façon, dans son récit du § **285**, le double commandement de l'amour de Dieu et de l'amour du prochain est donné comme la condition nécessaire pour posséder la « vie » (Lc **10** 25.28; cf. Did. 1 *1*).

Tous ces passages de Mt, littérairement liés entre eux, offrent trop de contacts avec le traité des Deux Voies pour que l'on puisse éviter la conclusion que, en les rédigeant, Mt a connu et suivi le schéma de ce traité des Deux Voies. Il restera à préciser, à propos de chaque passage, comment, sous le vêtement littéraire influencé par les Deux Voies, il est possible de retrouver un écho valable de l'enseignement de Jésus.

V. LES « DEUX VOIES » DANS LA DIDACHÈ

Au début de cette note (I), nous avons dit que le traité des Deux Voies se retrouvait dans la Didachè moyennant certaines interpolations chrétiennes. En particulier, on admet souvent que, interrompu en Did. 1 *3a*, le texte du traité des Deux Voies reprend à Did. 2 *2* (voir texte *supra*); tout ce qui se trouve entre ces deux parties du traité des Deux Voies serait « interpolation chrétienne ». Est-il possible de préciser la provenance de ces matériaux chrétiens? Il semble que oui. L'analyse des §§ 58-59 de la Synopse permettra de conclure que la Didachè, appuyée par Justin et quelques autres témoins, ne suit, ni le texte de Mt **5** 38-48, ni celui de Lc **6** 27-36, mais celui de leur source commune : le Document Q; on trouvera une reconstitution du texte de ce Document Q à la note § **59**, II 1. Or c'est précisément ce texte du Document Q qui se trouve, avec un certain nombre de modifications et d'additions, inséré dans la Didachè entre 1 *3a* et 2 *2*. On peut donc préciser la façon de procéder de l'auteur de la Didachè : en reprenant le traité des Deux Voies, il y a inséré toute une section reprise du Document Q (Didachè, de 1 *3b* à 2 *1*), section qui servit de source à Mt **5** 38-48 et à Lc **6** 27-36.

Note § **53.** *L'ACCOMPLISSEMENT DE LA LOI ET LA JUSTICE NOUVELLE*

Mt **5** 17-20 contient quatre logia qui traitent de l'accomplissement de la Loi en des énoncés généraux préparant les exemples particuliers fournis aux vv. 21-48. Chaque logion offre ses propres problèmes et doit être analysé séparément.

I. LE PREMIER LOGION (v. 17)

Malgré sa simplicité apparente, il pose de difficiles problèmes littéraires et théologiques.

1. *Problèmes littéraires.* Ce logion se lit en termes différents chez Ptolémée (cf. Épiphane, Haer. 33 5), Marcion, Clément d'Alexandrie, les Homélies Clémentines, Épiphane, Tertullien, qui tous sont d'accord sur la même forme : « Je ne suis pas venu abolir la Loi, mais (l') accomplir. » De même, la forme plus élaborée que le Talmud attribue à l'évangile dérive certainement, non du Mt actuel, mais du texte court cité à l'instant, complété par Dt 4 2. D'où provient ce texte court si universellement répandu?

a) On s'accorde à reconnaître que les mots « ou les prophètes », absents du texte court, sont une addition de l'ultime Rédacteur matthéen; ils donnent un sens nouveau au verbe « accomplir » et ont été ajoutés en même temps que les mots « avant que tout soit arrivé » du v. 18 (cf. II). Le même ajout matthéen se retrouvera en 7 12 et 22 40 (notes §§ 71 et 285).

b) La structure de Mt **5** 17 se retrouve identique en Mt **10** 34, mais jamais ailleurs dans les Synoptiques; au contraire, la forme courte : « je ne suis pas venu faire telle chose, mais telle autre », trouve de bons parallèles en Mc **2** 17 et par., Mc **10** 45 et par., cf. Lc **12** 49 et **19** 10; elle est donc plus conforme à la tradition synoptique commune.

c) Il serait étrange que Marcion ait cité Mt **5** 17 puisqu'il n'admettait et n'utilisait que l'évangile de Lc; on peut donc conjecturer que le texte court de Marcion et des autres provient, non de Mt **5** 17, mais du proto-Lc, dont le texte aurait été éliminé par l'ultime Rédacteur lucanien. Attesté à la fois par Mt et Lc, le logion de Mt **5** 17 pourrait donc remonter au moins au Document Q; la forme « lucanienne » (cf. Marcion et les autres) serait celle du Document Q, d'après les remarques faites plus haut; la forme longue de Mt pourrait être attribuée, soit au Mt-intermédiaire, soit à l'ultime Rédacteur matthéen.

2. *Sens du logion.* On peut distinguer trois sens superposés, correspondant aux diverses phases d'utilisation du logion.

a) Sous sa forme actuelle, avec l'addition des expressions « ou les prophètes » au v. 17, « avant que tout soit arrivé » au v. 18 (cf. II), le logion veut dire : Jésus est venu « accomplir » la Loi et les prophètes en réalisant dans sa personne et dans sa vie toutes les annonces prophétiques. Ce point de vue, qui est de l'ultime Rédacteur matthéen, sera développé en II.

b) Sans l'addition de l'expression « ou les prophètes »,

considéré en tant que prélude aux développements des vv. 21-48, le logion revêt une portée différente. Jésus serait venu « accomplir la Loi », la mener à son point d'achèvement le plus parfait, en affinant et en approfondissant les exigences de chaque précepte de cette Loi : « Vous avez entendu qu'il a été dit... Moi je vous dis... » (**5** 21.27.33.38). Dans cette perspective, même le commandement de l'amour du prochain de Lv **19** 18 : « Tu aimeras le prochain comme toi-même », a besoin d'un dépassement : « Moi je vous dis : Aimez même vos ennemis » (Mt **5** 43-44). Ce point de vue est celui du Mt-intermédiaire; c'est probablement lui qui a placé le logion avant les développements des §§ 54 ss., auxquels il a donné leur structure caractéristique (voir notes §§ 54 ss.).

c) Pour Jésus (cf. Document Q), le sens du logion devait être en accord avec l'idée générale du traité des Deux Voies (cf. note précédente). La « Loi » désigne très spécialement le Décalogue et ses prescriptions *négatives* concernant les devoirs envers le prochain (Dt **5** 17 ss.). *Toutes* les prescriptions de cette Loi seront accomplies si l'on observe fidèlement le seul commandement *positif* de l'amour du prochain exprimé en Lv **19** 18. Jésus est donc venu « accomplir » la Loi (= le Décalogue) en remettant en lumière et à sa première place le commandement fondamental de l'amour du prochain, dans lequel toute la Loi se trouve comme résumée. Cette problématique était déjà celle du Lévitique. En reprenant (en partie) les prescriptions négatives de Ex **20** (cf. Dt **5**), Lv **19** 18 ajoute la prescription positive de l'amour du prochain. Dans la même intention, Os **4** 2 reconnaît que les manquements aux défenses de Ex **20** sont une conséquence du manque d'amour de Dieu. Le traité juif des Deux Voies développe la même idée en donnant comme chemin de la vie le double commandement de l'amour de Dieu et du prochain, les prescriptions négatives du Décalogue n'étant énumérées que pour expliciter les virtualités du commandement de l'amour. Toute cette morale est parfaitement explicitée par Paul en Rm **13** 8-10 (cf. Ga **5** 13).

3. *Oppositions au logion.* Cette parole de Jésus a suscité, semble-t-il, des polémiques passionnées dans l'Église ancienne. Marcion accuse les « judaïsants », i.e. les chrétiens issus du judaïsme, d'avoir falsifié le texte primitif; Jésus aurait dit au contraire : Je ne suis pas venu accomplir la Loi, mais abolir ! Cette position extrême et insoutenable est la systématisation d'une tendance exprimée déjà dans des textes tels que Lc **16** 16 (voir note § 235) et Jn **1** 17 : la Loi mosaïque aurait été remplacée par l'Évangile. Cette conception est vraie en un certain sens : si l'on restreint la Loi au Décalogue, et si l'on voit dans l'Évangile une prédication centrée sur le commandement de l'amour de Lv **19** 18. Cette polémique sur le sens du logion de Jésus pourrait expliquer les réactions inverses de Mt et de Lc. La formule longue de Mt, avec l'insistance : « *Ne pensez pas* que je sois venu abolir la Loi... », voudrait répondre à ceux qui tenaient la Loi ancienne pour abolie; quant à l'ultime Rédacteur lucanien, on l'a vu, il aurait éliminé le logion controversé.

II. LE SECOND LOGION (v. 18)

Il fut inséré ici par l'ultime Rédacteur matthéen; attesté sous une forme un peu différente par Lc **16** 17, il devait se lire déjà dans le Document Q, d'où il aura passé dans le Mt-intermédiaire, mais à une autre place qu'ici.

1. En reprenant le logion, l'ultime Rédacteur matthéen a ajouté la finale « avant que tout soit arrivé », qui rappelle une formule familière à ce Rédacteur matthéen, celle qui introduit presque toutes les citations explicites de l'AT : « Tout cela arriva afin que s'accomplît ce qui fut dit par un tel le prophète... » Avec cet ajout, et celui du v. 17 (« ou les prophètes »), le logion exprime une notion chère à l'ultime Rédacteur matthéen : l'accomplissement de la Loi et des prophètes ne signifie plus l'observation d'un code moral, mais la réalisation par le Christ d'un corps d'annonces prophétiques. Les deux notions sont d'ailleurs connexes, car la théologie juive fondait l'autorité des Écritures en la rattachant au charisme prophétique de Moïse et de ses successeurs; et c'est en procurant l'exécution plénière de la Loi et des prophètes que Jésus mène à son terme l'économie du salut annoncée et préparée dans l'ancienne Alliance. On notera que ce thème se lit également en plusieurs textes lucaniens (Lc **18** 31; **21** 22; **22** 37; **24** 44; Ac **13** 29).

2. Sans l'addition des mots « avant que tout soit arrivé » (cf. Lc **16** 17; Hom. Clément. 3 *51*), ce logion a même portée que celui du v. 17 : Jésus n'est pas venu abolir la Loi... Pas un trait de la Loi ne passera... Comme au v. 17, il s'agit du Décalogue (Ex **20** = Dt **5**), et non des interprétations qui en ont été données dans la tradition juive (cf. note § 155). Même si ce logion émane de communautés judéo-chrétiennes (ce qui n'est pas certain), il répond certainement à la pensée de Jésus; le Décalogue reflète trop la simple morale naturelle, comme le soulignaient les théologiens juifs à l'époque du Christ, pour que Jésus ait songé à en abolir quelque trait.

III. LE TROISIÈME LOGION (v. 19)

1. Il contient une problématique différente de celle des deux logia précédents. Il ne s'agit plus de la Loi mosaïque exprimée dans le Décalogue, mais de commandements plus ou moins importants élaborés dans la tradition juive. En conséquence, on ne fait plus de l'accomplissement de la Loi une condition indispensable pour entrer dans le Royaume mais on admet des transgressions minimes qui y déclassent sans en exclure. Enfin, ce logion s'adresse, non aux disciples en général, mais à ceux qui, dans l'Église, ont mission d'enseigner et d'interpréter la Loi : à l'inverse des scribes et des Pharisiens « qui disent et ne font pas » (Mt **23** 3), les « rabbis » chrétiens doivent pratiquer et enseigner même les plus petits commandements; alors, ils seront « grands » dans le royaume des Cieux, i.e. véritables « rabbis » (ce mot signifie littéralement « mon grand »).

2. Ce logion n'appartient pas à la même couche rédactionnelle que celui du v. 17, car le vocabulaire est différent : *luein* au lieu de *kataluein*, *entolai* au lieu de *nomos*. Il semble difficile d'en faire remonter l'origine à Jésus lui-même. Sans doute, Jésus admet qu'il y aura des places différentes dans le royaume des Cieux, mais il précise que les premières places seront attribuées aux plus petits, jamais aux « doctes », et Mt **5** 19 se concilie difficilement avec des textes tels que Mt **23** 8-12. Sans doute, Jésus admet une hiérarchie dans les commandements (Mt **22** 36-40; **23** 23), mais c'est pour remettre en lumière le commandement de l'amour fraternel. Il est possible d'ailleurs que ce logion ne soit que la réinterprétation, faite en milieux judéo-chrétiens, d'un logion plus ancien sur la fidélité dans les petites choses dont on trouve des applications diverses en Lc **16** 10-12, Mt **25** 21 et 2 Clément 8 *5* (voir note § 233). Si le Rédacteur matthéen l'a inséré ici, c'est qu'il lui donnait un sens compatible avec le verset précédent.

IV. LE QUATRIÈME LOGION (v. 20)

Il introduit une note anti-pharisaïque qui se développera en Mt **6** 1, analogue à Lc **16** 15. Comme en **6** 1, on y lit le terme de « justice », compris au sens juif de perfection assurée par une pratique intégrale de la Loi, mot qui est typiquement matthéen dans la tradition évangélique (7/0/1/2/4). Comme Mt **6** 1, ce logion doit être attribué à l'ultime Rédacteur matthéen.

NOTE SUR LES §§ 54-59

1. Mt **5** 21-48 contient six logia qui commencent de façon semblable (sauf le troisième) : « Vous avez entendu qu'il a été dit (aux anciens)... Or moi je vous dis... »; le premier membre de phrase est suivi d'une citation tirée d'une des sections législatives du Pentateuque. Le verbe « vous avez entendu » fait allusion à la lecture de la Loi lors des assemblées liturgiques dans les synagogues; l'expression « il a été dit » signifie en fait « Dieu a dit » (cf. Mt **15** 4); enfin les mots « or moi je vous dis » correspondent à une formule en usage dans les discussions rabbiniques pour énoncer une opinion personnelle concernant l'interprétation de la Loi. Il faut donc se garder de majorer la portée de cette dernière expression. On a souvent dit, en effet, que Jésus avait la prétention de substituer sa propre loi au Décalogue reçu de Dieu, et

donc revendiquait une certaine égalité avec Dieu, le souverain législateur. Mais le parallélisme entre **5** 22 (et *passim*) et **15** 5 prouve que Jésus reste ici au niveau de l'interprétation de la Loi, qui était celui des écoles rabbiniques ; à l'interprétation des rabbins de son temps, Jésus oppose une interprétation différente de la Loi, qui n'est d'ailleurs pas nouvelle mais se situe dans la ligne de la tradition sapientielle (voir les notes).

Le but de ces logia de Jésus est en effet assez clair et peut être envisagé de deux façons complémentaires.

a) Ils explicitent le sens de Mt **5** 17 : « Je ne suis pas venu abolir la Loi, mais accomplir. » Après avoir énuméré certains préceptes de la Loi, Jésus propose un précepte nouveau qui, sans abolir l'ancien, met en lumière toutes les exigences virtuellement contenues en lui ; Jésus est donc venu « accomplir » la Loi en la menant à son point d'accomplissement le plus parfait (cf. note § 53, I 2 b).

b) Ces logia opposent l'enseignement de Jésus à celui des scribes et des Pharisiens qui, grâce à la subtilité de leur casuistique, en arrivaient à vider la Loi de toutes ses exigences. Il existe en effet un parallélisme antithétique évident entre Mt **5** 21-48 et **15** 1-9 (§ 154). A la structure littéraire des logia de Mt **5** 21-48 : « Vous avez entendu qu'il a été dit... Or moi je vous dis... », répond celle de Mt **15** 4-5 : « Car Dieu a dit... Or vous, vous dites... » ; tandis que Jésus se montre plus exigeant que la Loi, les scribes et les Pharisiens donnent aux hommes les moyens de tourner la Loi ; ainsi, tandis que Jésus est venu « accomplir la Loi », la perfectionner (Mt **5** 17), scribes et Pharisiens l'ont au contraire annulée (Mt **15** 6b).

2. Des six logia montrant comment Jésus est venu perfectionner la Loi, le troisième (Mt **5** 31-32) est de l'ultime Rédacteur matthéen (voir note § 56) ; le Mt-intermédiaire n'en comptait donc que cinq (sur l'importance de ce chiffre dans la tradition matthéenne, voir note §§ 40-45, 2). D'où le Mt-intermédiaire tient-il ces cinq logia ? Pour répondre à cette question, il faut distinguer l'enseignement de Jésus qui est donné après les mots : « or moi je vous dis », et la structure littéraire qui montre comment cet enseignement est venu « accomplir » la Loi.

a) Le thème du « dépassement » dans l'accomplissement de la Loi, et donc la structure littéraire qui l'exprime : « Vous avez entendu qu'il a été dit » + un précepte de la Loi mosaïque + « Or moi je vous dis... », doit être attribué au Mt-intermédiaire. Ce thème du « dépassement » de la Loi suppose en effet une interprétation de Mt **5** 17 qui affaiblit celle de Jésus ; pour Jésus, les préceptes du Décalogue concernant le prochain, presque tous négatifs, sont « accomplis » lorsqu'on obéit au commandement de Lv **19** 18 : « Tu aimeras ton prochain comme toi-même » ; dans les logia de Mt **5** 21-48, Jésus est venu « accomplir » la Loi, i.e. la perfectionner, en l'interprétant d'une manière plus stricte : non seulement il ne faut pas tuer, mais encore il ne faut pas se mettre en colère, etc. (cf. note § 53, I 2 b c). Ceci entraîne, en Mt **5** 43 ss., une conception du commandement de Lv **19** 18 moins profonde que celle de Jésus ; pour Jésus, on vient de le dire, le commandement de Lv **19** 18 (« tu aimeras ton prochain comme toi-même ») est un commandement parfait puisqu'il transcende et couronne tous les préceptes du Décalogue relatifs au prochain ; pour le Mt-intermédiaire, au contraire, le commandement de Lv **19** 18 se situe au même plan et dans la même ligne que les préceptes du Décalogue (cf. Mt **5** 21.27.43) : il a besoin lui aussi d'un « dépassement » (**5** 43-44). On verra une même « dévaluation » du commandement de Lv **19** 18 dans la version matthéenne de l'épisode du jeune homme riche (note § 249, I B 2 a).

Ajoutons que le Mt-intermédiaire trouvait déjà dans le traité des Deux Voies comme une ébauche du principe d'un « dépassement » dans l'accomplissement de la Loi : il ne faut pas se mettre en colère, car la colère conduit au meurtre ; il ne faut pas convoiter une femme, car la convoitise conduit à la fornication (Didachè, 3 *2-3* ; voir note §§ 53-59, I et IV 1 d).

b) Mais le Mt-intermédiaire n'a pas « inventé » l'enseignement de Jésus qu'il oppose à celui de la Loi ; il le reprend à des sources diverses. Au § 54, l'interdiction de se mettre en colère se lisait déjà dans un recueil de logia connu de Justin (note § 54, II 3). Il devait en être de même, bien que nous n'en ayons plus de témoignage explicite, pour l'interdiction de regarder une femme avec convoitise (§ 55). Au § 57, le Mt-intermédiaire reprend encore un logion en provenance d'un recueil de logia, attesté par Justin, les Homélies Clémentines, Épiphane et même Jc **5** 12 et 2 Co **1** 17 (note § 57, I 3). Aux §§ 58 et 59 enfin, le Mt-intermédiaire réutilise des matériaux du Document Q attestés par Lc et, mieux encore, par la Didachè, Justin et les Homélies Clémentines (sur ce problème complexe, voir note § 59, II).

Note § **54**. *MEURTRE ET OFFENSES. SE RÉCONCILIER*

I. SENS DES LOGIA

C'est ici le premier exemple de dépassement dans l'accomplissement de la Loi, tel que le conçoit le Mt-intermédiaire (cf. note § 53, I 2 b) : la Loi interdisait le meurtre (Ex **20** 13 ; Dt **5** 17), Jésus va plus loin et condamne même le fait de se mettre en colère contre son frère. Ce thème provient du traité des Deux Voies : « Ne sois pas coléreux, car la colère conduit au meurtre » (Didachè 3 *2* ; voir note §§ 53-59, IV 1 d) ; il est d'origine sapientielle : « Une querelle soudaine allume le feu, une dispute irréfléchie fait verser le sang » (Si **28** 11) ; « Une parole de colère éveille et suscite la fureur, et de cette fureur provient la discorde, puis, après la discorde, vient le meurtre » (Sagesse d'Ahikar, 73) ; « ... rejetez de vous l'esprit d'envie, car il enflamme l'âme et corrompt les corps, il donne colère et guerre à l'esprit et va jusqu'au meurtre »

(Test. Sim. 4 *8*). Jésus interdit, non seulement de se mettre en colère, mais encore de dire des injures à son frère : *Raca*, transcription de l'araméen *rêqa* (« vide, sans cervelle ») ; *Môrè*, fréquent dans le Siracide au sens de « fou, stupide », mais que l'on interprète souvent ici au sens de renégat, attesté dans la tradition juive, afin d'obtenir une gradation dans la gravité de l'insulte qui justifie la gradation du châtiment : simples tribunaux des villes, grand tribunal de Jérusalem (sanhédrin), tribunal de Dieu. – Les vv. 23-24 ajoutent un autre perfectionnement d'ordre moral et religieux : par-delà la sanction pénale, Jésus évoque la réparation qui doit rétablir l'ordre troublé ; et en la préposant à un acte de culte, il suggère le fondement divin de cet ordre : Dieu n'acceptera l'offrande, i. e. ne se laissera réconcilier, que si l'on s'est d'abord réconcilié avec son frère (cf. Mt 6 14 s. ; Mc 11 25). – Aux vv. 25-26, le conseil de se réconcilier est motivé par l'urgence du jugement prochain.

II. PROBLÈMES LITTÉRAIRES

Il est possible de déceler dans ce texte un grand nombre d'ajouts effectués par l'ultime Rédacteur matthéen.

1. On s'accorde à reconnaître que les vv. 25-26 sont un ajout en provenance du Document Q (cf. Lc 12 58 s.). Addition aussi des vv. 23-24, qui introduisent un thème nouveau, mais il est difficile de préciser l'origine de ce logion ; Mc 11 25 ne nous est d'aucune utilité, car il dépend du Mt-intermédiaire (voir note § 276, I A 1). L'ultime Rédacteur matthéen devait déjà lire ces logia dans le Mt-intermédiaire, mais à une autre place.

2. C'est encore à l'ultime Rédacteur matthéen que l'on attribuera les deux menaces du v. 22b. Du point de vue thématique, en effet, la menace du v. 22a envisage le cas très général de la colère, tandis que les deux menaces du v. 22b envisagent le cas très particulier d'une injure. Cette distinction thématique entre la menace du v. 22a et celles du v. 22b est renforcée par une distinction d'ordre grammatical : au v. 22a, on a la construction : « tout (homme) qui... » (*pas ho* + participe) ; au v. 22b, on a : « mais qui... » (*hos de an* + subjonctif),

construction qui, dans ce contexte, se lit dans des textes de l'ultime Rédacteur matthéen (5 19.31).

3. Justin cite Mt 5 22 sous cette forme : « Qui se mettra en colère est passible du feu », qui doit remonter à un recueil de logia, source du Mt-intermédiaire.

a) Justin n'a pas l'expression « contre son frère » ; or elle est de l'ultime Rédacteur matthéen (Mt 5 23-24 opposé à Mc 11 25 ; Mt 5 47 ; 18 15.21 opposés aux parallèles de Lc ; voir encore Mt 18 35 ; 23 8 ; 25 40 ; 28 10).

b) Justin a seulement « sera passible du feu », et non « de la géhenne du feu » ; or l'expression « géhenne du feu » ne se lit ailleurs qu'en Mt 18 9, de l'ultime Rédacteur matthéen.

c) Le texte de Justin pourrait rendre compte d'une difficulté du texte du Mt actuel. On s'est étonné à bon droit que, pour des fautes sensiblement de même ordre, le châtiment passe d'une condamnation d'ordre humain (tribunaux) à une condamnation d'ordre eschatologique (« feu »). L'ultime Rédacteur matthéen trouvait dans le Mt-intermédiaire le texte attesté par Justin : « Qui se mettra en colère est passible du feu » ; en ajoutant les deux menaces du v. 22b, il a introduit le thème des tribunaux, mais rejeté en finale celui du feu eschatologique, de façon à terminer sur cette perspective. – Il faut en conclure que, au v. 21b, la proposition : « mais qui tuera sera passible du jugement », est aussi de l'ultime Rédacteur matthéen, puisque c'est lui qui ajoute le thème du « jugement » (= tribunaux).

Débarrassé de ses éléments adventices, le logion du Mt-intermédiaire a même structure que celui de 5 27 s. (dans son état primitif, cf. note § 55) :

Mt 5 21a.22a	Mt 5 27-28
« Vous avez entendu qu'il a été dit aux anciens : 'Tu ne tueras pas' ;	« Vous avez entendu qu'il a été dit : 'Tu ne commettras pas d'adul-[tère]
or moi je vous dis que tout (homme) qui se met en colère	or moi je vous dis que tout (homme) qui regarde une femme pour la désirer
est passible du feu. »	a déjà fait l'adultère dans son cœur. »

Note § **55**. *ADULTÈRE ET MAUVAIS DÉSIR. SCANDALE DES MEMBRES*

I. SENS DU LOGION

Voici le second exemple de dépassement dans l'accomplissement de la Loi, tel que le conçoit le Mt-intermédiaire (cf. note § 53, I 2 b) ; la Loi interdisait l'adultère (Ex 20 14 ; Dt 5 18), Jésus va plus loin et condamne tout regard chargé de convoitise coupable. En le faisant, il ne propose pas un enseignement entièrement nouveau. Le Décalogue, après avoir condamné

l'adultère, interdisait même de « convoiter » la femme de son prochain (Ex 20 17b). D'une façon plus précise, Si 41 23 interdit de « regarder une femme mariée », évidemment pour la désirer. De nombreux textes de la littérature sapientielle mettent en garde contre le danger des regards impurs (Si 9 5-8 ; Jb 31 1.9). Mais le parallèle le plus immédiat, qui a influencé la rédaction matthéenne, est fourni par le traité des Deux Voies : « ... ne sois pas sujet à la convoitise, car la convoitise conduit à la fornication » (Didachè 3 *3*; sur ce problème, voir note §§ 53-59, IV 1 d). En identifiant « regard chargé de convoitise » et « adultère », Jésus formule ces défenses d'une façon plus radicale, qui lui est propre.

II. PROBLÈMES LITTÉRAIRES

Les vv. 29-30 ont été ajoutés par l'ultime Rédacteur matthéen au texte du Mt-intermédiaire; ils ont leur parallèle en Mc **9** 43ss.,

voir note § 176, II 1. En les insérant ici, il a changé l'ordre des exemples de façon à mieux faire le lien avec le logion du Mt-intermédiaire (« regarder », « œil »). Il supprime l'exemple du pied, qui n'était plus de situation ici, tandis que l'exemple de la main pouvait être considéré comme conduisant à l'adultère. Sur le sens de ce logion, voir note § 176. – Débarrassé de cet ajout des vv. 29-30, le logion du Mt-intermédiaire avait même structure que celui sur la colère (voir note § 54, II 3, conclusion).

Note § **56.** *CONTRE LE DIVORCE*

Plutôt qu'un dépassement de la Loi, ce logion offre une correction : à la permission de divorce, consentie par Moïse à la « dureté de cœur » des Israélites (cf. Mt **19** 8; Mc **10** 5), il oppose une condamnation de cette tolérance qui mène à l'adultère. La réponse du v. 32 a son parallèle en Lc **16** 18, où elle est groupée avec d'autres logia concernant la Loi mosaïque (cf. § 235). Cet emprunt au Document Q (probablement par le biais du Mt-intermédiaire) caractérise, dans ce contexte du Sermon sur la montagne, la manière d'agir de l'ultime Rédacteur matthéen (voir notes §§ 54, 55); mais comme ce logion du Document Q constitue ici toute la

réponse de Jésus, on se demande ce qui pourrait rester du Mt-intermédiaire ! Quand on remarque en plus que l'introduction est beaucoup plus brève que dans les autres cas de « dépassement » de la Loi, et que le texte cité n'en introduit pas un nouveau cas, on est amené à penser que tout ce passage des vv. 31-32 doit être une addition de l'ultime Rédacteur matthéen et que, par conséquent, le Mt-intermédiaire ne contenait que cinq « dépassements » de la Loi (§§ 54, 55, 57, 58, 59), chiffre fréquent dans la tradition matthéenne (cf. note §§ 40-45, 2). Sur les problèmes littéraires et le sens de ce logion, voir note § 246.

Note § **57.** *CONTRE LES SERMENTS*

Ce logion constitue le troisième exemple de dépassement dans l'accomplissement de la Loi.

I. PROBLÈMES LITTÉRAIRES

Sous sa forme actuelle, le texte de Mt semble surchargé et affecté de modifications plus ou moins profondes.

1. La complexité du texte biblique cité au v. 33 ne correspond pas à la simplicité des citations faites aux vv. 21 et 27, qui ne comportaient chacun qu'une seule défense reprise du Décalogue : « Tu ne tueras pas » (cf. Ex **20** 13) – « Tu ne commettras pas l'adultère » (Ex **20** 14). Ici, le texte du Mt-intermédiaire ne devait avoir que : « Tu ne te parjureras pas. » Il est vrai qu'une telle défense ne se lit pas dans le Décalogue; elle correspond toutefois à Ex **20** 16 : « Tu ne témoigneras pas à faux » (*mè pseudomartyrèseis*), comme le montre la séquence de Jr **7** 9 qui suit manifestement le Décalogue : tuer, faire l'adultère, voler, *jurer à faux* (sur l'équivalence entre « jurer à faux » de Jr et « se parjurer » de Mt, cf. Sg **14** 28-30; Za **5** 3-4). Le glissement du thème « témoigner à faux » (Ex) au thème « jurer à faux » (Jr) ou « se parjurer » (Mt) est d'ailleurs amorcé dans Lv **19** 12 (qui reprend Ex **20**)

et Lv **5** 22 (comparé à Ex **23** 1). On notera aussi que Didachè **2** *3* dédouble la défense de Ex **20** 16 de cette façon : « Tu ne te parjureras pas, tu ne témoigneras pas à faux. » – En Mt **5** 33, le reste de la citation est repris de Ps **50** 14 : « Tu t'acquitteras envers le Très-Haut de tes vœux » (cf. Dt **23** 22; Qo **5** 3; Nb **30** 3), avec remplacement de « vœux » par « serments »; Mt garde cependant l'idée d'une obligation envers Dieu, ce qui était possible puisque le serment était fait « en invoquant le nom de Yahvé » (Lv **19** 12; Is **19** 18; Jr **12** 16). Mais cette idée d'obligation envers Dieu n'est plus dans la ligne des autres logia concernant le dépassement de la Loi, qui tous posent le problème de nos rapports envers le prochain, non celui de nos rapports envers Dieu. On peut donc conclure que le Mt-intermédiaire avait seulement : « Tu ne te parjureras pas »; la suite de la citation biblique fut ajoutée par l'ultime Rédacteur matthéen.

2. De même, les développements de Mt **5** 34-37 ne correspondent pas à la simplicité du texte du Mt-intermédiaire dans les deux logia des §§ 54 et 55 (voir note § 54, II 3, en finale). On a l'impression que deux thèmes distincts interfèrent. Dans le premier thème, qui seul remonterait au Mt-intermédiaire, Jésus se serait contenté de proscrire tout serment (début du v. 34), la parole du disciple de Jésus devant suffire à garantir sa bonne foi (v. 37; mais cf. *infra*). Les développements des

vv. 34b-36 introduisent une autre problématique relevant de la casuistique rabbinique. En raison de la multiplicité des serments que l'on prodiguait à tort et à travers, la coutume s'était établie de jurer sans mettre en cause directement Dieu; comme le dit Philon, par exemple, on prenait à témoin de sa véracité les éléments du monde : terre, soleil, étoiles, ciel (De spec. leg., 2 5). La formule la plus courante était « par le ciel et par la terre » (Talmud, Shevouoth, 4 10); en revanche, il n'existe aucune attestation de serments faits par « Jérusalem » ou par sa « tête » (Mt 5 35b-36). Jésus aurait interdit cette façon de prêter serment en se référant à Is 66 1 : « Le ciel est mon trône et la terre l'escabeau de mes pieds », et à Ps 48 3, où Jérusalem est appelée « cité du grand Roi » (cf. Tb 13 15-16). Ainsi, jurer par le ciel ou par la terre ou par Jérusalem, c'est

encore jurer par Dieu puisque Dieu remplit le monde de sa présence. Une telle casuistique correspond assez bien à celle de Mt 23 16-22, texte qui fut ajouté à celui du Mt-intermédiaire par l'ultime Rédacteur matthéen (voir note § 288).

3. Cette conclusion se trouve confirmée par une analyse du v. 37 de Mt.

a) Il se lit sous une forme différente chez un certain nombre de témoins : Jc 5 12, Justin, Homélies Clémentines, Clément d'Alexandrie, Épiphane; tous ont: « Mais que soit votre oui, oui, et (votre) non, non. » Une telle formule est très ancienne puisqu'on la trouve déjà attesté en 2 Co 1 17, donc vers 57-58; une mise en parallèle des textes, sous forme très littérale, permet de le constater :

Mt 5 37	Jc 5 12	2 Co 1 17
« mais que soit	mais que soit	... que soit
la parole		
de vous	de vous	chez moi
oui oui	le oui oui	le oui oui
non non. »	et le non non.	et le non non.

Malgré l'adaptation au contexte (vous/moi), le texte de Paul est identique à celui de Jc 5 12 et des autres témoins cités plus haut.

b) Or, la différence entre ces deux formes du v. 37 de Mt correspond à la différence entre les deux thèmes distingués plus haut (2). Le sens de la formule attestée chez les témoins non matthéens s'éclaire grâce à certains textes assyriens du VIIᵉ siècle avant notre ère (E. Kutsch). On lit dans une chronique du roi Assarhaddon : « Les habitants de ce lieu se répondent toujours 'non-oui' : ils ne disent pas la vérité. » Plus clairement, une incantation sumérienne dit: « Sa bouche (dit) oui, son cœur (dit) non. » On pourrait alors gloser le texte attesté par 2 Co 1 17 : « Que votre oui (du cœur) soit oui (de la bouche) et votre non (du cœur) soit non (de la bouche) »; autrement dit : ce qu'affirme ou nie la bouche doit correspondre à ce qu'affirme ou nie le cœur. Sous cette forme, le v. 37 compléterait bien l'interdiction de jurer donnée au v. 34a. – Le texte actuel de Mt 5 37 s'explique de la façon suivante : dans la littérature juive et profane, on connaissait une forme de serment consistant dans le redoublement de l'affirmation, « oui oui » ou de la négation, « non non »; on voit alors comment ce texte actuel de Mt doit se lire dans la ligne des développements des vv. 34b-36 : il ne faut pas jurer par le ciel, la terre, ou Jérusalem, puisque c'est encore jurer par Dieu (cf. *supra*); il faut jurer en redoublant seulement son affirmation ou sa négation, ce qui engage l'homme sans mettre en cause la divinité.

4. Un dernier problème se pose. Le Mt-intermédiaire, sous sa forme plus simple que celle du Mt actuel, n'aurait-il pas réutilisé un logion de Jésus qu'il aurait trouvé dans un recueil de logia? On a vu aux notes précédentes que la problématique : « Vous avez entendu qu'il a été dit » + citation de Ex 20, + « or moi je vous dis... », était du Mt-intermédiaire.

Il est remarquable alors que les citations faites par Jc 5 12, Justin, etc., commencent toutes par la simple interdiction : « Ne jurez pas... », sans aucune allusion à la problématique propre au Mt-intermédiaire. Il serait donc possible que les divers témoins cités plus haut soient l'écho d'un logion pré-matthéen. On objectera il est vrai que Jc 5 12, Homélies Clémentines et Épiphane connaissent le thème secondaire de jurer « par le ciel » ou « par la terre »; mais ce thème secondaire est ignoré de Justin, qui pourrait donc citer le logion pré-matthéen; les autres témoins auraient subi l'influence de la rédaction actuelle de Mt (même Jc 5 12, car l'épître de Jacques pourrait être de la fin du premier siècle, comme l'admettent de nombreux commentateurs).

II. ÉVOLUTION DES TEXTES

1. On aurait eu à l'origine un logion de Jésus ayant à peu près la forme que lui donne Justin : « Ne jurez pas ( ); mais que soit votre oui, oui, et (votre) non, non; ce (qui est) en plus de cela relève du mal. » Le disciple de Jésus ne doit pas avoir recours au serment; sa seule affirmation doit suffire, car le « oui » de sa bouche correspond à un « oui » de son cœur (cf. *supra*, I 3 b). C'est ce que disaient déjà les esséniens, au témoignage de l'historien Josèphe : « Toute (parole) dite par eux est plus forte qu'un serment; mais ils s'abstiennent même de jurer, jugeant cela pire que le parjure, car, disent-ils, celui qui n'est pas cru sans qu'il invoque Dieu se condamne lui-même » (Guerre Juive, II 8 6). Dans la littérature sapientielle, Si 23 9 s. met en garde contre la multiplicité des serments, sans toutefois les prohiber.

2. Ce logion fut repris par le Mt-intermédiaire qui lui

donna une structure initiale analogue à celle des logia des §§ 54 et 55, impliquant un dépassement de la Loi (voir note § 54, II 3, en finale) :

Mt 5 21a.22a	Mt 5 33a.34a.37
« Vous avez entendu qu'il a été dit aux anciens : 'Tu ne tueras pas'; or moi je vous dis que tout (homme) qui se met en colère est passible du feu. »	« Vous avez entendu qu'il a été dit aux anciens : 'Tu ne te parjureras pas'; or moi je vous dis de ne pas jurer; mais que soit votre oui, oui, et (votre) non, non; car (ce qui) est en plus de cela relève du mal. »

La Loi ancienne interdisait le faux témoignage et, d'une façon plus générale, tout serment portant sur une chose que l'on savait fausse. Selon le Mt-intermédiaire, Jésus aurait perfectionné la Loi ancienne en prohibant, non seulement de jurer « à faux », mais encore de jurer purement et simplement.

3. L'ultime Rédacteur matthéen ajouta au texte du Mt-intermédiaire une problématique nouvelle qui se superpose à l'ancienne : le thème des serments faits en prenant à témoin, non pas Dieu lui-même, mais des « substituts » de Dieu tels que « le ciel », « la terre », « Jérusalem », ou sa propre tête (vv. 34b-36). En changeant la forme initiale du v. 37, il fait dire à Jésus qu'un seul serment demeure licite : celui qui consiste à redoubler son affirmation ou sa négation, ce qui ne mettait pas en cause la divinité, même indirectement (cf. *supra*, I 3).

Note § 58. *NE PAS SE VENGER, MAIS CÉDER*

Dans Mt, nous avons là le quatrième exemple de dépassement dans l'accomplissement de la Loi; il diffère des précédents en ce que : d'une part, le texte cité au v. 38 n'est pas repris du Décalogue (Ex **20**) mais de Ex **21** 24; d'autre part, le développement matthéen trouve, en partie, un parallèle dans Lc 6 29-30.

I. PROBLÈMES LITTÉRAIRES

A) Le texte matthéen

1. Comme dans les paragraphes précédents, le texte du Mt-intermédiaire fut surchargé par l'ultime Rédacteur matthéen; essayons de préciser ces ajouts.

a) Le principe général de « ne pas résister au méchant » (v. 39a) est suivi de cinq applications pratiques. Du point de vue littéraire, la première (v. 39b) et la troisième (v. 41) ont même structure grammaticale, de forme sémitique : « Celui qui... tends-lui », « Celui qui... va avec lui. » La deuxième application (v. 40), au contraire, comme la quatrième (v. 42a), commence par un participe au datif qui donne une structure parfaitement grecque, analogue à celle de Lc 6 29a.30a. On notera encore le verbe « vouloir », commun aux deuxième et cinquième applications pratiques, cette dernière commençant également par un participe. On se trouve donc en présence de deux groupes littérairement bien différenciés : première et troisième applications pratiques, de facture sémitique; deuxième, quatrième et cinquième, de facture grecque analogue à celle des textes de Lc.

b) La deuxième application pratique envisage le cas de celui qui « veut te faire un procès et prendre ta tunique »; il s'agit là d'un cas très précis : la saisie du vêtement qui servira de « gage » pour celui qui a prêté de l'argent, comme le supposent Ex **22** 25; Dt **24** 12.17 et surtout Pr **20** 16 : « Prends-lui son vêtement, car il a cautionné un étranger. »

De ce point de vue encore, la deuxième application pratique doit être rapprochée des quatrième et cinquième qui parlent du don et du prêt.

c) Au point de vue thématique, les deux dernières applications pratiques ne sont pas en harmonie avec l'intention générale du logion. Il y est question, non plus « de ne pas résister au méchant », mais de donner et de prêter à quiconque se trouve dans le besoin; au thème de la non-violence a succédé le thème du don désintéressé et généreux. En fait, le v. 42 ne peut être considéré comme donnant les applications pratiques du principe posé au v. 39a; c'est un ajout de l'ultime Rédacteur matthéen, et il faut en dire autant du v. 40 qui lui est littérairement lié.

Le caractère adventice des vv. 40 et 42 de Mt est confirmé par le texte de la Didachè 1 *4-5;* il ne connaît, sous sa forme matthéenne, que les première et troisième applications pratiques de Mt qu'il donne à la suite; les autres, qui viennent après, sont données sous une forme lucanienne.

2. Allégé de ses ajouts, le texte de ce quatrième dépassement de la Loi offre une structure analogue à celle du troisième tel qu'il se présentait dans le Mt-intermédiaire (voir note § 57) :

§ 57	§ 58
« Vous avez entendu qu'il a été dit aux anciens : 'Tu ne te parjureras pas'; or moi je vous dis de ne pas jurer; mais que soit votre oui, oui, et (votre) non, non; ce (qui est) en plus de cela relève du mal. »	« Vous avez entendu qu'il a été dit : 'Œil pour œil et dent pour [dent'; or moi je vous dis de ne pas résister au méchant; mais celui qui te soufflette sur la joue droite, tends-lui aussi l'autre; et celui qui te requiert pour un mille, va deux avec lui. »

Ces deux exemples de dépassement de la Loi offrent en commun de légères différences par rapport à ceux des §§ 54 et 55 (voir note § 54, II 3 c, en finale). Après « moi je vous dis », on a ici un verbe à l'infinitif, au lieu de la conjonction *hoti* suivie du participe avec l'article (*hoti pas ho...*); dans les paroles de Jésus, les deux premiers exemples comportaient une simple interdiction (contre la colère, les regards mauvais) tandis qu'ici l'interdiction (ne pas jurer, ne pas résister au mauvais) est complétée par une consigne positive, dédoublée dans les deux cas; on notera enfin la commune référence au « mal » ou au « méchant » (même mot grec *ponèros* au génitif et au datif, qui peut donc se comprendre comme un neutre ou comme un masculin).

3. La structure : « Vous avez entendu... or moi je vous dis... » est du Mt-intermédiaire; mais il trouvait le thème de la non-violence déjà dans le Discours inaugural du Document Q, comme vont le montrer les analyses suivantes. C'est la raison pour laquelle il est obligé de donner ici un dépassement, non de la Loi entendue au sens strict (Décalogue de Ex 20), mais de la Loi entendue en un sens plus large (Ex 21 24).

B) Le texte de Lc

1. Comparons-le d'abord à celui du Mt-intermédiaire. Lc ignore la formule de dépassement de la Loi : « Vous avez entendu qu'il a été dit... or moi je vous dis » (Mt 5 38-39a), de même que le principe de non-violence (v. 39a) et sa troisième application pratique (Mt 5 41, corvée onéreuse). Il n'a donc en commun avec le Mt-intermédiaire que le v. 29a qui correspond à Mt 5 39b. Dans ce cas précis, le proto-Lc pourrait avoir repris le texte du Mt-intermédiaire qu'il aurait marqué de son style et amélioré. Il aurait remplacé le sémitisme de Mt « celui qui... à lui » par un participe au datif (comparer encore Lc 6 49 à Mt 7 26); remplacé également le verbe « souffleter » par « frapper » (2/1/4/0/5/1) et le difficile « tends-lui » (littéralement « tourne-lui ») par « présenter » (*parechein* : 1/1/4/0/5/5). On notera cependant que le texte de Lc correspond à celui de Lm 3 30 (TM et LXX) : « Qu'il donne la joue à qui le frappe »; Lc s'est-il inspiré de ce texte pour améliorer le style de celui de Mt? C'est possible.

2. En revanche, les vv. 29b-30 de Lc ne peuvent absolument pas dépendre de leurs parallèles matthéens, que nous avons d'ailleurs attribués à l'ultime Rédacteur matthéen.

a) En Lc 6 29b, on notera la construction *kôluein ti apo tinos*, qui oblige à donner au verbe *kôluein* le sens de « refuser » qu'il n'a pas en grec; nous sommes en présence d'un sémitisme (cf. Gn 23 6, TM et LXX) qu'il est impossible d'attribuer à Lc lui-même et qu'il doit plutôt tenir de sa source, laquelle, ici, ne serait pas Mt. Le texte de Mt contient d'ailleurs plusieurs détails secondaires par rapport à celui de Lc : les mots « faire un procès », utiles certes pour expliquer qu'il s'agit d'une saisie à gage (cf. *supra*), mais qui surchargent la phrase; l'ordre « tunique/manteau », moins naturel que celui de Lc puisque la tunique est le vêtement de dessous,

plus indispensable. Le texte de Mt est donc secondaire par rapport à celui de Lc.

b) Le v. 30b de Lc contient une double difficulté : d'une part, il n'offre aucun lien avec le v. 30a; d'autre part, il n'a aucune parenté avec le parallèle de Mt 5 42b. Le texte primitif de Lc ne serait-il pas mieux conservé dans la Didachè? Au lieu du verbe *airein* (« prendre »), on y lit le verbe *lambanein* qui peut avoir le sens de « prendre » mais aussi et plus normalement celui de « recevoir »; on pourrait donc traduire le texte de la Didachè : « Si quelqu'un a reçu de toi ce (qui est) tien, ne (lui) réclame pas. » Jésus interdirait, non de protester quand on vous prend injustement vos biens, mais de redemander ce que l'on a prêté à quelqu'un, comme en Dt 15 2-3 où il s'agit de la remise de dette lors de l'année sabbatique : « Tu ne réclameras pas (*ouk apaitèseis*) à ton frère... (mais) à l'étranger tu réclameras tout ce (qui est) à toi chez lui. » Avec ce sens, les vv. 30a et 30b de Lc seraient homogènes, car il y serait question du don, puis du prêt; de même, Lc 6 30b serait plus proche de Mt 5 42b, les deux textes traitant alors du prêt (on notera que les Constitutions Apostoliques lisent Mt 5 42b comme une citation de Dt 15 7 : « A celui qui veut t'emprunter, ne ferme pas ta main »). Le texte actuel de Lc (ultime Rédacteur lucanien) proviendrait d'une harmonisation avec 6 29b.

Les vv. 29b-30 de Lc ne peuvent donc pas dépendre des vv. 40.42 de Mt; on verra à la note § 59 à quel texte le proto-Lc les a repris et comment leurs thèmes ont pu passer dans l'ultime Rédaction matthéenne.

II. SENS DES LOGIA

1. Dans le Mt-intermédiaire, les textes sur la non-violence sont présentés comme un enseignement de Jésus perfectionnant la « loi » exprimée en Ex 21 24 : « œil pour œil, dent pour dent ». Pour éviter les excès de la vengeance personnelle (cf. Gn 4 23-24), la loi du talion (cf. Lv 24 20; Dt 19 21) limitait cette vengeance en imposant un châtiment égal (et non supérieur) à l'offense. Il faut remarquer cependant que « la mutilation corporelle, conséquence de la loi du talion et assez fréquente dans le Code de Hammurabi et les lois assyriennes, n'est retenue dans le droit israélite que dans le cas particulier de Dt 25 11-12, où c'est un talion 'symbolique' » (de Vaux). Même si la loi du talion reste exprimée avec toute sa rudesse dans les textes cités plus haut, « cette formule semble avoir perdu sa force et exprimer seulement le principe d'une compensation proportionnée » (id.) : dédommagement et soins médicaux dans le cas d'une blessure donnée au cours d'une rixe (Ex 21 18-19), ou mise en liberté d'un esclave en compensation d'une dent ou d'un œil perdus (Ex 21 26 s.). De toute façon, celui qui avait été lésé était en droit de réclamer une compensation au dommage corporel subi, même si la compensation n'était pas d'ordre physique. Mais il n'était pas question de rendre « coup pour coup », comme pourrait le faire penser l'introduction matthéenne du logion.

2. L'enseignement de Jésus, fondé sur le principe de la non-violence, rejoint d'ailleurs une tradition souvent exprimée dans l'AT. Lv **19** 18 affirme explicitement : « Tu ne te vengeras pas et tu ne garderas pas rancune envers les enfants de ton peuple. » On lit dans Si **28** 1-2 : « Celui qui se venge éprouvera la vengeance du Seigneur qui tient un compte rigoureux des péchés; pardonne à ton prochain ses torts, alors, à ta prière, tes péchés te seront remis. » C'est à Dieu que revient le soin de venger l'homme : « Ne dis pas : Je rendrai le mal, mais fie-toi en Yahvé qui te sauvera » (Pr **20** 22); et surtout Lm **3** 26.30 : « Il est bon d'attendre en silence le salut de Yahvé... Qu'il donne sa joue à qui le frappe. » Ce principe de la non-violence n'est pas pusillanimité, il a une intention positive très précise qu'annonçait déjà ce texte de la Règle de la Communauté de Qumrân : « Je ne rendrai à personne la rétribution du mal; c'est par le bien que je poursuivrai un chacun; car c'est auprès de Dieu que se trouve le jugement de tout vivant et c'est lui qui paiera à chacun sa rétribution » (10 *17-18*); mais l'idée est exprimée plus clairement par Paul : « Ne te laisse pas vaincre par le mal, sois vainqueur du mal par le bien »; en rendant le bien pour le mal, on pourra désarmer le mal et finalement rendre « bon » celui qui nous veut du mal, pour que triomphe l'amour. Si l'autre refuse de se « convertir » au bien, c'est à Dieu qu'il devra en rendre compte un jour (Rm **12** 19 s.).

Note § **59.** *AIMER MÊME SES ENNEMIS*

Dans Mt, cette section constitue le cinquième exemple de dépassement dans l'accomplissement de la Loi, mais il est de structure plus complexe que les quatre premiers exemples. Le texte de Mt se retrouve en partie dans Lc, sans le principe du dépassement de la Loi.

I. ANALYSES LITTÉRAIRES

Le témoignage de la Didachè, de Justin et des Homélies Clémentines qui dépendent ici, substantiellement, du Document Q, va nous permettre de reconstituer avec une certaine probabilité la genèse des textes de Mt et de Lc.

A) LE TEXTE DU DOCUMENT Q

1. Analysons d'abord une série de textes, correspondant à Mt **5** 44.46-47, qui se lisent dans Didachè 1 *3*, Justin (1 Apol. 15 *9*) et Hom. Clément. (3 *19*, puis 11 *32*).

Didachè	Justin	Hom. Clém.
« Bénissez ceux qui vous maudissent, priez pour vos ennemis, jeûnez pour ceux qui vous persécutent; car quel merci si vous aimez ceux qui vous aiment?	« Si vous aimez ceux qui vous aiment, que faites-vous de nouveau? Car même les impudiques le font.	Si celui qui erre aime ceux qui aiment,
Même les nations païennes ne le font-elles pas? Or vous,	Or je vous dis : priez pour vos ennemis, et aimez	nous,
aimez ceux qui vous haïssent. »	ceux qui vous haïssent,	même ceux qui haïssent.
		Il aimait ceux qui haïssent, et il bénissait ceux qui injurient, et il priait pour les ennemis.
	et bénissez ceux qui vous maudissent, et priez pour ceux qui vous calomnient. »	

Malgré des divergences assez considérables, ces trois témoins s'accordent sur un certain nombre de points qui remontent au Document Q.

a) Comme Lc, ils ignorent la structure matthéenne concernant le dépassement de la Loi : « Vous avez entendu qu'il a été dit, etc. » On aurait peut-être un écho de cette structure dans le « Or je vous dis » de Justin, mais qui serait dû à une influence tardive de Mt sur Justin, car la *Didachè* a un simple pronom, comme les Homélies Clémentines.

b) Tandis que Mt donne d'abord les commandements de Jésus (**5** 44), puis les exemples de morale naturelle à dépasser (**5** 46-47), on trouve l'ordre inverse à propos de l'amour dans nos trois témoins du Document Q, qui supposent la structure suivante : « Si vous aimez ceux qui vous aiment... même... le font; or vous, aimez ceux qui vous haïssent. » Cette structure est attestée même par les Homélies Clémentines, malgré la simplification et l'adaptation de sa citation.

c) Le Document Q donnait le triple commandement de Jésus sous cette forme :

> « Aimez ceux qui vous haïssent,
> bénissez ceux qui vous maudissent,
> priez pour vos ennemis. »

C'est le texte que suppose Hom. Clém. 11 *32*, qui a toutefois remplacé, dans le second commandement, le verbe « maudire » par « injurier ». Justin a quatre commandements au lieu de trois; il a dédoublé celui qui commence par « priez pour... » de la façon suivante : le commandement en provenance du Document Q : « priez pour vos ennemis », a pris la première place dans l'énumération et laissé la dernière au texte en provenance de Lc : « priez pour ceux qui vous calomnient » (Lc **6** 28b). Quant à la Didachè, elle a rejeté en tête du développement les deux commandements : « Bénissez ceux qui vous maudissent, priez pour vos ennemis », de façon à mieux mettre en relief le thème de l'amour; mais, pour conserver un groupement de trois commandements à la suite les uns des autres, elle a ajouté un commandement nouveau, en partie influencé par Mt **5** 44b : « jeûnez pour ceux qui vous persécutent ».

Les deux commandements attestés par nos trois témoins : « Aimez *ceux qui vous haïssent...* priez pour *vos ennemis* », sont certainement de formulation plus archaïque que ceux de Mt **5** 44 : « Aimez vos ennemis et priez pour ceux qui vous persécutent » (cf. en partie Lc). D'une part, en effet, l'opposition « aimer/haïr » est parfaitement dans la tradition biblique : « ...pour aimer ceux qui te haïssent et pour haïr ceux qui t'aiment » (2 S **19** 7a; cf. Lv **19** 17-18; Dt **21** 15; Pr **8** 36; Ml **1** 2-3 repris en Rm **9** 13; Jn **12** 25, etc.); d'autre part,

le thème de ne pas faire de mal à *ceux qui nous haïssent* est traditionnel dans la littérature sapientielle qui, on le verra en II, a influencé ici la pensée de Jésus (Sagesse d'Ahikar, 3 *25*; Pr **25** 21; voir textes en II); enfin, le parallélisme synonymique entre « celui qui te hait » et « ton ennemi » est également traditionnel dans la Bible; citons simplement Ex **23** 4-5, qui développe un thème analogue à celui de la présente section évangélique : « Lorsque tu rencontreras le bœuf de *ton ennemi* ou son âne qui erre, tu dois le lui ramener... Quand tu vois l'âne de *celui qui te hait* tombé sous le faix... tu lui viendras en aide. »

d) Dans Mt, il y a deux exemples de dépassement de la morale naturelle (vv. 46-47). La Didachè n'en connaît qu'un, attesté également par Justin et les Homélies Clémentines : « Si vous aimez ceux qui vous aiment, etc. »; ce devait être le cas du Document Q. Il est vrai que Justin connaît un second cas de dépassement de la morale naturelle, que l'on retrouve en Lc **6** 34 : « Si en effet vous prêtez à ceux dont vous espérez recevoir, que faites-vous de nouveau? Même les publicains le font » (Justin, 1 Apol. 15 *10*), mais ce second cas est séparé du premier par un développement sur le don et le prêt qui correspond à Mt **5** 42 (§ 58) : « A tout (homme) qui demande, donnez; et à qui veut emprunter, ne tournez pas le dos. » Ce thème du prêt désintéressé devait se lire effectivement dans le Document Q, mais littérairement séparé du thème de l'amour de ceux qui nous haïssent. – Il est difficile de préciser les détails du texte du Document Q par-delà les divergences entre la Didachè et Justin. On donnera la préférence au texte de la Didachè pour l'expression « Quel merci?... », placée en tête de phrase; la Didachè est en effet appuyée par 2 Clément 13 *4:* « Pas de merci à vous si vous aimez ceux qui vous aiment, mais merci à vous si vous aimez [les ennemis et] ceux qui vous haïssent. » On se méfiera aussi du terme « impudiques » de Justin, car ce mot n'est jamais employé au masculin (*pornos*) dans les évangiles; le Document Q avait donc probablement, comme dans la Didachè, le terme de « nations (païennes) » (*ta ethnè*), que l'on retrouverait dans le mot *ethnikoi* (les païens) de Mt **5** 47.

Le texte du Document Q correspondant à Mt **5** 44.46-47 serait donc approximativement celui-ci :

> « Quel merci (à vous) si vous aimez ceux qui vous aiment? Même les nations (païennes) ne le font-elles pas ? Or vous, aimez ceux qui vous haïssent, bénissez ceux qui vous maudissent, priez pour vos ennemis. »

2. Les vv. 45 et 48 de Mt sont groupés en un seul texte chez Justin et Homélies Clémentines, appuyés cette fois par Épiphane; on trouve un écho de ce texte dans Ep **4** 32 :

Justin	Hom. Cl.	Épiphane	Ep 4 32
Devenez bienfaisants et miséricordieux	Devenez bons et miséricordieux	Devenez bons	Devenez bienfaisants, compatissants, vous pardonnant les uns les autres,

comme aussi votre Père	comme le Père qui (est) dans les cieux	comme votre Père céleste	comme aussi Dieu
est bienfaisant et miséricordieux et fait lever son soleil...	qui fait lever son soleil...	car il fait lever son soleil...	vous a pardonné dans le Christ.

Ce thème se lit encore chez Hilaire : « Soyez bons comme votre Père qui est dans les cieux, qui fait lever son soleil... » (in Ps 118); Augustin : « Soyez bienfaisants comme votre Père céleste qui fait lever son soleil, etc. » (c. Adim. 7 *1.3*), et d'autres encore. Malgré les variantes inévitables, on se trouve certainement devant la même tradition, celle du Document Q. On notera que les variantes portent surtout sur des synonymes : les adjectifs « bienfaisant » et « bon » traduisent dans la Septante le même mot hébreu : *tôb;* « miséricordieux » et « compatissant » sont synonymes; la variante « qui » fait lever, « parce qu' » il fait lever, pourrait traduire le même *di* araméen... Il est intéressant de constater que Justin n'a pas l'addition typiquement matthéenne « céleste » ou « qui (est) dans les Cieux » après le mot « Père » (cf. Ep 4 32); en revanche, il répète les mots : « est bienfaisant et miséricordieux », indice d'une citation un peu libre.

B) Le texte de Mt

1. Il est possible d'y déceler quelques remaniements de l'ultime Rédacteur matthéen.

a) Le texte de l'AT qui est susceptible d'un dépassement est Lv **19** 18 : « Tu aimeras ton prochain. » Il est complété par cette seconde phrase : « ...et tu haïras ton ennemi ». Un tel commandement est absent de l'AT et il est même contredit par Lv **19** 17 : « Tu ne haïras pas ton frère dans ton cœur », où il s'agit d'un frère « ennemi » puisqu'il est prescrit ensuite de ne pas se venger ou garder rancune. Mais on lit dans la Règle de la Communauté de Qumrân : « ... afin qu'*ils aiment* tous les fils de lumière... et afin qu'*ils haïssent* tous les fils de ténèbres » (1 *9* s.; cf. 9 *21* s.); comme le reconnaissent beaucoup de commentateurs, c'est ce texte de Qumrân, ou un texte analogue, qui a influencé la rédaction matthéenne; précisons : cette influence s'est faite au niveau de l'ultime rédaction matthéenne, puisque c'est sur elle que l'influence de Qumrân est la plus sensible.

b) Au v. 47, il est question des païens (*ethnikoi*); dans le NT, ce mot ne se lit qu'en Mt **5** 47; **6** 7; **18** 17; 3 Jn 7. Or, en **6** 7, il provient d'une source particulière reprise par l'ultime Rédacteur matthéen (voir notes §§ 60-63); en **18** 17, où il se trouve joint au mot « publicain », comme ici (v. 46), il est certainement de l'ultime Rédacteur matthéen (note § 179); on peut conjecturer qu'ici aussi c'est l'ultime Rédacteur matthéen qui a changé le *ta ethnè* (« les nations païennes ») du Document Q (cf. la Didachè, *supra*), que le Mt-intermédiaire avait gardé, en « les païens » (*ethnikoi*).

c) Au v. 45, l'addition « qui (est) aux cieux », après le mot « Père », pourrait être attribuée soit au Mt-intermédiaire, soit à l'ultime Rédacteur matthéen; cette expression est en effet connue du Mt-intermédiaire, mais fut employée beaucoup plus systématiquement par l'ultime Rédacteur matthéen. Ici, on l'attribuera plutôt à l'ultime Rédacteur matthéen, car au v. 48 on aura à nouveau l'expression équivalente « votre Père céleste », tandis que le parallèle de Lc, influencé par le Mt-intermédiaire (cf. *infra*), a seulement « votre Père ».

2. *Le Mt-intermédiaire*. Voici maintenant comment on peut envisager l'activité littéraire du Mt-intermédiaire travaillant à partir du Document Q dont nous avons reconstitué le texte au paragraphe précédent (A 1).

a) Le premier but du Mt-intermédiaire est de donner un cinquième et dernier exemple de dépassement dans l'accomplissement de la Loi. Trouvant dans le Document Q un texte dans lequel Jésus commande d'aimer même ceux qui nous haïssent, il le reprend et l'oppose au commandement de Lv **19** 18 concernant l'amour du prochain. Il obtient alors une structure analogue à celle des quatre premiers exemples de dépassement de la Loi : « Vous avez entendu qu'il a été dit : *Tu aimeras ton prochain;* or moi je vous dis : *Aimez (vos ennemis)...* »

b) Dans le Document Q, toutefois, ce commandement de Jésus venait *après* un exemple de morale naturelle à dépasser : « Quel merci si vous aimez ceux qui vous aiment ? etc. » Pour construire son cinquième exemple de dépassement de la Loi, le Mt-intermédiaire est obligé d'inverser l'ordre des thèmes du Document Q : il donne *d'abord* le commandement de Jésus qu'il oppose à Lv **19** 18 (v. 44), puis l'exemple de morale naturelle à dépasser (v. 46).

c) Dans le Document Q, le commandement de Jésus avait, on l'a vu, une triple forme : « Aimez ceux qui vous haïssent, bénissez ceux qui vous maudissent, priez pour vos ennemis. » Le Mt-intermédiaire veut se limiter à un rythme binaire et il ne reprend que le premier et le troisième commandements; on notera que ces premier et troisième commandements de Jésus commencent par les verbes « aimez... priez... »; or ces deux verbes (en ordre inverse) terminent le commentaire de Lv **19** 18 qui se lisait dans le traité des Deux Voies : « ...d'autres, tu prieras pour eux, d'autres, tu les aimeras plus que ton âme » (Didachè 2 7; cf. note §§ 53-59); c'est peut-être ce fait qui a guidé le choix du Mt-intermédiaire. – En reprenant les deux commandements de Jésus du Document Q, le Mt-intermédiaire en garde les verbes, mais en change les compléments : l'expression « vos ennemis », du troisième commandement, vient remplacer les mots : « ceux qui vous haïssent », du premier commandement; pour le troisième commandement, Mt introduit un nouveau complément : « ceux qui vous persécutent » (cf. Mt **5** 11-12), peut-être pour mieux souligner que, dans son esprit, il s'agit des ennemis des chrétiens plus que des ennemis personnels (« persécuter », *diôkein* : 6/0/3/3/9).

d) Au v. 46, le Mt-intermédiaire reprend l'exemple de dépassement de la loi naturelle qu'il lisait dans le Document Q. Il remplace toutefois l'expression « quel merci » (*poia charis*) par « quelle récompense » (*misthos*, au sens de récompense eschatologique : 9/1/2/1/0) et introduit le thème des « publicains ». Pour rester fidèle au rythme binaire qu'il a adopté au v. 44 et qui court tout au long du v. 45, il forge un nouvel exemple de dépassement de la loi naturelle, au v. 47 (cet exemple ne se lit, ni dans les témoins du Document Q précédemment analysés, ni même dans Lc).

e) Voulant donner une amplitude plus grande à ce dernier exemple de dépassement dans l'accomplissement de la Loi, et surtout terminer sur un thème assez général qui puisse servir en fait de conclusion à l'ensemble des §§ 53-59, le Mt-intermédiaire va utiliser un second texte du Document Q, celui que nous avons reconstitué en I A 2. En le reprenant, il le coupe en deux : la seconde partie est réutilisée au v. 45, avec addition du début : « de sorte que vous deveniez fils de... »; la première partie forme la conclusion du v. 48 moyennant le changement des adjectifs « bienfaisants et miséricordieux » en l'adjectif « parfait » (*teleios*, redoublé), adjectif qui ne se lit qu'une fois ailleurs dans les évangiles, en Mt **19** 21, dans l'épisode du jeune homme riche (§ 249) qui,

on le verra plus loin (II), offre des analogies manifestes avec Mt **5** 17-48. Le chrétien devient « parfait » lorsqu'il accomplit tous les perfectionnements de la Loi que le Mt-intermédiaire a annoncé en **5** 17 (§ 53) et décrits aux §§ 54-59.

C) Le texte de Lc

Le texte de Lc résulte d'une fusion assez maladroite, faite par le proto-Lc, des textes du Document Q et du Mt-intermédiaire; les analyses suivantes vont le montrer.

1. La structure de Lc **6** 27-36 est complexe, comme l'indique le doublet que forment les vv. 27 et 35a : « Aimez vos ennemis, faites du bien... » Cette complexité provient de ce que Lc combine la structure du Document Q avec celle du Mt-intermédiaire. La séquence des vv. 32-35a correspond à celle du Document Q : exemples de dépassement de la loi naturelle (vv. 32-34), puis commandement de l'amour (des ennemis) (v. 35a). En revanche, la séquence des vv. 27-28 et 32-34 correspond à celle du Mt-intermédiaire : commandement de l'amour, puis exemples de morale naturelle à dépasser. On étudiera plus loin le cas des vv. 29-31.

2. Lc **6** 27-28 donne quatre commandements concernant l'amour des ennemis, tandis que le Document Q n'en avait que trois et le Mt-intermédiaire deux. Lc combine ici encore Document Q et Mt-intermédiaire :

Document Q	Mt-interm.	proto-Lc
	« Or moi je vous dis :	« Mais je vous dis à vous qui écoutez :
« Aimez	Aimez vos ennemis,	Aimez vos ennemis, faites du bien à ceux qui vous haïssent,
ceux qui vous haïssent, bénissez ceux qui vous maudissent, priez pour vos ennemis. »	priez pour ceux qui vous persécutent. »	bénissez ceux qui vous maudissent, priez pour ceux qui vous calomnient. »

Le début du texte du proto-Lc correspond à celui du Mt-intermédiaire; Lc a ajouté : « à vous qui écoutez », à cause des « malédictions » qui précèdent (Lc **6** 24-26) et qui ne pouvaient concerner les auditeurs de Jésus (cf. note § 50). Le premier commandement de Lc correspond à celui du Mt-intermédiaire : « Aimez vos ennemis. » Pour les deux commandements suivants, Lc suit au contraire le Document Q, avec cette différence que, ne voulant pas répéter le verbe « aimer » devant « ceux qui vous haïssent », il l'a remplacé par un verbe nouveau, propre à lui : « faites du bien ». Il continue ensuite à suivre le Document Q; mais comme il avait déjà utilisé le complément « vos ennemis » dans le premier commandement (cf. le Mt-intermédiaire), il le remplace par un complément nouveau, propre à lui : « pour ceux qui vous calomnient ».

3. Analysons maintenant les trois cas de dépassement de morale naturelle en Lc **6** 32-34. Le premier cas (v. 32) se rapproche beaucoup de celui du Document Q tel qu'on le lit dans la Didachè, avec l'expression « quel merci » (*poia charis*) que Lc complète en ajoutant « vous revient » (*hymin... estin*); il remplace les « nations » (païennes) par les « pécheurs », terme qu'il affectionne (*hamartôlos* : 5/6/17/4/0); enfin, au lieu de dire simplement « font cela » (*touto poiousin*), il répète « aiment ceux qui les aiment ». – Le second dépassement de morale naturelle (v. 33) est une création du proto-Lc, qui reprend le thème « faire du bien » qu'il a introduit dans le second commandement du Christ (v. 27c; cf. *supra*). – Le troisième exemple de morale à dépasser est étrange, car il ne s'agit plus du thème de l'amour des ennemis, mais de celui du don désintéressé ! On avait constaté un semblable glis-

sement de thème à propos de Mt **5** 42, où le thème du prêt détonne dans un ensemble où il s'agit de ne pas se venger (note § 58). Mettons alors à la suite Mt **5** 42 et Lc **6** 34 : « A qui te demande, donne; et à qui désire t'emprunter, ne tourne pas le dos... Et si vous prêtez à (ceux) dont vous espérez recevoir, quel merci vous revient? Même les pécheurs prêtent à des pécheurs pour recevoir l'équivalent »; on obtient une séquence dont on trouve l'équivalent dans Justin : « A tout (homme) qui demande, donnez; et à qui veut emprunter, ne tournez pas le dos; si, en effet, vous prêtez à ceux dont vous espérez recevoir, que faites-vous de nouveau? Même les publicains le font » (1 Apol., 15 *10*). La conclusion s'impose : Justin est l'écho plus ou moins littéral d'un texte du Document Q dont la première moitié fut insérée par l'ultime Rédacteur matthéen pour compléter le § 58, et dont la seconde moitié fut reprise par le proto-Lc pour former son troisième exemple de dépassement de morale naturelle.

Ajoutons un détail qui montre la dualité de sources du proto-Lc. Dans les exemples de morale naturelle à dépasser, le Document Q avait la formule « quel merci » (cf. Didachè), et le Mt-intermédiaire « quelle récompense » (cf. Mt **5** 46); le proto-Lc a gardé la formule « quel merci » dans ses exemples de morale naturelle à dépasser (vv. 32-34), mais il a réutilisé le thème matthéen de la « récompense » eschatologique (9/1/2/1/0) au v. 35 : « et votre récompense sera grande ».

4. Aux vv. 35b-36, le proto-Lc utilise encore à la fois le texte du Document Q (reconstitué en I A 2) et celui du Mt-intermédiaire. La structure des vv. 35b-36 de Lc correspond à celle des vv. 45.48 de Mt, avec cette exception que, au lieu de séparer en deux moitiés le texte du Document Q, Lc les laisse unies (mais inversées, comme dans Mt). En revanche, on retrouve dans le texte de Lc les deux adjectifs « bienfaisant » et « miséricordieux » (fin du v. 35 et v. 36), qui sont les deux adjectifs utilisés dans le Document Q d'après Justin : « Devenez bienfaisants et miséricordieux... »

5. Reste le cas des vv. 29-30 de Lc, qui correspondent aux vv. 39-42 de Mt (§ 58). On a vu à la note § 58 que, au moins en ce qui concerne les vv. 29b-30, Lc ne pouvait pas dépendre de Mt et que son v. 30b pouvait être une déformation du texte attesté par la Didachè : « Si quelqu'un a reçu de toi ce qui est à toi, ne réclame pas... » En fait, la séquence des vv. 27-30 de Lc correspond à celle de la Didachè : commandements de Jésus concernant l'amour de ceux qui nous veulent du mal, puis exemples concrets : si quelqu'un te frappe sur la joue, etc. Puisque la Didaché dépend directement du Document Q, on peut conclure que l'ordre des vv. 27-30 de Lc est commandé aussi par l'ordre des thèmes tel qu'il se lisait dans le Document Q. – Seule la « règle d'or » du v. 31 de Lc ne semble pas correspondre au texte du Document Q; et encore ce point n'est pas certain, puisque la Didachè place la « règle d'or » là où elle la lisait dans le traité des Deux Voies (cf. note § 71), et non là où elle aurait pu se trouver dans le Document Q. Quoi qu'il en soit de ce v. 31, on voit que le proto-Lc suit le Document Q en plaçant les thèmes des vv. 29-30 juste après ceux des vv. 27-28.

II. SYNTHÈSE SUR LES §§ 58 ET 59

Reprenons, en les résumant, les analyses assez complexes des notes §§ 58 et 59 afin de mieux saisir la structure du Document Q et la façon dont il fut utilisé par les principaux témoins mentionnés dans ces notes.

1. *Le Document Q*. Sans insister sur le détail des expressions, on peut reconstituer la structure du texte du Document Q de la façon suivante (les lettres placées à gauche faciliteront les analyses ultérieures) :

A Quel merci, si vous aimez ceux qui vous aiment? Même les nations (païennes) ne le font-elles pas?
B Or vous, aimez ceux qui vous haïssent, bénissez ceux qui vous maudissent, priez pour vos ennemis.
C A qui te soufflette sur la joue, tends-lui aussi l'autre;
D et qui te requiert pour (une course d') un mille, fais-en deux avec lui;
E et à qui enlève ton manteau, ne refuse pas aussi la tunique.
F A tout (homme) qui te demande, donne;
G et à qui désire t'emprunter, ne tourne pas le dos;
G' [si quelqu'un a reçu de toi ce (qui est) tien, ne (lui) réclame pas]
H Si vous prêtez à (ceux) dont vous espérez recevoir, quel merci vous revient? Même les publicains (cf. Justin) en font autant.

On notera l'inclusion formée par les éléments A et H : un exemple de morale naturelle à dépasser.

2. *La Didachè*. C'est le témoin qui est resté le plus fidèle du Document Q, dont il a inséré les éléments A à G dans le traité des Deux Voies moyennant les modifications suivantes : *a*) Des trois commandements de l'élément B, il anticipe les deux derniers et les place avant l'élément A, ajoutant un nouveau commandement en partie inspiré de Mt (cf. *supra*, I A 1 c). *b*) Il inverse les éléments F et G; il connaît d'ailleurs ce dernier sous une forme différente de celle de Mt **5** 42b, la forme G' que l'on retrouve en Lc **6** 30b un peu modifiée (cf. note § 58, I B 2 b). *c*) La Didachè n'a rien retenu de l'élément H.

3. *Justin* connaît tous les éléments du Document Q, mais il les donne en les groupant de façon différente, préoccupé surtout de les classer selon certains thèmes qu'il complète au moyen d'autres citations. Dans 1 Apol. 15 *9-10*, il donne les éléments A et B puis, après quelques mots de commentaire, les éléments F, G, H; dans 1 Apol. 16 *1-2*, il donne les éléments C, E, D, les deux derniers étant séparés par une citation de Mt **5** 22.

4. *Le Mt-intermédiaire* reprend les éléments C et D, concernant la non-violence, pour former son quatrième dépassement dans l'accomplissement de la Loi (Mt **5** 39b.41). Il se sert des éléments A, B et H pour construire son cinquième exemple de « dépassement », moyennant les modifications suivantes : il place l'élément B (Mt **5** 44) avant l'élément A (Mt **5** 46), de façon à mieux opposer son commandement

de l'amour (v. 44) à celui de Lv **19** 18 (v. 43) et obtenir ainsi un « dépassement » de la Loi; des trois commandements de Jésus (élément B), il ne retient que deux dont il modifie d'ailleurs la teneur (v. 44); il bloque à la suite les deux dépassements de morale naturelle (éléments A et H; cf. vv. 46-47), et change presque complètement la teneur du second (on notera aussi l'inversion : « publicains/païens », tandis que l'élément A parle des nations païennes et l'élément H des publicains); enfin il ajoute les vv. 45.48 qui introduisent un nouveau thème repris du Document Q, mais appartenant à un autre contexte (cf. *supra*, I A 2). – Au § 58, les éléments E (Mt **5** 40), F (Mt **5** 42a) et G (Mt **5** 42b) ont été ajoutés par l'ultime Rédacteur matthéen (cf. note § 58, I A 1).

5. *Le proto-Lc* a une structure complexe du fait qu'il combine celle du Document Q avec celle du Mt-intermédiaire (d'où la répétition de l'élément B, fortement remanié, aux vv. 27-28 et 35). Influencé par le Mt-intermédiaire, le proto-Lc commence son développement par l'élément B (vv. 27-28, qui mêlent les commandements de Jésus selon le Mt-intermédiaire et selon le Document Q; voir *supra*, I C 2); de même, il bloquera l'un après l'autre les exemples de morale naturelle à dépasser (éléments A et H; cf. vv. 32.34). En revanche, le proto-Lc reste fidèle au Document Q en donnant à la suite les éléments B, C, E, F, G', (H), dans ses vv. 27-30 (34); de même, il place l'élément A (son v. 32) avant l'élément B (son v. 35, deuxième mention de cet élément B).

III. AIMER CEUX QUI VOUS HAISSENT

1. *Dans le Document Q.*

a) Dans ce Document, le texte reconstitué en II faisait suite à la dernière des béatitudes (§ 50), comme en témoigne encore Lc. On notera alors la correspondance des thèmes. En Lc **6** 22, Jésus déclare « heureux » ceux qui seront « haïs » par les hommes; en Mt **5** 11, Jésus déclare « heureux » ceux de qui l'on dira du mal, donc ceux que l'on « maudira » (Lc **6** 22c a changé la formule, mais cf. Lc **6** 26). « Haines » et « malédictions », ce sont deux des trois thèmes que l'on retrouve au début du présent développement du Document Q : « Or vous, aimez ceux qui vous haïssent, bénissez ceux qui vous maudissent... » Il est assez remarquable que le Mt-intermédiaire, malgré l'insertion des §§ 51-58, a voulu lui aussi garder une certaine correspondance des thèmes puisqu'il introduit le verbe « persécuter » en **5** 11-12 comme en **5** 44.

b) En demandant à ses disciples : « Aimez ceux qui vous haïssent », Jésus exige en fait que l'on rende le bien pour le mal. Il ne suffit pas de renoncer à toute vengeance, comme le demandait déjà Lv **19** 18 : « Tu ne te vengeras pas et tu ne garderas pas rancune envers les enfants de ton peuple. » Il faut faire du bien à ceux qui vous font du mal ! Jésus a ainsi exprimé sous une forme plus vigoureuse un enseignement dont on avait déjà l'essentiel dans certaines sections législatives de l'Ancien Testament. On lisait ainsi dans Ex **23** 4-5 : « Lorsque tu rencontreras le bœuf de ton ennemi

ou son âne qui erre, tu dois le lui ramener... Quand tu vois l'âne de celui qui te hait tombé sous le faix... tu lui viendras en aide »; une telle conduite à l'égard des ennemis fut d'ailleurs jugée trop dure par le Deutéronomiste qui, reprenant le texte de Ex **23** 4-5, remplace systématiquement les expressions « ton ennemi... ceux qui te haïssent » par « ton frère » ! De même le traité des Deux Voies (note §§ 53-59) paraphrase Lv **19** 18 en ces termes : « Tu ne haïras personne, mais : certains, tu les réprimanderas; d'autres, tu leur feras miséricorde; d'autres, tu prieras pour eux; d'autres, tu les aimeras plus que ton âme » (Didachè 2 7). Même en dehors de la tradition biblique, on lit dans la Sagesse d'Ahikar : « Mon fils, va dans ta prospérité au-devant de ceux qui te haïssent, compatis aux maux qui leur arrivent et plains-les; ne te réjouis pas au moment de leur chute » (3 25); ou encore : « Mon fils, si ton adversaire vient au-devant de toi pour le mal, va au-devant de lui pour le bien et reçois-le » (3 28). Tous ces textes disent plus ou moins explicitement qu'il faut rendre le bien pour le mal, comme l'enseignait encore la Règle de la Communauté de Qumrân : « Je ne rendrai à personne la rétribution du mal; c'est par le bien que je poursuivrai un chacun » (10 17-18).

c) Ce principe de rendre le bien pour le mal n'est pas une sorte de « démission » que l'on serait tenté d'appeler « couardise »; il contient un élément positif, à savoir la volonté de *vaincre* le mal par le bien. Dans ce sens, on lisait déjà dans la Sagesse d'Ahikar : « Ne sois pas impudent, écarte les disputes et vaincs le mal à l'aide du bien » (3 74). Le Testament de Benjamin dit de même : « L'homme bon n'a pas d'œil ténébreux, car il fait miséricorde à tous, même s'ils sont pécheurs; et même s'ils ne lui veulent pas de bien, cet homme, en faisant le bien, vainc le mal, protégé par Dieu; il aime les injustes comme sa vie » (4 2, glosant Lv **19** 18). Paul enfin a cette formule lapidaire : « Ne sois pas vaincu par le mal, mais vaincs le mal par le bien » (Rm **12** 21). Rendre le bien pour le mal a donc pour but de « vaincre » le mal; la vengeance ne peut engendrer que le mal, les représailles indéfinies, les vendettas; en rendant le bien pour le mal, on désarme l'ennemi; à moins qu'il ne soit endurci dans le mal (auquel cas ce sera à Dieu de le châtier, Pr **25** 21 s.), il sera tellement bouleversé par notre bonté qu'il renoncera au mal et deviendra lui-même bon. Dans ce cas, le bien aura vraiment vaincu le mal.

2. *Le thème dans le Mt-intermédiaire.* En construisant son cinquième exemple de dépassement dans l'accomplissement de la Loi (§ 59), le Mt-intermédiaire a quelque peu modifié le sens et la vraie portée des textes qu'il utilise.

a) En opposant « amour du prochain » (cf. Lv **19** 18) et « amour des ennemis », Mt affaiblit le vrai sens du commandement de Lv **19** 18 dans lequel, d'après le contexte, l'amour du prochain incluait l'amour du prochain même « ennemi ». En revanche, il présente le principe de l'amour des ennemis comme une innovation de Jésus, alors que, on l'a vu plus haut, ce principe était déjà exprimé en Ex **23** 4-5, mais d'une façon moins vigoureuse.

b) On a vu à la note §§ 53-59 que le Mt-intermédiaire

utilisait le traité des Deux Voies. Mais, dans ce cas encore, il donne au commandement de Lv **19** 18 une portée très différente de celle qu'il a dans le traité des Deux Voies. Dans ce traité, Lv **19** 18 : « Tu aimeras le prochain comme toi-même », est le commandement parfait, qui résume et transcende tous les commandements négatifs du Décalogue concernant nos rapports avec les autres; en ce sens, il est la « perfection » de la Loi. Dans le Mt-intermédiaire, Lv **19** 18 devient un commandement qui se situe dans la même ligne et sur le même plan que les prescriptions du Décalogue (cf. Mt **5** 21.27.33.43), et donc qui a besoin lui aussi d'un

« dépassement »; on retrouvera cette conception minimisante du commandement de Lv **19** 18 dans la façon dont le Mt-intermédiaire traitera l'épisode du jeune homme riche (note § 249).

3. Sur les modifications apportées par l'ultime Rédacteur matthéen, voir *supra*, I B 1.

4. En combinant les textes du Document Q et du Mt-intermédiaire, le proto-Lc, suivi par l'ultime Rédacteur lucanien, n'apporte aucun élément nouveau qui puisse modifier la portée théologique des textes.

Note § **60.** *FAIRE L'AUMONE EN SECRET*
§ **61.** *PRIER EN SECRET ET SANS PHRASES*
§ **63.** *JEUNER EN SECRET*

1. Mt **6** 1-18 contient trois logia qui ont exactement même structure littéraire facile à percevoir et forment un ensemble fortement charpenté. A propos de l'aumône (**6** 2-4), de la prière (**6** 5-6) et du jeûne (**6** 16-18), ces trois observances majeures de la piété juive (cf. Tb **12** 8), ils mettent les disciples de Jésus en garde contre un même danger : accomplir ces œuvres bonnes avec ostentation, dans le but de se faire remarquer des autres hommes; pour être bien vus de Dieu et mériter une récompense dans les Cieux, il faut au contraire les faire dans le secret, car rien n'est caché à Dieu. L'ensemble est dirigé contre les « hypocrites » (vv. 2.5.16), qu'il faut probablement identifier aux scribes et aux Pharisiens comme en Mt **23** 13-15; Lc **12** 1b. Il est intéressant de comparer ces trois logia à celui de Mt **5** 14a.16 (§ 52). Malgré les apparences, leurs exigences ne sont pas contradictoires, car les points de vue sont différents : ici, il faut agir à l'insu des hommes pour éviter toute gloriole humaine; là, il faut accomplir ses œuvres bonnes devant les hommes pour que Dieu en soit glorifié. On est frappé cependant par la tonalité religieuse assez différente. En Mt **6** 2 ss., l'homme fait le bien dans l'espoir de recevoir une récompense eschatologique, thème qui revient deux fois dans chacun des trois logia (vv. 1-2.4-6.16.18); en Mt **5** 16 au contraire, si l'homme est invité à faire le bien, c'est uniquement afin que Dieu en retire gloire. D'un côté, l'espoir d'une récompense : « Dieu te donnera en retour... » De l'autre, une morale désintéressée : « ...afin qu'ils glorifient ton Père qui est dans les cieux ».

2. Ignorés de Lc, ces trois logia ont été insérés ici par l'ultime Rédacteur matthéen qui les tient d'une source particulière difficile à préciser, la même probablement que celle à laquelle il reprendra les invectives contre les Pharisiens qu'il ajoute à celles du Document Q (note § 288, II). A l'ultime Rédacteur matthéen, on peut attribuer :

a) Le verset d'introduction (**6** 1), qui semble modelé sur Mt **5** 16 (cf. le texte de Justin, note § 52) :

Mt **5** 16 (Justin)	Mt **6** 1
« Que brillent vos œuvres bonnes devant les hommes afin que, en (les) voyant, ils glorifient	« Gardez-vous de pratiquer votre justice devant les hommes pour être regardés par eux
	sans quoi vous n'avez pas de récompense
votre père qui (est) dans les Cieux. »	près de votre Père qui (est) dans les Cieux. »

Les variantes de **6** 1 par rapport à **5** 16 trahissent le style de l'ultime Rédacteur matthéen : « justice » (7/0/1/2/4), ajouté par l'ultime Rédacteur en Mt **5** 6.10; **6** 33 (opposer les parallèles de Lc); « ...de pratiquer votre justice devant les hommes pour être regardés par eux », qui répond exactement à Mt **23** 5, ajouté par l'ultime Rédacteur matthéen (voir note § 288); « récompense » au sens eschatologique (9/1/2/1/0).

b) Au § 61, les vv. 7-8, qui se détachent de l'ensemble bien structuré des trois logia comme une surcharge; ils visent un autre défaut dans la prière, qui se rencontre chez d'autres gens : non plus l'ostentation vaniteuse des hypocrites, mais la logomachie des païens qui attribuent à l'abondance des formules une plus grande emprise sur la divinité (cf. les papyrus magiques). Ces versets sont probablement de l'ultime Rédacteur matthéen qui a pu s'inspirer de Mt **6** 32 et Lc **12** 30.

c) Entre les deuxième et troisième logia, la prière par excellence, le *Pater* (§ 62), qui devait se lire ailleurs dans le Mt-intermédiaire.

Note § 62. *LA VRAIE PRIÈRE: LE « PATER »*

L'ultime Rédacteur matthéen a inséré, après le logion sur la prière en secret (§ 61), le *Pater*, la prière par excellence; attestée aussi par Lc **11** 2-4, elle se lisait dans le Document Q, mais l'ultime Rédacteur matthéen doit la reprendre au Mt-intermédiaire, où elle se lisait dans un autre contexte. Sur les problèmes littéraires et théologiques de ce texte, voir note § 193. - En insérant ici le *Pater*, l'ultime Rédacteur matthéen l'a fait suivre d'un logion (**6** 14-15) qui est comme un commentaire de la demande du v. 12. Ce texte s'inspire de Si **28** 2 : « Remets à ton prochain le tort (qu'il t'a fait), et alors, à ta prière, tes péchés te seront pardonnés (par Dieu). » Dieu ne pardonne qu'à ceux qui savent pardonner aux autres. On lit un texte semblable en Mc **11** 25, mais d'origine matthéenne (voir note § 276).

NOTE SUR LES §§ 64-67

L'ultime Rédacteur matthéen a complété le Sermon sur la montagne en insérant ici quatre logia concernant le détachement des richesses : amasser des trésors célestes (§ 64), l'œil simple et l'œil mauvais (§ 65), on ne peut servir deux maîtres (§ 66), pas de soucis temporels (§ 67). Tous ces logia proviennent du Document Q, puisqu'ils sont attestés aussi par Lc, dans un ordre et des contextes différents; il est probable que le Rédacteur matthéen les lisait dans le Mt-intermédiaire, mais à une autre place que le Sermon sur la montagne. Comme ces logia s'expliquent mieux dans leur contexte lucanien, qui est probablement celui du Document Q, on en trouvera le commentaire aux notes § 207, § 201, § 233 et § 206.

Note § 68. *NE PAS JUGER AUTRUI*

Après les développements des §§ 58-59 (voir notes), le Discours inaugural de Jésus, dans le Document Q, se poursuivait par une invitation à ne pas porter de jugements défavorables contre son prochain.

1. *Le texte de Mt.*

a) Dans l'ensemble, le texte de Mt est beaucoup plus homogène que celui de Lc. Il se compose de deux parties. La première (vv. 1-2a) justifie l'interdiction de juger autrui, i.e. de le condamner, en s'appuyant sur un motif théologique : au jour du Jugement eschatologique, Dieu nous jugera et nous condamnera en usant envers nous des mêmes critères dont nous aurons usé envers le prochain. En d'autres termes, si nous condamnons les autres trop facilement, en jugeant souvent sur de simples apparences, Dieu agira de même envers nous lors du Jugement eschatologique. La seconde partie (vv. 3-5) s'appuie sur un motif plus humain : chacun de nous a ses propres défauts, souvent plus gros que ceux des autres ! Avant de condamner le prochain, nous ferions mieux de veiller à nous corriger de nos propres défauts. Il est probable, étant donné leur point de vue différent, que ces deux parties complémentaires circulèrent d'abord comme deux logia séparés. Il est impossible de dire s'ils furent unis au niveau du Document Q, ou déjà auparavant.

b) Le v. 2b donne un petit logion qui reflète une loi juridique dont on trouve de nombreuses attestations dans les papyrus de l'époque ptolémaïque (B. Couroyer); citons-en un seul : « Je te donnerai tes 45 artabes de blé qui sont mentionnés ci-dessus, en grain pur, sans corps étranger ni paille... mesurées avec ta mesure avec laquelle tu as mesuré pour moi » (Papyrus démotique n. 31323 du Field Museum d'Histoire Naturelle de Chicago). Dans de tels contrats, il s'agit toujours de graines, blé ou orge, qu'un emprunteur rendra à son prêteur. Il est clair que ce logion, dont le sens primitif est que celui qui donne ne sera pas lésé quand on lui rendra ce qu'il a prêté, ne s'adapte pas bien au thème du jugement des vv. 1-2a; il fut attiré ici par une certaine similitude de structure avec le logion du v. 2a; le fait qu'il se lise aussi en Mc **4** 24, dans un tout autre contexte et avec un sens meilleur, prouve d'ailleurs qu'il dut avoir une existence indépendante du logion des vv. 1-2a. Il est impossible de préciser s'il fut ajouté par le Document Q ou le Mt-intermédiaire.

2. *Le texte de Lc.* Il contient un certain nombre d'additions par rapport à celui de Mt.

a) Le v. 37b ne fait que reprendre le logion du v. 37a, sous une forme plus grecque, puisque le verbe *krinein* (« juger ») a en fait le sens de « condamner », comme souvent dans la Bible. Ce v. 37b pourrait n'être qu'une simple explicitation du logion du v. 37a, faite par Lc. Le logion du v. 37c, sur le pardon, exprime la même idée que Mt **6** 14 (cf. Si **28** 2); il est impossible d'en déterminer la provenance. Le v. 38ab de Lc complète et précise le sens du logion sur « la mesure dont vous mesurez » (v. 38c) attesté aussi par Mt. Il est clair que ce v. 38 de Lc, concernant le don que l'on fait aux autres, interrompt maladroitement le développement sur les jugements téméraires des vv. 37a et 41-42; c'est probablement Lc qui, connaissant le sens primitif du logion du v. 38c, l'a complété pour lui donner un meilleur contexte que dans le Document Q.

b) Les vv. 39-40, attestés par Mt dans d'autres contextes, sont certainement des ajouts de Lc; ils sont introduits par une formule fréquente chez lui (Lc **5** 36; **12** 16; **13** 6; **14** 7; **15** 3; **18** 1.9; **21** 29). Il est difficile de voir pourquoi Lc a inséré ici ces logia, qu'il reprend, soit au Mt-intermédiaire, soit au Document Q.

Il est probable que tous ces ajouts ont été effectués par le proto-Lc.

Note § **69.** *NE PAS PROFANER LES CHOSES SAINTES*

Ce logion, propre à Mt, n'est lié au contexte que par le thème très général de « donner » (cf. Mt **7** 7); il fut probablement inséré ici par l'ultime Rédacteur matthéen.

1. Ce logion présente une difficulté : dans les deux phrases initiales parallèles, le premier complément direct est un terme abstrait à valeur religieuse, « ce (qui est) saint »; le second est un terme très concret, « vos perles ». Certains ont pensé que le premier terme était une mauvaise traduction d'un original araméen (*qudhsha*) signifiant « bague » (F. Perles, A. Meyer). Plus probablement, le premier membre de phrase serait une addition au logion primitif, lui donnant une interprétation eucharistique. Cette addition, identifiant les « chiens » aux païens selon une façon de parler courante dans le judaïsme, s'inspirerait de textes « sacrificiels » comme Ex **29** 33-34 : « Nul étranger n'en mangera, car ce sont des choses saintes. »

L'idée serait ici : aucun païen ne peut communier au sacrifice eucharistique, comme l'a compris la tradition liturgique (Didachè, Cyrille de Jérusalem).

2. Hors de son contexte primitif, le logion principal est difficile à interpréter. L'idée générale est qu'il ne faut pas donner les choses précieuses (perles) à ceux qui sont « impurs », car, furieux de ne pas trouver ce qu'ils attendaient, ils risqueraient de vous déchirer. Mais que faut-il entendre sous l'image de la perle? Probablement la prédication évangélique. Il est possible que, ici aussi, les « porcs » désignent les païens, eux aussi considérés comme impurs; il y aurait alors une allusion aux persécutions contre les chrétiens de la part des païens incapables de comprendre le message évangélique et s'en scandalisant (cf. 1 P **3** 13-17; **4** 3-5).

Note § **70.** *LA PRIÈRE SERA EXAUCÉE*

Ce logion sur la prière exaucée a son équivalent en Lc **11** 9-13 et provient donc du Document Q. Il fut inséré dans le Discours inaugural de Jésus par l'ultime Rédacteur matthéen et complète bien les logia des §§ 64 et 67. Voir son commentaire à la note § 195.

Note § **71.** *FAIRE A AUTRUI CE QU'ON VEUT QU'IL NOUS FASSE*

Avant de trouver son expression littéraire dans le Document Q, source de Mt **7** 12 et de Lc **6** 31, ce logion de Jésus, appelé souvent la « règle d'or » parce qu'il résume l'essentiel de la morale chrétienne, a connu toute une préhistoire dont il est possible de retracer les grandes étapes.

I. SA FORME LA PLUS ARCHAIQUE

La « règle d'or » était déjà connue du judaïsme, mais sous forme négative. Elle est attestée pour la première fois dans le livre de Tobie : « Ce que tu hais, ne (le) fais à personne » (*ho miseis mèdeni poièseis;* **4** 15). Avec de menues variantes, on la retrouve dans Thomas 6 (vol. I, p. 51), dans les Constitutions Apostoliques : « Ce que toi tu hais, à un autre tu ne le feras pas » (7 2), et, plus librement, chez Philon : « (les choses) que quelqu'un abhorre souffrir, ne pas (les) faire » (*ha tis pathein echthairei mè poiein auton;* d'après Eusèbe, Prép. Évang., 8 7).

II. DANS LE TRAITÉ DES DEUX VOIES

D'après la Didachè et la Doctrina (1 2), la « règle d'or » se trouvait incorporée dans le traité des Deux Voies entre le commandement de l'amour du prochain de Lv **19** 18 et la nomenclature des préceptes négatifs de Ex **20** 13 ss. (voir le texte à la note §§ 53-59). Mais elle a revêtu des formes différentes selon les diverses recensions de ce traité des Deux Voies.

1. Dans Lv **19** 18, le commandement de l'amour a cette forme : « Tu aimeras ton prochain comme toi-même. » En reprenant ce commandement, le Targum sur Lv **19** 18 le glose ainsi : « Tu aimeras ton prochain; c'est-à-dire : ce que tu hais pour toi, ne le fais pas à lui »; le Targum connaît donc le lien qui unit la « règle d'or », toujours sous forme négative, au commandement de Lv **19** 18. D'une façon plus précise, on lit chez Hillel, un rabbi contemporain de Jésus : « Ce que tu hais pour toi, à ton prochain tu ne le feras pas », et il ajoute : « Ceci est toute la Loi... » (Talmud, Shabbat 31a). La formule de Hillel se distingue de celle de Tb **4** 15 en ce qu'elle précise : « pour toi... au prochain », expressions que l'on trouve précisément dans Lv **19** 18 : « Tu aimeras ton *prochain* comme *toi*-même »; par ailleurs, la remarque : « ceci est toute la Loi », veut dire que la « règle d'or » résume toutes les prescriptions du Décalogue (Ex **20**) concernant les relations avec autrui. Les allusions, d'une part à Lv **19** 18, d'autre part au Décalogue, nous prouvent que Hillel lisait la « règle d'or » dans une forme juive du traité des Deux Voies. Ceci nous est confirmé par un texte de Philoxène de Mabbug; certes, c'est un auteur syriaque chrétien, et non juif; mais on sait que, aux IVᵉ et Vᵉ siècles, les milieux syriaques chrétiens ont été en relation avec les milieux rabbiniques de Babylone. Philoxène mêle en un seul récit l'épisode du jeune homme riche (§ 249) avec son énumération des préceptes du Décalogue concernant autrui, et celui du « grand commandement » (§ 285) qui donne à la suite le commandement de l'amour de Dieu et celui de l'amour du prochain, ce dernier d'après Lv **19** 18; après avoir cité Lv **19** 18, Philoxène ajoute : « et tout ce qui est haïssable pour toi, ne le fais pas à ton prochain : ceci est la Loi et les prophètes ». La parenté entre les textes de Philoxène et de Hillel est évidente, et il est remarquable que Philoxène cite la « règle d'or » sous sa forme négative (très proche de celle connue de Hillel) et non sous sa forme positive qui deviendra prépondérante dans le christianisme. Si Philoxène mêle l'épisode du jeune homme riche (préceptes de Ex **20**), celui du « grand commandement » (Lv **19** 18) et la « règle d'or », c'est sous l'influence du traité des Deux Voies, mais qu'il connaît sous sa forme juive, comme Hillel.

En résumé, on peut dire que la « règle d'or » connue de Tb **4** 15 fut incorporée au traité des Deux Voies; mais le fait qu'elle y suivait le commandement de Lv **19** 18 lui a fait subir deux modifications : l'addition des précisions « pour toi », « à ton prochain »; d'où sa nouvelle formulation : « Ce que tu hais pour toi, tu ne le feras pas à ton prochain. »

2. Quel texte nous donnent les témoins directs du traité des Deux Voies? On lit dans la Doctrina : « Tout ce que tu ne veux pas qu'il arrive à toi, tu ne le feras pas à autrui (*alio*) »; la Didachè contient deux variantes minimes par rap-

port au texte de la Doctrina : d'une part, elle met le début au pluriel (*panta hosa ean*), probablement sous l'influence de Mt **7** 12 (le singulier · de la Doctrina est confirmé par Const. Apost. 7 2); d'autre part, elle insiste sur le pronom dans la seconde partie de la phrase : « ... et toi, tu ne le feras pas... » C'est peut-être là un développement secondaire, et le mieux est de nous en tenir au texte de la Doctrina. Il offre par rapport à celui connu de Hillel d'importantes variantes.

a) Dans la première partie de la phrase, l'expression « ce que tu hais » est remplacé par « ce que tu ne veux pas qu'il arrive » (*ho mè theleis genesthai soi*). Le remplacement du verbe « haïr » par « ne pas vouloir » est attesté déjà au début ou vers le milieu du second siècle avant notre ère, à Alexandrie, par la Lettre d'Aristée qui fait allusion à la « règle d'or » en ces termes : « De même que tu ne veux pas pour toi-même que les maux t'atteignent (*pareinai*), ... agis ainsi envers tes sujets » (§ 207). Bien que déplacé, on trouve ce verbe « vouloir » attesté par Ménandre l'Égyptien : « Tout ce que tu hais pour toi, à ton prochain *ne veuille pas* le faire »; on notera le début : « tout ce que... », comme dans le texte de la Doctrina. Il semble donc que la formule de la Doctrina (cf. Didachè) ait revêtu une forme d'expression alexandrine; d'où l'hypothèse qui se présente : la Didachè et la Doctrina dépendraient d'une traduction grecque du traité des Deux Voies (en hébreu) faite à Alexandrie. – Dans cette traduction grecque, on a ajouté le verbe « arriver » pour donner plus de clarté au texte.

b) Dans la seconde partie de la phrase, le remplacement de « à ton prochain » par « à un autre » pourrait s'expliquer comme une traduction un peu affaiblie de l'hébreu *leḥabᵉrak*, attesté par Hillel.

3. On lit dans Homélies Clémentines : « Car celui qui aime son prochain comme soi-même... Il fait cela au prochain, l'aimant comme soi-même; en un mot : *ce qu'il veut pour soi, il (le) veut aussi pour le prochain;* c'est la Loi de Dieu et des prophètes » (12 *32*). La « règle d'or » (soulignée dans le texte) est donnée comme un commentaire de Lv **19** 18 (amour du prochain) et suivie, comme chez Hillel, par une allusion aux préceptes de la Loi (le Décalogue) qui sont résumés par la « règle d'or ». La dépendance par rapport au traité des Deux Voies est certaine, d'autant que le texte se poursuit par une allusion à la « voie » qui permet à l'homme d'aimer son prochain, à savoir la « crainte de Dieu ». On notera que, contrairement aux textes de Hillel ou de la Didachè, la « règle d'or » est donnée sous forme *positive*, ce qui ne se rencontre que dans des textes chrétiens. Par ailleurs, comme dans la Didachè, le verbe « vouloir » a remplacé le verbe « haïr »; bien mieux, par harmonisation des deux membres de phrase, il a remplacé le verbe « faire » dans le deuxième membre ! La formulation à la troisième personne du singulier (au lieu de la seconde) provient probablement du contexte et est due à l'auteur des Homélies.

4. Comparons enfin les deux textes de Justin (Dial., 93) et des Homélies Clémentines (7 *4*) :

Justin	Hom. Clém.
et celui qui aime son prochain	
comme soi-même,	
ces biens (*haper... agatha*)	ces biens (*haper... kala*)
qu'il veut (*bouletai*)	que chacun veut (*bouletai*)
pour soi-même,	pour soi-même,
pour celui-là aussi	les mêmes
il (les) voudra.	qu'il (les) veuille aussi
	pour le prochain.

Ce ne sont pas des citations littérales de la « règle d'or ». Justin accroche cette « règle d'or » au commandement de Lv **19** 18, comme l'avait fait le Targum, ce qui l'amène à remplacer, dans le second membre de phrase, l'expression « au prochain » par « pour celui-là aussi »; Hom. Clém. glose un peu, en ajoutant « chacun » et en mettant le second membre au subjonctif. L'un et l'autre texte est à la troisième personne, à cause du contexte. On peut reconstituer un texte tel que : « Les biens (*agatha/kala*) que tu veux pour toi, tu les veux

aussi pour le prochain. » La formule se rapproche beaucoup de celle attestée par Hom. Clém. 12 *32*. On notera toutefois deux différences : l'addition du mot « biens » (*agatha* ou *kala*), et le verbe « vouloir » exprimé par *boulesthai* au lieu de *thelein*; on rejoint le texte de la Lettre d'Aristée : « De même que tu ne veux pas (*ou bouleis*) pour toi que les maux (*ta kaka*) t'atteignent... » (cf. *supra*, II 2 a). Ceci confirmerait l'origine alexandrine de la traduction grecque, christianisée, du traité des Deux Voies.

III. LE TEXTE DE MATTHIEU/LUC

Comme dans les textes de Justin et des Homélies Clémentines, la formulation de la « règle d'or » de Mt/Lc est de forme positive (chrétienne) et non négative (juive). Mais du point de vue littéraire, elle se rapproche plutôt du texte de la Doctrina :

Doctrina	Mt **7** 12	Lc **6** 31
tout ce que	tout ce que	
(*pan ho*)	(*panta hosa ean*)	comme
tu ne veux pas	vous voudriez	
qu'il arrive	que fassent	vous voulez
à toi,	à vous	que fassent
	les hommes,	à vous
à autrui		les hommes,
	ainsi vous aussi	
ne (le) fais pas.	faites-leur.	faites-leur
		de même.

Le texte du Document Q, source de Mt/Lc, semble dépendre de celui qui est attesté par la Doctrina, moyennant les modifications suivantes : formulation à la deuxième personne *du pluriel*, rendue nécessaire par l'insertion dans le Sermon sur la montagne, formulé dans son ensemble à la deuxième personne du pluriel; amplification de « qu'il arrive à toi » en « que fassent à vous les hommes », le verbe « faire » ayant été introduit afin d'harmoniser les deux membres de phrase; remplacement de « à autrui » par « leur », motivé par l'insertion du mot « hommes » dans le premier membre de phrase. On notera par ailleurs deux retouches de l'ultime Rédacteur matthéen : formule au pluriel *panta hosa ean* + subjonctif (Mt **18** 18; **21** 22; **23** 3; cf. **22** 9); addition de « ainsi vous aussi » (*houtôs*: 33/10/20). Quant à Lc, il est responsable du

« comme » initial (*kathôs*: 3/8/17) et du « de même » final (*homoiôs*: 4/2/11). Le logion est mieux en place dans son contexte lucanien.

Le Mt-intermédiaire a souligné les affinités de la « règle d'or » avec le traité des Deux Voies de deux façons différentes : en ajoutant la phrase : « car ceci est la loi et les prophètes » (cf. Hillel, Homélies Clémentines 12 *32*); en introduisant explicitement le thème des « deux voies » dans le logion suivant (cf. note § 72).

Il est probable que Jésus lui-même a repris la « règle d'or » au traité des Deux Voies, qu'il devait sûrement connaître; mais, en le faisant, il lui a fait subir un changement essentiel : la substitution de la forme positive à la forme négative.

Note § **72.** *LA PORTE ÉTROITE*

Le Mt-intermédiaire a combiné ici deux thèmes différents, réussissant d'ailleurs à construire un logion parfaitement équilibré.

1. Il reprend au Document Q le thème de la « porte étroite »

par laquelle il faut passer pour entrer dans le Royaume, et que bien peu savent trouver (cf. Lc **13** 23 ss.). En reprenant ce thème, Mt y apporte deux modifications. La porte n'est plus celle de la maison dans laquelle se tient le banquet eschatologique (*thyra* chez Lc; cf. Jn **10** 7.9), c'est celle d'une ville (*pylè*) vers laquelle mène une route difficile. Surtout, dans le Document Q, le thème du petit nombre des « sauvés » concernait le peuple juif, étant donné tout le contexte (cf. note § 220) ; pour le Mt-intermédiaire, il s'agit des hommes en général, dont « peu nombreux » sont ceux qui trouvent le chemin de la porte étroite (sur cette problématique, voir encore note § 250).

2. Le Mt-intermédiaire complète ce thème en ajoutant deux phrases parallèles qu'il faut probablement lire sous la forme attestée par les anciennes versions latines, quelques manus-crits grecs, les Homélies Clémentines, Origène, Épiphane et quelques autres : « car large et spacieux (est) le chemin qui conduit à la perdition... car étroit et resserré (est) le chemin qui conduit à la vie. » On retrouve ici un écho du traité des Deux Voies auquel appartenait le logion attesté par Mt **7** 12 (voir note § 71). Ce thème est d'ailleurs d'inspiration sapientielle : « Sur le sentier de la justice, la vie ; mais le chemin des pervers (mène) à la mort » (Pr **12** 28) ; « Le chemin des pécheurs est bien pavé, mais il aboutit au gouffre du shéol » (Si **21** 10 ; voir déjà Pr **14** 12). Sur l'intérêt du Mt-intermédiaire pour le traité des Deux Voies, voir notes §§ 53-59.

Note § **73**. *L'ARBRE JUGÉ PAR SES FRUITS. LES FAUX PROPHÈTES*

Le Document Q contenait deux logia distincts centrés l'un et l'autre sur un proverbe populaire : « On reconnaît l'arbre à ses fruits. » Mt a conservé la distinction entre les deux logia tandis que Lc les a fusionnés dans le Discours inaugural de Jésus.

I. LE PREMIER LOGION

Il se composait des vv. 33b.34b-35 de Mt **12** (cf. Lc **6** 44a.45) ; sa place dans le Document Q ou le Mt-intermédiaire est impossible à retrouver, puisque sa localisation en Mt **12** est l'œuvre de l'ultime Rédacteur matthéen (voir note § 119). Ce premier logion, déjà dans le Document Q, combinait deux thèmes distincts.

1. Le premier thème se lit en Mt **12** 33b.34b : « D'après le fruit, l'arbre est connu (), car de l'abondance du cœur la bouche parle » (cf. vv. 44a.45c de Lc). Il dépend évidemment de Si **27** 6 : « Le champ (porteur) de l'arbre, son fruit le fait connaître ; ainsi la parole (fait connaître) le sentiment du cœur de l'homme. » L'idée est très simple : puisque la parole procède du « cœur » de l'homme (cf. Mt **15** 18), elle fait connaître la qualité, bonne ou mauvaise, de ce cœur, comme le fruit fait connaître la qualité, bonne ou mauvaise, de l'arbre qui le produit et du terrain qui nourrit cet arbre (cf. note § 129).

2. Le second thème se lit en Mt **12** 35 et Lc **6** 45ab ; on le trouve aussi dans le Testament d'Asher : « Mais si l'inclination de l'homme est au mal, tout son agir est dans le mal... Même s'il fait le bien, cela tourne au mal ; car lorsqu'il commence à faire le bien, la finalité de son action le pousse au mal puisque le trésor de son inclination est plein d'esprit mauvais » (1 *8-9*). Il y a une équivalence entre « l'inclination » dont parle Test. Asher et le « cœur » dont parle le Document Q, l'un et l'autre étant le principe de l'agir moral. L'idée fondamentale est sensiblement la même que dans le thème précédent : l'homme agit bien ou mal selon que son « cœur » est bon ou mauvais. On notera l'expression du Testament d'Asher : « trésor de l'inclination », qui recouvre une assonance dans le texte hébreu primitif (*ôtsar yètsèr*) ; malgré la transposition « inclination/cœur », le texte de Lc « du bon trésor de (son) cœur » serait donc plus primitif que celui de Mt « de son bon trésor ».

II. LE DEUXIÈME LOGION

Il se lisait dans le Discours inaugural de Jésus, conservé aux vv. 43-44 de Lc et 18.20.16b de Mt **7**. Le proverbe populaire : « on reconnaît l'arbre à ses fruits », est amplifié ici de deux façons différentes : addition du principe général donné en Lc **6** 43 (v. 18 de Mt **7**), addition de l'application particulière donnée en Lc **6** 44b (v. 16b de Mt **7**). Ces développements se situent dans la ligne d'un thème bien connu de l'AT : la métaphore de l'arbre qui porte du fruit s'applique au juste qui se nourrit de la Loi divine (Ps **1** 3 ; Jr **17** 7-8), ou encore à l'Israël fidèle à Dieu (Ez **17** 22-23). Notons que, dans Is **5** 1-7 (cf. **27** 2-5 ; Jr **2** 21), l'arbre planté par Dieu (Israël) ne donne finalement que de mauvais fruits !

III. TRANSFORMATIONS

Le Mt-intermédiaire devait avoir gardé les deux logia du Document Q sous leur forme primitive. En revanche, l'*ultime Rédacteur matthéen* leur a fait subir un certain nombre de transformations.

1. Dans le logion du Discours inaugural (Mt **7**) : a) Il ajoute le v. 15 qui applique le logion aux faux prophètes (cf. Mt **24** 24) ; pour mieux faire le lien avec ce v. 15, il inverse les termes du logion primitif (ses vv. 16 et 18 correspondent aux vv. 44 et 43 de Lc), ce qui l'amène à dédoubler le proverbe populaire : « on reconnaît l'arbre à ses fruits » (vv. 16 et 20) ; on notera que, au v. 20 comme au v. 16, la formulation du proverbe est changée de façon à mieux s'adapter au thème du v. 15 (faux prophètes). b) Il ajoute le v. 17, qui anticipe

le thème du v. 18 (Document Q et Mt-intermédiaire) en l'exprimant au positif. c) Il ajoute le v. 19, à portée eschatologique (cf. Mt 3 10). On notera que les vv. 15.17 et 19 de Mt ne trouvent aucun écho dans Lc.

2. Dans le logion du chap. 12 : a) Il ajoute le v. 33, parallèle à 7 17. b) Il ajoute le v. 34a, à portée eschatologique (cf. Mt 3 7). Pour le sens de ces ajouts, voir note § 119.

Le proto-Lc a réuni en un seul logion les deux logia distincts du Document Q. Il est possible que ce soit la tradition lucanienne (Lc ou proto-Lc?) qui, au v. 44, ait changé « chardons » (Mt) en « buissons »; le couple « épines... chardons... » de Mt 7 16b correspond en effet à Gn 3 18 : « elle (la terre) te produira des épines et des chardons » (*akanthas kai tribolous*).

Note § **74.** *NE PAS DIRE, MAIS FAIRE*

I. ANALYSES LITTÉRAIRES

Du texte de Mt, seul le v. 21 a son parallèle en Lc (v. 46).

1. Avec sa note polémique très concrète, le logion de Lc est probablement plus primitif que celui de Mt (Bultmann). On pourra le comparer au logion que rapporte papyrus Egerton 2 (voir note § 283) : des adversaires, probablement scribes ou Pharisiens, veulent mettre Jésus en défaut et lui posent une question insidieuse, tout en lui donnant le titre que l'on donnait d'ordinaire aux rabbis : « Maître Jésus » (cf. Lc **17** 13); Jésus contre-attaque en montrant l'illogisme des adversaires : « Pourquoi m'appelez-vous de votre bouche 'Maître', et n'écoutez-vous pas ce que je dis? » En appelant Jésus « Maître », ses adversaires reconnaissent la validité de son enseignement; mais pourquoi ne conforment-ils pas leur conduite morale à cet enseignement? Dans cette perspective, le titre de « Maître » attesté par Egert. 2 est certainement plus primitif que celui de « Seigneur » attesté par Mt/Lc.

2. Mais le texte de Lc, plus primitif que celui de Mt, ne s'adapte pas au contexte ! Le Discours inaugural de Jésus s'adresse en effet aux disciples; mais le logion de Lc est une interrogation qui suppose une certaine perversité chez les interlocuteurs; c'est le ton que prend Jésus contre ses adversaires (outre Egert. 2, voir Mt **23** 3). On peut donc penser que ce logion ne faisait pas partie, primitivement, du Discours inaugural de Jésus.

II. ÉVOLUTION DU THÈME

Voici dès lors comment on pourrait concevoir l'évolution de ce logion.

1. Dans le Document Q, il devait avoir la forme que lui donne Lc, mais se trouvait dans un autre contexte supposant une atmosphère de polémique contre les scribes ou les Pharisiens.

2. Le Mt-intermédiaire l'a repris du Document Q, mais l'a inséré dans le Discours inaugural de Jésus pour servir d'introduction au logion suivant (§ 75). Il en a changé la teneur afin de l'adapter au ton du Discours inaugural, supprimant en particulier la note polémique qu'il contenait. – L'ultime Rédacteur matthéen lui a ajouté les vv. 22-23, repris du Mt-intermédiaire qui les avait dans un autre contexte et les tenait du Document Q (cf. Lc **13** 26-27; note § 220).

3. Le proto-Lc dépend à la fois du Document Q et du Mt-intermédiaire; il a repris le logion directement du Document Q, ce qui explique qu'il en ait gardé la forme primitive mieux que Mt; mais il l'a inséré dans le Discours inaugural sous l'influence du Mt-intermédiaire, à la place où il le lisait dans cet évangile.

Note § **75.** *CONSTRUIRE SUR LE ROC*

Cet apologue parabolique, commun à Mt et à Lc, servait de conclusion au Discours inaugural du Document Q et du Mt-intermédiaire; c'est une exhortation à mettre en pratique l'enseignement de Jésus (cf. Lv 26; Dt 28; Rm 2 13-15; Jc 1 22-25; 1 Jn 3 18). Le thème général s'inspire peut-être de Pr **12** 7 : « Jetés bas, les méchants ne sont plus; la maison du juste subsiste », où cependant le mot « maison » a probablement le sens de « famille ». Mt a conservé une formulation plus archaïque, comme l'indique la couleur palestinienne de la description : chez lui, l'alternative est de bien choisir le sol rocheux, qui affleure partout en Palestine, plutôt que le sable qui ne saurait résister aux torrents éphémères mais violents provoqués par les fortes pluies hivernales; Lc songe

davantage à un pays où le roc est en dessous du sol meuble, et où l'alternative est de l'atteindre ou non, par des fondations creusées en profondeur; pour lui, la ruée de l'eau est moins le torrent faisant irruption dans un wady ordinairement à sec, que la crue d'un fleuve permanent. On peut encore attribuer à Lc l'adresse de style direct qui termine le v. 47 (cf. Lc **12** 5), et l'addition « venant à moi », de ton sapientiel (Pr **9** 4-5; Si **24** 19). En revanche, les épithètes « sage » et « fou » sont de l'ultime Rédacteur matthéen, qui les utilisera de même dans la parabole des dix vierges qui forme « inclusion » avec cet apologue (Mt **25** 2-9 et note § 305); la tournure passive « être comparé » (vv. 24.26) est également de son style (cf. **6** 8 et surtout **13** 24; **18** 23; **22** 2; **25** 1).

Note § 76. *FIN DU DISCOURS ÉVANGÉLIQUE*

Dans Mt comme dans Lc, cette petite section sert de transition entre le Discours inaugural de Jésus et la section suivante.

1. La formule de Mt 7 28a se retrouvera en 11 1; 13 53; 19 1; 26 1, où elle ponctue, comme ici, chacun des grands discours de Jésus. Elle est d'un tour sémitique imité de la Septante; le parallèle le plus étroit se lit en 1 S 24 17 : « Et il arriva, comme David eut fini ces paroles, parlant à Saül, et David dit... » (cf. 1 S 18 1; Jos 4 11; Jg 3 18; 1 S 13 10; 1 R 8 54; 9 1; 2 R 10 25). On notera la structure grammaticale particulière des formules matthéennes : « et il arriva » (*kai egeneto*), suivi d'un verbe à un temps fini, mais sans particule de liaison entre les deux verbes; elle ne se lit jamais ailleurs dans Mt, est rare dans Mc (deux fois), mais abonde chez Lc (vingt-deux fois), et conviendrait donc bien au style de l'ultime Rédacteur matthéo-lucanien (n'oublions pas aussi que Lc imite souvent le style de la Septante).

2. Lc 7 1a est parallèle à Mt 7 28a mais n'offre aucun mot commun avec lui, ce qui rend difficile une dépendance littéraire de Lc par rapport à Mt. Le vocabulaire est lucanien : « après que » (*epeidè*: 0/0/2/0/3/5); « toutes ces paroles » (*panta*) *ta rhèmata* (*tauta*), cf. Lc 1 65; 2 19.51; 24 8.11; Ac 5 20; 10 44, etc., « peuple » (*laos*: 14/3/36/2/48).

3. Quant aux vv. 28b-29 de Mt, ils ont été repris par l'ultime Rédacteur matthéen à Mc 1 22 (Mc-intermédiaire; cf. note § 32, I 1 b).

Note § 77. *EXPULSION DES VENDEURS DU TEMPLE*

Sur les rapports littéraires de ce récit johannique avec celui des Synoptiques, comme sur sa situation primitive dans la tradition évangélique, voir note § 275.

Note § 79. *ULTIME TÉMOIGNAGE DE JEAN-BAPTISTE*

Sur l'origine de ce récit johannique et ses rapports avec la tradition synoptique concernant le Baptiste, voir note § 19.

NOTE SUR LES §§ 83 à 96

Pour préparer le « discours de mission » adressé par Jésus aux apôtres (Mt 10 1-8), l'ultime Rédacteur matthéen a rassemblé aux chap. **8** et **9** une série de dix miracles accomplis par Jésus : guérison du lépreux (§ 83), du fils du centurion de Capharnaüm (§ 84), de la belle-mère de Pierre (§ 85), la tempête apaisée (§ 88), les possédés de Gadara (§ 89), guérison du paralytique (§ 90), guérison d'une hémorroïsse et résurrection de la fille d'un chef (§ 94), guérison de deux aveugles (§ 95) et d'un démoniaque muet (§ 96). Tous ces récits sont repris au Mt-intermédiaire, où ils se trouvaient dans des contextes différents. Précisons quelques points particuliers.

a) En reprenant le récit de la guérison de la belle-mère de Pierre (§ 85), le Rédacteur matthéen a repris aussi le récit des guérisons multiples qui lui faisait suite dans le Mt-intermédiaire (§ 86, voir la note).

b) Dans le Mt-intermédiaire, et déjà dans le Document A, on lisait à la suite les récits : de la tempête apaisée (§ 88), des possédés de Gadara (§ 89), de la guérison de l'hémorroïsse et de la résurrection de la fille d'un chef (§ 94; voir le prologue de la note § 143).

c) Le Rédacteur matthéen a rompu cette séquence en insérant après les deux premiers miracles le récit de la guérison du paralytique (§ 90). Dans le Mt-intermédiaire, ce récit formait la première controverse d'une série de cinq, avec insertion entre la première et la seconde, du récit de la vocation d'un publicain. En insérant ici le récit de la guérison du paralytique, première des cinq controverses, le Rédacteur matthéen a gardé la séquence qu'il lisait dans le Mt-intermédiaire : guérison du paralytique (§ 90), vocation d'un publicain (§ 91), controverse à propos d'un repas avec des publicains (§ 92) et controverse sur la question du jeûne (§ 93); les deux dernières controverses du groupe de cinq se lisent maintenant en Mt 12 1-14 (§§ 112 et 113). Sur le problème de ces cinq controverses, voir note §§ 40-45.

d) Les deux derniers miracles (§§ 95 et 96) forment doublet, le premier avec le récit de la guérison des aveugles de Jéricho (§ 268), le second avec le récit de la guérison d'un démoniaque muet raconté en Mt 12 22-23 (§ 116); ce dédoublement des épisodes du Mt-intermédiaire est l'œuvre du Rédacteur matthéen.

e) Enfin, pour souligner le lien qu'il mettait entre cette série de dix miracles et le discours de mission, le Rédacteur matthéen a inséré au § 87 un récit général de vocation montrant les conditions de dépouillement nécessaires à ceux qui veulent suivre Jésus. En provenance du Document Q, ce petit récit se trouvait dans le Mt-intermédiaire à une place qu'il est difficile de préciser.

Note § 83. *GUÉRISON D'UN LÉPREUX*

Voir note § 39.

Note § 84. *LE CENTURION DE CAPHARNAÜM*

Le récit de la guérison du fils du centurion de Capharnaüm ne nous est donné que par Mt (8 5-13) et Lc (7 1b-10); puisqu'il est absent de Mc, beaucoup de commentateurs l'attribuent à la Source Q (notre Document Q), mais nous verrons qu'il faudra réviser ce jugement. Par ailleurs, on lit un récit assez semblable en Jn 4 46-54, mais la façon de concevoir les rapports littéraires entre ce récit johannique et celui de Mt/Lc diffère selon les commentateurs. Pour essayer de résoudre les problèmes assez délicats que posent ces divers récits, nous pourrons heureusement compter sur un autre témoin assez inattendu (cf. *infra*), ce qui rendra notre tâche plus aisée.

I. UNE HYPOTHÈSE DE TRAVAIL

Il existe un parallélisme évident entre le récit de la guérison du fils du centurion de Capharnaüm, attesté, on l'a vu, par Mt et Lc, et le récit de la guérison de la fille d'une Cananéenne (§ 156), donné par Mt (15 21-28) et Mc (7 24-30). Comparons les deux textes matthéens. Il s'agit d'un païen (centurion) ou d'une païenne (Cananéenne) dont l'enfant (fils ou fille) est malade; ce païen ou cette païenne viennent trouver Jésus pour lui demander de guérir son enfant; il (ou elle) prononce une parole exprimant sa foi en Jésus, qui provoque l'admiration de ce dernier (Mt 8 8-10; 15 27-28a); Jésus dit alors une parole qui est une promesse de guérison, et la guérison se produit immédiatement (M 8 13; 15 28b); dans les deux cas, Jésus guérit donc à distance, par la seule vertu de sa parole. On notera que la finale des deux récits matthéens est très semblable : « Va, qu'il t'arrive comme tu as cru; et l'enfant fut guéri à cette heure-là » – « Qu'il t'arrive comme tu veux; et sa fille fut guérie dès cette heure-là ». Bien que moins évident, en raison de l'activité littéraire de Lc, on verra au cours des analyses suivantes qu'il existe un parallélisme semblable entre les récits de Lc (§ 84), de Mc (§ 156) et même de Jn (§ 84). Un tel parallélisme ne peut être dû au hasard; les deux récits reflètent un schéma commun, utilisé par le Document A pour le récit du fils du centurion, par le Document C (ou un recueil de miracles, voir note § 156) pour le récit de la fille de la Cananéenne. De toute façon, le parallélisme des récits des §§ 84 et 156 nous permet d'utiliser le second (§ 156) pour résoudre les difficultés littéraires du premier (§ 84). – Pour plus de clarté, on devra se reporter aux textes mis en parallèle à l'Annexe III.

II. LE TEXTE DE MATTHIEU

1. On s'accorde à reconnaître que le logion de Mt 8 11-12, situé dans un contexte meilleur en Lc 13 28-29 et qui provient du Document Q, fut inséré ici à l'ultime niveau rédactionnel de Mt. Il est facile de voir la raison de cette insertion : après avoir opposé la foi du centurion païen à celle des Israélites (v. 10), Jésus aurait annoncé que beaucoup (de païens) viendraient prendre place au banquet eschatologique, tandis que les « fils du royaume » (= les Israélites) en seraient exclus. Sur le sens de ce logion, voir note § 220.

2. Il est remarquable de constater que les récits de Mt 8 5-13 (§ 84) et 15 21-28 (§ 156) se distinguent des parallèles de Lc 7 1b-10, Jn 4 46b-54 d'une part, Mc 7 24-30 d'autre part, par des traits souvent identiques. En Mt 8 5-6 et 15 22b, le centurion et la Cananéenne exposent eux-mêmes à Jésus, en discours direct, l'état de leur enfant, l'évangéliste ayant auparavant mentionné leur présence près de Jésus; en Lc 7 2, Jn 4 46b et Mc 7 25, au contraire, c'est l'évangéliste qui décrit la maladie de l'enfant et fait venir ensuite le père ou la mère auprès de Jésus. – En Mt 8 7, Jésus propose lui-même de venir et de guérir l'enfant (discours direct); en Lc 7 3c, Jn 4 47c et Mc 7 26b, au contraire, c'est le père ou la mère qui demande à Jésus (de venir et) de guérir l'enfant (discours indirect). – En Mt 8 13a et 15 28b, Jésus dit au centurion et à la Cananéenne : « Qu'il t'arrive comme (tu as cru/tu veux) », tandis que dans Jn 4 50 et Mc 7 29 il affirme de façon beaucoup plus explicite la guérison de l'enfant; on notera le caractère matthéen de la formule : « Qu'il t'arrive comme » (impératif *genèthètô* : 5/0/0/0/1; verbe *ginomai* + *hôs* : 6/0/4/0/2; pour l'ensemble de la formule, voir Mt 9 29). – Enfin, la finale des deux récits matthéens : « et l'enfant fut guéri à cette heure-là » – « et sa fille fut guérie dès cette heure-là » (8 13b; 15 28c) s'oppose aux parallèles de Lc 7 10 et Mc 7 30, très proches l'un de l'autre : « Et, étant retournés à la maison... ils trouvèrent le serviteur en bonne santé » – « Et, s'en étant allée dans sa maison, elle trouva l'enfant étendue sur son lit... » (Lc a introduit un de ses verbes familiers, *hypostrephein* : 0/0/21/0/11).

C'est l'ultime Rédacteur matthéen qui est responsable de ces divers remaniements du récit du Document A, que le Mt-intermédiaire avait plus fidèlement gardé puisque le proto-Lc, qui dépend ici du Mt-intermédiaire, témoigne du même schéma fondamental que Mc au § 156 (cf. *infra*). Sur un point au moins nous avons une confirmation plus immédiate de l'activité de l'ultime Rédacteur matthéen. En 8 13 et 15 28, il a manifestement harmonisé les finales des deux récits parallèles; or c'est lui qui harmonisera de façon semblable les finales de deux autres récits parallèles : l'envoi de deux disciples pour chercher un ânon (Mt 21 6) et l'envoi de deux disciples pour préparer la Pâque (Mt 26 19; voir notes §§ 273 et 315).

III. LE TEXTE DE LUC

1. Le récit du proto-Lc dépendait ici de celui du Mt-intermédiaire qui avait repris, sans changement de structure, celui du Document A. Mais le proto-Lc a introduit des modifications importantes, faciles à déceler parce qu'on n'en trouve aucune trace dans les récits de Mt (§ 84) et de Mc (§ 156).

a) La modification la plus importante consiste dans le fait que le centurion ne vient pas lui-même trouver Jésus, mais lui envoie deux délégations successives. La première délégation est composée d'anciens des Juifs, expression qui ne se lit ailleurs dans le NT qu'en Ac 25 15; Lc la mentionne au v. 3 en remplaçant la formule : « il vint à lui » (ou une formule semblable) par : « il envoya vers lui des anciens des Juifs »; ce changement fait par Lc n'a d'autre but, semble-t-il, que de permettre un éloge du centurion païen (vv. 4-5), qui fait comprendre pourquoi Jésus lui accorde la guérison de son enfant. On notera le style lucanien de ces vv. 4-5 : « arriver » (*paraginomai* : 3/1/8/1/20); « accorder » (*parechein* : 1/1/4/0/5); « nation » (*ethnos* pour désigner le peuple juif : 0/2/5/6). – La seconde délégation est composée d'amis (v. 6a); elle dira à Jésus les paroles que le centurion lui-même lui adressait dans le récit matthéen : « Seigneur... je ne suis pas digne, etc. » (vv. 6b-8). Ici encore, on notera les deux notes lucaniennes suivantes : « envoyer » (*pempein* : 4/1/10/32/11); « ami » (*philos* : 1/0/15/6/3); pour la construction : « alors que déjà il n'était plus loin de... » (*èdè de autou ou makran apechontos*), on se reportera à Lc 15 20 : *eti de autou makran apechontos*. Il faut attribuer ces remaniements au proto-Lc (et non à l'ultime Rédacteur lucanien), car on verra plus loin qu'ils ont eu une influence sur la rédaction johannique.

b) Dans le récit de Mt, l'enfant du centurion est désigné par le terme de *pais* (vv. 6.8.10), mot qui peut avoir aussi le sens de « serviteur »; le proto-Lc opte pour ce second sens, et afin d'enlever toute ambiguïté il change *pais* en *doulos*, ce dernier mot ne pouvant avoir que le sens de « serviteur ». Au v. 7, toutefois, il a gardé le mot *pais* qu'il lisait dans Mt. Pour justifier l'intérêt porté par le centurion à un simple serviteur, Lc a ajouté la précision du v. 2 : « ... qui lui était cher » (*entimos*, cf. encore Lc 14 8, jamais dans Mt/Mc/Jn/Ac), comme aussi l'indication que ce serviteur « allait décéder » (v. 2).

c) Le proto-Lc a procédé à quelques autres retouches mineures. En particulier, au v. 6b, il a ajouté au texte du Mt-intermédiaire l'expression « ne te tourmente pas », et surtout au v. 7 la phrase : « aussi ne me suis-je pas jugé digne de venir à toi », motivée évidemment par les remaniements mentionnés ci-dessus (*a*); on notera le vocabulaire lucanien : « aussi » (*dio* : 1/0/2/0/8); « se juger digne » (*axioô* : 0/0/1/0/2). Au v. 8, il a ajouté le participe « placé » (*tassein* : 1/0/1/0/5), etc.

2. Il est étrange que le récit de Lc ne fasse aucune mention de la parole par laquelle Jésus déclare guéri le « serviteur » du centurion; une telle parole se lit cependant dans tous les autres récits (Mt 8 13a; Jn 4 50a; Mc 7 29; Mt 15 28b). C'est certainement Lc qui l'a supprimée, pour une raison qui nous échappe; on attribuera cette « lacune » à l'ultime Rédacteur lucanien, qui a tendance à tronquer les récits qu'il reçoit du proto-Lc (voir Introd. II F 1 b 1).

IV. LE TEXTE DE JEAN

Le récit de Jn a subi un certain nombre d'influences que nous allons essayer de relever.

1. Il contient tout d'abord un schéma fondamental analogue à celui qui forme l'ossature du récit de Lc, et surtout du récit de Mc ! Au v. 46, la structure : « un fonctionnaire royal dont le fils était malade », est semblable à celle de Mc 7 25 : « une femme... dont la petite fille avait un esprit impur ». Au v. 47, on trouve la même séquence qu'en Mc 7 25.26b, avec toutefois des expressions un peu différentes : « ... ayant entendu... s'en vint vers lui et lui demandait que... et guérisse son fils ». Après « et lui demandait que », Jn ajoute « il descende », ce qui pourrait correspondre au participe « étant venu » de Lc 7 3c et Mt 8 7. Par-delà les vv. 48-49, qui n'ont de parallèle dans aucun des autres récits, le schéma fondamental du récit johannique se retrouve au v. 50 : « Jésus lui dit : Pars, ton fils vit », dont on trouve l'équivalent en Mc 7 29 (moins les mots « à cause de cette parole »), et aussi en Mt 8 13a (sous une forme propre à Mt, cf. *supra*). On notera que, tout au long de ce schéma fondamental, Jn utilise le mot « fils » (*hyios*) qui correspond au mot « fille » (*thygatèr*) du récit de Mc. – D'où Jn tient-il ce schéma fondamental? Probablement pas du Document A, que Jn n'utilise jamais ailleurs et qu'il ne semble pas connaître directement. On notera que Jn ne fait aucune allusion à la parole par laquelle, en Mt/Lc, le centurion exprime sa foi en Jésus (Mt 8 8-9; Lc 7 6b-8); voici alors l'hypothèse que l'on pourrait proposer : Jn tiendrait son schéma fondamental d'un récit très simple, en provenance d'un recueil de miracles; le Document A aurait repris ce récit archaïque en l'augmentant de la parole du centurion à Jésus (Mt 8 8-9) qu'il pouvait tenir de la tradition. On a déjà noté un cas analogue pour le récit de la guérison du paralytique (note § 40) et on en retrouvera un semblable pour le récit de la guérison de l'aveugle-né (voir note § 268). Pour le récit de la fille de la Cananéenne, le Mc-intermédiaire dépendrait fondamentalement d'un schéma analogue à celui qu'utilise Jn ici, d'où les rapprochements très étroits entre Jn et Mc 7 25 ss. (voir note § 156). Ce schéma très archaïque, connu de Jn et du Mc-intermédiaire, remonterait-il au Document C? Ce ne serait pas impossible.

2. Le récit de Jn est toutefois plus complexe que celui de sa source. Les éléments ajoutés par Jn sont : les vv. 48-49 et 51-54. Le v. 48 est théologiquement lié aux vv. 51-53 : Jésus reproche aux Juifs de ne pas croire sans voir de miracles (v. 48), et le fonctionnaire royal croit *après* avoir constaté que son fils avait été effectivement guéri par Jésus (vv. 51-53).

On notera que ce second « acte de foi » du père de l'enfant s'accorde mal avec le v. 50b, où il est dit que cet homme crut à la parole que Jésus lui avait dite, donc *avant* d'avoir pu constater l'efficacité de la parole de Jésus ; ce fait montre bien la dualité des couches littéraires du récit johannique. Il existe une certaine similitude de situation entre le récit de Lc, où les amis du centurion viennent au-devant de Jésus (Lc 7 6), et le récit de Jn, où les serviteurs du fonctionnaire royal viennent à sa rencontre (v. 51) ; on peut donc se demander si le récit johannique n'aurait pas subi l'influence du récit du proto-Lc. Certains indices permettent de le penser. On notera la similitude des formules littéraires entre Lc 7 6 et Jn 4 50b-51 : « Jésus partait... Mais, alors que déjà il... » (*eporeueto... èdè de autou...*) – « ... et il partait. Mais alors que déjà il... » (*kai eporeueto ; èdè de autou...*). Cette influence du récit du proto-Lc sur la rédaction johannique est confirmée par le détail donné seulement en Lc et Jn, que le malade était sur le point de mourir (v. 2 de Lc ; fin du v. 47 de Jn).

3. Il faut enfin noter un contact entre Mt 8 13 (cf. **15** 28) et Jn 4 53 : l'expression « cette heure-là ». Peut-être aurions-nous là un cas d'influence de l'ultime rédaction matthéenne sur Jn, comme il s'en rencontre ailleurs.

4. Bien entendu, le style propre à Jn se retrouve dans tel ou tel verset du récit. Le début du v. 46b, complété par le début du v. 47, donne une formule johannique, surtout si on lit la particule *de* (« or ») en début de récit, avec une partie de la tradition manuscrite alexandrine, les manuscrits *S* et *D*, les anciennes versions latines et Chrysostome : « Or il y avait... Celui-ci... » (*èn de... houtos ;* cf. 3 2 ; 5 6 ; **12** 20). Le verbe « être malade » (*asthenein*) est aussi de saveur johannique (3/1/1/9/3). Au v. 50b, la phrase : « L'homme crut à la parole

que Jésus lui avait dite », trouve un bon parallèle, en Jn 2 22 : « et ils crurent... à la parole que Jésus avait dite ». Il faudrait compléter cette analyse en montrant le caractère « lucanien » du texte à son ultime niveau rédactionnel ; ce serait engager tout le problème de la personnalité de l'ultime Rédacteur johannique, qui ne sera traité que dans un volume ultérieur consacré au problème johannique.

V. LE RÉCIT PRIMITIF

D'après les analyses précédentes, on peut reconstituer ainsi le récit primitif, en tenant compte spécialement du récit johannique et du parallèle de Mc 7 24-30 (§ 156).

Un fonctionnaire royal, dont le fils était malade, ayant entendu (parler) de Jésus, vint à lui et il lui demandait que, étant venu, il guérît son fils. Jésus lui dit : « Va, ton fils est guéri. » Et, étant revenu à sa maison, il trouva son fils en bonne santé.

Ce récit pourrait provenir, soit d'un recueil de miracles, soit du Document C, étant donné les accords fondamentaux entre Jn et Mc 7 24 ss. L'intérêt de ce récit était de montrer la toute-puissance de Jésus, capable d'effectuer une guérison à distance, par le simple pouvoir de·sa parole (cf. l'interprétation qu'en donne Jn 4 50b). Ce récit aurait été repris par le Document A, qui aurait fait du « fonctionnaire royal » un « centurion », donc un païen, et aurait ajouté la parole témoignant de la foi du centurion, en Mt 8 8-9, puis l'admiration de Jésus (v. 10). Ces détails ajoutés ne sont pas forcément une création du Document A ; celui-ci a pu les tenir de données traditionnelles. Sur l'utilisation de ces récits par Mt, Lc et Jn, voir les analyses précédentes.

Note § 85. *GUÉRISON DE LA BELLE-MÈRE DE PIERRE*

Note § 86. *GUÉRISONS MULTIPLES*

Voir notes §§ 34 et 35.

Note § 87. *DEUX HOMMES VEULENT SUIVRE JÉSUS*

Cet épisode provient du Document Q (cf. Lc 9 57-62), mais l'ultime Rédacteur matthéen devait le lire déjà dans le Mt-intermédiaire ; il l'a inséré artificiellement entre l'introduction (Mt 8 18b ; Mc 4 35) et le corps du récit de la tempête apaisée (§ 88). Cette insertion dans le groupement des dix miracles rassemblés par le Rédacteur matthéen (cf. note §§ 83 à 96) a pour but de rappeler que cette série de miracles sert à préparer la charte du missionnaire qui sera donnée au chap. **10** (§§ 98 et ss.). Le v. 18a est une composition libre de l'ultime Rédacteur

matthéen destinée à motiver le départ de Jésus en barque : il veut fuir les foules nombreuses (cf. 5 1 ; 9 36 ; 4 25 ; 8 1 ; **13** 2 ; **15** 30.39 ; **20** 29) dont la présence n'est pas expliquée, sinon peut-être en référence implicite à la scène précédente (§ 86).

Le rythme ternaire étant fréquent dans le Document Q, Lc a conservé ce rythme en donnant les trois cas de vocation ; Mt a supprimé le dernier. Sur le sens de telles scènes de vocation, voir note § 184.

NOTES SUR LES §§ 88 à 94

Voir notes § 141, 142, 40, 41, 42, 43, 143.

Note § 95. *GUÉRISON DE DEUX AVEUGLES*

Ce récit, propre à Mt, est le neuvième de la série de dix miracles rassemblés par l'ultime Rédacteur matthéen dans les chapitres **8** et **9**. On admet d'ordinaire que c'est une création artificielle de ce Rédacteur réutilisant le récit de la guérison des aveugles de Jéricho (Mt **20** 29-34). Il faut toutefois apporter les précisions suivantes :

a) La source principale est en effet le récit de la guérison des aveugles de Jéricho ; mais le Rédacteur matthéen utilise ce récit tel qu'il le lisait dans le Mt-intermédiaire, et non tel qu'il est dans le Mt actuel (voir note § 268, I 6 c).

b) Certains traits sont repris du récit de la guérison du lépreux, tel qu'on devait le lire dans le Mt-intermédiaire (voir note § 39, I A 3).

Note § 96. *GUÉRISON D'UN DÉMONIAQUE MUET*

Ce récit de guérison constitue le dernier des dix miracles rassemblés par l'ultime Rédacteur matthéen aux chapitres **8** et **9** ; il offre de tels contacts littéraires avec le récit semblable raconté en Mt **12** 22 ss. et Lc **11** 14 (Document Q) que l'on peut penser à un simple doublet. Ceci nous est confirmé par Mt **9** 34, qui est l'amorce de la controverse sur Béelzéboul, laquelle suit immédiatement la guérison du démoniaque muet dans Mt **12** 22 ss. Pour plus de détails sur ce récit, voir note § 116.

Note § 97. *PRÉDICATIONS, GUÉRISONS. MISÈRE DES FOULES*

Pour former l'introduction du discours de mission qui va suivre (§ 98), l'ultime Rédacteur matthéen a groupé ici les éléments suivants :

a) Un « sommaire » décrivant l'activité apostolique de Jésus, repris du Mt-intermédiaire mais amplifié de quelques éléments en provenance du Mc-intermédiaire. Sur la formation de ce sommaire en Mt (dont on trouve l'équivalent en Mt **4** 23), voir notes § 37 (2a) et § 144 (II 1 c). On notera que la finale, ajoutée par l'ultime Rédacteur matthéen, prépare ce qui sera dit de la mission des apôtres en **10** 1b : il y a continuité entre l'activité missionnaire de Jésus et celle des apôtres.

b) Une citation de Nb **27** 17 (plutôt que de 1 R **22** 17 ou Ez **34** 5) donnant la raison pour laquelle Jésus a pitié des foules. Cette citation faisait partie de l'introduction de la multiplication des pains racontée par le Document B (cf. note § 159, I 1 d), mais elle fut jointe à l'introduction de la multiplication des pains racontée par le Document A, au niveau du Mc-intermédiaire (cf. note § 151, I A 3 b), et c'est au Mc-intermédiaire que l'ultime Rédacteur matthéen la reprend. Dans le Document B, cette citation de Nb **27** 17 avait pour but de montrer en Jésus (= Josué) le nouveau Moïse institué par Dieu pour conduire son peuple vers la Terre promise ; en plaçant ici cette citation, l'ultime Rédacteur matthéen l'applique implicitement aux apôtres qui vont être envoyés en mission dans le § suivant : ce sont eux qui vont prendre la succession de Jésus, comme Josué avait pris celle de Moïse.

c) Des éléments (vv. 37-38) en provenance du « discours de mission » contenu dans le Document Q (cf. Lc **10** 2). Le Rédacteur matthéen ne les reprend pas directement au Document Q, mais au Mt-intermédiaire ; il est difficile de préciser si celui-ci avait déjà placé ces éléments comme introduction du discours de mission, ou s'il les avait incorporés à ce discours ; dans ce dernier cas, c'est le Rédacteur matthéen qui les aurait changés de place pour former cette introduction du § 97.

Note sur les §§ 98 à 104. *DISCOURS DE MISSION SELON MATTHIEU*

Mt **10** 1-42 contient le second des cinq grands discours de Jésus rapportés par Mt ; comme les autres, il se termine par la formule stéréotypée de Mt **11** 1a (§ 104 ; sur cette formule, voir note § 76, 1). En provenance du Document A, ce discours fut considérablement amplifié, d'abord par le Mt-intermédiaire, ensuite et surtout au niveau de l'ultime Rédaction matthéenne.

1. L'introduction du discours de mission ne comportait,

dans le Document A et le Mt-intermédiaire, que Mt **10** 1, sous une forme plus simple que la forme actuelle (voir note § 145, I A 2 et I B 1). La liste des douze apôtres (vv. 2-4), en provenance aussi du Document A (voir note § 49, II 2), fut insérée ici par l'ultime Rédacteur matthéo-lucanien qui a laissé sa signature dans le mot « apôtre » du début du v. 2 (1/1/6/1/28). Voir les explications concernant cette liste à la note § 49, II 3.

2. Jésus commence par donner aux apôtres les consignes qui devront guider leur conduite (**10** 5-16, § 99). Le début du v. 5 est une suture rédactionnelle destinée à renvoyer au v. 1 par-delà les vv. 2-4, insérés, on l'a vu, par l'ultime Rédacteur matthéen. Le Mt-intermédiaire a combiné ici les consignes qu'il lisait dans le discours du Document A (voir note § 145, II) et dans le discours parallèle du Document Q (cf. Lc **10** 4 ss., note § 185). Signalons les particularités matthéennes suivantes :

a) Les vv. 5b-6 contiennent une consigne inconnue de Mc et Lc : la mission des Douze ne concerne, ni les païens, ni les Samaritains (assimilés aux païens en raison de leur syncrétisme religieux), mais uniquement les « brebis perdues de la maison d'Israël » (cf. Mt **9** 36). Ce logion fut ajouté par le Mt-intermédiaire; l'ultime Rédacteur matthéen le reprendra en **15** 24 afin d'en atténuer la portée (voir note § 156, III 3).

b) Comme dans Lc **9** 2, la mission des apôtres consiste à prêcher et à guérir (Mt **10** 7-8). L'ultime Rédacteur matthéen a développé ce double thème pour montrer que la mission des apôtres se situe dans le prolongement de celle de Jésus. Il a précisé l'objet de la prédication des apôtres : « le royaume des Cieux est proche » (v. 7); c'était déjà l'objet de la prédication de Jésus (Mt **4** 17; du Mt-intermédiaire). Déjà, au v. 1, il avait comparé l'activité missionnaire des apôtres à celle de Jésus (cf. Mt **9** 35). Au v. 8, l'ordre de « réveiller les morts » et de « purifier les lépreux » répond à une partie de l'activité de Jésus décrite en Mt **11** 5 (cf. Lc **7** 22) au moyen de citations tirées spécialement d'Isaïe. Cette série de consignes se termine sur l'ordre, rapporté par le seul Mt, de ne recevoir aucune rétribution pour les bienfaits accordés; cet ordre doit être de l'ultime Rédacteur matthéen, qui changera le principe énoncé par Jésus : « l'ouvrier est digne de son salaire » (Lc **10** 7), en : « l'ouvrier est digne de sa nourriture » (Mt **10** 10b).

c) C'est l'ultime Rédacteur matthéen qui a déplacé le logion du v. 16a, en le complétant par un autre logion de provenance indéterminée, afin de préparer la section suivante concernant les persécutions qu'auront à affronter les prédicateurs de l'évangile.

3. Ces persécutions sont décrites aux vv. 17-33 (§§ 100 et 101); elles ont été insérées ici par l'ultime Rédacteur matthéen et proviennent de deux sources différentes. Les vv. 17-18 et 21-22 sont repris du « discours eschatologique » que l'ultime Rédacteur matthéen lisait, non dans le Mt-intermédiaire, mais dans le Mc-intermédiaire (voir notes §§ 291-301, I B 2). Les vv. 19-20, qui ont leur parallèle le plus étroit en Lc **12** 11-12, proviennent du Document Q, de même que les vv. 26-33 (§ 101), qui ont leur parallèle en Lc **12** 2-9; l'ultime Rédacteur matthéen les reprend du Mt-intermédiaire, où ils se lisaient à une place qu'il est impossible de préciser. Pour le détail de l'interprétation de ces versets, voir note § 204.

Le v. 23, qui n'a de parallèle ni dans Mc ni dans Lc, semble de même origine que les vv. 5b-6 (cf. *supra*) et pourrait donc être attribué au Mt-intermédiaire (il s'y trouvait à une autre place); ce verset suppose encore une « venue » du Fils de l'homme assez imminente. Les vv. 24 et 25 comparent les persécutions dont seront victimes les prédicateurs de l'évangile à celles que le Christ lui-même a endurées; ce logion, qui a connu des formes diverses (cf. Lc **6** 40; Jn **15** 20a), fut inséré ici par l'ultime Rédacteur matthéen afin de compléter le parallélisme entre Jésus et ses apôtres développé dès les vv. 1 et 7-8 (cf. *supra*).

4. La prédication de l'évangile, parce qu'elle propose aux hommes un choix décisif qui engage toute une conception de la vie, sera cause de dissensions au sein même des familles; c'est ce que Jésus dit en Mt **10** 34-36 (§ 102), texte qui a son parallèle en Lc **12** 51-53 et provient du Document Q (voir note § 212). En conséquence, le disciple de Jésus devra renoncer à ses proches et à soi-même (vv. 37-39, § 103) s'il veut être digne de suivre Jésus. Comme le précédent, ce texte est repris du Document Q (cf. Lc **14** 26-27; voir les explications note § 227).

5. En conclusion du Discours de mission, l'ultime Rédacteur matthéen donne une série de logia concernant l'accueil qu'il faudra faire aux missionnaires de l'évangile, comme s'ils étaient le Christ lui-même. Sur les problèmes littéraires de ces textes, voir notes §§ 174 et 175.

Note § **105**. *RÉSURRECTION DU JEUNE HOMME DE NAÏN*

I. CARACTÉRISTIQUES LITTÉRAIRES

1. Comme presque tous les récits propres à Lc, celui-ci est de style très lucanien. Au v. 11, la formule « et il arriva », suivie d'un verbe dépourvu de particule de liaison, est très fréquente chez Lc; « ensuite » (*en tôi hexès*; adverbe *hexès*: 0/0/2/0/3/0); « il alla » (*poreuesthai*: 28/1/49); « appelée » (*kaloumenos*: 0/0/11/0/13); « aller avec » (*symporeuesthai*: 0/1/3/0/0/0). Au v. 12: « Or comme » (*hôs de*: 0/0/2/5/28); « s'approcher » (*eggizein*: 7/3/18/0/6; suivi du datif, comme ici: 0/0/4/0/3); « et voici », très fréquent chez Lc et Mt; « unique » (*monogenès*, dit d'un autre que Jésus, seulement en Lc **8** 42 et **9** 38); « et celui-ci » (*kai autos*, très fréquent chez Lc); « veuve » (*chèra*: 0/3/9/0/3); « en bon nombre » (*hikanos*, au sens de « nombreux »: 1/1/6/0/16); « avec elle » (*syn*, spécialement fréquent dans Lc/Ac, tandis que les autres préfèrent *meta*). Au v. 13: « le Seigneur » (cette façon de désigner Jésus est propre à Lc, au moins dans les récits qui précèdent la résurrection); « pleu-

rer » (2/3/11/8/3). Au v. 15, « se dressa » (*anakathizein*, ailleurs seulement en Ac **9** 40, dans le récit de la résurrection de Tabitha). Au v. 16 : « crainte » (*phobos*: 3/1/7/3/6; suivi du mot « tous », cf. Lc **1** 65; Ac **2** 43; **5** 5; **19** 17); « glorifier Dieu » (2/1/8/1/3); « visiter » (*episkeptomai*: 2/0/3/0/4); « peuple » (*laos*, un des mots favoris de Lc/Ac). Au v. 17, le mot *logos* au sens de « événement » comme en Lc **4** 36 et **5** 15; « Judée », probablement au sens de « Galilée », comme en Lc **4** 44; « pays à l'entour » (*perichôros* : 2/1/5/0/1).

2. Pour raconter la résurrection elle-même, ce récit reprend un schéma classique qui se retrouve spécialement dans le récit de la résurrection de la fille de Jaïre; les vv. 14b-15 reproduisent la séquence de Mc **5** 41b-42, attribuable en partie à l'ultime Rédacteur marco-lucanien : « Fillette, je te (le) dis, éveille-toi (= lève-toi); et aussitôt la fillette se leva et elle marchait » (voir note § 143); on décrit après la stupeur de la foule.

3. Il semble donc que Lc ne dépend pas ici d'une source particulière; il rédige lui-même ce récit. Bien entendu, il est possible qu'il ait connu par tradition particulière le fait de la résurrection du jeune homme de Naïn; mais le revêtement littéraire de cet épisode est de lui.

II. SENS DE L'ÉPISODE

1. Lc insère ici ce récit de résurrection afin de préparer l'énumération des prodiges accomplis par Jésus, qui se lit en Lc **7** 22 (§ 106); cette énumération contient en effet le fait de ressusciter des morts; dans Mt, une telle mention ne fait pas de difficulté puisqu'il a déjà raconté la résurrection de la fille de Jaïre (Mt **9** 19 ss.); mais dans Lc, ce récit ne viendra que plus loin (**8** 40 ss.), d'où la nécessité d'insérer ici ce récit de résurrection.

2. Ce récit montre évidemment la puissance thaumaturgique de Jésus, mais il a encore un autre but connexe. Au v. 15, on lit une citation de 1 R **17** 23, texte qui appartient au récit de la résurrection du fils unique de la veuve de Sarepta, effectuée par le prophète Élie. Lc veut donc montrer que Jésus agit comme un nouvel Élie, d'où l'exclamation des foules : « Un grand prophète s'est levé parmi nous » (Lc **7** 16).

NOTE SUR LES §§ **106-108**

Aux §§ 106-108, Mt et Lc donnent à la suite trois péricopes centrées sur la personne de Jean-Baptiste; dans l'ensemble, les textes de Mt et de Lc sont très proches l'un de l'autre. Deux questions se posent à propos de ces trois péricopes : puisqu'elles sont absentes de Mc, peut-on les faire remonter au Document Q, connu seulement de Mt et de Lc? Si oui, les rapports entre Mt et Lc sont-ils ceux d'une simple dépendance commune par rapport au texte du Document Q?

1. L'attribution de ces trois péricopes au Document Q peut se recommander de plusieurs indices littéraires. Au § 108, nous avons une parabole qui commence par ces mots : « A qui comparerai-je (*homoiôsô*) cette génération? Elle est semblable à (*homoia estin* + datif)... » (Mt **11** 16a; cf. Lc **7** 31a : même formule avec une surcharge). Cette façon d'introduire une parabole ne se lit jamais ailleurs dans Mt qui utilise d'ordinaire deux formules parallèles; la première est : « a été comparé (*homoiôthè*) » + sujet + datif de comparaison (**13** 24; **18** 23; **22** 2; **25** 1; cf. **7** 24.26 avec le sujet avant le verbe); la seconde est : « est semblable (*homoios estin*) » + sujet + datif de comparaison (**13** 31.33.44-45.47; **20** 1; cf. **13** 52 avec le sujet avant le verbe). La formule de Mt **11** 16a n'est donc pas matthéenne. Or elle se lit en Lc **13** 20 (cf. **13** 18, amplifiée sous l'influence de Mt) pour introduire une parabole en provenance du Document Q (§ 134); puisque Lc n'utilise cette formule jamais ailleurs qu'en **13** 20, on peut penser que l'accord entre Mt **11** 16a et Lc **13** 20 provient du fait que leur formule commune remonte au Document Q. – Au § 106, Jésus répond aux envoyés du Baptiste venus lui demander s'il est bien le messie : « Allez informer Jean de ce que *vous avez vu et entendu* » (Lc **7** 22; cf. Mt **11** 4); puis il leur cite les prodiges qu'il accomplit au bénéfice des malades, des affligés et des pauvres. Or, les deux verbes « voir » et « entendre » ne sont accouplés ailleurs dans les évangiles qu'en Mt **13** 17 = Lc **10** 24, dans un texte en provenance du Document Q et qui a même portée qu'ici : ce que anges et prophètes (voir note § 110) ont désiré « voir et entendre », ce sont les prodiges de l'époque messianique dont sont témoins maintenant les contemporains de Jésus. – Au même paragraphe, la péricope se termine sur une phrase de Jésus commençant par « heureux est celui qui... »; dans Mt, l'expression sémitique « heureux » (*makarios*) ne se lit que dans les Béatitudes (Mt **5** 3-11), dans un texte propre à Mt (**16** 17) et dans deux textes appartenant au Document Q : **13** 16 (cf. Lc **10** 23) et **24** 46 (cf. Lc **12** 43); on notera que Mt **13** 16 précède immédiatement le verset où se trouve le couple « voir/entendre » dont on a parlé plus haut. – Au § 108, on lit à propos de Jésus les deux verbes « manger et boire »; ces deux verbes ne sont jamais associés dans les textes en provenance des Documents A ou B (cf. le § 42 dans Mt/Mc), tandis que le Document Q les associe à trois reprises : en Lc **12** 29 = Mt **6** 31 (§ 206), en Lc **12** 45 = Mt **24** 49 (§ 210), en Lc **17** 27 (cf. Mt **24** 38, § 243). – Ces divers exemples, choisis parmi les plus caractéristiques, nous permettent de penser que les péricopes des §§ 106-108 proviennent bien du Document Q.

2. Mt et Lc dépendent-ils du Document Q indépendamment l'un de l'autre? Ce n'est pas probable. On trouve en effet dans Lc et dans Mt la séquence suivante :

	Mt	Lc
Sermon inaugural de Jésus	5 - 7	6 20 - 7 1a
Guérison du fils du centurion	8 5-13	7 1b-10
Question de Jean à Jésus	11 2-6	7 18-23
Témoignage de Jésus sur Jean	11 7-15	7 24-30
Jean et Jésus mal accueillis	11 16-19	7 31-35

Cette séquence n'est rompue dans Lc que par l'insertion du récit de la résurrection du fils de la veuve de Naïn (§ 105);

dans Mt, les péricopes se lisent dans le même ordre que dans Lc, mais désunies. Le témoignage de Lc permet de penser que ces péricopes se lisaient à la suite dans la source commune à Mt et à Lc. Or, le récit de la guérison du fils du centurion n'appartenait pas au Document Q (voir note § 84); la séquence précédente ne peut donc remonter au Document Q, mais seulement au Mt-intermédiaire, dont dépendent Mt et Lc. Il faut conclure alors que, selon toute vraisemblance, Lc (proto-Lc) a repris tout le bloc 6 20 - 7 35 au Mt-intermédiaire; il dépend directement du Mt-intermédiaire pour les trois péricopes dont nous allons entreprendre l'analyse maintenant.

Note § 106. *QUESTION DE JEAN-BAPTISTE A JÉSUS*

I. PROBLÈMES LITTÉRAIRES

Puisque le proto-Lc dépend ici du Mt-intermédiaire, le seul problème littéraire qui se pose est de savoir quels furent les remaniements effectués par la tradition lucanienne (au niveau du proto-Lc ou de l'ultime rédaction lucanienne, sans qu'il soit possible de préciser) et, éventuellement, par l'ultime Rédacteur matthéen.

1. Les introductions des deux récits (vv. 2 de Mt et 18-19a de Lc) sont assez différentes; Mt et Lc n'ont en commun que les mots : « Jean », « envoyer », « ses disciples », « dire ». Il est possible que ces mots communs forment le récit fondamental du Mt-intermédiaire, que Mt et Lc auraient complété chacun à sa manière, d'où leurs divergences, alors que dans la suite du récit ils sont si proches l'un de l'autre.

a) L'ultime Rédacteur matthéen aurait ajouté la proposition participiale : « ayant entendu (parler) dans sa prison des œuvres du Christ », ce qui est confirmé par les remarques suivantes : la succession des deux participes « ayant entendu » et « ayant envoyé » est anormale; l'une des deux propositions participiales est de trop, et ce ne peut être que la première, qui n'a pas d'équivalent littéraire en Lc. On notera que le mot « prison » se dit ici *desmôtèrion*, au lieu de l'habituel *phylakè* (10/3/8/1/16); ce mot ne se lit ailleurs dans tout le NT qu'en Ac 5 21.23 et 16 26, et c'est dans les Actes seulement que se lisent les mots de même racine « prisonnier » (*desmôtès*: Ac 27 1.42) ou « geôlier » (*desmophylax*: Ac 16 23.27.36); ce mot *desmôtèrion* pourrait donc bien être attribué à l'ultime Rédacteur matthéo-lucanien. Par ailleurs, le titre de « Christ », dans un récit où il ne s'agit pas d'une discussion « christologique » proprement dite (cf. au contraire le récit du § 286), est anormal dans Mt et ne peut remonter qu'à l'ultime Rédacteur matthéen (cf. Mt 16 21; 23 10; ce titre est habituel dans les Actes pour désigner Jésus).

b) Lc a de son côté complété le texte du Mt-intermédiaire, et son style se laisse aisément percevoir : « informer » (*apaggellein*: 8/3/11/1/16/5; la construction avec *peri* ne se lit ailleurs qu'en Lc 13 1 et Jn 16 25); le *pas* de « tout cela » est typique

du style de Lc qui a tendance à généraliser (cf. Lc 3 19; 24 14; Ac 1 1; 22 10; 24 8; 26 2). La proposition participiale : « ayant appelé à lui deux de ses disciples », a même structure que celle de Ac 23 23 : « ayant appelé à lui deux des centurions » (cf. aussi 23 17), avec le pronom indéfini *tis* joint à un nombre (0/1/2/1/1). Au v. 19, Lc change la formule trop sémitique de Mt « envoyer par » (*pempein dia*) en « envoyer vers » (*pempein pros*: 0/0/2/0/4/3); enfin, Lc est le seul, dans les récits qui précèdent la résurrection, à désigner Jésus par le titre de « Seigneur » (sauf évidemment lorsqu'il s'agit d'un vocatif).

Dans le Mt-intermédiaire, l'introduction aurait donc eu seulement ces mots : « Or Jean, ayant envoyé par ses disciples, lui dit » (ou : … « dit à Jésus »).

2. Les vv. 20 et 21 de Lc sont évidemment des additions lucaniennes. Si l'ajout du v. 20, qui reprend en partie les expressions du v. 19, est difficile à justifier, celui du v. 21 se comprend beaucoup mieux; jusqu'ici, Lc n'a mentionné que deux miracles accomplis par Jésus : la guérison du lépreux (5 12-16) et celle du paralytique (5 17-26); pour compléter la liste des miracles effectués par Jésus, qui doit correspondre approximativement à celle du v. 22, Lc a donc ajouté le récit de la résurrection du fils de la veuve de Naïn (§ 105) et ici le v. 21 qui mentionne la guérison d'aveugles et de gens atteints de maladies diverses. Le style de ces deux versets est lucanien. Au v. 20, « arriver » (*paraginomai*: 3/1/8/1/20; construit avec *pros*, comme ici : 1/0/5/0/1); « les hommes » (*anèr*, typiquement lucanien : 8/4/27/7/100), mot qui surprend pour désigner les disciples mais que Lc emploie pour varier son vocabulaire (cf. Lc 19 29.32; 5 33-34, comparés aux parallèles de Mc); c'est également afin de varier le vocabulaire que, pour dire « envoyer », Lc emploie ici *apostellein* au lieu de *pempein* (v. 19; sur ce changement, voir Lc 20 10-11). Au v. 21, la construction grammaticale « guérir de » (*therapeuein apo*) est lucanienne (0/0/5/0/0); l'expression « esprit mauvais » est bien de son style (1/0/2/0/4), ainsi que le verbe « accorder à » (*charizomai*: 0/0/3/0/4).

3. Pour introduire la réponse du Christ, Mt (v. 4) ajoute le sujet « Jésus ». En revanche, c'est Lc qui a changé les présents

« vous entendez et voyez » en des aoristes « vous avez vu et entendu » ; ce changement fut motivé par l'insertion du v. 21 et la mention des miracles accomplis par Jésus.

Ces divers remaniements, soit du Rédacteur matthéen, soit de la tradition lucanienne, ne modifient pas le sens du récit.

II. SENS DU RÉCIT

1. *La question du Baptiste.* Jean fait demander à Jésus : « Es-tu celui qui vient ou devons-nous en attendre un autre ? » Au temps de Jésus, l'expression « celui qui vient » ne semble pas avoir revêtu une signification proprement messianique ; elle évoquait toutefois plusieurs textes de l'AT. Tout d'abord, le Ps **118** 26 : « Béni soit celui qui vient au nom du Seigneur » ; probablement aussi (J. Dupont) Gn **49** 10, au moins d'après le texte attesté par toutes les versions : « Le sceptre ne s'éloignera pas de Juda ni le bâton de chef d'entre ses pieds, jusqu'à ce que *vienne* celui à qui il est, et lui (est) *l'attente* des peuples. » Mais il faut se reporter surtout à Ml **3** 1-3, où le prophète annonce : « ... et l'Ange de l'alliance que vous désirez, *le voici qui vient* » ; puis il précise quelle sera l'action de ce messager de Dieu : « Il est comme le feu du fondeur... » Celui qui va venir, sa fonction sera de purifier le peuple de Dieu par le feu. Cette idée du messie correspond à celle que se faisait le

Baptiste (cf. Mt **3** 10-12) ; mais, au lieu d'effectuer le grand jugement eschatologique, la séparation définitive des « bons » et des « mauvais », Jésus enseigne les foules pour leur apprendre l'amour de Dieu ! D'où le doute qui s'empare de Jean et la question qu'il fait poser à Jésus par ses disciples.

2. *La réponse de Jésus.* Elle n'est qu'indirecte. Jésus énumère les diverses formes de son activité thaumaturgique (Mt **11** 5), et cette énumération renvoie implicitement à divers passages du prophète Isaïe : **35** 5-6 ; **29** 18-19 ; **61** 1-2. Le sens de la réponse de Jésus est clair : en soulignant comment les miracles qu'il accomplit et son enseignement des « pauvres » correspondent aux prophéties d'Isaïe, il affirme par le fait même qu'il est bien celui que Dieu avait annoncé, qu'il ne faut pas en attendre un autre. La finale de la réponse de Jésus (**11** 6) a une portée universelle et dépasse le simple cas du Baptiste. Certains attendent un messie justicier venant effectuer le tri entre bons et mauvais ; d'autres espèrent en la venue d'un messie libérateur venant délivrer le peuple de Dieu de l'oppression romaine et rétablir « la royauté en faveur d'Israël » (Ac **1** 6) ; mais Jésus annonce un royaume céleste et les conditions pour y entrer : non la violence, mais l'amour envers les hommes. Heureux ceux qui sauront renoncer à leurs chimères terrestres et accepter le message de Dieu tel qu'il est présenté par Jésus.

Note § **107.** *TÉMOIGNAGE DE JÉSUS SUR JEAN-BAPTISTE*

Cette section est composée de logia différents artificiellement unis par Mt et par Lc.

I. PREMIER LOGION (Mt **11** 7-10 ; Lc **7** 24-27)

1. *Problèmes littéraires.*

a) Le lien avec l'épisode précédent est factice et ne fut établi qu'aux ultimes niveaux rédactionnels de Mt et de Lc, même si les deux épisodes se suivaient déjà dans le Mt-intermédiaire. Dans Mt, en effet, la formule de liaison : « or ceux-là s'en allant » (*autôn de poreuomenôn*), se retrouve en Mt **28** 11 dans un texte qu'il faut certainement attribuer à l'ultime Rédacteur matthéen (voir note § 363) ; elle se lit également en Lc **9** 57 (avec liaison par *kai*) et le verbe *poreuesthai* est très lucanien (28/1/49/13/39). Surtout, la formule : « il commença à dire » (*èrxato legein*), ne se lit qu'ici dans Mt, tandis qu'on la trouve neuf fois dans Lc. Ce v. 7a de Mt serait donc de l'ultime Rédacteur matthéo-lucanien et non du Mt-intermédiaire.

b) Au v. 25, Lc retouche le texte de sa source. Pour plus de clarté, il ajoute un substantif (« habits ») devant l'adjectif « délicats » ; puis, pour varier le style, il remplace les mots : « qui portent des (habits) délicats », par : « qui vivent dans un vêtement somptueux et dans la mollesse » ; le changement de

verbe s'imposait étant donné l'ajout de l'expression finale « dans la mollesse » ; le mot « vêtement » ne se lit ailleurs qu'en Lc **9** 29 ; Ac **20** 33 ; Jn **19** 24 (dans une citation de l'AT) et 1 Tm **2** 9 ; l'adjectif « somptueux » ne se lit que trois fois ailleurs dans le NT, dont Lc **13** 17.

2. *Sens du logion.* Ce logion a pour but de mettre en évidence le rôle joué par le Baptiste dans l'économie du salut ; le texte culmine dans la citation finale de Ml **3** 1. On notera le ton solennel de l'ensemble. Jésus pose trois questions successives dont les premières moitiés, bien que semblables, sont de plus en plus courtes : « qu'êtes-vous allés contempler au désert ? », « mais qu'êtes-vous allés voir ? », « mais qu'êtes-vous allés () ? » ; Jésus se fait de plus en plus pressant. Les deux premières questions appellent des réponses négatives qui vont de soi. Jean n'était pas « un roseau agité par le vent », i. e. un homme pliant devant les menaces des grands (cf. ses démêlés avec Hérode) ; il n'était pas non plus un homme vivant dans les palais royaux, i. e. un courtisan. La troisième question appelait une réponse positive qui allait aussi de soi (cf. Mt **21** 26 et par., § 279). Mais Jésus lui apporte une correction : Jean fut même plus qu'un prophète ! Et il précise sa pensée en citant Ml **3** 1 (influencé par Ex **23** 20), selon le texte hébreu ; on notera toutefois le changement significatif : au lieu de « devant ma face » et « devant moi », le logion de Jésus dit « devant ta face » et « devant toi » ; d'après Malachie, l'envoyé de Dieu

devait préparer la venue de Dieu lui-même; dans le logion, Jean est venu préparer la venue de Jésus. Sur le problème de la véritable personnalité du Baptiste, voir note §§ 19-28.

II. LE SECOND LOGION (vv. 11 de Mt et 28 de Lc)

Il devait être primitivement indépendant du premier, comme l'indique Thomas 46. La formule de Mt « se lever », au sens de « être suscité » (par Dieu), est sémitique (cf. Jg 2 16-18; Is 45 13); on ne voit pas pourquoi Lc la supprime ici puisqu'il l'avait employée en 7 16. Selon son habitude, l'ultime Rédacteur matthéen ajoute « le Baptiste » après le nom de Jean (cf. au v. 12 et § 146). – Le sens du logion est clair : dans l'alliance ancienne (cf. Thomas 46 : « Depuis Adam jusqu'à Jean-Baptiste »), Jean dépasse en grandeur prophètes et patriarches; le plus petit dans le royaume de Dieu est pourtant plus grand que lui ! Ce logion n'a plus pour but de définir le rôle exact joué par Jean dans l'économie du salut, mais de montrer la supériorité absolue de l'alliance nouvelle instaurée par Jésus sur l'alliance ancienne.

III. LE TROISIÈME LOGION (Mt 11 12-13)

Il a son équivalent en Lc 16 16 et doit remonter au Document Q; il fut inséré ici par l'ultime Rédacteur matthéen qui voulut joindre deux logia liés par les mots « Jean » et « royaume (des Cieux) ». Lc a mieux gardé la structure générale du logion (cf. Justin, vol. I, p. 95); l'inversion matthéenne, qui eut pour conséquence le redoublement du nom de Jean, fut motivée par l'addition du v. 14; on notera le très matthéen « depuis... jusqu'à... » (apo... heôs... : 8/2/2/1/3), attribuable à l'ultime Rédacteur (Mt 1 17, trois fois; 20 8; 23 35). En revanche, Lc a affaibli la vigueur du texte en estompant l'idée de « violence », en partie remplacée par celle de « évangéliser » (euaggelizesthai : 1/0/10/0/15).

Le sens du logion est très difficile à déterminer, surtout dans Mt. Pourquoi cette insistance sur la « violence » nécessaire pour « s'emparer » du royaume depuis les jours de Jean-Baptiste ? Plusieurs solutions ont été proposées : les « violents » sont ceux qui s'emparent du royaume au prix des plus durs renoncements. Jésus ferait allusion aux Zélotes qui voudraient établir le royaume de Dieu par les armes. La violence serait nécessaire pour vaincre Satan et ses anges qui veulent s'opposer à l'établissement du royaume. Aucune de ces hypothèses ne s'impose. – Lc aurait donné un sens différent au logion. Il atténue l'idée de violence, comme on l'a dit plus haut, d'autant que le verbe biazesthai peut avoir le sens faible de « prier instamment, presser » (cf. Gn 33 11 et un papyrus de 22 après J.C.), sens que Lc utilise ailleurs (Lc 24 29; Ac 16 15, avec le composé parabiazesthai); Lc aurait compris le logion ainsi : l'annonce de l'évangile force en quelque sorte l'homme à accepter ou refuser l'invitation que lui fait le Christ (Ph. Menoud).

IV. LE QUATRIÈME LOGION (Mt 11 14-15)

La péricope matthéenne s'achève par l'assimilation de Jean-Baptiste au nouvel Élie, dont Ml 3 22-23 annonçait le retour avant l'établissement du royaume de Dieu. Sur ce thème, voir note §§ 19-28.

V. L'ADDITION LUCANIENNE

Les vv. 29-30 de Lc n'ont pas de parallèle dans Mt et sont de style lucanien. Au v. 29 : « tout le peuple » (pas ho laos : 1/0/12/1/6/2); « être baptisé du baptême de Jean » (cf. Ac 19 4 et le texte ébionite que nous avons attribué au proto-Lc au § 19). Au v. 30 : « légiste » (nomikos : 0/0/7/0/0/2); « dessein » (boulè : 0/0/2/0/8/3; dit de Dieu, ailleurs seulement en Ac 2 23; 13 36; 20 27). Nous sommes devant une composition lucanienne réutilisant peut-être un thème attesté encore en Mt 21 32 (voir note § 280). A l'opposé du menu peuple et des publicains, les Pharisiens et les légistes (ou scribes) ont anéanti le dessein de Dieu, non en lui-même, ce qui serait impensable (cf. Ps 33 11; Is 46 10; Pr 19 21), mais relativement à eux (eis heautous), en refusant de recevoir le baptême de Jean. Lc a dû ajouter ici ces deux versets afin de préparer la péricope suivante qui va montrer le mauvais accueil fait à Jean et à Jésus; ces versets pourraient expliquer le changement fait par Lc en 7 35 (voir note § 108).

Note § 108. *JEAN-BAPTISTE ET JÉSUS MAL ACCUEILLIS*

I. PROBLÈMES LITTÉRAIRES

1. Au v. 19 de Mt (cf. v. 34 de Lc), on reproche à Jésus : « Voici un homme glouton et ivrogne, des publicains ami, et des pécheurs »; le deuxième membre de phrase où il est question des publicains et des pécheurs renvoie certainement à la scène décrite au § 42 (cf. Mt 9 11 et par.), et il est étrange qu'un texte du Document Q fasse ainsi allusion à un récit que nous avons attribué au Document A. Par ailleurs, ce deuxième membre de phrase semble un ajout, étant donné le parallélisme entre ce qui est dit de Jean et ce qui est dit de Jésus. On notera enfin le mot « ami » (philos), ici seulement dans Mt mais fréquent chez Lc (1/0/15/6/3). Il est donc probable que les mots « des publicains ami, et des pécheurs » ont

été ajoutés dans Mt comme dans Lc par les ultimes Rédacteurs matthéo-lucanien et lucanien.

2. Les divergences entre Mt et Lc sont presque toutes le fait de Lc (proto-Lc ou Rédacteur lucanien). Au v. 31, il ajoute : « et à qui sont-ils semblables », comme en Lc 6 47 (sur la formule d'introduction de la parabole, voir note §§ 106-108); il précise également « les hommes » de cette génération. Pour dire « les uns les autres », Lc remplace le peu correct *tois heterois* de Mt par le pronom *allèlois*. Au trop sémitique « frapper (sa poitrine) » (*koptein*) il substitue le verbe « pleurer » (*klaiein*) qui lui est plus familier (2/3/11/8/3). Au v. 33, au lieu de l'aoriste « vint », Lc met le parfait « est venu » puisqu'il considère que le temps du Baptiste est maintenant terminé (cf. Lc 3 20); c'est probablement Lc qui change le « ils disent » (Mt) en « vous dites », car il a l'habitude de préciser le sujet d'un verbe afin d'éviter l'indéfini « ils » (cf. Lc 5 18 et Mc 2 3; Lc 8 37 et Mc 5 17, etc.; d'après Cadbury); toujours au v. 33, c'est évidemment Lc qui ajoute les compléments « de pain » et « de vin » pour éviter de dire que Jean n'aurait pas mangé et pas bu durant sa vie (façon de parler sémitique, avec utilisation de mots absolus et excessifs). Au v. 35, c'est Lc qui remplace « œuvres » par « enfants »; sans doute, ce mot, dans Mt, forme inclusion avec le même mot de 11 2, que nous avons attribué à l'ultime Rédacteur matthéen; il ne faudrait pas en conclure qu'en 11 19 il est aussi de l'ultime Rédacteur matthéen; ce dernier a pu ajouter le mot « œuvre » au v. 2, pour faire inclusion, parce qu'il le lisait déjà au v. 19 dans sa source, le Mt-intermédiaire. On verra plus loin la raison du changement fait par Lc (noter le très lucanien « tous »; Lc aime les généralisations).

II. SENS DE L'ÉPISODE

1. A l'aide d'une courte parabole que tous sont capables de comprendre, Jésus porte un jugement sévère sur sa génération. Comme deux groupes d'enfants qui se reprochent mutuellement de refuser le jeu que l'un ou l'autre groupe propose, la génération de Jésus a refusé d'écouter les deux envoyés de Dieu, Jean et Jésus. Que ce soit l'appel à la pénitence du Baptiste (Mt 11 18; cf. Mt 3 1-12) ou l'annonce faite par Jésus de la joie des temps messianiques (cf. § 43), rien ne convient à cette génération, incapable de reconnaître les signes des temps messianiques et qui trouve à redire à toutes les manifestations du plan divin : elle a dénigré l'ascèse de Jean, mais refuse maintenant de s'associer à la joie de l'époux. Malgré ce refus des Juifs, la Sagesse de Dieu a été manifestée par ses œuvres, celles qui furent accomplies par Jean ou par Jésus.

2. Mt reste sur un plan très général. Lc au contraire, et cela depuis le début du ministère de Jean-Baptiste, montre que l'opposition à Jean et à Jésus n'est le fait que d'une partie du peuple juif : seuls les Pharisiens et les Docteurs ont refusé le baptême de Jean (cf. l'addition par Lc des vv. 29-30, au § 107; cf. encore Lc 3 10-14.21); ce sont eux qui, « assis », se permettent de juger les actes et les paroles de Jésus (cf. Lc 5 17-35, et spécialement les vv. 17-21, 30 et 33; Lc 6 7). En substituant « enfants » à « œuvres » (Mt), à la fin du v. 35, Lc montre qu'une partie du peuple reste du côté de Dieu, comme ailleurs il souligne l'empressement des foules à suivre Jésus (comparer Lc 4 42 et Mc 1 36-37; Lc 5 15 et Mc 1 45; Lc 5 29 et Mt 9 10 ou Mc 2 15; cf. encore Lc 5 1; 7 11).

Note § **109.** *MALHEUR AUX VILLES DES BORDS DU LAC*

Ces invectives contre les villes qui, témoins des miracles de Jésus ont refusé de se convertir, se comprennent sans difficulté (cf. Jn 15 22-24). Elles présentent un problème littéraire plus difficile à résoudre. Avec raison, on s'accorde à reconnaître que ces invectives remontent au Document Q, car, ignorées de Mc, elles se lisent presque dans les mêmes termes en Lc 10 12-15, dans le discours de mission que Lc reprend précisément au Document Q. Quelle était alors leur place dans ce Document : celle que leur assigne Mt ou celle attestée par Lc? C'est certainement Mt qui a gardé la place primitive, pour deux raisons :

a) Dans Mt, on a une structure très équilibrée, de facture sémitique : invectives contre Chorazeïn et Bethsaïde parce qu'elles n'ont pas cru aux miracles de Jésus (v. 21), puis comparaison avec Tyr et Sidon (v. 22); nouvelles invectives contre Capharnaüm (v. 23), puis comparaison avec Sodome (v. 24); dans Lc au contraire, la comparaison est brisée par le déplacement du v. 24 de Mt, qui passe en tête dans le logion de Lc, déplacement rendu nécessaire pour établir le lien avec le contexte antérieur (Lc 10 10-11).

b) Dans Mt, les vv. 22 et 24 restent homogènes; Jésus s'adresse d'abord à Chorazeïn et à Bethsaïde, d'où l'expression du v. 22 « que pour vous »; puis il s'adresse à Capharnaüm,

d'où le singulier du v. 24 « que pour toi »; dans Lc au contraire, on a « que pour cette ville » au v. 12 (qui correspond à Mt 11 24), et « que pour vous » au v. 14; il est évident que, en déplaçant le v. 24 de Mt 11 pour le mettre en tête, Lc a changé « que pour toi » du texte primitif en « que pour cette ville », de façon à établir un lien avec le contexte antérieur, où il est question d'une ville indéterminée qui ne recevra pas les envoyés de Jésus (Lc 10 10-11). On peut donc conclure que Mt 11 21-24 a gardé la structure et la place primitives du logion contre les villes des bords du lac; c'est le proto-Lc qui a transposé ces invectives dans le discours de mission qu'il tient du Document Q; pour mieux adapter le logion à son nouveau contexte, il a placé en tête la comparaison concernant Sodome et changé « pour toi » en « pour cette ville ».

Mt **10** 15 (discours de mission matthéen) forme doublet avec Mt 11 24 et vient en parallèle avec Lc 10 12, dont il a la variante « pour cette ville » (au lieu de « pour toi », cf. *supra*). Deux détails indiquent le caractère secondaire de ce verset matthéen, même par rapport à Lc 10 12 : l'addition du nom de Gomorrhe et le déplacement des mots : « ce sera plus supportable » (opposer Lc 10 12; Mt 11 24). On peut donc conclure que Mt 10 15 est dû à une influence du proto-Lc sur l'ultime rédaction matthéenne.

Note § **110.** *L'ÉVANGILE RÉVÉLÉ AUX SIMPLES. LE PÈRE ET LE FILS*

§ **111.** *JÉSUS, MAITRE AU FARDEAU LÉGER*

L'analyse de Mt **11** 28-30 (§ 111) ne peut être séparée de celle de Mt **11** 25-27 et Lc **10** 21-22 (§ 110); les problèmes littéraires de ces textes sont en effet liés. Ces logia ont donné lieu à une littérature abondante, du fait surtout que Mt **11** 27 (cf. Lc) exalte la transcendance de Jésus comme « Fils », ce qui, fréquent dans Jn, est inhabituel chez les Synoptiques.

I. SENS DES LOGIA

1. *Le premier logion* (Mt **11** 25 s. et par.). Il a fait l'objet d'études précises qui ont permis d'en mieux voir l'arrière-plan vétéro-testamentaire, et donc le sens.

a) L'ensemble du premier logion offre des analogies incontestables avec Dn **2** (L. Cerfaux, A. Feuillet). Ici et là, il s'agit de la « révélation » faite par Dieu d'une réalité mystérieuse, révélation refusée à certains (les sages ou les mages des Chaldéens, les sages et les habiles chez Mt/Lc), mais accordée à un petit nombre de privilégiés (Daniel et ses compagnons, les « tout-petits » chez Mt/Lc). Étant donné ce parallélisme de situation, relisons la prière que Daniel adresse à Dieu en Dn **2** 20-23 :

Que le nom de Dieu soit béni de siècle en siècle car à lui sont la sagesse et la force. C'est lui... qui donne aux sages la sagesse et la science à ceux qui savent discerner. Lui qui révèle profondeurs et secrets, connaît ce qui est dans les ténèbres, et la lumière est en lui. Toi, Dieu de mes pères, je te bénis (*soi... exomologoumai*) et je te loue de m'avoir accordé sagesse et intelligence : voici que tu m'as fait connaître ce pour quoi nous t'avons imploré...

On peut penser que le « je te bénis, Père... » de Mt **11** 25 fait écho au « je te bénis... » de Dn **2** 23 et non pas à Si **51** 1, comme on l'a prétendu parfois (le contexte de Si **51** 1 est très différent de celui de Mt/Lc).

b) Ce contexte apocalyptique de Dn **2** permet de préciser un point important du texte de Mt/Lc. Jésus bénit Dieu parce qu'il a caché cela (*tauta*) aux sages et qu'il l'(*auta*) a révélé aux tout-petits. A quoi se réfèrent ces deux pronoms ? D'après Dn **2** 44, ce serait l'avènement du royaume de Dieu, selon le sens du songe de Nabuchodonosor : « ... le Dieu du Ciel (cf. Mt **11** 25) dressera un royaume qui ne sera jamais détruit, et ce royaume ne passera pas à un autre peuple. » Ce sens est confirmé par Mc **4** 11-12 et par. (§ 127), où Jésus aurait donné la raison pour laquelle il parle en paraboles; là aussi, il est question d'une « connaissance » (Mt/Lc) donnée aux uns et refusée aux autres, connaissance qui est celle de l'avènement du royaume de Dieu.

c) Ce texte de Mt/Lc contient probablement une intention polémique. Dans la pensée de Jésus, les « sages » et les « habiles » ne sont plus les mages de Chaldée (cf. Dn), mais les scribes et les Pharisiens, qui se croyaient au courant des secrets de la science de Dieu parce qu'ils passaient leur temps à scruter la Loi; ils se croyaient « sages » alors qu'ils étaient incapables de reconnaître les signes de la venue du royaume. Cette venue, au contraire, est révélée aux « tout-petits », terme qu'il faut prendre au sens figuré : les petites gens, les simples, le menu peuple, ou, en d'autres termes, les « pauvres de Yahvé » dont parle souvent la Bible (S. Legasse). Sur de semblables polémiques contre les scribes et les Pharisiens, cf. Mt **16** 2-3; Lc **12** 54-56; Jn **7** 47-49; **9** 39-41.

2. *Le second logion* (Mt **11** 27; Lc **10** 22).

a) Il offre des analogies certaines avec le premier. Sa phrase initiale : « tout m'a été remis par mon Père », évoque Dn **7** 14 : « et pouvoir lui fut remis... » (cf. Mt **28** 18); elle correspond au début du premier logion : c'est parce que Dieu est « Seigneur », maître du ciel et de la terre, qu'il a tout remis à Jésus et lui a donné pouvoir sur toute la création. D'autre part, à cette idée de puissance sur le monde est liée celle de révélation, explicite dans l'un et l'autre logion. Mais ici, l'objet de la révélation n'est plus l'avènement du royaume; c'est la connaissance du Père par l'intermédiaire du Fils. Nous ne sommes plus au plan des « signes » annonçant l'avènement du royaume, mais à celui des relations mystérieuses unissant le Père et le Fils dans une connaissance réciproque.

b) La saveur johannique de ce logion a été notée depuis longtemps. La phrase : « tout m'a été remis par le Père », évoque Jn **3** 35 ou **13** 3. L'emploi absolu du mot « Fils » pour désigner Jésus ne se lit ailleurs dans les Synoptiques qu'en Mc **13** 32 et par., tandis qu'il est extrêmement fréquent chez Jn (cf. Jn **5** 19-26, par exemple). Le thème de la connaissance réciproque du Père et du Fils trouve un bon parallèle en Jn **10** 14-15 et Jn **17** 25. L'ensemble du logion enfin a tous ses éléments rassemblés en Jn **17** : remise au Fils par le Père du « pouvoir sur toute chair » (Jn **17** 1-2), qui conditionne la révélation par le Fils de la vraie nature de Dieu, de son Nom (Jn **17** 3-6); connaissance que le Fils, seul, a du Père, et révélation qu'il en fait aux disciples (Jn **17** 25-26). Malgré certains rapprochements avec tel ou tel texte de la tradition synoptique, l'ensemble du logion se situerait bien dans la ligne de la pensée johannique.

c) Le thème de la connaissance du Père et du Fils se présente sous une forme semblable dans Mt et Lc, à quelques variantes grammaticales près. Mais l'ordre des termes en est inversé dans une série de témoins patristiques : Justin, Homélies Clémentines, Tatien, Tertullien, Épiphane; tous placent la connaissance du Père par le Fils avant celle du Fils par le Père, ce qui donne d'ailleurs un texte bancal car il ne s'adapte pas bien à la suite : « ... et (celui) à qui le Fils veut bien (le) révéler ». L'accord de ces témoins n'est pas fortuit, mais pourrait être l'écho d'une forme de texte indépendante de celle de nos évangiles actuels. On pourrait alors, par ce biais, postuler l'existence d'une forme archaïque du logion qui aurait eu cette teneur : « ... personne ne connaît le Père si ce n'est le Fils et celui à qui le Fils le révélerait ». Ce texte aurait été complété, dans la tradition Mt/Lc, par addition de la clause : « le Fils si ce n'est le Père et nul ne connaît », après les mots « personne ne connaît » ; quant au texte cité par les Pères, il résulterait de la correction du texte archaïque simple en fonction du texte de la tradition Mt/Lc, mais la clause « le Fils si ce n'est le Père » aurait été ajoutée en mauvaise place, d'où l'inversion des clauses par rapport à Mt/Lc. Une telle hypothèse n'est pas dénuée de vraisemblance, mais il sera difficile de l'admettre tant que l'on n'aura pas trouvé un témoin de la leçon courte postulée comme source des deux leçons concurrentes.

3. *Le troisième logion* (Mt **11** 28-30). Il est absent de Lc. Tandis que les deux premiers logia étaient de saveur apocalyptique, celui-ci a un ton sapientiel indéniable : c'est Jésus, la Sagesse de Dieu, qui invite les hommes à « venir à lui » (cf. Pr **9** 5 ; Si **24** 19). D'une façon plus précise, il s'inspire de deux passages du Siracide :

Comme le laboureur et le semeur, *approche-toi d'elle* (la Sagesse) et compte ses fruits excellents ; car *tu peineras un peu* à les cultiver, mais bientôt tu mangeras de ses produits... Écoute, mon fils, accueille mes pensées et ne rejette pas mon conseil ; engage tes pieds dans ses entraves et ton cou *dans son collier ;* présente ton épaule *à son fardeau,* ne sois pas impatient de ses liens... car à la fin *tu trouveras le repos en elle* et pour toi elle se changera en joie (**6** 19-28).

Approchez-vous de moi, ignorants, et demeurez dans la maison où l'on enseigne... achetez-la (la Sagesse) sans argent. Mettez votre cou *sous son joug* et que vos âmes reçoivent l'instruction (hébreu : *le fardeau*). Il n'y a pas loin pour la trouver. Voyez de vos yeux : j'ai peiné un peu et j'ai trouvé pour moi *beaucoup de repos* (**51** 23-27).

Sans doute Jésus, la Sagesse, impose un joug à ses disciples : l'accomplissement de la volonté de Dieu ; mais ce joug est léger et il ne faut pas beaucoup de peine pour trouver le repos spirituel que procure l'exercice de la Sagesse.

Ce logion contient une note polémique, absente du livre du Siracide, contre les scribes et les Pharisiens ; pour s'en convaincre, il suffit de le comparer à Mt **23** 4, où se retrouve l'idée d'un fardeau à porter (cf. Ac **15** 10). En compliquant à l'infini les prescriptions de la Loi mosaïque, les Docteurs de la Loi en avaient rendu l'exercice pratiquement impossible aux gens du commun qui ne pouvaient consacrer leur temps à « scruter la Loi » (Jn **7** 48-49). L'enseignement de Jésus, au contraire, en dégageant l'essentiel de la Loi (amour du prochain) libère les hommes d'une foule de contraintes qui n'étaient en fait que des « traditions humaines » (cf. § 154).

II. PROBLÈMES LITTÉRAIRES

Les variantes entre Mt et Lc sont minimes (§ 110) ; l'attention des commentateurs s'est donc portée avant tout sur le problème de savoir si Mt **11** 25-30 formait un logion homogène, dont la formulation pourrait remonter à Jésus lui-même.

1. Envisageons d'abord le cas de Mt **11** 28-30. L'hypothèse la plus probable est celle qui voit en lui un logion qui n'appartient pas à la même tradition que les deux autres. En voici les raisons :

a) Tandis que les deux premiers logia relèvent du genre apocalyptique, le troisième est de ton sapientiel (cf. I) ; c'est l'indice qu'ils appartiennent à deux milieux différents.

b) Si Mt **11** 28-30 faisait suite à Mt **11** 25-27 dans le Document Q, ou même dans le Mt-intermédiaire, le silence de Lc serait difficile à expliquer. Pourquoi aurait-il supprimé ce logion ? En fait, la séquence primitive du Document Q se retrouve, non en Mt **11** 25-30, mais en Lc **10** 21-24 (§§ 188, 189) : le logion de Lc **10** 23-24 (§ 189), qui a son parallèle en Mt **13** 16 s. et appartient donc au Document Q, développe le même thème apocalyptique que Lc **10** 21-22 (et Mt **11** 25-27) et donne une séquence bien meilleure que celle de Mt **11** 25-30.

Il faut donc considérer Mt **11** 28-30 comme un logion primitivement indépendant de Mt **11** 25-27, dont le ton se rapproche de celui du Sermon sur la montagne. Il fut placé ici par l'ultime Rédacteur matthéen et son origine est difficile à préciser (Recueil de logia ?).

2. Il faut aussi, semble-t-il, dissocier dans la tradition évangélique le premier logion du second, même si leur jonction était déjà faite au niveau du Document Q.

a) Le second logion, en effet, est de ton johannique et détonne dans la tradition synoptique (cf. *supra*).

b) Le changement de ton est difficile à expliquer. Le premier logion est un cri d'action de grâces adressé directement à Dieu par Jésus ; le second est un développement théologique de forme impersonnelle. L'union des deux logia fut favorisée par leur thème commun de « révélation » ; mais à la révélation des mystères du royaume (premier logion) succède la révélation du Père par le Fils (second logion) ; on est passé du plan de l'avènement du royaume au plan, plus métaphysique, des relations entre le Père et le Fils.

c) Si l'on admet (*supra*) que Lc **10** 21-24 (§§ 188, 189) reflète la séquence primitive du Document Q, Lc **10** 22 (deuxième logion) apparaît comme un « corps étranger » ; Lc **10** 23-24, en effet, qui concerne l'avènement du royaume et sa manifestation voilée aux anges et aux prophètes (note § 189), se rattache beaucoup mieux à Lc **10** 21 qu'à Lc **10** 22, d'autant que les « tout-petits » dont parle Lc **10** 21 ne sont autres que les disciples auxquels Jésus s'adresse en Lc **10** 23 s.

Note § **112.** *LES ÉPIS ARRACHÉS*

Note § **113.** *GUÉRISON DE LA MAIN SÈCHE*

Voir notes §§ 44 et 45.

Note $\S$ **114.** *JÉSUS, LE DOUX SERVITEUR*

Sur l'origine de ce sommaire, voir note $\S$ 47. L'ultime Rédacteur matthéen a ajouté la citation de Is 42 1-4 (vv. 18-21), précédée de son introduction classique (v. 17). Dans son ensemble, cette citation est faite d'après le texte hébreu. On notera toutefois deux exceptions. Au v. 18, le mot « bien-aimé » (*agapètos*) ne correspond ni au texte hébreu ni à la Septante; il fut introduit ici par influence de Mt 3 17 (cf. note $\S$ 24). Par ailleurs, la fin de la citation (v. 21) est faite d'après la Septante.

Note $\S$ **115.** *LES PARENTS DE JÉSUS LE CHERCHENT*

Ce petit épisode est propre à Mc. Dans le Document B, il formait l'introduction du récit sur « la vraie parenté de Jésus » (voir note $\S$ 122, I C 2 et II 2 b); c'est le Mc-intermédiaire qui l'a placé ici afin d'obtenir une structure en chiasme dont on trouvera la description à la note $\S$ 117.

Note $\S$ **116.** *GUÉRISON D'UN DÉMONIAQUE MUET*

1. Ce récit se lit dans Mt 12 22-23 et dans Lc 11 14, juste avant la controverse sur Béelzéboul, dont il fournit l'occasion. Absent de Mc, il provient du Document Q, dans lequel il introduisait déjà la controverse sur Béelzéboul. Le même récit de guérison se lit encore en Mt 9 32-34, où il constitue le dernier de la série des dix miracles groupés par l'ultime Rédacteur matthéen aux chap. 8 et 9; on s'accorde à reconnaître que le récit de Mt 9 32-34 (qui contient l'amorce de la controverse sur Béelzéboul au v. 34) n'est qu'un dédoublement, fait par le Rédacteur matthéen, du récit qu'il lisait dans le Mt-intermédiaire (ou dans la source Q, pour les tenants de la théorie des Deux Sources).

2. Les récits les plus proches sont ceux de Mt 9 32-33 et de Lc 11 14. Les divergences s'expliquent par l'activité littéraire des Rédacteurs lucanien et matthéen. Lc introduit des formules littéraires conformes à son style : « et celui-ci » (*kai auto*, typique du style de Lc), « or il arriva » (*egeneto de* suivi d'un verbe sans conjonction de coordination). Le Rédacteur matthéen a introduit le verbe « amener » (*prospherein*: 15/3/4/2/3), le mot « démoniaque » (6/3/0/1/0), et surtout la finale : « ... disant : Jamais (rien) n'a paru ainsi en Israël » (*phainein*: 13/1/2/2/0), oubliant les nombreux miracles accomplis par les prophètes de l'AT ! – Le récit de Mt 12 22 s. se montre plus indépendant. Le muet est en même temps aveugle; à l'admiration des foules est substituée leur stupéfaction, changement que l'on pourrait attribuer à l'ultime Rédacteur matthéo-lucanien car le verbe *existèmi* ne se lit jamais ailleurs dans Mt (1/4/3/0/8/1); on notera encore que le mot « foules » n'est jamais ailleurs dans Mt accompagné de l'adjectif « toutes », construction qui, au singulier ou au pluriel, se lit quatre fois dans Mc mais aussi en Lc 13 17; 23 48 (ces deux cas indépendants de Mc); Ac 21 27. C'est également l'ultime Rédacteur matthéen qui complète le thème de la stupéfaction des foules en ajoutant : « et disaient : Celui-là n'est-il pas le fils de David? », i.e. le roi messianique, descendant de David (cf. Mt 1 1.20; 9 27; 15 22; 20 30.31; 21 9.15).

Note $\S$ **117.** *JÉSUS ET BÉELZÉBOUL*

La tradition synoptique a groupé ici un certain nombre de logia dans lesquels Jésus répond à ceux qui l'accusent d'être de connivence avec le Prince des démons, Béelzéboul ou Satan. Nous allons d'abord analyser ces logia pour eux-mêmes, puis nous tâcherons d'en préciser le lien et l'origine.

I. ANALYSE DES LOGIA

1. *Le logion sur Satan.*

a) Dans Mc, il se compose de trois parties commençant chacune par « et si »; primitivement, ces trois parties devaient avoir même structure, légèrement altérée dans la rédaction actuelle par des ajouts. Dans la première et la seconde parties, on a ajouté les mots « ce royaume-là » et « cette maison-là », qui se trouvent d'ailleurs à des places légèrement différentes (après ou avant le verbe « subsister »). Dans la troisième partie, on a voulu affaiblir l'expression insolite : « si Satan est divisé contre lui-même » (l'idée de « division » implique en effet pluralité), en insérant un verbe nouveau, « s'est dressé », et en rejetant après « contre lui-même » le verbe « s'est divisé ». Le logion primitif devait donc avoir cette forme :

« Et si un royaume est divisé contre lui-même,
   il ne peut subsister ;
et si une maison est divisée contre elle-même,
   elle ne peut subsister ;
et si Satan est divisé contre lui-même,
   il ne peut subsister
   mais il a une fin. »

Dans la seconde partie du logion, le mot « maison » doit être pris au sens métaphorique de « famille » (cf. 2 S **7** 11-12). L'ensemble se comprend sans difficulté. On notera que les deux premières conditionnelles sont exprimées par *ean* et le subjonctif : c'est une simple éventualité ; la troisième par *ei* et l'indicatif : c'est un fait précis qui renvoie à l'affirmation des scribes formulée à la fin du v. 22 ; on pourrait gloser : « puisque, comme vous le prétendez, Satan est divisé, etc. ».

b) Dans le texte suivi par Mt/Lc, le logion avait une forme assez différente. Pour en reconstituer la teneur, on tiendra compte de deux divergences entre Mt et Lc, par ailleurs si proches l'un de l'autre. D'une part, le lien du logion avec l'accusation faite à Jésus est établi de façon différente : dans Mt, par les mots « expulse Satan », au v. 26 ; dans Lc, par la proposition du v. 18b : « puisque vous dites, etc. ». Ce lien doit donc être secondaire. D'autre part, Mt et Lc sont presque identiques dans l'introduction du logion, sa première et sa troisième parties (vv. 25ab-26 de Mt ; 17ab.18a de Lc) ; en revanche, la deuxième partie du logion est très différente puisque Mt et Lc n'ont en commun que le mot « maison », Mt étant ici plus proche de Mc que de Lc. Le thème de la « maison » rompt d'ailleurs l'unité du logion, centré sur le thème du « royaume » de Satan (cf. vv. 25b.26 de Mt ; 17b.18a de Lc), et on peut le considérer comme secondaire, introduit aux ultimes niveaux rédactionnels de Mt et de Lc sous l'influence du Mc-intermédiaire. Le logion de la tradition Mt/Lc avait donc cette forme :

> Mais, connaissant leurs sentiments, il leur dit :
> « Tout royaume divisé contre lui-même est ruiné ; ()
> si Satan s'est divisé contre lui-même,
> comment subsistera son royaume ? »

2. *Le logion sur le « doigt » de Dieu.*

a) Il est propre à Mt (vv. 27-28) et à Lc (vv. 19-20) qui ont un texte presque identique ; on préférera la leçon de Lc « le doigt de Dieu », qui fait écho à Ex **8** 15 (cf. Ps **8** 4 ; Ex **31** 18 ; Dt **9** 10), à la leçon de Mt « l'Esprit de Dieu », plus théologique ; les deux expressions désignent d'ailleurs la « puissance » de Dieu.

b) L'argumentation de Jésus n'est pas très claire. Il fait allusion aux exorcismes effectués par les disciples des Pharisiens (leurs « fils ») et semble dire : vous prétendez que j'expulse les démons par Béelzéboul, mais pourquoi ne dites-vous pas la même chose de vos disciples, qui agissent comme moi ? En donnant deux explications opposées à des phénomènes semblables, vous trahissez votre mauvaise foi. Il est même peut-être possible de serrer de plus près l'argumentation de Jésus. Dans la tradition Mt/Lc, ce logion de Jésus était suivi par la parole : « Qui n'est pas avec moi est contre

moi » (vv. 30 de Mt et 23 de Lc) ; or on trouve une parole semblable (Mc **9** 40 ; Lc **9** 50b) dans un récit où il est question de gens qui chassent les démons au nom de Jésus (§ 175) : ces gens ne seraient-ils pas disciples des Pharisiens ? Dans ce cas, en chassant les démons « au nom de Jésus », ils donnent raison à Jésus contre leurs maîtres, ce qui expliquerait la réflexion faite en Mt **12** 27 (cf. Lc) : « C'est pourquoi eux-mêmes seront vos juges. » De toute façon, si Jésus expulse les démons par la « puissance » de Dieu, c'est le signe que le royaume de Satan prend fin, lui qui dominait le monde, selon des conceptions juives courantes à l'époque de Jésus (cf. Lc **10** 18 s. ; Jn **12** 31 s.). Au royaume de Satan succède le royaume de Dieu, dans lequel le mal sera banni.

3. *Le logion sur le « fort ».* Il est donné par les trois Synoptiques ; mais ici, contrairement aux autres logia, Mt est presque identique à Mc ; il s'en distingue surtout par l'interrogation initiale (« comment quelqu'un peut-il... »), probablement amenée chez Mt par l'interrogation du v. 26b.

a) Le texte de Lc est très différent de celui de Mt/Mc, mais on y relève un certain nombre de mots que Lc utilise volontiers. Au v. 21 : « ses biens » (*ta hyparchonta* : 3/0/8/0/1) ; « en sûreté » (*en eirènèi* ; *eirènè* : 4/1/14/6/7 ; précédé de la préposition *en*, cf. Lc **2** 29). Au v. 22 : *epan*, ailleurs seulement en Lc **11** 34 et Mt **2** 8 ; « survenir » (*eperchesthai* : 0/0/3/0/4/2) ; « se confier » (*peithein* : 3/0/4/0/17) ; « distribuer » (*diadidômi*, ailleurs seulement en Lc **18** 22 ; Ac **4** 35 et Jn **6** 11). Il est donc possible que les divergences entre Lc et Mc/Mt proviennent de l'activité rédactionnelle de Lc ; on reviendra plus loin sur ce problème.

b) Le thème général de ce logion provient d'un proverbe cité par Is **49** 24 : « Au héros arrache-t-on sa proie ? Le prisonnier d'un guerrier s'évade-t-il ? », proverbe cité également par les Psaumes de Salomon : « On n'arrachera pas ses dépouilles à un homme puissant » (5 4). Mais la rédaction évangélique semble dépendre plus étroitement du v. 25 d'Isaïe, lu à travers la Septante : « Ainsi parle le Seigneur : Si quelqu'un fait captif le géant, il prendra ses dépouilles ; en les prenant au fort, il sera sauvé » (voir aussi Is **49** 26 : « ... ton rédempteur, c'est le Fort de Jacob »). Dans le logion des Synoptiques, le « fort » désigne Satan, qui tient les hommes captifs (cf. Ac **10** 38) ; si Jésus expulse les démons et délivre les hommes de l'emprise de Satan, c'est que Satan est maintenant vaincu, lié et réduit à l'impuissance (cf. Ap. **20** 1-3).

II. ORIGINE DES LOGIA

Pour préciser l'origine de ces divers logia dans la tradition pré-synoptique, il faut les replacer dans le contexte plus vaste des §§ 115 à 122.

1. *La tradition Mt/Lc.* On s'accorde à reconnaître que, dans ces sections, les accords Mt/Lc contre Mc remontent au Document Q (la source Q de la théorie des Deux Sources). Cette affirmation demande toutefois les précisions suivantes :

a) On peut attribuer avec certitude au Document Q la

séquence suivante : guérison d'un démoniaque muet (§ 116), accusation faite contre Jésus de chasser les démons par Béelzéboul, le Prince des démons (Mt **12** 24 et Lc **11** 15), réponse de Jésus s'appuyant sur les expulsions faites par les « fils » des Pharisiens (Mt **12** 27-28; Lc **11** 19-20), logion concernant celui qui n'est pas avec Jésus (Mt **12** 30; Lc **11** 23), enfin logion sur le retour offensif de l'esprit impur (§ 121).

b) Il n'est pas sûr que le logion sur Satan ait appartenu au Document Q. Primitivement, il n'offrait aucun lien explicite avec l'accusation portée contre Jésus d'expulser les démons par Béelzéboul puisque, on l'a noté en I 1 b, les mots « expulse Satan » (v. 26 de Mt) et « puisque vous dites, etc. » (v. 18b de Lc) sont des additions des ultimes Rédacteurs matthéen et lucanien. Par ailleurs, le nom de « Satan » fait contraste avec celui de « Béelzéboul » qui se lit dans l'attaque des Pharisiens (Mt **12** 24; cf. Lc) et dans la réponse de Jésus en Mt **12** 27s (cf. Lc); on a l'impression que le v. 27 de Mt était primitivement lié au v. 24. On notera enfin l'introduction du logion sur Satan, en Mt **12** 25a : « mais, connaissant leurs sentiments... », qui a son équivalent exact en Mt **9** 4 (§ 40; *enthymèsis* : 2/0/0/0/1/1; verbe *enthymeomai* : Mt **1** 20 et **9** 4, jamais ailleurs dans le NT); cette introduction est assez typiquement matthéenne. Il est alors probable que le logion sur Satan fut introduit dans la séquence du Document Q par le Mt-intermédiaire, qui le reprit du Document A en le simplifiant et en lui donnant une facture nouvelle. Du Mt-intermédiaire, le logion serait passé dans le proto-Lc, qui dépendrait alors, comme parfois ailleurs, à la fois du Document Q et du Mt-intermédiaire.

c) Enfin, le logion sur le « fort » (Lc **11** 21-22) appartenait-il au Document Q? La question se pose étant donné l'originalité du texte de Lc, qui aurait pu garder la rédaction du Document Q, tandis que Mt aurait adopté celle du Mc-intermédiaire. Mais une telle hypothèse est peu vraisemblable. En effet, dans toutes les autres sections où le proto-Lc dépend, soit du Document Q, soit du Mt-intermédiaire (cf. *supra*), il est si proche de Mt que nous devons en conclure qu'il n'a pour ainsi dire pas changé le texte de ses sources pour y introduire son propre vocabulaire; en Lc **11** 21-22, au contraire, les mots lucaniens abondent (cf. I 3 a); une telle différence de traitement des sources de Lc fait supposer que Lc **11** 21-22 serait de l'ultime Rédacteur lucanien (en dépendance du Mc-intermédiaire), tandis que dans les autres sections nous aurions le texte du proto-Lc, en dépendance soit du Document Q, soit du Mt-intermédiaire. C'est également à l'ultime Rédacteur lucanien que l'on peut attribuer le v. 16 de Lc, absent du parallèle matthéen mais très proche de Mc **8** 11 (§ 120). – On peut donc penser que le logion sur le « fort » ne se lisait, ni dans le Document Q, ni dans le Mt-intermédiaire; il fut inséré par les ultimes Rédacteurs matthéen et lucanien sous l'influence du Mc-intermédiaire (ceci explique aussi la très grande ressemblance entre les textes de Mt et de Mc, dans un ensemble où ils sont très dissemblables).

2. *La tradition marcienne.*

a) Aux §§ 115-122, le texte actuel de Mc présente une structure assez remarquable qui doit remonter au Mc-intermédiaire (cf. Introd., II A 2 b); c'est une structure en chiasme, ou par « emboîtements » successifs. On verra à la note § 122 que, dans l'épisode de la vraie parenté de Jésus, le Mc-intermédiaire fusionne deux récits parallèles, remontant aux Documents A et B, mais qu'il a transféré l'introduction du récit du Document B en **3** 20-21 (§ 115). Par ailleurs, on a noté au début de cette note que l'intervention des scribes, en Mc **3** 22, contenait deux reproches différents : Jésus « a Béelzéboul », « c'est par le Prince des démons qu'il expulse les démons »; or, la réponse de Jésus à la première accusation se lit en Mc **3** 28-29 (§ 118), comme l'indique la glose explicative du v. 30 : « Parce qu'ils disaient : Il a un esprit impur. » La réponse à la deuxième accusation se lit en **3** 23b-26, ou mieux même au v. 27 qui semble la réponse la plus typique. On obtient ainsi une structure en chiasme dans laquelle les divers épisodes viennent en ordre inverse de leur introduction :

A	Les parents de Jésus le cherchent	**3** 20-21
B	Accusation : il a Béelzéboul	**3** 22a
C	Accusation : c'est par le Prince des démons...	**3** 22b
D	Logion sur Satan	**3** 24-26
C'	Réponse à la deuxième accusation	**3** 27
B'	Réponse à la première accusation	**3** 28-29
A'	La vraie parenté de Jésus	**3** 31-35

b) Est-il possible de préciser l'origine des matériaux repris par le Mc-intermédiaire pour constituer cette structure? Puisque, dans l'épisode de la vraie parenté de Jésus, le Mc-intermédiaire a fusionné les textes des Documents A et B (cf. *supra*), on peut penser qu'il en va de même pour l'ensemble de cette structure. Le logion sur Satan devait appartenir au Document A puisqu'il fut réutilisé par le Mt-intermédiaire (cf. *supra*). L'origine des deux autres thèmes est plus difficile à préciser. Il est possible que le v. 23a de Mc ait primitivement servi d'introduction, non pas au logion sur Satan, mais au logion sur le « fort »; en effet, ce logion sur le « fort » correspondrait mieux à la « parabole » annoncée au v. 23 que le logion sur Satan, qui n'est pas réellement une parabole (sur le pluriel « en paraboles » pour annoncer une seule parabole, voir Mc **12** 1); ainsi, le logion sur Satan, repris au Document A, aurait été inséré artificiellement dans le récit formé par les vv. 22b et 27, qui pourrait alors être attribué au Document B. Par contre coup, on pourrait attribuer au Document A le récit formé par les vv. 22a et 28-29; on notera d'ailleurs que les thèmes du « blasphème » et de la « rémission des péchés » (Mc **3** 28-29; ou mieux Mt **12** 31-32, voir note § 118) sont unis également en Mc **2** 6-9, que nous avons attribué au Document A (voir note § 40).

Note § **118**. *BLASPHÈME CONTRE LE SAINT-ESPRIT*

I. PROBLÈMES LITTÉRAIRES

1. Ce logion est la réponse de Jésus à l'accusation d'être possédé par Béelzéboul, qui lui est faite par des scribes en Mc **3** 22a, comme le prouve la glose rédactionnelle du v. 30. Sur la structure marcienne de l'ensemble des §§ 115 à 122, voir note § 117, II 2 a. Il semble que le Mc-intermédiaire ait repris ce récit (Mc **3** 22a.28-29) du Document A (voir note § 117).

2. Comme au paragraphe précédent, l'ultime Rédacteur matthéen a fusionné ici le logion qu'il lisait dans le Mc-intermédiaire avec un logion semblable en provenance du Document Q (cf. Lc **12** 10) qu'il devait lire ailleurs dans le Mt-intermédiaire. Le logion repris de Mc est constitué par le v. 31 et la fin du v. 32 (« ... ni en ce monde ni dans le (monde) à venir »); le reste du v. 32 donne le logion en provenance du Document Q.

3. Mt a mieux conservé que Mc la formulation primitive du logion en provenance du Document A; l'ultime Rédacteur marcien y a introduit en effet un certain nombre de notes secondaires, de saveur souvent paulinienne (sur ce problème, voir Introd., II B **1** a); au v. 28 : « fils des hommes » (ailleurs dans le NT seulement en Ep **3** 5); mot « péché » exprimé par le mot grec *hamartèma* (ailleurs dans le NT seulement en Rm **3** 25; 1 Co **6** 18; 2 P **1** 9); au v. 29, addition de l'adjectif « Saint »

après « Esprit » (adjectif absent du parallèle de Mt, v. 31); expression « avoir rémission » (*aphesin echein*, ailleurs seulement en Ep **1** 7 et Col **1** 14); « éternellement » (*eis ton aiôna*, sept fois chez Paul, au singulier ou au pluriel). Il est donc probable que c'est aussi l'ultime Rédacteur marcien qui a ajouté la proposition « tant qu'ils auront blasphémé » (fin du v. 28), destinée à ménager la transition entre la formule « les péchés et les blasphèmes » (v. 28; cf. Mt, au singulier) et la formule « mais qui blasphémerait » (v. 29; Mt a encore « le blasphème », comme dans le premier membre de phrase).

II. SENS DU LOGION

Ce logion oppose le péché contre l'Esprit, irrémissible, à toutes les autres sortes de péchés ou de blasphèmes, qui eux pourront être remis aux hommes. La gravité irrémissible de la faute ne vient pas de ce que l'Esprit serait tenu pour supérieur à Dieu, ou plus digne que lui, mais du fait que, en attribuant l'activité de Jésus à une influence démoniaque (Mc **3** 22a), on refuse d'admettre que le royaume de Dieu est arrivé; on se met donc en dehors du royaume, on le refuse. Le « péché » ou « blasphème » n'est pas tant une offense faite à l'Esprit qu'un refus par l'homme du salut que Dieu lui offre par l'Esprit qui agit en Jésus.

Note § **119**. *A BON ARBRE, BON FRUIT. ON SERA JUGÉ SUR SES PAROLES*

Au thème du blasphème contre l'Esprit (§ 118), l'ultime Rédacteur matthéen ajoute une série de logia repris en partie du Sermon sur la montagne (§ 73); le rapprochement est motivé par le double thème commun du péché par paroles et du jugement (vv. 31-32 et 36 37). Mt **12** 33-35 est constitué par l'agglomération de logia distincts autour d'un thème primitif (actuellement disjoint) parallèle à Si **27** 6 : de même que l'arbre est reconnu à ses fruits, ainsi le cœur de l'homme est

reconnu à ses paroles (voir note § 73). On comprend alors le sens des vv. 36-37 : puisque les paroles d'un homme manifestent la qualité de son « cœur », de ce qui est le principe de son agir, cet homme sera jugé sur ses paroles. La littérature sapientielle s'est souvent étendue sur le danger des paroles hâtives, qui sont cause de péchés : Pr **10** 19; **18** 21; Si **14** 1; **19** 16; **25** 8; **28** 13-26; Jc **3** 1-3.

Note § **120**. *DEMANDE DE SIGNE. JONAS; REINE DE SABA*

L'épisode de la demande de signe (Mt **12** 38-40; Lc **11** 16.29-30) est repris du Document Q dans lequel il faisait suite au logion sur le « retour de l'esprit impur » (voir note § 121); il y était suivi par un double logion sur la reine de Saba et Jonas (Mt **12** 41 s.; Lc **11** 31 s.). Dans le Document B, on lisait un épisode semblable, mais sans le double logion sur la reine de Saba et Jonas (cf. § 160 et sa note).

I. PROBLÈMES LITTÉRAIRES

On s'accorde à reconnaître que le logion double sur la reine de Saba et Jonas, absent du Document B (Mc/Mt), fut ajouté dans le Document Q au logion sur le signe de Jonas, mais qu'il exista primitivement à l'état de logion isolé. Le lien entre les deux logia est donc factice. Plus difficile est de préciser la teneur exacte du logion sur le signe de Jonas dans le Document Q.

1. *La demande des Pharisiens* (Mt **12** 38; Lc **11** 16). Le texte de Mt est assez différent de celui du Document B (Mc/Mt, § 160) : style direct introduit par l'interpellation « Maître », les gens « veulent voir » un signe, et ils l'attendent de Jésus (« de toi ») et non du ciel. Dans Lc au contraire, la demande ressemble fort à ce qu'elle est dans Mc **8** 11 (et Mt **16** 1 pour la place de l'expression « pour l'éprouver »). Puisque cette demande est manifestement déplacée dans Lc, on peut penser qu'elle ne provient pas du Document Q, mais qu'elle fut rédigée par l'ultime Rédacteur lucanien reprenant le texte du Mc-intermédiaire (Mc **8** 11).

2. *Le signe de Jonas.*

a) Entre Mt **12** 39 et Lc **11** 29 les divergences sont minimes. Mt ajoute le déterminatif « le prophète » après le nom de Jonas, formule typique de l'ultime Rédacteur matthéen. Mais Lc supprime l'adjectif « adultère », qui évoquait le thème biblique d'Israël épouse adultère de Yahvé, le jugeant peu compréhensible pour ses lecteurs issus du paganisme. Au début du logion, la structure littéraire de Mt, plus simple que celle de Lc, semble aussi plus primitive.

b) Les vv. 40 de Mt et 30 de Lc posent un problème plus épineux. Malgré leurs divergences considérables, Mt et Lc ont en commun les mots : « car comme Jonas... de même sera le Fils de l'homme... », qui remontent donc au Document Q. Mais faut-il voir ici, comme on l'a prétendu, un simple verset rédactionnel destiné à faire le joint entre le logion sur le signe de Jonas et le double logion sur la reine de Saba et Jonas (primitivement indépendants), ou ce verset appartenait-il déjà au logion sur le signe de Jonas tel que le Document Q le reçut de la tradition ? – Des deux versets, celui de Lc est certainement le plus primitif. En effet, si le v. 40 de Mt avait existé sous cette forme dans le Document Q, on ne voit pas pourquoi Lc aurait abandonné une annonce si claire du triomphe de Jésus sur la mort, pour composer son v. 30 qui ne donne aucune explication théologique du verset qui précède. On notera en revanche que Lc **11** 29-30 forme un logion très bien structuré, avec une construction en chiasme : cette génération, signe (bis), Jonas, Jonas, signe, cette génération. Par ailleurs, ce v. 30 de Lc semble bien avoir pour but d'introduire la figure du Fils de l'homme qui, on le verra, est intimement liée au « signe de Jonas ». On peut donc considérer le v. 30 de Lc comme remontant, non seulement au Document Q, mais encore au logion tel que le reçut le Document Q.

II. SENS DES LOGIA

A) LE LOGION SUR LE SIGNE DE JONAS

1. Dans le Document B (§ 160), les gens demandent « un signe du ciel »; venant après le miracle de la multiplication des pains, cette demande doit se comprendre, non au sens d'un signe venant « de Dieu » (= le Ciel), ce qu'était déjà la multiplication des pains, mais au sens d'un miracle « cosmique » qui serait beaucoup plus frappant qu'une simple multiplication des pains. Dans le Document Q, il n'est pas besoin de cette surenchère, et l'on demande simplement à Jésus de produire un signe venant de lui, ce qui semble plus primitif que dans le Document B.

2. Plus important est le problème de savoir quel fut le sens exact de la réponse de Jésus. On admet souvent que Mc **8** 12 (fin) est primitif et l'on suppose l'évolution suivante : a) Jésus refuse tout signe (Mc **8** 12c, aucune allusion à Jonas); b) Jésus renvoie au signe de Jonas, sans plus d'explication (Mt **12** 39; Lc **11** 29; cf. Mt **16** 4 qui a harmonisé avec **12** 39); c) le signe de Jonas en tant que prédicateur de pénitence (Mt **12** 41; Lc **11** 30-31); d) le signe de Jonas enseveli et ressuscité (Mt **12** 40). Cette reconstruction n'est pourtant pas évidente et Mc pourrait n'être pas primitif. L'essentiel est de savoir ce que Jonas représentait pour les contemporains.

a) D'après la littérature rabbinique, Jonas était une figure célèbre chez les Juifs, moins pour sa prédication aux païens (qui manifestait la culpabilité d'Israël, ce peuple « à la nuque raide », en lui opposant le monde païen, prompt à se convertir; textes rabbiniques), que pour son merveilleux séjour dans le ventre du poisson. Quoi qu'il en soit des précisions qu'a pu tisser une légende de plus en plus haggadique, il semble que la figure de Jonas évoquait aussitôt et par elle-même une destinée de catastrophe et de salut. Jésus annonçait ainsi à mots couverts qu'il devait souffrir mais qu'il triompherait, exactement comme dans l'annonce de la Passion, débarrassée des précisions qu'a pu y apporter la tradition postérieure, en liaison avec la figure du Fils d'homme de Dn **7** 13 (voir note générale avant le § 166). On voit donc que la mention du Fils de l'homme de Lc **11** 30 reste parfaitement homogène au signe de Jonas. Au demeurant, en annonçant mystérieusement ce « signe » d'un genre tout spécial (cf. Jn **2** 18-21), Jésus refusait de donner un « signe » ostentatoire tel que l'attendaient de lui les Pharisiens.

b) Mc estimant que cette allusion au signe de Jonas ne dirait rien à ses lecteurs non juifs, aura simplifié en ne gardant que l'essentiel de la réponse de Jésus : le refus d'un signe tel que le demandaient les Pharisiens. On verra à la note § 160 que le thème de « Jonas » devait bien se trouver dans le logion sur la demande de signe au niveau du Document B.

c) Si l'on admet que le v. 30 de Lc appartenait au logion primitif (cf. *supra*), le sens fondamental reste le même, car on peut supposer que les Ninivites furent censés connaître l'événement miraculeux qui sauva la vie à Jonas. De toute façon, cette référence à Jonas devait suffire à qui avait des oreilles pour entendre.

d) En ajoutant le double logion sur la reine de Saba et Jonas (Lc **11** 31-32; cf. Mt), le Document Q a voulu préciser la façon dont Jonas serait un signe : comme prédicateur de pénitence. Mais ce n'était pas très heureux car cette jonction de deux logia primitivement séparés gauchissait la pensée de Jésus : Jésus ne pouvait en effet annoncer comme future une prédication qu'il était en train d'exercer et qui n'avait rien d'un signe.

e) Bien que littérairement plus évoluée, l'explication de Mt **12** 40 rejoint le sens primitif du logion : ce serait par une destinée de perdition suivie de salut que Jésus reproduirait le signe déjà donné par Dieu dans la délivrance miraculeuse de Jonas (cf. Jn **2** 18 ss.).

B) Le logion sur la reine de Saba et Jonas

Ses deux parties sont construites selon un schéma identique et se terminent par un argument a fortiori : « il y a ici plus que... », dont on a l'équivalent en Mt **12** 6 (§ 112). L'ordre des deux parties du logion semble plus primitif dans Lc, Mt ayant interverti les clauses afin de mieux faire la liaison avec son v. 40. – La conversion des gens de Ninive est mentionnée en Jon **3** 5; la venue de la reine du Midi (ou de Saba) près de Salomon est racontée en 1 R **10** 1-10. Au jour du Jugement, les gens de Ninive et la reine du Midi se tiendront debout afin d'accuser les contemporains de Jésus, comme c'était la coutume dans les tribunaux juifs. Eux, du moins, ont été dociles à la prédication de Jonas et la reine du Midi s'est empressée de se nourrir de la sagesse de Salomon. Or Jésus est plus qu'un prophète, plus qu'un sage; il est la Sagesse incarnée, et ses contemporains ont refusé de l'entendre.

Note § **121.** *RETOUR OFFENSIF DE L'ESPRIT IMPUR*

1. Ce logion, ignoré de Mc, appartenait au Document Q dans lequel il faisait suite au logion concernant l'expulsion des démons par Jésus grâce au « doigt » de Dieu (Mt **12** 27-28; Lc **11** 19-20; voir note § 117). Le changement de vocabulaire (« démon » au § 117, « esprit impur » ici) indique que ces deux logia étaient primitivement distincts et qu'ils ont été unis artificiellement dans le Document Q, grâce à leur thème commun d'exorcisme. Chez Lc, comme dans le Document Q, il n'apparaît pas que l'homme libéré puis repris par l'esprit impur soit coupable; il est plutôt victime. Jésus ne le blâme pas; il avertit seulement qu'il faut s'attendre à des retours offensifs de l'ennemi, qui ne s'avoue jamais vaincu. Sur les « sept » démons, cf. encore Lc **8** 2; en langage biblique, le chiffre « sept » symbolise la totalité.

2. L'ultime Rédacteur matthéen a inséré avant ce logion l'épisode de la « demande de signe », repris aussi du Document Q (par le biais du Mt-intermédiaire). Ce changement dans l'ordre des péricopes du Document Q est délibéré. Dans l'épisode de la « demande de signe », en effet, les Pharisiens sont qualifiés de « génération mauvaise et adultère » (Mt **12** 39); or Mt termine le logion sur le retour de l'esprit impur en ajoutant les mots : « Ainsi (en) sera-t-il aussi pour cette génération mauvaise. » L'intention est claire : le Rédacteur matthéen veut laisser entendre que cette « génération mauvaise », à savoir les Pharisiens adversaires, est responsable du retour offensif de l'esprit impur et de la possession diabolique qui en résulte.

Note § **122.** *LA VRAIE PARENTÉ DE JÉSUS*

Cet épisode se lit dans les trois Synoptiques, soit avant (Mt/Mc), soit après (Lc) l'enseignement en paraboles; on le trouve aussi dans les évangiles de Thomas et des Ébionites; sa finale est citée par 2 Clément 9 *11* et Clément d'Alexandrie. Pour suivre les analyses suivantes, se reporter aux textes disposés en parallèle à l'Annexe IV.

I. ANALYSES LITTÉRAIRES

A) Le récit du proto-Lc

1. Les textes de Lc et de Thomas 99 présentent de nombreux contacts qui les opposent à ceux de Mt et de Mc; ces contacts sont appuyés, en partie, par Ébion et les citations de 2 Clément et de Clément d'Alex.; ils dénotent l'existence d'un texte déterminé, différent de celui de Mt/Mc. Relevons-les en commençant par la fin du récit.

a) A première vue, la dernière parole de Jésus (Lc **8** 21) offre de nombreuses divergences entre les témoins autres que Mt/Mc; elles ne doivent pas masquer l'accord fondamental de ces témoins, portant sur les points suivants : tandis que Mt/Mc ont le logion au singulier, les autres témoins l'ont au pluriel (sauf pour « ma mère »); tandis que Mt/Mc ont l'expression « celui qui fait » (*hos an poièsèi*), les autres témoins ont un participe grec *hoi poiountes* (« qui font » ou « qui... pratiquent »); tandis que Mt/Mc ont la séquence : « celui qui fait... celui-là est mon frère... », les autres témoins, sauf Thomas 99, ont la séquence inverse : « ceux-là sont mes frères... qui font... »; tandis que Mt/Mc ajoutent « ma sœur » après « mon frère », les autres témoins n'ont pas cet ajout (Ébion. fait exception, mais le mot « sœurs » y fut ajouté postérieurement; en effet, ce mot n'a pas d'article et est anormalement placé après le mot « mère », tandis que le mot « frères » a l'article et se trouve placé avant le mot « mère »). Ainsi, malgré quelques singularités sur lesquelles nous aurons à revenir, Lc, Thomas

99, Ébion., 2 Clément et Clément d'Alexandrie dépendent fondamentalement d'une forme de texte très différente de celle de Mt/Mc. Dans la suite des analyses, il ne sera plus parlé de 2 Clément ou de Clément d'Alex., qui ne citent pas la suite du récit.

b) Les vv. 33-34 de Mc (48-49 de Mt) sont absents de Lc et de Thomas. En revanche, Ébion. connaît les vv. 48b-49a de Mt, mais c'est là presque l'unique contact qu'il présente avec le texte Mt/Mc; il faut voir là une influence de Mt sur Ébion., comme celle que l'on avait déjà constatée à la note § 19.

c) Le v. 20 de Lc a son parallèle dans le v. 32b de Mc (le v. 47 de Mt est inauthentique, comme on le verra plus loin). On notera : Lc et Ébion. ont en commun le verbe « annoncer » (avec un préfixe différent); Ébion. et Thomas ajoutent la conjonction « que » (*hoti;* attestée chez Lc par W L *Thêta*, le groupe Ferrar et la *VetLat*); Lc, Thomas et Ébion. ont ici le verbe « se tiennent » (*estèkasin*) et ignorent l'expression « te cherchent »; ici encore, Lc, Thomas et Ébion. se distinguent de Mt/Mc.

d) Le v. 19 de Lc n'a pas d'équivalent dans Thomas et Ébion. Mais Thomas est un recueil de « paroles » de Jésus; il a donc pu laisser tomber le début du récit, purement récitatif. Quant à Ébion., on ne l'a que dans une citation un peu libre d'Épiphane, lequel a pu ne retenir du texte d'Ébion. que ce qui l'intéressait. Ce v. 19 de Lc n'a en commun avec Mt/Mc que les mots essentiels « sa mère et ses frères », « la foule »; le verbe « arriver » (*paraginomai:* 3/1/8/1/20) est très lucanien; le thème des parents (mère et frères) de Jésus qui ne peuvent l'aborder à cause de la foule est propre à Lc.

2. Disons maintenant quelques mots des singularités de Lc, Thomas et Ébion.

a) Au v. 20, Lc ajoute en finale l'expression « voulant te voir », qui fait écho à plusieurs autres textes propres à Lc : **9** 9; **19** 3; **23** 8. – Au v. 21, il remplace l'expression « qui font la volonté de mon Père » par « qui écoutent la parole de Dieu et (la) font » (= « et la pratiquent »); la formule « écouter la parole de Dieu » est lucanienne (**5** 1; **8** 11-13.15; **11** 28) et se lit surtout dans l'explication de la parabole du semeur (§ 129); en plaçant le présent épisode un peu après l'explication de la parabole du semeur, Lc a voulu établir un lien étroit entre cette explication de la parabole et le présent épisode en ajoutant ici la formule « écouter la parole de Dieu ». – Enfin, au même v. 21, au lieu de l'ordre « mes frères et ma mère » (Thomas, Ébion., Mt/Mc), Lc a l'ordre « ma mère et mes frères »; c'est lui, semble-t-il, qui a redonné à la mère de Jésus la première place, comme au v. 20 où Thomas a aussi l'ordre « tes frères et ta mère ». Ces divers remaniements ont été faits au stade de l'ultime rédaction lucanienne.

b) Thomas 99 a pris lui aussi quelques libertés avec sa source. Au début de la réponse de Jésus, il ajoute l'expression « voici », ou mieux « ici »; surtout, à la fin du logion, il ajoute les mots « ce sont eux qui entreront dans le royaume de mon Père », influencé par Mt **7** 21.

c) Comme on l'a déjà noté, Ébion. subit l'influence de Mt (Mc) : au v. 20 (Lc), il ajoute le mot « voici »; au centre du

logion, il ajoute : « qui est ma mère et mes frères? et étendant la main vers les disciples »; dans le logion final, il ajoute « et mes sœurs ».

On peut alors reconstituer ainsi le texte du proto-Lc : (au moins pour le dialogue) :

> On lui annonça : « Tes frères et ta mère se tiennent dehors. » Il leur dit : « Mes frères et ma mère, ce sont ceux qui font la volonté de mon Père. »

B) Le texte de Mc/Mt

1. Le récit de Mc est composite. D'une part, il contient, aux vv. 32b et 35, l'équivalent des vv. 20 et 21 de Lc (proto-Lc); ces versets de Mc pourraient donc former un récit parfaitement cohérent, parallèle à celui du proto-Lc malgré la différence de l'expression littéraire. Par ailleurs, les vv. 33-34 pourraient, eux aussi, former un récit cohérent même si l'on supprimait les vv. 32b.35; le v. 34 donnerait à lui seul une très bonne conclusion pour l'épisode (Dibelius). Il ne faut donc pas dire que le proto-Lc a abrégé le récit plus primitif de Mc, il faut penser plutôt que Mc (le Mc-intermédiaire) combine ici deux récits appartenant à deux sources différentes : ses vv. 32b.35, parallèles au proto-Lc, proviendraient du Document B (connu directement par le proto-Lc), tandis que ses vv. 33-34 seraient repris au Document A, l'autre source principale du Mc-intermédiaire.

2. L'analyse du récit de Mt vient appuyer les conclusions précédentes.

a) Il faut d'abord résoudre un problème de critique textuelle. Le v. 47 de Mt est omis par les meilleurs témoins du texte Alexandrin (*S B L Sa*) comme aussi par les anciennes versions africaine (*k,* cf. *ff*) et syriaques (*SyrSin, SyrCur*); à lui seul, cet accord de témoins d'origine aussi diverse pourrait prouver l'inauthenticité du v. 47. Elle est confirmée par certaines particularités grammaticales. L'ordre des mots « se tenir dehors » n'est pas le même qu'au v. 46; le mot « mère » est affecté d'un possessif au v. 47, mais non au v. 46; on peut en induire que le v. 47 n'est pas de la même main que le v. 46. Mais surtout, l'aoriste *eipen*, « dit », est suivi de la particule *de* et a pour sujet un pronom indéfini, deux constructions grammaticales qui ne se lisent jamais ailleurs dans Mt (malgré la fréquence de *eipen*). De ces diverses remarques, on peut conclure que le v. 47 de Mt est une addition de scribe voulant aligner Mt sur Mc.

b) Le récit de Mt n'avait donc rien qui corresponde aux vv. 32 de Mc et 20 de Lc. Au lieu de supposer que Mt aurait omis le v. 32 de Mc (pour quelle raison l'aurait-il fait?), il est plus vraisemblable de penser que le Mt-intermédiaire, en dépendance du Document A, ne contenait que les vv. 48-49 (le cas du v. 46 sera examiné plus loin) et que le v. 50 fut ajouté par l'ultime Rédacteur matthéen sous l'influence du Mc-intermédiaire qui avait fusionné les récits des Documents A et B.

C) LES INTRODUCTIONS

Il reste à voir quelles étaient les introductions de l'un et l'autre récits.

1. On attribuera sans difficulté au Document A l'introduction qui se lit aux vv. 46 de Mt et 31a de Mc. L'équivalence entre le mot *idou* (« voici ») et le verbe « venir » (*erchesthai*, ou un verbe de même sens) est fréquente (cf. Mt **8** 2 ; **9** 2.18 ; **26** 47 et les parallèles de Mc). Les premiers mots de Mt : « comme il parlait encore aux foules », doivent être une suture rédactionnelle du Mt-intermédiaire (cf. Mt **17** 5), à moins qu'ils ne remontent au Document A (cf. Mt **26** 47 et par.). En combinant les textes des Documents A et B, le Mc-intermédiaire a transféré au v. 32 (Document B) le thème des parents de Jésus qui « le cherchent » (cf. Mt **12** 46).

2. Quelle était l'introduction du récit dans le Document B ? On pourrait penser évidemment au texte de Lc **8** 19. Certains commentateurs ont avancé une autre hypothèse. Mc (pour nous, le Mc-intermédiaire) l'aurait anticipée et placée en **3** 20-21 (§ 115) ; isolé comme il l'est maintenant, ce petit récit n'a en effet guère de sens et il lui manque une conclusion. Par ailleurs, le thème de la controverse au sujet de Béelzéboul (§§ 117 et 118) apparaît comme un corps étranger dans le récit de Mc : au thème de la « maison » (**3** 20) correspondrait le thème des mère et frères de Jésus qui « se tiennent dehors » (**3** 32b) et ne peuvent entrer à cause de la foule. Dans cette hypothèse, on pourrait joindre à cette introduction du Document B la fin du v. 31 de Mc, qui n'a pas de parallèle dans Mt : « ils lui envoyèrent (quelqu'un) pour l'appeler ».

II. ÉVOLUTION DES RÉCITS

1. Dans le Document A, le récit était très simple et très concret. Jésus doit être dans une maison tandis que sa mère et ses frères se tiennent dehors et cherchent à lui parler (Mt **12** 46). A celui qui le lui dit (Mt **12** 48a ; le grec a le verbe « dire », et non « parler »), Jésus demande : « Qui est ma mère et mes frères ? » (cf. v. 33 de Mc) ; puis il désigne, soit de la main (Mt), soit du regard (Mc), ceux qui sont assis autour de lui (Mc, tandis que Mt a banalisé en mettant « ses disciples ») en affirmant : « Voici ma mère et mes frères. » L'intention du récit est claire, malgré sa concision. Ceux qui sont assis autour de Jésus sont en train d'écouter son enseignement, et donc de se mettre à son école. Jésus affirme donc que sa vraie parenté,

ses vrais frères, ce ne sont pas ceux qui lui sont liés par les liens du sang, mais ceux qui acceptent l'enseignement qu'il leur transmet de la part de Dieu, le Père de tous.

2. Il est difficile de dire si le Document B avait un texte analogue à celui du proto-Lc (cf. *supra*, fin de 1 A 2 c) ou se rapprochant de celui de Mc **3** 32b.35 ; les divergences étant d'ordre surtout stylistique, nous n'essaierons pas de résoudre ce problème.

a) Pour le corps du récit, le Document B a transcrit en langage clair et plus théologique ce qui était dit de façon concrète et un peu elliptique dans le Document A. Le problème est le même : celui de savoir qui sont les véritables parents (frères ou mère) de Jésus (cf. Lc **8** 20 ou Mc **3** 32b). Jésus répond, non plus en montrant concrètement ceux qui sont assis et écoutent son enseignement, mais en disant clairement : « Ma mère et mes frères, ce sont ceux qui font la volonté de mon Père » ; or, pour faire la volonté de Dieu, la première condition est de la connaître, et donc de se mettre à l'école de Jésus, la Sagesse incarnée. – A la solution que nous proposons, on objectera que l'expression « faire la volonté de mon Père » est de saveur matthéenne (Mt **7** 21 ; **18** 14 ; **21** 31) et devrait donc provenir du Document A, non du Document B ; toutefois, les textes cités à l'instant sont tous de l'ultime niveau rédactionnel matthéen (voir notes §§ 74, 178, 280), ce qui ne permet pas de faire remonter l'expression au Document A.

b) Si l'on admet l'hypothèse suggérée plus haut, à savoir que l'introduction primitive du Document B se lit maintenant en Mc **3** 20-21 (§ 115), on pourra voir dans cette addition par rapport au Document A l'écho de polémiques ayant opposé les chrétiens issus du paganisme, de tendance paulinienne, aux judéo-chrétiens de Jérusalem dont le chef de file était Jacques, le frère du Seigneur (sur ces polémiques, cf. Ga **1** 19 et surtout **2** 11-14).

3. Rappelons que c'est le Mc-intermédiaire qui a fusionné les récits des Documents A et B. Le Mt-intermédiaire devait avoir un texte analogue à celui du Document A ; l'ultime Rédacteur matthéen lui a ajouté le v. 50, sous l'influence du Mc-intermédiaire. Le proto-Lc dépendait directement du Document B ; si l'on admet que l'introduction primitive du récit dans le Document B (et probablement aussi dans le proto-Lc) était Mc **3** 20-21, on attribuera à l'ultime Rédacteur lucanien le v. 19 du récit de Lc, par influence du Mc-intermédiaire. Thomas 99 dépend du proto-Lc, comme souvent ailleurs, de même que Ébion. (cf. aussi au § 19) qui a toutefois été révisé en fonction de l'ultime rédaction matthéenne.

Note § **123.** *LA PÉCHERESSE PARDONNÉE*

Cet épisode, propre à Lc, a suscité une littérature abondante en raison des difficultés qu'il présente. La parabole des vv. 41-43 s'adapte mal au contexte ; elle veut montrer que celui à qui l'on remet beaucoup aime plus que celui à qui l'on remet

moins ; mais dans le récit, Jésus remet ses péchés à la femme *parce qu'*elle a montré beaucoup d'amour. D'un côté, l'amour provoque le pardon des fautes ; de l'autre, c'est le pardon qui engendre l'amour. Cette différence de point de vue est soulignée par la difficulté du v. 47, dans lequel il faut garder à la conjonction *hoti* son sens plus normal de « parce que » : la première partie du verset correspond au thème du récit, mais la seconde au thème de la parabole. Par ailleurs, y a-t-il un rapport littéraire entre cet épisode et celui de l'onction à Béthanie raconté par Mt/Mc et Jn au § 313? Il serait fastidieux de passer en revue toutes les hypothèses émises pour justifier les difficultés du récit lucanien; nous exposerons celle qui nous paraît la plus probable : il faut distinguer, comme appartenant à des couches littéraires différentes, la parabole des vv. 41-43.47b du reste du récit. Ce principe, admis selon des optiques différentes par Wellhausen et Bultmann, fut précisé plus récemment par J. Delobel dont nous reprendrons en partie les analyses.

Le récit de la pécheresse pardonnée est une composition assez libre de l'ultime Rédacteur lucanien, dont le style affleure partout (Delobel), qui reprend divers éléments qu'il trouvait, soit dans la tradition orale, soit dans l'évangile de Mc. Précisons sa méthode de composition.

1. Lc a voulu utiliser une parabole de Jésus qu'il tenait de la tradition orale ou d'une source particulière, et il l'a insérée aux vv. 41-43 et 47b de son récit. Cette parabole traitait le thème de la « remise de dette » dont on a d'autres exemples dans la tradition synoptique (Lc 16 1-9, § 233; Mt 18 23-35, § 182). Dans ce genre de paraboles, la « remise de dette » symbolise le pardon des péchés par Dieu, car la langue de la Bible utilise le même mot pour dire « dette » et « péché ». La parabole reprise par Lc voulait enseigner que notre amour pour Dieu est en proportion des péchés qu'il nous pardonne. Cette formulation un peu paradoxale recouvre probablement une pointe de polémique anti-pharisaïque : les Pharisiens se croyaient en règle avec Dieu, n'ayant que peu ou prou à se faire pardonner (cf. Lc 18 9-14, § 245); leur amour véritable pour Dieu ne pouvait donc être que tiède. Il est possible que cette parabole était déjà présentée sous forme de dialogue (cf. l'entretien entre un scribe et Jésus, Lc 10 25-28, § 190).

2. Pour « habiller » cette parabole, Lc a repris un certain nombre de matériaux qu'il trouvait dans le Mc-intermédiaire.

a) Le v. 50 reprend textuellement la parole adressée par Jésus à l'hémorroïsse en Mc 5 34 (cf. Lc 8 48, § 143). On notera les touches lucaniennes : « Or il dit à » (*eipen de pros*, très fréquent chez Lc); changement du verbe *hupage* (« va »), que Lc n'aime pas, en *poreuou* (cf. Lc 8 48).

b) Les vv. 48 et 49 reprennent quelques éléments du récit du paralytique de Mc 2 1-12 (§ 40). Les paroles de Jésus « tes péchés te sont remis » (v. 48) sont celles que Jésus adresse au paralytique en Mc 2 5b, avec changement de la forme verbale *aphientai* en *apheôntai* (cf. Lc 5 20); on notera que Mc 2 5 lie le pardon des péchés au thème de la foi, comme en Lc 7 50. Par

ailleurs, la réflexion des convives en Lc 7 49 rejoint pour le sens la réflexion des scribes en Mc 2 6-7, la formulation littéraire se rapprochant d'ailleurs de Lc 5 21 : *tis estin houtos hos/tis houtos estin hos.*

c) Lc utilise-t-il aussi le récit de l'onction de Béthanie (§ 313)? Cette question est très controversée. On trouve un schéma identique à la base des deux récits : Jésus est invité à un repas, arrive une femme qui oint Jésus d'huile parfumée, les assistants réagissent défavorablement, mais Jésus prend la défense de la femme et la loue pour son action (cf. Dodd). On notera quelques accords plus précis : les mots de Mc 14 3 : « dans la maison de Simon... il était à table... une femme... un vase en albâtre d'un parfum... » (*en tèi oikiai Simônos... katakeimenou... gynè... alabastron myrou*), se retrouvent tous dans le récit de Lc, au v. 37 : *gynè... katakeitai en tèi oikiai... alabastron myrou*, et au v. 40 où l'on apprend que le Pharisien qui a invité Jésus s'appelle « Simon ». Ces accords entre le récit de Lc et celui de Mc sont assez frappants et il est difficile de les attribuer tous au hasard. Une dépendance de Lc par rapport à Mc est confirmée par les remarques suivantes : puisque Lc réutilise des matériaux repris de Mc aux vv. 48-50, il existe une présomption pour qu'il fasse de même aux vv. 37. 40. Surtout, le rédacteur lucanien doit avoir conscience d'avoir utilisé le récit marcien puisqu'il omettra le récit de Mc au § 313; de même, le rédacteur johannique met un lien entre les deux récits puisqu'il complète celui du § 313 par des traits empruntés au récit de Lc (cf. note § 272). – Il est vrai que le récit de Lc se distingue de celui de Mc par des traits importants : la femme est une pécheresse (v. 37a), d'où ses pleurs de repentir qui tombent sur les pieds de Jésus et qu'elle essuie de ses cheveux (v. 38). Mais ces traits pourraient provenir de ce que Lc ajoute au récit de Mc une donnée traditionnelle : l'histoire d'une pécheresse pardonnée par Jésus; une telle histoire se lit en Jn 8 3-11 et nous verrons à la note § 259 qu'elle est certainement d'origine lucanienne; le Rédacteur lucanien ne s'en serait-il pas inspiré pour rédiger son récit de la pécheresse pardonnée en 7 37-38 (Strauss, Loisy)? Ceci pourrait expliquer qu'il ait omis, non seulement le récit du § 313 (onction de Béthanie), mais encore celui de Jn 8 3-11 qui devait se trouver dans le proto-Lc (note § 259). On notera que le thème de la femme qui se tient « aux pieds de Jésus » (*para tous podas*) est spécifiquement lucanien : 1/0/4/0/5/0.

d) Les vv. 44-46 ne font que reprendre les données du v. 38 et auraient été composés par Lc pour soutenir le dialogue entre Jésus et Simon.

En résumé, on ne retiendra d'original, dans le récit de Lc, que la parabole des vv. 41-43.47b; on en a précisé le sens plus haut. Tout le reste serait composé de matériaux repris, soit au Mc-intermédiaire, soit peut-être encore à Jn 8 3-11.

Note § **124.** *L'ENTOURAGE FÉMININ DE JÉSUS*

Cette section, propre à Lc, se compose de deux parties : un « sommaire » analogue à celui de Mt 9 35a et par., dans lequel l'évangéliste décrit l'activité missionnaire de Jésus; le nom de quelques femmes qui suivaient Jésus dans ses déplacements et l'assistaient de leurs biens.

L'ensemble est probablement une composition libre de Lc, car le vocabulaire et le style lucaniens s'y retrouvent à chaque ligne : Au v. 1, la construction : « Et il arriva... » (*kai egeneto en tôi...*), se retrouve partout chez Lc; l'adverbe « ensuite » (*kathexès* : 0/0/3/0/2/0); *kai autos*, très fréquent chez Lc; « faire route » (*diodeuein* : ici et Ac 17 1 dans tout le NT); « par ville » (*kata polin* : 0/0/4/0/4/1; cf. Lc 13 22); « évangéliser » (*euagge-*

lizesthai : 1/0/10/0/15); préposition *syn* (« avec »). Au v. 2 : la construction périphrastique *èsan tetherapeumenai;* le verbe *therapeuein* suivi de *apo* (0/0/5/0/0); « maladie » (*astheneia* : 1/0/4/2/1); le participe « nommée » (*kaloumenos* : 0/0/11/0/13). Au v. 3, Lc est le seul à mentionner cette femme nommée « Jeanne » (cf. Lc 24 10); l'adjectif *heteros* (9/0/33/1/18); enfin le mot « biens » (*ta hyparchonta* : 3/0/8/0/1/2). Dans cet ensemble, il n'y a presque pas un mot qui ne porte la marque du style de Lc. Il est difficile de préciser si cette composition remonte au proto-Lc ou est seulement de l'ultime Rédacteur lucanien.

Note § **125.** *INTRODUCTION AU DISCOURS PARABOLIQUE*

1. Dans le Document A, la parabole du semeur, suivie de son explication (§§ 126 et 129), devait être introduite par un sommaire très simple qui mentionnait seulement le rassemblement des foules près de Jésus et le fait que Jésus va parler en paraboles; ce sont les éléments communs à Mt/Mc/Lc. Ce sommaire serait passé dans le Mt-intermédiaire sans changement notable, puis dans le proto-Lc qui ajouta le v. 4b : « et que de chaque ville on s'acheminait vers lui » (« de chaque ville », *kata polin; kata* distributif : 1/1/5/0/9; suivi de *polin* ou *poleis* : Lc 8 1; 13 22; Ac 15 21.36; 20 23).

2. Le thème de Jésus qui enseigne d'une barque tandis que les foules restent sur le rivage ne se lisait, ni dans le Document A, ni dans le Mt-intermédiaire. Dans le Document A, en effet, la parabole du semeur était immédiatement suivie de son explication, et il est difficile de penser que Jésus aurait interrompu son enseignement aux foules pour donner l'explication de la parabole à ses disciples, dans la barque. Le Mt-intermédiaire semble lui aussi ignorer que l'enseignement en paraboles se fait d'une barque, puisque, voulant insérer le logion sur la raison d'être des paraboles (voir note § 127), il l'introduit par ces mots : « Et, s'approchant, les disciples lui dirent... » (Mt 13 10); si les disciples « s'approchent » de Jésus, c'est que Jésus n'est pas dans une barque, en mer ! Nous avons enfin le témoignage de Lc; en 8 4, il ne mentionne

aucun embarquement de Jésus. On pense souvent qu'il en a transféré les éléments, pour introduire son récit de la pêche miraculeuse, en 5 1a.3 (§ 38); c'est vrai, mais ce transfert est plus facile à concevoir si l'ultime Rédacteur lucanien ne lisait dans le proto-Lc que l'équivalent de Lc 8 4; il pouvait dès lors transférer ailleurs les détails qu'il lisait dans le Mc-intermédiaire.

La seule solution plausible est de penser que le thème de Jésus enseignant d'une barque tandis que les foules sont rassemblées sur le rivage fut ajouté au texte du Document A par le Mc-intermédiaire, d'où il sera passé dans l'ultime rédaction matthéenne et en Lc 5 1a.3. On notera d'ailleurs que, dans Mt comme dans Lc, on ne parlera plus de la barque dans laquelle Jésus est monté. Il n'en va pas de même dans Mc qui nous dit, aussitôt après le discours en paraboles : « Et il leur dit, ce jour-là, le soir venu : Passons de l'autre côté; et, laissant là la foule, ils le prennent avec (eux), comme il était, dans la barque » (Mc 4 35-36, § 141); dans le texte, le mot « barque » est déterminé par l'article, il s'agit donc bien de la barque mentionnée en Mc 4 1. Ce serait donc le Mc-intermédiaire qui aurait complété le sommaire du Document A en s'inspirant du sommaire plus complet que nous avons reconstitué à la note § 47 et dont Mc a dispersé les éléments en plusieurs endroits de son évangile.

Note § **126.** *LA PARABOLE DU SEMEUR*

La parabole du semeur est la première d'une série de paraboles rassemblées ici par Mt et Mc; Lc la donne aussi, mais comme une parabole isolée.

I. PROBLÈMES LITTÉRAIRES

L'évolution littéraire des textes sera nettement mieux mar-

quée dans l'explication de la parabole (note § 129); il sera donc utile de lire la note § 129 avant celle-ci.

1. *Le dernier exemple* (vv. 8 de Mt/Mc/Lc). Au dernier exemple, celui de la bonne terre, Mt et Mc semblent changer l'intention de la parabole. Jusqu'à ce v. 8, l'intérêt se porte surtout sur la qualité des terrains qui reçoivent la semence;

mais au v. 8, l'intérêt passe des terrains aux semences puisque, le terrain restant le même, c'est la différence de qualité des semences qui produit un fruit plus ou moins abondant. Ce changement de perspective est plus visible dans Mc que Mt, car il est souligné par des anomalies littéraires.

a) Pour les trois premiers exemples, Mc met le sujet du verbe au singulier : « du (grain) », « de l'autre (grain » ; au v. 8, il le met au pluriel, « et d'autres (grains) », comme Mt qui a le pluriel partout. Ce passage du singulier au pluriel est évidemment motivé par la mention des fruits différents, qui obligeait à distinguer diverses catégories de grains ; mais il rompt le rythme du texte de Mc, signe probable d'un remaniement.

b) Le texte de Mc comporte un doublet. On lit d'abord l'expression : « et ils donnaient du fruit » (*kai edidou karpon*), comme dans Mt ; puis le verbe : « et ils produisaient (du fruit) » (*kai epheren*), propre à Mc. L'ultime Rédacteur marcien fusionne deux textes, en provenance, l'un du Mt-intermédiaire, l'autre du Mc-intermédiaire. Les mots « en montant et en croissant » sont une cheville rédactionnelle destinée à justifier la succession de deux verbes semblables.

c) Le troisième indice du remaniement du texte de Mc est plus subtil à saisir. Les mots traduits par « l'un trente et l'un soixante et l'un cent » se lisent en grec : *eis triakonta kai en hexèkonta kai en hekaton;* c'est du moins le texte attesté par les manuscrits grecs *B* et *L*, et retenu par un grand nombre d'éditions critiques comme étant le plus difficile, étant donné le changement de *eis* en *en* (les autres manuscrits ont harmonisé en mettant partout, soit *eis*, soit *en*). Comment expliquer l'anomalie du texte de Mc ? Voici la solution que nous proposons : les mots *eis* et *en*, non accentués (comme dans les anciens manuscrits grecs), peuvent avoir deux sens : soit « un » (nombre cardinal au masculin, *eis*, ou au neutre, *en*), soit « vers » (*eis*) ou « dans » (*en*). Le texte du Mc-intermédiaire aurait eu seulement ce texte : *kai epheren karpon eis triakonta*, dans lequel le mot *eis* était une préposition (« vers ») reflétant

une construction sémitique ; le sens aurait été : « et il a produit du fruit (de un) à trente ». Dans ce texte du Mc-intermédiaire, le sujet du verbe était au singulier, comme dans les autres exemples ; tout l'intérêt restait centré sur la « bonne terre » qui permet au grain de porter du fruit. Sous l'influence du Mt-intermédiaire, l'ultime Rédacteur marcien a compris la préposition *eis* comme un nombre cardinal (au masculin), puis a ajouté les mots *kai en hexèkonta kai en hekaton*, où *en* est aussi un nombre cardinal, mais mis au neutre puisque le mot « grain » est au neutre en grec.

En résumé, le texte du Mc-intermédiaire avait cette teneur : « Et d'autre (grain) tomba dans la bonne terre () et il produisait du fruit (de un) à trente. »

2. *Le deuxième exemple.* Il est clair que l'exemple de la semence qui tombe sur la pierraille (vv. 5-6 de Mt et de Mc) est beaucoup plus développé que les autres, ce qui est contraire au génie sémitique qui aime les parallélismes stricts, plus faciles à retenir de mémoire. On peut donc suspecter ces versets de Mt/Mc d'avoir été surchargés. Par ailleurs, les textes comportent des doublets : le verbe « se lever » est dit du grain et du soleil ; surtout, le résultat de l'action du soleil est donné par deux verbes, « il fut brûlé », « il sécha », qui traduisent souvent le même verbe hébreu dans la Septante, preuve qu'ils ont un sens équivalent. Enfin, Mt et Mc ont à deux reprises la construction grammaticale : « parce qu'il n'avait pas » (*dia to* + infinitif), nettement plus lucanienne que matthéenne ou marcienne (3/3/8/1/8/5) ; il est étrange qu'elle se lise deux fois ici, alors qu'on ne la retrouve ailleurs : dans Mt qu'en 24 12, dans Mc qu'en 5 4, texte manifestement surchargé par l'ultime Rédacteur marcien. Dans Mt comme dans Mc, ces versets portent donc la signature de l'ultime Rédacteur matthéo-lucanien ou marco-lucanien, qui aurait fusionné deux textes, l'un en provenance du Mt-intermédiaire, l'autre en provenance du Mc-intermédiaire. En tenant compte de la structure des premier et troisième exemples, on peut reconstituer ainsi la teneur de l'un des textes :

I	II	III
du (grain) tomba le long du chemin et les oiseaux vinrent et le mangèrent.	d'autre tomba sur de la pierraille et le soleil se leva et il fut brûlé.	d'autre tomba dans les épines et les épines ont monté et l'ont étouffé.

L'autre texte avait approximativement cette forme : « D'autre tomba sur de la pierraille où il n'avait pas beaucoup de terre et aussitôt il a levé et il sécha. » Les deux explications commençant par la structure lucanienne *dia to* + infinitif sont des gloses rédactionnelles : « parce qu'il n'avait pas de profondeur de terre », « parce qu'il n'avait pas de racines ». Le premier texte, parallèle aux exemples I et III, est le texte primitif de la parabole, mieux gardé dans le Mc-intermédiaire ; le second texte serait alors du Mt-intermédiaire.

3. *Le texte de Lc.* Il faut probablement distinguer deux ni-

veaux rédactionnels dans Lc : le proto-Lc, en dépendance du Mt-intermédiaire, et l'ultime rédaction lucanienne, qui a révisé le proto-Lc en fonction du Mc-intermédiaire. A la fin du v. 8, on a l'impression que Lc complète la formule de Mt : « Qui a des oreilles, qu'il entende », en ajoutant le verbe « pour entendre » sous l'influence de Mc. Au v. 8a, Lc a la formule « au centuple » (*hekatontaplèsiona*) qui correspondrait à celle qu'on lisait dans le Mt-intermédiaire : « l'un cent (pour un) » ; mais il ne mentionne pas de différence dans la productivité des grains, ce qui correspond au texte du Mc-intermédiaire. On notera par ailleurs qu'au v. 6, Lc a le verbe « il sécha », que l'on a attribué au Mt-intermédiaire; l'explication : « parce qu'il n'avait pas d'humidité », avec la construction *dia to* + infinitif, serait de l'ultime Rédacteur lucanien. On retrouverait encore des traces du proto-Lc, en dépendance du Mt-intermédiaire, dans quelques accords Lc/Mt contre Mc : au v. 5, l'addition de l'article devant le verbe « semer »; au v. 7, le verbe *apopnigein* (« étouffer »), comme Mt, tandis que Mc a *synpnigein*. – En revanche, on ne tiendra pas compte ici des accords négatifs Lc/Mt contre Mc, car c'est toujours l'ultime Rédacteur marcien qui a glosé le texte du Mc-intermédiaire; on notera spécialement, au v. 4 de Mc, l'addition du verbe « il arriva », qui donne la structure *kai egeneto en tôi* + infinitif, jamais ailleurs dans Mc mais typique du style de Lc, attribuable donc à l'ultime Rédacteur marco-lucanien.

4. Mentionnons enfin le texte court attesté par Justin et Tatien (cf. vol. I, p. 109), qui pourrait être l'écho d'une forme très archaïque de la parabole dans laquelle on indiquait seulement la nature des divers terrains qui reçoivent la semence, laissant le lecteur imaginer le sort réservé aux grains. Les divergences entre le texte de Mc/Mt et celui de Thomas 9 pourraient alors s'expliquer comme des essais différents d'expliciter le texte archaïque de la parabole.

II. LE SENS DE LA PARABOLE

1. Dans le Document A dont le texte fut repris sans modifications notables par le Mc-intermédiaire, la parabole avait la structure suivante :

> Voici que sortit le semeur pour semer.
> Et comme il semait,
> du (grain) tomba le long du chemin
> et les oiseaux vinrent
> et le mangèrent.
> Et de l'autre (grain) tomba sur de la pierraille
> et le soleil se leva
> et il fut brûlé.
> Et de l'autre (grain) tomba dans les épines
> et les épines ont monté
> et l'ont étouffé.
> Et de l'autre (grain) tomba dans la bonne terre,
> et il a produit du fruit
> (de un) à trente.

a) La structure fondamentale de la parabole est commandée par la distinction de quatre sortes de terrains sur lesquels tombe la semence : chemin, pierraille, épines, bonne terre. On notera la progression : le grain est mangé à peine semé, il sèche à peine germé, il pousse mais est étouffé, il produit du fruit. Aux trois types de terrains stériles est opposée la terre fertile (cf. le même contraste dans la parabole des arbres qui cherchent un roi, en Jg 9 8-15 : on s'adresse d'abord à l'olivier, puis au figuier, à la vigne, et enfin à l'épine).

b) A la lumière de l'AT, le thème du semeur prend une valeur eschatologique. Selon les prophéties de Os 2 25 et de Jr 31 27, Dieu sèmera un peuple lors du renouvellement d'Israël; plus précisément, selon Za 6 12, le Messie sera le Germe divin envoyé à la terre : « Voici un homme dont le nom est Germe : où il est, quelque chose va germer. » En évoquant le geste du semeur (Dieu lui-même, ou le Christ? la parabole ne le précise pas; cf. encore note § 136), Jésus annonce donc l'ouverture de l'ère du salut. Mais, en opposant la bonne terre aux terrains stériles, il veut évoquer les vicissitudes de la prédication du royaume de Dieu : une série d'échecs, mais aussi le succès final. Un geste eschatologique a été posé, et, en dépit des oppositions et des refus, rien ne pourra faire échec au royaume qui vient, telle est l'assurance du semeur ! Cette parabole pourrait se rattacher à la dernière période du ministère galiléen, lorsqu'une grande partie du peuple s'éloigne de Jésus tandis qu'un petit groupe de disciples reste fidèle.

2. C'est le Mt-intermédiaire qui introduit, en finale de la parabole, la distinction entre trois types de fécondité des grains (v. 8), distinction préparée par la mise au pluriel des sujets des verbes au début des vv. 4.5.7.8. Ce changement fait glisser l'intérêt de la parabole de la nature des terrains à la qualité des semences. Ceci prépare une explication de la parabole où les hommes sont figurés, non plus par les terrains, mais par les grains semés; voir note § 129. Il n'est guère possible de déceler une intention théologique dans le changement effectué par le Mt-intermédiaire pour exprimer la façon dont est détruit le grain qui tombe sur la pierraille (cf. *supra*, I 2).

3. L'ultime Rédacteur marcien, de même école que l'ultime Rédacteur matthéen, s'est contenté d'harmoniser les textes de Mt et de Mc dans les exemples du grain qui tombe sur la pierraille et du grain qui tombe dans la bonne terre.

Note § **127.** *POURQUOI JÉSUS PARLE EN PARABOLES*

Après la parabole du semeur, les trois Synoptiques donnent un logion dans lequel Jésus explique pourquoi il parle aux foules en paraboles. Ce texte offre de sérieuses difficultés littéraires et historiques.

I. PROBLÈMES LITTÉRAIRES

1. *Le texte de Mt.* On peut y distinguer deux couches littéraires.

a) L'ultime Rédacteur matthéen a procédé à deux additions facilement discernables. *aa*) Il a ajouté le logion du v. 12, repris au Mc-intermédiaire qui le cite un peu plus loin (Mc **4** 25; cf. Lc **8** 18 : § 130); l'insertion ici de ce logion avait l'avantage de souligner l'opposition entre ceux à qui « il est donné » (mot-crochet : vv. 11a et 12 a) et les autres, à qui il n'est pas donné. Pour mieux insérer le logion du v. 12 dans son nouveau contexte, le Rédacteur matthéen a ajouté deux sutures rédactionnelles : « cela n'a pas été donné » (fin du v. 11) et « c'est pour cela que »... « je leur parle » (début du v. 13, formé d'après la question du v. 10b). – *ab*) La citation d'Is **6** 9-10, en Mt **13** 14-15, vient en surcharge après l'utilisation du même texte d'Isaïe (sous forme moins littérale) au v. 13; elle n'a d'ailleurs pas de parallèle dans Mc/Lc, et il faut l'attribuer à l'ultime Rédacteur matthéen. On notera toutefois qu'elle est introduite par une formule qui rompt avec les formules stéréotypées de l'ultime Rédacteur matthéen (**1** 22; **2** 15; **4** 14; etc.) et contient deux mots qui ne se lisent jamais ailleurs dans Mt et sont ignorés de Mc/Lc/Jn/Ac : « s'accomplir » (sous la forme *anaplèrousthai*) et « prophétie » (*prophèteia*); le texte de la citation est absolument conforme à celui de la Septante.

b) Ces additions mises à part, le texte de Mt **13** 10-11.13 (moins les sutures rédactionnelles signalées plus haut) remonte au Mt-intermédiaire; on verra qu'il est passé dans le proto-Lc sous une forme très voisine, et dans l'ultime rédaction marcienne moyennant de nombreuses retouches. Au v. 10, on aura remarqué le très matthéen « s'approchant »; l'expression « pourquoi » (*dia ti*) est conforme au style de Mt (7/3/5/5/1/5); les mots « parler en paraboles » se lisaient déjà dans l'introduction du discours en paraboles (Mt **13** 3) et se retrouveront dans la conclusion de Mt **13** 34. On reviendra sur l'origine de ce texte après en avoir dégagé le sens (II).

2. *Le texte de Lc.*

a) Il offre une incohérence particulièrement visible. Dans Mt, les disciples demandent à Jésus pourquoi il parle aux foules en paraboles (v. 10), et Jésus répond en donnant la raison d'être des paraboles (vv. 11 et 13), ce qui forme un récit parfaitement cohérent. Dans Lc au contraire, les disciples demandent à Jésus de leur expliquer le sens de la parabole qu'il vient de leur dire (v. 9), et l'on s'étonne que Jésus leur réponde en leur donnant la raison d'être des paraboles, en général. Il est clair que, par-delà le v. 10, la réponse à la question du v. 9 est donnée aux vv. 11 ss. Dans Lc, le v. 10 n'appartient donc pas à la même couche rédactionnelle que les vv. 9 et 11.

b) Le texte du v. 10 de Lc est très proche de celui du Mt-intermédiaire. Les divergences peuvent facilement s'expliquer comme des retouches de l'ultime Rédacteur matthéen ou de Lc (proto-Lc ou Rédacteur lucanien). On attribuera à l'ultime Rédacteur matthéen l'addition du participe « répondant », au v. 11 (formule *ho de apokritheis eipen*: 18/2/3/0/0/); au v. 13, le changement de « afin que... ne pas » (*hina... mè*) en « parce que... ne pas » (*hoti... ou*), leçon facilitante destinée à éviter l'affirmation que Jésus parlerait en paraboles *afin* d'endurcir le cœur des hommes. En revanche, c'est à Lc que l'on attribuera

le changement de « à ceux-là » (Mt/Mc) en « aux autres » (v. 10a), conforme à son vocabulaire (*hoi loipoi*: 3/1/6/0/5). Il est difficile de dire si, aux vv. 13 de Mt et 10b de Lc, c'est Mt qui ajoute le verbe « ils n'entendent pas » ou Lc qui le supprime.

c) On peut donc conclure des remarques précédentes : le v. 10 de Lc se lisait déjà dans le proto-Lc qui le tenait du Mt-intermédiaire; en revanche, les vv. 9 et 11 de Lc dépendent du Mc-intermédiaire et sont de l'ultime Rédacteur lucanien; ainsi s'explique le hiatus entre le v. 10 et les vv. 9 et 11 (sur les influences du Mc-intermédiaire sur Lc dans la parabole du semeur et son interprétation, voir notes §§ 126 et 129).

3. *Le texte de Mc.*

a) *L'introduction du v. 10.* Elle fait partie d'un ensemble qui a son parallèle exact en Mc **7** 14-19 :

Mc 4	Mc 7
	14 Et appelant à lui de nouveau la foule, il leur disait :
2b Il leur disait dans son enseignement :	
3a « Écoutez...	« Écoutez-moi tous et comprenez...
(parabole du semeur)	(parabole du v. 15)
10 Et quand il fut à l'écart	17 Et quand il fut entré dans une maison, hors de la foule,
ceux (qui étaient) autour de lui avec les Douze l'interrogeaient sur les paraboles;	ses disciples l'interrogeaient sur la parabole;
13 et il leur dit : « Vous ne savez pas cette parabole? Comment connaîtrez-vous toutes les paraboles? »	18a et il leur dit : « A tel point vous aussi vous êtes inintelligents! Ne comprenez-vous pas que...
14-20 : interprétation de la parabole du semeur.	18b-19 : interprétation de la parabole du v. 15.

Le parallélisme est évident; or, note § 155 (II B 3), on attribuera la structure de Mc **7** 14-19 au Mc-intermédiaire; il serait donc tentant d'attribuer également au Mc-intermédiaire la structure de Mc **4** 2b-20. Mais ce serait une erreur ! En fait, c'est l'ultime Rédacteur marcien qui a complété le texte du Mc-intermédiaire pour lui donner une structure analogue à celle de Mc **7** 14-19, comme il est facile de le prouver. Notons d'abord que l'ensemble du vocabulaire des vv. 10 et 13 de Mc ne se retrouve pas dans les parallèles de Lc **8** 9.11, qui dépendent pourtant du Mc-intermédiaire (cf. *supra*); on peut donc déjà soupçonner ici une très forte activité de l'ultime Rédacteur marcien. Elle nous est confirmée par une comparaison entre Mc **4** 10 et Mc **7** 17 (cf. *supra*); avant d'analyser les textes, il ne faut pas oublier que l'ultime Rédacteur marcien est un Rédacteur « marco-lucanien ». Au lieu de : « Et quand il fut entré » (*kai hote eisèlthen*), on a ici : « Et quand il fut » (*kai hote egeneto*); or l'expression *hote egeneto* ne se lit ailleurs que dans Lc/Ac (0/1/3/0/2/0). Au lieu de donner l'explication de la parabole « dans une maison » (cf. encore Mc **9** 33; **10** 10), Jésus la donne ici « à l'écart » (*kata monas*), expression qui ne se lit ailleurs dans le NT qu'en Lc **9** 18 (sept fois dans la Septante). Au lieu de mentionner simplement les « disciples », Mc **4** 10 a l'expression complexe « ceux (qui étaient) autour de lui avec les Douze »; mais d'une part, la formule « ceux (qui étaient) autour de » (*hoi peri* + accusatif) ne se lit jamais ailleurs dans Mc, qui préfère *hoi meta* + génitif (**1** 36; **2** 25; **5** 40) tandis qu'on la trouve une fois dans Lc (**22** 49) et deux fois dans Ac (**13** 13; **28** 7); d'autre part, la préposition signifiant « avec » est ici *syn*, très lucanienne (4/6/23/3/52); des six cas de Mc, plusieurs sont de l'ultime Rédacteur), au lieu de l'habituel *meta* (avec le génitif, quarante-trois fois dans Mc). Enfin, tandis qu'en Mc **7** 17 le verbe « interroger » est *eperôtân*, de saveur très marcienne (8/25/17/1/2), on a ici le simple *erôtân*, utilisé surtout par Lc et Jn (4/3/15/27/7/6; Mc **7** 26 est certainement de l'ultime Rédacteur marcien). Il faut donc se rendre à l'évidence : c'est l'ultime Rédacteur marco-lucanien qui a écrit le v. 10 de Mc en s'inspirant du parallèle de Mc **7** 17. On peut supposer alors que, dans le Mc-intermédiaire, les vv. 10 et 13 devaient avoir une teneur assez proche de celle des vv. 9 et 11 de Lc, qui en dépendent.

b) Le logion de Jésus.

ba) Comme dans Lc, le logion de Jésus sur la raison d'être des paraboles fut inséré après coup entre la parabole du semeur et son explication. Il est introduit par la formule : « et il leur disait » (*kai elegen autois*), typique dans Mc pour relier deux éléments primitivement indépendants. Par ailleurs, au v. 10, Mc nous dit que les familiers de Jésus « l'interrogent » sur « les paraboles »; malgré le pluriel, étrange puisque Jésus n'a encore donné qu'une seule parabole, il faut comprendre qu'ils demandent à Jésus *le sens* des paraboles, et donc en fait une explication de la parabole du semeur, comme en Lc **8** 9 dont la formulation est plus claire (et cf. Mc **7** 17). Il est certain, en effet, que la remarque de Jésus au v. 13 (§ 129) suppose que les disciples viennent de lui poser une question analogue à celle de Lc **8** 9. Dans Mc comme dans Lc, le logion sur la raison d'être des paraboles est hors de contexte puisqu'il se trouve inséré entre une question des disciples sur le sens de la parabole du semeur et l'interprétation de cette parabole. Il faut admettre que, dans Mc, il fut ajouté par l'ultime Rédacteur marcien sous l'influence du Mt-intermédiaire.

bb) Dans Mc, le logion des vv. 11 et 12 est nettement différencié par rapport à celui de Mt/Lc. Au v. 11, on a vu déjà que la formule « et il leur disait » (*kai elegen autois*) était de l'ultime Rédacteur marcien (opposer celle de Mt/Lc : « or... il dit », *ho de... eipen*); au lieu du pluriel « mystères », Mc a le singulier, ce qui correspond à un usage paulinien du terme (dans Paul, dix-huit fois au singulier contre trois fois au pluriel); au lieu de « il est donné de connaître les mystères » (Mt/Lc), Mc a « le mystère est donné », ce qui confère au mot « mystère » un sens spécial, nettement paulinien (cf. *infra*, II); l'expression « ceux du dehors » (*hoi exô*) ne se lit ailleurs que chez Paul et désigne toujours les païens (1 Th **4** 12; 1 Co **5** 12-13; Col **4** 5, juste après le mot « mystère »; cf. 1 Tm **3** 7); Mc ajoute encore au texte attesté par Mt/Lc l'expression

« tout arrive », qui donne au logion un sens paulinien (cf. *infra*, II) et contient un *ta panta* (« tout »), rare en dehors de Paul où il se lit vingt-neuf fois ! On notera en passant le démonstratif « ceux-là » (*ekeinos*), que Mc n'utilise jamais ailleurs comme pronom (cf. au contraire Mt **13** 11; **17** 27; **20** 4; **24** 43). Ce v. 11 de Mc se distingue donc du parallèle de Mt/Lc par un vocabulaire qui lui donne une coloration nettement paulinienne, ce qui trahit l'activité de l'ultime Rédacteur marcien (cf. Introd., II B **1** a). – Au v. 12, la citation de Is **6** 9-10 est donnée sous une forme plus complète et plus littérale que dans Mt/Lc; on notera que le « et ne voient pas », ajouté par Mc, correspond plus au texte de la Septante qu'à celui du texte hébreu ou du Targum (« vous ne comprendrez pas »); en revanche, l'addition finale : « de peur qu'ils ne se convertissent et qu'il ne leur soit pardonné », correspond au texte du Targum (l'hébreu et la Septante ont le verbe « guérir » au lieu de « pardonner »); cette traduction grecque, plus conforme au Targum, existait-elle dans les milieux pauliniens qui ont influencé la rédaction du logion dans Mc? C'est possible.

Au terme des analyses précédentes, on peut formuler les conclusions suivantes : le logion sur la raison d'être des paraboles ne se lisait pas dans le Document A, qui donnait à la suite la parabole du semeur et son explication par Jésus; il ne se lisait pas non plus dans le Mc-intermédiaire qui avait repris la séquence du Document A. C'est le Mt-intermédiaire qui a inséré ce logion aussitôt après la parabole du semeur. Du Mt-intermédiaire, il est passé dans l'ultime rédaction marcienne, affecté de nombreuses retouches qui lui donnent une tonalité nettement paulinienne; l'ultime Rédacteur marcien a aussi modifié les vv. 10 et 13 du Mc-intermédiaire (mieux conservés chez Lc) en s'inspirant de Mc **7** 14-19. Enfin, le logion se lisait dans le proto-Lc, qui le tenait du Mt-intermédiaire; comme le dernier Rédacteur lucanien a adopté le texte du Mc-intermédiaire aux vv. qui encadrent le logion (9 et 11), ce logion fait maintenant l'effet d'un corps étranger dans Lc comme dans Mc. – En précisant maintenant le sens du logion, on va par le fait même jeter quelque lumière sur son origine.

II. LE SENS DU LOGION

1. *Chez le Mt-intermédiaire.*

a) L'enseignement en paraboles est un procédé didactique bien connu de la tradition juive, spécialement chez les « rabbis » : on proposait une parabole afin de mieux se faire comprendre des gens simples en leur offrant un exemple qui, pris de la vie courante, était immédiatement accessible à tous. Et c'est bien ainsi que Jésus comprend la parabole : exemples très simples qui, d'ordinaire, se passent de toute explication (grain de sénevé, levain, trésor, perle, filet, cf. les paraboles suivantes); même la parabole du semeur (§ 126) n'a reçu d'explication que dans la tradition des Églises primitives (voir note § 129). S'il arrive que, dans certains cas, Jésus donne l'explication de la parabole, il le fait devant le même auditoire. Les exceptions confirment cette règle. En Mc 7 17 ss., les disciples demandent l'explication d'une parabole, mais Jésus leur reproche précisément de ne pas comprendre ce qu'ils auraient dû saisir d'eux-mêmes (Mc 7 18; on a d'ailleurs attribué Mc 7 17-19 au Mc-intermédiaire); il en va de même en Mc 4 10.13, et le v. 13 implique évidemment que, normalement, la parabole aurait dû être comprise sans plus d'explications.

b) Cette conception traditionnelle de la parabole est modifiée par le logion de Mt 13 11.13; il suppose que les paraboles de Jésus sont destinées à voiler l'enseignement du Christ, à le rendre incompréhensible aux foules. D'une façon plus radicale, le logion implique deux formes d'enseignement données par Jésus : la révélation des « mystères » du royaume, faite au petit groupe des disciples, et l'enseignement en paraboles, voilé, peu compréhensible, destiné aux foules et présenté comme un châtiment (cf. Lc 8 10b, qui a mieux gardé le texte du Mt-intermédiaire) en accord avec la prophétie de Is 6 9-10. Le logion de Mt 13 11.13 suppose un contexte de pensée que l'on retrouve dans certains textes du Document Q, tels que le logion de Mt 11 25-26 // Lc 10 21, où il est parlé de « révélation » (*apocalypsis*) faite aux « tout-petits » par opposition aux « sages » (voir note § 188). Nous nous trouvons en plein contexte de littérature « apocalyptique », dans la ligne de pensée du livre de Daniel; on notera d'ailleurs que le mot « mystère », qui ne se lit nulle part ailleurs dans les évangiles et les Actes, est un des mots-clefs du livre de Daniel. C'est donc certainement à des courants apocalyptiques de l'Église primitive qu'il faut attribuer la formulation du logion sur la raison d'être des paraboles, non à Jésus lui-même.

2. *Chez Mc.* Outre son vocabulaire paulinien (cf. *supra*), le texte de Mc offre deux divergences notables par rapport à celui

de Mt/Lc. Il ne s'agit plus de « connaître » les mystères, mais c'est le mystère lui-même (au singulier) qui est donné aux disciples; d'autre part, il n'est pas dit que Jésus parle en paraboles (Mt/Lc), mais que « tout arrive en paraboles ». Ces deux retouches apportées au texte du Mt-intermédiaire expriment une même orientation théologique : ce sont les *événements* eux-mêmes qui sont « paraboles », c'est-à-dire « signes » et « figures » des réalités eschatologiques. Aux disciples, c'est la réalité eschatologique elle-même qui est donnée; ils participent déjà au royaume dans sa réalisation mystérieuse. Au contraire, « ceux du dehors », i.e. les païens selon la terminologie paulinienne (cf. *supra*), ne possèdent pas la réalité du royaume; les événements qui marquent l'avènement du royaume, dans les paroles et les gestes de Jésus, ne sont que des énigmes qu'ils ne savent pas déchiffrer. On comparera cette conception du « mystère » à 1 Co 10 1-6 où les *événements* de l'Exode sont donnés comme « types » des réalités messianiques, et à Col 1 26-27 et surtout 2 2, où le « mystère » est le Christ lui-même dans sa réalité salvifique, et donc est un « événement ». On rapprochera également ce que Mc 4 11-12 dit de la parabole et ce que Paul dit du « parler en langues » en 1 Co 14 1 ss. : comme la parabole selon Mc, le parler en langues a pour objet les « mystères » de Dieu (au pluriel toutefois); ce mode d'exprimer les « mystères » est de soi incompréhensible aux autres et exige une « interprétation », une « explication » (1 Co 14 2.5.9.13.16); sans elle, il demeure incompréhensible, spécialement aux païens (14 23) qui ne peuvent arriver à la connaissance du vrai Dieu que par la « prophétie », non par le « parler en langues » qu'ils tiennent pour un langage de fous (14 23; cf. Mc 4 12).

Si l'on tient ces explications pour valables, on voit qu'il est vain de partir des singularités du texte de Mc pour retrouver le vrai sens du logion sur l'explication des paraboles, que l'on voudrait faire remonter à Jésus lui-même.

Note § 128. « *HEUREUX VOUS QUI VOYEZ* »

L'ultime Rédacteur matthéen a inséré ici un logion qu'il devait lire ailleurs dans le Mt-intermédiaire; comme il a son parallèle en Lc 10 23 s., où il est mieux en situation, il doit provenir du Document Q. Son insertion ici fut motivée par l'addition de la citation d'Is 6 9-10 (Mt 13 14-15), faite également par l'ultime Rédacteur matthéen (note § 127); les mots « heureux les yeux qui voient » du logion primitif (cf. Lc) faisaient en effet contraste avec ceux d'Is 6 10 : « de peur qu'ils ne voient de leurs yeux ». Pour mieux adapter le logion au contexte précédent (Mt 13 11), le Rédacteur matthéen l'a for-

mulé à la seconde personne du pluriel. D'autre part, il a ajouté un membre de phrase de façon à accentuer le contraste avec Isaïe :

Mt 13 16	Is 6 10 (Mt 13 15)
« Mais heureux vos yeux parce qu'ils voient et vos oreilles parce qu'elles entendent... »	« ... de peur qu' ils ne voient de leurs yeux et n'entendent de leurs oreilles. »

Voir le sens de ce logion à la note § 189.

Note § **129.** *EXPLICATION DE LA PARABOLE DU SEMEUR*

L'explication de la parabole du semeur est donnée par les trois Synoptiques; depuis longtemps elle a embarrassé les commentateurs parce que deux thèmes différents semblent s'y mêler. C'est ce problème que nous allons surtout discuter dans les analyses suivantes.

I. PROBLÈMES LITTÉRAIRES

A.

Avant d'aborder le problème des deux perspectives qui se mêlent dans les textes de Mt/Mc/Lc, il faut préciser un point important de Mt. Chez lui, l'explication de la parabole est étroitement liée au logion sur la raison d'être des paraboles (§ 127; ce logion fut ajouté, on l'a vu, par le Mt-intermédiaire). Au v. 19, en effet, Mt ajoute après : « entendant la parole du royaume », un nouveau participe : « et ne (la) comprenant pas » (*kai mè synientos*); au v. 23, il ajoutera de même le participe *kai synieis* (« et (la) comprend »); toute l'explication de la parabole du semeur se trouve ainsi encadrée par l'opposition « et ne comprenant pas », « et comprenant ». On retrouve ainsi le verbe qui terminait le logion sur le pourquoi des paraboles (§ 127) dans le Mt-intermédiaire : « ... ni ne comprennent » (*oude syniousin*, fin des vv. 13 de Mt et 10 de Lc; rappelons que les vv. 14-15 de Mt, comme le § 128, sont des additions de l'ultime Rédacteur matthéen). – Pour rendre plus visible ce lien entre les §§ 127 et 129, établi grâce au verbe « comprendre », le Mt-intermédiaire a voulu que ce verbe se lise dès le début du v. 19 afin d'être mieux mis en évidence; il a donc procédé à une inversion, visible quand on considère la structure du v. 19. Aux vv. 20-21, 22, 23, on trouve en tête de chaque exemple la formule : « Celui qui a été semé sur... », puis vient l'explication : « c'est celui qui entend »; au v. 19 au contraire, on a en tête l'explication : « A tout homme entendant », suivie de l'addition : « et ne (la) comprenant pas », tandis que la formule : « ... celui qui a été semé... », vient en fin du verset. Le Document A, source du Mt-intermédiaire, ne devait pas avoir une telle inversion (absente d'ailleurs de Mc/Lc) puisqu'il ignorait le logion du § 127 sur la raison d'être des paraboles.

B) LES DEUX EXPLICATIONS PARALLÈLES

L'explication de la parabole du semeur fut donnée selon deux modalités différentes qui interfèrent maintenant dans les textes de chacun des évangélistes. On peut le constater de deux manières complémentaires.

1. *Le sens des exemples.* La première manière est d'analyser le sens des quatre exemples de semailles.

a) Chez Lc. C'est chez Lc que le changement est le plus visible. Dans le premier exemple (vv. 11-12), il n'y a aucune ambiguïté quant à la valeur symbolique des deux principaux termes de la parabole : la parole de Dieu est symbolisée par la semence, selon l'équivalence explicite donnée au v. 11b; quant aux hommes, ils sont symbolisés par les terrains sur lesquels tombe la semence, comme on peut le conclure facilement du v. 12 (cf. la mention du « cœur » de l'homme qui a reçu la semence). Dans le second exemple (v. 13), on trouve déjà une certaine ambiguïté. La formule : « (ils) accueillent la parole », se comprend mieux dans l'hypothèse où les hommes sont symbolisés par les terrains; en revanche, la précision : « ceux-là n'ont pas de racines », ne peut guère se comprendre que si les hommes sont symbolisés par la semence et non par les terrains. Au troisième exemple (v. 14), c'est l'équivalence « hommes/semences » qui est franchement adoptée. En effet, les mots : « Ce qui est tombé dans les épines », ne peuvent désigner que la semence, et c'est elle qui symbolise « ceux qui ont entendu », donc les hommes; par ailleurs, ce sont les hommes qui « sont étouffés » par les soucis et la richesse, ce qui suppose évidemment une équivalence « hommes/semences ». Au quatrième exemple, toute ambiguïté est levée et l'on revient au symbolisme du premier exemple. En effet, en ajoutant : « d'un cœur bon et généreux », Lc met évidemment une équivalence entre le « cœur bon » de l'homme et la « bonne terre » qui reçoit la semence; par ailleurs, il ignore le passif du verbe « semer » de Mt/Mc, et il faut comprendre que c'est la « bonne terre », i.e. le « bon cœur » de l'homme qui « porte du fruit » (*karpophorousin;* en grec classique, ce verbe se dit aussi bien d'un terrain que d'un arbre ou d'une plante). Ainsi, dans le premier et le dernier exemples de Lc, les hommes sont symbolisés par les terrains, tandis que la parole de Dieu est symbolisée par la semence; dans le troisième exemple et, en partie, dans le second, les hommes sont symbolisés par la semence et non par les terrains.

b) Chez Mt. Dans les trois derniers exemples de Mt, il n'existe aucune ambiguïté : les hommes sont symbolisés, non par les terrains, mais par la semence; en effet, on dit d'eux qu'ils ont été « semés » (vv. 20a, 22a, 23a) et, au v. 23, on ajoute qu'ils portent du fruit : l'un cent (pour un), l'autre soixante, l'autre trente, ce qui ne se comprend que de semences de qualités différentes. Dans le premier exemple, les hommes sont d'abord identifiés à la semence, puis aux terrains, étant donné les mots : « (le Mauvais) emporte ce qui a été semé dans son cœur » (cf. Lc 8 12b), qui distinguent évidemment la « semence » et le « cœur » de l'homme.

c) Chez Mc. Dans le premier exemple de Mc (v. 15), il n'y a aucune ambiguïté. Même si l'on tient pour une addition de l'ultime Rédacteur marcien les mots : « où la parole est semée », qui identifient « parole » et « semence » (ces mots n'ont pas de parallèles dans Mt/Lc), la finale du verset reste claire; si Mc dit que Satan « enlève la parole qui a été semée en eux », c'est qu'il identifie les hommes aux terrains et la parole à la semence. Tout change à partir du deuxième exemple ! En effet, aux vv. 16a, 18a et 20a, il est dit des hommes qu'ils sont « semés »; ils sont identifiés à la semence et non aux terrains; au v. 20, ce sont les hommes/semences qui portent plus ou moins de fruit selon leurs qualités différentes (cf. Mt **13** 23).

Dans les trois Synoptiques, on passe donc de la double identification « hommes/terrains », « parole/semence » à la simple identification « hommes/semences », Lc revenant d'ailleurs au premier thème en finale du récit.

2. Mettons maintenant en parallèle, après les avoir traduites très littéralement, les formules qui introduisent les différents exemples de la parabole :

Mt **13**	Mc **4**	Lc **8**
19b celui-ci est le le long du chemin ayant été semé... 19a à tout entendant la parole...	15 ceux-ci sont les le long du chemin où est semée la parole et quand ils entendent...	12 or les le long du chemin sont les ayant entendu...
20 or le sur les pierrailles ayant été semé celui-ci est le. entendant la parole...	16 et ceux-ci sont les sur les pierrailles étant semés qui quand ils entendent la parole...	13 or les sur la pierre qui quand ils entendent...
22 or le dans les épines ayant été semé celui-ci est le entendant la parole...	18 et d'autres sont les dans les épines étant semés ceux-ci sont les ayant entendu la parole...	14 or le dans les épines étant tombé ceux-ci sont les ayant entendu...
23 or le sur la bonne terre ayant été semé celui-ci est le entendant la parole...	20 et ceux-là sont les sur la bonne terre ayant été semés qui entendent la parole...	15 or le dans la bonne terre ceux-ci sont qui... ayant entendu la parole...

a) On remarque tout de suite que les formules des trois derniers exemples de Mt sont de structure rigoureusement identique. Dans le premier exemple, outre l'inversion dont il a été parlé plus haut (cf. I A), Mt place la formule « celui-ci est » avant les mots « le le long du chemin » et non avant « entendant la parole », ce qui correspond à la structure de Mc dans les premier, deuxième et quatrième exemples. Cette anomalie du texte de Mt rejoint l'anomalie relevée plus haut concernant les identifications. Dans le premier exemple, Mt a l'identification « hommes/terrains » et il place la formule « celui-ci est » avant les mots « le... ayant été semé », ce qui le rapproche de la structure de Mc ; dans les trois autres exemples, il adopte l'identification « hommes/semences » et place « celui-ci est » avant « le entendant la parole ».

b) Le comportement de Mc est tout aussi intéressant à analyser. Dans le premier exemple, il a la structure : « ceux-ci sont les... quand ils entendent », et l'identification « hommes/ terrains ». Dans le deuxième exemple, il garde la même structure mais ajoute le participe « étant semés », comme dans Mt, ce qui donne une identification « hommes/semences ». Dans le troisième exemple, il combine les structures marcienne et matthéenne. La deuxième partie : « ceux-ci sont les ayant entendu la parole », correspond à la structure matthéenne ;

la première partie correspond à la structure marcienne avec remplacement de « ceux-ci » par « d'autres ». Dans le quatrième exemple, la structure se rapproche de celle du deuxième exemple. Ainsi dans Mc, c'est à partir du v. 16 (deuxième exemple) que les formules matthéennes apparaissent de façon plus ou moins prononcée ; c'est aussi à partir du v. 16 que Mc abandonne l'identification « hommes/terrains » pour adopter l'identification « hommes/semences ».

c) Lc se rapproche tantôt de Mc tantôt de Mt de façon très peu cohérente ; on notera simplement que c'est dans le troisième exemple qu'il se rapproche le plus de Mt ; or c'est là aussi qu'il adopte le plus radicalement l'identification matthéenne « hommes/semences ».

On peut donc dire qu'aux deux sortes d'identifications symboliques correspondent deux structures littéraires différentes. A l'identification « hommes/terrains » correspond la structure marcienne : « ceux-ci sont les... qui quand ils entendent... » ; à l'identification « hommes/semences » correspond la structure matthéenne : « or le... ayant été semé celui-ci est le entendant la parole... ».

3. Puisque les trois Synoptiques commencent par donner l'identification « hommes/terrains », on peut penser que c'était

celle du Document A. Le remplacement de l'identification « hommes/terrains » par « hommes/semences » s'est fait dans le Mt-intermédiaire, qui a cependant incomplètement changé la forme du premier exemple, où l'on trouve encore un écho de l'identification « hommes/terrains ». Du Mt-intermédiaire, l'identification « hommes/semences » est passée dans l'ultime rédaction marcienne à partir du second exemple, où les formules matthéennes commencent à remplacer plus ou moins les formules marciennes. Le proto-Lc devait avoir l'identification « hommes/semences » comme le Mt-intermédiaire; l'identification « hommes/terrains » fut introduite de façon plus ou moins complète par l'ultime Rédacteur lucanien sous l'influence du Mc-intermédiaire.

II. PROBLÈMES HISTORIQUES

1. Comme le montre l'analyse littéraire (cf. I), la parabole du semeur a reçu deux types d'interprétation qui interfèrent l'un avec l'autre au niveau des traditions et des rédactions évangéliques.

a) Dans le Document A (cf. Mc **4** 14-15; Lc **8** 11b-12), la semence représente fondamentalement la parole de Dieu; les quatre terrains désignent les hommes avec leurs dispositions variées à l'égard de cette parole. Ce thème de la parole reçue dans le « cœur » de l'homme n'est pas spécifiquement grec, comme on l'a prétendu parfois, mais dépend probablement de Dt **30** 14 : « La Parole n'est pas loin de toi, elle est dans ton cœur » (cf. Jr **31** 31 ss.).

b) Cette interprétation est supplantée dans le Mt-intermédiaire par une autre : les hommes y sont figurés, non plus par les terrains qui reçoivent la semence, mais par la semence elle-même qui finalement, tombant dans la bonne terre, porte des fruits plus ou moins abondants selon sa qualité. Cette nouvelle interprétation de la parabole est bien dans la ligne de la tradition matthéenne, comme le montre la parabole de l'ivraie, propre à Mt (§ 132), mais trouve aussi de bons parallèles dans la tradition juive (4 Esdr. 8 *41*).

c) Dans l'une et l'autre interprétation, une grille allégorique guide le lecteur : les trois images de la perte des grains sont rapportées maintenant à trois classes d'hommes; de même, le thème des oiseaux perd son caractère descriptif et sert de masque au personnage de Satan, etc.

d) Quant à Lc, il se montre assez indépendant de ses sources, de façon à mieux exploiter les applications ecclésiales de la parabole : il met mieux en relief l'identification « semence/ parole » (cf. 1 P **1** 23); il introduit le thème de la foi (vv. 12-13) et remplace le verbe « ils succombent » (litt. « ils sont scandalisés ») par « ils font défection » (litt. « ils se détournent ») qui évoque mieux l'apostasie de certains fidèles.

2. Il n'y a pas d'objection de principe à ce que Jésus ait interprété la parabole devant ses disciples, et le fait que l'explication transforme la parabole en allégorie ne serait pas une raison suffisante pour lui en refuser la paternité. Mais d'autres objections se présentent.

a) L'explication de la parabole trahit un glissement de perspective par rapport à la parabole elle-même; l'attention se détache de l'horizon eschatologique formé par l'irruption du royaume et se porte sur la conduite des chrétiens, thème psychologique de la parénèse ecclésiale.

b) L'explication de la parabole suppose une élaboration théologique et des préoccupations pastorales qui sont celles des premières communautés chrétiennes. Jamais ailleurs dans les Synoptiques Jésus n'utilise, sans complément, ce terme de Parole qui est un terme technique forgé par l'Église primitive pour désigner l'évangile (Mc **2** 2; **4** 33; **8** 32; Lc **1** 2); « recevoir la Parole », c'est accueillir la prédication évangélique (Ac **17** 11; 1 Th **1** 6; **2** 13; Jn **1** 12; Jc **1** 21); cette Parole « croît » (Ac **6** 7; **12** 24; **19** 20) et « porte du fruit » (Col **1** 6). Ainsi est effectuée notre nouvelle naissance par la Parole qui agit en nous en vue de nous faire aimer le prochain (1 P **1** 22-25; Jn **1** 12-13; 1 Jn **3** 9; Jc **1** 18).

c) La parabole du semeur d'une part, son explication d'autre part, n'appartiennent pas aux mêmes couches rédactionnelles. Mc **4** 10, qui introduit l'explication de la parabole (voir note § 127), ignore le contexte géographique de Mc **4** 2 qui introduit la parabole elle-même. Le verbe « porter du fruit » (*karpophorein*, Mc **4** 20 et par.) est de forme plus grecque que les expressions « donner du fruit » (Mc **4** 8) ou « faire du fruit » (Lc **8** 8). L'expression « homme d'un moment » (Mt **13** 21; Mc **4** 17) est un hellénisme qui n'a pas d'équivalent en araméen. Mc **4** 16 ss. et par. suppose une distinction entre « entendre » et « recevoir » qui n'existe pas en araméen, le même verbe ayant les deux significations. Il faut remarquer enfin en Mc **4** 17 et Mt **13** 21 une accumulation d'expressions qui ne se retrouvent que peu ou pas dans les évangiles, mais qui sont fréquentes dans le reste du NT, spécialement dans les Actes et Paul : « les soucis du monde », la « tromperie », la « richesse », les « désirs », les « tribulations » et « persécutions ». Tout ceci évoque un christianisme aux prises avec les difficultés du monde.

Pour toutes ces raisons, on peut légitimement conclure que, sous la forme où elle nous est parvenue, l'explication de la parabole demande à être comprise comme une composition de l'Église primitive. On remarquera d'ailleurs que Justin, qui connaît peut-être la forme la plus archaïque de la parabole (voir note § 126), semble en ignorer l'interprétation du § 129 puisqu'il donne à la parabole une portée, non pas parénétique, mais apostolique : « Dans l'espoir donc qu'il y ait quelque part de la bonne terre, il faut parler... » (Dial. 125 *2*).

Note § **130.** *COMMENT RECEVOIR L'ENSEIGNEMENT DE JÉSUS*

Entre l'explication de la parabole du semeur et la parabole de la semence qui croît d'elle-même, Mc insère une série de logia dont presque tous ont leur équivalent dans le Document Q. Il est suivi assez fidèlement par Lc, tandis que Mt, dans ce contexte de paraboles, n'a que le dernier logion (Mc 4 25), qu'il place au § 127, où Jésus donne la raison d'être des paraboles. On peut se demander si Mc n'a pas connu ces divers logia déjà répartis en deux groupes plus ou moins homogènes, chacun des deux groupes étant introduit par l'expression : « et il leur disait » (vv. 21 et 24).

I. LE PREMIER GROUPE DE LOGIA

Mc donne d'abord trois logia différents : le premier (v. 21; cf. Lc 8 16) a son équivalent en Mt 5 15 // Lc 11 33 (Document Q); le second (v. 22; cf. Lc 8 17) a son équivalent en Mt 10 26 // Lc 12 2 (Document Q); le troisième (v. 23), absent ici de Lc, est une simple reprise du logion qui termine la parabole du semeur (Mc 4 9 et par.). Dans Mc, les deux premiers logia forment une certaine unité, non seulement parce qu'ils sont introduits par le même « et il leur disait », mais encore en raison du « car » explicatif qui introduit le second logion (début du v. 22) et de l'inclusion que Mc seul a gardée : « est-ce que *vient* la lampe... mais pour *qu'il vienne* à (être) manifesté ».

1. *Le premier logion* revêt une forme assez différente dans Mc et dans les trois autres parallèles (même Lc 8 16 a été harmonisé d'après Lc 11 33). Sur ces divergences littéraires, voir note § 52, III. Dans Mt 5 15, la « lampe » symbolise l'enseignement de Jésus, qui doit illuminer tous les hommes. Dans Mc 4 21 et Lc 8 16, il en va de même, mais en référence plus étroite à l'enseignement en paraboles, étant donné le contexte. Il semble que, pour Mc, la problématique soit celle de la raison d'être des paraboles. Jésus donne son enseignement sous le revêtement de paraboles difficiles à comprendre (cf. Mc 4 13); c'est comme une lampe cachée sous le boisseau ou sous le lit. Mais tout s'éclaire quand Jésus donne l'explication de la parabole (cf. § 129) : la lampe n'est plus alors sous le boisseau, mais sur le lampadaire. Dans la perspective de Mc, le logion voudrait donc dire que toute parabole doit finalement avoir son explication pour que l'enseignement de Jésus soit compris.

2. *Le second logion* prolonge l'enseignement du premier : « rien n'est caché » (l'enseignement en paraboles), « sinon pour qu'il soit manifesté » (dans l'explication des paraboles). Dans le Document Q (Mt 10 26-27; Lc 12 2-3), il s'agit aussi de l'enseignement de Jésus, mais sans référence aux paraboles : Jésus enseigne ses disciples comme en secret, mais plus tard ils devront proclamer bien haut ce que Jésus leur a enseigné. Notons que Lc 12 2, venant après une mise en garde contre l'hypocrisie des Pharisiens, semble indiquer que les mauvaises pensées des Pharisiens, maintenant cachées, seront dévoilées

plus tard, probablement au jour du Jugement (voir note § 204); c'est une interprétation semblable du logion que donne encore Thomas 6 (voir Vol. I, p. 51, 3e registre). Ceci nous montre combien un même logion de Jésus pouvait recevoir d'interprétations diverses, selon les contextes qu'on lui donnait.

Du point de vue littéraire, Lc 8 17 harmonise avec le logion parallèle du Document Q : la conjonction finale (*hina*) devient un relatif, et l'expression « qui ne sera connu » vient en surcharge. Par ailleurs, dans Mc/Lc, les deux parties du logion sont trop semblables pour que l'on puisse parler d'un parallélisme synonymique de style sémitique; on se trouve en présence d'une simple répétition de la même phrase, moyennant quelques retouches stylistiques, qu'il est difficile d'expliquer.

Notons enfin que la différence entre Mc (« pour qu'il soit... ») et Mt/Lc (« qui ne sera... ») pourrait provenir de deux traductions différentes d'un même original araméen, la particule *di*, en araméen, pouvant être prise pour une conjonction finale ou pour un relatif.

3. *Le troisième logion*, en Mc 4 23, qui n'a pas de parallèle en Lc, est une simple reprise de Mc 4 9 et par. Le but de cette reprise est peut-être d'introduire le logion suivant, où il est aussi question d' « entendre ».

II. LE SECOND GROUPE DE LOGIA

Comme le premier, il est introduit par la formule rédactionnelle « et il leur disait ». Il semble, à première vue, que l'on soit chez Mc en présence de trois logia différents : un premier (v. 24a), qu'il a en commun avec Lc mais n'a pas d'équivalent dans le Document Q; un second (v. 24b), qui n'est pas ici dans Lc mais a son équivalent dans le Sermon sur la montagne (cf. Mt 7 2 // Lc 6 38); un troisième enfin (v. 25), qu'il a en commun avec Lc et Mt (mais ce dernier au § 127), et qui a aussi son équivalent dans le Document Q (Mt 25 29 // Lc 19 26). Il est possible cependant que Mc 4 24b, dont la formulation est exactement celle de Mt 7 2, avec simplement une clause en plus, soit une addition de l'ultime Rédacteur marcien; on aurait eu alors primitivement un seul logion, comme dans Lc, le v. 24a n'étant que l'introduction du v. 25.

1. La remarque de Jésus : « Prenez garde à ce que vous entendez », concerne encore l'enseignement en paraboles : il faut prêter aux paraboles de Jésus toute son attention, de façon à bien comprendre leur enseignement.

2. Mc 4 24b semble un élément aberrant. Il s'agit d'un principe de droit appliqué lorsque quelqu'un doit rendre à une autre personne des denrées « mesurables » qu'elle lui a empruntées (voir note § 68). En Mc, le logion perd son sens initial, et il est difficile de lui en trouver un satisfaisant ! Pour Mc, la « mesure dont vous mesurez » correspond-elle à l'attention

que l'on a mise à écouter les paraboles ? Il faudrait en conclure que plus on aura fait attention, plus on recevra de lumière pour comprendre.

3. Le dernier logion doit encore concerner l'enseignement en paraboles, comme l'a compris Mt qui le place au § 127. L'idée sous-jacente est qu'il faut faire attention à l'enseignement de Jésus (cf. la séquence dans Lc); celui qui aura retenu l'enseignement recevra plus de lumière; celui qui n'aura pas **fait attention perdra tout ! On notera** la forme paradoxale du logion, très sémitisante : « même ce qu'il a lui sera enlevé »; Lc a corrigé le paradoxe en disant : « ce qu'il croit avoir ».

On est étonné de cette accumulation de logia, chez Mc où ils sont rares, d'autant plus qu'ils ne se rattachent pas sans difficulté au contexte de l'enseignement en paraboles. Leur contexte est certainement meilleur dans les parallèles de Mt ou de Lc tirés du Document Q. Ils ont été insérés là par le Mc-intermédiaire puisqu'ils se lisent aussi dans Lc.

Note § **131.** *PARABOLE DE LA SEMENCE QUI CROIT D'ELLE-MÊME*

Cette parabole, propre à Mc, se trouve située entre la parabole du semeur (§ 126) et celle du grain de sénevé (§ 133); dans ces trois paraboles, il s'agit d'une semence qui, jetée en terre, va germer et grandir; d'où leur rapprochement dans Mc.

I. LE TEXTE ACTUEL DE MARC

1. La parabole comprend les développements suivants : *a)* Le v. 26 forme introduction donnant l'intention générale de la parabole (croissance du royaume) et le fait, tiré de la vie agricole, qui va permettre les développements ultérieurs. *b)* Les vv. 27 et 28 sont construits sur une opposition évidente : la semence germe, pousse, forme son épi et produit du blé; mais l'homme qui a semé n'a rien à voir avec cette croissance : toute la puissance mystérieuse qui fait germer et pousser le blé vient *de la terre*. *c)* En conclusion, une citation de Jl 4 13 évoque le jugement eschatologique.

2. Il est difficile de saisir la « pointe » de cette parabole. Selon certains, Jésus voudrait dire que, le royaume de Dieu étant maintenant « semé » sur la terre, rien ne pourra entraver sa progression jusqu'au jugement final (mais d'où vient l'insistance sur le fait que c'est *la terre* qui, d'elle-même, produit du fruit?). – Selon d'autres, la « pointe » serait tournée contre les impatients qui voudraient une intervention immédiate de Dieu amenant le jugement eschatologique. Jésus répondrait : puisque les semailles ont été faites, par la prédication du royaume, il faut, comme le paysan, attendre avec patience l'heure du jugement (cf. Jc 5 7-8). – D'autres voient dans la parabole une affirmation que le royaume de Dieu est déjà là; l'eschatologie est arrivée et il faut moissonner en annonçant partout la parole de Dieu (Mt 9 37 s.; Jn 4 35 ss.).

II. ÉVOLUTION POSSIBLE DE LA PARABOLE

1. Sous sa forme marcienne actuelle, la parabole offre plusieurs difficultés.

a) La principale vient de la citation de Jl 4 13. En effet elle est peu en situation; dans la tradition biblique, elle évoque l'image du Juge qui vient « moissonner » les impies (Jl **4** 12-16; Is **17** 5s.; **27** 12; Ap **14** 14-16); or ici, la « moisson » désigne plutôt le rassemblement du bon grain dans les greniers du royaume de Dieu (cf. Mt **13** 30). Par ailleurs, dans la parabole, c'est le même homme qui sème, n'a rien à voir avec la croissance du blé, et fait ensuite la moisson; or, si c'est Dieu qui doit faire la « moisson » eschatologique, ce ne peut être lui qui ignore comment germe et croît la semence ! Il y a donc un hiatus entre la citation de Jl **4** 13 et le reste de la parabole; comme certains l'ont pensé, c'est un ajout; nous l'attribuerons avec vraisemblance à l'ultime Rédacteur marcien.

b) On ne voit pas bien le sens de la remarque faite au v. 27 à propos du semeur : « et qu'il dorme et qu'il soit éveillé... » De même, la formule « comme il ne sait pas » (fin du v. 27) est étrange.

c) Enfin, les commentateurs insistent sur l'identification entre « royaume de Dieu » et « semence », celle-ci portant en elle une puissance de vie qui la fait germer et porter du fruit. Mais le v. 28 donne une autre perspective : c'est *la terre* qui, d'elle-même (*automatè*), produit du fruit. Ne faut-il pas en conclure que la pointe de la parabole portait primitivement sur la puissance vivifiante de la terre?

2. Ces difficultés invitent alors à considérer d'autres textes qui offrent des rapports avec cette parabole. Le plus intéressant est celui de 1 Clément 24 *1.4* s. (cf. vol. I, p. 114). Clément veut donner une preuve, tirée de la nature, de la résurrection future; il prend comme exemple la semence qui, jetée en terre, commence par se dissoudre; puis Dieu la fait « lever » (i.e. « ressusciter », même mot en grec); le grain semé est un mystère de mort (corruption) et de résurrection, comme le dit encore explicitement le texte de Jn **12** 24 mis en parallèle avec celui de Mc. Or on sait que ce mystère de « mort » et de « résurrection » fut communément exprimé, dans la tradition chrétienne, au moyen des images du « sommeil » et du « réveil » (cf. les textes de Théophile et d'Irénée cités vol. I, p. 114). On peut alors se demander si, dans Mc 4 27, le thème du sommeil et du réveil ne se serait pas appliqué primitivement à la semence, et non au semeur... La réflexion de

Mc 4 27 : « comme il ne le sait pas », ne ferait-elle pas écho au problème posé par 1 Co 15 35 : « Comment s'éveillent les morts ? » Enfin on comprendrait l'insistance de la parabole sur la puissance vivificatrice de la terre (et non de la semence), évoquant alors le thème de la « Terre-mère » d'où provient toute vie. Ce ne sont là évidemment que des suggestions (A. Resch), mais qui méritaient d'être proposées aux chercheurs.

3. Quelle que soit la forme primitive de la parabole, on peut s'interroger sur son origine. Le fait qu'elle soit ignorée de Mt et de Lc, comme aussi ses rapports littéraires avec Jn 12 24, feraient penser au Document C, utilisé par Mc et par Jn. Mais ce n'est évidemment qu'une hypothèse difficile à vérifier.

Note § **132.** *PARABOLE DE L'IVRAIE*

I. Cette parabole de l'ivraie est propre à Mt. Elle s'apparente à d'autres paraboles que Mt est seul à donner, comme celle du filet (Mt 13 47-50, § 138) ou celle du jugement dernier (Mt 25 31-46, § 307), et offre d'indéniables rapports également avec les menaces du Baptiste rapportées en Mt 3 12 // Lc 3 17 (§ 22). Sa « pointe » est facile à saisir. On voit que le royaume des Cieux, tel qu'il apparaît sur la terre, contient mêlés le meilleur et le pire : le blé et l'ivraie. Impatients, les serviteurs du maître de maison voudraient sans plus tarder arracher l'ivraie pour qu'il ne reste plus que le blé. Mais Jésus répond que c'est au temps de la moisson seulement, donc lors du jugement eschatologique, que l'ivraie sera arrachée et brûlée. Cette parabole répond à une objection fondamentale soulevée par le comportement de Jésus. Son action ne semblait pas orientée dans le sens des promesses eschatologiques telles qu'on pouvait les lire dans Is 60 21, par exemple : « Ton peuple ne sera composé que de justes qui posséderont pour toujours le pays. Rejeton des plantations de Yahvé, tu seras l'œuvre de mes mains faite pour être belle. » Certains courants religieux du judaïsme (Pharisiens, anachorètes de Qumrân) et jusqu'au Baptiste (Mt 3 12 et par.) envisageaient, pour l'ouverture des temps messianiques, la constitution d'une communauté pure, excluant les pécheurs. Pourquoi alors, les temps messianiques étant arrivés, les pécheurs vivent-ils encore au milieu des justes ? Cette parabole veut montrer que, conformément à la loi traditionnelle de la « rétribution », il y aura bien une séparation des bons et des méchants, mais cette séparation n'aura lieu que plus tard, lors de la « moisson ».

Comme les autres paraboles propres à Mt, cette parabole de l'ivraie peut répondre à des préoccupations de certains milieux judéo-chrétiens dont Mt se fait l'écho. Mais elle correspond en fait à l'attitude concrète de Jésus : loin d'éliminer les pécheurs, il les fréquente (cf. Mt 9 10-13 et par., § 92). Il se refuse à créer une communauté de « parfaits »; il rassemble au contraire autour de lui une communauté vivant sous le signe de la miséricorde et de la patience de Dieu.

II. Il est probable que le texte actuel de Mt dépend d'un texte plus archaïque, moyennant quelques modifications.

1. Cette parabole se lit également dans l'évangile de Thomas (Thomas 57, voir vol. I, 3ᵉ registre); sans doute, nous avons là plutôt un résumé de la parabole, mais le tout est de savoir si ce résumé fut effectué à partir du Mt actuel ou d'une autre forme de texte assez voisine. La parabole est aussi citée intégralement par Épiphane, qui connaît souvent des traditions parallèles à celles des Synoptiques. Or, il existe un certain nombre d'accords entre Thomas et Épiphane contre le texte actuel de Mt. Tous deux commencent par la formule : « Le royaume... est semblable à », qui est la formule matthéenne la plus courante, tandis que Mt 13 24 a : « Le royaume... a été comparé à ». Thomas et Épiphane omettent le v. 26 de Mt, assez étrange car si l'ivraie n'apparaît que lorsque le blé est déjà en épi, quel besoin de l'arracher ? Thomas et Épiphane utilisent le même verbe « déraciner » à propos de l'ivraie et du blé, tandis que Mt a tantôt « ramasser » (vv. 28.29), tantôt « déraciner » (v. 29). Il existe donc des contacts entre Thomas et Épiphane qui pourraient indiquer l'utilisation d'une source légèrement différente du Mt actuel.

2. Bien mieux, certaines expressions d'Épiphane pourraient être plus archaïques que les expressions correspondantes de Mt. Épiphane parle d'un « homme maître de maison », tandis que Mt 13 24 a simplement un « homme »; or l'expression d'Épiphane est bien dans le style de Mt (cf. Mt 13 52; 20 1; 21 33). A cet « homme maître de maison », dans Épiphane, s'oppose un « homme ennemi », tandis que Mt a simplement « son ennemi », et n'emploiera l'expression « un homme ennemi » qu'au v. 28; ici encore, Épiphane semble avoir un texte meilleur que celui de Mt. On notera enfin la formule concise d'Épiphane : « d'où (vient) donc l'ivraie ? », plus primitive que celle de Mt 13 27 : « d'où (vient) donc qu'il y a de l'ivraie ? ».

3. Ces diverses remarques nous invitent à mettre en doute l'authenticité de la finale du texte de Mt 13 30 : « mais le blé, recueillez-le dans mon grenier. » Dans Thomas 57, il est question seulement de brûler l'ivraie. La finale d'Épiphane est étrange : il mentionne bien le fait de recueillir le blé dans le grenier, mais cette mention est insérée maladroitement entre l'ordre de lier l'ivraie en bottes et l'ordre de la brûler; on a l'impression d'une insertion tardive de scribe. D'ailleurs, dans l'explication de la parabole de l'ivraie (§ 136), Épiphane ne fera aucune allusion au sort du blé, mais mentionnera seulement le sort de l'ivraie jetée dans la fournaise. Il est donc probable que le texte primitif de la parabole ne mentionnait, en finale, que le fait de brûler l'ivraie (cf. Mt 13 49-50 !), et que la phrase : « mais le blé, recueillez-le dans mon grenier », est une insertion de l'ultime Rédacteur matthéen, inspirée de Mt 3 12 (§ 22). Thomas 57 et Épiphane dépendraient alors, non du Mt actuel, mais du Mt-intermédiaire.

4. Il est difficile de dire à quelle source le Mt-intermédiaire a repris cette parabole.

Note § **133.** *PARABOLE DU GRAIN DE SÉNEVÉ*

Cette parabole se lit dans les trois Synoptiques, mais nous a été transmise selon deux traditions différentes.

I. PROBLÈMES LITTÉRAIRES

1. *La parabole du Document Q.*

a) Exception faite de la formule qui sert à introduire la parabole, tous les éléments du texte de Lc (v. 19) se lisent également chez Mt, en termes souvent identiques. Comme Mt et Lc donnent ensuite la parabole du levain (inconnue de Mc), de structure analogue, ils dépendent certainement de la même source, le Document Q, qui donnait à la suite les deux paraboles jumelles.

b) Comparons alors la structure de ces deux paraboles :

Lc **13** 19	Lc **13** 21
Il est semblable à un grain de senévé qu'un homme, ayant pris, a jeté dans son jardin, et il a grandi et il est devenu un arbre, et les oiseaux du ciel s'abri- tèrent dans ses branches.	Il est semblable à du levain qu'une femme, ayant pris, a caché dans trois mesures de farine jusqu'à ce que le tout ait levé.

On voit tout de suite que, dans la parabole du grain de senévé, les mots : « et les oiseaux... branches », sont de trop ; ils ont dû être ajoutés à la parabole primitive sous l'influence du texte parallèle attesté par Mc et qui provient, on le verra, du Document A. Ce serait donc le Mt-intermédiaire qui aurait fait cet ajout, puisqu'il suit d'ordinaire le Document A, ajout qui serait passé ensuite dans le proto-Lc.

c) Pour quelques détails de leur texte commun, Lc apparaît d'ordinaire plus primitif, avec ses sémitismes « jeter » une graine (Mt : « semer ») et « devenir un arbre » (*egeneto eis*, intraduisible en français). Ces notes plus primitives de Lc peuvent s'expliquer de deux façons : le proto-Lc les tiendrait directement du Document Q, et il dépendrait donc à la fois de ce Document et du Mt-intermédiaire (pour l'addition de la finale) ; le proto-Lc ne dépendrait que du Mt-intermédiaire et ce serait l'ultime Rédacteur matthéen qui aurait retouché le texte du Mt-intermédiaire dans un sens moins sémitique. Il est impossible de choisir entre ces deux solutions.

2. *La parabole dans le Document A.*

a) Le texte de Mc est très différent de celui du Document Q puisqu'il n'a en commun que l'expression inévitable « grain de senévé » (dans Mt/Lc, la finale concernant les oiseaux du ciel est, on l'a vu plus haut, une addition du Mt-intermédiaire). Il dépend donc d'un autre Document. Et puisque le texte qu'il suit a influencé le Mt-intermédiaire, ce Document ne peut être que le Document A.

b) Dans le texte de Mc, on notera la répétition insolite « quand il est semé » (*hotan sparèi*), suivie ou précédée de l'expression « sur la terre » ; de telles répétitions sont classiques et trahissent presque toujours un ajout, situé entre les termes répétés ; ici, l'ajout serait donc : « étant plus petit que toutes les semences sur la terre et quand il est semé ». Mais il est difficile de séparer de cet ajout les mots du v. 32 : « et devient plus grand que toutes les plantes potagères », étant donné l'opposition « plus petit que » / « plus grand que ». Il est facile de saisir le but de ces deux additions, pratiquées probablement par le Mc-intermédiaire ; un paysan de Galilée connaissait bien le grain de senévé ; point n'était besoin de lui préciser que cette semence était minuscule mais qu'elle pouvait produire un arbuste relativement grand ; l'opposition « plus petit que... plus grand que... » ne fait qu'expliciter pour un citadin ou pour des gens étrangers à la Palestine ce que savait tout paysan de Galilée. Dans le Document A, la parabole devait donc avoir cette forme :

« (C'est) comme un grain de senévé qui, quand il est semé sur la terre, ( ) monte ( ) et fait de grandes branches en sorte que les oiseaux du ciel peuvent s'abriter sous son ombre. »

c) Dans le Mt-intermédiaire, la parabole du grain de senévé devait se lire à une autre place, immédiatement suivie par la parabole du levain ; elle provenait, on l'a vu plus haut, du Document Q. Le Mt-intermédiaire ne devait pas avoir conservé la forme de la parabole qu'il lisait dans le Document A ; il s'était contenté de compléter la parabole du Document Q en y ajoutant le thème des oiseaux qui s'abritent dans l'arbre. C'est l'ultime Rédacteur matthéen qui a placé ici cette parabole, en partie sous l'influence du Mc-intermédiaire, en partie pour étoffer davantage son « discours » en paraboles. C'est sous l'influence du Mc-intermédiaire qu'il a apporté au texte du Document Q (opposer Lc) les modifications suivantes : changement du verbe « jeter » (Lc) en « semer » ; addition de « qui est plus petit que toutes les semences » ; devant le verbe « il a grandi », remplacement de « et » (Lc) par « quand » (*hotan*) ; addition de « il est plus grand que les plantes potagères » ; enfin, avant le thème des oiseaux du ciel, remplacement de « et » (Lc) par « en sorte que » (*hôste*).

II. SENS DE LA PARABOLE

1. La forme la plus primitive de la parabole est celle du Document Q (Lc/Mt), qui s'arrêtait avant les mots « et les oiseaux du ciel... » Comme les paraboles du semeur (§ 126), de la semence qui croît d'elle-même (§ 131), du levain (§ 134), celle du grain de senévé est construite sur un contraste. L'attention ne se porte pas, comme on l'a souvent pensé, sur le développement *progressif* du royaume de Dieu ; il s'agit plutôt d'une confrontation entre le point de départ et le point d'arrivée : à un commencement insignifiant succède un essor magnifique. La parabole est donc un appel à la confiance et à la patience.

2. Dans le Document A (voir texte *supra*, I 2 b), la parabole avait le même sens fondamental que dans le Document Q. Elle fut complétée toutefois par l'addition du thème des oiseaux du ciel qui viennent s'abriter sous son ombre. Cet ajout s'inspire de Ez 17 22-24 où la restauration du peuple de Dieu, sous l'impulsion de son roi, est comparée à un cèdre nouvellement planté; la finale de Mc reprend Ez **17** 23 : « ... tous les oiseaux du ciel s'abriteront à l'ombre de ses branches »; le mot « branches » qui termine le texte d'Ézéchiel se retrouve dans Mc : « et il a fait de grandes branches »; la citation prit alors cette forme : « les oiseaux du ciel peuvent s'abriter *sous son ombre*. » Cette citation d'Ézéchiel convenait très bien à la parabole puisqu'on lit en Ez **17** 24 : « ... c'est moi Yahvé qui humilie l'arbre élevé et qui élève l'arbre humilié »; on y a donc le thème de quelque chose de petit qui devient grand grâce à l'action divine.

3. Ce thème des oiseaux du ciel qui s'abritent dans l'arbre fut repris par le Mt-intermédiaire et ajouté au texte en pro-venance du Document Q (Mt/Lc). Toutefois, au lieu de citer Ez **17** 23, le Mt-intermédiaire adopta une image semblable qu'il lisait dans Dn **4** 7-9 (LXX : **4** 10-12); sa citation se rapproche surtout du texte de Théodotion : « et dans ses branches s'abritaient les oiseaux du ciel ». Dans Dn **4**, cette description d'un arbre qui devient immense s'applique au royaume de Nabuchodonosor; pour le Mt-intermédiaire, il s'agit évidemment du royaume de Dieu appelé à un développe-ment extraordinaire.

4. Rappelons enfin que l'opposition ajoutée au Document A par le Mc-intermédiaire : « étant plus petit que toutes les semences de la terre » / « et devient plus grand que toutes les plantes potagères », était destinée à préciser, pour des citadins, l'opposition entre la semence minuscule du sénevé et l'arbre relativement grand qui provient de cette semence. Cette pré-cision est passée du Mc-intermédiaire dans l'ultime rédaction matthéenne.

Note § 134. PARABOLE DU LEVAIN

1. Cette parabole a même structure et même portée que la parabole du grain de sénevé; elle aussi provient du Document Q, mais il est impossible de dire si Lc (le proto-Lc) dépend directement du Document Q ou seulement du Mt-intermédiaire (voir note § 133, I 1).

2. La « pointe » de la parabole est donnée par l'opposition entre le levain, qui est « caché » dans la farine, et la fermen-tation de toute la pâte (cf. 1 Co **5** 6). Le levain est l'annonce du royaume de Dieu. Au temps de Jésus, il s'agit encore de quelque chose d'à peine visible, de « caché »; mais que les disciples prennent patience et aient confiance en Dieu; un jour viendra où cette infime quantité de levain « caché » fera lever les trois mesures de farine, grâce à son dynamisme communicatif que rien ne pourra entraver.

Note § 135. CONCLUSION SUR LES PARABOLES

Cette conclusion sur les paraboles ne devait pas se lire dans le Mt-intermédiaire; c'est l'ultime Rédacteur matthéen qui l'a insérée ici, sous l'influence du Mc-intermédiaire, en même temps qu'il insérait la parabole du grain de sénevé suivie de celle du levain, séparant ainsi maladroitement la parabole de l'ivraie (§ 132) de son explication (§ 136). La conclusion matthéenne du discours en paraboles se lit en Mt **13** 51 ss. (voir note § 139).

Dans le Mc-intermédiaire, cette conclusion avait une forme plus simple que dans les textes actuels de Mc et de Mt. En la reprenant, l'ultime Rédacteur matthéen a ajouté la citation de Ps **78** 2, avec son introduction caractéristique (v. 35). Quant à l'ultime Rédacteur marcien, il aurait ajouté les expressions absentes de Mt : « suivant qu'ils pouvaient entendre » et « mais en particulier, à ses disciples, il expliquait tout »; le Rédacteur marcien veut dire, semble-t-il, que les disciples ne pouvaient comprendre qu'une partie de l'enseignement en paraboles, et que Jésus leur expliquait le reste en particulier. On notera qu'au v. 34b, l'adjectif possessif « ses » (*idios*, quali-fiant un substantif) ne se lit jamais ailleurs dans Mc, trois fois seulement dans Mt et Lc, mais dix fois dans Ac; quant au verbe « expliquer » (*epiluein*), on ne le lit ailleurs dans tout le NT qu'en Ac **19** 39.

Note § 136. *EXPLICATION DE LA PARABOLE DE L'IVRAIE*

1. L'explication de la parabole de l'ivraie nous a été transmise sous deux formes différentes, l'une par Mt 13 36-43, l'autre par Épiphane. Mettons les deux textes en parallèle afin de pouvoir les comparer.

Mt 13	Épiphane
36 Alors, ayant laissé les foules, il vint à la maison et ses disciples s'approchèrent de lui, disant : « Éclaire-nous la parabole de l'ivraie du champ. »	Comme ses disciples, à la [maison, disaient : « Dis-moi la parabole de l'ivraie. »
37 Répondant, il dit : « Celui qui sème la bonne [semence est le Fils de l'homme.	Le Seigneur répondit et dit : « Celui qui a semé la bonne [semence est Dieu.
38 Le champ est le monde. La bonne semence, ce sont les fils du royaume. L'ivraie, sont les fils du [Mauvais.	Le champ est le monde. L'ivraie est les hommes mau-[vais.
39 L'ennemi qui l'a semée est le Diable.	L'homme ennemi est le Diable.
La moisson est une fin de [monde. Les moissonneurs sont des anges.	Les moissonneurs sont les [anges. La moisson est la fin du [monde,
	– le blé est les hommes bons –
40 De même donc que l'ivraie est ramassée et brûlée au feu, ainsi (en) sera(-t-il) à la fin du monde :	
41 Le Fils de l'homme enverra [ses anges et ils ramasseront de son royaume tous les scandales et tous ceux qui font l'ini-[quité	lorsque le Seigneur envoie ses [anges et ils rassemblent
42 et ils les jetteront dans la fournaise de feu; là sera le pleur et le grincement des dents.	les pécheurs (hors) de son [royaume et les livrent pour (les) brûler. »
43 Alors les justes resplendiront comme le soleil dans le royaume de leur Père. Qui a des oreilles, qu'il entende! »	

2. Dans Mt, l'explication de la parabole se compose nettement de deux parties d'un genre littéraire différent (M. de Goedt). La première partie (vv. 36-39) est une sorte de lexique d'interprétation qui identifie un à un les éléments de la parabole racontée au § 132. La seconde partie (vv. 40-43) est une sorte de discours apocalyptique décrivant le jugement dernier en s'inspirant de textes de l'AT tels que Ml 3 13-21; Ps 37 1; So 1 3; Dn 12 3. D'où l'hypothèse que Mt aurait repris et amplifié une grille d'interprétation de la parabole de l'ivraie en y ajoutant la section décrivant le jugement dernier.

Par ailleurs, on a noté depuis longtemps le vocabulaire matthéen de ce texte, spécialement des vv. 40-43. La formule de Mt 13 36b : « et ses disciples s'approchèrent de lui, disant... », est extrêmement fréquente dans Mt. Au même verset, le verbe « éclaire-nous » (*diasaphèson*) ne se lit ailleurs dans le NT qu'en Mt 18 31. Au v. 38, l'expression « fils du royaume » ne se lit ailleurs qu'en Mt 8 12. Sur la désignation de Satan comme le « Mauvais », dans l'expression « fils du Mauvais », cf. Mt 5 37 et surtout 13 19 comparé à Mc/Lc. Au v. 39, « la fin du monde » est propre à Mt dans tout le NT (Mt 13 40.49; 24 3; 28 20; au pluriel dans He 9 26). Le mot « scandale » se lit cinq fois dans Mt, ailleurs dans les évangiles une fois dans Lc. Le « feu », au sens eschatologique, dans la prédication de Jésus, est fréquent en Mt (5 22; 7 19; 13 40.42.50; 18 8-9; 25 41; ailleurs seulement en Mc 9 48, dans une citation). Le mot « iniquité » (v. 41) ne se lit que dans Mt et Paul. Enfin, la formule : « là sera le pleur et le grincement des dents », se lit en Mt 8 12; 13 42.50; 22 13; 24 51; 25 30; et ailleurs seulement en Lc 13 28. Le ton « matthéen » de l'ensemble est donc incontestable. On notera spécialement que les vv. 40-42 ont leur équivalent, en termes souvent identiques, dans l'explication de la parabole du filet, en Mt 13 49-50 (§ 138).

3. Le texte d'Épiphane est beaucoup plus homogène (noter toutefois le déplacement de la phrase : « le blé est les hommes bons », qui rompt le développement sur la moisson). Il comporte lui aussi une grille d'interprétation de la parabole du § 132, mais le discours apocalyptique de Mt 13 40-43 est absent; à sa place, il n'y a qu'un développement sur le sens de la « moisson » eschatologique, expliquant les termes de Mt 13 30; on reste donc dans le genre littéraire consistant en une « grille d'explication ».

Certaines variantes d'Épiphane par rapport à Mt sont à noter. Au lieu de « éclaire-nous » la parabole, Épiphane a « dis-nous » la parabole, expression impropre puisqu'elle semblerait introduire la parabole elle-même, mais que Mt 13 18 adopte lui aussi pour introduire l'explication de la parabole du semeur ! Tandis que l'explication de la parabole, dans Mt, est centrée sur le « Fils de l'homme », qui sème la bonne semence (v. 37) et qui envoie les anges ramasser l'ivraie (v. 41), elle a Dieu pour personnage principal dans Épiphane, ce qui semble plus primitif. Au lieu de « fils du royaume » (v. 38) et « fils du Mauvais » (v. 38b), Épiphane oppose les « hommes mauvais » aux « hommes bons »; or cette opposition entre « bons » (*agathoi*) et « mauvais » (*ponèroi*) est courante dans Mt (5 45; 7 17-18; 22 10) et dans la tradition commune à Mt/Lc (Mt 7 11 et Lc 11 13; Mt 12 35 et Lc 6 45). Au v. 39, Mt dit simplement « l'ennemi », tandis qu'Épiphane dit « l'homme ennemi », ce qui correspond à l'expression de la parabole elle-même (Mt 13 28; cf. aussi 13 25 dans Épiphane). On notera qu'Épiphane ignore le v. 43 de Mt et que son explication de la parabole ne s'occupe que du rassemblement des mauvais, ce qui était probablement le cas de la parabole elle-même (voir note § 132; cf. Mt **13** 49-50).

On est donc en droit de conclure que l'explication de la parabole de l'ivraie, dans Épiphane, nous donne une forme plus archaïque que celle du Mt actuel (malgré certaines retouches secondaires). On pourrait dès lors modifier légèrement l'hypothèse proposée par M. de Goedt : le texte d'Épiphane donnerait la « grille d'interprétation » de la parabole de l'ivraie

telle qu'il la lisait dans le Mt-intermédiaire; l'ultime Rédacteur matthéen aurait remanié cette grille en introduisant des termes nouveaux, et surtout en ajoutant le discours apocalyptique des vv. 40-43, comme il le fera pour la parabole du filet (Mt **13** 49-50; cf. note § 138). Pas plus que pour la parabole de l'ivraie, on ne peut dire d'où le Mt-intermédiaire a tiré cette interprétation de la parabole.

Note § **137.** *PARABOLES DU TRÉSOR ET DE LA PERLE*

1. Les deux paraboles du trésor et de la perle ont même structure littéraire et même portée théologique. Bien que propres à Mt, elles sont assez simples dans leur expression pour pouvoir remonter à Jésus. Elles ont d'ailleurs même structure que la parabole du levain (§ 134) et que celle du grain de sénevé, telles qu'elles se lisaient dans le Document Q (note § 133); on peut dès lors se demander si elles n'auraient pas fait à ces deux paraboles dans le Document Q; Lc les aurait négligées afin de ne pas alourdir son récit.

2. A l'aide de deux images qui frappaient les imaginations orientales, elles reprennent l'idée de l'implantation du royaume

sur la terre. Elles mettent surtout en relief une idée nouvelle : la valeur hors pair du royaume. Dans la littérature sapientielle, la comparaison de la Sagesse avec un trésor ou des pierres précieuses était devenue un lieu commun (Pr **3** 14-15; **4** 7; **8** 10 s.; Sg **7** 8 s.; Jb **28** 15-19); ici, c'est le royaume de Dieu qui exerce la même force de séduction que la sagesse de l'AT (cf. la parabole de la perle dans Thomas 76 : « ce marchand était un sage... »). Dans cette double parabole, Jésus ne veut pas dire que le royaume de Dieu peut être acheté à prix d'or, mais il veut insinuer que cela vaut la peine de tout abandonner pour y entrer (cf. Mt **6** 19; **19** 21).

Note § **138.** *PARABOLE DU FILET*

1. La parabole du filet (**13** 47-48) est ici immédiatement suivie de son explication (**13** 49-50). Cette explication constitue une description du jugement dernier presque identique à celle qui termine l'explication de la parabole de l'ivraie (Mt **13** 40-43), que nous avons attribuée à l'ultime Rédacteur matthéen; nous sommes donc, ici aussi, en présence d'une addition de l'ultime Rédacteur matthéen (voir note § 136); on notera d'ailleurs que Mt **13** 49-50 n'a pas de parallèle dans la parabole du filet que nous a transmise Thomas 8. Il est possible que, malgré le silence de Lc, cette parabole du filet (**13** 47-48) provienne du Document Q. On notera en effet au v. 48

l'opposition entre « les bonnes (choses) » et « les mauvaises » (*ta sapra*), opposition qui se lit aussi en Mt **12** 33. Or, en Mt **12** 35, on a l'expression « tirer de son trésor », que l'on va retrouver en Mt **13** 52. Comme Mt **12** 33.35 provient vraisemblablement du Document Q, il est possible que les vv. 48 et 52 de ce chap. **13** de Mt proviennent également du Document Q.

2. Comme celle de l'ivraie, la parabole du filet justifiait l'attitude de Jésus qui refusait, pour l'immédiat, d'épurer la communauté messianique de ses mauvais éléments.

Note § **139.** *CONCLUSION DU DISCOURS PARABOLIQUE*

1. Nous avons ici la conclusion matthéenne du discours en paraboles, celle du § 135 ayant été insérée par l'ultime Rédacteur matthéen sous l'influence du Mc-intermédiaire (voir la note). Cette conclusion matthéenne présente des expressions que l'on peut attribuer au Mt-intermédiaire : l'interrogation de Jésus : « avez-vous compris tout cela? », qui répond au problème de la raison d'être des paraboles (Mt **13** 13 c) ajouté par le Mt-intermédiaire (cf. note § 127); la réponse « ils lui disent : Oui » qui est bien dans le style de Mt (**9** 28; **15** 27;

17 25; **21** 16); l'expression « homme maître de maison » (Mt **13** 24 d'après Épiphane; **20** 1; **21** 33); la formule « qui tire de son trésor », dont on a l'équivalent en Mt **12** 35 (cf. note § 138). – En revanche, d'autres expressions trahissent la main de l'ultime Rédacteur matthéen : « devenir disciple » ne se lit que dans des textes tardifs de Mt (**27** 57; **28** 19) et en Ac **14** 21; surtout, la phrase du v. 53, qui sert de transition à la fin de chacun des cinq grands discours de Mt (**7** 28; **11** 1; **19** 1; **26** 1).

2. A la fin d'un discours particulièrement soigné, Mt tient à justifier son propre travail (cf. Lc **1** 1-4; Jn **20** 30; **21** 24 s.); il le fait en s'appliquant la parabole du scribe, qu'il faut lui attribuer plutôt qu'à Jésus. Cela ne signifie pas qu'il faille chercher dans le discours en paraboles comme tel une définition du « neuf » et de « l'ancien »; on dira plutôt qu'en synthétisant sous. un aspect déterminé la doctrine du royaume des Cieux, Mt était conscient d'exercer son métier de scribe chrétien, de lettré juif converti au christianisme. L'ancien et le nouveau désignaient dans le judaïsme respectivement la Thora (Loi mosaïque) et l'enseignement des rabbins; pour Mt au contraire, le scribe-disciple de Jésus unit au donné de l'AT l'apport et la nouveauté proclamés par son maître. Il ne s'agit pas d'ailleurs d'une addition matérielle : par sa référence constante à l'AT, le premier évangile montre comment la nouveauté était cachée dans l'ancien, mais il manifeste tout autant comment ce qui était ancien est transformé par une orientation nouvelle (cf. note § 53). Sur cette conclusion, on pourra se reporter aussi à Si **24** 30-34.

Note § **140.** *LA VRAIE PARENTÉ DE JÉSUS*

Lc a placé ici une scène que Mt et Mc ont dans un autre contexte. Son intention est assez facile à saisir : il a voulu rapprocher le thème de la vraie parenté de Jésus de la parabole du semeur et de son explication (§§ 126, 129). Cette explication de la parabole du semeur est centrée sur l'idée qu'il faut « écouter » la parole de Dieu (Lc **8** 11-15, à chaque verset !); en **8** 19-21, Lc veut montrer que la vraie parenté de Jésus est constituée par ceux qui « écoutent la parole de Dieu et la pratiquent » (v. 21; noter le changement par rapport à Mt-Mc). En **11** 27-28 (§ 199), Lc va exprimer un thème assez semblable, qu'il tient d'une source propre.

Sur le détail de l'exégèse de cette section, voir note § 122

Note § **141.** *LA TEMPÊTE APAISÉE*

Le récit de la tempête apaisée se lit dans les trois Synoptiques. Son intérêt réside dans sa signification théologique plus que dans le problème littéraire, assez classique, qu'il présente.

I. L'ÉVÉNEMENT ET SA SIGNIFICATION THÉOLOGIQUE

1. *Les attaches littéraires vétéro-testamentaires.*

a) On a noté depuis longtemps (cf. spécialement X. Léon-Dufour) que le récit de la tempête apaisée avait été littérairement influencé par le précédent de Jonas. Nous n'insisterons pas sur la description de l'embarquement des divers passagers (Jon **1** 3; Lc **8** 22-23a; Mt **8** 18.23), car il n'existe pas tellement de manières différentes de décrire l'embarquement de passagers. Mais comparons la suite des divers récits.

aa) La tempête :

Jon **1** 4	Mt **8** 24a	Lc **8** 23
Et Yahvé suscita un grand vent sur la mer et survint une grande agitation	Et voici une grande agitation survint	Et descendit une bourrasque de vent sur le lac, ...
dans la mer et la barque était en danger de se briser.	dans la mer...	et ils étaient en danger.

Mt reprend Jon **1** 4b presque littéralement. Lc change « mer » en « lac » selon son habitude (Lc **5** 1-2; **8** 22-33). On notera la différence des prépositions : « sur (la mer) » en Jon **1** 4a et Lc; « dans (la mer) » en Jon **1** 4b et Mt. La dépendance de Mc par rapport à Jonas est à peine marquée; on verra plus loin qu'il dépendrait plutôt de Ps **107.**

ab) Jon **1** 5 montre ensuite Jonas en train de dormir, détail que l'on retrouve à propos de Jésus en Mt **8** 24c; Mc **4** 38a, mais anticipé en Lc **8** 23a, avec un verbe différent. Mc seul mentionne le lieu où Jésus s'était retiré pour dormir, ce qui rappelle Jon **1** 5c, mais avec des précisions très différentes.

ac) La suite du récit se présente ainsi dans les divers textes :

Jon 1 6	Mt 8 25	Lc 8 24a
Et le pilote s'approcha de lui et lui dit : « () Lève-toi et invoque ton Dieu afin qu'il nous sauve et que nous ne périssions pas. »	Et, s'étant approchés, ils l'éveillèrent disant : « Seigneur, sauve(-nous), nous périssons! »	Or, s'étant approchés, ils le réveillèrent disant : « Maître, Maître, nous périssons! »

C'est Mt qui offre le parallélisme le plus étroit avec Jon; on notera qu'en hébreu et en grec, le même verbe signifie « éveiller » et « lever ». Mc n'a ni le verbe « s'approcher », ni le verbe « sauver ».

ad) Comparons enfin Jon 1 16 avec Mc et Mt.

Jon 1 16	Mc 4 41	Mt 8 27
Et les hommes craignirent d'une grande crainte...	Et ils craignirent d'une grande crainte...	Les hommes admirèrent, disant...

Mt change le thème de la crainte en celui de l'admiration (cf. 9 33; 21 20), mais il garde le sujet « les hommes », assez inattendu dans son récit où seuls les disciples ont accompagné Jésus dans la barque.

Il est donc certain que, dans une mesure plus ou moins grande, le précédent de Jonas a fourni, en partie, le vêtement littéraire du récit de la tempête apaisée. Mais on aura remarqué que, sauf en 4 41, Mc est celui des trois évangélistes qui offre le moins de contacts avec le récit de Jonas.

b) Outre sa dépendance à l'égard du récit de Jonas, le texte de Mc offre des affinités assez nettes avec le Ps 107. Comparons d'abord Mc 4 39 avec Ps 107 29-30a (d'après la Septante) :

Ps 107	Mc 4 39
Il commanda à la bourrasque	Il commanda au vent et dit à la mer : « Tais-toi,
et elle se tint en silence et ses vagues se turent et ils se réjouirent de ce qu'elles se calmèrent.	fais silence! » et le vent se calma.

Ce parallélisme rend probable l'influence de Ps 107 25 sur Mc 4 37 :

Ps 107	Mc 4 37
Il dit, et fit lever un vent de bour- [rasque et il souleva les vagues...	Et survint une grande bourrasque de vent et les vagues se jetaient...

On notera que le mot hébreu *se'arah*, « agitation, tumulte », se rapporte plus immédiatement à la mer dans Jon 1 4, repris par Mt 8 24 (*seismos*) et Lc 8 24 (*kludôn*), mais plus immédiatement au vent dans Ps 107 25 suivi par Mc 4 37 (*lailaps*; cf. Lc 8 23).

2. Signalons encore un fait littéraire qui a son importance pour juger le sens du récit de la tempête apaisée. Le récit de Mc offre certains contacts assez étroits (absents de Mt/Lc) avec celui de la marche sur les eaux (§ 152). Mc 4 35 note seul que l'embarquement se fit « le soir venu », ce qui suppose un voyage de nuit, comme dans le récit de la marche sur les eaux (cf. Mc 6 47). Mc 4 36a est seul à donner l'incise « laissant la foule », ce qui correspond aux données de Mc 6 45-46. L'embarquement de Jésus est décrit de façon curieuse par Mc 4 36b : « Ils le prennent avec eux... dans la barque »; le verbe « prendre avec » (*paralambanein*) ferait supposer que les disciples étaient seuls dans la barque, et qu'ils y font monter Jésus ensuite; c'est le jeu de scène de Mc 6 51, mais surtout du parallèle de Jn 6 21 : « ils voulaient le prendre dans la barque... » Le thème de la crainte des disciples (en dépendance de Jon 1 16) est peut-être plus accentué chez Mc parce qu'il se lit aussi en Mc 6 50c. Finalement, Mc souligne mieux que Mt/Lc la chute du vent (fin du v. 39), par la même phrase qu'en Mc 6 51 : *ekopasen ho anemos*, « le vent tomba » ou « se calma ». On constate donc une certaine confusion littéraire, chez Mc, entre les deux récits de la tempête apaisée et de la marche sur les eaux, preuve que Mc a voulu rapprocher deux épisodes qui lui paraissaient assez semblables.

3. Quel est le sens de ce récit?

a) Le fait qui est à l'origine de la tempête apaisée est difficile à cerner puisque la tradition pré-synoptique rapporte un événement déjà enrobé dans sa signification théologique. Le « signe » a-t-il consisté dans un miracle (au sens actuel du mot) d'ordre cosmique? Ne s'agit-il pas plutôt d'un concours de circonstances dont les évangélistes, et avant eux Jésus lui-même, ont dégagé la portée révélatrice? On serait tenté de le penser, étant donné que Jésus a explicitement refusé d'opérer des prodiges d'ordre cosmique (Mt 16 1-4 et par.). On notera que, dans le récit voisin de la marche sur les eaux (cf. les rapprochements faits ici par Mc, *supra*), il est dit simplement que la tempête s'arrêta au moment où Jésus monta dans la barque.

b) A l'inverse de nombreux récits de miracles, celui de la tempête apaisée ne cherche pas à susciter l'émerveillement devant les œuvres de Dieu ; il s'agit d'emblée d'une manifestation concernant le Christ. Dans l'AT, Dieu seul a pouvoir sur la mer et le vent (Ps **107** 25.29 ; **65** 8 ; **89** 10 ; Jb **38** 8-11 ; 2 M **9** 8) ; en leur imposant silence, Jésus agit comme Dieu lui-même. Ce thème est spécialement mis en lumière dans le récit de Mc qui transpose sur Jésus (4 39) les expressions qui s'appliquent à Dieu dans le Ps **107** 29 (cf. *supra*). Cette transcendance de l'action de Jésus oblige les disciples, comme maintenant le lecteur, à se poser la question de son identité : « Qui donc est celui-ci...? » (Mc **4** 41).

c) Dans le récit de Mc, on insiste sur le thème du « vent », prédominant en Mc 4 37 et rappelé en 4 39 par la phrase « le vent se calma ». Or, dans l'épisode de l'expulsion d'un esprit impur, en Mc **1** 23 ss. (§ 33), Mc reprend, en **1** 25.27, les expressions de Mc 4 39.41b (voir note § 33). Si l'on se rappelle qu'en grec le même mot signifie « vent » et « esprit » (*pneuma*), on est enclin à penser que Mc aurait vu, dans la tempête apaisée, la mise à la raison du vent considéré comme un « esprit » mauvais, d'autant que Jésus s'adresse à lui comme à un être vivant. Cet exorcisme de la création matérielle elle-même dévoile l'ampleur et l'efficacité du Règne qui est inauguré en Jésus.

d) Dans la tradition matthéenne, l'exemple de Jonas restant trois jours et trois nuits dans le ventre du monstre marin est donné comme « signe » du mystère de Jésus mort et ressuscité (Mt **12** 40, qui cite Jon **2** 1). En choisissant, pour décrire la tempête apaisée, un vêtement littéraire fortement marqué par le précédent de Jonas, cette tradition matthéenne a probablement voulu orienter le lecteur vers le thème de la mort et de la résurrection. Dans la Bible, les eaux sont souvent le symbole de la mort qui submerge et engloutit l'homme (Jon **2** 6-7 ; Ps **42** 8 ; **18** 5 ; **69** 2-3 et *passim*) ; étant donné ce contexte, il était difficile à un lecteur chrétien de ne pas voir une allusion au thème « mort/résurrection » dans le jeu de scène de Jésus « dormant » (cf. Mt **8** 24 ; **9** 24 ; Jn **11** 12 ; 1 Th **4** 14) puis « réveillé » (Mt **8** 25-26) et commandant aux flots pour les apaiser. Le précédent de Jonas pouvait facilement servir de « signe » : de même que Jonas, jeté à la mer, englouti par le monstre puis rejeté vivant, avait épargné aux matelots du bateau de sombrer dans la mer, ainsi Jésus, mourant et ressuscitant (= dormant et s'éveillant) a pouvoir, une fois « éveillé » des morts, de vaincre les puissances de mort, et donne aux hommes d'échapper à la mort totale, définitive, telle que la tradition biblique la concevait (descente au shéol comme une ombre inconsistante et privée de vie).

e) C'est dans cette perspective qu'il faut concevoir le thème catéchétique de la foi, mieux en situation en Mt **8** 26 qu'en Mc **4** 40 : les disciples sont invités à demeurer dans la foi en Jésus, quoi qu'il arrive, même et surtout devant la mort, et à lui faire confiance comme à Dieu lui-même pour être sauvés. On notera la nuance : Mc et Lc nous invitent à passer de l'absence de foi à la foi ; Mt d'une foi initiale (« hommes de peu de foi ») à une foi parfaite.

f) Significations christologique, sotériologique, catéchétique, autant de points de vue distincts et convergents sur la tempête apaisée, qui précèdent et enrichissent le thème traditionnel du « navire-Église » (Tertullien). Mt et Lc ouvrent la voie à ce riche symbolisme en ne mentionnant qu'une seule barque, celle de Jésus avec qui tous les disciples sont embarqués (Mt **8** 23 ; Lc **8** 22 ; opposer Mc **4** 36).

II. ÉVOLUTION LITTÉRAIRE DES RÉCITS

1. Avant de reconstituer l'évolution littéraire de ce récit, il faut préciser le comportement de Lc.

a) Les accords Lc/Mc contre Mt sont reconnus depuis longtemps. Au v. 22 de Lc : « (il leur dit)... passons ». Au v. 23, l'expression « bourrasque de vent » et l'image de la barque pleine d'eau (exprimée toutefois avec un verbe différent). Au v. 24, le participe « s'étant réveillé » et le mot « vent » au singulier. Au v. 25 : « Il leur dit... (votre) foi ? » puis le thème de la crainte ; enfin Lc a comme Mc : « (disant) entre eux : Qui donc est celui-ci ? » L'influence de Mc sur Lc est donc certaine, et bien peu songent à la contester.

b) Mais les contacts, positifs ou négatifs, de Lc/Mt contre Mc sont encore plus nombreux. Au v. 22 de Lc, l'indication que Jésus monte en barque avec ses disciples (Mt **8** 23, tandis que Mc **4** 36a est très différent). Au v. 24, la phrase : « ... s'étant approchés, ils le (r)éveillèrent disant », a son parallèle exact en Mt **8** 25a. Au v. 25 de Lc, « (ils) admirèrent disant », et le mot « vent » au pluriel. A ces accords positifs, il faut ajouter un grand nombre d'accords négatifs ; Mt/Lc ignorent ces traits de Mc : « le soir venu » (Mc **4** 35) ; « et d'autres barques étaient avec lui » (v. 36b) ; l'indication du lieu où dormait Jésus (v. 38a) ; « tu ne te soucies pas » (v. 38b) ; l'ordre donné à la mer : « Tais-toi, garde le silence » (v. 39), puis la remarque que « le vent tomba ». – Il est impossible d'expliquer tous ces accords Lc/Mt contre Mc par l'activité rédactionnelle des deux évangélistes retravaillant le texte actuel de Mc chacun de son côté. Mt et Lc ne dépendent donc pas du Mc actuel. Il faut même aller plus loin. Sans doute, plusieurs des accords, surtout négatifs, Lc/Mt contre Mc s'expliquent par des additions de l'ultime Rédacteur marcien (cf. *infra*), mais pas tous, et il faut admettre que Lc dépend à la fois de Mt et de Mc. Comme souvent ailleurs, il faut distinguer en Lc deux couches rédactionnelles : un proto-Lc qui dépend du Mt-intermédiaire (d'où les accords Lc/Mt contre Mc) et qui fut révisé par l'ultime Rédacteur lucanien en fonction du Mc-intermédiaire.

c) Deux détails soulignent cette double influence qui s'est exercée sur Lc. En **8** 25, Lc combine le thème de l'admiration, en provenance du Mt-intermédiaire, avec celui de la crainte, en provenance du Mc-intermédiaire. Par ailleurs, Lc emploie le mot « vent » tantôt au pluriel (v. 25) avec Mt, et tantôt au singulier (v. 24) avec Mc.

2. Voici alors comment on peut se représenter l'évolution littéraire de ce récit.

a) Il devait se lire déjà dans le Document A sous la forme qu'il a encore dans Mt, à quelques nuances littéraires près. Le Document A connaissait donc déjà le vêtement littéraire du précédent de Jonas. Nous retrouvons là un procédé assez fréquent dans ce Document : raconter un récit en se servant d'une façon non littérale d'un précédent de l'AT.

b) Le Mt-intermédiaire reprit le récit du Document A sans lui apporter de modifications importantes. C'est au niveau de l'ultime rédaction matthéenne que l'introduction fut coupée en deux par l'insertion du récit de vocation qui se lit au § 87.

c) Le Mc-intermédiaire dépend lui aussi du Document A.

C'est probablement lui qui a réinterprété le récit en fonction du Ps **107,** car l'expression « bourrasque de vent », qui en provient, est passée dans Lc, donc au niveau de l'ultime rédaction lucanienne sous l'influence du Mc-intermédiaire. C'est probablement aussi au Mc-intermédiaire qu'il faut attribuer l'addition du thème de la « foi » (Mc 4 40), passé dans l'ultime rédaction lucanienne (Lc 8 25) sous une forme qui reflète peut-être plus fidèlement celle du Mc-intermédiaire, et dans l'ultime rédaction matthéenne (Mt 8 26) avec le très matthéen « (hommes) de peu de foi » (*oligopistoi* : 4/0/1/0/0), suivi d'un « alors » (*tote*) qui revient régulièrement après une addition de l'ultime Rédacteur matthéen. – L'addition de traits en provenance de la marche sur les eaux, absents de Lc et de Mt, est de l'ultime Rédacteur marcien.

Note § **142.** *LE POSSÉDÉ DE GÉRASA*

Dans les trois Synoptiques, cet épisode fait suite à celui de la tempête apaisée. Pour résoudre les problèmes littéraires fort complexes de ce récit, et voir en particulier pourquoi Mc (vingt versets; cf. Lc) est presque trois fois plus long que Mt (sept versets), nous aurons recours au témoignage d'Épiphane. Il ne cite pas de mémoire, car il prend soin de noter les divergences entre les trois évangiles, précisant même les variantes des manuscrits qu'il possède; or il cite presque tout Mt et la moitié de Mc selon un texte différent de celui des évangiles actuels, surtout pour Mc. Comme Épiphane cite souvent selon des textes plus archaïques que ceux des évangiles actuels, il faudra voir si ce ne serait pas le cas ici aussi.

Mt 8 28b-29a	Épiphane
... vinrent à sa rencontre deux démoniaques	Et voici deux démoniaques très sauvages sortant des tombeaux.
sortant des tombeaux, très sauvages de sorte que personne ne pouvait passer par ce chemin-là.	

I. LA TRADITION MATTHÉENNE

A) Le récit de Mt

Le texte actuel de Mt est assez homogène, centré sur l'envoi par Jésus de démons dans un troupeau de porcs qui, affolés, se précipitent dans la mer; en conclusion, les gens du pays demandent à Jésus de repasser le lac ! Épiphane cite Mt sous une forme plus dépouillée; analysons donc les divergences qu'il offre avec le texte actuel de Mt.

1. Pour l'introduction du récit (Mt **8** 28a), Épiphane se contente de préciser le nom des habitants du pays où arrive Jésus : les « Gadaréniens », ce qui correspond au nom donné par les meilleurs manuscrits de Mt. Il n'y a donc ici aucun problème.

2. La description des démoniaques présente chez Épiphane de notables divergences avec le Mt actuel :

a) Le verbe « venir à la rencontre de » (*hypantaô*) ne se lit ailleurs dans Mt qu'en **28** 9 (§ 362), dans un récit de l'ultime Rédacteur matthéen. Épiphane au contraire donne une structure de phrase fréquente chez Mt en début de récit (Mt **12** 10; et, sans particule de liaison : **8** 2; **9** 18; **9** 20; **15** 22; **20** 30); il a donc un texte plus authentiquement « matthéen » que le Mt actuel, dont le verbe pourrait provenir d'une influence du parallèle de Mc (Mc-intermédiaire).

b) La proposition consécutive de Mt : « de sorte que... par ce chemin-là », est une glose explicative comme on en trouve beaucoup sous la plume de l'ultime Rédacteur matthéen (cf. Introd., II D **1** b 3). Par ailleurs, l'addition de cette glose obligeait Mt à déplacer l'expression « très sauvages », tandis que, si c'était Épiphane qui avait supprimé la glose, on ne voit pas pourquoi il aurait aussi déplacé l'expression « très sauvages ».

Épiphane a donc ici un texte meilleur que celui de l'ultime Rédacteur matthéen.

3. Les mots par lesquels les démons interpellent Jésus se présentent ainsi :

Mt **8** 29	Épiphane
Et voici, ils crièrent disant : « Que nous veux-tu, fils de Dieu? Es-tu venu ici pour nous tourmenter avant le temps? »	Et ils criaient disant : « Hélas! Que nous veux-tu, Jésus, fils de Dieu, que tu sois venu avant le temps pour nous tourmenter? Nous savons qui tu es, le Saint de Dieu. »

En cours de récit, le « et voici » de Mt indique souvent une suture rédactionnelle; ici, il est motivé par l'insertion de la glose explicative signalée plus haut (fin du v. 28b), et doit donc être attribué à l'ultime Rédacteur matthéen. En revanche, on se méfiera des additions d'Épiphane : « Hélas », « Jésus » (cf. Mc) et surtout : « Nous savons qui tu es, le saint de Dieu », qui provient évidemment de Mc **1** 24. Les autres divergences entre Mt et Épiphane sont difficiles à apprécier.

4. La suite du texte se présente ainsi en Mt **8** 30-31 et Épiphane :

Mt **8** 30-31	Épiphane
Or il y avait loin d'eux un troupeau de beaucoup de [porcs, en train de paître; or les démons le suppliaient disant : « Si tu nous chasses, envoie-nous dans le troupeau de porcs. »	Or il y avait un troupeau de porcs, là, en train de paître; et les démons le suppliaient disant : « Si tu nous chasses des [hommes, envoie-nous dans les porcs. »

Pour désigner l'endroit où se trouvent les porcs, Mt a « loin d'eux » tandis qu'Épiphane a « là »; le « loin d'eux » est une leçon facilitante qu'il faut attribuer à l'ultime Rédacteur matthéen. La région de Gadara se trouve en effet assez loin du lac de Tibériade et en est séparée par la profonde vallée du Yarmouk; comment le troupeau de porcs aurait-il pu aller se précipiter dans le lac, à une telle distance ! En changeant « là » en « loin d'eux », l'ultime Rédacteur matthéen a supprimé cette difficulté géographique. Par ailleurs, il ajoute le mot « beaucoup » avant « porcs », peut-être sous l'influence du parallèle de Mc où il est dit qu'ils sont au nombre de deux mille ! En finale du texte, c'est probablement l'ultime Rédacteur matthéen qui a ajouté le mot « troupeau »; est-ce Épiphane qui ajoute « des hommes »? C'est possible, mais non certain.

5. Le v. 32a de Mt : « Et il leur dit : Allez; or, étant sortis, ils s'en allèrent dans les porcs », absent d'Épiphane, est encore une glose explicative de l'ultime Rédacteur matthéen (cf. Introd., II D **1** b 3). On notera la tendance de l'ultime Rédacteur matthéen à ajouter l'impératif « Allez » (*hypagete* : Mt **4** 10; **16** 23) et à employer la construction « s'en aller dans » (*aperchesthai... eis* : Mt **8** 18; **10** 5; **16** 21; **22** 5; **25** 46; **28** 10 et surtout, **8** 33 *infra*).

6. La suite du récit se présente ainsi chez Mt et Épiphane :

Mt **8** 32b-33	Épiphane
et voici : tout le troupeau bondit de l'escarpement dans la mer et ils périrent dans les eaux.	et ils bondirent dans la mer et ils se perdirent dans les [eaux.
Or les gardiens s'enfuirent et s'en étant allés à la ville ils annoncèrent tout et le cas des démoniaques.	Or les gardiens s'enfuirent et ils annoncèrent (cela) à la ville.

Après avoir inséré la glose précédente, l'ultime Rédacteur matthéen introduit son « et voici » habituel. C'est par souci de clarté qu'il ajoute le sujet « tout le troupeau », et sous l'influence du Mc-intermédiaire qu'il précise « de l'escarpement ». La fin du texte de Mt offre des analogies avec Mt **28** 11 (§ 363), qui est de l'ultime Rédacteur matthéen : « Voici : quelques (hommes) de la garde, *étant allés à la ville, annoncèrent* aux grands prêtres *tout* ce qui était arrivé »; le texte plus sobre d'Épiphane est donc meilleur. Il est difficile d'apprécier la différence de verbes « se perdirent » (Épiph.) ou « périrent » (Mt) : les deux sont utilisés par Mt. Les mots « et le cas des démoniaques » sont évidemment une glose de l'ultime Rédacteur matthéen.

7. Épiphane arrête sa citation après le v. 33 de Mt; il s'arrêtera au même endroit en citant Mc. On attribuera à l'ultime Rédacteur matthéen le « et voici » qui commence le verset ainsi que l'expression « à la rencontre de » (*eis hypantèsin*) qui répond au verbe « vinrent à sa rencontre » (*hypantèsan*) du v. 28, de l'ultime Rédacteur matthéen.

Dans l'ensemble, Épiphane a donc un texte plus archaïque que le Mt actuel, texte qui doit être celui du Document A, repris par le Mt-intermédiaire. En voici la teneur :

Et voici deux démoniaques très sauvages sortant des tombeaux et ils criaient disant : « Que nous veux-tu, fils de Dieu, que tu sois venu avant le temps pour nous tourmenter? » Or il y avait un troupeau de porcs, là, en train de paître; et les démons le suppliaient disant : « Si tu nous chasses (des hommes?), envoie-nous dans les porcs. » Et ils bondirent dans la mer et ils se perdirent dans les eaux. Or les gardiens s'enfuient et ils annoncèrent (cela) à la ville. Et toute la ville sortit et, voyant Jésus, ils le supplièrent qu'il s'éloignât de leur territoire.

B) LE RÉCIT DU PROTO-Lc

1. Le texte actuel de Lc dépend manifestement, dans son ensemble, de la tradition marcienne. Il est toutefois possible de prouver ici l'existence d'un proto-Lc, qui dépendait du récit du Mt-intermédiaire. Mettons en regard la finale du dernier verset de Mt (**8** 34b), suivie du verset qui forme transition avec l'épisode suivant (**9** 1), et les parallèles de Mc/Lc) :

Mt	Mc 5	Lc 8
8 34b ... qu'il s'éloignât de leur territoire.	17b ... de s'en aller de leur territoire.	37b ... de s'en aller (loin) d'eux...
9 1 Et, étant monté en barque, il *traversa* (le lac).	18a Et, comme il montait dans la barque, ...	37c Or lui, étant monté en barque, *s'en retourna.*
	21a Et Jésus, *ayant traversé...* dans la barque...	40a Or, alors que Jésus *s'en retournait,* ...

Malgré le style lucanien de Lc 8 37c : « or lui » (*kai autos*), « s'en retourna » (*hypostrephein:* 0/1/21/0/12/3), ce fragment de verset dépend certainement de Mt 9 1 et non de Mc 5 18a, étant donné les accords Mt/Lc contre Mc : participe « étant monté » au nominatif (*embas*), au lieu du génitif absolu de Mc (*embainontos autou*), absence d'article devant « barque », enfin verbe indiquant explicitement le « retour » de Jésus (« traverser » ou « s'en retourner »); l'équivalence entre les deux verbes est confirmée par Lc 8 40a, qui a de nouveau « s'en retourner » tandis que Mc a « traverser »). La différence entre les deux couches littéraires de Lc est ici évidente. Les vv. 18b-20 de Mc, on le verra plus loin, sont une insertion du Mc-intermédiaire; la source de Mc devait, comme Mt, avoir le v. 21a à la suite du v. 18a puisqu'on y retrouve le même verbe qu'en Mt 9 1 : « traverser » (*diaperan*); or Lc connaît le texte court de Mt et le texte long de Mc : avec le Mt-intermédiaire, le proto-Lc lisait le verbe « traverser » à la fin de Mt 9 1, qu'il change en « s'en retourner » (v. 37c); mais l'ultime Rédacteur lucanien connaît l'addition des vv. 18b-20 dans le Mc-intermédiaire, puisqu'il redonne le verbe « s'en retourner » (v. 40a) là où Mc a transféré le verbe primitif « traverser » (cf. Mc 5 21a).

Ce fait nous permet de donner une certaine valeur aux accords Lc/Mt contre Mc qui se lisent dans les versets qui précèdent. Au v. 34, Lc a la particule de liaison *de*, avec Mt, tandis que Mc a « et » (*kai*); le participe *boskontes* a valeur de substantif (« les gardiens »), comme dans Mt, tandis qu'il garde dans Mc sa valeur de participe puisqu'il est suivi d'un pronom (« ceux qui les gardaient »). Au v. 35, Lc/Mt ont le verbe « sortir » (*exerchesthai*) tandis que Mc a « venir » (*erchesthai*). Ces accords Lc/Mt contre Mc sont des traces laissées par le proto-Lc (qui dépendait du Mt-intermédiaire), traces qui ont subsisté malgré l'introduction par le proto-Lc (ou l'ultime Rédacteur lucanien) d'un vocabulaire particulier, et surtout malgré les additions faites par l'ultime Rédacteur lucanien sous l'influence du Mc-intermédiaire.

II. LA TRADITION MARCIENNE

A) LE TEXTE ACTUEL DE MC

Le texte actuel de Mc (cf. Lc) contient de nombreuses incohérences, dont plusieurs peuvent s'expliquer par la présence de doublets.

1. Selon le v. 1, Jésus arrive au pays des Géraséniens (cf. les meilleurs manuscrits); d'après le v. 2, où l'on voit Jésus quitter la barque qui l'a amené, on pourrait croire que ce pays des Géraséniens se trouve en bordure du lac de Tibériade; or la ville de Gérasa, l'actuelle Djérash, était située à plus de cinquante kilomètres du lac, à vol d'oiseau ! Les données des vv. 1 et 2 sont inconciliables.

2. En 5 2, Mc dit qu'un homme en esprit impur « vint à la rencontre » de Jésus. Ce verbe indique qu'une personne arrive à proximité d'une autre personne en sorte qu'un dialogue puisse s'établir entre elles (cf. Mt 28 9; Mc 14 13; Jn 4 51; 11 20.30; même Lc 17 12), et c'est effectivement le sens du verbe en Mt 8 28b. On est alors étonné des expressions de Mc 5 6 : « voyant Jésus *de loin, il accourut...* »; elles sont incompatibles avec ce qui fut dit au v. 2, et c'est pourquoi Lc a supprimé les expressions « de loin » et « il accourut » (Lc 8 28a). Le v. 6 de Mc apparaît comme le début d'un récit différent de celui qui commence au v. 2a.

3. Aux vv. 2 et 3 de Mc, on notera la répétition du mot « tombeau » sous deux formes grecques différentes : « (sortant) des tombeaux (*mnèmeion*) » au v. 2, avec Mt, et « dans les tombes » (*mnèma*) au v. 3, avec Lc. Ce doublet pourrait être l'indice que Mc utilise deux sources différentes.

4. La description du démoniaque, aux vv. 3b-5 de Mc, est manifestement surchargée et composée en partie de doublets.

5. Jusqu'en 10a, le récit de Mc ne parle que d'un seul « esprit impur » dans le possédé, tandis que Mt mentionne deux démoniaques. Mais aux vv. 10b-13, parallèles à Mt 8 30-32, tout est au pluriel, comme si le possédé avait plusieurs démons en lui ! Cette anomalie est encore l'indice que Mc fusionne deux récits différents, dont l'un serait parallèle à celui de Mt. Cette fusion explique la raison d'être du petit dialogue de Mc 5 9, absent de Mt : il établit une liaison artificielle entre les deux récits que Mc fusionne, celui où il n'était question que d'un seul démon et celui où il y en avait plusieurs.

6. Aux vv. 14-16 de Mc, on a deux fois la mention que les gens de la ville viennent sur les lieux du miracle (fin du v. 14 et début du v. 15), et à deux reprises ils sont mis au courant

de ce qui s'est passé : une première fois par les gardiens du troupeau (v. 14, cf. Mt), une seconde fois par « ceux qui avaient vu » (v. 16, absent de Mt).

7. La finale du récit de Mc (vv. 18b-20), absente de Mt, se concilie difficilement avec les développements des vv. 14-17, en partie parallèles à Mt. En effet, si le geste de Jésus provoquant la perte de tout un troupeau de porcs eut comme résultat de le rendre indésirable dans le pays (v. 17), comment Jésus peut-il dire à l'ex-possédé d'aller raconter chez les siens ce qui s'est passé (v. 19)? D'ailleurs, à quoi bon cet ordre de Jésus puisque toute la ville et ses environs sont déjà au courant de l'événement (v. 14)? On se trouve en présence de deux finales différentes; dans l'une, les gardiens du troupeau annoncent à la ville la perte des porcs (v. 14), ce qui provoque l'effroi des gens qui viennent demander à Jésus de vider les lieux (v. 17); dans l'autre, c'est l'ex-possédé qui doit annoncer en ville le prodige de sa guérison (sans qu'il soit question de porcs noyés dans le lac; v. 19). La combinaison par Mc de deux finales différentes est confirmée par le fait que ses vv. 18b-20 (deuxième finale) sont insérés entre les données des vv. 18a et 21a, qui sont unies, non seulement dans Mt (**8** 34b-**9** 1) mais encore dans Lc (**8** 37bc); voir les textes en parallèles en I B 1.

On peut donc conclure que le récit de Mc fusionne deux récits différents, l'un parallèle à celui de Mt, l'autre dont on ne trouve aucune trace dans Mt. Comme le récit actuel de Lc connaît le récit long de Mc, il faut attribuer la fusion des deux récits au Mc-intermédiaire, suivi par l'ultime Rédacteur lucanien. Cette hypothèse de la fusion par le Mc-intermédiaire de deux récits différents sera confirmée par Épiphane qui, on le verra plus loin, ne connaît que l'un des deux récits fusionnés par Mc, celui qui était parallèle à Mt.

Il nous faut donc maintenant analyser la structure primitive de chacun des deux récits fusionnés par le Mc-intermédiaire. Nous appellerons l'un « récit d'exorcisme », et l'autre (parallèle à Mt) « épisode des porcs ».

B) Le récit d'exorcisme

Analysons d'abord le récit d'exorcisme. En principe, il doit contenir les sections de Mc qui forment doublet avec celles qui sont parallèles à Mt. Deux précisions doivent être cependant données : d'une part, nous n'utiliserons pas tous les doublets du texte actuel de Mc, car certains sont imputables à l'ultime Rédacteur marcien, comme on le verra plus loin (D); d'autre part, certaines sections pourront être communes aux deux récits, autrement le Mc-intermédiaire n'aurait pas eu la tentation de les fusionner en un seul récit.

1. L'introduction du récit d'exorcisme peut se reconstituer à partir des vv. 1-2a de Mc. On a vu plus haut (II A 1) que la mention de la mer (v. 1) et de la barque (v. 2a) était incompatible avec la localisation d'un miracle « au pays des Géraséniens », la ville de Gérasa (Djérash) se trouvant à plus de cinquante kilomètres du lac de Tibériade (à vol d'oiseau !); une telle mention provient évidemment d'une influence de

l'épisode des porcs, puisque ceux-ci vont se jeter dans la mer. On attribuera donc au récit d'exorcisme, comme introduction, uniquement les mots : « Et ils arrivèrent ( ) au pays des Géraséniens ( ). »

2. On a vu plus haut (II A 2) que les données du v. 6 de Mc étaient incompatibles avec celles du v. 2a puisque le verbe « venir à la rencontre de » (v. 2a) implique une proximité assez étroite entre les deux personnes qui « se rencontrent ». Comme le v. 2a a son parallèle en Mt, c'est le v. 6 qui doit appartenir au récit d'exorcisme. On attribuera également au récit d'exorcisme le v. 3a de Mc, qui fait doublet avec la mention des tombeaux du v. 2 (cf. Mt; voir II A 3). Enfin, dans le récit d'exorcisme, le possédé devait être désigné par l'expression « homme en esprit impur » (v. 2b de Mc), ignorée de Mt, puisque plus loin Mc parlera d'un « démoniaque » (*daimonizomenos*: vv. 15-16; cf. v. 18) qui est l'expression qui se lit aussi dans Mt (v. 28). Le récit d'exorcisme avait donc les mots suivants : « (Et) un homme en esprit impur, qui avait habitation dans les tombes (vv. 2b-3a), voyant Jésus de loin, accourut et se prosterna devant lui (v. 6)... »

3. Le v. 7 de Mc a son parallèle en Mt **8** 29; ne se lisait-il alors que dans l'épisode des porcs? Il semble plutôt que cette interpellation de Jésus par le démon se lisait dans les deux récits. Son appartenance au récit d'exorcisme est confirmée par l'exorcisme qui se lit en Mc **1** 23 ss. L'expression « homme en esprit impur » en effet, de forme sémitique, ne se lit dans tout le NT qu'en Mc **1** 23 et Mc **5** 2b, ce qui invite à rapprocher ces deux récits d'exorcismes. Or, l'expression « crier d'une voix forte » (**5** 7a) se lit aussi en Mc **1** 26 (traduit par « crier un grand cri ») et ne se retrouve ailleurs qu'à propos de Jésus en croix (Mt **27** 50; avec un verbe différent en Mc **15** 37); de même, l'interpellation de forme sémitique : « Que me veux-tu? », littéralement : « Quoi à moi et à toi? », ne se lit dans les Synoptiques qu'ici (Mc **5** 7b et par.) et en Mc **1** 24 (au pluriel, cf. Lc). L'interpellation du démon à Jésus devait donc se lire, et dans le récit d'exorcisme, et dans l'épisode des porcs (cf. Mt). On attribuera toutefois à l'ultime Rédacteur marco-lucanien le mot « Très-Haut » (*hypsistos*) qui, dit de Dieu, ne se lit ailleurs dans tout le NT que dans Lc/Ac et en He (0/1/5/0/2/1).

4. Comme tout récit d'exorcisme, celui que le Mc-intermédiaire reprend ici devait comporter un ordre par lequel Jésus commandait au démon de « sortir » de son possédé (cf. Mc **1** 25; **9** 25); on l'a effectivement au v. 8 de Mc, sans parallèle dans Mt. Mais dans le récit actuel de Mc, cet ordre semble avoir été donné par Jésus avant les paroles de l'esprit impur rapportées au v. 7, étant donné l'imparfait « car il lui disait », qui a le sens d'un plus-que-parfait. C'est là un artifice littéraire du Mc-intermédiaire destiné à ménager l'insertion de toute la section suivante, reprise en grande partie de l'épisode des porcs : contrairement aux autres exorcismes, l'esprit impur n'obéit pas immédiatement à Jésus, mais il va discuter avec lui des conditions de sa « reddition » ! Au lieu de « car il lui disait », le récit primitif d'exorcisme devait avoir

une formule telle que : « Et il lui ordonna... » (cf. Lc ; sur le vocatif « esprit impur » de Mc, cf. Mc **9** 25).

5. Le récit d'exorcisme devait comporter ensuite la mention du départ de l'esprit impur. On l'a effectivement encore dans Mc, mais noyée dans les développements de l'épisode des porcs et mise au pluriel puisque les « esprits impurs » sont une multitude à partir du v. 10 de Mc (cf. II A 5) ; c'est la petite phrase du v. 13a de Mc : « et les esprits impurs étant sortis... », qui ne se lisait pas dans l'épisode des porcs tel que le Mc-intermédiaire l'a connu (cf. *infra*, d'après le témoignage d'Épiphane). On devait lire dans le récit d'exorcisme primitif : « Et l'esprit impur sortit » (cf. Mc **1** 26 ; **9** 26).

6. On a vu plus haut que la conclusion du récit d'exorcisme se lisait aux vv. 18b-20 de Mc (cf. II A 7). Mais, dans leur état actuel, ces versets sont surchargés, avec le redoublement des expressions : « tout ce que le Seigneur a fait pour toi » (v. 19 b) et « tout ce que Jésus avait fait pour lui » (v. 20), comportant l'étrange glissement du titre de « Seigneur » au nom de « Jésus ». Réservant à plus loin (D 2 a) l'analyse des additions effectuées ici par l'ultime Rédacteur marco-lucanien, reconnaissables aux nombreux « lucanismes » de ces versets, nous ne donnerons ici que le résultat de ces analyses. Il faut considérer comme additions du Rédacteur toute la deuxième partie du v. 19, à partir des mots « près des tiens », et la finale du v. 20 : « et tous admiraient ». Par ailleurs, au v. 18, la mention de l'embarquement de Jésus vient certainement de l'épisode des porcs (cf. Mt), et l'expression « le démoniaque » est du Mc-intermédiaire, influencé par cet épisode des porcs (cf. *supra*). Enfin, au v. 20, la mention de la Décapole est probablement du Rédacteur, le récit primitif ayant « dans la ville », expression reprise par Lc **8** 39, légèrement modifiée. La finale du récit d'exorcisme devait avoir approximativement cette teneur : « ... L'homme (cf. v. 2b) le suppliait qu'il soit avec lui ; et il ne le laissa pas mais il lui dit : 'Va dans ta maison' (cf. Mc **2** 11). Et il s'en alla et se mit à proclamer dans la ville tout ce que Jésus avait fait pour lui. »

Voici donc la reconstitution du récit d'exorcisme que le Mc-intermédiaire a fusionné avec l'épisode des porcs. Nous la donnons en la mettant en parallèle avec le récit d'exorcisme qui se lit en Mc **1** 23 ss. :

Mc 5	Mc 1
1 Et ils arrivèrent () au pays des Géraséniens.	23 Il y avait dans leur syna-[gogue un homme en esprit impur
2b Et un homme en esprit [impur, 3a qui avait son habitation dans les tombes, 6 voyant Jésus de loin, accourut et se prosterna devant lui, 7 et criant d'une voix forte il dit : « Que me veux-tu,	et il s'écria (+ d'une voix forte : Lc) 24 disant : « Que nous veux-[tu,

Jésus, fils de Dieu ? Je t'adjure, par Dieu, ne me tourmente pas ! »

8 (Et il lui ordonna :) « Sors, esprit impur, de l'homme. »

13 (Et l'esprit impur sortit)

18 (Et l'homme) le suppliait qu'il soit avec lui ;

19 et il ne le laissa pas, mais il lui dit : « Va dans ta maison. »

20 Et il s'en alla et se mit à proclamer dans la ville tout ce que Jésus avait fait pour lui.

Jésus le Nazarénien ?

Es-tu venu pour nous [perdre ? Je sais qui tu es : le Saint de Dieu. »

25 Alors il le menaça, disant : « Silence ! Sors de lui. »

26 Et l'esprit impur le secoua et criant d'une voix forte il sortit de lui.

On a vu à la note § 33 que Mc **1** 23-26 était une insertion faite par le Mc-intermédiaire dans la trame du récit de la première prédication de Jésus à Capharnaüm ; on peut penser que Mc a repris les éléments de cet ajout au récit qu'il reproduit ici plus en détail. Mais d'où le Mc-intermédiaire tient-il ce récit ? Pas du Document A, puisque celui-ci avait à la place l'épisode des porcs (cf. IV). Pas du Document B, car on verra que celui-ci avait aussi à la place l'épisode des porcs. On pourrait alors songer au Document C. En faveur de cette hypothèse, on aurait la présence dans ce récit d'expressions qui ne se lisent pas ailleurs dans les Synoptiques : « un homme en esprit impur » ; « habitation » (*katoikèsis*) ; « crier d'une voix forte » (ailleurs seulement une fois dit de Jésus en croix) ; « que me veux-tu ? » (littéralement : « Quoi à moi et à toi ? ») ; « je t'adjure » (*exorkizô*). Si l'on juge ces arguments trop faibles, on pourra songer à une source particulière du Mc-intermédiaire (mais cf. encore les remarques qui seront faites en IV).

C) L'ÉPISODE DES PORCS

Nous avons vu que le Mc-intermédiaire avait fusionné le récit d'exorcisme analysé plus haut (B) avec l'épisode des porcs attesté par Mt. L'hypothèse la plus simple serait de dire que le Mc-intermédiaire a repris cet épisode des porcs au Document A, comme le Mt-intermédiaire. Mais il ne le semble pas, si du moins on veut bien se fier au témoignage d'Épiphane. Cet auteur en effet, après avoir cité le récit de Mt presque intégralement (cf. *supra*), donne un nouveau récit qu'il attribue explicitement à Mc ; or ce récit marcien d'Épiphane ne contient à peu près aucun des éléments du texte actuel de Mc que nous avons attribués au « récit d'exorcisme », sinon l'invective du démon contre Jésus (Mc **5** 7), attestée aussi par Mt et qui devait se lire dans « l'épisode des porcs » comme dans le « récit d'exorcisme ». On peut donc penser que, sous le nom de Marc, Épiphane nous donne en fait le texte de la source où le Mc-intermédiaire est allé prendre « l'épisode des porcs » qu'il a fusionné avec le « récit d'exorcisme », repris, peut-être, du Document C. Ce texte qu'Épiphane attribue à Marc appartiendrait donc à ce que nous appelons le Document B, une des sources habituelles du Mc-intermédiaire. Il sera possible d'apporter des précisions nouvelles sur ce point quand nous aurons analysé le récit qu'Épiphane attribue à Marc.

1. Le récit marcien d'Épiphane commence ainsi : « Or il vint dans la région de Gergesthan. » Ce début ne correspond, ni à celui de Mt, qui donnait le nom des « Gadaréniens », ni à celui du Mc actuel qui a « au pays des Géraséniens »; il ne faut pas nous en étonner puisque Mt reflète ici le récit du Document A, Mc n'a conservé que le début du « récit d'exorcisme » du Document C (cf. *supra*), tandis qu'Épiphane donnerait le début de l'épisode des porcs selon le Document B. Ce nom de Gergesthan ne nous est pas plus connu que le nom de Dalmanoutha qui se lit en Mc **8** 10. On remarquera enfin que le récit marcien d'Épiphane ne mentionne, ni la traversée du lac (cf. Mc **5** 1), ni le débarquement de Jésus (**5** 2a), se rapprochant ainsi du récit de Mt (les mots « de l'autre côté », en Mt **8** 28a, sont omis par quelques manuscrits grecs et la Syriaque Sinaïtique).

2. « Et vint à sa rencontre un démoniaque », nous dit ensuite Épiphane. Au préfixe près, le verbe est semblable à celui de Mc (*apantaô/hypantaô*); il est impossible de dire qui a changé le préfixe du Document B : Épiphane ou le Mc-intermédiaire. Mais le sujet du verbe est très différent, ce qui ne doit pas nous étonner; on a vu en effet plus haut que l'expression de Mc « un homme en esprit impur » provenait, non de l'épisode des porcs, mais du récit d'exorcisme puisqu'elle se lisait déjà en Mc **1** 23. Épiphane a bien gardé le sujet du verbe qui se lisait dans le Document B : un « démoniaque » (*daimonizomenos*); on lisait le même sujet, mais au pluriel (« deux »), dans le Document A (cf. le Mt-intermédiaire, mieux conservé par Épiphane que par Mt : « et voici deux démoniaques... », fin de I A).

3. La description du démoniaque, dans le Mc actuel, est extrêmement complexe et manifestement surchargée (vv. 3-5); elle est en revanche assez sobre dans la citation d'Épiphane : « qui était lié de chaînes de fer et rompait les liens... » Or il apparaît que seul le texte d'Épiphane peut expliquer, et les développements du v. 4 de Mc, et les amplifications moindres du v. 29b de Lc :

Mc 5 4	Épiphane	Lc 8 29b
		Car bien des fois il s'était emparé de lui,
Par le fait que lui, souvent,		
d'entraves et de chaînes être lié (*dedesthai*) et être rompues par lui les chaînes et les entraves être mises en pièces...	qui était lié (*edeismeito*) de chaînes de fer et rompait les liens (*desma*)...	et il était lié (*edesmeueto*) de chaînes et gardé par des entraves et brisant les liens (*desma*) il était entraîné par le démon dans les lieux déserts.

Le texte d'Épiphane est parfaitement homogène. Celui de Lc garde le schéma et, en partie, le vocabulaire du texte d'Épiphane, mais ajoute : « et gardé par des entraves » (sans parler des deux ajouts, au début et à la fin, mentionnant l'action du démon sur le possédé). Celui du Mc semble avoir dédoublé systématiquement le texte attesté par Épiphane. Selon toute vraisemblance, Épiphane seul a gardé le texte du Document B.

4. A quel endroit le Document B mentionnait-il les « tombeaux » dans lesquels vivait le démoniaque? Le récit actuel de Mc mentionne ces tombeaux à trois reprises. Au v. 2b : « (sortant) des tombeaux »; au v. 3a : « qui avait (son) habitation dans les tombes »; enfin au v. 5 : « dans les tombes ». De ces trois mentions, la première, omise par quelques témoins (1355 2324 *SyrSin*) et déplacée par d'autres (*D W Thêta VetLat*), est probablement une harmonisation de scribe (cf. Mt **8** 28b). La seconde appartenait, on l'a vu, au récit

d'exorcisme. La troisième est située après la description du démoniaque, comme dans la citation d'Épiphane. On peut en conclure qu'Épiphane reflète fidèlement le récit du Document B, tandis que le Mc-intermédiaire a repris, d'une part la mention des tombes qui se lisait dans le récit d'exorcisme (v. 3a), d'autre part la mention des tombeaux qui se lisait dans l'épisode des porcs selon le Document B (v. 5), mais dans ce dernier cas en supprimant le verbe attesté par Épiphane : « il passait (son temps) » (*diège*).

5. Chez Épiphane, l'interpellation des démons à Jésus est donnée sous cette forme : « Hélas ! Que nous veux-tu, Jésus fils de Dieu? Es-tu venu pour nous tourmenter avant le temps? » Ce passage d'Épiphane, ayant pour introduction le simple verbe « il criait », est nettement plus proche de Mt **8** 29 que de Mc **5** 7. La raison en est que le v. 7 de Mc provient, non de l'épisode des porcs, comme le v. 29 de Mt et la citation d'Épiphane, mais du récit d'exorcisme (cf. *supra*).

6. Le dialogue entre Jésus et le démon, dans le texte d'Épiphane, provient de Lc 8 30 et non de Mc 5 9; c'est donc une addition d'Épiphane qui ne se lisait pas dans le Document B. – La suite du récit d'Épiphane va nous donner une structure de forme typiquement marcienne, abandonnée par le récit actuel de Mc; mettons en regard le récit actuel de Mc, le texte d'Épiphane et le récit du Mt-intermédiaire (cf. fin de I A) :

Mc 5 10-12	Épiphane	Mt-interméd.
10 Et *il le suppliait* instamment qu'il ne les envoyât pas hors du pays.	Et *ils le suppliaient* de ne pas être envoyés hors du pays mais *d'entrer dans les porcs.*	
11 Or il y avait là vers la montagne, un grand troupeau de porcs, en train de paître;	Car il y avait là un troupeau de porcs en train de paître.	Or il y avait un troupeau de porcs, là, en train de paître; et les démons *le suppliaient disant :* « Si tu nous chasses, *envoie-nous dans les porcs.* »
12 et ils *le supplièrent disant :* « *Envoie-nous dans les porcs,* que *nous entrions en eux.* »		

Le texte d'Épiphane donne une structure de style typiquement marcien : on nous dit qu'il y avait un troupeau de porcs seulement après avoir mentionné la demande des démons d'entrer dans les porcs ! On notera de plus que l'explication concernant la présence d'un troupeau de porcs est introduite par la formule : « Car il y avait » (= « Car était », *èn gar*). Sur ce procédé littéraire de Mc, voir Mc 5 42, mais aussi **1** 16; **2** 15; **6** 31.48; **10** 22; **11** 13. L'ultime Rédacteur marcien a supprimé l'anomalie de cette construction en s'inspirant du parallèle du Mt-intermédiaire, d'où le redoublement du verbe « supplier » (vv. 10 et 12); on remarquera également la maladresse de la formule de Mc 5 12b : « envoie-nous dans les porcs, que nous entrions en eux »; Mc reprend la fin du texte du Mt-intermédiaire, qu'il complète en ajoutant : « que nous entrions en eux », repris du Document B (cf. Épiphane : « mais d'entrer dans les porcs »).

7. Le v. 13 de Mc se retrouve presque intégralement dans le récit d'Épiphane; il aurait donc gardé ici assez fidèlement le texte du Document B. On notera cependant deux points importants. D'une part, Épiphane n'a pas les expressions de Mc : « Et, les esprits impurs, étant sortis »; c'est normal puisque ces expressions de Mc proviennent du récit d'exorcisme (cf. *supra*), non de l'épisode des porcs. D'autre part, avant le chiffre des porcs « environ deux mille », Épiphane place les mots « Car ils étaient » (*èsan gar*); on retrouve donc ici chez Épiphane (mais non chez Mc) le procédé littéraire typiquement marcien signalé au passage précédent : pour expliquer que *tout le troupeau* se précipite dans la mer, on nous dit ensuite, comme une explication, que les démons étaient au nombre d'environ deux mille.

8. Nous ne nous arrêterons pas sur les différences minimes que le v. 14a de Mc offre avec le texte d'Épiphane. Men-

tionnons seulement l'addition par Mc de l'expression « et à la campagne », après « à la ville ».

9. La citation d'Épiphane s'arrête après le v. 14a de Mc. Pour reconstituer la teneur du Document B, notre seule ressource est de prendre les éléments de Mc qui ont leur parallèle en Mt : au v. 15 les mots « Et (ils vinrent) à Jésus »; tout le v. 17; au v. 18 la mention que Jésus remonte en barque (cf. Mt **9** 1); enfin au v. 21 le verbe « traverser » (*diaperan*; cf. Mt **9** 1).

Pour avoir une vue d'ensemble de l'épisode des porcs selon le Document B, voir plus loin (IV).

D) L'activité de Mc

Elle doit se situer à un double niveau : celui du Mc-intermédiaire et celui de l'ultime Rédacteur marco-lucanien.

1. *Le Mc-intermédiaire.* C'est lui qui fusionne le « récit d'exorcisme », repris du Document C (?), et « l'épisode des porcs », qu'il lisait dans le Document B. Pour ménager une transition entre l'exorcisme, où il n'était question que d'un seul « esprit impur », et l'épisode des porcs, où le démoniaque était habité par de nombreux démons, le Mc-intermédiaire a inséré le v. 9 de son texte : le dialogue entre Jésus et l'esprit impur amène celui-ci à reconnaître : « Légion (est) mon nom, car nous sommes beaucoup »; ainsi est expliqué le passage du singulier au pluriel ! C'est probablement le Mc-intermédiaire qui, suivi par les ultimes Rédacteurs matthéen et lucanien, a placé ce récit après celui de la tempête apaisée; d'où les deux additions : « de l'autre côté de la mer » (v. 1) et « lui étant sorti de la barque » (v. 2a). On remarquera

qu'en finale du récit, le Mt-intermédiaire parlera d'une barque indéterminée (Mt **9** 1; Lc **8** 37c), ce qui suppose qu'il n'avait pas été question de barque au début du récit, tandis que Mc **5** 18 précise : « Et comme il montait dans *la* barque ».

2. *L'ultime Rédacteur marcien.* L'activité de l'ultime Rédacteur marco-lucanien est assez considérable, surtout dans la seconde partie du récit.

a) Elle se trahit par les nombreux « lucanismes » dont est parsemé le texte actuel de Mc. Certains de ces lucanismes se lisent également dans le récit de Lc. En Mc **5** 7, le mot « Très-Haut » (*hypsistos;* dit de Dieu : 0/1/5/0/2/1); au v. 14, l'expression « ce qui s'était passé » (*to gegonos:* 0/1/5/0/2/0); au v. 15, Mc note que les gens de la ville trouvèrent l'ex-possédé « vêtu » (*himatismenos;* cf. Lc **8** 35); mais Lc seul nous avait dit que le possédé « ne portait pas de vêtement » (v. 27) ! Le verbe *himatizein* ne se lit qu'ici (Mc/Lc) dans tout le NT; mais le mot *himatismos* n'est pas inconnu de Lc (0/0/2/1/1/1). Aux vv. 14.16 et 19, on trouve dans Mc les verbes « annoncer » et « raconter », qui se lisent aussi chez Lc, mais pas dans le même ordre (« annoncer » aux vv. 34.36; « raconter » au v. 39); ces deux verbes sont plutôt lucaniens que marciens : « annoncer » (*apaggellô:* 8/3/11/1/16; des trois cas de Mc, deux se lisent ici, et le troisième en **6** 30, verset de l'ultime Rédacteur marcien); « raconter » (*diègeomai:* 0/2/2/0/3/1); au v. 16 de Mc, on notera que le verbe « raconter » est suivi de l'adverbe « comment » (*pôs*), ce qui est typique du style de Lc : après « raconter », cf. Ac **9** 27; **12** 17; après « annoncer », cf. Lc **8** 36; Ac **11** 13; pour la phraséologie de ces passages de Mc, on comparera avec Ac **12** 17 : « ... (Pierre) leur raconta (*diègèsato*) comment (*pôs*) le Seigneur (cf. au v. 19 de Mc) l'avait fait sortir de prison, et il leur dit : Annoncez (*apaggeilate*) cela à Jacques et aux frères. »

D'autres lucanismes de Mc sont absents des parallèles de Lc. Au v. 4, la construction *dia to* + infinitif; en dehors des passages communs aux trois Synoptiques (Mt **13** 5-6 = Mc **4** 5-6 = Lc **8** 6), cette construction se trouve dans la proportion suivante : 1/1/7/1/8/5. Au v. 12, le verbe « envoyer » (*pempô*) ne se lit jamais ailleurs dans Mc (et même ici, Épiphane a *apostellô*) et il n'est fréquent que dans Lc/Jn/Ac (4/1/10/32/11). Au v. 19, le titre de « Seigneur » (*kyrios*) peut se comprendre, soit de Dieu (cf. Lc **8** 39), soit de Jésus (cf. Mc **5** 20); dans l'un ou l'autre cas, si l'on met à part les citations de l'AT, ce titre n'est fréquent que dans Lc/Ac. Au v. 20 enfin, le verbe « admirer » (*thaumazein*) est plus lucanien que marcien (7/4/13/6/5); avec « tous » comme sujet, on ne le trouve ailleurs que dans Lc (**1** 63, en fin de phrase comme ici; **2** 18; **9** 43).

b) L'activité de l'ultime Rédacteur marcien consista, de façon assez curieuse, à dédoubler un certain nombre de passages. Les vv. 3-5, où est décrit le démoniaque, sont fort complexes; sans doute, cette complexité provient en partie de ce que le Mc-intermédiaire fusionne les données des récits C et B, comme on l'a vu (II B 2 et II C 3), mais le Rédacteur marcien en rajoute ! Le v. 3b fait doublet avec

la fin du v. 4; la description du v. 4, en provenance du Document B, est systématiquement dédoublée, comme on peut le voir en se reportant aux textes parallèles donnés en II C 3; enfin le v. 5 est probablement de la main de l'ultime Rédacteur marcien, mise à part l'expression « dans les tombes » qui est reprise du Mc-intermédiaire (cf. le Document B). – Exception faite de la proposition : « et ils viennent à Jésus » (début du v. 15, avec le verbe primitivement au passé simple), la fin du v. 14 et les vv. 15-16, où abondent les lucanismes, sont de l'ultime Rédacteur marcien; mais l'addition de ces versets a provoqué la présence de doublets : double mention de la venue des gens vers Jésus (fin du v. 14 et début du v. 15), double information faite aux gens de la ville de ce qui s'est passé (vv. 14 et 16). – On a déjà dit que la seconde moitié du v. 19, à partir des mots « près des tiens » était de l'ultime Rédacteur marcien, addition qui provoque la redondance des formules entre les vv. 19 et 20. Au v. 20 enfin, le Rédacteur remplace la mention de la « ville » (cf. Lc) par celle de la Décapole, et il ajoute la finale « et tous admiraient », de saveur lucanienne (cf. *supra*).

Ces additions de l'ultime Rédacteur marco-lucanien se lisent également, au moins en partie, chez Lc. Ce fait confirmerait que les ultimes Rédacteurs marcien et lucanien sont identiques. Si l'on refuse cette hypothèse, il faut admettre une influence de l'ultime rédaction lucanienne sur l'ultime rédaction marcienne (et non l'inverse), étant donné les « lucanismes » présents dans Mc.

III. LE RÉCIT DE LUC

Pour ne pas allonger indéfiniment cette note, nous ne nous attarderons pas sur les caractéristiques du texte de Lc. Rappelons simplement les remarques déjà faites (I B) : il faut distinguer dans Lc deux niveaux rédactionnels; d'une part le proto-Lc, qui dépendait du Mt-intermédiaire et dont il ne reste plus que des bribes; d'autre part l'ultime rédaction lucanienne, dépendante du récit du Mc-intermédiaire.

IV. LES TRADITIONS FONDAMENTALES

Les analyses précédentes ont permis de conclure à l'existence de trois récits fondamentaux : un récit d'exorcisme attribué au Document C (avec réserve), deux versions de l'épisode des porcs, l'une donnée par le Document A (cf. Mt) l'autre par le Document B, le Mc-intermédiaire ayant fusionné les récits des Documents C et B. Il faut maintenant comparer ces trois récits en les mettant en parallèle; nous reprendrons les textes établis : pour le Document A à la fin de I A; pour le Document C à la fin de II B; pour le Document B au cours des analyses de II C.

Document C	Document A	Document B
Et ils arrivèrent au pays des Géraséniens. Et un homme en esprit impur	Et (il arriva) au pays des Gadaréniens. Et voici deux démoniaques très sauvages	Or il arriva dans la région de Gergesthan. Et vint à sa rencontre un démoniaque
qui avait habitation dans les tombes, voyant Jésus de loin, accourut et se prosterna devant lui et criant d'une voix forte il dit : « Que me veux-tu, Jésus, fils de Dieu? Je t'adjure, par Dieu,	sortant des tombeaux et ils criaient disant : « Que nous veux-tu, fils de Dieu, que tu sois venu avant le temps	qui était lié de chaînes de fer et rompait les liens et passait (son temps) dans les tombes et il criait : « Que nous veux-tu, Jésus, fils de Dieu? Es-tu venu
ne me tourmente pas! » Et il lui ordonna : « Sors, esprit impur, de l'homme. »	pour nous tourmenter? »	pour nous tourmenter avant le temps? » Et ils le suppliaient de ne pas être envoyés hors du pays, mais d'entrer dans les porcs.
	Or il y avait un troupeau de porcs, là, en train de paître. Et les démons le suppliaient disant : « Si tu nous chasses, envoie-nous dans les porcs. »	Car il y avait là vers la montagne un troupeau de porcs en train de paître.
Et l'esprit impur sortit.	Et ils bondirent dans la mer	Et il leur permit d'entrer dans les porcs. Et le troupeau bondit du haut de l'escarpement dans la mer,
	et ils se perdirent dans les eaux.	car ils étaient environ deux mille, et ils se noyèrent dans la mer.
Et l'homme le suppliait qu'il soit avec lui; et il ne le laissa pas, mais il lui dit : « Va dans ta maison. »		
Et il s'en alla et se mit à proclamer dans la ville ce que Jésus avait fait pour lui.	Or les gardiens s'enfuirent et annoncèrent (cela) à la ville.	Et ceux qui les gardaient s'enfuirent et annoncèrent (cela) dans la ville.
	Et toute la ville sortit vers Jésus et, le voyant, ils le supplièrent qu'il s'éloignât de leur territoire.	Et ils vinrent à Jésus et se mirent à le supplier de s'en aller de leur territoire.

Ces trois récits offrent de nombreux points communs : L'arrivée de Jésus dans un pays déterminé; le fait que le possédé vit dans les tombes; l'interpellation des démons à Jésus, avec la formule sémitique : « Que nous (me) veux-tu? », et l'idée que Jésus « tourmente » les démons ; enfin le fait que le récit de la guérison du possédé (ou de la perte du troupeau) est annoncé « dans la ville ». Ces accords sont si importants qu'ils supposent une dépendance littéraire entre ces récits.

1. La forme la plus primitive serait celle du Document C. Jésus accomplit un exorcisme dans la région de Gérasa (Djérash) ; l'ex-possédé demande à Jésus le privilège d'être admis au nombre de ses disciples, mais Jésus refuse, peut-être à cause des origines païennes de l'homme ; celui-ci s'en va alors et proclame par toute la ville ce que Jésus a fait pour lui.

2. La tradition représentée par le Document A reprit cet exorcisme mais le réinterpréta en fonction d'un épisode folklorique : la noyade accidentelle d'un troupeau de porcs dans le lac de Tibériade, que l'on attribua à l'action des démons chassés du possédé. L'épisode prit alors une tournure moins favorable à Jésus : en finale, ce sont les gardiens des porcs qui vont annoncer en ville la perte du troupeau, d'où la peur des gens qui demandent à Jésus de quitter leur territoire. Comme la localisation de Gérasa ne convenait plus au nouvel épisode, on fit venir Jésus « dans la région des Gadaréniens »,

la ville de Gadara ne se trouvant plus qu'à une dizaine de kilomètres du lac, à vol d'oiseau.

3. En reprenant le récit du Document A, le Document B n'y apporta aucun changement substantiel. Il se contenta de développer le simple « très sauvages » du Document A en introduisant le détail des chaînes que le possédé arrivait à rompre. Pour mieux expliquer la panique de tout le troupeau de porcs, il précisa que les démons étaient au nombre de deux mille. Enfin, trouvant que Gadara était encore trop loin du lac, dont elle était séparée par la profonde vallée du Yarmouk, il fit venir Jésus « dans la région de Gergesthan ». Le nom de cette ville imaginaire a pu être forgé à partir d'un nom de peuplade, les Gergéséens, d'origine cananéenne, qui habitaient à l'est du lac (cf. la leçon « Gergéséniens » donnée par de nombreux manuscrits des trois Synoptiques que l'on croit être une conjecture attribuée à Origène).

4. Rappelons enfin l'usage que le Mc-intermédiaire fera du récit d'exorcisme du Document C : il le fusionne à trois reprises, plus ou moins complètement, avec un épisode différent ; une première fois avec le récit de la première prédication de Jésus à Capharnaüm (cf. note §§ 32, 33), une seconde fois ici, une troisième fois enfin avec le récit de la guérison d'un enfant épileptique (cf. note § 171).

Note § **143.** *GUÉRISON D'UNE HÉMORROISSE ET RÉSURRECTION DE LA FILLE DE JAIRE*

Alors que Mc et Lc racontent à la suite : la tempête apaisée, la guérison du possédé de Gérasa et la résurrection de la fille de Jaïre, Mt insère entre les deux derniers épisodes trois (9 2-17) des cinq controverses qui se trouvaient groupées dans le Mt-intermédiaire comme dans Mc (cf. note §§ 40-45) ; dans le Mt-intermédiaire, guérison des possédés de Gadara et résurrection de la fille de Jaïre devaient donc se suivre, le lien entre les deux épisodes étant assuré par Mt 9 1 (//Lc 8 37c) où l'on voit Jésus monter en barque et retraverser le lac ; cette séquence était déjà celle du Document A, source du Mt-intermédiaire. Par ailleurs, on a vu à la note § 142 que le Mc-intermédiaire suivait le Document B dans l'épisode précédent, mais qu'il avait complété le texte de sa source en insérant un récit d'exorcisme dont la finale se lit en Mc 5 18b-20 ; dans le Document B, le lien entre « possédé de Gérasa » et « résurrection de la fille de Jaïre » était donc assuré par le même jeu de scène que dans le Document A : Jésus remonte en barque (5 18a) et retraverse le lac (5 21a). Les Documents A et B étaient ici strictement parallèles et l'on peut en conclure que, dans le récit de la résurrection de la fille de Jaïre, la source de Mt sera le Document A et celle de Mc le Document B, comme dans le récit précédent (pour Mc, il faut préciser : la source principale).

I. ANALYSES LITTÉRAIRES

Dans les analyses suivantes, nous étudierons d'abord le récit de la résurrection de la fille de Jaïre, puis celui de la guérison de l'hémorroïsse qui le coupe en deux.

A) RÉSURRECTION DE LA FILLE DE JAIRE

1. *Le récit de Mt*. Il est beaucoup plus simple que celui de Mc et sa sobriété convient bien à ce que l'on attend d'un récit en provenance du Document A. On peut même se demander s'il n'a pas été légèrement amplifié au niveau de l'ultime rédaction matthéenne. Au v. 24b, en effet, les mots : « ... n'est pas morte mais elle dort. Et ils se moquaient de lui », se retrouvent identiques à la fin du v. 39 et au début du v. 40 de Mc (cf. Lc) ; cette identité de vocabulaire est suspecte car dans ce récit les textes de Mt et de Mc offrent peu de contacts littéraires ; on notera de plus que ce thème vient très bien dans Mc et Lc : Jésus dit qu'il ne faut pas pleurer parce que l'enfant n'est pas morte ; dans Mt au contraire, malgré le « car » de liaison, on ne voit pas pourquoi il faut que les gens se retirent « car la fillette n'est pas morte » ! Dans le Mt-intermédiaire, le v. 24 avait donc seulement les mots « Retirez-vous », que suivait le v. 25 : « (Et) quand la foule fut chassée... » ; le reste du v. 24 fut ajouté par l'ultime Rédacteur matthéen sous l'influence du Mc intermédiaire. Il est probable aussi que, dans le Mt-intermédiaire, le v. 26 (renommée de Jésus) ne se trouvait pas à cette place ; sur ce problème voir note § 144, II 1 b.

2. *Le récit de Mc*.

a) Le texte de Mc est composite ; ceci apparaît quand on le compare à ceux de Mt et de Lc, surtout à partir du v. 37. Dans la structure générale de cette seconde partie du récit, Mc mentionne avec le seul Lc : la présence aux côtés de Jésus des trois disciples préférés et des parents de l'enfant (vv. 37.40c de Mc, 51 de Lc), la parole par laquelle Jésus commande à la fillette de se lever (vv. 41 de Mc, 54 de Lc), l'âge de l'enfant (v. 42 de Mc, transposé par Lc au v. 42), l'ordre de lui donner à manger (vv. 43 de Mc, 55b de Lc), la stupeur des assistants (vv. 42 de Mc et 55c de Lc) et la consigne de silence (vv. 43 de Mc et 56 de Lc). Mais Mc mentionne avec le seul Mt : que Jésus « regarde le bruit » (v. 38b; cf. Mt : « et voyant... faisant du bruit »), puis qu'il expulse la foule (vv. 40 de Mc, 25a de Mt). Mt et Lc auraient-ils, chacun de son côté, fait un choix dans les détails du récit de Mc? Non, c'est Mc qui fusionne deux récits différents, attestés, l'un par Mt et l'autre par Lc. On en a pour preuve les doublets du récit de Mc. Au v. 38, Mc indique l'arrivée du groupe à la maison du chef de synagogue, détail qui se lit également aux vv. 23a de Mt et 51a de Lc; mais ensuite Mc dit à deux reprises que Jésus « entre » : une première fois au début du v. 39, comme en Lc **8** 51; une seconde fois à la fin du v. 40, ce qui correspond au v. 25 de Mt; pour rendre le doublet moins flagrant, Mc ajoute la seconde fois : « là où était l'enfant », précision absente de Mt/Lc. Aux vv. 38b et 39a, Mc combine le thème du « bruit » (*thorybos*, Mt) avec celui des pleurs (*klaiein*, Lc). On notera encore au v. 23c de Mc le doublet : « et qu'elle soit sauvée et qu'elle vive »; le deuxième verbe, qui signifie « revivre », convient mieux au récit matthéen (fin du v. 18) où le père de l'enfant vient annoncer à Jésus la mort de sa fille; le premier verbe au contraire est ordinairement employé dans les cas de simple guérison et on le lit à la fin du v. 50 de Lc; on peut alors penser, d'une part que Lc a transféré ce verbe « être sauvé » afin de le lier au thème de la foi, d'autre part que Mc, au v. 23c, juxtapose les verbes des deux récits différents, attestés l'un par Mt et l'autre par Lc. – Cette fusion par Mc de deux récits différents pourraient enfin expliquer la structure complexe du v. 23b de Mc, où les mots : « ... disant : Ma petite fille est à (toute) extrémité », sont insérés maladroitement dans la phrase : « et il le supplie instamment () pour que, étant venu, tu lui imposes les mains »; mais il est difficile de préciser ici la partie que Mc reprend à la tradition matthéenne, car Lc a bouleversé le texte pour transporter au v. 50 le verbe « être sauvé » (cf. *supra*).

b) Ici comme souvent ailleurs, le Mc-intermédiaire a donc fusionné deux récits parallèles : le premier en provenance du Document A, repris par le Mt-intermédiaire; le second en provenance du Document B, dont dépendait directement le proto-Lc. Outre la fusion des deux récits, le Mc-intermédiaire a ajouté la consigne de silence, au v. 43a; ailleurs, en effet, les consignes de silence sont presque toujours attribuables au Mc-intermédiaire (cf. Introd,. II A **2** c 3); si elle se trouve attestée aussi par Lc (v. 56), c'est l'ultime Rédacteur lucanien qui l'a ajoutée au texte du proto-Lc sous l'influence du Mc-intermédiaire, en la colorant de son style : « prescrire » (*paraggellein*: 2/2/4/0/10); « ce qui était arrivé » (*to gegonos*; cf. Lc 8 34-35; **24** 12, ajoutés par l'ultime Rédacteur lucanien; Ac 5 7; **13** 12). – On peut alors se demander si le thème de la « stupeur » des assistants (Mc 5 42c) ne serait pas aussi une addition du Mc-intermédiaire; l'addition des thèmes de la stupeur et de la consigne de silence expliquerait la place

insolite de la phrase qui termine le récit de Mc : « ... et il dit de lui donner à manger »; on dit d'ordinaire que Lc a transféré cette phrase (v. 55 b) pour éviter l'incohérence du récit de Mc; mais ne serait-ce pas plutôt que le proto-Lc avait gardé le texte primitif du Document B : « et elle se leva... et il (dit) de lui donner à manger », tandis que le Mc-intermédiaire en a troublé l'ordonnance en ajoutant maladroitement les thèmes de la stupeur et de la consigne de silence ? Dans Lc, le thème de la stupeur aurait donc été ajouté par l'ultime Rédacteur lucanien sous l'influence du Mc-intermédiaire.

c) Notons pour finir deux retouches de l'ultime Rédacteur marcien. Aux vv. 41-42, il a ajouté les mots : « je te (le) dis » et « et elle marchait », absents des parallèles de Lc/Mt, afin d'harmoniser ce récit avec celui de la guérison du paralytique (Mc **2** 9.11, § 40). Au v. 42, il a ajouté le mot « stupeur » (*ekstasis*: 0/2/1/0/4/0), comme il l'ajoutera encore en Mc **16** 8 (§ 359, traduit par « trouble ») : c'est la même réaction des gens devant le fait extraordinaire d'une résurrection.

3. *Le texte de Lc*.

a) Comme on peut le conclure des analyses précédentes, le récit de Lc doit être attribué pour l'essentiel au proto-Lc, en dépendance du récit du Document B. L'ultime Rédacteur lucanien a ajouté les thèmes de la stupeur et la consigne de silence (vv. 55c-56) sous l'influence du Mc-intermédiaire. Il est possible qu'il ait procédé à d'autres harmonisations sous l'influence du Mc-intermédiaire, mais elles sont impossibles à déceler.

b) Les contacts positifs Lc/Mt contre Mc sont ténus et sans grande signification. Au v. 41, Lc commence le récit par « voici », comme Mt; mais cette particule est fréquente chez l'un et l'autre évangélistes, et leur accord ici peut être fortuit. De même, au lieu de « chef-de-synagogue » (*archisynagôgos*, Mc), Lc a « chef de la synagogue » (*archôn tès synagôgès*), rejoignant Mt pour le titre de « chef »; mais Lc affectionne ce mot (dit des chefs du peuple juif : 2/0/7/3/10), et il a pu spontanément transformer l'expression de Mc pour retrouver le mot *archôn*. Au v. 42, Lc a « fille » (cf. Mt) au lieu de « petite fille » (Mc); mais on connaît le goût de Mc pour les diminutifs et c'est donc lui qui a pu l'introduire ici. Plus important est l'accord Lc/Mt au v. 51 de Lc : « arrivé à la maison » (*elthôn eis tèn oikian*), au lieu de « ils arrivent à la maison » (*erchontai eis ton oikon*); mais le présent historique ne serait-il pas de l'ultime Rédacteur marcien, comme souvent ailleurs? C'est en tout cas une caractéristique de Mc qui ne devait pas se lire dans le Document B, source du proto-Lc. Reste enfin, au v. 54 de Lc, le possessif *autès* (« sa ») au lieu de *tou paidiou* (« de l'enfant »). De ces contacts mineurs, on pourrait conclure tout au plus que le proto-Lc a subi une légère influence du Mt-intermédiaire, dont il connaissait certainement le récit; mais pour l'ensemble, il dépend du Document B, comme le Mc-intermédiaire dont c'est la source principale malgré les traits repris du Document A.

B) Guérison de l'hémorroïsse

Inséré entre les deux parties du récit de la résurrection de la fille de Jaïre, celui de la guérison de l'hémorroïsse présente des caractères littéraires semblables.

1. *Le récit de Mt.* Il offre une structure très simple, d'où sont absents les détails anecdotiques qui ne sont pas indispensables à la compréhension du récit. On remarquera, par contraste avec le récit de Mc, que la foule n'est même pas mentionnée dans le récit de Mt, et ne joue donc aucun rôle. Par ailleurs, la guérison de la femme s'effectue, non pas au moment même où la femme touche le manteau de Jésus (cf. Mc/Lc), mais quand Jésus lui déclare : « ta foi t'a sauvée » (v. 22). Il est probable que c'est l'ultime Rédacteur matthéen qui a ajouté l'expression finale « dès cette heure-là », comme en Mt **8** 13 et **15** 28.

2. *Le récit de Mc.*

a) Comme dans le récit de la résurrection de la fille de Jaïre, Mc offre ici une alternance d'accords Mc/Mt contre Lc et Mc/Lc contre Mt, alternance qui porte, non seulement sur les mots isolés, mais encore et surtout sur des phrases entières. Les accords Mc/Mt contre Lc sont les suivants : Jésus accompagne le chef (v. 24a), la femme se dit qu'elle sera guérie en touchant le manteau de Jésus (v. 28), Jésus se retourne (v. 30) et « voit » la femme (v. 32), la guérison de la femme est mentionnée en finale du récit (v. 34). – Les accords Mc/Lc contre Mt sont les suivants : Jésus est étouffé par la foule (v. 24), la femme n'a pu être guérie par les médecins (v. 26), elle est guérie dès qu'elle touche le manteau de Jésus (v. 29a), Jésus sait alors qu'une « puissance » est sortie de lui (v. 30a; cf. Lc **8** 46), il demande qui l'a touché (v. 30b), les disciples s'étonnent de cette question (v. 31), la femme avoue alors ce qu'elle a fait (v. 33) et Jésus lui dit d'aller en paix (v. 34). Une telle alternance de contacts littéraires ne peut s'expliquer que par le fait que Mc combine deux récits parallèles, mais de rédaction différente.

b) Cette fusion par Mc de deux récits différents est plus apparente à trois reprises. Au v. 24, il veut combiner deux détails : Jésus accompagne le chef (Mt, dont la structure du texte est confirmée par le parallèle de Ac **9** 39a), la foule étouffe Jésus (Lc); il reprend alors au texte de la tradition matthéenne le verbe « suivre » (*akolouthein*) et lui donne comme sujet, non plus Jésus, mais la foule. Au v. 30, il veut utiliser le détail matthéen de Jésus qui « se retourne »; pour lui donner un motif plus plausible, il transfère juste avant ce détail la remarque concernant Jésus qui sait qu'une « puissance » est sortie de lui (cf. le v. 46 de Lc); ce transfert l'oblige, à la fin du v. 31, à mettre dans la bouche des disciples sous forme de question l'affirmation renouvelée par Jésus que quelqu'un l'a touché (cf. Lc **8** 46). A la fin du v. 34, Mc reprend le thème matthéen de la guérison effectuée par la parole de Jésus, oubliant que la femme avait été guérie dès qu'elle avait touché le manteau de Jésus ! C'est ici que se trahit le mieux la dualité des sources dans Mc. On peut donc conclure que le Mc-intermédiaire combine ici deux textes différents :

l'un, plus dépouillé, en provenance du Document A; l'autre, qui abonde en détails pittoresques, en provenance du Document B (mais, comme dans la résurrection de la fille de Jaïre, l'hypothèse n'est pas absolument exclue selon laquelle ce serait l'ultime Rédacteur marcien qui aurait introduit dans le texte du Mc-intermédiaire des détails en provenance du Mt-intermédiaire).

c) L'ultime Rédacteur marco-lucanien a quelque peu retouché le texte du Mc-intermédiaire. C'est probablement lui qui a ajouté les deux gloses explicatives des vv. 29b et 33b, absentes de Mt et de Lc : « et elle connut en son corps qu'elle était guérie de son infirmité », « sachant ce qui lui était arrivé »; on notera dans la première glose le verbe « guérir » (*iaomai*: 4/1/11/3/4), et dans la seconde le verbe « arriver » suivi d'un datif (5/2/1/0/7; l'autre cas en Mc est en **5** 16, de l'ultime Rédacteur marco-lucanien). Il est possible également qu'au v. 34 les mots attribués à Jésus : « va en paix », soient de l'ultime Rédacteur marco-lucanien (*eirènè*: 4/1/14/6/7; « va en paix », cf. Lc **7** 50; **8** 48; Ac **16** 36). Il est difficile de dire si c'est l'ultime Rédacteur marcien qui a amplifié le thème de l'impuissance des médecins à guérir la femme (v. 26), comme il avait amplifié la description du démoniaque en **5** 3-5 (note § 142), ou si c'est Lc qui a voulu épargner la profession des médecins !

3. *Le texte de Lc.* Si l'on admet que la fusion des récits des Documents A et B fut effectuée par le Mc-intermédiaire, on en conclura que Lc (= proto-Lc) dépend ici directement du Document B, puisqu'il ignore la fusion des deux textes. – Le seul contact sérieux de Lc avec Mt contre Mc se trouve au v. 44 de Lc, où Lc a le participe « survenant » (*proselthousa*), de saveur matthéenne, et ajoute « la frange », avec Mt. Peut-être faut-il voir là une légère influence du Mt-intermédiaire sur la rédaction du proto-Lc.

II. SENS DES ÉPISODES

A) Résurrection de la fille de Jaïre

1. *Dans le Document A.* Comme l'ont montré les analyses précédentes, le récit du Document A avait une structure correspondant aux vv. 18-19.23-24a.25 de Mt; il ne contenait donc, ni l'allusion à la mort/sommeil du v. 24, ni le v. 26 concernant les échos de cette résurrection dans le pays tout entier. Sous cette forme simple, le récit avait pour seul but de montrer que Jésus a le pouvoir, non seulement de guérir les malades ou d'exorciser les possédés, mais encore de ressusciter les morts, comme l'avaient déjà fait les plus illustres des prophètes : Élie (1 R **17** 17-24) et Élisée (2 R **4** 18-37).

2. *Dans le Document B.* Repris par le Document B, le récit du Document A y reçut un certain nombre de compléments, dont plusieurs de portée catéchétique ou théologique.

a) Un certain nombre de précisions sont données, dont plusieurs avaient pu être gardées dans la tradition orale de cet épisode. Le « chef » (Mt 9 18) est en fait un « chef de synagogue », et il s'appelle Jaïre (Mc 5 22). La fillette est âgée de douze ans (Mc 5 42, transposé en Lc 8 42). Pour effectuer cette résurrection, Jésus ne prend avec lui que les trois disciples préférés : Pierre, Jacques et Jean; la même précision se retrouve, au niveau du Document B, pour le récit de la transfiguration (Mc 9 2, § 169) et celui de l'agonie à Gethsémani (Mc 14 33, § 337); avant d'être les témoins de l'agonie de leur maître, les trois disciples auront été aussi les témoins de sa glorification eschatologique anticipée et de son plus grand miracle, soit, dans ces deux derniers cas, de sa victoire sur la mort.

b) Tandis que dans le Document A le chef annonce dès son entrevue avec Jésus que sa fille est morte (Mt 9 18), dans le Document B il annonce seulement qu'elle est à toute extrémité; c'est lorsque le groupe est en route que survient l'annonce de la mort de la fillette (cf. Jn 11 3, puis 11 14, dans le récit de la résurrection de Lazare). Ce jeu de scène semble avoir pour but d'introduire le thème de la foi (Mc 5 36; cf. Jn 11 40); devant la mort, l'homme ne doit pas avoir peur, mais faire confiance en la toute-puissance de Dieu, le maître de la vie; l'ennemi le plus terrible de l'homme, c'est la mort (cf. 1 Co 15 26), mais la mort sera vaincue grâce à Jésus, l'envoyé de Dieu.

c) Au lieu de parler de « bruit » (Mt 9 23), le Document B parle de pleurs; mais c'est pour préciser que les pleurs ne sont pas de circonstance, car la mort n'est guère plus qu'un sommeil puisqu'elle doit prendre fin (Mc 5 39; cf. Jn 11 11-13; 11 33). Cette conception de la mort comme un « sommeil » qui ne mérite même pas de pleurs semble refléter un état de la tradition où l'on attendait encore la résurrection des justes dans un avenir relativement proche, comme Paul en 1 Th 4 16-17 ou 1 Co 15 51. Dans ce cas en effet, pourquoi pleurer, puisque les morts doivent « se réveiller » dans un proche avenir?

d) Enfin, l'action salvifique de Jésus est « spiritualisée » dans le Document B; Jésus ne ressuscite plus la fille de Jaïre en la « touchant », mais en lui donnant un ordre : « Fillette...

éveille-toi » (cf. Jn 11 43). Jésus commande à la mort comme il avait commandé aux flots déchaînés lors de la tempête apaisée (Mc 4 39, § 141). Comme la parole de Dieu (voir note § 141), celle de Jésus est efficace par elle-même. On notera que Jésus avait opposé la « peur » à la « foi » dans le récit de la tempête apaisée (Mc 4 40) comme ici (Mc 5 36).

B) GUÉRISON DE L'HÉMORROÏSSE

1. Dans le Document A, nous avons un récit très simple, analogue dans sa sobriété à beaucoup d'autres récits de miracle. A ce niveau, il était déjà inséré dans le récit de la résurrection de la fille de Jaïre; on notera alors le contraste voulu entre le « chef » dont la fillette vient de mourir et cette pauvre femme qui n'ose même pas aborder Jésus de front; elle se fait aussi petite que possible et vient par derrière toucher la frange de son manteau, dans l'espoir d'être guérie de son infirmité ! Peut-être est-ce ce contraste entre les deux personnages qui a motivé, probablement au niveau du Document A, le rapprochement entre les deux épisodes; on a voulu montrer que Jésus accordait le salut, non seulement aux gens haut placés, mais encore aux plus humbles et aux plus pauvres.

2. Dans le Document B, le récit se complique du fait de la présence de la foule (Lc 8 42b). Comme dans le Document A, la femme vient toucher le manteau de Jésus, mais c'est à ce moment même qu'elle est guérie (v. 44). Jésus demande alors qui l'a touché, question qui semble sans objet étant donné la foule qui presse Jésus (v. 45); mais ce dernier renouvelle sa question en précisant qu'il a senti une « force » sortir de lui (v. 46); la femme vient alors reconnaître son geste (v. 47). On le voit, la présence de la foule a pour but de mieux mettre en évidence la connaissance de Jésus : il sait que l'attouchement qu'il a ressenti ne vient pas de la foule, mais d'un fait très précis; il a conscience d'avoir effectué une guérison, tandis que la femme espérait obtenir sa guérison presque à l'insu de Jésus.

Note § **144.** *VISITE DE JÉSUS A NAZARETH*

Ce récit, commun à Mt/Mc, a son parallèle en Lc 4 16 ss. (§ 30), où il constitue le début du ministère de Jésus. Dans Mt, il fait suite au discours en paraboles, mais le lien avec ce discours est de l'ultime Rédacteur matthéen (cf. note § 139). Dans Mc, il suit la résurrection de la fille de Jaïre, mais le lien est très vague : « Et il partit de là... » (Mc 6 1a). Le problème de la place de cette scène dans la vie de Jésus reste donc ouvert.

I. A LA RECHERCHE DU RÉCIT PRIMITIF

1. *Difficultés du récit actuel.* Dans le récit actuel, Jésus vient « dans sa patrie », i. e. à Nazareth, et il enseigne dans la

synagogue de cette ville en commentant les textes de l'Écriture dont on faisait lecture ce jour-là (cf. Lc 4 16 ss.; Ac 13 14 ss.). En l'écoutant, tous les auditeurs étaient « frappés »; ce verbe (*ekplèssomai*) indique un étonnement plein d'admiration et de stupeur (cf. Mt 22 33; Mc 1 22; 7 37; 11 18; Lc 9 43; Ac 13 12). On admire l'enseignement de Jésus, empreint d'une sagesse divine qui lui vient de l'Esprit reçu lors de son baptême (§ 24; cf. Is 11 2); mais en même temps on s'étonne : comment peut-il enseigner avec tant de sagesse? Ses compatriotes savent bien qu'il n'a pas fréquenté les écoles rabbiniques (cf. Jn 7 14-16). A partir du v. 3 de Mc (cf. Mt), le récit offre un brusque changement : à l'étonnement admiratif succède un autre sentiment, de franche hostilité : « ils étaient choqués à son sujet » (vv. 57a de Mt, 3c de Mc). Ce verbe (*skandalizesthai*) indique ici, comme souvent ailleurs, un manque de foi, une impossibilité de croire à la mission messianique de Jésus (cf. Mt **11** 6; **13** 21, traduit par « il succombe »; **24** 10; **26** 31; Jn **6** 61), ce qui est explicité dans la réflexion des évangélistes : « à cause de leur manque de foi » (vv. 58b de Mt, 6a de Mc). Jésus lui-même peut constater ce manque de foi, et il voit là la réalisation d'un proverbe : « Un prophète n'est mésestimé que dans sa patrie » (vv. 57b de Mt,

4 de Mc). Il est difficile de trouver une raison psychologique à un si brusque revirement de l'opinion publique; la raison ne serait-elle pas alors purement littéraire?

2. *Le récit primitif.* Comparons le début de ce récit dans Mt et Lc au récit de la première prédication de Jésus à Capharnaüm, d'après Mc **1** 21-22a.27b.28 (sur les problèmes littéraires de ce texte, cf. note § 32).

Mc 1	Mt 13	Lc 4
21 Et ils pénètrent à Capharnaüm et..., le sabbat, étant entré dans la synagogue il enseignait	54 Et, étant venu dans sa patrie,	16 Et il vint à Nazara... et le jour du sabbat il entra... dans la synagogue il se leva pour lire...
22 et ils étaient frappés...	il les enseignait dans leur synagogue de sorte que ils étaient frappés	et tous... s'étonnaient devant
27 disant : « Qu'est-ce cela? Un enseignement nouveau (donné) d'autorité! »	et disaient : « D'où lui (viennent) cette sagesse et les miracles? »	les paroles de grâce qui sortaient de sa bouche.
28 Et sa renommée se répandit... en toute la région d'alentour de Galilée.		14 Et une rumeur se répandit par toute la région d'alentour à son sujet.

La parenté entre les trois textes est évidente, malgré la différence de localisation (Capharnaüm/Nazara) : Jésus vient dans telle ville, il enseigne dans la synagogue le jour du sabbat, les auditeurs sont « frappés » d'étonnement (même verbe *ekplèssesthai*) parce que Jésus donne un enseignement plein « d'autorité » ou de « sagesse ». Ajoutons un trait capital commun à Mc **1** 21 ss. et à Lc **4** 16 ss. : il s'agit du premier enseignement de Jésus, au début de sa carrière de « prophète ». Mais dans Mc **1** 21 ss., il n'est pas question d'un revirement de situation : l'effet de sa prédication est tel que « sa renommée se répandit partout » (**1** 28). On peut donc formuler l'hypothèse suivante : le récit des §§ 144 (Mt/Mc) et 30 (Lc) est l'écho d'une tradition archaïque dans laquelle, à l'analogie de Mc **1** 21 ss., Jésus était *bien accueilli* dans sa patrie, i. e. à Nazareth; comme dans Mc **1** 21 ss. également, ce récit constituait le début du ministère de Jésus. C'est ultérieurement qu'une note péjorative est venue affecter le récit primitif et que, au moins dans Mt/Mc, il est venu s'intégrer vers le milieu du ministère de Jésus. Cette hypothèse est confirmée par les remarques suivantes :

a) Le récit primitif avait sa place, non pas vers le milieu du ministère de Jésus, comme le disent Mt/Mc, mais au début de sa vie publique, comme l'atteste encore Lc. Nous en avons un indice dans ce fait : Lc **4** 16 dit que Jésus vient à Nazara; or, cette forme rare du nom de Nazareth ne se lit qu'une seule fois ailleurs dans tout le NT, en Mt **4** 13, au témoignage d'excellents témoins du texte Alexandrin (B Origène) et de la plus ancienne tradition latine, celle d'Afrique (manuscrit *k*). Le texte de Mt **4** 13 aurait donc gardé le souvenir d'un premier

séjour de Jésus à Nazara (= Nazareth). Il faut en tirer les conséquences suivantes : Malgré des remaniements ultérieurs (cf. note § 30), le récit de Lc **4** 16 ss. doit être attribué, en substance, au proto-Lc qui le reçut du Mt-intermédiaire; c'est l'ultime Rédacteur matthéen qui le rejeta au chap. **13** (sous l'influence du Mc-intermédiaire), ne laissant en **4** 13 qu'un bref souvenir du récit primitif sous forme de mention d'un séjour de Jésus à Nazara.

b) Dans le récit de Mc **1** 21 ss., la réaction favorable des auditeurs de Jésus (v. 27) se trouve amplifiée dans une réflexion d'ordre général sur la renommée de Jésus qui se répand aux alentours (v. 28). On trouve une réflexion de même ordre en Lc **4** 14b, et l'on verra plus loin qu'elle a son équivalent dans Mt **9** 26 et dépend donc du Mt-intermédiaire. Mais, au lieu de se trouver en conclusion du récit de Lc **4** 16 ss., cette réflexion est placée avant la prédication de Jésus à Nazara, ce qui n'a guère de sens puisque Jésus n'a encore ni prêché ni fait de miracles ! On peut dès lors penser que, à l'analogie de Mc **1** 28, le petit sommaire sur la renommée de Jésus se lisait primitivement *après* le récit de la prédication de Jésus à Nazara. Ce transfert fut effectué lorsque le récit primitif changea de tonalité; après avoir souligné le « scandale » des auditeurs de Jésus et leur manque de foi (orientation nouvelle du récit), il était difficile de conclure l'épisode sur le thème de la renommée de Jésus se répandant aux alentours ! Ce thème fut donc transféré avant le récit de la prédication à Nazara (cf. note § 28, 3).

c) Le proverbe cité en Mt **13** 57 et par., étroitement lié au thème péjoratif du récit actuel (Jésus mal accueilli chez lui), semble avoir eu une existence séparée; on le lit en effet en Jn 4 44 dans un autre contexte, et surtout l'évangile de Thomas le connaît sous une forme indépendante. Son insertion dans la trame du récit de la prédication de Jésus à Nazara est donc secondaire; elle fut effectuée lorsque le récit changea d'orientation.

II. ÉVOLUTION DES RÉCITS

Voici comment on pourrait reconstituer l'histoire de l'évolution de ce récit.

1. De tradition matthéenne, il se lisait déjà dans le Document A, source principale de Mt, et inaugurait l'activité messianique de Jésus en Galilée; son équivalent dans le Document B est la scène racontée en Mc 1 21 ss. (voir la reconstitution du récit primitif à la note § 32). Il se composait de trois parties dont nous allons essayer de préciser la teneur.

a) La première partie correspondait au v. 54 de Mt et par. Aussitôt après le retour de Jésus en Galilée (Mt 4 12 et par.),

le Document A le faisait venir à Nazara (Lc 4 16; cf. Mt 4 13); l'expression « dans sa patrie » fut introduite aux derniers niveaux rédactionnels de Mt et de Mc, sous l'influence du proverbe cité en Mt 13 57 et par. (cf. Introd., II D 3). L'enseignement de Jésus devait être indiqué à l'imparfait, comme au v. 54 de Mt (cf. Mc 1 21); il ne s'agit pas d'un événement déterminé, mais d'un acte répété par Jésus : « il les enseignait dans leur synagogue » (Mt). La mention du sabbat, dans Mc et Lc, est secondaire : dans les milieux judéo-chrétiens, il n'était pas nécessaire de préciser que l'on était le jour du sabbat; c'était seulement ce jour-là que l'explication des Écritures se donnait au peuple dans la synagogue. La suite du texte semble surchargée dans Mc, on le verra plus loin, et l'on retiendra comme texte du Document A le v. 54b de Mt, à l'exception de la mention des miracles (fin du v. 54) puisque, dans le Document A, Jésus n'en avait fait encore aucun.

b) La seconde partie du récit contenait le thème de la renommée de Jésus, attesté en Lc 4 14b et Mt 9 26. Mettons les textes en parallèle, en les comparant aussi à Mc 1 28 (Document B).

Mt 9 26	Lc 4 14b	Mc 1 28
Et se répandit cette rumeur en tout ce pays-là.	Et une rumeur se répandit par toute la région d'alentour à son sujet.	Et se propageait sa renommée en toute la Galilée.

Sur la teneur de Mc 1 28 dans le Document B, voir note § 32, I 1 c. Mt/Lc se distinguent de Mc, et par le terme de « rumeur » (*phèmè*), et par le verbe « se répandre » (*exerchesthai* au lieu de *ekporeuesthai*). Le premier mot ne se lit nulle part ailleurs dans le NT, ce qui confirme que Mt et Lc dépendent d'une source commune. Par ailleurs, ce terme de *phèmè*, rare dans la Septante (quatre fois), traduit l'hébreu *shemû'ah* en Pr 16 2, de même racine que le verbe signifiant « entendre », « écouter »; puisque le mot grec de Mc 1 28, *akoè* (« renommée ») dérive du verbe « entendre » (*akouein*), les mots se lisant dans le Document A (Mt/Lc : *phèmè*) et dans le Document B (Mc : *akoè*) pourraient être deux traductions différentes du terme araméen correspondant à l'hébreu *shemû'ah*. Pour la

suite du texte, on fera peu confiance à Lc; l'expression « région d'alentour » (*perichôros*) est typique de son style (voir les remarques note § 32, I 1 c), et il ajoute « à son sujet » (*peri autou*) en Lc 4 37 (le parallèle de Mc 1 28) et en 7 17. Chez Mt, le démonstratif *ekeiné* (« –là ») est probablement une addition explicative (cf. Introd., II D 1 b 3); le Document A devait avoir la formule très biblique « dans tout le pays ».

c) La troisième partie du récit du Document A était une remarque de portée très générale sur l'activité missionaire de Jésus; en voici la teneur dans les trois Synoptiques, que l'on pourra comparer au parallèle de Mc 1 39 (Document B) :

Mt 9 35a	Mc 6 6b	Lc 4 15	Mc 1 39
et il parcourait toutes les villes et les villages	et il parcourait		et il vint
	les villages à l'entour,		
enseignant dans leurs synagogues.	enseignant...	et lui enseignait dans leurs synagogues loué par tous.	prêchant dans leurs synagogues dans toute la Galilée...

Lc a omis la première moitié du sommaire, mais peut-être l'a-t-il transférée en 13 22 : « ... et lui faisait route par villes et villages, enseignant. » Mc et Mt ont en commun le verbe « parcourir » (*periagein*), qui ne se lit ailleurs dans les évangiles qu'en Mt 4 23 (dédoublement de Mt 9 35a, voir note § 37) et 23 15 ; avec Lc, ils ont le verbe « enseigner » (*didaskein*), tandis que le parallèle de Mc 1 39 a « prêcher » (*kèrussein*). Ceci montre l'étroite parenté entre Mt 9 35a et Mc 6 6b (cf. Lc). Le mot de Mc « à l'entour » (*kuklôi*) est une addition de Mc (0/3/1/0/0), qui en revanche a supprimé la précision « dans leurs synagogues », peu intéressante pour ses lecteurs non juifs. Les mots « loué par tous » sont une addition de Lc (« louer » ou « glorifier », *doxazein* : 4/1/9).

On obtient donc le texte suivant pour le récit du Document A :

> Et il vint à Nazara et il les enseignait dans leur synagogue de sorte qu'ils étaient frappés et disaient : « D'où lui vient cette sagesse? » Et cette rumeur se répandit dans tout le pays ; et il parcourait toutes les villes et les villages, enseignant dans leurs synagogues.

2. C'est au niveau du Mt-intermédiaire que le récit du Document A fut profondément transformé. Au thème de la « sagesse », on ajouta celui des « miracles » (fin du v. 54 ; l'emploi du mot *dynamis*, au pluriel, pour désigner les miracles est matthéen, sept fois contre deux fois dans Mc, ici et en 6 14, par influence matthéenne ; voir note § 146). Mais surtout, le sens du récit fut transformé : par addition des vv. 55-58, Jésus devenait mal accueilli par ses compatriotes ! Ce refus de croire provient-il de ce que l'on s'étonne que Jésus puisse enseigner avec tant de sagesse? Un autre thème est probablement en vue, suggéré par les précisions sur la parenté de Jésus (v. 55). Selon les croyances juives, le Messie devait rester ignoré de tous jusqu'à sa manifestation à Israël (cf. Jn 1 26.31) ; certains disaient même que l'on devait ignorer ses origines humaines. Dans ces conditions, comment Jésus pourrait-il être le Messie puisqu'on connaît parfaitement toute sa parenté? On notera que Jn 7 26 ss. développe ce thème aussitôt après celui de « l'étonnement » devant l'enseignement de Jésus (7 14-16). Cette transformation du texte du Document A par le Mt-intermédiaire aurait eu pour but de tenir compte d'une situation réelle, attestée par des textes comme Mt 11 16-24 et par., § 108 ; Lc 10 13-16, § 186 ; Jn 7 3-5, § 256 : malgré des débuts prometteurs, la prédication de Jésus se heurte finalement à l'hostilité des villes de Galilée et à l'incompréhension des proches de Jésus (voir aussi Mc 3 31 ss. et la note § 122). On notera dans cette section le très matthéen « être choqué » (verbe *skandalizesthai* construit avec la préposition *en*, jamais dans Mc, mais voir Mt 11 6 et surtout 26 31.33 opposé à Mc 14 27.29). Au v. 58, l'ultime Rédacteur matthéen a adouci le texte du Mt-intermédiaire, mieux conservé dans Mc : « et il ne pouvait faire là aucun miracle. »

Rappelons enfin que, après avoir changé le sens de l'épisode, le Mt-intermédiaire fut obligé de transférer en tête du récit les deux sommaires sur la renommée de Jésus et sur son activité missionnaire. Mais l'ensemble restait placé au début du ministère de Jésus, comme en témoigne Lc.

3. Le Mc-intermédiaire dépendait directement du Document A et c'est pourquoi il a gardé le sommaire sur l'activité missionnaire de Jésus en finale du récit (v. 6b) ; son texte ne comportait donc que les vv. 1 et 2 du Mc actuel (en plus simple, cf. *infra*). Mais c'est lui qui est responsable de l'insertion de ce récit vers le milieu de l'activité missionnaire de Jésus ; il ne pouvait le laisser au début de son évangile, car le doublet avec Mc 1 21 ss. aurait été trop flagrant. On notera que le Mc-intermédiaire a supprimé le sommaire sur la renommée de Jésus, probablement pour respecter sa thèse du « secret messianique », exprimée par les nombreuses consignes de silence qui parsèment son évangile (cf. Introd., II A 2 c 3).

4. L'ultime Rédacteur marco-lucanien a inséré dans le Mc-intermédiaire les nouveaux développements de Mt 13 55-58 (ainsi que la mention des « miracles », provenant de la fin du v. 54 de Mt). L'activité de cet ultime Rédacteur marco-lucanien se trahit à de nombreux détails. Il a surchargé le texte repris du Mt-intermédiaire au v. 2b ; un de ces ajouts est facilement reconnaissable : les mots « si grands arrivés par ses mains » ; l'expression « par ses (sa) main(s) » (*dia cheiros/-ôn*) ne se lit ailleurs dans tout le NT que dans les Actes, où elle revient huit fois, spécialement à propos de miracles (Ac 19 11) ou de prodiges (Ac 5 12 ; 14 3), et avec le verbe « arriver » (*ginesthai*) comme ici (Ac 5 12 ; 14 3 ; 19 26) ; le texte de Ac 14 3 est intéressant parce qu'il recoupe aussi le parallèle de Lc 4 22a : « ... le Seigneur rendant témoignage à sa parole de grâce (cf. Lc 4 22) et faisant *arriver* signes et *prodiges par ses mains*. » Au v. 3a, l'ultime Rédacteur marco-lucanien remplace l'expression « le fils du charpentier » (cf. Lc/Jn) par « le charpentier, le fils de... ». Cette formule, certainement secondaire, est en harmonie avec Lc 1 34-35 attestant la conception virginale. Au v. 4, il ajoute le mot « parenté », jamais ailleurs dans Mc/Mt, fréquent dans Lc/Ac sous cette forme ou des formes voisines : *syggeneus* (ici et Lc 2 44), *syggenès* (quatre fois dans Lc/Ac), *syggenis* (Lc 1 36), *syggeneia* (trois fois dans Lc/Ac). Au v. 6, la formule « il s'étonna à cause de » est étrange, le verbe *thaumazein* n'étant jamais suivi de la préposition *dia* dans le reste du NT. Le texte du Mc-intermédiaire devait être : « Et il ne pouvait faire là aucun miracle () à cause de leur manque de foi » (cf. Mt 13 58) ; l'ultime Rédacteur marcien a inséré : « sinon qu'ayant imposé les mains à quelques malades il les guérit ; et il s'étonna » ; son intention est la même que celle de l'ultime Rédacteur matthéen (cf. *supra*) : il corrige un texte semblant limiter la puissance de Jésus.

5. C'est l'ultime Rédacteur matthéen qui a transféré ce récit dans le milieu de l'évangile, pour conformer la structure de l'évangile de Mt à celle du Mc-intermédiaire. On a vu qu'au v. 58, il avait changé la formule du Mt-intermédiaire « il ne pouvait faire là aucun miracle » (cf. Mc) en « il ne fit pas là beaucoup de miracles ».

6. Le récit de Lc (§ 30) se lisait déjà dans le proto-Lc, qui le tenait du Mt-intermédiaire ; on retrouve donc chez lui deux des caractéristiques du Mt-intermédiaire : le récit est placé au début de la vie publique de Jésus, mais les deux sommaires sur la renommée de Jésus et son activité apostolique se lisent

avant le récit de la visite à Nazara (Lc 4 14b-15). Sur les détails très personnels du récit de Lc, voir les développements de la note § 30. On notera simplement ici la simplification du v. 55 de Mt : au lieu de « le fils du charpentier », Lc dit « le fils de Joseph » (cf. Lc 3 23); mais surtout, il supprime la mention des frères et des sœurs de Jésus, qui pouvait être interprétée par des lecteurs grecs au sens propre de « frères » et « sœurs », et non au sens de « cousins », possible dans une langue sémitique (cf. Mt 27 56). Lc veut sauvegarder la foi en la virginité de Marie. Cette rédaction doit être attribuée au proto-Lc, car son expression « le fils de Joseph » se retrouve en Jn 6 42, dont on connaît par ailleurs la dépendance à l'égard du proto-Lc.

Note § 145. *MISSION DES DOUZE. CONSIGNES DE LA MISSION*

La mission des Douze par Jésus, et les consignes qu'il leur donne, se lisent dans les trois Synoptiques; Lc en offre une autre version (10 1 ss., § 185), qu'il reprend au Document Q.

I. LA MISSION DES DOUZE

A) ANALYSES LITTÉRAIRES

1. *Le texte de Lc.* Il est clair que Lc 9 1-2 ne reprend pas le texte de Mc, mais celui du Mt-intermédiaire. Il n'offre qu'un contact négatif avec Mc contre Mt : l'omission de « disciples » après « les Douze ». En revanche, il suit le même schéma que Mt 10 1.5 ss. Mt/Lc ont la même séquence : « ayant appelé (participe) les Douze, il leur donna (aoriste) pouvoir... »; Mc a l'indicatif « il appelle », il ajoute ensuite le thème de la mission (« il se mit à les envoyer ») qui ne se lira que plus loin dans Mt/Lc, il a le verbe « donner » à l'imparfait. On notera simplement que Lc change le verbe « appeler » (Mt/Mc, *proskalein*) en « convoquer » (*synkalein* : 0/1/4/0/3/0). Mt/Lc mentionnent ensuite le pouvoir de guérir les maladies, avec le même verbe *therapeuein* et le même substantif *nosous*, tandis que Mc ne parle que du « pouvoir sur les esprits impurs ». Quant au v. 2 de Lc, on y retrouve les mêmes éléments que dans Mt 10 5 ss. où ils sont noyés dans des développements plus amples : Jésus les envoie (Lc 9 2a; Mt 10 5a), ils ont consigne de prêcher le royaume (Lc 9 2b; Mt 10 7) et de guérir (Lc 9 2c; Mt 10 8a); rien de semblable dans Mc, sinon le verbe « envoyer » qu'il place d'ailleurs plus tôt. Il faut donc conclure que Lc 9 1-2, de la main du proto-Lc, dépend substantiellement du Mt-intermédiaire.

2. *Le texte de Mt.* Il offre, par rapport à Lc, des notes manifestement secondaires qu'il faut attribuer à l'ultime Rédacteur matthéen. Au v. 1, l'addition du mot « disciples »; en finale du verset, l'addition de « toute (maladie) et toute langueur », comme en Mt 9 35, ce qui met l'activité thaumaturgique des disciples en accord avec celle de Jésus. C'est l'ultime Rédacteur matthéen qui insère ici (vv. 2-4) la liste des noms des Douze, reprise du § 49. Enfin, les conseils en discours direct de Jésus (Mt 10 7 ss.) semblent moins primitifs que la forme plus dépouillée de Lc 9 2. – Au v. 1, la mention des « esprits impurs » pose un problème spécial. On en trouve l'équivalent en Lc 9 1b, mais l'expression « esprit impur » est typiquement marcienne (Mc 1 23.26-27; 3 11.30; 5 2.8.13; 7 25; 9 25); il faut donc voir là une influence du Mc-intermédiaire sur l'ultime rédaction matthéenne, avec ajout de l'expression: « de façon à les chasser », glose destinée à expliciter la formule un peu dure, littéralement : « avoir pouvoir des esprits impurs » (sur ces gloses, voir Introd., II D 1 b 3). Il faut en conclure que la mention des « démons » en Lc 9 1 est une addition de l'ultime Rédacteur lucanien sous l'influence du Mc-intermédiaire. Le texte du Mt-intermédiaire devait être ici : « il leur donna pouvoir de guérir les maladies » (*edôken autois exousian nosous thérapeuein*).

B) ÉVOLUTION DU RÉCIT

Ces explications données, nous pouvons reconstituer l'évolution du récit de la mission des Douze de la façon suivante :

1. Ce récit se lisait déjà dans le Document A, source principale du Mt-intermédiaire; il devait avoir cette teneur :

Et, ayant appelé les Douze, il leur donna pouvoir de guérir les maladies. Et il les envoya prêcher le royaume de Dieu et guérir.

La mention des « Douze » suppose déjà une tradition plus évoluée que dans le petit récit de vocation de Mc 3 13 (§ 48; voir note), que nous avons attribué aussi au Document A; son équivalent dans le Document B devait être le récit de Mc 3 14-15 (voir note § 49).

2. Ce récit fut repris sans modifications appréciables dans le Mt-intermédiaire. Mais l'ultime Rédacteur matthéen le transforma selon les détails donnés plus haut (I A 2).

3. Le Mc-intermédiaire reprit le texte du Document A en le modifiant profondément. Il changea le thème « pouvoir de guérir les maladies » en « pouvoir sur les esprits impurs », en accord avec sa tendance à multiplier les scènes d'exorcismes. Il supprima l'objet de la mission : « prêcher le royaume de Dieu et guérir », estimant qu'il en avait assez dit en 3 14-15, repris du Document B. Cette suppression l'obligea à reporter aussitôt après : « Et il appelle les Douze » le thème de la mission, qu'il exprima en ajoutant son verbe favori « se mettre à »; d'où sa séquence : « Il appelle les Douze et il se mit à les envoyer ». La précision « deux par deux » correspond à la façon dont Mt 10 2-4 donne la nomenclature des Douze, la

conjonction « et » séparant les noms en groupes de deux; il est difficile de rendre compte de cette anomalie.

4. Le proto-Lc reprit sans changements notables le texte du Mt-intermédiaire, et donc celui du Document A; c'est l'ultime Rédacteur lucanien qui introduisit la mention de « tous les démons » au v. 1, sous l'influence du Mc intermédiaire.

II. LES CONSIGNES DE LA MISSION

En provenance du Document A, ces consignes comportent deux thèmes distincts : le dépouillement du missionnaire, la conduite à tenir dans les lieux où l'on porte l'évangile. Les consignes de dépouillement se comprennent d'elles-mêmes : le missionnaire doit voyager dans des conditions de pauvreté absolue, d'une part pour ne pas entraver sa marche, d'autre part parce qu'il doit compter sur l'hospitalité de ceux qu'il va évangéliser.

1. Pour les consignes de dépouillement, Lc est beaucoup plus proche de Mc que de Mt; son texte est donc de l'ultime Rédacteur lucanien en dépendance du Mc-intermédiaire. Mais on notera : Mc permet de prendre avec soi un bâton (v. 8), tandis que Lc (v. 3) et Mt (v. 10) le défendent; par ailleurs, Mc seul mentionne : « mais d'être chaussés de sandales »; ces deux particularités marciennes pourraient provenir de Ex 12 11, qui prescrit de manger l'agneau pascal « les reins ceints, sandales aux pieds, le bâton à la main », de façon à être prêt à se mettre en route. Ignorées de Lc, ces modifications seraient de l'ultime Rédacteur marcien. Les divergences assez grandes entre les textes du Mt-intermédiaire et du Mc-intermédiaire pourraient provenir de ce que, ici, le Mc-intermédiaire dépendrait du Document B et non directement du Document A.

2. Le thème de demeurer dans la même maison (Mc 6 10 et Lc 9 4) a pour parallèle dans Mt celui de demeurer dans la même ville (Mt 10 11a.14); l'ultime rédaction lucanienne dépend donc substantiellement ici aussi du Mc-intermédiaire. En revanche, l'ultime Rédacteur lucanien a gardé le texte du proto-Lc et du Mt-intermédiaire au v. 5, avec presque les mêmes mots : « sortant de cette ville, secouez la poussière de vos pieds », tandis que le parallèle de Mc est très différent. Cette dualité d'influence sur l'ultime rédaction lucanienne se trahit dans le passage du thème « maison » (v. 4, avec Mc) au thème « ville » (v. 5, avec Mt). – Dans Mt, au v. 14, les mots « de cette maison ou » ont été ajoutés par l'ultime Rédacteur matthéen sous l'influence du Mc-intermédiaire; c'est lui aussi qui, probablement, a ajouté : « et qu'on n'écoute pas vos paroles », mots absents de Lc et qui pourraient avoir été influencés par le Mc-intermédiaire. – Ici aussi, les notables divergences entre Mc-intermédiaire et Mt-intermédiaire seraient peut-être le signe que le Mc-intermédiaire dépendrait du Document B, et non directement du Document A (suivi par le Mt-intermédiaire).

III. LA CONCLUSION

1. La conclusion indiquant le départ des Douze en mission (Mc 6 12 s.; Lc 9 6) ne se lit pas dans Mt; elle est donc de tradition marcienne. Effectivement, les mots : « ils prêchèrent... et ils chassaient beaucoup de démons », ne correspondent pas à la « mission » décrite en Mc 6 7 (Document A), mais à celle de Mc 3 14-15, avec les expressions « prêcher » (*kèrussein*) et « chasser les démons » (*ekballein ta daimonia*), tandis qu'en Mc 6 7 on n'a pas le thème de « prêcher » et les exorcismes sont désignés par l'expression « avoir pouvoir sur les esprits impurs ». Mc 6 12-13 ne dépend donc pas du Document A, mais du Document B qui devait offrir la séquence suivante : institution des Douze en vue de la mission (Mc 3 14-15) consignes de mission (Mc 6 8-11; cf. *supra*), enfin départ pour la mission (Mc 6 12-13). Il est probable que l'expression « qu'on se repentît », beaucoup plus lucanienne que marcienne (*metanoein*: 5/2/9/0/5), est de l'ultime Rédacteur marco-lucanien.

2. A part les deux verbes « partir » et « guérir », Lc a un vocabulaire de son style : « aller par » (*dierchesthai*: 2/2/10/2/20); « par les villages » (*kata tas kômas*; cf. Lc 8 1; 13 22; jamais dans Mt/Mc/Jn); « évangéliser » (1/0/10/0/15); « partout » (*pantachou*: 0/1/1/0/3). Tout ceci est de l'ultime Rédacteur lucanien, qui suit de loin le Mc-intermédiaire.

Note § **146.** *JUGEMENT D'HÉRODE SUR JÉSUS*

Cet épisode est raconté par les trois Synoptiques, d'une façon beaucoup plus concise par Mt que par Mc/Lc. Comment expliquer cette divergence? Quel sens donner à cet épisode?

I. ANALYSES LITTÉRAIRES

1. Le texte de Mc combine ici deux récits différents. Il est étrange en effet que son v. 16 mette sur les lèvres d'Hérode la même réflexion que celle des gens de son entourage au v. 14, d'autant que ces versets commencent l'un et l'autre par le verbe « entendre ». On aurait donc, fusionnés dans Mc, les deux récits suivants : dans le premier (v. 16), parallèle à celui de Mt 14 1-2a, Hérode entend parler de Jésus et il émet l'opinion que ce Jésus ne serait autre que Jean-Baptiste revenu à la vie. Dans le second (vv. 14-15), la même opinion est mise au compte des « on dit », le texte étant par ailleurs amplifié (v. 15) de spéculations populaires sur la personne de Jésus, que l'on retrouvera dans la confession de Pierre à Césarée

(§ 165). Le premier récit aurait été réinterprété par des gens soucieux de ne pas prêter à Hérode une telle pensée que l'on pouvait juger enfantine. On attribuera le premier récit au Document A, et sa réinterprétation au Document B.

2. Un problème spécial est posé par la proposition : « et c'est pourquoi les puissances (miraculeuses) agissent en lui » (Mt 14 2c; Mc 6 14d). Cette proposition, ignorée de Lc, se lit en termes identiques dans Mt et Mc (moyennant une inversion), tandis que le reste de l'épisode offre des divergences assez considérables de l'un à l'autre récit; le rapport Mt/Mc se situe donc ici à un autre niveau que dans le reste de l'épisode. D'autre part, le thème et le vocabulaire sont étrangers au reste de la tradition synoptique foncière. Cette réflexion suppose admis le fait que Jean-Baptiste accomplit des miracles de son vivant, ce qu'ignore la tradition synoptique et ce qui contredit même Jn 10 41. Quant au vocabulaire, il est spécifiquement paulinien : le mot *dynameis* a ici, non le sens de « miracles » comme partout ailleurs dans les évangiles et les Actes, mais celui de « puissances miraculeuses », comme dans Ga 3 5 et 1 Co 12 10; le verbe « agir » (*energein*), jamais ailleurs dans les évangiles et les Actes, se lit seize fois chez Paul, et précisément en Ga 3 5 et 1 Co 12 11, associé aux *dynameis;* ainsi en Ga 3 5 : « Celui... qui fait agir les puissances (miraculeuses) en vous » (*ho... energôn dynameis en hymin*). Ce caractère paulinien de la phrase trahit l'ultime Rédacteur marcien; si l'on admet que l'ultime Rédacteur marcien est aussi l'ultime Rédacteur matthéen (cf. Introd., II D 3), on placera l'ajout de cette phrase aux ultimes niveaux rédactionnels matthéen et marcien.

3. Dans leur rédaction actuelle, les trois Synoptiques complètent à leur façon l'expression initiale « Hérode entendit »; Mt ajoute : « la renommée de Jésus »; Mc, « car son nom était devenu connu »; Lc, « tout ce qui se passait ». Il est probable que le récit primitif ne comportait aucun complément; mais il n'est plus dans son contexte original car ce qu'Hérode entend, ce n'est pas l'activité thaumaturgique des disciples (§ 145), mais le bruit que fait la prédication de Jésus. Cet épisode devait donc suivre un sommaire analogue à celui de Mc 1 28 : « Et sa renommée (*akoè;* cf. Mt 14 1 !) se propageait dans toute la Galilée » (cf. note §§ 32, 33, I 1 c). Un tel sommaire se lisait, et dans le Document A en finale du récit de la prédication de Jésus à Nazareth (actuellement en Lc 4 14b et Mt 9 26; cf. note § 144, I 2 b), et dans le Document B en finale du récit de la prédication de Jésus à Capharnaüm (Mc 1 28). Le jugement d'Hérode sur Jésus devait suivre de peu l'un et l'autre sommaire des Documents A et B.

II. ÉVOLUTION DU RÉCIT

1. Dans le Document A, ce récit suivait celui de la première prédication de Jésus à Nazareth (§ 144), placé tout au début du ministère de Jésus en Galilée (note § 144). Le lien entre les deux récits était assuré par le sommaire sur la renommée de Jésus (cf. Lc 4 14b // Mt 9 26) qui, dans le Document A, formait la conclusion du récit de la première prédication de

Jésus à Nazareth (cf. note § 144); on se reportera à la reconstitution de l'ensemble qui a été donnée note 144, fin de II 1 c, et dont nous reproduisons la finale ici :

Et cette rumeur se répandit dans tout le pays; et il parcourait toutes les villes et les villages, enseignant dans leurs synagogues. () Et Hérode entendit et il dit à ses serviteurs : « Celui-ci est Jean, il s'est éveillé de chez les morts. »

Dans le Document A, il était question seulement de la *prédication* de Jésus à Nazareth, non de ses miracles puisqu'il n'en avait encore effectué aucun (cf. note § 144); Hérode réagit donc à la nouvelle de la *prédication* merveilleuse de Jésus (on a vu plus haut que la fin des vv. 2 de Mt et 14 de Mc sont des ajouts), ce qui correspond au renseignement que nous donne Mc 6 20 : Hérode écoutait Jean-Baptiste avec plaisir.

2. Le récit du Mt-intermédiaire dépendait uniquement de celui du Document A, mais déjà séparé du sommaire sur la renommée de Jésus qui avait été transféré *avant* le récit de la prédication de Jésus à Nazareth (voir note § 144); le texte du Mt-intermédiaire ne devait pas différer beaucoup de celui du Document A. – C'est au niveau de l'ultime rédaction matthéenne que furent ajoutés un certain nombre de détails : au v. 1, la cheville rédactionnelle « en ce temps-là », le titre de « tétrarque » donné à Hérode, le complément « la renommée de Jésus » (*akoè;* cf. Mt 4 24, en dépendance de Mc 1 28); au v. 2, le titre de « le Baptiste » donné à Jean; la finale : « et c'est pourquoi... agissent en lui ».

3. Dans le Document B, le présent récit faisait suite aux textes de Mc 1 28.39 (§§ 33, 37); il avait approximativement cette teneur :

Et (le roi) Hérode entendit et des gens disaient que Jean a été réveillé d'entre les morts (); d'autres disaient : « C'est Élie »; d'autres disaient : « C'est un prophète comme l'un des prophètes. »

Selon le Document A, c'est Hérode lui-même qui aurait tenu Jésus pour Jean-Baptiste ressuscité des morts. L'attribution d'une telle pensée, grossièrement populaire, à Hérode Antipas, le fils d'Hérode le Grand, ce vieux « renard » comme l'appelle Jésus (Lc 13 32), a embarrassé la tradition évangélique, non seulement Lc, qui change manifestement la finale de Mc (cf. *infra*), mais encore la tradition grecque représentée par le Document B (cf. *supra*, I 1). On a donc réinterprété le récit du Document A en attribuant cette pensée, non plus à Hérode, mais à des gens de son entourage laissés anonymes; le remaniement se trahit à une légère incohérence, visible encore en Mc 6 14 : « ... Hérode entendit et (des gens) disaient »; le changement brusque de sujet est difficile ! C'est probablement aussi au niveau du Document B que furent ajoutées les autres « identités » suggérées pour Jésus : Élie, ou l'un des prophètes (Mc 6 15; cf. Mc 8 28 et note § 165; Jn 1 21).

4. La fusion des deux récits (Documents A et B) fut effectuée par le Mc-intermédiaire, qui plaça simplement le récit du Document B avant celui du Document A; dans le récit du Document A, il ajouta la précision : « que moi j'ai décapité » (6 16). – A l'ultime Rédacteur marcien on attribuera : l'addi-

tion des mots « car son nom était devenu connu » (v. 14a), le qualificatif de « le Baptisant » après le nom de « Jean » (v. 14b; cf. Mc 1 4), enfin le thème des « puissances miraculeuses » à la fin du v. 14 (aucune de ces additions ne trouve d'écho dans Lc, qui dépend du Mc-intermédiaire; cf. *infra*).

5. Le texte de Lc dépend de celui du Mc-intermédiaire, il est donc de l'ultime Rédacteur lucanien. Son grec « est une élégante paraphrase de Mc » (Creed), et il introduit certains termes qui lui sont familiers (cf. « il était dans l'embarras »,

en 9 7 et trois fois dans Actes). Il harmonise son récit avec le parallèle de Lc 9 18-19 (§ 165). Surtout, il veut éliminer de son récit les difficultés qu'il trouve dans sa source : il redonne à Hérode son vrai titre de « tétrarque » (v. 7); au lieu d'attribuer à Hérode une croyance au mythe de Jean-Baptiste ressuscité, il le laisse à son embarras sur la vraie personnalité de Jésus (v. 9). La finale de son récit : « et il cherchait à le voir » prépare l'épisode de la comparution de Jésus devant Hérode (Lc 23 8, § 348).

Note § **147.** *EXÉCUTION DE JEAN-BAPTISTE*

Ce récit comporte deux parties : l'emprisonnement de Jean-Baptiste par Hérode Antipas, commun aux trois Synoptiques (Mc 6 17-18; Mt 14 3-4; Lc 3 19-20), mais que Lc avait mentionné dès le début de son évangile, conformément aux données de Mt 4 12 et Mc 1 14 (§ 28); la mise à mort de Jean par Hérode, racontée seulement par Mc (6 19-29) et, d'une façon beaucoup plus concise, par Mt (14 5-12). Un tel récit ne semble pas en situation ici, surtout après celui du § 146 qui suppose Jean mort depuis quelque temps déjà.

I. DONNÉES THÉOLOGIQUES ET HISTORIQUES

Il est nécessaire de mettre en lumière les intentions théologiques du récit avant de le comparer, du point de vue historique, aux renseignements que nous a transmis l'historien juif Josèphe.

1. On a noté depuis longtemps que ce récit reprenait, pour les appliquer au Baptiste, des expressions dites ailleurs de Jésus. En Mc 6 20, il est dit qu'Hérode « craignait Jean » (cf. Mc 11 18) parce qu'il le savait « un homme juste et saint » (cf. Ac 3 14), et qu'il « l'écoutait avec plaisir » (cf. Mc 12 37b). En Mc 6 17.19 et Mt 14 3.5, les verbes utilisés pour mentionner l'arrestation (*kratein*), l'enchaînement (*deein*) et la mise à mort (*apokteinein*) de Jean (opposer Lc 3 20 !) sont ceux qui reviennent habituellement à propos de Jésus (cf. Mc 12 12; 14 1.44. 46.49; 15 1; 8 31; 9 31; 10 34). Comme Judas, Hérodiade trouve une occasion « favorable » (*eukairos*) pour obtenir la mort de Jean (Mc 6 21a; cf. Mc 14 11 et par. : *eukairôs/eukairia*). Au lieu de l'expression sémitique « corps » pour désigner le cadavre, on a *ptôma* en Mc 6 29 et Mt 14 12 comme en Mc 15 45; par ailleurs, la séquence de Mc 6 29 : « ils enlevèrent son cadavre et le mirent dans un tombeau », répond d'assez près à celle de Mt 27 59-60 (mieux que Mc 15 46) : « ayant pris le corps... il le mit dans son tombeau ». N'oublions pas enfin la croyance populaire en une résurrection de Jean, affirmée dans la section précédente (Mc 6 14.16).

Le récit veut donc présenter Jean comme un « Précurseur » : sa vie et sa mort ont préfiguré la vie et la mort de Jésus. Mais ce parallélisme implique aussi une opposition radicale qui montre à l'évidence la supériorité de Jésus sur Jean : Jésus est

vraiment ressuscité des morts, tandis que la croyance en une résurrection de Jean n'était qu'un mythe ! On rejoint ici un procédé littéraire, nuancé d'une pointe de polémique contre les disciples de Jean, qui apparaît ailleurs dans les évangiles (voir note §§ 19-28).

2. Le récit de la mise à mort de Jean doit être comparé à certains précédents de l'AT; ici encore, c'est Mc qui offre la plus riche moisson. Il était facile de voir, dans cette histoire d'Hérodiade, femme d'Hérode Antipas, cherchant à mettre à mort Jean (Mc 6 19; différent de Mt), une répétition de l'histoire de Jézabel, femme d'Achab, cherchant à mettre à mort le prophète Élie (1 R 19 2), d'autant que le parallélisme Jean/Élie était bien connu (voir note §§ 19-28). Mais ce thème général ne semble pas avoir d'autres répercussions sur le plan de la rédaction littéraire. Il en va autrement du précédent fourni par l'histoire d'Esther. Il existe une étroite analogie de situation entre les deux épisodes : au cours d'un banquet, le roi Assuérus offre à Esther, conseillée par son oncle Mardochée, la moitié de son royaume; Esther profite de son avantage pour obtenir la mort d'Aman – au cours d'un banquet, le roi Hérode offre à la fille d'Hérodiade la moitié de son royaume; celle-ci, sur le conseil de sa mère, en profite pour obtenir la tête de Jean-Baptiste. Ce parallélisme de situation se double d'un parallélisme littéraire. Dans Mc, aux noms propres « Hérode, Hérodiade, la fille d'Hérodiade » des vv. 17-22a, succèdent à partir du v. 22b les expressions « le roi » et « la jeune fille » (*korasion*) qui sont les termes utilisés pour désigner Assuérus et Esther. Dans Mc 6 21, l'annonce du banquet pourrait s'inspirer de Est 1 3 ou 2 18, mais répond plutôt à Dn 5 1 (comparer Mc à la traduction de Théodotion = Jonathan ben Uzziel : *epoièsen deipnon megan tois megistanois autou chiliois*). La fille d'Hérodiade « entre » auprès du roi (Mc 6 22a.25a), jeu de scène souvent noté à propos d'Esther (1 19; 2 12.15-16; 4 8.11.16); « elle plut à Hérode » (Mc 6 22b), expression qui rejoint celle de Est 2 4 : « et la jeune fille qui aura plu au roi » (cf. Est 2 9). Enfin et surtout, la promesse d'Hérode à la fille d'Hérodiade (Mc 6 23) reprend celle d'Assuérus à Esther : « Quelle est ta demande, reine Esther, et je te donnerai; quel est ton désir ? Serait-ce la moitié du royaume, c'est chose faite ! » (Est 5 3; 7 2).

Il est difficile de comprendre le vrai motif qui a provoqué

ce recours littéraire au livre d'Esther : comment comparer les figures d'Aman le fourbe (Est **7** 6) et de Jean « homme juste et saint » (Mc **6** 20), d'Esther choisie par Dieu pour sauver son peuple et de la fille d'Hérodiade, danseuse lascive? N'y aurait-il pas, à l'origine, une pointe anti-juive, l'auteur du récit se rappelant qu'Esther avait remplacé la reine Vasthi, laquelle, pour sauvegarder sa dignité de femme, avait refusé de paraître au banquet du roi Assuérus (Est **1** 9-22)?

3. Il est possible maintenant de comparer les données historiques de ce récit avec celles de l'historien juif Josèphe, dans ses *Antiquités Judaïques* (18 *116*). Elles se recoupent en partie. D'après Josèphe, Hérode Antipas, fils d'Hérode le Grand, répudia sa femme légitime, une fille d'Aréthas IV, roi des Nabatéens, afin de prendre pour femme Hérodiade, fille de son demi-frère Aristobule, elle-même déjà mariée à Hérode, autre demi-frère d'Hérode Antipas. Cette Hérodiade avait une fille issue de son mariage légitime, appelée Salomé. Josèphe lui-même note le scandale de ce mariage illégitime, scandale causé, non par l'inceste (Hérodiade était la nièce d'Hérode Antipas, comme elle était d'ailleurs la nièce de son premier mari, Hérode), mais par le fait qu'Hérode, le mari légitime d'Hérodiade, était toujours vivant : c'était donc un cas d'adultère prohibé par la Loi. Josèphe confirme également qu'Hérode Antipas fit arrêter et mettre à mort Jean-Baptiste, crime qui lui aurait valu, comme châtiment divin, sa défaite cuisante devant les armées du roi Aréthas IV, soucieux de venger l'honneur de sa fille répudiée par Antipas.

Il existe cependant des divergences assez profondes entre nos deux sources de renseignements. D'après Josèphe, dès son arrestation, Jean fut envoyé à Machéronte, cette forteresse-palais située en bordure du plateau de Moab, à l'est de la mer Morte, et c'est là qu'il fut mis à mort. En lisant le récit de Mc, on a plutôt l'impression que Jean aurait été incarcéré et mis à mort dans une ville de Galilée, peut-être Tibériade où Antipas résidait d'ordinaire. On voit mal « les grands, les officiers et les premiers de Galilée » se rendre à Machéronte, d'accès difficile, pour un banquet ! D'autre part, Josèphe donne comme motif de la mise à mort de Jean, non les reproches adressés à Hérode par Jean au sujet de son mariage, mais la crainte d'un mouvement populaire provoqué par la prédication du Baptiste, qui aurait évidemment inquiété les Romains et mis en danger la tétrarchie d'Antipas, objet de convoitises nombreuses. Ces divergences entre le récit des Synoptiques (surtout Mc) et celui de Josèphe sont concentrées dans le thème du banquet et des intrigues d'Hérodiade; elles proviennent donc surtout du parallélisme entre l'histoire de Jean-Baptiste et l'histoire d'Esther. Selon toute vraisemblance, c'est ce revêtement littéraire qui a conduit le rédacteur du récit évangélique, ou de sa source (cf. *infra*), à prendre quelques libertés avec les strictes données de l'histoire. On sait que les évangélistes s'attachent moins aux détails « historiques » qu'aux thèmes théologiques évoqués par tels ou tels détails donnés.

II. PROBLÈMES LITTÉRAIRES

Il est difficile de déterminer la nature exacte des relations qui existent entre Mt et Mc. Selon certains, Mt ne ferait qu'abréger Mc; selon d'autres, Mc aurait amplifié un récit plus court, mieux conservé dans Mt. De bonnes raisons peuvent être invoquées en faveur de l'une et l'autre hypothèses, signe que la réalité est probablement plus complexe qu'on ne le pense. Voici l'hypothèse que nous proposons, en essayant de concilier les diverses données des récits.

1. Le récit primitif de la mort de Jean se lisait dans le Document A, mais ne contenait, ni les rapprochements avec la vie de Jésus, ni surtout les emprunts littéraires à l'histoire d'Esther que nous avons signalés en I 1 et 2. Cette hypothèse serait confirmée par Justin. Même s'il ne suit pas à la lettre le récit évangélique, on voit sans peine qu'il se rapproche de Mt beaucoup plus que de Mc. Or son texte ne comporte absolument aucune allusion au précédent fourni par le livre d'Esther : il n'y est question, ni de « banquet », ni même de « convives »; la fille d'Hérodiade est désignée par le mot *pais*, et non par *korasion* (Mc, cf. Esther).

2. Le récit du Mt-intermédiaire devait être assez semblable à celui du Document A. Mais l'ultime Rédacteur matthéen introduisit certains détails en provenance du Mc-intermédiaire (cf. *infra*) qui nous gênent parce qu'ils ne peuvent se comprendre qu'en fonction du précédent d'Esther; ainsi l'intervention d'Hérodiade (**14** 8a) pour demander la mort de Jean, ou la « tristesse » d'Hérode lié par son serment (**14** 9a); ainsi encore les mots « convives » (v. 9; il s'agissait donc d'un banquet?), « roi » (v. 9) et « jeune fille » (v. 11; *korasion*).

3. C'est le Mc-intermédiaire qui, reprenant lui aussi le récit du Document A, l'aurait réinterprété en fonction du précédent d'Esther et aurait ajouté les parallèles avec l'histoire de Jésus. Ces remaniements expliquent certains traits secondaires du récit de Mc. Il n'est guère possible de voir, en Mt **14** 5, un abrégé de Mc **6** 19-20; on notera la transposition du thème : ce n'est plus Hérode qui veut mettre à mort Jean, mais en est empêché parce qu'il craint la foule (cf. Mt **14** 3 et Mc **6** 17), c'est Hérodiade qui veut mettre à mort Jean, mais en est empêchée parce qu'Hérode craint Jean qu'il tient pour un « homme juste et saint » (Mc **6** 19 s.). Par ailleurs, Hérode fait arrêter Jean et le charge de chaînes (v. 17), alors qu'il le considère comme un homme juste et saint et se plaît à l'écouter ! La donnée de Mt **14** 5 semble donc plus primitive et mieux conforme aux renseignements de Josèphe qui nous montre Hérode craignant la foule.

4. On a noté depuis longtemps que le vocabulaire de Mc **6** 19-28 était peu marcien, ce qui a amené nombre d'auteurs à penser qu'il reprenait ici une tradition antérieure, peut-être même non spécifiquement chrétienne. Ne serait-on pas au contraire en présence de modifications effectuées par l'ultime Rédacteur marco-lucanien? Au v. 20, le double qualificatif « juste et saint » a son équivalent en Ac **3** 14 (Lc/Ac affectionnent ces qualificatifs redoublés); il est construit sur le mot « homme » (*anèr*), typique du style de Lc/Ac (8/4/27/7/100); ce mot *anèr* est ainsi suivi d'un double qualificatif sept fois dans Lc et trente-neuf fois dans Ac (cf. spécialement Lc **23** 50;

Ac **10** 22; **11** 24). Au v. 21, l'expression « faire un dîner », inconnue ailleurs chez Mc, se lit en Lc **14** 12.16; le mot « grand » (*megistan*), rare dans le NT, pourrait provenir de la Septante et conviendrait donc bien au style de Lc; « officier » (*chiliarchos*) ne se lit ailleurs dans le NT qu'en Jn/Ap (trois fois) et surtout

dans Ac (dix-sept fois); le mot *prôtos*, au sens de « notable » et suivi d'un génitif comme ici, ne se lit ailleurs dans tout le NT qu'en Lc **19** 47; Ac **13** 50; **25** 2; **28** 7. Notons enfin le mot « tout de suite » (*exautès*) utilisé ailleurs dans le NT seulement cinq fois, dont quatre fois dans les Actes.

Note §§ **151-159** : *L'APPEL DES PAIENS AU SALUT*

1. Mc (cf. Mt) donne aux §§ 151 à 159 la séquence suivante :

> § 151 : première multiplication des pains
> § 152 : marche sur les eaux
> § 153 : guérisons à Gennésaret
> § 154 : discussions sur les traditions pharisaïques
> § 155 : enseignement sur le pur et l'impur
> § 156 : guérison de la fille d'une cananéenne
> § 157 : guérison d'un sourd-bègue
> § 159 : deuxième multiplication des pains

Cette séquence comporte un enseignement relativement facile à dégager : comme les Juifs, les païens sont appelés au salut et à participer au banquet eucharistique. Pour comprendre la portée de cet enseignement, il faut se rappeler que, aux yeux des Juifs, les païens étaient des gens « impurs » qu'il fallait éviter sous peine de contracter soi-même une impureté légale. S'ils étaient « impurs », pouvait-on concevoir qu'ils fussent appelés au salut; et dans l'affirmative, ne devait-on pas exiger d'eux qu'ils se soumettent à toutes les exigences de la Loi juive en se faisant chrétien? C'est ce double problème qui est traité aux chapitres **10-11** et **15** du livre des Actes. Voici comment la réponse à ce problème est donnée dans la séquence marcienne. (Sur ces groupements d'épisodes faits par Mc, voir Introd., II A **2** b.)

La première multiplication des pains a lieu en Galilée, donc en territoire exclusivement juif; ceux qui en bénéficient sont uniquement des Juifs. D'ailleurs, le chiffre de « douze », qui termine le récit (Mc **6** 43), évoquait les « douze » tribus d'Israël, le peuple élu de Dieu. En revanche, la seconde multiplication des pains (§ 159) aurait eu lieu, d'après Mc, en Décapole (cf. Mc **7** 31), c'est-à-dire dans les territoires à majorité païenne qui se trouvaient à l'est du lac de Tibériade; on pouvait donc considérer que, cette fois-ci, les gens qui bénéficient de la multiplication des pains sont en majorité des païens, ce que soulignent d'ailleurs certains détails du récit de Mc (voir note § 159, I 2). Après les Juifs, ce sont les païens qui sont appelés à bénéficier de la multiplication des pains, préfiguration du repas eucharistique.

Les épisodes qui sont insérés entre les deux multiplications des pains sont destinés, du moins plusieurs d'entre eux, à préparer cet appel des païens au salut. Les deux épisodes complémentaires : « discussion sur les traditions pharisaïques » et « enseignement sur le pur et l'impur » (§§ 154 et 155) ont pour but de montrer que la « pureté » de l'homme ne consiste pas dans des rites extérieurs, comme de se laver les mains avant de prendre son repas, mais dans la rectitude du « cœur », principe de notre vie morale; est « pur » celui qui agit en

conformité avec les commandements de Dieu. En ce sens, un païen est aussi « pur » qu'un Juif s'il obéit aux exigences de sa conscience, reflet de la Loi divine (cf. Rm **2** 14-16), et rien ne s'oppose à ce qu'il participe au banquet eucharistique s'il voit en Jésus celui qui donne la vie au monde. Ce principe est illustré par la guérison de la fille d'une habitante de la région de Tyr, donc une païenne (§ 156). Au début, Jésus semble refuser un miracle en faveur d'une païenne; il lui répond « Laisse *d'abord* se rassasier les enfants » (Mc **7** 27), c'est-à-dire les « fils d'Israël », le peuple élu. On notera que le verbe « se rassasier » évoque les deux multiplications des pains (Mc **6** 42; **8** 8). Mais en disant qu'elle se contentera des « miettes » du repas (Mc **7** 28), la femme païenne obtient finalement la guérison de sa fille. Jésus lui-même a invité les païens au salut; comment ses disciples pourraient-ils refuser de les admettre? Il a lui-même chassé « l'esprit impur » qui possédait la fille de la femme païenne (Mc **7** 29). Mc donne ensuite le récit de la guérison d'un sourd-bègue (§ 157); originaire de la Décapole (Mc **7** 31), cet homme devait être lui aussi un païen. Sa guérison pourrait avoir une valeur symbolique : les païens, autrefois sourds et muets à l'égard de Dieu, sont maintenant rendus capables d'écouter Dieu et de lui rendre hommage (note § 157, II 2 b); ils peuvent participer au banquet eucharistique (§ 159, seconde multiplication des pains; cf. *supra*).

2. Cette séquence à valeur symbolique est l'œuvre du Mc-intermédiaire et fut reprise par l'ultime Rédacteur matthéen (mais non par Lc). Il a pour cela utilisé des matériaux de provenance diverse. Le premier récit de la multiplication des pains provient du Document A, d'origine palestinienne; le second récit provient du Document B, d'origine pagano-chrétienne. On notera toutefois la façon de procéder du Mc-intermédiaire : dans les Documents A et B, le récit de la multiplication des pains était précédé d'une introduction et suivi par le récit de la marche sur les eaux; Mc a laissé séparées les multiplications des pains proprement dites (§§ 151 et 159), car c'était nécessaire pour le dessein exposé plus haut, mais il a fusionné en un seul récit les deux introductions (voir note § 151, I A 4) et les deux récits de la marche sur les eaux (voir note § 152, I), qui n'intéressaient pas le problème de l'appel des païens.

L'épisode des « guérisons à Gennésaret » (§ 152) est probablement une composition assez libre du Mc-intermédiaire (voir note § 153). La « discussion sur les traditions pharisaïques » (§ 154) se lisait dans les Documents A et B, mais le Mc-intermédiaire ne se sert ici que du Document B (voir note § 154, III). Pour l'enseignement sur le pur et l'impur (§ 155), le Mc-intermédiaire dépend fondamentalement du

Document B, qu'il amplifie d'ailleurs afin de rendre le récit plus clair (note § 155, II B). En revanche, le récit de la guérison de la fille d'une païenne (§ 156) est repris du Document C (ou d'un recueil de miracles) où il s'agissait de la guérison de la fille d'une Galiléenne; c'est le Mc-intermédiaire qui a donné sa forme actuelle au récit, en plaçant cette guérison dans la région de Tyr. Quant à la guérison du sourd-bègue (§ 157), elle provient probablement du Document A, où elle se trouvait dans un autre contexte; mais il est difficile de dire pourquoi l'ultime Rédacteur matthéen n'a pas repris ce miracle.

Note § **151**. *RETOUR DES APÔTRES. LA PREMIÈRE MULTIPLICATION DES PAINS*

Le récit de la première multiplication des pains est donné par les quatre évangélistes. Si la finale de cet épisode (Mc **6** 39 ss. et par.) est assez semblable dans les quatre récits, il n'en va pas de même du début (Mc **6** 35-38) et encore moins des introductions qui fournissent le cadre topographique et historique (Mc **6** 30-34 et par.). Ces divergences vont nous obliger à entreprendre des analyses littéraires assez complexes, avant d'étudier la théologie du récit à ses divers stades de rédaction.

I. PROBLÈMES LITTÉRAIRES

A) LES INTRODUCTIONS (Mc **6** 30-34 et par.)

1. *Le texte de Mt.* L'introduction du récit, donnée par Mt **14** 13-14, comporte deux couches rédactionnelles différentes.

a) Elle contient tous les éléments d'un schéma typiquement matthéen, que l'on retrouve par exemple en Mt **12** 15 et **19** 1-2 :

Mt **12** 15	Mt **14** 13-14	Mt **19** 1-2
Mais l'ayant su, Jésus se retira de là et des (foules) nombreuses le suivirent et il les guérit tous.	Or, ayant entendu, Jésus se retira de là... et, ayant entendu, les foules le suivirent... et il guérit leurs infirmes.	(Jésus) partit de Galilée... et des foules nombreuses le suivirent et là il les guérit.

Le vocabulaire est matthéen : verbe « se retirer » (*anachôrein*: 10/1/0/0/2); le thème des foules qui « suivent » (*akolouthein*) Jésus : Mt **4** 25; **8** 1; **12** 15; **19** 2; **20** 29; Jésus les guérit : Mt **4** 24; **12** 15; **15** 30; **19** 2; **21** 14. Ce même schéma se retrouve, non seulement chez Lc, mais encore chez Jn dont le vocabulaire est un peu plus différencié : Jésus « se retira » (*hypochôrein* en Lc **9** 10b) ou « s'en alla » (Jn **6** 1a), les foules le suivirent (*akolouthein*: vv. 11a de Lc et 2a de Jn) et Jésus les guérit (vv. 11c de Lc et 2b de Jn, dans les deux cas avec un vocabulaire assez différent).

b) Dans Mt, ce schéma commun se trouve surchargé d'éléments absents, non seulement des parallèles de Mt **12** 15 et **19** 1 s., mais encore et surtout de Lc **9** 10-11 et Jn **6** 1-2 : « en bateau vers un lieu désert » (v. 13a), « à pied, des villes. Et en sortant, il vit une foule nombreuse et il en eut pitié » (vv. 13c-14a). Or tous ces éléments en surcharge se lisent également dans Mc, et *en termes identiques*, tandis que le vocabulaire du schéma commun à Mt/Lc/Jn est ignoré de Mc ! Il faut donc envisager l'hypothèse d'une influence du Mc-intermédiaire sur l'ultime rédaction matthéenne. Quelques indices littéraires confirment cette hypothèse. Au v. 14 de Mt, on lit le mot « foule » au singulier, comme dans Mc **6** 34a; ce singulier répond au style de Mc (le pluriel seulement en **10** 1) tandis que Mt a d'ordinaire le pluriel, et l'a toujours dans ce récit (vv. 13.15.19.22-23 et aussi **9** 36). D'autre part, le « en sortant », au début des vv. 34 de Mc et 14 de Mt, signifie probablement « en quittant le bateau », ce qui est une façon de parler marcienne et non matthéenne (opposer Mc **5** 2; **6** 54 à Mt **8** 28; **14** 34). On doit donc conclure que les éléments de Mt communs à Mt/Mc et absents de Lc/Jn, ont été introduits dans le texte du Mt-intermédiaire par influence marcienne.

c) On fera une restriction cependant pour l'expression « vers un lieu désert », car on retrouve cette mention du « désert » dans le récit des trois Synoptiques (vv. 15b de Mt, 35b de Mc et 12d de Lc), et il est possible que Lc l'ait changée pour introduire la mention de Betsaïde; l'accord Mt/Mc contre Lc serait dû ici, non à une contamination de Mt par Mc, mais à une singularité de Lc.

En éliminant les influences marciennes, on obtient comme texte du Mt-intermédiaire :

Or, ayant entendu, Jésus se retira de là () vers un lieu désert, à l'écart. Et, ayant entendu, les foules le suivirent () et il guérit leurs infirmes.

A quelques détails près, ce récit doit remonter au Document A, la source habituelle du Mt-intermédiaire (sauf probablement le « ayant entendu » initial, conditionné par le récit du § 147 et qui pourrait être de l'ultime Rédacteur matthéen).

2. *Le récit de Lc.* Le récit de Lc **9** 10b-11 reprend, on l'a vu

plus haut, le schéma du Mt-intermédiaire; il faut donc l'attribuer au proto-Lc, qui a toutefois changé « vers un lieu désert » en « vers une ville appelée Betsaïde » (cf. *supra*). Sous l'influence du Mc-intermédiaire, l'ultime Rédacteur lucanien a ajouté le thème de l'enseignement de Jésus au v. 11b (« il leur parlait du royaume de Dieu »), et peut-être aussi le participe « le sachant » au v. 11a (cf. Mc 6 33a).

3. *Le récit de Jn.* Dans Jn 6 1-5, l'introduction du récit de la multiplication des pains est composite. Aux vv. 1-2, il suit un schéma analogue à celui de Mt/Lc, comme on l'a noté plus haut. Aux vv. 3 et 5, il donne un schéma analogue à celui de Mt 15 29b-30a, introduction de la *seconde* multiplication des pains : Jésus monte sur la montagne, s'y assied, et les foules viennent à lui. Cet aspect composite du récit de Jn est souligné par la double mention de la « foule nombreuse » : au v. 2 elle « suit Jésus », comme en Lc 9 11 et Mt 14 13; au v. 5 elle « vient à Jésus », comme en Mt 15 30a. On verra, à la note § 158, que l'introduction de la deuxième multiplication des pains, en Mt 15 29-31, est de l'ultime Rédacteur matthéen. Le récit de Jn combinerait donc: aux vv. 1-2, un récit repris probablement au proto-Lc (ni Jn ni Lc ne mentionnent ici le « lieu désert »); aux vv. 3 et 5, un récit repris à l'ultime rédaction matthéenne (Mt 15 29b-30).

4. *Le récit de Mc.* Au moins aux vv. 32-34, le récit de Mc fusionne deux textes différents, qui supposent deux mouvements différents de la foule. Selon le premier texte, Jésus s'en va à l'écart dans un lieu désert (v. 32, en partie), les gens de la région où il arrive l'apprennent (v. 33b) et ils accourent vers lui de toutes les villes d'alentour (v. 33d). Selon le second texte, la foule se trouve déjà auprès de Jésus (v. 31b); lorsqu'il s'en va en bateau avec ses disciples (v. 32, en partie), la foule le voit partir (v. 33a) et, à pied (v. 33c), donc en suivant la rive du lac, elle le devance au lieu où il se rend (v. 33e).

a) Le premier texte correspond au schéma du Mt-intermédiaire (accords Mt/Lc/Jn), compte tenu de certaines équivalences habituelles entre les rédactions matthéenne et marcienne :

Mt/(Lc/Jn)	Mc
Et il se retira vers un lieu désert à l'écart... et les foules ayant entendu	Et ils s'en allèrent... vers un lieu désert à l'écart et beaucoup le surent et de toutes les villes ils accoururent là...
le suivirent... et il guérit leurs infirmes.	et il se mit à leur enseigner beaucoup (de choses).

Sur les équivalences : « se retirer/s'en aller », cf. Mt 15 21 et Mc 7 24; « foules/beaucoup », cf. Mt 20 31 et Mc 10 48; « suivre/venir vers » (ou un verbe indiquant une convergence vers Jésus), cf. Mt 19 2 et Mc 10 1; Mt 12 15 et Mc 3 8 (voir note § 47); les thèmes « guérisons » et « enseignement », cf. Mt 19 2 et Mc 10 1. On a comparé plus haut le texte du

Mt-intermédiaire avec les sommaires de Mt 12 15 et 19 1-2; le premier texte de Mc offre, par rapport à ce Mt-intermédiaire, les mêmes divergences que Mc 3 8 et surtout 10 1 par rapport à Mt 12 15 et 19 1-2. Mc doit donc dépendre ici, comme le Mt-intermédiaire, du Document A.

b) Aux vv. 32-34, le second texte de Mc devait contenir tous les éléments de Mc qui n'ont pas de parallèle dans Lc/Jn (le Mt actuel ne peut être pris comme point de comparaison puisqu'il a subi l'influence de Mc). Ce second texte avait approximativement cette forme :

Et ils s'en allèrent en bateau et (les gens) les virent partir et, à pied, ils les devancèrent; et, en sortant (du bateau), il vit une foule nombreuse et il en eut pitié...

D'où provient ce second texte? Le récit de la *seconde* multiplication des pains, dans Mc, manque d'une introduction topographique et historique (cf. note § 159). Par ailleurs, on verra à la note § 152 que le récit marcien actuel de la marche sur les eaux, qui suit la première multiplication des pains, combine deux textes différents, comme ici. L'hypothèse la plus naturelle qui se présente est alors celle-ci : le second texte que Mc utilise ici, dans l'introduction de la *première* multiplication des pains, comme le second texte qu'il utilisera dans le récit de la marche sur les eaux (§ 152), encadraient le récit de la *seconde* multiplication des pains (§ 159) et, comme lui, proviennent du Document B. C'est le Mc-intermédiaire qui est responsable de la fusion des deux textes de base.

c) Il reste à considérer les vv. 30-31 de Mc. Le v. 30 a son parallèle en Lc 9 10a, mais non dans Mt. Lc dépendrait-il ici du Mc-intermédiaire? Il ne semble pas, car le vocabulaire est typiquement lucanien : « revenir » (*hypostrephein* : 0/0/21/0/12); « apôtres » (1/1/6/1/28); « raconter » (*diègesthai* : 0/2/2/0/3). Par ailleurs, le style « lucanien » de Mc 6 30 invite à attribuer ce verset à l'ultime Rédacteur marco-lucanien : « apôtres », cf. *supra*; « annoncer » (*apaggellein* : 8/3/11/1/16; les deux autres cas dans Mc sont en 5 14.19); « enseigner » n'est jamais dit ailleurs des disciples dans Mc (qui emploie au contraire « prêcher » en ce sens, cf. Mc 3 14 et surtout 6 12 !), tandis qu'on le trouve quinze fois en ce sens dans les Actes; enfin, le couple « faire/enseigner » a son équivalent en Ac 1 1. On attribuera donc aux ultimes rédactions marcienne et lucanienne les vv. 30 de Mc et 10a de Lc. – Le v. 31 de Mc n'a de parallèle ni dans Mt ni dans Lc; en finale, il donne un détail qui a son équivalent en Mc 3 20 (Jésus et les disciples n'ont pas même le temps de manger). Il est difficile de dire si ce verset est purement rédactionnel (ultime rédaction marcienne) ou appartenait déjà, au moins en partie, au récit du Document B.

En résumé, pour expliquer la genèse de l'introduction actuelle du premier récit de la multiplication des pains dans les quatre évangiles, il faut faire appel à deux textes distincts appartenant, l'un au Document A et l'autre au Document B (ce dernier était en fait l'introduction à la seconde multiplication des pains du § 159). Mettons en regard les deux textes fondamentaux, le premier sous sa forme matthéenne et sa forme marcienne, le second sous sa forme marcienne :

	Document A		Document B
Mt(Lc/Jn)		Mc 1	Mc 2

Mt(Lc/Jn)	Mc 1	Mc 2
Et il se retira vers un lieu désert à l'écart et les foules ayant entendu	Et ils s'en allèrent vers un lieu désert à l'écart et beaucoup le surent et de toutes les villes	Et ils s'en allèrent en bateau et (les gens) les virent partir et, à pied, ils les devancèrent;
le suivirent... et il guérit leurs infirmes.	ils accoururent là... et il se mit à leur enseigner beaucoup (de choses).	et, en sortant, il vit une foule nombreuse et il en eut pitié...

Mc combine les textes des Documents A (forme marcienne) et B; l'ultime Rédacteur marcien ajoute la mention du retour des apôtres au v. 30, et peut-être aussi l'épisode anecdotique du v. 31. – Le Mt-intermédiaire ne dépendait que du Document A (forme matthéenne); l'ultime Rédacteur matthéen l'a complété en empruntant quelques traits au récit du Mc-intermédiaire : « en bateau » et « à pied des villes » au v. 13; « et en sortant il vit une foule nombreuse et il en eut pitié » au v. 14. – Le proto-Lc dépendait du Mt-intermédiaire; l'ultime Rédacteur lucanien a ajouté le v. 10a et a pris deux détails au Mc-intermédiaire : « le sachant » au v. 11a et le thème de l'enseignement de Jésus au v. 11b. – Jn combine deux textes différents : il suit le proto-Lc aux vv. 1-2; il le complète avec des traits repris de Mt **15** 29-30 aux vv. 3 et 5 (ces traits proviennent de l'ultime rédaction matthéenne).

B) La multiplication des pains

Jn offre ici des difficultés spéciales que nous analyserons après avoir traité les trois Synoptiques.

1. *Dans les Synoptiques.*

a) Le début du récit (Mc **6** 35-37a et par.) est substantiellement le même dans les trois Synoptiques : comme il se fait tard, les disciples prennent l'initiative de suggérer à Jésus qu'il renvoie les foules afin qu'elles puissent aller s'acheter de quoi manger dans les villages des environs; Jésus leur répond : « donnez-leur vous-mêmes à manger. » Mt/Mc ne se distinguent que par des détails littéraires peu importants. L'ultime Rédacteur matthéen ajoute au v. 16a : « ils n'ont pas besoin de partir », par souci de clarté (cf. Introd., II D 1 *b* 3). Le proto-Lc dépendait du Mt-intermédiaire; l'ultime Rédacteur lucanien imprime sa note personnelle : « Le jour commença à baisser », comme en **24** 29; « ils logent » (*kataluein*, cf. **19** 7); « des provisions » (*episitismos*, hapax du NT probablement repris de Ps **78** 25 selon la LXX).

b) La suite du récit est encore très semblable dans Mt (v. 17) et dans Lc (v. 13b) : les disciples font remarquer qu'ils ne possèdent en tout que cinq pains et deux poissons ! La formule de Lc : « ne sont pas à nous plus de cinq pains », a gardé la forme sémitique du Mt-intermédiaire, grécisée par

l'ultime Rédacteur matthéen; le texte de Lc est donc bien toujours celui du proto-Lc. Mais l'ultime Rédacteur lucanien ajoute : « est-ce que, étant partis... » (v. 13c), sous l'influence du Mc-intermédiaire (**6** 37b). L'ultime Rédacteur matthéen ajoute le v. 18, pour plus de clarté.

Les vv. 37b-38 de Mc sont au contraire très différents, sauf pour la finale « cinq pains et deux poissons ». Le jeu de scène, plus complexe que dans Mt/Lc, correspond à celui du *second récit* de la multiplication des pains (§ 159) : la question de Jésus au v. 38a : « combien avez-vous de pains? », se lit dans les mêmes termes en Mt **15** 34a = Mc **8** 5a; quant au v. 37b, il contient une demande des disciples analogue à celle de Mt **15** 33 et Mc **8** 4, mais qui reprend les expressions des vv. 36 et 37a : « partant... ils s'achètent », et « donnez-leur vous-mêmes à manger », en changeant simplement la personne. Comme pour l'introduction du récit (cf. *supra*), le Mc-intermédiaire complète le texte du Document A (cf. Mt/Lc) par des détails en provenance du *second* récit de la multiplication des pains, et donc du Document B.

c) Dans la finale du récit (Mc **6** 39-44 et par.), les Synoptiques redeviennent substantiellement identiques. On notera qu'en **9** 17b, malgré la forme passive de la phrase, Lc (= proto-Lc) suit un texte proche de celui de Mt (Mt-intermédiaire) : le verbe « ramasser » est immédiatement suivi du participe neutre précédé de l'article *to perisseuon/to perisseusan*, lui-même suivi du mot « morceaux » au génitif (*klasmatôn*). La structure du texte de Mc est différente. – Aux vv. 39-40, Mc contient en plus de Mt : « par groupes de convives » et « ils s'allongèrent par carrés de cent et de cinquante ». Un indice littéraire trahit le caractère secondaire de ces additions : au v. 39, Mc a le verbe « s'étendre » (*anaklithènai*), comme Mt; mais au v. 40, il a le verbe « s'allonger » (*anapiptein*), que l'on trouve en Mt/Mc pour le *second récit* de la multiplication des pains et que Mc n'utilise jamais ailleurs. Il y a donc influence partielle sur Mc du récit de la seconde multiplication des pains. Ces ajouts ont été faits au niveau du Mc-intermédiaire; ils ont été repris en partie par l'ultime Rédacteur lucanien qui ajoute : « par groupes d'environ cinquante » au v. 14 (le chiffre de « cinquante » est un écho du v. 40 de Mc), et le v. 15 (mais ici il reprend, non le verbe de Mc, mais celui qu'il avait utilisé au v. 14). – En Mc **6** 41, il est évident que la mention des deux poissons ne va pas avec la formule de la liturgie eucharistique : « levant les yeux au ciel il dit la bénédiction, les rompit, etc. » Mc a essayé de remédier en partie à la difficulté du texte en ajoutant « les pains » après « il rompit »; Mt de même en ajoutant « les pains » après « il donna ». Pour certains, la mention des poissons aurait été ajoutée à un récit primitif qui ne la comportait pas; en ce sens, on fait valoir que Mc ajoute la mention des poissons aux vv. 41c et 43, tandis que le v. 44 ne mentionne que les pains. Mais l'expression « cinq pains et deux poissons » est fermement attestée aux vv. 38.41a de Mc et parallèles; la solution la plus probable est donc d'admettre que c'est la formule de la liturgie eucharistique qui fut ajoutée au récit primitif (van Iersel). Le remaniement serait visible dans Mc, dont le texte (v. 41) ne comportait que ces mots : « Et prenant les cinq pains et les deux poissons... (et les deux poissons) il les partagea pour tous. » Le redoublement des mots « et les deux poissons » indique une suture rédactionnelle qui trahit l'ajout de la formule eucharistique.

2. *Le récit de Jn.* Le rapport du récit johannique avec celui des Synoptiques offre un problème assez complexe. Le texte de Jn semble osciller en effet entre deux traditions. Avec la tradition commune aux trois Synoptiques (Document A), Jn mentionne cinq pains et deux poissons (v. 9), cinq mille hommes (v. 10c) et douze couffins (v. 13). Comme pour l'introduction du récit, Jn reprendrait ces détails au proto-Lc; on notera d'ailleurs que, comme Lc, il place la mention des cinq mille hommes *avant* de décrire la distribution des pains (vv. 14a de Lc et 10c de Jn), et le mot « au nombre de » (*arithmos*) est de saveur lucanienne (0/0/1/1/5); n'aurait-il pas gardé une expression du proto-Lc abandonnée dans l'ultime rédaction lucanienne? – Mais le schéma général se rapproche beaucoup de celui du *second récit* de la multiplication des pains : Jn omet Mc 6 35-37a et par., et commence par une remarque de Jésus à Philippe qui correspond assez bien à la remarque des disciples en Mc 8 4 et Mt 15 33 (cf. le *pothen* initial commun aux trois textes); de même, les remarques des vv. 7b et 9b sur la quantité de nourriture nécessaire pour nourrir tant de monde font écho au thème de Mt 15 33 et par.; au v. 10, Jn utilise le verbe « s'allonger » (*anapiptein*) comme en Mt 15 35

et Mc 8 6; au v. 11, il a le verbe « rendre grâces » (*eucharistein*) comme en Mt 15 36 et Mc 8 6; au v. 7, il mentionne les « deux cents deniers de pain », comme Mc 6 37b, passage où Mc subit l'influence du *second* récit de la multiplication des pains (cf. *supra*). Le récit de Jn suit donc en fait le schéma du récit de la *seconde* multiplication des pains, en provenance du Document B. Comme, on le verra à la note suivante, Jn suivra directement le texte du Document B pour le récit de la marche sur les eaux, on peut penser qu'ici il combine le texte du Document B de la multiplication des pains (deuxième récit) avec le texte du proto-Lc de la première multiplication des pains (cf. *supra*).

En résumé, le récit de la mutiplication des pains provient ici du Document A. Il est repris par le Mt-intermédiaire, suivi du proto-Lc. Il est repris également par le Mc-intermédiaire, lequel le surcharge de quelques détails en provenance du second récit de la multiplication des pains (§ 159, Document B). L'ultime Rédacteur lucanien ajoute au proto-Lc quelques détails, sous l'influence du Mc-intermédiaire. Quant à Jn, il mêle deux textes différents : son texte de base semble être celui du Document B (deuxième multiplication des pains), qu'il harmonise avec celui du Document A, qu'il connaît grâce au proto-Lc (cette harmonisation porte presque exclusivement sur le chiffre des pains, des convives et des couffins qui servent à ramasser les restes du repas).

II. PROBLÈMES THÉOLOGIQUES

1. *Les attaches vétéro-testamentaires.* Pris dans sa généralité, le récit de la multiplication des pains évoque le thème biblique de la nourriture miraculeuse : la manne et les cailles de l'Exode (Ex **16**; Nb **11**), la multiplication de farine et d'huile par Élie (1 R **17** 7-16), d'huile et de pain par Élisée (2 R **4** 1-7; **4** 42-44), les provisions apportées à Élie par les corbeaux (1 R **17** 2-6) et par l'ange (1 R **19** 4-8). De ces précédents de l'AT, deux surtout ont retenu l'attention de la tradition évangélique.

a) Le récit de la multiplication des pains par Jésus fait écho au récit de la multiplication des pains faite par Élisée en 2 R **4** 42-44 :

2 R 4	Mt(Mc/Lc)	Jn
Un homme... apporta à l'homme de Dieu du pain de prémices, vingt pains d'orge...		« Il y a ici un enfant qui a cinq pains d'orge...
Celui-ci ordonna : « Donne aux gens et qu'ils mangent. »	Jésus leur dit : « Donnez-leur vous-mêmes à manger... »	
Mais il répondit : « Comment donnerai-je cela à cent personnes?... »		mais qu'est-ce que cela pour tant de gens? »
Il leur donna	Jésus (les) donna aux disciples et les disciples aux foules	
et ils mangèrent	et tous mangèrent... et ils ramassèrent le reste des morceaux.	Ils ramassèrent donc ... qui étaient restés...
et il y en eut de reste, selon la parole de Yahvé.		

Il faut noter le mot « enfant » du texte johannique (*paidarion*), qui ne se lit jamais ailleurs dans le NT. Dans 2 R **4** 43, le serviteur d'Élisée est un *leitourgos*, mais dans les récits qui précèdent (cf. la Septante en **4** 41) il est un *paidarion;* c'est probablement ce mot qui est passé dans le récit johannique (R. Brown).

Par ces rapprochements littéraires, Jésus est mis en parallèle avec le prophète Élisée, mais comme il le dépasse ! Il est capable de nourrir cinq mille hommes (sans parler des femmes et des enfants) avec cinq pains et deux poissons, tandis qu'Élisée avait eu besoin de vingt pains pour nourrir cent personnes. Lc fait ressortir la grandeur du miracle en rapprochant la mention du nombre des convives (v. 14a) de celle du nombre des pains (v. 13b). On peut se demander d'ailleurs si, au moins pour la présentation littéraire et les chiffres avancés, le récit des évangiles ne relèverait pas du même genre littéraire que celui des anecdotes semblables de l'histoire d'Élie et d'Élisée. La geste d'Élie, on le sait, renouvelle la geste de Moïse, et Élisée, héritier de l'esprit d'Élie (2 R **2** 9), a accompli des prodiges plus grands et plus nombreux que son maître. Dans la même ligne, le miracle réalisé par Jésus dépasse de beaucoup celui d'Élisée. Jésus n'est plus un prophète quelconque, il est le prophète par excellence.

b) Jn **6** 30 ss. développera longuement le parallélisme entre la multiplication des pains et le précédent de la manne durant l'Exode (§ 163). On verra plus loin que le second récit de la multiplication des pains (§ 159) est centré sur l'épisode des cailles, lié à celui de la manne. Dans le premier récit, les allusions à l'Exode ne sont qu'épisodiques et souvent secondaires. Les Synoptiques placent la scène « dans un lieu désert » (Mc **6** 35b), probablement pour évoquer les récits de l'Exode; mais la présence de villages et de fermes aux environs (Mc **6** 36) comme l'insistance sur l'herbe abondante (Mc **6** 39) montre que cette précision topographique, absente du récit johannique, est plus tardive que le fond du récit lui-même. On notera surtout la conclusion du récit : « Ils mangèrent et furent rassasiés » (Mc **6** 42), qui reprend les paroles de Ps **78** 29; mais dans le psaume, cette phrase se réfère à l'épisode des cailles, et non à celui de la manne; comme elle se lit aussi dans

le second récit de la multiplication des pains (Mc **8** 8), qui, lui, donne une grande importance à l'épisode des cailles (voir note § 159), ne serait-elle pas passée de ce second récit dans le premier? Quant à la citation de Nb **27** 17 faite en Mc **6** 34, qui concerne le remplacement de Moïse par Josué, elle appartenait à l'introduction du second récit de la multiplication des pains (cf. *supra*, I A 3 b). En définitive, on peut mettre en doute les allusions à l'Exode dans la tradition primitive du premier récit de la multiplication des pains.

2. Très tôt, dans la tradition évangélique, on a vu dans la multiplication des pains une préfiguration de l'Eucharistie, par le seul jeu d'une analogie réelle de situation. Cette réinterprétation eucharistique de l'épisode transparaît en Mc **6** 41 et par., qui reprend textuellement les gestes de Jésus à la Cène (cf. Mc **14** 22 et par.). C'est probablement pour accentuer ce rapprochement que Lc **9** 12 indique la venue du soir en employant les mêmes expressions qu'en Lc **24** 29, moment où Jésus va célébrer la « fraction du pain » avec les disciples d'Emmaüs. Jn **6** 51-58 sera beaucoup plus explicite. Mais ce lien entre multiplication des pains et Eucharistie, nécessaire à l'intelligence du second récit (voir note § 159), est probablement ici une réinterprétation d'un récit primitif qui ne le comportait pas explicitement (cf. *supra*, I B 1 c).

3. Il faut noter enfin l'intention « apostolique » qui se dégage de ce récit. La multiplication des pains suit immédiatement, dans Mc, le retour des disciples après leur mission par Jésus (Mc **6** 30, qui renvoie à Mc **6** 12 s.). Dans le miracle lui-même, ils sont les intermédiaires entre Jésus et la foule (Mc **6** 37a.41b), ce qui, dans la perspective de l'Église, peut se comprendre, et au plan de la célébration eucharistique, et au plan de l'enseignement. Le chiffre de « douze » couffins (Mc **6** 43) évoque le nombre des douze tribus d'Israël, mais aussi celui des apôtres (Mt **19** 28; Lc **22** 30), ce que Lc souligne en mentionnant les Douze dès le début du récit (v. 12). Si, dans l'évangile de Jn, Jésus donne directement le pain à la foule, le ministère apostolique est représenté par l'intervention de Philippe et d'André (**6** 5b-9), dont la fonction est toujours de mener au Christ (cf. Jn **1** 40-47; **12** 20-22).

Note § **152**. *JÉSUS MARCHE SUR LES EAUX*

Le récit de la marche sur les eaux se lit dans Mt, Mc et Jn; Lc en a transposé un certain nombre d'éléments dans le récit de l'apparition de Jésus ressuscité aux Onze (cf. note § 365).

I. ÉVOLUTION LITTÉRAIRE DU RÉCIT

Le récit de la marche sur les eaux offre un problème littéraire analogue à celui que l'on a analysé dans l'introduction de la multiplication des pains (note § 151, I A) : Mc y combine deux récits, en provenance des Documents A et B; mais, tandis que là c'est Mt qui avait gardé le récit simple du Document A,

ici c'est Jn qui reproduit, en le glosant, le récit simple du Document B. Les analyses suivantes vont le montrer.

1. *Les deux récits parallèles.* Une comparaison entre les textes de Mc (cf. Mt) et de Jn fait apparaître clairement que Mc combine deux récits dont l'un se retrouve substantiellement dans Jn.

a) Le passage où cette fusion de deux récits apparaît le mieux est Mc **6** 48b-50; il contient tous les éléments de Jn **6** 19b-20, en termes identiques (à une exception près), doublés par une série d'expressions équivalentes. Mettons les textes en parallèle et nous donnerons quelques explications ensuite.

Document A		Document B	
Mc **6**		Mc **6**	Jn **6**
48b Il vient vers eux			
marchant sur la mer...		49a mais eux le voyant marchant sur la mer...	19b Ils voient Jésus marchant sur la mer
49b ils pensèrent que c'est un fantôme			
et ils crièrent		50 (car tous le virent) et ils furent troublés	
50 et il leur parla () :		mais lui () leur dit : « C'est moi, n'ayez pas peur. »	et ils eurent peur mais lui leur dit : « C'est moi, n'ayez pas peur. »
« Rassurez-vous. »			

La seule divergence de structure entre Jn et Mc (Document B) est la répétition du verbe « voir » chez Mc (au participe, puis à l'aoriste) ; elle est causée par le souci qu'a Mc de motiver le « cri » des disciples, en provenance du Document A (« ils poussèrent des cris, car tous le virent »), de même que Mt ajoutera « de peur » juste avant « ils crièrent » ; la source de Mc (Document B) devait avoir : « ils le virent marchant sur la mer et ils furent troublés », ce qui correspond exactement à la structure de Jn. La seule différence de vocabulaire est entre les verbes « être troublé » et « avoir peur ». – Les divergences sont plus grandes entre Document A et Document B ; mais, mis à part le thème du « fantôme », la structure est analogue. On notera que, dans la Septante, le verbe « se rassurer » (cf. ici Document A) traduit d'ordinaire le verbe hébreu signifiant « craindre », précédé d'une négation (cf. Document B) ; les expressions « rassurez-vous » et « ne craignez pas » ou « n'ayez pas peur » sont donc équivalentes et pourraient être la traduction d'un même original araméen. – Un détail confirme le caractère composite de Mc. Au v. 50, il a : « Mais lui... parla avec eux et leur dit » ; l'expression « parler avec » est un sémitisme voulant dire simplement « parler à » ; ce verbe « parler » (*lalein*) se lit ailleurs dans Mc (dix-huit fois), mais jamais doublé par le verbe « dire », comme ici (pas même sous la forme « disant ») ; la redondance des expressions trahit donc la fusion de deux textes en Mc.

b) Notons maintenant les éléments de Jn 6 15b-16a : « il s'enfuit de nouveau dans la montagne, lui seul ; or, lorsque le soir fut venu... » Ils s'insèrent harmonieusement dans la trame du récit johannique, faisant charnière entre les scènes de la multiplication des pains et celle de la marche sur les eaux. On les retrouve, comme des membres épars, dans Mc 6 46b.47a.c et Mt 14 23 ; mais là, que de difficultés, surtout chez Mc ! La précision temporelle « le soir venu » indique approximativement le moment du coucher du soleil (Mc 1 32) ; ne présentant aucune difficulté dans Jn, elle est au contraire incompatible avec la suite du récit de Mc : si la barque des disciples se trouve déjà au milieu de la mer au moment du coucher du soleil (Mc 6 47), et Jésus « à terre », i.e. sur le bord du rivage, comment expliquer qu'il ne vienne au secours de ses disciples que « vers la quatrième veille de la nuit » (v. 48), donc entre trois et six heures du matin ? Est-il demeuré neuf heures, ou plus, à regarder ses disciples lutter contre le vent ? Il faut bien admettre que les deux précisions tempo-

relles de Mc 6 47 et 48 sont incompatibles ; la première (« le soir venu »), attestée aussi par Jn, provient du récit du Document B ; la seconde (« vers la quatrième veille de la nuit »), ignorée de Jn, provient du Document A. – Après avoir indiqué que Jésus est monté sur la montagne (v. 46), comme Jn 6 15b, Mc le replace brusquement « à terre » (v. 47c), i.e. sur le rivage de la mer (cf. Mc 4 1), sans noter qu'il se soit déplacé entre-temps. Ici encore, la donnée topographique commune à Mc/Jn (Document B) semble s'ajouter à une autre donnée topographique ignorée de Jn et qui proviendrait du Document A. – Enfin, quel besoin de préciser que Jésus se trouvait « lui seul » sur le rivage (Mc 6 47c) ? Les disciples se sont embarqués et la foule est retournée chez elle ! Cette expression ne se comprend bien que dans son contexte johannique où Jésus fuit la foule qui veut le faire roi.

Ces incohérences du texte de Mc (cf. Mt) confirment donc l'hypothèse initiale : Mc fusionne deux récits primitivement distincts, dont l'un se lit aussi dans Jn, mais à l'état simple.

2. *Origine des deux récits.* Dans les analyses précédentes, nous avons attribué les deux récits fusionnés par Mc aux Documents A et B, en précisant que le récit du Document B était celui que Jn utilise. Il faut justifier cette hypothèse. On a vu, à la note § 151, que Mc 6 32-34 fusionnait les introductions de la première multiplication des pains (Document A) et de la seconde (Document B, § 159) ; on a vu également que Mc complétait le récit de la première multiplication des pains elle-même avec des éléments en provenance de la seconde multiplication des pains (Document B). On peut donc penser, a priori, qu'ici aussi il fusionne deux récits qui suivaient, l'un la première multiplication des pains (Document A), l'autre la seconde (Document B). Un détail permet de préciser que le texte qu'il faut attribuer au Document B est celui que Jn connaît. On a dit plus haut que la donnée chronologique commune à Mc/Jn (cf. Mt), « le soir venu » (cf. Mc 6 47a et par.), était incompatible avec la donnée chronologique de Mc 6 48b « vers la quatrième veille de la nuit », ignorée de Jn. Or la précision « le soir venu » est également incompatible avec la donnée de Mc 6 35 et Mt 14 15 (« le soir venu »), placée immédiatement avant la première multiplication des pains ! Entre ces deux indications temporelles identiques, il faudrait placer : la multiplication des pains par Jésus, la disposition des foules pour le repas, le repas de la foule, l'embarquement des disciples et un

trajet relativement long en mer par vent contraire ! C'est évidemment impossible. La donnée commune à Jn 6 16a et Mc 6 47a est incompatible avec le premier récit de la multiplication des pains (Document A); il faut donc l'attribuer au Document B, dont le récit de la multiplication des pains (§ 159) ne comporte aucune indication temporelle. On a vu d'ailleurs que, pour le récit de la multiplication des pains, Jn suivait fondamentalement le second récit (§ 159, Document B) même s'il l'avait harmonisé au premier quant au nombre des pains, des convives et des corbeilles qui servent à ramasser les restes (voir note § 151).

3. *Niveaux rédactionnels de Mt/ Mc.*

a) C'est sûrement le Mc-intermédiaire qui a combiné les récits des Documents A et B, comme il l'a fait pour les introductions des première et deuxième multiplications des pains (le Mt-intermédiaire ne connaît que l'introduction à la première multiplication des pains). – L'ultime Rédacteur marco-lucanien a dû procéder à quelques retouches littéraires, comme, au début du v. 46, le remplacement de « ayant renvoyé » (Mt) par « ayant congédié », plus lucanien que marcien (*apotassomai*: 0/1/2/0/2/1). C'est probablement lui aussi qui a dédoublé le verbe « voir » (vv. 49a et 50a), en provenance du Document B, pour donner un motif aux cris des disciples (cf. Mt, qui ajoute « de peur » avant « crièrent »).

b) Le récit actuel de Mt, qui suppose la combinaison des deux Documents, comme dans Mc, est de l'ultime Rédacteur matthéen qui reprend le texte du Mc-intermédiaire. Il est toutefois vraisemblable que le Mt-intermédiaire, qui donnait la première multiplication des pains et son introduction selon le seul texte du Document A, donnait aussi le récit de la marche sur les eaux selon le seul Document A. Ce Mt-intermédiaire a-t-il laissé des traces dans l'actuel récit de Mt? Il est difficile de répondre. En voici deux indices, mais dont aucun n'a valeur probante. Des deux expressions « marchant sur la mer » (vv. 25-26), Mt a la première à l'accusatif et la seconde au génitif, tandis que Mc a les deux au génitif. La seconde, on l'a vu, provient du Document B (Jn a d'ailleurs ici, lui aussi, le génitif) et la première du Document A. Il est vraisemblable que le Document A avait l'accusatif, tandis que le Document B avait le génitif. Mt seul a donc gardé l'accusatif du Document A. Est-ce une preuve qu'il le tient directement du Mt-intermédiaire? Non, car la distinction entre accusatif et génitif pouvait se lire encore dans le Mc-intermédiaire, l'harmonisation (deux génitifs) ayant été faite seulement à l'ultime niveau rédactionnel de Mc.

L'autre indice est assez complexe à exposer. Les vv. 23b-24 de Mt sont assez différents des vv. 47-48a de Mc. On notera spécialement que Mt ne retient du v. 48a de Mc que le verbe « tourmenter », qu'il rapporte à la barque et non aux disciples; il n'a donc pas la précision « à ramer » qui se lit aussi en Jn 6 19 et proviendrait du Document B. L'activité rédactionnelle du Mc-intermédiaire pourrait alors s'expliquer ainsi : il lisait dans le Document A un texte de structure analogue à celui de Mt 14 24 (compte tenu d'une précision que l'on apportera plus loin); voulant introduire le thème des disciples qui « rament », en provenance du Document B (cf. Jn 6 19),

il joint ce verbe « ramer » au verbe « se tourmenter » (Document A, cf. Mt), rapporte ce verbe « se tourmenter » aux disciples, ajoute le pronom « leur » dans la proposition : « car le vent était contraire », et ajoute également le participe « les voyant » (début du v. 48) pour former un petit tableau : Jésus voit les disciples se tourmenter... L'omission de tous ces éléments par Mt, s'il les avait lus dans le texte qu'il suit ici, serait difficile à expliquer. On pourrait donc reconstituer le texte du Document A, pour les vv. 24 de Mt et 47b-48a de Mc, en tenant compte de la précision suivante : l'expression de Mt : « était éloignée de la terre de nombreux stades », absente de Mc, serait de l'ultime Rédacteur matthéo-lucanien; Mt n'a d'ailleurs le verbe *apechein* au sens intransitif qu'en 15 8, dans une citation de l'AT; on a au contraire ce sens intransitif dans trois textes de Lc qui offrent des analogies de vocabulaire avec l'expression de Mt : Lc 7 6 (*èdè... apechontos*); 15 20; 24 13 (*apechousan stadious... apo...*); Mc aurait donc mieux gardé le texte du Document A : « était au milieu de la mer ». Le texte complet du Document A et du Mt-intermédiaire, correspondant au v. 24 de Mt, aurait eu alors cette teneur : « La barque était au milieu de la mer (Mc), tourmentée par les vagues (Mt) car le vent () était contraire (Mt, cf. Mc). » Si l'on accepte cette reconstitution conjecturale, on pourra voir dans le v. 24 du Mt actuel un écho du Mt-intermédiaire et donc du Document A.

II. ÉVOLUTION THÉOLOGIQUE DU RÉCIT

1. *Le récit du Document A.* D'après les analyses précédentes, le récit du Document A avait approximativement cette teneur :

> Et aussitôt il obligea les disciples à monter dans la barque et à le devancer de l'autre côté pendant qu'il renverrait les foules. () Et la barque était au milieu de la mer, tourmentée par les vagues car le vent était contraire. A la quatrième veille de la nuit, il vient vers eux en marchant sur la mer. () [Ils pensèrent que c'est un fantôme.] Et ils crièrent, et il leur parla () : « Rassurez-vous. » Et il monta auprès d'eux dans la barque et le vent se calma.

a) Dans la reconstitution du texte de ce récit, nous avons mis entre crochets la phrase « ils pensèrent que c'est un fantôme », car elle ne se lisait probablement pas dans le récit du Document A. Il suffit de se reporter aux textes mis en parallèle en I 1 a pour constater qu'elle n'a pas d'équivalent dans le Document B, malgré la structure analogue des deux récits. D'ailleurs, dans Mc 6 49, cette phrase est introduite par le verbe « ils pensèrent », qui n'est pas marcien mais doit provenir de l'ultime Rédacteur marco-lucanien (*dokein*: 10/2/10/8/9 cf. surtout Lc 24 37 : « ils pensaient voir un esprit », de l'ultime Rédacteur lucanien; cf. note § 365). Dans le récit de la marche sur les eaux, cette phrase fut probablement introduite aux ultimes niveaux rédactionnels marcien et matthéen (cf. Introd., II D 3).

b) Si l'on enlève le thème du « fantôme », quel pouvait être le sens du récit dans le Document A? Le verbe *tharseite*, traduit par « rassurez-vous » d'après le contexte, aurait plutôt le sens de « ayez confiance » d'après ses autres emplois dans le

NT, où il s'agit, non de rassurer quelqu'un qui a peur, mais d'encourager une personne en difficulté (Mt **9** 2.22; Mc **10** 49; Jn **16** 33; Ac **23** 11). Ce sens irait très bien ici : Jésus encourage ses disciples qui n'arrivent pas à avancer contre le vent, et de fait le vent se calmera dès qu'il sera monté dans la barque. Par ailleurs quelle nuance donner au verbe « ils crièrent » (*ekraxan* ou *anekraxan*)? Ce n'est pas une nuance d'effroi, puisque le thème du « fantôme » n'était pas dans le Document A. Des parallèles bibliques pourraient ici nous aider. Dans l'histoire de Jonas, les marins n'arrivent pas à revenir vers la terre à cause de la mer trop agitée; le récit poursuit : « et ils crièrent (*aneboèsan*) vers le Seigneur... et la mer apaisa sa fureur » (Jon **1** 13-15); le Ps **107** décrit aussi la situation de marins en difficulté (vv. 25-30), et nous les voyons « crier » (*ekekraxan*) vers le Seigneur pour qu'il leur vienne en aide (v. 28). De même, ici, le « cri » des disciples serait un appel à l'aide, et non un cri d'effroi. Dans le Document A, le récit aurait donc eu ce sens : les disciples n'arrivent pas à avancer contre le vent violent; mais Jésus vient vers eux en marchant sur la mer; ils crient pour l'appeler à leur secours; Jésus leur dit simplement : « ayez confiance » (*tharseite*), il monte près d'eux dans la barque et le vent se calme.

c) Le Testament des Douze Patriarches (Test. Nepht. 6-8) offre un curieux parallèle à ce récit du Document A. Nephtali raconte un rêve qu'il vient d'avoir. Jacob et ses fils montent en bateau, mais une tempête se déchaîne et Jacob, qui tenait le gouvernail, est enlevé et disparaît (6 *1-4*). Les fils de Jacob se trouvent aux prises avec la tempête et le bateau, à la dérive, est sur le point de sombrer (6 *5*); Lévi se revêt alors d'un sac et prie le Seigneur de les secourir (6 *8*). Finalement, « lorsque la tempête se calme, le bateau atteint la terre, comme en paix » (6 *9*), et les fils de Jacob retrouvent soudain leur père ! Nephtali explique plus loin le sens de cette vision : il s'agit des événements des derniers temps qui vont fondre sur Israël, événements symbolisés par la tempête; le « retour » de Jacob symbolise « l'apparition » de Dieu « habitant parmi les hommes sur la terre pour sauver la race d'Israël » (8 *3*).

d) Le récit du Document A n'avait-il pas alors une portée symbolique semblable? L'expression « vers la quatrième veille de la nuit » pouvait évoquer la Parousie et le thème du « retour » de Jésus à la fin des temps (cf. Mc **13** 35 et Lc **12** 38); séparés de Jésus, qui est maintenant auprès de Dieu, dans sa gloire de ressuscité, les disciples sont aux prises avec la grande « tribulation » qui doit secouer le monde avant la Parousie (cf. Mc **13** 19-20); mais, alors qu'ils désespèrent, Jésus revient vers eux et leur facilite la traversée qui doit les conduire, eux aussi, auprès de Dieu. N'est-ce pas cette interprétation symbolique qui aurait permis à Lc de transposer quelques données de ce récit dans le récit de l'apparition du Christ ressuscité aux Onze (§ 365)?

2. *Le récit du Document B.* Comme on l'a vu plus haut, le récit du Document B se retrouve substantiellement dans le récit de Jn **6** 16-21, à l'exception toutefois du v. 17b qui est certainement une addition johannique. Jn a pu ajouter encore d'autres détails, et nous ne sommes certains de remonter par lui au Document B que lorsqu'il est appuyé par le récit de Mc.

En ce sens, rappelons que le v. 21a de Jn trouve probablement un écho dans Mc **4** 36 (tempête apaisée), comme on l'a montré à la note § 141 (I 2), ce qui indiquerait que tout le v. 21 de Jn se lisait bien dans le Document B. Quelle est alors la signification des détails par lesquels le récit du Document B se distingue de celui du Document A?

a) La précision « vers la quatrième veille de la nuit » (Mc **6** 48) a disparu du récit du Document B, ce qui atténue beaucoup l'interprétation symbolique en référence au « retour » du Christ ressuscité.

b) A l'approche de Jésus, la réaction des disciples est nettement une réaction de peur. Plusieurs détails du texte le soulignent : c'est en « voyant » Jésus que les disciples « sont troublés », et Jésus les rassure en leur disant : « C'est moi, n'ayez pas peur » (Jn **6** 19-20 et les parallèles de Mc). C'est la brusque apparition de Jésus qui provoque la peur des disciples : on s'achemine vers le thème du « fantôme », ajouté en Mc **6** 49 et Mt **14** 26 et que Lc réutilisera en **24** 37 (§ 365).

c) Il est possible que la rédaction du récit, dans le Document B, ait été influencée par le précédent de Jonas; on en trouverait deux indices dans le récit de Jn, qui semble faire écho à Jon **1** 13-15 : « Et les hommes faisaient effort pour revenir à terre (cf. Jn **6** 21b), mais ils ne le pouvaient pas parce que la mer se soulevait (*exègeireto*, cf. Jn **6** 18) de plus en plus contre eux, et ils crièrent vers le Seigneur et la mer apaisa sa fureur. »

d) Toujours au témoignage de Jn, on aurait peut-être aussi une influence du Ps **107**. Ce psaume exalte la protection de Dieu sur son peuple, spécialement lors de l'Exode. Cris de détresse et actions de grâces, exprimés en termes identiques, reviennent comme un refrain (vv. 6.8; 13.15; 19.21; 28.31), délimitant quatre thèmes : faim et soif dans le désert, souffrances lors de la captivité d'Égypte, périls dans le désert, périls en mer; l'épilogue fait allusion à l'arrivée en terre promise. Il existe évidemment un parallélisme de situation entre : d'une part le premier thème du psaume et le récit de la multiplication des pains (Dieu/Jésus rassasient le peuple dans le désert), d'autre part le quatrième thème du psaume et le récit de la marche sur les eaux (Dieu/Jésus viennent en aide à ceux qui sont en difficulté sur la mer). Ce n'est peut-être pas un hasard alors si le récit johannique (Document B?) se termine (v. 21b) par un événement analogue à celui que décrit Ps **107** 30 : « ils se réjouirent de ce que les flots se calmèrent, et Il les mena jusqu'au port de leur désir » (i.e. jusqu'au port qu'ils désiraient atteindre).

3. En ajoutant l'épisode de Pierre marchant sur les eaux à l'imitation de Jésus (Mt **14** 28-31), l'ultime Rédacteur matthéen évoque le précédent de la tempête apaisée (§ 141; comparer Mt **14** 30 et **8** 25, **14** 31 et **8** 26) et accentue la signification sotériologique de l'événement; c'est par la foi que les hommes peuvent, à la suite de Jésus et par lui, échapper à la mort. Lorsque les disciples proclament : « Vraiment, tu es fils de Dieu » (Mt **14** 33), ils anticipent la confession de foi du centurion romain, après la mort de Jésus (Mt **27** 54), qui doit se comprendre dans la ligne de Sg **2** 18-20 : Dieu sauve son « fils » de la mort (voir note § 355). On notera au v. 31 le verbe « saisir » (*epilambanomai*) qui pourrait être la signature de l'ultime Rédacteur matthéo-lucanien (1/1/5/0/7/4).

Note § 153. *GUÉRISONS A GENNÉSARET*

1. Ce « sommaire » placé après la traversée mouvementée du lac par les disciples (et Jésus) est probablement une composition marcienne rassemblant des matériaux divers repris à d'autres passages évangéliques. Le verbe « faire la traversée » (*diaperan*) avait déjà été utilisé en Mc 5 21 (cf. Mt 9 1) et ne se lit que dans ces deux passages en Mt/Mc. Aux vv. 54-55 de Mc, les mots : « comme ils étaient sortis... le reconnaissant... ils parcoururent » (*exelthontôn... epignontes... periedramon*), rappellent ceux du sommaire marcien placé avant la première multiplication des pains (Mc 6 33-34) : « ... le surent... ils accoururent... et en sortant » (*epegnôsan... synedramon... exelthôn*) ; ce sont les deux seuls textes de Mc (et des évangiles) où le verbe *epigignôskein* et l'action de « courir » soient dits des foules. Le fait de « transporter... les mal-portants » rappelle le sommaire de Mc 1 32 : « on lui portait tous les mal-portants. » Enfin la finale : « ... qu'ils touchent du moins la frange de son manteau et tous ceux qui le touchèrent étaient sauvés », offre des analogies incontestables avec un passage de la guérison de l'hémorroïsse (Mc 5 27-28, complété par le parallèle de Mt/Lc) : « ... elle toucha (la frange : Mt/Lc) de son manteau, car elle disait : Si je touche du moins ses vêtements, je serai sauvée » ; ce sont les deux seuls textes des évangiles où se trouve l'expression « frange de son manteau », précédée ici et là du verbe « toucher » ; ce sont les deux seuls textes de Mc où se lise le mot « du moins » (*kan*) ; dans les deux textes, la guérison des malades est exprimé au moyen du verbe « sauver ». Tous ces contacts littéraires, portant souvent sur des expressions qui ne se lisent que dans les deux passages considérés, permettent de conclure que Mc 6 53-56 a pour trame fondamentale une mosaïque de textes repris à d'autres passages de Mc.

2. Cette composition doit remonter au Mc-intermédiaire ; on avait déjà constaté le même procédé littéraire à propos de l'expulsion d'un démon en Mc 1 23 ss. (notes §§ 32, 33) et pour le « sommaire » de Mc 3 7 ss. (note § 47), procédé littéraire qui, dans ces sections, était attribuable au Mc-intermédiaire. Il doit en être de même ici. Le parallèle de Mt 14 34-36 dépend du Mc-intermédiaire et il est de l'ultime Rédacteur matthéen, qui a d'ailleurs harmonisé ce « sommaire » avec celui de Mt 8 16, sous la forme qu'il avait dans le Mt-intermédiaire (voir note § 35), d'où la phrase identique dans les deux « sommaires » : « on lui amena (présenta) tous les mal-portants » (*prosènègkan autôi pantas tous kakôs echontas*). Il est probable que les vv. 55d-56a de Mc (« là où ils entendaient... les infirmes sur les places ») sont une addition de l'ultime Rédacteur marcien, addition analogue à celle du v. 33 dans le sommaire du § 35 (voir note).

Note § 154. *DISCUSSION SUR LES TRADITIONS PHARISAÏQUES*

Cette discussion entre Jésus et les Pharisiens ne se lit que dans Mt/Mc ; Lc 11 37 ss. en donne une version parallèle en provenance du Document Q (§ 202).

I. SENS DE L'ÉPISODE

1. Un fait précis est à l'origine de cette discussion : les Pharisiens et les scribes voient que les disciples de Jésus négligent de se purifier les mains avant de prendre leur repas ; ils les accusent alors de transgresser « les traditions des Anciens ». L'historien Josèphe nous donne en effet ce renseignement sur les Pharisiens : « Ils ont transmis au peuple, héritées de la doctrine des Pères, de nombreuses prescriptions qui ne se trouvent pas écrites dans les lois de Moïse » (Ant. 13 *297*) ; ce sont les « traditions des Pères » auxquelles Paul fait allusion en Ga 1 14 et Col 2 8.22, transmises oralement dans les écoles rabbiniques (elles ne seront fixées par écrit qu'au second siècle de notre ère, dans la Mishna) et qui prétendaient interpréter et compléter la Loi de Moïse. Au temps de Jésus, ces prescriptions s'étaient tellement multipliées qu'elles rendaient la Loi inapplicable (cf. Lc 11 46.52 ; Mt 23 4.13 ; Ac 15 10) ; seuls les « spécialistes », scribes et Pharisiens, qui passaient leur vie à « scruter les Écritures » (Jn 5 39), pouvaient se reconnaître dans ce maquis, tandis que les « gens du peuple », faute de connaissance suffisante, se voyaient voués à la malédiction divine (Jn 7 49). Ces prescriptions s'étaient multipliées surtout dans le domaine de la pureté (« propreté » à la fois physique et morale, obtenue au moyen d'ablutions rituelles), et l'on en était arrivé à une sorte de « crainte hypertrophiée » (de Vaux) de l'impureté, dont témoignent déjà les prescriptions de Lv 11-16, issues de la communauté juive post-exilique.

2. Jésus répond à la critique des Pharisiens en attaquant à son tour (Mt 15 3 ss.). Négligeant le point précis des « purifications » rituelles, il place le débat sur un plan très général : la valeur relative des « traditions » pharisaïques par rapport à la Loi mosaïque. Il raisonne à partir d'un fait concret (Mt 15 3-6). La législation mosaïque reconnaissait la valeur du vœu par lequel on consacrait à Dieu des biens ou des personnes ; les biens ainsi « voués » devenaient *qorban* (« offrande », cf. Lv 2 1-13) ou encore *hèrèm* (« anathème », cf. Lv 27 28-29) et l'on ne pouvait plus y toucher. Mais les Pharisiens toléraient l'abus consistant à vouer à Dieu les biens par lesquels un fils aurait dû subvenir aux besoins de ses parents, ce qui permettait de tourner le précepte du Décalogue : « Honore ton père et ta mère » (Ex 20 12 = Dt 5 16). Par leurs traditions, les Pharisiens ont donc « annulé la Parole de Dieu » (Mt 15 6b). Cette dernière phrase fait écho aux reproches que Jérémie adressait

déjà aux scribes de son temps, s'inspirant d'ailleurs de Is **29** 13 s. : « Comment pouvez-vous dire : Nous sommes sages et nous avons la Loi de Yahvé ! Vraiment, c'est en mensonge que l'a changée le calame mensonger des scribes ! Les sages seront honteux, consternés et pris au piège. Voilà qu'ils ont méprisé la Parole de Yahvé ! Eh bien, leur sagesse, à quoi leur sert-elle ? » (Jr **8** 8-9).

3. Deux documents illustrent à merveille cette première partie de la réponse de Jésus.

a) Un ossuaire que l'on peut dater du premier siècle de notre ère, trouvé aux environs de Jérusalem, porte cette inscription destinée à prévenir tout vol ultérieur : « Tout ce qu'un homme trouverait à son profit dans cet ossuaire (est) Qorban (= offrande) à Dieu de la part de celui qui (est) dedans » (Milik, corrigé par Fitzmyer); puisque le contenu de l'ossuaire est Qorban, consacré à Dieu, nul ne pourra se l'approprier. La formule littéraire est très proche de celle de Mt **15** 5, preuve que le texte évangélique reproduit une formule juridique consacrée par l'usage.

b) Dans les écrits de Qumrân, le Document de Damas s'en prend, comme Jésus, à ceux qui « consacrent la nourriture de leur maison (?) à Dieu » et qui encourent le reproche de Mi **7** 2 : « Chacun traque son frère par l'anathème » (16 *14-15*); on a vu plus haut que le fait de consacrer ses biens à Dieu s'appelait, soit *qorban*, soit *hèrèm* (anathème); le texte du Document de Damas s'en prend donc à ceux qui consacrent à Dieu en *hèrèm* ou « anathème » la nourriture qui devrait subvenir aux gens de sa maison.

4. La réponse de Jésus aux Pharisiens se termine par une citation de Is **29** 13. En appliquant ce texte aux Pharisiens, Jésus met une équivalence entre les « préceptes d'hommes » dont parle Isaïe et les « traditions des Anciens » dont se réclament les Pharisiens; implicitement, c'est donc reprocher aux Pharisiens de mettre leurs « traditions » sur le même plan que la Loi mosaïque donnée par Dieu aux hommes, alors qu'elles ne sont qu'interprétation *humaine* de la Loi. Et si elles ne sont qu'interprétations humaines, pourquoi leur donner une valeur contraignante absolue comme si elles étaient Parole de Dieu ?

II. ANALYSES LITTÉRAIRES

1. *Le reproche des Pharisiens*. Il introduit le récit aux vv. 1-2 de Mt et 1-5 de Mc. Il est facile de déceler des notes secondaires aussi bien dans Mc que dans Mt.

a) A la fin du v. 2, la finale : « c'est-à-dire non lavées », est manifestement une glose destinée à expliquer pour des lecteurs issus du paganisme le terme technique « impures » (*koinos*). De même, les vv. 3-4 contiennent une description des coutumes juives destinée aux mêmes lecteurs. Ces deux gloses sont absentes de Mt; dans Mc, elles ont provoqué l'insertion assez gauche, au début du v. 5, d'une nouvelle mention des Pharisiens et des scribes, reprise du v. 1 maintenant trop éloigné. Ces gloses et ces remaniements sont de l'ultime Rédacteur

marco-lucanien, qui a laissé sa signature dans l'expression « tous les Juifs », laquelle ne se lit ailleurs dans le NT qu'en Jn **18** 20 et Ac **18** 2; **19** 17; **21** 21; **22** 12; **24** 5; **26** 4. On attribuera également à ce Rédacteur le remplacement du verbe « transgresser » (v. 2 de Mt) par « se comporter selon », littéralement « marcher selon » (*peripatein kata*), typiquement paulinien; employé au sens métaphorique, comme ici, ce verbe ne se lit jamais ailleurs dans les Synoptiques, tandis qu'on le trouve trente et une fois chez Paul; suivi de la préposition *kata*, il ne se trouve ailleurs que dans Paul (Rm **8** 4; **14** 15; 1 Co **3** 3; 2 Co **10** 2; Ep **2** 2 (sur le « paulinisme » de l'ultime Rédacteur marcien, cf. Introd., II B 1 *a*).

b) On attribuera à l'ultime Rédacteur matthéen la phrase explicative du v. 2 : « car ils ne se lavent pas les mains », destinée à remplacer l'expression technique gardée par Mc, « avec des mains impures » (cf. Introd., II D 1 *b* 3); l'ultime Rédacteur marcien avait eu le même réflexe en ajoutant : « c'est-à-dire non lavées », après l'adjectif « impures » (*koinais*, fin du v. 2). Il est difficile de dire si c'est Mc qui a ajouté le v. 2 : « et voyant certains de ses disciples prendre leurs repas avec des mains impures », qui anticiperait la donnée de la fin du v. 5 pour raison de clarté, ou si c'est Mt qui l'a enlevé, pour simplifier le récit. Le cas est identique à celui du v. 16b de Mc **2** (§ 42), où il s'agit aussi d'une controverse avec les Pharisiens; là, nous avons conclu à une addition de l'ultime Rédacteur marcien car les §§ 42-43 contiennent plusieurs additions analogues de Mc, inconnues de Mt/Lc; il doit en être de même ici.

2. *Première réponse de Jésus*. Elle se lit aux vv. 3-6 de Mt et 9-13 de Mc.

a) Cette discussion au sujet du Corban est beaucoup mieux structurée dans Mt que dans Mc. Placée avant la citation d'Is **29** 13, elle se soude plus étroitement au reproche des Pharisiens, le v. 3 reprenant, sous forme de « contre-attaque », les expressions du v. 2. Cet argument de Jésus a pour but de montrer que l'attitude des Pharisiens à l'égard de la Loi mosaïque est tout l'inverse de celle de Jésus, telle que Mt l'a exposée dans le Sermon sur la montagne (**5** 17-48; voir note § 53) : tandis que Jésus est venu « accomplir la Loi » (**5** 17) en « renchérissant » sur chacun des préceptes du Décalogue (**5** 21 ss.), les Pharisiens au contraire, par leurs « traditions », en sont venus à « annuler » la parole de Dieu (**15** 6b), la vidant de son esprit et de sa rigueur contraignante. Le parallélisme des formules montre bien que Mt a volontairement souligné cette opposition :

Mt **15**	Mt **5**
4 Car Dieu a dit : « Honore ton père et ta [mère » (Ex **20** 12)...	21 ... il a été dit aux Anciens : « Tu ne tueras pas » (Ex **20** 13)...
5 or vous, vous dites : « Qui dira à son père... (est) offrande...	22 or moi, je vous dis : « Tout homme qui se met [en colère contre son frère
6 n'aura plus à honorer son père ou sa mère. »	sera passible du jugement. »

Et vous avez annulé la parole de Dieu à cause de votre tradition.	17 « Je ne suis pas venu abolir la Loi, mais accomplir. »

On ne pouvait plus clairement opposer enseignement de Jésus et traditions pharisaïques !

b) A la note générale sur les §§ 54-59, on a vu que la structure de Mt **5** 21-22, qui implique une certaine conception de cet accomplissement de la Loi dont il est parlé en Mt **5** 17, ne pouvait remonter plus haut que le Mt-intermédiaire ; il en va de même ici, étant donné la similitude des structures. Faut-il en conclure que toute la discussion du § 154 serait une invention du Mt-intermédiaire ? Certainement pas. On a vu aux §§ 54 ss. que le Mt-intermédiaire réutilisait des matériaux plus anciens auxquels il imposait une « structure » particulière afin de montrer comment Jésus avait accompli la Loi. Il en va de même ici ; il a dû exister une forme de récit (dans le Document A, source du Mt-intermédiaire) qui ne citait pas explicitement Ex **20** 12 et **21** 17 ; c'était peut-être simplement un recueil de « reproches » adressés aux Pharisiens, analogue à ce que l'on trouve en Mt **23** 16-22, et d'une façon plus large à Mt **23** 13-36, que Lc **11** 37-52 donne à la suite de reproches qu'un Pharisien adresse à Jésus parce qu'il s'est mis à table sans s'être purifié par les ablutions rituelles ! Épiphane, qui suit d'ordinaire un texte plus archaïque que celui de nos évangiles actuels, semble inclure dans un même ensemble les reproches adressés par Jésus aux Pharisiens, soit ici (§ 154), soit en Mt **23** 16 ss. (§ 288) ; voir vol. I, 3e registre des §§ 154 et 288.

c) Mc, à l'inverse de Mt, place l'argument de Jésus tiré du Corban *après* la citation de Is **29** 13. Cet argument semble un ajout chez Mc, introduit par la cheville rédactionnelle : « et il leur disait » (v. 9a ; cf. Bultmann, Dibelius) ; le v. 9, appartenant à l'argumentation à partir du Corban, est d'ailleurs un doublet du v. 8, appartenant à l'argumentation à partir de Is **29** 13. Il est logique que, si l'argumentation à partir du Corban est une rédaction du Mt-intermédiaire, elle ne soit venue dans Mc qu'au niveau de l'ultime Rédaction marcienne.

3. *Deuxième réponse de Jésus.* Elle se lit aux vv. 6-8 de Mc et 7-9 de Mt. Elle applique aux Pharisiens un reproche que le prophète Isaïe adressait déjà au peuple de Dieu : ils remplacent le véritable enseignement de Dieu par des enseignements et des préceptes humains. Cette citation d'Isaïe est faite d'après la Septante (avec de menues retouches) ; or ce n'est pas le style du Document A de citer intégralement des textes scripturaires, comme ici, et d'utiliser la Septante ; ce deuxième argument ne se lisait donc certainement pas dans le Document A, source du Mt-intermédiaire. Par ailleurs, le doublet qui se trouve encore dans Mc (le v. 8 dit à peu près la même chose que le v. 9, qui correspond au v. 3b de Mt) invite à penser que, dans la tradition marcienne, l'argument tiré de Is **29** 13 est venu *remplacer* l'argument tiré du Corban parce que ce dernier était assez peu compréhensible pour des lecteurs issus du paganisme ; le remplacement fut donc effectué dans des milieux pagano-chrétiens, et l'on peut penser qu'il fut déjà effectué au niveau du Document B. Il semble en effet que Paul se réfère à ce deuxième argument en Col **2** 8-22 : « ... selon *la tradition des hommes* et non selon le Christ... » (Col **2** 8 ; cf. Mc **7** 8) ; « ... et il *ne tient pas* (*kratôn*) la tête... » (Col **2** 19 ; cf. Mc **7** 8) ; « Selon *les préceptes et les enseignements des hommes* » (Col **2** 22 ; cf. Mc **7** 7 et Is **29** 13) ; pour une raison de chronologie, il est plus facile de penser que Paul cite le Document B, et non le Mc-intermédiaire.

III. ÉVOLUTION DU RÉCIT

Voici comment on pourrait résumer l'évolution de ce récit : dans le Document A, il contenait les vv. 1-3 de Mt (compte tenu des précisions notées plus haut pour la fin du v. 2, que Mc a mieux conservée) et se poursuivait par un texte analogue à celui que cite Épiphane, qui ne mentionnait pas explicitement Ex **20** 12 et **21** 17 ; la réponse de Jésus y était déjà centrée sur le thème du « Corban ». – En reprenant ce récit, le Document B a remplacé l'argument tiré du « Corban », peu compréhensible pour des lecteurs pagano-chrétiens, par un nouvel argument tiré de Is **29** 13 (cf. Mc **7** 6-8). – Le Mt-intermédiaire a repris le récit du Document A en lui donnant une forme nouvelle, une structure analogue à celle de Mt **5** 21 ss., de façon à opposer très clairement traditions pharisaïques et enseignement de Jésus ; c'est lui qui a donc introduit les citations explicites de Ex **20** 12 et **21** 17. – Le Mc-intermédiaire reprit sans changement appréciable le récit du Document B. – L'ultime Rédacteur matthéen, sous l'influence du Mc-intermédiaire, a complété le texte du Mt-intermédiaire en ajoutant l'argument tiré de Is **29** 13 à la suite de l'argument tiré du Corban ; c'est lui aussi qui a remplacé, au v. 2, l'expression « avec des mains impures » par : « car ils ne se lavent pas les mains. » – L'ultime Rédacteur marcien a complété le texte du Mc-intermédiaire en ajoutant l'argument tiré du Corban à la suite de l'argument tiré de Is **29** 13 ; il l'a fait sous l'influence du Mt-intermédiaire. C'est lui aussi qui a ajouté les gloses des vv. 2-4, et introduit le paulinisme « se comporter selon » au v. 5.

Ajoutons enfin que c'est le Mc-intermédiaire qui a placé cet épisode ici, de façon à étoffer sa section évoquant l'appel des païens au salut (voir note §§ 151-159) ; il fut suivi par l'ultime Rédacteur matthéen.

Note § 155. *ENSEIGNEMENT SUR LE PUR ET L'IMPUR*

Cet épisode est étroitement lié au précédent; il constitue comme une explicitation de la discussion précédente, à l'usage d'abord de la foule, puis des disciples.

I. SENS DE L'ÉPISODE

Tandis qu'au § 154 Jésus ne répondait pas immédiatement à la question posée par les Pharisiens : « Pourquoi tes disciples prennent le repas avec des mains impures »?, ici, il explique à la foule la raison d'être de cette conduite, sous forme d'une sorte de parabole (Mc 7 14-15 et par.); puis devant ses seuls disciples, il donne l'explication de la parabole (Mc 7 17-23 et par.). L'enseignement est facile à comprendre. La notion de « pureté » et d' « impureté » ne doit pas être cherchée dans une réalité extérieure à l'homme, mais dans le « cœur » même de l'homme, principe de son agir moral (Ps 24 4; 51 12). La véritable notion de pureté est remise en évidence : l'homme est « pur », « séparé » du profane, consacré à Dieu, non pas en raison de la multiplicité des ablutions rituelles, comme semblent le croire les Pharisiens, mais en raison de la fidélité à la Loi divine. L'intention de cet enseignement aux foules, puis aux disciples, rejoint donc exactement celle de la discussion avec les Pharisiens : affirmer le primat de la Loi mosaïque sur les pratiques rituelles héritées de la tradition rabbinique.

II. PROBLÈMES LITTÉRAIRES

L'ensemble de cette section offre des problèmes littéraires très complexes.

A) LA TRADITION MATTHÉENNE

1. En Mt **15** 19b, il est évident que l'énumération des vices répond à une intention précise; ces vices, en effet, s'opposent à quatre préceptes du Décalogue tels qu'ils sont énumérés en Ex 20 13 ss., avec cette particularité toutefois que deux des vices sont dédoublés : meurtres (cf. Ex 20 15), adultères et débauches – ou mieux, fornications, *porneiai* (cf. Ex 20 13), vols (cf. Ex 20 14), faux témoignages et diffamations (cf. Ex 20 16). L'énumération de ces vices est donc dans la même ligne que l'argumentation donnée au § 154, en Mt **15** 3-6, argumentation centrée sur le précepte du Décalogue donné en Ex **20** 12. Ceci nous est confirmé par la remarque suivante : on a vu, à la note § 154 (II 2 a b), que l'argumentation de Mt **15** 3-6 avait une structure littéraire identique à celle de Mt **5** 21 ss., ce qui soulignait l'opposition entre les traditions rabbiniques et l'enseignement de Jésus; mais en Mt **5** 21 ss., divers exemples sont donnés de la façon dont Jésus est venu « accomplir » le Décalogue, exemples citant successivement : Ex **20** 14 (« Tu

ne tueras pas », Mt **5** 21), Ex **20** 13 (« Tu ne commettras pas l'adultère », Mt **5** 27), Ex **20** 16 (« Tu ne te parjureras pas », Mt **5** 33). Ces divers rapprochements de textes permettent de conclure que, dans la tradition matthéenne, Mt **15** 19b, avec son énumération de vices contraires aux préceptes du Décalogue, devait suivre presque immédiatement la discussion de Mt **15** 1-6 (au § 154). Et puisque nous avons attribué la structure de Mt **15** 3-6 au Mt-intermédiaire, la liste des vices de Mt **15** 19b devait se lire aussi dans le Mt-intermédiaire.

2. Le lien primitif entre Mt **15** 1-6 et **15** 19b est confirmé par la remarque suivante : aux vv. 10 à 18, Mt a en commun avec Mc un certain nombre de mots beaucoup plus marciens que matthéens. Au v. 10, le verbe « appeler à soi » (*proskaleisthai* : 6/9/4/0/9/1; se rappeler que la longueur de Mt est double de celle de Mc); le mot « foule » au singulier (dans Mt, il est beaucoup plus souvent au pluriel). Au v. 11, le verbe « sortir » (*ekporeuesthai* : 5/11/3/2/3; sur les cinq cas de Mt, deux se trouvent ici, aux vv. 11 et 18; un provient d'une citation de l'AT, en 4 4; un autre est dû à une influence de Mc, en 3 5, cf. note § 19). Au v. 17, l'expression « entrer dans » (*eisporeuesthai eis* : 1/6/2/0/1/0). On peut donc penser que les vv. 10 à 18 de Mt ont été insérés à l'ultime niveau rédactionnel de Mt, en provenance du Mc-intermédiaire.

3. Comment, au niveau du Mt-intermédiaire, la liste des vices du v. 19b était-elle liée au récit de Mt **15** 1-6? Pas par le v. 19a, étroitement uni aux versets qui le précèdent, et qui provient donc du Mc-intermédiaire. En revanche, le v. 20a, qui donne le sens de cette liste de vices en liaison avec le thème de Mt **15** 1-2 (manger avec des mains *impures*, cf. note § 154, II 1 b), devait se lire dans le Mt-intermédiaire : ce qui rend l'homme impur (v. 20a), c'est de se livrer aux vices contraires aux préceptes du Décalogue (v. 19b), non de manger avec des mains impures (v. 2). Il est possible que l'explication des vv. 19b-20a n'était plus adressée aux Pharisiens, mais aux disciples; il faudrait peut-être chercher leur introduction au v. 12 (+ les premiers mots du v. 13a : « Répondant il dit »).

4. On a vu à la note § 154 que le Mt-intermédiaire avait structuré ses vv. 3-6 à partir d'un texte du Document A qui ne se référait pas explicitement au précepte du Décalogue formulé en Ex **20** 12. Il est possible que le Document A contenait lui aussi, après la discussion de Mt **15** 1-6, l'épisode de Mt **15** 19b-20a (et l'introduction du v. 12), mais sous une forme différente : la liste des vices n'était pas systématiquement opposée à certains préceptes du Décalogue, mais donnait une énumération plus libre. Il est impossible de prouver ici ces hypothèses; on verra plus loin qu'elles sont indispensables pour expliquer l'évolution complexe du récit dans la tradition marcienne.

5. Ce n'est qu'après avoir donné l'évolution du récit dans la tradition marcienne que l'on pourra préciser l'activité de l'ultime Rédacteur matthéen.

B) La tradition marcienne

1. Signalons tout de suite les éléments du récit actuel de Mc que l'on peut raisonnablement attribuer à l'ultime Rédacteur marco-lucanien.

a) Aux vv. 18-19, le membre de phrase : « ne peut le rendre impur parce que (cela) ne... pas dans son cœur », absent du parallèle matthéen, doit être une glose explicative de l'ultime Rédacteur marcien.

b) A la fin du v. 19, la phrase : « il purifiait ainsi tous les aliments », est certainement une glose explicative; elle interrompt le fil du récit de Jésus, ce qui, pour le renouer, a obligé le Rédacteur marcien à ajouter au début du v. 20 les mots « il disait que ». Ces ajouts sont absents du parallèle matthéen. On notera la parenté de cette glose avec Ac **19** 12-15.

c) Au v. 21, il faut considérer les mots : « du cœur des hommes les mauvais desseins », comme une glose (dans le texte grec, le verbe « sortent » est placé après « les mauvais desseins »). En effet, l'expression « du cœur » fait doublet avec « du dedans » (cf. aux vv. 15a, 18, 23, où les mots « de l'extérieur » ou « du dedans » sont employés absolument). De plus, le mot « homme » est ici au pluriel, alors que partout ailleurs il est au singulier (vv. 15a-15b, 18a, 20a, 23). Par ailleurs, l'ensemble de cette glose est de style lucanien : « desseins » (*dialogismos*: 1/1/6/0/0/6); lié au thème du « cœur » : Lc **2** 35; **9** 46; **24** 38, jamais ailleurs dans le NT. Enfin, Épiphane, qui cite souvent selon un texte plus archaïque que celui de nos évangiles actuels, omet précisément les mots en question : « Car du dedans () sortent : débauches, adultères, impudicités et choses semblables » (cf. vol. I, 3e registre).

d) Dans la liste des vices, aux vv. 21-22, Mc donne cinq des six vices de la liste du Mt-intermédiaire (Mt **15** 19b), mais ajoute un certain nombre d'autres vices, qui n'ont aucun rapport avec les préceptes du Décalogue : « cupidités, méchancetés, ruse, impudicité, envie, orgueil, déraison ». Le passage du pluriel (cf. Mt) au singulier trahit la dualité des sources. On peut donc penser que l'ultime Rédacteur marcien combine ici une liste héritée de la tradition marcienne avec une autre liste reprise du Mt-intermédiaire. Il reste possible que les deux listes se recoupaient en partie.

2. Il faut admettre, semble-t-il, un échelon entre le texte du Document A (cf. *supra*) et celui du Mc-intermédiaire; cet échelon serait le texte du Document B. Son auteur reprend le texte du Document A (cf. Mt **15** 19b-20a, avec une liste de vices différente), mais il le fait précéder d'une pseudo-parabole (cf. Mc **7** 17), jouant sur l'opposition « de l'extérieur/du dedans » (cf. Lc **11** 37-41, § 202), destinée à expliquer pourquoi ce sont les vices qui rendent l'homme impur. Voici comment on pourrait reconstituer ce texte du Document B :

Document A (Mt **15**)	Document B (Mc **7**)
	15a « Il n'y a rien, à l'extérieur de l'homme, entrant en lui, qui peut le rendre impur;
19b (liste de vices) 20a « Ces choses sont celles qui rendent l'homme impur. »	20 ce qui sort de l'homme, cela rend l'homme impur. 21 Car du dedans () sortent : débauches, etc. (liste de vices) 23 Toutes ces choses méchantes sortent du dedans et rendent l'homme impur. »

Donnons quelques explications. Dans le texte du Mc actuel, le v. 15 fait difficulté : pourquoi le v. 15b est-il au pluriel tandis que le v. 15a est au singulier? Comme le v. 20 semble un doublet du v. 15b, mais au singulier, il est probable que, dans le Document B, ce v. 20 suivait immédiatement le v. 15a. On a vu plus haut (II B 1 c) pourquoi, au v. 21, il fallait considérer comme une glose de l'ultime Rédacteur marcien les mots : « du cœur des hommes les mauvais desseins ». Dans le Document B, la liste des vices devait être très semblable à celle du Document A (mais différente de celle de Mt **15** 19b, cf. *supra*). Si l'on admet que, dans le Document A, les vv. 19b-20a de Mt étaient adressés aux disciples (cf. v. 12) et non aux Pharisiens, on pensera qu'il en allait de même dans le Document B (cf. v. 17 de Mc, où les disciples sont mentionnés).

3. L'activité du Mc-intermédiaire est plus complexe. D'une part, il insère un nouveau développement qu'il présente comme une explication de la pseudo-parabole (vv. 17-19), d'autre part il combine en partie les textes des Documents A et B. Voici, d'une façon plus précise, comment il a procédé. Il coupe en deux le texte du Document B : v. 15a d'une part, vv. 20-23 d'autre part. Entre les vv. 15a et 20-23, il insère son explication de la parabole. Pour rester fidèle à ses procédés littéraires, il introduit au v. 14 le thème de la foule que Jésus appelle auprès de lui, et place au v. 17 la mention des disciples : la pseudo-parabole s'adresse à la foule, son explication est réservée aux disciples (cf. Mc **4** 1-2 ss., puis **10** 13 ss.; et aussi Mc **10** 2 ss., où il est question des Pharisiens, puis vv. 10 ss.). Ayant séparé, comme on l'a vu plus haut, les vv. 20-23 du v. 15a, le Mc-intermédiaire ajoute après le v. 15a l'équivalent de Mt **15** 20a, en provenance du Document A, ce qui explique l'analogie des formules entre Mc **7** 15b et Mc **15** 20a (« les choses... *sont celles qui* rendent l'homme impur »/« ces choses *sont celles qui* rendent l'homme impur »), et aussi le passage, chez Mc, du singulier (v. 15a) au pluriel (v. 15b); ce nouveau v. 15b du Mc-intermédiaire a cependant gardé un reste du v. 20 dont il a pris la place, les mots : « qui sortent de l'homme ».

C) L'ultime rédaction matthéenne

1. L'ultime Rédacteur matthéen reprend les vv. 19b-20a tels qu'il les trouvait dans le Mt-intermédiaire, avec la liste de vices en accord avec les préceptes du Décalogue. Puis, de même qu'au § 154 il a ajouté les vv. 7-9, sous l'influence du Mc-intermédiaire (argument tiré de la citation de Is **29** 13), de même ici, sous la même influence, il ajoute la pseudo-parabole et son explication (vv. 10-11 et 15 19a). Comme les vv. 19b-20a se trouvent maintenant trop éloignés de leur contexte

primitif (**15** 1-6), l'ultime Rédacteur matthéen ajoute le v. 20b (absent de Mc) afin de rappeler l'occasion de toute cette controverse (**15** 2).

2. En reprenant le v. 15 de Mc, l'ultime Rédacteur matthéen (v. 11) change : « ce qui entre dans l'homme/ce qui sort de l'homme », en : « ce qui entre dans la bouche/ce qui sort de la bouche ». Ce changement pouvait se justifier pour l'expression « entrer dans la bouche », puisqu'il s'agit d'aliments (cf. Mt **15** 17), mais crée des difficultés pour l'expression « sortir de la bouche », d'autant que, si quelques-uns des vices énumérés au v. 19b peuvent se ramener à la « bouche » (faux témoignages, diffamations), il n'en va pas de même des « meurtres, adultères, débauches, vols »; le Rédacteur matthéen en a conscience puisqu'il ajoute, au v. 18 l'expression « procèdent du cœur » ainsi que le v. 19a (le parallèle marcien de ce v. 19a est aussi de l'ultime Rédacteur marcien). Il existe peut-être une raison théologique qui a poussé l'ultime Rédacteur matthéen à changer au v. 11, « homme » en « bouche ». Dans l'AT, l'expression « ce qui sort de la bouche » est courante pour désigner les vœux (Nb **30** 3.7.13; Dt **23** 24); le v. 11 de Mt ferait alors allusion aux vœux, évidemment ceux qui seraient prononcés dans les circonstances indiquées en **15** 5 : des vœux qui permettent de tourner la Loi mosaïque ! L'idée serait : ce ne sont pas des questions de nourriture qui rendent l'homme impur, mais le fait de prononcer des vœux tels qu'ils nous libèrent des obligations du Décalogue. Les textes de Qumrân pourraient confirmer cette hypothèse. On a vu à la note § 154 (I 3 b) que le Document de Damas (16 *14-15*) s'en prenait à ceux qui offrent leurs biens à Dieu au détriment de leur famille; cette polémique est insérée dans un développement sur le thème des vœux qu'il ne faut pas annuler, développement qui est un commentaire de Nb **30** 3 ss. et commence par cette phrase : « *Ce qui sera sorti de tes lèvres*, tu auras soin de le tenir » (Document de Damas 16 *6-7*; cf. Dt **23** 24). On aurait le même rapprochement de thèmes entre Mt **15** 3-6 et **15** 11.

3. Enfin, l'ultime Rédacteur matthéen ajoute les vv. 13 et 14. Le logion du v. 17b, en provenance du Document Q (cf. Lc), devait se lire à une autre place dans le Mt-intermédiaire, car l'ultime Rédacteur matthéen le reprend au Mt-intermédiaire, et non directement au Document Q. Le thème des Pharisiens « aveugles » est ajouté ici comme il sera ajouté en Mt **23** 17.19. 24. Quant à la « plante » dont parle le v. 13, il doit désigner le peuple de Dieu (cf. Ps **127** 1; Ac **5** 38).

VERS TYR-SIDON ET DERNIERS JOURS EN GALILÉE
§§ 156-182

Note § **156.** *GUÉRISON DE LA FILLE D'UNE CANANÉENNE*

Cet épisode n'est donné que par Mt et Mc; il est localisé en Phénicie au nord-ouest de la Galilée, et donc en territoire païen. Il offre des contacts étroits avec le récit de la guérison du fils du centurion de Capharnaüm (voir note § 84, I), ce qui suppose une origine commune.

I. LE RÉCIT DE MARC

Il contient un certain nombre d'ajouts qu'il est facile de déceler.

1. Le v. 26a rompt la séquence normale : « ... étant arrivée, elle tomba à ses pieds et lui demandait de chasser... » (cf. Mc **5** 22-23). Son vocabulaire est de saveur lucanienne : « grecque » (*hellènis*, cf. Ac **17** 12; et aussi « helléniste », trois fois dans Ac; « grec », *hellèn*, dix fois dans Ac); le mot « syrophénicien » ne se lit pas ailleurs dans le NT, mais il est composé des adjectifs « syrien » et « phénicien » que Lc est le seul à employer dans le NT (Lc **4** 27; Ac **11** 19; **15** 3; **21** 2); enfin le mot « race » (*genos*) se lit une fois dans Mt, une fois ailleurs dans Mc, mais neuf fois dans Ac dont trois fois au datif précédé d'un adjectif d'origine, comme ici : « chypriote de naissance » (Ac **4** 36; cf. **18** 2.24). Absent de Mt, ce verset 26a fut donc ajouté par l'ultime Rédacteur marco-lucanien. – Le v. 24b, ignoré de Mt, est aussi une addition de l'ultime Rédacteur marco-lucanien; on y retrouve le thème de la retraite de Jésus dans une maison, comme en Mc **3** 20; **7** 17; **9** 28.

2. Le dialogue entre Jésus et la femme, aux vv. 27-28, semble aussi un ajout. On peut le déduire de l'indice suivant : au v. 29, les mots « à cause de cette parole », qui renvoient au v. 28, sont un ajout car ailleurs l'impératif « va » (*hypage*/*hypagete*) est toujours placé en début de proposition, et non précédé d'une expression circonstantielle comme ici. L'addition « à cause de cette parole » aurait été motivée par l'addition du dialogue des vv. 27-28. Si l'on enlève ce dialogue, on obtient un récit de guérison de style tout à fait classique (cf. *infra*). Connu de Mt, cet ajout des vv. 27-28 doit remonter au Mc-intermédiaire. – C'est également le Mc-intermédiaire qui a localisé le miracle dans la région païenne de Tyr (7 24a); on en verra la raison plus loin.

II. LE RÉCIT DE MATTHIEU

Il peut s'expliquer entièrement à partir du récit du Mc-intermédiaire, moyennant les modifications qu'on va signaler.

1. On a vu à la note § 47 que le v. 21a : « Et, sortant de là, Jésus se retira... », suivi du v. 29b (§ 157), provenait d'un sommaire reconstitué à la note § 47. Ce v. 21a fut donc inséré ici par l'ultime Rédacteur matthéen, qui le compléta par la mention de Tyr (et de Sidon) sous l'influence du Mc-intermédiaire. C'est donc aussi l'ultime Rédacteur matthéen qui ajouta au v. 22 : « cananéenne, sortie de ce territoire ».

2. Les vv. 22b-25 sont surchargés. Le v. 25 n'a plus grande signification après les vv. 22b-24, surtout avec la précision « étant arrivée » (comme si elle n'était pas encore arrivée au moment où elle s'adresse à Jésus au v. 22b !). Voici comment on pourrait concevoir l'activité rédactionnelle de Mt : au v. 22b, il met en discours direct ce que le Mc-intermédiaire lui donne en discours indirect (description de la maladie de l'enfant, cf. note § 84, II 2), ajoutant probablement : « Aie pitié de moi, Seigneur, fils de David », repris de Mt **20** 30. Le v. 25a : « Or elle, étant arrivée, se prosternait devant lui », reprend le v. 25c de Mc : « ... étant arrivée, tomba à ses pieds ». Entre les deux sections reprises de Mc (vv. 22b et 25a), le Rédacteur matthéen ajoute un jeu de scène dont le but est d'introduire le logion de Jésus du v. 24 : « Je n'ai pas été envoyé, sinon aux brebis perdues de la maison d'Israël », logion qui se lit également en Mt **10** 5-6.

3. Enfin, l'ultime Rédacteur matthéen a transformé la finale du récit (v. 28) de la même façon que la finale du récit de la guérison du fils du centurion (Mt **8** 13; cf. note § 84, II 2).

III. ÉVOLUTION DU RÉCIT

1. A l'origine du récit de Mc (et Mt), il faut supposer un récit de forme plus archaïque, dont la structure aurait été celle-ci :

Une femme, dont la petite fille avait un esprit impur, ayant entendu (parler) de Jésus, étant arrivée, tomba à ses pieds et elle lui demandait de chasser le démon hors de sa fille. Et il lui dit : « Va, le démon est sorti de ta fille. » Et s'en étant allée dans sa maison, elle trouva l'enfant étendue sur le lit et le démon sorti.

Ce schéma de récit est analogue à celui qui a servi pour la guérison du fils du centurion de Capharnaüm (voir note § 84, V) ; il proviendrait, soit d'un recueil de miracles, soit du Document C (voir note § 84). L'intérêt majeur de cette scène est de montrer la toute-puissance de Jésus, capable d'effectuer une guérison à distance, par la simple vertu de sa parole.

2. Ce récit fut repris par le Mc-intermédiaire qui le compléta en insérant le dialogue entre Jésus et la femme, aux vv. 27-28, dialogue qu'il pouvait tenir de la tradition et qui préparait très bien le thème des païens appelés au repas eucharistique, puisqu'il était centré sur le thème du « pain » réservé aux « enfants », mais dont la femme réclame simplement quelques miettes. C'est également pour préparer le thème des païens appelés au salut que le Mc-intermédiaire a placé le miracle dans la région de Tyr, faisant ainsi de la femme anonyme une païenne (voir la note générale précédant la note § 151). – L'ultime Rédacteur marcien ajouta, pour plus de clarté, les vv. 24b et 26a.

3. Le récit de Mt dépend de celui du Mc-intermédiaire et doit être attribué à l'ultime Rédacteur matthéen. Outre les transformations parallèles à celles qu'il a effectuées dans le récit de la guérison du fils du centurion (note § 84, II 2), le Rédacteur matthéen a introduit le jeu de scène des vv. 22b-24 destiné à insérer le logion du v. 24, qui limitait la mission des apôtres (cf. **10** 5-6) et, apparemment, celle de Jésus, aux seuls Israélites. Dans certains milieux judéo-chrétiens, on devait s'autoriser de ce texte pour refuser toute mission auprès des païens ; mais, en l'insérant dans l'épisode de la Cananéenne, Mt a voulu montrer que Jésus lui-même avait fait une entorse à cette règle, puisqu'il avait finalement exaucé la prière de la Cananéenne !

Note § **157.** *GUÉRISON D'UN SOURD-BÈGUE*
§ **158.** *GUÉRISONS AU BORD DU LAC*

Après la guérison de la fille d'une Cananéenne, Mt et Mc font venir Jésus près de la mer de Galilée ; mais, ce détail topographique mis à part, les récits de Mt **15** 29-31 et de Mc **7** 31-37 n'offrent à peu près aucun contact littéraire ; même le thème de l'admiration des foules (vv. 31 de Mt et 37 de Mc) est traité de façon tellement différente dans Mt et dans Mc qu'il est impossible de les mettre en parallèle. Il faut donc étudier séparément les textes de Mt et de Mc.

I. LE TEXTE DE MATTHIEU

1. *Un sommaire du Mt-intermédiaire.*

a) Mt **15** 29-31 constitue une sorte de « sommaire » contenant les éléments qui forment l'ossature de plusieurs sommaires semblables, tous attestés au moins au niveau du Mt-intermédiaire : Mt **12** 15 ; **14** 13-14 (voir les précisions de la note § 151) ; **19** 1-2. Jésus se déplace (v. 29a), les foules viennent à lui (v. 30a) et il les guérit (v. 30c). Le thème de Jésus montant sur la montagne (v. 29b) est également bien attesté dans Mt (**5** 1 ; **14** 23).

b) Une précision toutefois doit être donnée. Les déplacements de Jésus sont indiqués le plus souvent grâce au verbe « se retirer » (*anachôrein* : 10/1/0/0/2 ; cf. spécialement **12** 15 ; **14** 13), tandis qu'ici nous avons le verbe « partir » (*metabainein*), de saveur matthéenne sans doute (5/0/1/3/1) mais qui, dit de Jésus, trahit plutôt le vocabulaire de l'ultime Rédacteur matthéen (**11** 1 ; **12** 9). Est-ce un hasard alors si, au début du récit précédent (Mt **15** 21), nous trouvons précisément ce verbe « se retirer » qui nous manque ici ? Comme la structure de cette section matthéenne est de l'ultime Rédacteur matthéen qui suit la structure du Mc-intermédiaire, on peut supposer qu'il aurait quelque peu disloqué les éléments du sommaire du Mt-intermédiaire pour y introduire l'épisode de la fille de la Cananéenne. Dans le Mt-intermédiaire, les éléments du sommaire auraient donc été ceux-ci : « Et, sortant de là, Jésus se retira (v. 21a)... au bord de la mer de Galilée et, montant sur la montagne, il s'y assit (v. 29b) et des foules nombreuses vinrent vers lui (v. 30a)... et il les guérit (v. 30c). »

2. *Les difficultés du texte matthéen.* Sous sa forme actuelle, le texte de Mt offre les difficultés suivantes :

a) Les divers éléments qui viennent en plus du sommaire analysé ci-dessus offrent des caractéristiques nettement luca- niennes. Au v. 30, l'expression « avoir des malades » est celle de Lc **4** 40, qui modifie sa source pour y introduire cette formule ; « beaucoup d'autres » (*heterous pollous*) ne se lit ailleurs dans tout le NT qu'en Lc **8** 3 ; **22** 65 ; Ac **15** 35 ; cf. Lc **3** 18 (*heteros* : 10/0/33/1/18) ; le verbe « jeter » (*rhiptein*) se lit dans tout le NT dans la proportion suivante : 3/0/2/0/3/0, et sur les deux autres cas matthéens, en **9** 36 le verbe a un sens différent et en **27** 5 il est de l'ultime Rédacteur matthéen ; l'expression « aux pieds de quelqu'un » (*para tous podas tinos*) ne se lit ailleurs dans tout le NT qu'en Lc **7** 38; **8** 35.41; **17** 16; Ac **4** 35.37; **5** 2; **7** 58; **22** 3, elle est donc typiquement lucanienne. A la fin du v. 31, l'expression « glorifier le Dieu d'Israël » est également de saveur nettement lucanienne; en effet, « glorifier Dieu » ne se lit ailleurs qu'une fois dans Mt/Mc (finale du récit de la guérison du paralytique, probablement sous influence lucanienne, voir note § 40), mais sept fois dans Lc et trois fois dans Ac; quant à l'expression « Dieu d'Israël », on ne la trouve ailleurs dans tout le NT qu'en Lc **1** 68 et Ac **13** 17. Ajoutons encore que le verbe « admirer » (*thaumazein*), au début du v. 31, est bien dans le style de Lc (7/4/13/6/5), surtout employé absolument comme ici (cf. Lc **1** 21.63; **11** 14; **24** 41); par ailleurs la liste des malades du v. 30 rappelle celle de Mt **11** 5/ /Lc **7** 22, mais les quatre termes à l'accusatif ont quelque analogie avec ceux de Lc **14** 13.21. Si donc Mt **15** 29-31 contient les éléments d'un sommaire authentiquement matthéen, il a subi ici des additions considérables de la main de l'ultime Rédacteur matthéo-lucanien.

b) Même les éléments authentiquement matthéens, ou du moins qui paraissent tels, offrent un certain nombre de difficultés.

ba) Partout ailleurs dans Mt, lorsque Jésus s'assied (v. 29b), c'est pour enseigner les foules et non pour les guérir (Mt **5** 1; **13** 1-2; **24** 3; **26** 55; opposer ici le v. 30c).

bb) Le mot « foule » est au pluriel aux vv. 30 et 31 (d'après les meilleurs manuscrits pour ce dernier cas), tandis qu'il sera au singulier dans l'épisode suivant (vv. 32-33.35), ce qui laisse supposer que cette introduction à la seconde multiplication des pains n'est pas à sa place normale.

bc) Enfin, dans la formule du v. 30a : « Et des foules nombreuses vinrent à lui », si le verbe « venir à » (*proserchesthai*) est de saveur très matthéenne (cinquante-deux fois dans Mt), c'est ici le seul cas où il a pour sujet « les foules »; ailleurs, ce sont des individus qui « s'approchent » de Jésus, ou des catégories de personnes bien déterminées (les Pharisiens, surtout les disciples), tandis que les foules « suivent » Jésus.

3. *Une solution possible.* Voici dès lors une solution possible, qui permettrait d'éliminer les difficultés signalées à l'instant. Les éléments authentiquement matthéens (Mt-intermédiaire) de ce sommaire proviendraient en fait du « détriplement » fait par l'ultime Rédacteur matthéen d'un sommaire plus complet dont les autres éléments se lisent en Mt **4** 25 et **12** 15, comme le prouve une comparaison avec le texte parallèle de Mc **3** 7 ss. Cette démonstration se trouve à la note § 47. L'ultime Rédacteur matthéen a transféré ici une partie de ce sommaire, en l'amplifiant considérablement (notes « lucaniennes »), afin de donner une introduction à la deuxième multiplication des pains qu'il trouvait dans le Mc-intermédiaire (n'oublions pas que ce dernier a déplacé l'introduction de la seconde multiplication des pains pour la bloquer avec celle de la première; cf. note § 151).

II. LE TEXTE DE MARC

1. *L'introduction* de l'épisode, au v. 31, accumule les notations géographiques en un itinéraire surprenant; pour revenir du territoire de Tyr vers le sud-est, Jésus passe par Sidon, à une journée de marche en direction du nord ! La mention de la mer de Galilée, qui semble être l'objectif du voyage, est suivie sans transition de l'indication « au milieu de la Décapole », qu'il faudrait, grammaticalement, entendre comme la région où se trouve la Galilée. Il faut concéder que la rédaction est malhabile. Par ailleurs, la guérison s'opère en dehors de la foule, qu'il a fallu quitter (v. 33), ce qui est inattendu en territoire païen; la consigne de silence (v. 36 introduite par le Mc-intermédiaire; cf. Introd., II A **2** c 3) est également sans objet en terre païenne. Il est fort probable que les éléments primitifs du récit supposaient que l'on se trouvait dans le territoire habituellement parcouru par Jésus et où il était connu, même si aucune localisation précise n'était donnée. Il semble donc que, pour organiser sa grande section qui prépare la seconde multiplication des pains en développant le thème de l'appel des païens au salut (voir note §§ 151-159), le Mc-intermédiaire a repris un miracle qui, dans la source primitive, ne contenait pas de localisation précise, et il l'a artificiellement localisé en terre païenne en ajoutant l'expression « au milieu de la Décapole ». On notera encore que le verbe « sortir » (*exerchesthai*), construit avec la préposition *ek* (au lieu de *apo*) est de saveur marcienne (5/10/0/5/4).

2. *Le miracle.*

a) Du point de vue littéraire, il contient de nombreuses caractéristiques marciennes. Au v. 32, « et ils lui portent » : verbe *pherein* utilisé avec le sens de « amener », et sous forme de pluriel impersonnel (vingt-deux fois dans Mc); la construction *parakalein hina* (« supplier que » : 1/5/2). Au v. 33, la formule *apo tou ochlou*, dans le sens de « en sortant de la foule », comme en **7** 17. Au v. 34, l'araméen *ephphata*, avec sa traduction grecque précédée de *ho estin* (« c'est-à-dire ») ou d'une formule analogue (cf. Mc **3** 17; **5** 41; **7** 11; **15** 22.34). Au v. 36, le verbe « recommander » (*diastellomai* : 1/5/0/0/1), surtout suivi d'une complétive commandée par *hina;* l'imparfait du verbe « proclamer » (*kèrussein* : 0/2/0/0/0); la jonction des deux comparatifs « autant » (= davantage, *mallon*) et « plus abondamment » (*perissoteron*), qui donne un tour excessif à l'expression de la pensée. Au v. 37, l'imparfait du verbe « ils étaient frappés », *ekplèssomai* (cinq fois sur cinq dans Mc), suivi du participe « disant » (cf. Mc **6** 2; **10** 26) et précédé de l'adverbe « surabondamment » (cf. Mc **10** 26, avec l'adverbe simple *perissôs* au lieu de *hyperperissôs*); le parfait « il a fait » (*pepoièken :* 0/4/2/4); enfin l'adjectif « muet » (*alalos*, ici et Mc **9** 17.25). On notera enfin que les liaisons des phrases sont faites par « et » (*kai*), sauf un *de* qui introduit une opposition au v. 36. Le Mc-intermédiaire a donc profondément remanié le texte de sa source, qui doit être ici le Document A (cf. note § 268, I).

b) En insérant ici le récit de la guérison du sourd-bègue, le Mc-intermédiaire avait peut-être une intention assez précise. L'enseignement sur le pur et l'impur (§ 155), la guérison de la fille d'une Cananéenne (§ 156), la seconde multiplication des pains (§ 159), autant de récits qui veulent mettre en lumière le principe de l'appel des païens au salut (voir note §§ 151-159). Ce contexte ne permettrait-il pas de donner une valeur symbolique à notre récit? L'expulsion de l'esprit impur qui possédait la fille de la Cananéenne manifeste que Jésus délivre les païens de l'impureté fondamentale. On peut voir la continuité entre cette expulsion et la guérison du sourd-bègue : celle-ci révèle à quoi aboutit l'action de Jésus; non seulement le démon sort, mais l'homme recouvre la faculté d'entendre et de parler. Comme il s'agit, dans la perspective de Mc, d'un païen de la

Décapole, sa guérison pourrait signifier que, comme lui, les païens, autrefois sourds et muets à l'égard de Dieu, sont restitués à la santé et rendus capables d'écouter Dieu et de lui rendre hommage. Ils bénéficient de ce qu'avait annoncé le prophète Isaïe : « Les oreilles des sourds s'ouvriront... et la langue du muet criera de joie » (Is **35** 5-6).

Note § **159**. *DEUXIÈME MULTIPLICATION DES PAINS*

Le récit de la deuxième multiplication des pains n'est donné que par Mt et Mc; toutefois, Jn le connaît aussi puisqu'en **6** 1 ss. (§ 151) le seul récit de multiplication des pains qu'il donne suit en fait le schéma de celui-ci (cf. note § 151, I B 2).

I. ORIENTATIONS THÉOLOGIQUES

1. *Le précédent des cailles*. Le récit de la seconde multiplication des pains a subi l'influence littéraire des récits de Nb **11** et Ex **16** (cf. Ps **78** 24-29) racontant comment Dieu a nourri miraculeusement son peuple dans le désert durant l'Exode. Mais

les influences littéraires proviennent, non de l'épisode de la manne (identifiée pourtant au pain en Ex **16** 4; Ps **78** 24), mais de celui des cailles qui lui est d'ailleurs lié. Ce rapprochement entre multiplication des pains et envoi des cailles par Dieu était possible dans une perspective eucharistique où le pain était la « chair » (*sarx*) du Christ (cf. Jn **6** 51), le même mot hébreu ou araméen signifiant « chair » et « viande ». Le parallélisme des situations apparaît nettement quand on compare Nb **11** 18 et Jn **6** 52 : « Et Yahvé vous donnera de la viande (*basar*) à manger »/« Comment celui-ci peut-il nous donner sa chair (*sarx = basar*) à manger ?» Les analyses suivantes vont préciser ce parallélisme.

a) Comparons d'abord Nb **11** 13 à Mt **15** 33 et Jn **6** 5 :

Nb **11** 13	Mt **15** 33	Jn **6** 5
« D'où à moi	« D'où à nous dans un désert	« D'où achèterons-nous
de la viande à donner à tout ce peuple? »	assez de pains pour rassasier une telle foule? »	des pains pour que mangent ces (gens)? »

Mt **15** 33 suit de près Nb **11** 13 (question de Moïse à Dieu), ajoutant seulement la précision que l'on est dans un désert; on notera spécialement le sémitisme « d'où à nous », évité par Jn (et par Mc **8** 4).

b) En Mc **8** 8 et Mt **15** 37, les mots : « ils mangèrent et furent rassasiés », reprennent ceux de Ps **78** 29 : « Ils mangèrent et furent complètement rassasiés »; or ce verset du psaume suit immédiatement le rappel de l'épisode des cailles. Dans la Septante, le verbe « être rassasié » est rendu par « être empli » (*eneplèsthèsan*) dont on aurait peut-être un écho en Jn **6** 12 : « quand ils eurent (le ventre) plein » (*Hôs de eneplèsthèsan*).

c) Devant la promesse de Dieu de donner à manger à son peuple, Moïse s'affole : « Si l'on égorgeait pour eux brebis et bœufs, *ça leur suffirait-il?* Si l'on ramassait pour eux tous *les poissons* de la mer, ça leur suffirait-il? » (Nb **11** 22); ces phrases pourraient trouver un écho dans Jn **6** 7 : « Deux cent deniers de pains *ne leur suffiraient pas* pour que chacun en ait un petit morceau. » Dans la Septante, le mot « poisson » (cf. *supra*) est traduit par *opson*; ceci n'expliquerait-il pas le diminutif *opsaria* en Jn **6** 9?

d) Cette référence au thème des cailles de l'Exode explique

un certain nombre de traits par lesquels le second récit de la multiplication des pains se distingue du premier. A l'inverse du premier récit, Jésus et la foule se trouvent ici *réellement* dans un désert, loin de toute habitation (Mc **8** 3), sans herbe pour s'asseoir (Mc **8** 6a); ceci accentue le parallélisme avec l'Exode. – La mention des « trois jours » de Mc **8** 2 ne serait-elle pas une allusion aux « trois jours » de marche dans le désert mentionnés par Ex **3** 18; **5** 3; **8** 23 et, plus près de l'épisode des cailles, Ex **15** 22? – On notera encore qu'en Mc **6** 34, texte qui appartenait primitivement au récit de la *seconde* multiplication des pains (cf. note § 151, I A 4 *b*), la citation : « comme des brebis qui n'ont pas de pasteurs » (cf. Mt **9** 36), reprend les termes de Nb **27** 17 où Dieu décide d'établir Josué (= Jésus !) comme successeur de Moïse : « ... pour que la communauté de Yahvé ne soit pas comme des brebis qui n'ont pas de pasteur. » Jésus est le nouveau Moïse, ou le nouveau Josué, qui conduit le peuple de Dieu dans le désert avant l'entrée dans le royaume céleste. C'est également ce que Jn veut insinuer quand il termine le récit de la multiplication des pains par cette réflexion de la foule : « C'est vraiment lui le prophète qui vient dans le monde » (Jn **6** 14), faisant allusion à Dt **18** 15-18 où Dieu promet l'envoi d'un prophète semblable à Moïse.

2. *Origine du récit.*

a) Ce second récit de la multiplication des pains fut probablement composé dans des milieux formés de chrétiens issus du paganisme. Un premier indice en est donné par la formule liturgique de Mc **8** 6 : « ayant rendu grâces » (*eucharistèsas*), qui correspond à celle de 1 Co **11** 24 (dans le premier récit, on avait : « ayant dit la bénédiction », *eulogèsas*). Un second indice est donné par le chiffre sept (sept pains et sept corbeilles); isolé, il ne signifierait pas grand-chose; mais il faut l'opposer au chiffre de douze (couffins) du premier récit, qui évoquait les douze apôtres; les sept corbeilles de Mc **8** 8 pourraient alors évoquer les sept diacres institués par les apôtres pour les remplacer au « service des tables » (Ac **6** 1-6), diacres qui furent choisis parmi les « hellénistes ». Ici encore, on rejoindrait le récit des Nombres; de même que Moïse institua les soixante-dix anciens qui l'aideront à porter la charge du peuple (Nb **11** 14-17; 24-30, donc inséré dans l'épisode des cailles), ainsi les apôtres ont institué les sept diacres (hellénistes) pour les aider dans le service de la communauté chrétienne.

b) Mc va utiliser systématiquement le caractère paganochrétien du récit pour développer le thème de l'appel des païens au banquet eucharistique (van Iersel). Au v. 3, il ajoute au récit primitif la proposition : « et quelques-uns d'entre eux sont venus de loin » (*apo makrothen hèkasin*), qui est probablement une citation de Jos **9** 9 : « tes serviteurs sont venus d'une terre lointaine » (*ek gès makrothen... hèkasin*); il s'agit de l'épisode des Gabaonites, habitants du pays de Canaan qui réussirent à s'intégrer au peuple de Dieu en utilisant un habile stratagème dans lequel le pain tenait une grande place. Dans la littérature rabbinique, on trouve souvent l'opposition « près/ loin », en référence à Dieu et au salut, pour caractériser Israélites et païens, opposition connue de Ac **2** 39; **22** 21 et de Ep **2** 13.17. En ajoutant la proposition du v. 3, Mc veut donc insinuer que les païens vont se mêler aux fils d'Israël pour constituer le nouveau peuple de Dieu. – Par ailleurs, Mc localise cette multiplication des pains en terre païenne, la Décapole (Mc **7** 31), et après l'épisode de la femme païenne à qui Jésus dit : « Laisse *d'abord* se rassasier les enfants... », i.e. les fils d'Israël (**7** 27). Le verbe « se rassasier » (*chortazein*) ne se lit qu'ici et dans les deux récits de multiplication des pains (Mc **6** 42; **7** 27; **8** 4.8); pour Mc, donc, c'est seulement après la première multiplication des pains (au bénéfice des fils d'Israël) que les païens pourront participer à la seconde multiplication des pains. Sur ce problème, voir note §§ 151-159.

II. PROBLÈMES LITTÉRAIRES

1. Tandis que le premier récit de multiplication des pains appartenait au Document A, le second provient du Document B, comme le prouve sa tonalité pagano-chrétienne.

2. Ce récit du Document B fut repris par le Mc-intermédiaire. Toutefois, il en sépara l'introduction qu'il fusionna avec celle du premier récit (voir note § 151, I A 4 *b*); l'introduction actuelle (**8** 1) commence par un très vague « en ces jours-là »,

qui veut mettre l'épisode en relation avec le contexte topographique antérieur (Décapole); elle mentionne la présence de la « foule » et reprend en finale les expressions du v. 2 : « ils n'ont pas de quoi manger »; tout ceci est du Mc-intermédiaire. C'est lui également qui a placé ici cette seconde multiplication des pains, pour évoquer l'appel des païens au salut (voir note §§ 151-159). – L'ultime Rédacteur marcien a effectué quelques retouches théologiques ou littéraires dont voici les principales. A la fin du v. 3, il a ajouté : « et quelques-uns sont venus de loin » (mots absents de Mt), afin d'accentuer l'intention théologique du récit : l'appel des païens au salut (cf. *supra*). Au v. 4, il évite le sémitisme « D'où à nous » (cf. Mt), intolérable en grec. Au v. 6, il ajoute « pour (les) présenter », afin d'harmoniser avec Mc **6** 41 (premier récit). Au v. 10, c'est probablement lui qui change « Magadan » (Mt) en « Dalmanoutha »; ces noms sont par ailleurs aussi inconnus l'un que l'autre.

3. Ce deuxième récit de multiplication des pains ne fut introduit dans Mt qu'à l'ultime niveau rédactionnel, sous l'influence du Mc-intermédiaire. Le récit matthéen, en effet, ignore l'introduction primitive du récit telle qu'elle se lisait dans le Document B (voir note § 151, I), et son introduction de Mt **15** 29-31 est de l'ultime Rédacteur (cf. note § 157). En reprenant le récit du Mc-intermédiaire, Mt l'a harmonisé avec celui de la première multiplication des pains. Voici ces harmonisations : au v. 36, « et les poissons », « et les disciples aux foules »; au v. 37, « tous (mangèrent) », « pleines (corbeilles) »; au v. 38, « ceux qui avaient mangé », « sans les femmes et les enfants »; au v. 39, « ayant renvoyé les foules ». Le changement de vocabulaire souligne ces harmonisations : « foules » au pluriel aux vv. 36.39, tandis qu'on avait le singulier (avec Mc) aux vv. 32-33.35; « poisson » (*ichthus*, au v. 36) au lieu de « petit poisson » (*ichthudion* au v. 34 avec Mc **8** 7).

4. Le récit de Jn **6** (§ 151) dépend directement du Document B, dont il suit le schéma général. Sur les harmonisations avec le récit de la première multiplication des pains, voir note § 151, I B 2).

III. ÉVOLUTION DU RÉCIT

Il n'y eut qu'une seule multiplication des pains dont le récit nous a été transmis sous deux formes différentes : celle du Document A, d'origine palestinienne, et celle du Document B, d'origine pagano-chrétienne. La forme archaïque transparaît encore dans le premier récit (§ 151) : en dépendance littéraire de 2 R **4** 42-44, il présentait Jésus comme un prophète supérieur à Élisée (cf. note § 151). Très tôt, on a vu dans la multiplication des pains une préfiguration de l'Eucharistie; on a donc ajouté au récit primitif une formule liturgique (cf. Mt **14** 19b) évoquant l'institution de la Cène eucharistique par Jésus (cf. Mc **14** 22, § 318). A partir de cette orientation eucharistique de l'épisode, on l'a réinterprété en fonction du récit de Nb **11** où l'on voit Dieu nourrir son peuple de la « chair » des cailles; le thème eucharistique du « pain » s'estompait au profit de celui de la « chair » (ou « viande » : *basar*, *sarx*) ; une telle réinterprétation nous est donnée dans le second récit (§ 159). Parallèlement à ces réinterprétations théologiques, on a donné à l'épisode une portée ecclésiale, en soulignant le rôle des apôtres (premier récit), collaborateurs de Jésus dans le ministère de la parole, puis ses successeurs dans la célébration eucharistique ; dans le second récit, on évoquait plutôt l'institution des sept diacres destinés à remplacer les Douze dans le service des tables. Le discours eucharistique de Jn 6 30 ss. rassemble, en les développant magistralement, ces diverses réinterprétations de l'épisode primitif.

Note § **160.** *DEMANDE D'UN SIGNE DU CIEL*

L'épisode de la demande de signe nous a été transmis selon deux traditions différentes : l'une commune à Mt/Mc et liée à la seconde multiplication des pains (§ 160), l'autre commune à Mt/Lc et provenant du Document Q (§§ 120, 197). Nous sommes donc en présence d'un doublet chez Mt.

1. La demande de signe, donnée ici par Mt/Mc, provient probablement du Document B. Ce document B donnait à la suite : la multiplication des pains (second récit, § 159, voir la note), le récit de la marche sur les eaux (cf. note § 152, I 1 et 2), la demande de signe (§ 160). Dans le Mc-intermédiaire, le récit de marche sur les eaux fut fusionné avec celui du Document A (§ 152), si bien que la demande de signe suit immédiatement la multiplication des pains (§ 159, du Document B). Mais Jn a gardé la séquence complète : après les récits de la multiplication des pains (§ 151) et de la marche sur les eaux (§ 152), qu'il tient directement du Document B (voir notes §§ 151 et 152), il fait allusion à la demande de signe en Jn 6 30, signe qui doit venir « du ciel » (v. 31). Le témoignage de Jn permet de confirmer les analyses faites à la note § 120, à savoir que ce serait le Mc-intermédiaire (ou éventuellement l'ultime Rédacteur marcien) qui aurait simplifié le récit primitif en enlevant toute référence au « signe de Jonas » (cf. Mc **12**, fin du v. 39 et Lc **11**, fin du v. 29). Dans le Document B, en effet, le récit de la marche sur les eaux contenait une allusion littéraire au précédent de Jonas (voir note § 152, II 2 c) ; on comprendrait alors pourquoi, dans le Document B, la demande de signe se trouvait suivre l'épisode de la marche sur les eaux : c'était la commune référence, implicite ou explicite, au thème de Jonas qui faisait le lien.

2. Le récit du Document B fut repris par le Mc-intermédiaire, qui a supprimé toute référence au signe de Jonas qui ne devait plus être très compréhensible pour ses lecteurs grecs. – On attribuera à l'ultime Rédacteur marcien quelques retouches littéraires ignorées de Mt : « ils commencèrent à » (vingt-cinq fois dans Mc contre vingt-huit dans Mt/Lc) ; « discuter » (*synzètein* : 0/6/2/0/2) et la note psychologique du v. 12, « gémissant dans son esprit » (jamais ailleurs dans le NT).

3. Mt dépend directement du Mc-intermédiaire et sa rédaction doit donc être de l'ultime Rédacteur matthéen.

a) Il introduit quelques mots de son style : au v. 1, « s'approchant » (cinquante-deux fois dans Mt) ; la mention des « Sadducéens », ajoutée ici comme en **3** 7 et **16** 6.11-12 ; le verbe « montrer » (*epideiknumi* : 3/0/1/0/2/1).

b) Il harmonise le v. 4 avec le parallèle de Mt **12** 39, ce qui lui permettait d'éviter deux sémitismes gardés par Mc : *ti* (« pourquoi ») interrogatif ou exclamatif ; dénégation solennelle exprimée par *ei*, correspondant au *'im* hébreu.

c) Il est possible que l'ultime Rédacteur matthéen ait ajouté le logion des vv. 2b-3, parallèle à Lc **12** 54 ; mais ce logion est omis par les meilleurs témoins de la tradition manuscrite (accord de la tradition alexandrine, du texte Césaréen et de la tradition syriaque ancienne) et il doit être une addition de scribe. Sur son sens, voir note § 213.

4. Sur le sens de l'épisode de la demande de signe et son évolution, voir note § 120.

Note § **161.** *LE LEVAIN DES PHARISIENS ET DES SADDUCÉENS, D'HÉRODE*

Cette section combine deux épisodes provenant de deux sources différentes : l'anecdote des pains oubliés et la mise en garde contre le levain des Pharisiens. La fusion des deux épisodes fut effectuée par le Mc-intermédiaire, d'où elle est passée dans l'ultime rédaction matthéenne ; c'est en effet le Mc-intermédiaire qui est responsable de l'organisation de toute cette partie de l'évangile.

I. L'ANECDOTE DES PAINS

Elle comprend les vv. 14.16-21 de Mc et 5.7-10 de Mt. Son interprétation n'offre aucune difficulté, et seul le problème littéraire va nous retenir ici.

1. Certaines additions de l'ultime Rédacteur marcien sont

faciles à reconnaître. Au v. 14, il ajoute : « et ils n'avaient qu'un pain avec eux dans la barque » ; le récit primitif supposait que les disciples n'avaient pas pris de pain du tout (cf. vv. 14a.16-17), mais l'ultime Rédacteur marcien a jugé que cela ne concordait pas exactement avec le rappel des miracles de la multiplication des pains (vv. 19-20), où Jésus a donné à manger aux foules à partir de pains existant déjà ; il ajoute donc que les disciples avaient un pain avec eux. Au v. 17, il ajoute la finale : « Avez-vous votre cœur endurci ? », ajout qui est semblable à celui qu'il a fait en **6** 52 (§ 152) ; ce sont les deux seuls passages du NT (avec Jn **12** 40, qui cite Is **6** 10) où il est question de « cœurs endurcis ». La citation de Jr **5** 21 (cf. Ez **12** 2), au v. 18, est probablement liée à cet ajout et doit être attribuée à l'ultime Rédacteur marcien.

2. On attribuera au Mc-intermédiaire les vv. 19-21, qui supposent que les deux multiplications des pains étaient incorporées dans un seul évangile ; or on a vu que c'est le Mc-intermédiaire qui les avait reprises des Documents A et B.

3. Le récit primitif ne comportait donc que les vv. 14a. 16-17ab ; il doit remonter au Document B, la source de Mc pour toute cette section, et suivait le récit de la demande de signe.

4. Du Mc-intermédiaire, le récit est passé dans l'ultime rédaction matthéenne, moyennant quelques modifications littéraires, comme l'addition au v. 8 de l'adjectif « (gens) de peu de foi » (*oligopistos* : 4/0/1/0/0/0) et la simplification des paroles de Jésus aux vv. 9-10.

II. LE LOGION SUR LE LEVAIN DES PHARISIENS

Il rompt manifestement la suite du récit sur les pains oubliés, dans Mc comme dans Mt, et n'a aucune incidence sur la suite du récit.

1. Jésus reprochait aux Pharisiens, d'une part leur « hypocrisie » les poussant à accomplir avec ostentation des « œuvres bonnes », tandis que leur cœur restait loin de Dieu (Lc **16** 15 ; Mt **23** 23-28), d'autre part leur casuistique qui leur permettait d'échapper aux exigences de la Loi grâce à une interprétation subtile des textes (Mt **15** 1 ss.). Lc **12** 1 donne le « levain » comme étant le symbole de leur hypocrisie, mais Mt **16** 11-12 l'interprète de leur doctrine, ce qui semble plus juste. De même que le levain fait fermenter la pâte et, en ce sens, la corrompt, ainsi la doctrine des Pharisiens « corrompt » la Loi en lui enlevant son véritable sens. Si l'on retient cette interprétation, de tradition matthéenne, on rapprochera ce logion de la discussion sur la pureté rituelle, en Mt **15** 1-6 et **15** 19b-20a (voir notes §§ 154 et 155) ; peut-être en formait-il la conclusion déjà dans le Document A comme dans le Mt-intermédiaire. C'est le Mc-intermédiaire qui l'aurait déplacé et inséré ici, à cause du rapprochement entre les thèmes de « pain » et de « levain ».

2. Le logion primitif ne parlait probablement que des Pharisiens (cf. Lc **12** 1, repris du Mt-intermédiaire ; note § 203). L'ultime Rédacteur marcien a ajouté la mention d'Hérode (cf. Mc **3** 6 ; **12** 13) et l'ultime Rédacteur matthéen celle des Sadducéens (cf. Mt **3** 7 et **16** 1).

3. Les vv. 11 et 12 (sauf les premiers mots du v. 11, cf. Mc), ont été ajoutés par l'ultime Rédacteur matthéen. En araméen, le mot « levain » se disait *hamira*, qui se prononçait probablement *amira* au premier siècle ; mais un autre mot, *'amira*, signifiait « parole », d'où « enseignement », « doctrine » (comme *'amôra* signifie « celui qui enseigne »). Est-ce une simple coïncidence ? Mt **16** 12 pourrait insinuer que les apôtres ont confondu deux mots araméens qui avaient pratiquement la même prononciation : Jésus aurait dit de prendre garde à la « doctrine » (*'amira*) des Pharisiens, tandis que les apôtres auraient compris « levain » (*hamira*, prononcé *amira*). Même si c'est là l'intention de l'ultime Rédacteur matthéen, on peut penser que Jésus a bien parlé du « levain » des Pharisiens, comme Paul en Ga **5** 9.

Note § **162.** *GUÉRISON DE L'AVEUGLE DE BETHSAIDE*

1. Depuis longtemps les commentateurs ont noté le parallélisme étroit qui existe entre ce récit de guérison, que Mc est seul à donner, et celui de la guérison d'un sourd-bègue (§ 157), connu également du seul Mc. Il suffit de mettre les deux récits en parallèle pour s'en convaincre.

Mc **7**	Mc **8**		
32 Et ils lui portent un sourd et parlant difficilement et ils le supplient qu'il lui impose les mains.	22 Et ils lui portent un aveugle et ils le supplient qu'il le touche.	et, ayant craché, il toucha sa langue.	et, ayant craché sur ses [yeux et lui ayant imposé les [mains, il lui demandait : « Vois-tu quelque chose ? »
33 Et l'ayant pris à part de la foule, en privé, il mit ses doigts dans ses oreilles	23 Et ayant pris la main de [l'aveugle il l'emmena hors du village	34 Et, ayant regardé vers le [ciel,	24 Et ayant regardé il disait : « J'aperçois les hommes que je vois comme des arbres, marcher. »
		Il gémit et lui dit : « Ephphata, c'est-à-dire : Ouvre-toi. »	25 Ensuite, de nouveau, il imposa les mains sur ses yeux,

35 Et furent ouvertes ses [oreilles et fut dénoué le lien de sa langue et il parlait correctement.	et il vit clair et fut rétabli et il revoyait distinctement tout.
36 Et il leur recommanda de ne parler à personne.	26 Et il l'envoya à sa maison, [disant : « N'entre même pas dans [le village. »

Il est certain que nous sommes en présence d'un même schéma, utilisé pour deux circonstances différentes, schéma d'ailleurs propre à ces deux récits dans les Synoptiques. On notera que Mc utilise ce schéma avec quelques libertés. Outre la différence des détails exigée par la différence des infirmités, certaines expressions sont changées de place ou utilisées dans des sens différents. Ainsi, en Mc 7, les gens prient Jésus « qu'il lui impose les mains » (v. 32), puis Jésus « touche » la langue de l'infirme (v. 33); en Mc 8 au contraire, les gens prient Jésus « qu'il le touche » (v. 22), puis Jésus « impose les mains » à l'infirme (v. 23). De même, le participe « ayant regardé » (*anablepsas*) est dit de Jésus en Mc 7 34, mais de l'aveugle en Mc 8 24. Comme on sait que le Mc-intermédiaire aime dédoubler les récits qu'il trouve dans ses sources (cf. Introd., II A 2 c 1), on peut penser qu'il a, ici aussi, dédoublé un schéma de guérison repris de l'une de ses sources.

2. A quelle source le Mc-intermédiaire reprend-il ce schéma de guérison ? Les contacts littéraires nombreux qu'il offre,

d'une part avec la guérison des aveugles de Jéricho (§ 268), d'autre part avec la guérison de l'aveugle-né (§ 262), invitent à penser que ces divers récits remontent à une même source, qui serait le Document A. Sur ce problème, voir note § 268, I.

3. On a vu à la note § 157 (II 2 b) qu'en plaçant la guérison du sourd-bègue juste avant la deuxième multiplication des pains (§ 159), le Mc-intermédiaire avait voulu donner à l'épisode une valeur symbolique. Il pourrait en aller de même ici. Après la seconde multiplication des pains, qui termine la séquence sur le double appel des Juifs et des païens au salut (voir note §§ 151-159), le Mc-intermédiaire place l'épisode de la « demande de signe » des Pharisiens, qui souligne leur incrédulité malgré le miracle que Jésus vient d'accomplir (§ 160), puis l'épisode des « pains oubliés » (§ 161) où l'on voit que même les disciples ne comprennent pas et ont le « cœur endurci » (Mc 8 17). Dans le récit de la guérison de l'aveugle (§ 162), le Mc-intermédiaire dit que Jésus s'y prit à deux fois pour que l'aveugle puisse voir parfaitement, détail qui ne se lisait sûrement pas dans le Document A, puisqu'on ne le retrouve dans aucun des récits parallèles (cf. *supra* et note § 268, I 1). Le miracle pourrait ainsi évoquer la difficulté qu'ont Juifs et disciples à « voir » en Jésus le messie envoyé par Dieu, malgré les miracles qu'il accomplit (sur ce sens de « voir », cf. Jn 9 40-41, à la fin du récit de la guérison de l'aveugle-né). Mais finalement, les disciples, par la bouche de Pierre, reconnaissent que Jésus est vraiment le « Christ » (Mc 8 29, § 165).

Note § **165.** *LA CONFESSION DE PIERRE*

Le récit de la confession de Pierre est donné par les trois Synoptiques; Jn y fait écho en 6 69 puisque cette reconnaissance par Pierre de la véritable identité de Jésus se trouve chez Jn en même contexte que la « confession de Pierre » dans le Document B, que Jn suit depuis le récit de la multiplication des pains (voir notes § 152, I 2 et § 160, 1).

I. A LA RECHERCHE DU TEXTE PRIMITIF

1. *La localisation.* Mt et Mc sont les seuls à placer la confession de Pierre à Césarée de Philippe, dans l'introduction du récit (vv. 13a de Mt; 27a de Mc). Lc ne donne aucune localisation, son v. 18a étant d'ailleurs purement rédactionnel. Quant à Jn, il semble placer cette confession de Pierre dans la région de Capharnaüm puisque la scène racontée en 6 66-69 est présentée comme une conséquence immédiate du discours que Jésus prononce à Capharnaüm sur le pain de vie (v. 24). Le silence de Lc n'est pas très impressionnant, car il donne la confession de Pierre immédiatement après la première multiplication des pains, et il est certain qu'il a omis entre les deux épisodes au moins la marche sur les eaux, dont il réutilise les matériaux dans le récit de l'apparition de Jésus aux Onze,

après la résurrection (§ 365 et note); il aurait donc pu omettre également le début du récit de la confession de Pierre, avec son introduction. Il est plus gênant de constater que Jn place cette confession de foi à Capharnaüm; l'aurait-il fait s'il avait connu une source qui plaçait explicitement cette confession de foi à Césarée de Philippe ?

Ceci nous invite à considérer de plus près le début du récit de Mc (v. 27a). Il faut l'attribuer, selon toute vraisemblance, à l'ultime Rédacteur marcien, en dépendance du Mt-intermédiaire. Le récit de Mc commence ainsi : « Et partit Jésus et ses disciples vers... » (*kai exèlthen ho Ièsous... eis...*). La présence du sujet « Jésus et ses disciples » est anormale, car, dans presque tous les récits qui précèdent, Mc ne donne aucun sujet en début de péricope (cf. 4 1.35; 5 1; 6 1.6.31.45.53; 7 6.24.31; 8 1.14.22). Par ailleurs, la construction « sortir... vers » (*exerchesthai... eis*) se lit dans la proportion suivante : 9/5/5/4/3; on notera que sur les cinq cas de Mc, deux au moins sont rédactionnels (1 28; cf. note §§ 32, 33, I 1 c; 14 68); d'autre part, si cette expression se lisait dans la source commune à Mt/Mc, on ne voit pas pourquoi Mt l'aurait omise, lui qui l'emploie si volontiers ! Elle doit donc être de l'ultime Rédacteur marcien. Quant à l'expression « sur le chemin » (*en tèi hodôi*), elle est certainement rédactionnelle (Mc 8 27; 9 33-34; 10 17; 10 32.52). – En revanche, l'introduction du récit matthéen, commençant par la formule : « Or étant arrivé Jésus » (*elthôn de ho Ièsous*), est bien dans le style de Mt (**8** 14.28; **16** 5.13; **17** 24; **27** 33; sur ces cas, plusieurs remontent certainement au Mt-intermédiaire). – Il est donc probable que l'introduction du récit, avec sa localisation à Césarée de Philippe, ne remonte pas plus haut que le Mt-intermédiaire, d'où elle sera passée dans l'ultime rédaction marcienne. Si cette localisation à Césarée ne se lisait pas dans le Document B, la source première du Mc-intermédiaire, on comprendrait qu'elle soit ignorée de Jn qui, on l'a rappelé plus haut, suit le Document B depuis le récit de la multiplication des pains.

2. *Première question aux disciples.* Avant de demander aux disciples leur propre opinion sur sa personne, Jésus les interroge sur l'opinion des foules; les disciples répondent en citant diverses hypothèses faites par les gens : Jésus serait Jean le Baptiste, ou Élie, ou l'un des prophètes (vv. 13b-14 de Mt et par.). Ces hypothèses faites par les foules avaient déjà été mentionnées dans le récit du § 146 (Jugement d'Hérode sur Jésus), au moins dans le récit en provenance du Document B (cf. note § 146, II 3); on en trouve un écho aussi dans Jn **1** 21. Or il semble bien que, ici, le Mc-intermédiaire ne fasse que reprendre assez matériellement les données que le Document B avait au récit du § 146. La construction grammaticale de son v. 28 est en effet tout à fait insolite : tandis que les mots « Jean le Baptiste » et « Élie » sont à l'accusatif, comme il se doit, la finale « un des prophètes » se trouve soudain au nominatif, ce qui ne peut se justifier grammaticalement ! En fait, il reprend matériellement la finale du Document B attestée en Mc **6** 15 : « D'autres disaient : C'est Élie; *d'autres* disaient : (C'est) un prophète comme *un des prophètes* »; en Mc **6** 15, la formule au nominatif se justifie sans peine, car il était possible de sous-entendre le verbe « être » exprimé à propos d'Élie; dans Mc **8** 28, le nominatif est injustifiable puisqu'il n'y a pas, avant, de verbe « être » que l'on puisse sous-entendre. On peut donc conclure que les vv. 27b-28 de Mc sont une addition du Mc-intermédiaire: d'une part, il a dédoublé le texte primitif du v. 29a, en le modifiant pour les besoins de la cause : « il interrogeait ses disciples leur disant : Qui disent les hommes que je suis? » (v. 27b); d'autre part, il a repris au Document B (cf. Mc **6** 15) le texte parlant de l'opinion des gens sur Jésus (v. 28). Contre l'origine marcienne de ce v. 28, on pourrait objecter la présence de la formule « Jean le Baptiste » (*Iôannès ho baptistès*), tandis que Mc a d'ordinaire « Jean le baptisant » (*Iôannès ho baptizôn*: Mc **1** 4; **6** 14.24); mais deux manuscrits grecs (28 565) ont ici aussi « Jean le Baptisant », ce qui pourrait être la leçon primitive; par ailleurs, on a vu à la note § 146, que, dans Mc comme dans Mt, la précision « le Baptiste » ou « le Baptisant » était des ultimes Rédacteurs matthéen et marcien.

Du Mc-intermédiaire, l'addition des vv. 27b-28 est passée dans les ultimes rédactions matthéenne et lucanienne. Mais on notera comment aussi bien Mt que Lc évitent l'anomalie grammaticale du v. 28 de Mc : Mt met la formule « un des prophètes » à l'accusatif; quant à Lc, il la laisse au nominatif (cf. Mc), mais il ajoute le verbe « s'est levé (des morts) », de façon à justifier ce nominatif.

3. *La confession de foi.* La question de Jésus est formulée de façon identique dans les trois Synoptiques : « Mais vous, qui dites-vous que je suis? ». On peut penser que le « Mais vous » initial est une conséquence de l'addition des vv. 27b-28 de Mc; la question primitive devait être seulement : « Qui dites-vous que je suis? » La réponse de Pierre, qui parle au nom de tous, diffère selon les évangélistes. La formule la plus difficile, parce que la moins « technique », est celle attestée par Jn **6** 69 : « Tu es le Saint de Dieu »; ce n'était pas une formule proprement « christologique » (cf. *infra*), mais elle est par ailleurs attestée déjà en Mc **1** 24; Lc **4** 34, comme une « confession de foi » de l'esprit impur que chasse Jésus. On a fait remarquer déjà que, dans toute cette section, Jn dépendait directement du Document B; on peut donc penser qu'il reprend au Document B la formule de confession de foi de Pierre : « tu es le Saint de Dieu »; s'il avait lu dans sa source une formule comme celle de Mc ou à plus forte raison celle de Mt, on ne voit pas pourquoi il l'aurait changée pour une formule moins significative ! – Le Mc-intermédiaire a changé la formule du Document B en : « tu es le Christ », beaucoup plus compréhensible pour ses lecteurs grecs. – L'ultime Rédacteur lucanien combine la formule attestée par Jn, qu'il devait lire dans le proto-Lc, avec celle de Mc ; d'où son expression : « tu es le Christ de Dieu ». – Quant à l'ultime Rédacteur matthéen, il abandonne la formule du Mt-intermédiaire (probablement celle attestée par Jn, qui doit remonter non seulement au Document B, mais encore au Document A), pour adopter celle du Mc-intermédiaire : « tu es le Christ », qu'il complète en ajoutant « le Fils du Dieu vivant »; puisque l'ultime Rédacteur matthéen avait déjà fait confesser par les disciples que Jésus était « Fils de Dieu » (Mt **14** 33), il ne pouvait pas mettre une confession de moindre portée dans la bouche de Pierre; par ailleurs, l'addition du participe « vivant » (*zôntos*) est destinée à préparer l'addition par l'ultime Rédacteur matthéen du v. 18 (cf. *infra*). On notera encore que c'est l'ultime Rédacteur matthéen qui a ajouté le nom de « Simon » avant celui de « Pierre », de façon à préparer aussi l'addition du v. 17 et le changement de nom de « Simon » en « Pierre ».

4. *Les logia propres à Mt.* Après la confession de foi de Pierre, Mt est le seul à placer trois paroles par lesquelles Jésus institue Pierre chef de son Église (Mt **16** 17-19). Le problème s'est évidemment posé de savoir si c'était Mt qui avait ajouté ici ces logia, ou Mc et Lc qui les avaient omis. La première hypothèse est de beaucoup la plus plausible. Si ces logia se lisaient dans les sources connues de Mc et de Lc (Document B et proto-Lc), on ne voit pas pourquoi les deux évangélistes auraient omis des paroles si importantes au point de vue théologique. On comprend au contraire fort bien pourquoi l'ultime Rédacteur matthéen les a insérées à cet endroit; il a transformé la section des chap. **14**-**18** en un livret ecclésiastique et, logiquement, c'est donc lui qui a inséré ici ces paroles du Christ qui ont précisément une portée « ecclésiologique ». Plusieurs indices littéraires viennent confirmer cette hypothèse. La formule qui introduit ces paroles : « Or, répondant, Jésus lui dit » (*apokritheis de ho Ièsous eipen*), est typique du style de l'ultime Rédacteur matthéen; on ne la lit jamais dans Mc/Jn, sept fois dans Lc/Ac, mais surtout seize fois dans Mt, dont

sept fois au moins sous la plume de l'ultime Rédacteur (**3** 15; **14** 28; **15** 15; **17** 4.17; **26** 25.33; **28** 5). On a vu par ailleurs que l'addition des logia avait obligé le Rédacteur matthéen à ajouter le nom de « Simon » avant celui de « Pierre » (v. 16), de façon à justifier le changement de nom de « Simon » en « Pierre » (vv. 17-18). De même, en **16** 23 (§ 167), l'ultime Rédacteur matthéen ajoutera la phrase de Jésus à Pierre; « Tu es scandale pour moi », afin de mettre une opposition dramatique entre deux affirmations de Jésus : Simon est « Pierre », une pierre sur laquelle Jésus veut bâtir son Église (v. 18), mais aussi un « scandale », i.e. une pierre qui fait trébucher ! Cet ajout en **16** 23 fut motivé par l'addition des vv. 17-19. On peut donc conclure que c'est l'ultime Rédacteur matthéen qui a ajouté ici les trois logia des vv. 17-19; cela ne veut évidemment pas dire qu'il les a créés de toute pièce ! On verra plus loin (§ II) qu'une telle hypothèse est impossible à soutenir.

5. *La consigne de silence*. Attestée par les trois Synoptiques (cf. Mc **8** 30 et par.), cette consigne de silence fut probablement ajoutée par le Mc-intermédiaire, dont c'est un des thèmes familiers (cf. Introd., II A 2 c 3). Du Mc-intermédiaire, elle passa dans les ultimes rédactions matthéenne et lucanienne.

II. ÉVOLUTION DES RÉCITS

1. Le récit de la confession de Pierre devait avoir à peu près même teneur dans le Document A et dans le Document B : « Il leur dit : 'Qui dites-vous que je suis?' Répondant, Pierre dit : 'Tu es le Saint de Dieu.' » Aucun texte juif ne donne ce titre comme une qualification du Messie. C'est en tout cas « une désignation de l'élu de Dieu (Jn **10** 36), destiné à une mission spéciale et unique, associé à la sainteté de Dieu » (Lagrange).

2. En reprenant le texte du Document A, le Mt-intermédiaire y a ajouté la localisation à Césarée de Philippe (Mt **16** 13a). Puisque, à son niveau rédactionnel, une telle localisation ne semble pas revêtir de signification théologique, on peut penser que ce Mt-intermédiaire avait de bonnes raisons de penser que la confession de Pierre avait eu lieu à Césarée.

3. En reprenant le texte du Document B, le Mc-intermédiaire a voulu mettre davantage en évidence la confession de foi de Pierre. Il la fait donc précéder du jeu de scène décrit aux vv. 27b-28 de Mc; ainsi, la confession de Pierre s'oppose aux idées plus ou moins justes que les gens pouvaient avoir au sujet de Jésus; pour composer son v. 28, le Mc-intermédiaire réutilisa les données que le Document B lui avait déjà fournies pour le récit du § 146. Par ailleurs, le Mc-intermédiaire, jugeant que le titre de « Saint de Dieu » donné par Pierre à Jésus ne dirait rien à ses lecteurs païens, le remplaça par le titre beaucoup plus classique de « Christ ». Enfin, il ajouta en finale une consigne de silence (v. 30), thème qu'il affectionne spécialement. – L'ultime Rédacteur marcien ajouta en tête du récit

(v. 27a) la localisation de la scène à Césarée de Philippe, reprise du Mt-intermédiaire.

4. L'ultime Rédacteur matthéen aligna le récit du Mt-intermédiaire sur celui du Mc-intermédiaire en ajoutant lui aussi le jeu de scène qui précède la confession de foi (vv. 13b-14) et la consigne de silence finale (v. 20). Il reprit aussi au Mc-intermédiaire le titre de « Christ » donné par Pierre à Jésus, auquel il ajouta celui de « Fils du Dieu vivant » puisque, selon lui, les disciples avaient déjà reconnu en Jésus un « Fils de Dieu » (**14** 33). Mais l'ultime Rédacteur matthéen ajouta surtout les trois logia des vv. 17-19, qui s'enchaînent bien avec la confession de foi de Pierre. Jésus commence par faire remonter celle-ci à une révélation divine et déclare que, de fait, Pierre est bienheureux (v. 17); puis, en parallèle avec la confession où ce dernier disait : « Tu es le Christ, le Fils du Dieu vivant », Jésus lui dit : « Tu es Pierre... » (v. 18), et promet de bâtir sur lui l'Église contre laquelle les portes de l'Hadès seront impuissantes (v. 18b); un troisième point vient couronner cette promesse : Pierre recevra les clefs du royaume des cieux : ce qu'il liera et déliera sera entériné dans les cieux (v. 19). Faire l'exégèse théologique de ce texte dépasserait le cadre des analyses littéraires de ce volume. Nous nous bornerons à présenter les remarques suivantes :

a) Il est probable que le logion du v. 19, qui a son équivalent en Mt **18** 18 (cf. Jn **20** 23), fut ajouté par l'ultime Rédacteur matthéen au logion composé par les vv. 17-18, dont on a fait remarquer depuis longtemps la facture sémitique. La formule « tu es heureux » est très rare en grec profane; elle provient d'une formule sémitique de souhait construite avec le pronom suffixe de la deuxième personne du singulier (Bultmann). Quoique « Simon » soit la forme grécisée de « Siméon », le nom « *Simôn Bariôna* » est le nom araméen complet de Pierre (« Siméon fils de Jonas »). Le binôme « chair et sang » est la manière sémitique (hébraïque plutôt qu'araméenne) de désigner la nature humaine par ses deux composantes matérielles (1 Co **15** 50; Ga **1** 16; Ep **6** 12; He **2** 14). Le jeu de mots « *Petros/Petra* » n'a pu être créé qu'en araméen où le mot est identique : *Kèpha*, qui fut grécisé en *Kèphas* (Jn **1** 42; 1 Co **3** 22); le nom propre *Petros* (« Pierre ») est une création issue de ce jeu de mots. « Portes de l'Hadès » est également une expression sémitique (Is **38** 10; Sg **16** 13; Jb **38** 17). Notons aussi qu'au v. 19 l'expression « lier/délier » appartient au vocabulaire juridique courant des rabbins; d'une part, elle exprime une totalité (Lambert); d'autre part, elle signifie : soit « défendre/permettre », soit « condamner/absoudre », notamment par l'exclusion de la communauté et la réintégration dans son sein. La multiplicité et la variété de ces sémitismes garantissent l'origine palestinienne du texte : Jésus aurait prononcé ce logion, soit durant la dernière Cène (Cullmann), soit à un autre moment difficile à préciser. Pour ce qui est de la primauté de Pierre, on comparera ce texte à ceux de Lc **22** 31-32 et Jn **21** 15-19.

b) La mention des « portes de l'Hadès » pourrait en partie expliquer l'insertion *ici* des logia de Mt **16** 17-19. Césarée de Philippe se trouvait située, en effet, près d'une des trois sources du Jourdain (l'actuelle Banyas, au pied de l'Hermon); or des traditions juives voyaient dans les sources du Jourdain comme des accès aux régions souterraines où se situait le shéol (Hadès).

5. Le récit actuel de Lc dépend presque complètement du Mc-intermédiaire. Il est possible toutefois que la formule « le Christ de Dieu » soit un écho de celle du proto-Lc « le Saint de Dieu », transformée sous l'influence du Mc-intermédiaire en « le Christ ».

6. Le récit de Jn **6** 68-69 semble dépendre, on l'a vu, directement du Document B, d'où sa sobriété et surtout le titre de « Saint de Dieu », que la tradition johannique seule a gardé. Mais l'ensemble a été fortement remanié par le Rédacteur johannique

LES ANNONCES DE LA PASSION

On compte d'ordinaire trois annonces de la Passion faites par Jésus, celles données aux §§ 166, 172 et 253; mais les Synoptiques en attestent deux autres, de forme plus brève, qui se lisent aux §§ 170 et 337. Les lignes suivantes ont pour but de synthétiser les résultats des analyses qui seront faites aux notes §§ 166, 170, 253 et 337.

1. En fait, il n'y eut qu'une seule annonce de la Passion, faite par Jésus quelques instants avant son arrestation par les Juifs (§ 337). Elle nous a été conservée par le Document C sous la forme suivante : « L'heure est venue; voici, le Fils de l'homme est livré aux mains des pécheurs » (Mc **14** 41b). Le présent « est livré » s'explique par la proximité de l'événement. La formule « le Fils de l'homme est livré aux mains de » reprend les termes de Dn **7** 13.25 (cf. note § 172, II B 1 a). Bien qu'elle ne mentionne pas explicitement la résurrection, cette annonce contient implicitement une référence au triomphe final du Christ sur ses ennemis, puisque tel est le destin du Fils d'homme en Dn **7** 13-14.

2. Cette annonce de la Passion fut reprise sous une forme très voisine (mais sans le thème de « l'heure ») par le Document A, forme encore attestée par Lc **9** 44b : « Le Fils de l'homme est livré (Mc) aux mains des hommes » (cf. note § 172, II A 1). Mais le Document A la plaça immédiatement après le récit de la transfiguration, voulant probablement opposer l'affirmation de la voix céleste : « Celui-ci est mon Fils bien-aimé » (Mc **9** 7), et l'annonce de la « passion » de ce Fils; c'est du moins ainsi que l'a compris Lc (cf. note § 172, II A 1 a).

3. Le Document B reprit la formule du Document A, mais en la grécisant; cette nouvelle forme est encore attestée par Mc **9** 12b, et aussi Lc **17** 25 (§ 243) : « Il faut que le Fils de l'homme souffre beaucoup et soit méprisé (ou : rejeté). » Comme dans le Document A, cette annonce de la Passion suivait immédiatement le récit de la transfiguration. Au lieu de « est livré », le Document B a : « souffre beaucoup »;

l'introduction de ce verbe « souffrir » joue sur la ressemblance des deux mots grecs *pascha* (Pâque = Agneau pascal) et *paschein* (« souffrir »). Par ailleurs, le Document B ajoute le thème du « rejet » de Jésus par les chefs du peuple juif, repris de Ps **118** 22 (voir note § 170, III).

4. L'activité du Mc-intermédiaire est complexe.

a) C'est lui qui regroupe en un seul évangile les annonces de la Passion des Documents A, B et C.

b) Il laisse intacte la formule du Document C en Mc **14** 41b et modifie à peine celle du Document B en Mc **9** 12b (c'est lui qui introduit la forme interrogative du logion).

c) La formule du Document A est repoussée un peu plus loin du récit de la transfiguration par l'insertion du récit de la guérison de l'enfant épileptique (§ 171); mais surtout, elle est amplifiée par l'adjonction du thème explicite de la mort et de la résurrection de Jésus : « et ils le mettront à mort, et, mis à mort, après trois jours il se lèvera (des morts) » (Mc **9** 31).

d) Le Mc-intermédiaire compose une nouvelle formule (§ 166) en reprenant celle du Document B (Mc **9** 12b) qu'il amplifie : d'une part il précise que Jésus sera rejeté (Document B) « par les anciens et les grands prêtres et les scribes », ce qui explicite l'intention polémique du logion du Document B; d'autre part il ajoute la mention explicite de la mort et de la résurrection de Jésus, comme pour l'annonce en provenance du Document A (§ 172). On a ainsi la formule complexe de Mc **8** 31.

e) Enfin, le Mc-intermédiaire compose une troisième formule complexe, celle de Mc **10** 33-34. Pour cela, il reprend la formule du Document A : « le Fils de l'homme sera livré » (cf. aussi Document C), mais il la complète : d'une part en précisant *à qui* Jésus sera livré; d'autre part en énumérant les diverses « étapes » de la Passion du Christ, « étapes » se terminant par la mention explicite de sa mort et de sa résurrection (voir note § 253).

Note § **166.** *PREMIÈRE ANNONCE DE LA PASSION*

Elle est donnée par les trois Synoptiques, qui la placent en même contexte.

I. LES INTRODUCTIONS

Elles varient d'un évangile à l'autre. Mc commence une section nouvelle, sans lien précis avec le contexte précédent, par une formule qui lui est familière (Mc **4** 1; **6** 2.34). Dans Mt, le « dès lors » marque davantage un lien avec le contexte précédent (cf. Mt **26** 16; **4** 17); ce lien est renforcé par l'addition du titre de « Christ » après le nom de Jésus (cf. Mt **1** 1.18), motivé ici par la confession de foi de Pierre (Mt **16** 16) : Jésus doit souffrir en tant que « Christ » (cf. *infra*). Dans Lc, cette annonce de la Passion prolonge la consigne de silence donnée par Jésus en Lc **9** 21 (les deux forment une seule phrase), comme si le fait de divulguer la messianité de Jésus eût empêché le déroulement du plan divin.

II. L'ANNONCE DE LA PASSION

1. Elle peut s'expliquer simplement comme une amplification littéraire de l'annonce de la Passion qui se lit en Mc **9** 12b et, plus littéralement, en Lc **17** 25. On verra à la note § 170 (III) que ce texte de Mc **9** 12b, de formulation typiquement grecque, provient du Document B. Le texte de Mc **8** 31 et par. contient en plus toute la seconde partie du logion : la mention des anciens, grands prêtres et scribes, la mention explicite de la mort et de la résurrection du Christ. Cette réinterprétation de l'annonce plus archaïque du Document B a dû se faire au niveau du Mc-intermédiaire, dont il est la source principale. En effet, ce groupement « anciens, grands prêtres et scribes » se lit ailleurs : jamais dans Mt, une fois dans Lc (**20** 1 = Mc **11** 27), mais cinq fois dans Mc (**11** 18; **14** 43.53; **15** 1). D'autre part, Mc est le seul à employer le verbe « tuer » (ou « mettre à mort »; *apokteinein*) dans les trois annonces de la Passion; ce verbe est d'ailleurs bien dans son style (13/11/12/12/6).

Dans la finale du logion, la formule de Mc : « et *après trois jours* se lever (des morts) », se distingue de celle de Mt/Lc : « et *le troisième jour* se réveiller (des morts) », qui est celle du kérygme primitif (1 Co **15** 4) employée ailleurs par Mt et Lc (Mt **17** 22; **20** 19; **27** 64; Lc **24** 7.21.46; Ac **10** 40); Mt et Lc ont donc pu corriger Mc chacun de son côté. Cette formule du kérygme reprend très probablement la formule d'Os **6** 2 : « Après deux jours il nous rendra la vie; le troisième jour il nous relèvera et nous vivrons en sa présence. » Le comput de Mc « après trois jours » implique un jour de plus (cf. l'équivalence donnée par Osée) et se concilie difficilement avec la chronologie que supposent les récits de la découverte du tombeau vide (ce qui donnait une raison de plus à Mt et à Lc de corriger Mc). Il est possible que la tradition dont dépend Mc ait voulu souligner que Jésus était réellement mort, car la corruption était sensée ne commencer que le quatrième jour après la mort apparente.

2. Outre quelques menues retouches grammaticales, Lc ne se distingue de Mc que par l'emploi de la formule kérygmatique signalée au paragraphe précédent; l'ultime Rédacteur lucanien a donc repris assez fidèlement le texte du Mc-intermédiaire.

L'ultime Rédacteur matthéen, qui dépend lui aussi du Mc-intermédiaire, se montre plus indépendant. Sans parler de l'adoption de la formule kérygmatique, il offre trois variantes importantes dans la première partie du logion : suppression de la mention du Fils de l'homme, addition du voyage à Jérusalem, suppression du verbe « être rejeté ». Si l'on remarque que la suppression du titre de « Fils de l'homme » a pour conséquence de rapporter la nécessité de « souffrir » à Jésus en tant que « Christ » (cf. le v. 21), on sera frappé par le caractère « lucanien » du texte de Mt. En Lc **24** 26; **24** 46; Ac **17** 3 (cf. 1 P **1** 11; **4** 23; **5** 1), les « souffrances » sont liées au titre de « Christ » et il n'est pas question d'un « rejet » de Jésus. On notera spécialement le rapprochement du texte de Mt avec celui de Ac **17** 3 : « ... que le Christ devait souffrir et ressusciter des morts, et que celui-ci est le Christ : Jésus que je vous annonce. » L'affirmation que le Christ doit « souffrir » est liée à une confession de foi en Jésus qui est « Christ », comme en Mt **16** 16.21 (cf. l'addition de « Christ » après Jésus au v. 21). Par ailleurs, cette référence des « souffrances » à Jésus en tant que « Christ » pourrait évoquer le Ps **2** 2 : « Les rois de la terre se lèvent, les princes conspirent contre Yahvé et son Christ »; or ce texte est explicitement cité en Ac **4** 25-27 pour expliquer la mort de Jésus conformément aux Écritures. Enfin Ac **4** 27 précise que le « complot » contre le « Christ » s'est réalisé « dans cette ville », i.e. à Jérusalem, ce qui expliquerait peut-être la référence à Jérusalem en Mt **16** 21. Tous ces remaniements du texte matthéen par rapport à celui du Mc-intermédiaire pourraient donc bien être attribués à l'ultime Rédacteur matthéo-lucanien.

3. Voir à la note § 170 (III) l'explication théologique de l'annonce de la Passion sous sa forme courte, celle du Document B. Voir également l'évolution des annonces de la Passion à la note générale qui précède cette présente note.

Note § **167.** *RÉPRIMANDE DE PIERRE*

1. Les textes de Mt et de Mc sont assez proches l'un de l'autre, mais la priorité semble devoir être donnée à Mc; ce petit récit proviendrait donc du Document B, d'où il aurait passé dans le Mc-intermédiaire, puis dans les ultimes rédactions marcienne et matthéenne. L'ultime Rédacteur marcien ajoute : « et voyant ses disciples »; la réprimande est faite à Pierre devant tous les disciples. – L'ultime Rédacteur matthéen ajoute deux précisions. Au v. 22, il explicite l'admonestation de Pierre : « (Dieu) t'en préserve, Seigneur; cela ne t'arrivera pas ! » Au v. 23, il ajoute la parole de Jésus à Pierre : « tu m'es un scandale »; si l'on se rappelle que le mot « scandale » désigne en premier lieu une pierre contre laquelle le pied achoppe, le contraste voulu par Mt avec la confession de Pierre est saisissant : en Mt **16** 18, Simon est appelé « Pierre », car c'est sur lui que Jésus compte bâtir son Église; mais en **16** 23, il devient une « pierre d'achoppement » en essayant de détourner Jésus de sa mission telle qu'elle est voulue par Dieu.

2. Cet épisode ne peut se comprendre qu'en fonction d'un récit dans lequel Jésus a annoncé sa « passion » future. Mais on a vu à la note § 166 que la première annonce de la Passion est une composition du Mc-intermédiaire, reprenant et amplifiant une annonce plus discrète du Document B, qui se lit encore en Mc **9** 12b (§ 170). On peut donc penser que le présent épisode se lisait dans le Document B après l'annonce de la Passion de Mc **9** 12b. Pierre refuse d'envisager l'hypothèse d'un « messie souffrant » et le dit clairement à Jésus. La réponse de Jésus est très dure : Pierre est traité de « Satan »; il est assimilé au « Tentateur » par excellence, à celui qui cherche à détourner les hommes de leur mission (cf. § 27).

3. Lc omet l'épisode, probablement parce qu'il le trouve trop dur à l'égard du chef des apôtres. Le Rédacteur johannique (qui connaît ce texte par l'ultime rédaction matthéenne) a une réaction semblable : il fait suivre la confession de Pierre (**6** 69) d'une parole de Jésus tirée de l'annonce de la trahison de Judas, dans laquelle c'est Judas qui est traité de « Diable » (**6** 70) ! Ces réactions de Lc et de Jn montrent combien ce petit récit a embarrassé les évangélistes; elles nous garantissent l'authenticité de cette parole de Jésus contre Pierre.

Note § **168.** *EXIGENCES ET RÉTRIBUTION DU RENONCEMENT*

Après la première annonce de la Passion (§ 166), les trois Synoptiques groupent une série de logia traitant de la nécessité du renoncement pour être disciple de Jésus. Cette association de logia est artificielle; on les retrouve, sous une forme un peu différente, dans le Document Q et même dans Jn, mais en des contextes différents. Ils ont probablement circulé à l'origine isolés les uns des autres. Ici, l'introduction varie selon chaque évangéliste; d'après Mt, Jésus s'adresse aux seuls disciples; d'après Mc, à la foule et aux disciples (mais la mention des disciples, avec la préposition *syn*, relativement rare chez Mc et très fréquente chez Lc, semble être une addition de l'ultime Rédacteur); d'après Lc enfin, « à tous ».

I. ANALYSE DES LOGIA

1. *Le premier logion* (Mc **8** 34 et par.) se lit dans les trois Synoptiques sous une forme presque identique, avec le même pléonasme : « Si quelqu'un veut venir (suivre) derrière moi... qu'il me suive. » L'expression « venir derrière » est fréquemment utilisée dans la Bible et les écrits rabbiniques pour caractériser l'attitude des disciples par rapport au « rabbi » (cf. note § 31, 2); Lc **14** 27 donne au logion une forme plus satisfaisante, en évitant la tautologie : « Celui qui... ne vient pas derrière moi ne peut être mon disciple. »

a) Trois conditions sont données pour revendiquer le titre de « disciple » de Jésus : se renier, prendre sa croix et suivre Jésus. Se renier, c'est « ne plus songer ni à ses intérêts, ni à sa vie » (Lagrange); c'est la condition première, qui va permettre de suivre Jésus jusqu'à la mort s'il le faut. Lc **14** 26 donne à peu près la même idée sous cette forme : « Si quelqu'un... ne hait pas... même sa propre vie, il ne peut être mon disciple. » Ayant accepté de « se renier », le disciple doit alors « se charger de sa croix ». Cette expression évoque évidemment la montée de Jésus au Calvaire, et donc la mort. On songe spécialement à Simon de Cyrène : « ils lui imposèrent la croix à porter derrière Jésus » (Lc **23** 26, § 351). Lc change la portée de cette condition en ajoutant « chaque jour », ce qui invite à comprendre l'expression au sens métaphorique : accepter toutes les difficultés de la vie. Le disciple doit enfin « suivre » Jésus, c'est-à-dire marcher derrière lui, sur la même route. Venant après l'évocation de la croix, cette expression veut dire que le disciple doit être prêt à suivre Jésus jusqu'au don de sa vie, ce qui est le cas maximum de « se renier ». Pourtant, « suivre Jésus » n'a pas pour terme définitif la mort; la première annonce de la Passion (§ 166) est aussi une assurance de résurrection, et le logion suivant (Mc **8** 35 et par.) nous dira que « perdre sa vie » pour rester fidèle à Jésus, c'est en fait la sauver.

b) Dans le Document Q, dont la forme primitive semble mieux conservée en Lc **14** 27 qu'en Mt **10** 38 (voir note § 227), il n'est plus question de « se renier », mais seulement de « porter sa croix » et de « suivre » Jésus. Ce logion s'intercale entre deux autres logia (vv. 26 et 33 de Lc) où il est également question des conditions requises pour devenir vrai disciple de Jésus, mais il prend alors une nuance différente; l'accent n'est plus mis sur la nécessité de suivre Jésus jusqu'à la mort, mais sur la nécessité de renoncer à sa famille (v. 26) et à tous ses biens (v. 33). On rejoint l'enseignement donné par Jésus lors de l'épisode du jeune homme riche (§§ 250 s.).

c) Avec Jn **12** 26, une seule condition est exigée du vrai disciple, suivre Jésus, mais on retrouve, comme en Mc **8** 34 et par., l'évocation du sacrifice de soi pouvant aller jusqu'à la mort (Jn **12** 24), cette mort qui n'est pas un terme définitif, mais une entrée dans la gloire du Père (vv. 23 et 28). Le texte johannique évoque probablement une scène très concrète de l'histoire de David fuyant devant son fils Absalom; Jésus dit: « Si quelqu'un me sert, qu'il me suive, et où je suis, là aussi sera mon serviteur », comme Ittaï le Gittite avait dit à David : « Dans quelque lieu que sera mon Seigneur, soit pour la mort, soit pour la vie, là sera ton serviteur » (2 S **15** 21, d'après la Septante; sur l'utilisation de ces textes de 2 S par Jn et Lc, cf. notes §§ 319 et 323).

2. *Le second logion* (Mc **8** 35 et par.) a son équivalent en Jn **12** 25, il est donc lié aussi au logion sur la nécessité de « suivre Jésus », mais dans Jn l'ordre des deux logia est inversé par rapport à celui des Synoptiques; en Lc **17** 33 on lit un logion semblable, provenant du Document Q et dans un contexte très différent (en revanche, Mt **10** 39 est beaucoup plus proche de Mt **16** 25 que de Lc **17** 33; il ne semble donc pas provenir du Document Q, mais serait un simple doublet de Mt **16** 25). Malgré le « en effet » qui lie les deux logia dans la triple tradition (Mt/Mc/Lc), il semble donc qu'ils aient eu primitivement une existence séparée.

a) Comme dans le logion précédent, le texte des trois évangélistes est ici presque identique. Deux différences cependant sont à noter. Tandis que Mt/Lc ont : « à cause de moi », Mc a : « à cause de l'évangile », ce qui pourrait être une correction de l'ultime Rédacteur marcien, par influence paulinienne. Par ailleurs, tandis que Mc/Lc ont pour terminer le verbe « sauvera », Mt a « trouvera », comme en **10** 39; c'est une correction de l'ultime Rédacteur matthéen dont on rendra compte plus loin.

b) Une comparaison entre le texte de la triple tradition et celui de Lc **17** 33 (Document Q) fait apparaître le substrat araméen du logion. Au début, les verbes « vouloir » (Mt/Mc/Lc) et « chercher » (Lc **17**) correspondent au même verbe araméen *bᵉ'a'*. D'autre part, en fin du logion, le verbe « sauver » (Mt/Mc/Lc) répond au verbe araméen *haia'* (« vivre ») utilisé soit au *pael* (« garder en vie ») soit à l'*afel* (« faire vivre »). Le logion de la triple tradition et celui de Lc **17** 33 sont donc probablement deux traductions également valables du même original araméen; il est remarquable d'ailleurs que les versions syriaques ont pratiquement le même texte pour Mc **8** 35 et Lc **17** 33.

Mt **10** 39 a le verbe « trouver » au lieu de « sauver » (cf. aussi Mt **16** 25 en finale). Cette différence s'explique parce que le verbe grec *apollumi*, « perdre », peut avoir, comme en français, le sens de « faire périr » ou celui de « égarer ». Mt a retenu le sens de « égarer », d'où le verbe opposé « trouver ». Une telle variante a dû se produire à partir d'un texte grec et l'on serait tenté de l'attribuer à l'ultime Rédacteur matthéen.

Dans Jn **12** 25, la formulation du logion offre davantage de différences et joue sur l'opposition « aimer/haïr », mais le sens fondamental est le même. On notera l'expression « haïr sa vie », qui rejoint celle de Lc **14** 26 : « Si quelqu'un... ne hait pas... même encore sa propre vie... » Il est possible que Jn **12** 25 provienne du Document C, dont le texte aura influencé la rédaction de Lc **14** 26 (voir note § 227, 2 c *cc*). Par ailleurs, Jn précise les deux plans sur lesquels joue le logion : « qui hait sa vie *en ce monde* la gardera *pour la vie éternelle*. »

c) Ce logion semble un paradoxe si on le comprend sur le plan purement humain; il n'a de sens que dans la lumière des promesses divines. Le disciple de Jésus doit agir à l'inverse de ce qu'il serait tenté de faire s'il oubliait le mystère de la toute-puissance divine. Comme l'a bien compris Jn **12** 25, le paradoxe disparaît si l'on tient compte des deux plans sur lesquels se déroule la vie de l'homme : le plan des réalités terrestres et le plan du monde eschatologique, de la « vie éternelle » en Dieu. Dans la triple tradition, le logion doit se comprendre dans un contexte de persécutions; on peut le déduire, et de l'expression « perdre sa vie *à cause de moi* », et de Mc **8** 38 par. qui évoque le cas des chrétiens amenés à confesser leur foi en Jésus. Le sens est donc : celui qui, par crainte de perdre sa vie (sa vie terrestre), renie le Christ et pense ainsi se sauver, en réalité perd sa vie éternelle, sa vie eschatologique en Dieu; en revanche, celui qui n'hésite pas à perdre sa vie terrestre en confessant Jésus, gagne de fait la vie éternelle en Dieu. Au moment même où, d'un point de vue purement humain, il semble mourir et disparaître définitivement, il entre dans la vie eschatologique, en Dieu; « aux yeux des impies, il a paru mourir... mais son espérance était pleine d'immortalité » (Sg **3** 2-4; sur ce problème, voir encore notes § 176 et surtout § 284).

3. *Le troisième logion* (Mc **8** 36 et par.) est artificiellement lié au précédent par un « en effet » qui servait également à lier le second logion au premier. Les divergences entre les trois Synoptiques sont purement grammaticales, sauf en ce qui concerne la finale dans Lc. Au lieu de dire « ruiner sa vie », Lc dit « se ruiner ». Sous l'influence de l'hébreu, le mot grec *psyché* peut avoir le sens de « vie » (cf. Mt/Mc) ou équivaloir à un simple pronom personnel réfléchi; fréquents dans la Septante, ces deux sens se retrouvent également dans le NT; ici, Lc a grécisé la formule plus sémitique de Mt/Mc (sur ces deux sens, comparer encore 1 Tm **2** 6 et Mc **10** 45). D'autre part, Lc a deux expressions parallèles : « en se perdant ou en se ruinant », la seconde seule étant attestée par Mt/Mc; il est possible que Lc ait complété le logion pour l'harmoniser avec le logion précédent, qui jouait sur l'opposition « sauver/perdre »; le verbe « ruiner » est confirmé par l'allusion à ce logion faite par Paul en Ph **3** 7-8. Contrairement au logion précédent, celui-ci ne fait aucune allusion aux persécutions pour le nom du Christ; il se situe plutôt dans la ligne de Lc **14** 27 (cf. 1 b) et de l'épisode du jeune homme riche (§§ 250 s.) : c'est une mise en garde contre l'accumulation des richesses, qui rend si difficile l'entrée dans le royaume de Dieu.

4. *Le quatrième logion* (Mc **8** 37 et Mt **16** 26b) ne se lit pas dans Lc. Le thème reprend probablement celui du Ps **49** 8 s.

après avoir reproché aux riches de mettre leur confiance dans leurs richesses (v. 7, cf. Mt **16** 26 et par.), le psalmiste poursuit : « mais l'homme ne peut acheter son rachat ni payer à Dieu sa rançon : il est coûteux le rachat de son âme » ; il veut dire que ce n'est pas avec ses richesses que l'homme peut racheter son âme (i.e. sa vie) s'il a vécu sans accomplir la volonté de Dieu. L'idée serait la même en Mt **16** 26b et Mc **8** 37, surtout si l'on tient compte du fait que l'expression traduite par « en échange de » (*antallagma*) peut avoir, dans la Septante, le sens de « rançon, prix versé pour un rachat » (cf. par exemple Am **5** 12).

Dans Mt, les vv. 26-27 forment un tout, centré sur la condamnation de l'abus des richesses. Même si l'on gagne le monde entier, i.e. toutes les richesses du monde, mais au prix d'injustices contre le prochain, on perdra finalement sa vie eschatologique, sa vie en Dieu. Pour le rappeler d'une façon plus directe, l'ultime Rédacteur matthéen termine (v. 27) sur une évocation du retour du Fils de l'homme, venant comme juge : « et alors, il rétribuera chacun selon sa conduite » (cf. Ps **62** 13, cité plutôt selon l'hébreu).

5. *Le cinquième logion* (Mc **8** 38 ; Lc **9** 26) est absent de Mt, le v. 27 de cet évangéliste ayant un sens fondamental différent de celui du logion de Mc/Lc, même s'il y est question de retour glorieux du Christ. En revanche, il a son équivalent dans le Document Q (cf. Mt **10** 33 ; Lc **12** 9), où il s'agit de ne pas renier Jésus, même sous la menace des persécutions (cf. note § 204). Ici, l'expression plus vague « rougir de moi et de mes paroles » pourrait se comprendre, d'une façon assez générale, comme avoir honte de l'enseignement de Jésus exaltant la pauvreté et l'humilité, avoir honte aussi d'un Messie souffrant (cf. Rm **1** 16) ; mais le rapprochement avec le second logion (Mc **8** 35 et par.) nous invite à penser que, pour le compilateur de ces logia, il s'agit aussi de ne pas rougir de Jésus devant les tribunaux, en cas de persécution. Le châtiment de ces renégats se produira lors du retour de Jésus en gloire, et donc à la fin des temps, tandis que, dans le Document Q, le châtiment semble plutôt placé à la mort de chacun (voir note § 204).

Les divergences entre Mc et Lc sont dues à l'activité littéraire de Lc. Il a supprimé l'expression : « en cette génération adultère et pécheresse » (cf. Is **1** 4.21 ; Os **2** 2 ss. ; Ez **16** 32 ss. ; Mt **12** 39 ; Lc **11** 29), qui ne convenait plus à ses lecteurs venus du paganisme. A la fin du logion, la gloire eschatologique est la propriété du Christ autant que de son Père.

6. *Le sixième logion* (Mc **9** 1 et par.) est placé ici, car il traite, comme le cinquième, de la venue du Fils de l'homme. En Mc **9** 1, nous trouvons une cheville littéraire habituelle chez Mc lorsqu'il accouple des logia d'origine différente : « et il leur disait... » Le texte des trois Synoptiques est presque identique, sauf pour la finale. Après l'expression « royaume de Dieu », Mc a en plus de Lc les mots « venu en puissance ». On admet d'ordinaire que Lc a amputé Mc, sans donner d'ailleurs de raison à cette opération chirurgicale. Mais si l'on note que l'expression « en puissance » (*endynamei*) est incontestablement de saveur paulinienne (Rm **1** 4 ; **15** 13.19 ; 1 Co **2** 5 et surtout **4** 20 ; **15** 43 ; 2 Co **6** 7 ; 1 Th **1** 5 ; 2 Th **2** 9

(cf. Introd., II B **1** a), on l'attribuera sans trop hésiter à l'ultime Rédacteur marcien. De toute façon, dans Mc comme dans Lc, le verbe « voir » a le sens sémitique de « participer à ». Dans Mt, le logion a une forme plus différenciée, qui se rapproche des termes du « discours eschatologique » de Mt **24** et par., où il s'agit aussi d'une « venue » du Fils de l'homme (cf. Mt **24** 30) devant se produire avant la fin de « cette génération » (Mt **24** 34). Dans quel sens comprendre ce logion ? Jésus pensait-il que la venue du règne de Dieu, ou la Parousie du Fils de l'homme (Mt) se produirait dans un avenir relativement proche ? Ou faisait-il coïncider l'établissement du royaume de Dieu avec sa propre résurrection ? Ces questions ne peuvent être résolues qu'en étudiant systématiquement tout le problème de l'eschatologie dans les évangiles, ce qui dépasse le cadre de ces analyses littéraires.

On notera le texte de Thomas 18 (voir vol. I, 3e registre) qui se termine sur cette affirmation : « ... il ne goûtera pas la mort ». On songe d'abord à un emprunt à Jn **8** 52 (cf. Jn **6** 50 ; **11** 26), où il s'agit de la mort au sens sémitique : la descente au shéol de l'homme tout entier, qui devient comme une ombre inconsistante et sans vie. Mais le texte de Thomas précise que celui qui ne goûtera pas la mort c'est celui qui « sera présent dans le commencement ». Le verbe « être présent » nous rapproche du logion des trois Synoptiques. Par ailleurs, selon plusieurs commentateurs, le « commencement » dont parle Thomas 18 désignerait Jésus lui-même, qui est « le commencement et la fin » (Ap **21** 6) ; en ce cas, « celui qui sera présent dans le commencement » voudrait dire : « celui qui sera présent dans le Christ », ou « avec le Christ », et l'on rejoint la forme du logion de Mc selon la tradition textuelle dite occidentale : « il y en a de présents avec moi ». On peut se demander alors si Thomas 18 ne serait pas l'amplification d'un texte de tradition synoptique où l'on aurait eu simplement : « il en est de présents avec moi qui ne goûteront pas la mort » (cf. Tatien ?). La suite du texte aurait été ajoutée, dans la tradition synoptique, pour éviter de faire dire à Jésus que certains hommes de sa génération ne verraient jamais la mort. Le logion serait à interpréter dans le même sens que Jn **8** 52 (cf. *supra*).

II. LES DIVERSES TRADITIONS

Il est difficile de préciser les sources d'où proviennent ces divers logia ; les réflexions suivantes ne sont proposées que comme de simples suggestions.

1. Des six logia rassemblés ici, trois concernent spécialement la condition du « disciple » de Jésus : le premier, le troisième et le quatrième (Mt **16** 24, 26a, 26b-27 et par.) ; le disciple doit renoncer à tout, ne pas vouloir « gagner le monde », car il ne peut rien donner en échange de sa vie ; au moment du jugement, ses richesses ne lui serviront à rien. Ce thème du dépouillement de tout, de l'abandon de ses richesses, nous oriente vers l'enseignement essentiel de scènes comme la vocation du jeune homme riche (§§ 249 -251), qui sont de tradition matthéenne. Les premier, troisième et quatrième

logia proviendraient donc du Mt-intermédiaire, et même du Document A où ils auraient déjà été groupés ensemble.

2. Les deuxième et cinquième logia évoquent plutôt l'attitude du chrétien en cas de persécutions (Mc **8** 35, 38); cette atmosphère de persécution est évoquée par le « à cause de moi (de l'évangile) » de Mc **8** 35 et par. (cf. le logion semblable de Lc **12** 4-5, § 204) et par le thème de « rougir » du Christ en Mc **8** 38 et par. Comme ce cinquième logion est absent de Mt, on est orienté vers la tradition marcienne, et donc vers le Document B.

3. Le dernier logion (Mc **9** 1 et par. : ne pas goûter la mort) semble appartenir à une autre tradition. On a vu dans l'analyse des textes que sa forme primitive était probablement : « il en est de présents avec moi qui ne goûteront pas la mort. »

Ce thème de « ne pas voir la mort » (cette mort entendue au sens sémitique d'une descente de *tout l'homme* au shéol, comme une ombre privée de vie et de conscience), est typique du Document C (cf. note § 169, II 1 b); on peut dès lors penser que le dernier logion du § 168 remonte au Document C.

4. C'est le Mc-intermédiaire qui aurait effectué le regroupement des divers logia en provenance des Documents A, B et C (cf. Introd., II A 2 b); il les aurait placés ici en même temps qu'il composait l'annonce de la Passion du § 166 : Jésus est le modèle des « disciples » puisqu'il a lui-même accepté de mourir pour accomplir jusqu'au bout sa mission; il s'est renoncé jusqu'à la mort. – Du Mc-intermédiaire, le groupement des six logia passa dans les ultimes rédactions matthéenne et lucanienne (Lc omettant le quatrième logion pour une raison qui nous échappe).

Note § **169**. *LA TRANSFIGURATION*

Le récit de la transfiguration est donné par les trois Synoptiques, et en même contexte. Cet épisode est un des grands moments de la vie de Jésus, comme le baptême, et marque un changement important dans le déroulement de son ministère.

I. PROBLÈMES LITTÉRAIRES

A) LE TEXTE DE MT/MC

Les textes de Mt et de Mc sont très proches l'un de l'autre, parfois même presque identiques (vv. 2 de Mc, 1-2a de Mt). Leurs divergences sont, en partie, faciles à expliquer.

1. *Les remaniements matthéens.* L'ultime Rédacteur matthéen a voulu accentuer le caractère « apocalyptique » du récit, comme il l'a fait pour le récit du baptême de Jésus (§ 24) et comme il le fera pour celui de la découverte du tombeau vide (§ 359). Il est clair, par exemple, que les additions par Mt des vv. 6-7 s'inspirent de Dn **10** 9-12 (cf. Théodotion) :

Mt **17**	Dn **10**
6 Et, ayant entendu, les disci-[ples tombèrent sur leur face et furent très effrayés;	9b ... et, en l'entendant, je tombai ma face contre [terre
7 et Jésus s'approcha et, les ayant touchés,	10 et voici une main me tou-[chant et me releva sur les ge-[noux...
dit : « Levez-vous	12a Et il me dit :
et n'ayez pas peur. »	« N'aie pas peur, Daniel...»

(Cf. encore Dn **8** 17-18.)

Le texte de Dn **10** peut expliquer encore d'autres détails du récit de Mt. Au v. 2, Mt ajoute au texte attesté par Mc : « et son visage resplendit comme le soleil », cf. Dn **10** 6 : « et son visage est comme une vision d'éclair » (Mt **13** 43 : « Alors les justes resplendiront comme le soleil », cf. Dn **12** 3). La précision que les vêtements de Jésus deviennent « comme la lumière » pourrait s'inspirer de Dn **10** 5 : « revêtu de lin... et de la lumière (sort) d'au milieu de lui ». Au v. 5, le thème de la « voix » qui se fait entendre se lit aux vv. 6 et 9 de Dn. Au v. 8a, les mots « or, levant leurs yeux... », qui ne se lisent jamais ailleurs dans Mt, ont leur correspondant en Dn **10** 5 : « Et je levai les yeux... » Notons enfin au v. 9 de Mt (§ 170) le mot « vision » (*horama*), jamais ailleurs dans les évangiles, mais qui se lit deux fois en Dn **10** 1 (LXX).

Ce sont ces emprunts, faits par l'ultime Rédacteur matthéen à Dn **10**, qui constituent les principales divergences entre Mt et Mc. Signalons encore, comme retouches matthéennes : au v. 4, le titre de « Seigneur », très fréquent chez Mt, l'addition des mots « si tu veux »; au v. 5, l'addition de l'adjectif « lumineuse » et des mots : « en qui je me suis complu », pour harmoniser avec Mt **3** 17.

2. *Les remaniements de Mc.* De son côté, le texte de Mc offre des traits qui ne sont pas primitifs et pourraient être attribués à l'ultime Rédacteur marcien. Au v. 3, par exemple, la précision « tels qu'un foulon sur la terre ne peut ainsi blanchir ». Au v. 4, on lit dans Mc : « Élie avec Moïse », tandis que Mt/Lc ont : « Moïse et Élie ». Deux indices permettent de penser que cette primauté donnée à Élie est de l'ultime Rédacteur marco-lucanien. Au v. 5, on retrouve l'ordre de Mt/Lc : Moïse et Élie; par ailleurs, au lieu de l'habituel *meta* (« avec »), on a *syn*, préposition relativement rare chez Mc (six fois, dont quatre au moins sont de l'ultime Rédacteur : **2** 26; **4** 10; **8** 34; **15** 32), mais extrêmement fréquente dans Lc/Ac. Au v. 8, on attribuera encore à l'ultime Rédacteur marcien le verbe « regarder autour » (*periblepein* : 0/6/1/0/0/0).

3. *La source de Mt/Mc.* Il est très difficile de déterminer quelle

était ici la source commune à Mt et à Mc, d'autant qu'il faut toujours compter sur l'activité de l'ultime Rédacteur matthéen qui remplace souvent le texte du Mt-intermédiaire par celui du Mc-intermédiaire. Les ressemblances entre Mt et Mc pourraient donc se situer, au moins en partie, au niveau de l'ultime rédaction matthéenne; il n'est donc même pas certain que Mt et Mc dépendent fondamentalement d'une même source. Nous reprendrons ce problème après avoir étudié le texte de Lc.

B) Le texte de Lc

1. *Son originalité.*

a) Le récit de Lc offre avec ceux de Mt/Mc des divergences considérables (sauf au v. 28 les mots : « et ayant pris avec lui Pierre et Jean et Jacques »; sauf aussi les vv. 33b-35). D'une façon générale, toute l'attention se porte sur Jésus et il semble que c'est lui, et non les disciples, qui bénéficie d'une expérience religieuse. Au lieu de dire que Jésus *emmène* les trois disciples sur une haute montagne, Lc dit : « il monta sur la montagne pour prier » (v. 28c). Si son visage change d'aspect, ce n'est pas pour être vu des disciples (Lc n'a pas la phrase : « il fut transfiguré *devant eux* »), mais c'est sous l'effet de l'intensité de sa prière (cf. la reprise, au début du v. 29 : « et comme il priait »). C'est pour lui, et non pour les disciples, qu'apparaissent les « deux hommes » (Moïse et Élie); enfin, et nous atteignons le point culminant de la scène, Lc seul indique quel fut le sujet de l'entretien des trois personnages : « ils parlaient de son Exode » i.e. de sa mort, de son départ vers son Père (cf. Sg **3** 2; 2 P **1** 15). Cette originalité du récit de Lc se retrouve après les vv. 33-35. Au v. 36, au lieu de décrire une constatation faite par les disciples, Lc se contente de dire « et Jésus se trouva seul ».

b) Le récit de Lc offre encore d'autres détails anecdotiques par lesquels il se distingue de ceux de Mt/Mc. Au v. 28, « environ huit jours ». Au v. 32, Lc est le seul à noter que Pierre et les autres « virent la gloire » de Jésus; au v. 33a, il indique le départ des « deux hommes » qui conversaient avec Jésus.

c) Au v. 30 enfin, le texte primitif de Lc était probablement plus différent de celui de Mt/Mc que le texte actuel. L'opinion commune est que Lc aurait modifié le texte de Mc pour y introduire le thème des « deux hommes » qu'il utilise encore en Lc **24** 4 et Ac **1** 10. Mais, dans ces deux derniers textes, les « deux hommes » symbolisent certainement deux anges (cf. Lc **24** 23), tandis qu'en **9** 30 ces deux hommes sont Moïse et Élie. Pourquoi Lc aurait-il introduit ici le thème des « deux hommes » puisqu'il avait un sens autre qu'en **24** 4 et Ac **1** 10? Par ailleurs, cette mention des « deux hommes » se retrouve en **9** 32, et il serait étrange que Lc parle encore de « deux hommes » après avoir précisé qu'il s'agissait de Moïse et d'Élie ! Le mieux est donc, avec plusieurs commentateurs, de proposer l'hypothèse inverse : le texte primitif ne parlait que de « deux hommes », qui représentaient deux anges; la précision « lesquels étaient Moïse et Élie » serait une glose de l'ultime Rédacteur lucanien voulant harmoniser le proto-Lc avec le Mc-intermédiaire (qui avait « Moïse et Élie », cf. *supra*). Le

texte du proto-Lc devait avoir simplement : « Et voici, deux hommes, apparus en gloire, parlaient de son exode... »

2. *Les niveaux rédactionnels.*

Les analyses précédentes nous ont amenés à distinguer, dans Lc : d'une part des sections très différentes des parallèles de Mt/Mc, d'autre part des sections proches de Mt/Mc. Ces sections appartiennent en fait à des traditions différentes. Il est assez clair, en effet, que les vv. 33b-35 (à partir de « Pierre dit à Jésus »), assez peu différents des parallèles de Mt/Mc, sont insérés entre les vv. 33a et 36b (le v. 36a : « Et quand la voix fut arrivée », étant une cheville rédactionnelle). Au v. 33a, les deux hommes quittent Jésus au moment où Pierre va prendre la parole pour proposer de dresser trois tentes ! Mais, d'après le v. 36a, c'est seulement après l'audition de la voix céleste que les deux hommes semblent avoir disparu. La séquence primitive devait être : « Et il arriva, comme ils se séparaient de lui (v. 33a)... (que) Jésus se trouva seul (v. 36b). »

a) *Le récit primitif.* Il comportait les versets où Lc est très différent de Mt/Mc : 28ac, 29-33a, 36b. On en donnera une reconstitution au début de II; on se contentera pour l'instant d'en préciser l'origine. Il est indéniable que ces versets sont bourrés d'expressions et de formes littéraires typiquement lucaniennes, qu'il serait fastidieux d'énumérer. Est-ce à dire que nous sommes là devant une création du proto-Lc? Pas nécessairement, car le proto-Lc a l'habitude de reprendre ses sources en leur imprimant plus ou moins son style. Plusieurs indices permettent de penser que le récit primitif, sous-jacent au texte de Lc, appartenait au Document C. Puisque ce récit est très différent de ceux de Mt et de Mc, il est difficile de l'attribuer soit au Document A, soit au Document B; on songe alors au Document C, que le proto-Lc utilise assez souvent ailleurs. D'autre part, si le récit, sous sa forme actuelle, contient de nombreux « lucanismes », il contient aussi un certain nombre de mots étrangers au vocabulaire courant des évangiles, concentrés dans les vv. 31-33a : « exode » au sens de « mort » (cf. 2 P **1** 15); « être accablé » (*bareomai*, encore en Lc **21** 34 et Mt **24** 43); « rester éveillé » (*diagrègorein*, jamais ailleurs dans le NT); « se tenir avec » (*synistèmi*, ailleurs seulement dans Paul et 2 P); « se séparer » (*diachôrizein*, jamais ailleurs dans le NT). Or, c'est une des caractéristiques du Document C de comporter un vocabulaire nettement différent de celui des Documents A et B qui forment le fond de nos évangiles. Enfin, en Lc **9** 32, on trouve l'expression « Pierre et ceux (qui étaient) avec lui » (*Petros kai hoi syn autôi*), typique du Document C apparenté à ce que Justin appelle les « Mémoires de Pierre ».

b) Les vv. 28b et 33b-35 furent insérés dans le récit primitif. A quel niveau rédactionnel? Ils offrent des contacts avec Mc contre Mt : au v. 33, « et faisons » au lieu de : « si tu veux je ferai ici » (Mt); en finale du même verset, les mots : « ne sachant ce qu'il disait », qui rappellent ceux de Mc : « car il ne savait que répondre »; aux vv. 34 et 35 le verbe « arriver » (*egeneto*) au lieu de « voici » (*idou;* Mt). C'est assez peu ! – En revanche, les contacts Lc/Mt contre Mc sont nettement plus nombreux : au v. 28b, suppression de l'article devant les noms propres « Jean » et « Jacques »; au v. 33, l'aoriste *eipen* (« il dit ») au lieu du présent de Mc; au v. 34, addition du génitif absolu *tauta autou legontos* (« comme il disait cela ») qui est proche de Mt : « *eti autou lalountos* (« comme il parlait encore ») ; le *epeskiazen autous* de Lc (« les mettait sous son ombre ») est très proche de la formule de Mt *epeskiasen autous*, tandis que Mc a *episkiazousa autois* ; verbe « ils furent effrayés » (*ephobèthèsan*), comme en Mt **17** 6, tandis que Mc **9** 6 a *ekphoboi gar egenonto* ; enfin, au v. 35, addition du participe « disant ». Ces contacts Lc/Mt contre Mc ne sont pas tous de même valeur ; ils sont assez nombreux cependant pour permettre d'affirmer que les vv. 28b et 33b-35 ont été repris substantiellement par le proto-Lc au Mt-intermédiaire ; l'ultime Rédacteur lucanien serait responsable des quelques accords Lc/Mc contre Mt.

Deux autres arguments permettent d'attribuer l'addition des vv. 28b et 33b-35 au proto-Lc (et non à l'ultime Rédacteur lucanien). D'une part, on verra à la note § 172 que, dans le proto-Lc, Lc **9** 44a renvoyait à Lc **9** 35 par-delà le récit de la guérison de l'enfant épileptique, ajouté par l'ultime Rédacteur lucanien sous l'influence de Mc ; le v. 35 se lisait donc déjà dans le proto-Lc. Par ailleurs, il semble bien que Jn **1** 14.18 dépende de Lc **9** 32.35 : l'expression « et nous avons vu sa gloire » renverrait à Lc **9** 32 : « ils virent sa gloire » ; les mots : « gloire (qu'il tient) du Père, comme Fils Unique », feraient allusion à la parole céleste : « Celui-ci est mon Fils élu » ; enfin, au v. 18 de Jn, les mots : « le Fils Unique, celui-là (l') a raconté », feraient écho à l'injonction de la voix céleste : « écoutez-le ». Mais lorsque Jn dépend de Lc, c'est du proto-Lc qu'il dépend, et non de l'ultime rédaction lucanienne ; le v. 35 de Lc se lisait donc bien dans le proto-Lc.

En résumé, le récit fondamental de Lc (vv. 28ac, 29-33a, 36b) fut repris du Document C par le proto-Lc, qui le marqua profondément de son style. Le proto-Lc compléta ce récit en ajoutant les vv. 28b et 33b-35 afin de l'harmoniser avec celui du Mt-intermédiaire ; il ajouta aussi le v. 36a pour faire la suture entre le récit primitif et l'ajout en provenance de Mt. L'ultime Rédacteur lucanien retoucha légèrement le récit du proto-Lc en fonction du Mc-intermédiaire. De plus, au v. 28a, il ajouta les mots « ces paroles » (pour faire le lien avec la section précédente) et « environ » (pour estomper la différence des chiffres « huit » et « six »). Aux vv. 30 et 31a, il ajouta les mots : « s'entretenaient avec lui, lesquels étaient Moïse et Élie, qui » de façon à aligner le récit du proto-Lc sur celui du Mc-intermédiaire.

C) LES DOCUMENTS A ET B

Nous avons maintenant les précisions suffisantes pour remonter aux sources des récits de Mt et de Mc. Les analyses du texte lucanien nous ont amenés à postuler l'existence d'un récit appartenant au Mt-intermédiaire, ce qui nous fait remonter au Document A, la source habituelle de ce Mt-intermédiaire. – Le récit existait certainement aussi dans le Mc-intermédiaire. Mais Mc dépendait-il du Document A ou du Document B ? La question se pose puisque le Mc-intermédiaire utilise ces deux Documents. La grande ressemblance entre les récits de Mt et de Mc (si l'on écarte les ajouts de l'ultime Rédacteur matthéen en provenance de Dn **10**, comme les menues retou-

ches de l'ultime Rédacteur marcien) pourrait faire penser que Mt et Mc dépendent tous les deux du même Document A. Mais il faut tenir compte d'une harmonisation possible du Mt-intermédiaire sur le Mc-intermédiaire faite au niveau de l'ultime rédaction matthéenne, comme cela se produit si souvent. En fait, un argument nous invite à faire dépendre le Mc-intermédiaire du Document B, et non du Document A. On verra à la note § 172 que, dans le Document A, le récit de la transfiguration était immédiatement suivi par l'annonce de la Passion sous la forme courte qui se lit encore en Lc **9** 44b ; à cette forme courte du Document A correspondait, dans le Document B, la forme courte de l'annonce de la Passion qui se lit en Mc **9** 12b, donc également immédiatement après le récit de la transfiguration ; on peut donc conjecturer que Mc avait un récit de la transfiguration remontant au Document B plutôt qu'au Document A.

II. LE SENS DE LA TRANSFIGURATION

1. *Le récit du Document C.* D'après les analyses précédentes, le récit du Document C avait cette structure, « relue » en fonction d'un vocabulaire lucanien :

28a   Or il arriva, après () huit jours,
28c   il monta sur la montagne pour prier.
29   Et comme il priait, l'aspect de son visage devint autre, et son vêtement blanc, fulgurant.
30   Et voici, deux hommes ()
31   apparus en gloire, parlaient de son exode qu'il allait accomplir à Jérusalem.
32   Or Pierre et ceux (qui étaient) avec lui étaient accablés de sommeil ; restant éveillés, ils virent sa gloire et les deux hommes qui se tenaient avec lui.
33a   Et il arriva, comme ils se séparaient de lui, ()
36b   (que) Jésus se retrouva seul.
    Mais eux se turent et n'annoncèrent à personne, en ces jours-là, rien de ce qu'ils avaient vu.

a) Nous avons ici la forme la plus archaïque du récit de la transfiguration. Dans toute la première partie, Jésus occupe le centre de la scène : il monte sur une montagne, lieu privilégié des manifestations divines ; il entre en prière et, sous l'effet de la présence de Dieu, son visage devient autre et ses vêtements éclatants de blancheur, la couleur céleste. Deux anges lui apparaissent – ces anges qui, dans la Bible, sont les messagers des révélations divines – et lui parlent de son « exode », c'est-à-dire de sa mort (Sg **3** 2 ; 2 P **1** 15). Concrètement, cela veut dire qu'au cours d'une expérience mystique ineffable, Jésus reçoit révélation que son destin est de souffrir et de mourir (cf. Is **53** 1-12). Cette scène se situe donc dans la même perspective que celle du baptême (§ 24), mais avec un progrès très net dans la révélation ; au baptême, la voix céleste dit à Jésus qu'il est le « Serviteur de Yahvé », celui que Dieu a choisi pour délivrer son peuple ; ici, Jésus apprend que cette délivrance ne pourra se réaliser que par sa mort. Dans les Documents A et B, le récit était immédiatement suivi par l'unique annonce faite par Jésus aux disciples de sa « passion », de ses souffrances futures (voir note sur les annonces de la passion, avant la note § 166).

b) La mort de Jésus est appelée ici son « exode ». Ce terme, repris de Sg 3 2, implique une conception de la « mort » différente de ce qu'elle était primitivement dans le monde juif. Quand elle parle de l'homme, la Bible ne distingue pas « âme » et « corps »; l'homme est essentiellement « un », et, quand il meurt, il disparaît tout entier dans les profondeurs du shéol, où il n'est plus qu'une ombre inconsistante, privée de vie et de toute conscience. La Bible toutefois reconnaissait deux exceptions à cette règle : le patriarche Hénoch et le prophète Élie, montant auprès de Dieu sans passer par la mort (Gn 5 24; 2 R 2 11). Cette idée est reprise dans le livre de la Sagesse, et d'autant plus facilement que cet ouvrage a reçu l'influence de la pensée platonicienne. Parlant du juste qui meurt prématurément, Sg 4 10 dit de lui : « ayant su plaire (euarestos) à Dieu, il fut aimé... et fut emporté » (metetethè); c'est l'écho de ce que Gn 5 24 (LXX) dit du patriarche Hénoch : « Hénoch plut à Dieu (euèrestèsen) et on ne le trouva plus parce que Dieu l'emporta (metethèken). » La « mort » n'est donc plus une « mort » au sens où l'entendait la Bible, elle n'est plus un quasi-anéantissement dans les profondeurs du shéol, puisque, par la partie supérieure de lui-même, l'homme, laissant sa dépouille charnelle, est « emporté » auprès de Dieu : « aux yeux des impies, ils ont paru mourir (edoxan... tethnanai) et leur exode fut pris pour un malheur... mais leur espérance était pleine d'immortalité » (Sg 3 2-4). La mort est un « exode », c'est-à-dire un « passage » de la terre vers Dieu. On retrouve cette conception chez Lc 9 51, où la mort de Jésus est une « assomption » (analèmpsis; cf. 2 R 2 11 : anelèphthè) et chez Jn qui parle d'une « élévation » (Jn 3 14; 8 28; 12 32); or Lc et Jn sont les deux évangiles où l'influence du Document C est la plus marquante.

c) Mais sur la montagne Jésus n'est pas seul; il a avec lui « Pierre et ses compagnons ». Ceux-ci ne participent pas à la révélation qui est faite à Jésus, mais ils « voient sa gloire », ils sont donc les témoins de sa participation à la gloire, apanage de Dieu. Comme dans Dn 7 ou Is 53, le thème des souffrances est inséparable de celui du triomphe sur la mort, de l'exaltation glorieuse (cf. Dn 7 14; Is 53 11-12). Ayant déjà vu la gloire anticipée de Jésus, Pierre et ses compagnons seront plus forts pour supporter la vue de son humiliation sur la croix et pour annoncer plus tard le Christ glorifié.

2. *Le récit des Documents A et B.* On a vu plus haut qu'il était maintenant difficile d'établir une distinction entre le récit des Documents A et B; nous sommes donc obligés de les traiter comme un tout.

a) Comparé au récit du Document C, celui des Documents A et B marque un décalage profond : l'aspect de révélation faite à Jésus disparaît complètement au profit du thème de la révélation faite aux disciples, qui prend des proportions considérables. On avait observé un glissement semblable dans le récit du baptême de Jésus (note § 24). Toute la première partie du récit prépare cette révélation faite aux disciples : Jésus emmène Pierre, Jacques et Jean sur une « haute montagne » (non pas le Thabor, mais probablement le Grand Hermon), où il est transfiguré « devant eux »; Moïse et Élie « leur » apparaissent, et c'est pour eux qu'une voix céleste se fait entendre, parlant de Jésus à la troisième personne. On a vu que l'ultime Rédacteur matthéen avait accentué ce caractère de « révélation » en insérant un certain nombre de traits « apocalyptiques » repris de Dn 10.

b) Cette révélation aux disciples prend d'abord la forme d'une « transfiguration » de Jésus. La couleur blanche des vêtements symbolise l'appartenance au monde céleste (Mt 28 3; Ac 1 10; Ap 3 4 s.; 20 11), mais pourrait signifier plus spécialement la victoire qui donne accès auprès de Dieu (Ap 2 17; 6 11; 7 13-15). Le changement de « figure » évoque l'état du Christ après sa résurrection glorieuse (cf. Mc 16 12), et Mt accentue ce trait en décrivant le visage du Christ comme celui des justes qui brillent dans le royaume eschatologique (17 2; cf. Mt 13 43; Dn 12 3); c'était d'ailleurs un trait traditionnel de l'apocalyptique juive : « Les justes seront semblables aux anges et pareils aux étoiles; ils se transformeront en toutes les formes qu'ils voudront, de beauté en magnificence, et de lumière en splendeur de gloire » (Apocalypse de Baruch, 51 10). La transfiguration est donc comme une anticipation de la glorification de Jésus après sa mort. La présence de Pierre, Jacques et Jean prend alors tout son sens : ce sont les trois disciples qui seront aussi les témoins de l'agonie à Gethsémani (§ 337).

c) La « révélation » de Dieu aux disciples se fait également par le moyen de la voix céleste (influence du récit du baptême sur celui de la transfiguration). La formule « celui-ci est mon Fils bien-aimé » se réfère à l'oracle d'Is 42 1, concernant le Serviteur de Yahvé, avec peut-être aussi une allusion au Ps 2 7, parlant du roi messianique. La finale : « écoutez-le », absente du parallèle du baptême, fait allusion à Dt 18 15 (cf. 18 19), texte qui annonce l'envoi par Dieu à son peuple d'un nouveau Moïse, chargé de transmettre au peuple les paroles de Dieu. Jésus est donc le nouveau Moïse, et dans cette perspective certains détails du récit prennent un relief nouveau. La « haute montagne » évoque le Sinaï, où Moïse rencontra Dieu et en redescendit le visage tout illuminé par la gloire divine (Mt 17 1-2; cf. Ex 34 29-30). Pour parler de la nuée, les Synoptiques emploient le verbe « prendre sous son ombre » (episkiazein), verbe rare qui renvoie probablement à Ex 40 35; Mt parle de « nuée lumineuse », comme en Ex 40 38; nous retrouvons donc le thème de l'Exode et de Moïse. L'intention de tous ces détails est claire : Jésus est le nouveau Moïse qui doit révéler au nouveau peuple de Dieu les secrets de la volonté divine; il faut donc l'écouter pour être sauvé. Jésus est venu porter à sa perfection la révélation de l'AT, faite dans la Loi (Moïse) et par les prophètes (Élie); d'où la présence de ces deux personnages qui disparaissent pour laisser « Jésus seul » (Mc 9 8). Terminons en précisant que la mention des tentes (Mc 9 5) pourrait signifier que, dans la tradition des Documents A et B, la transfiguration se situait au moment de la fête des Tentes (Tabernacles).

Note § **170**. *QUESTION AU SUJET D'ÉLIE*

Cette section se compose d'éléments divers, artificiellement unis au niveau du Mc-intermédiaire : consigne de silence après la transfiguration, question au sujet d'Élie, annonce de la Passion; il faut les étudier chacun dans sa perspective propre.

I. LA CONSIGNE DE SILENCE
(Mc **9** 9-10; Mt **17** 9; cf. Lc **9** 36b)

1. *Dans Mt et Mc.*

a) Mt et Mc notent d'abord que Jésus et ses trois compagnons descendent de la montagne. On a vu à la note précédente les rapprochements entre la scène de la transfiguration et l'histoire de Moïse (II 1 b); la formule « descendre de la montagne » (*katabainein ek tou orous*), identique chez Mt et chez Mc, pourrait reprendre Ex **34** 29 : « lorsque Moïse descendit de la montagne » (*katebainen ek tou orous*); mais peut-être n'y a-t-il là qu'une simple coïncidence (cf. Mt **8** 1).

b) La consigne de silence est certainement de tradition marcienne; cf. Mc **5** 43 (opposé à Mt **9** 26) et Introd., II A 2 c 3; Mc **3** 12 (de vocabulaire marcien, elle est passée en Mt **12** 16, voir note § 47), Mc **7** 36; **8** 23.26. Ici, elle doit remonter au Mc-intermédiaire et fut reprise par l'ultime Rédacteur matthéen (cf. la note précédente). Mais chaque évangéliste garde son style propre : le verbe « donner l'ordre » est *diastellomai* chez Mc (1/5/0/0/1/1) et *entellomai* chez Mt (5/2/3/2/2); il est suivi du style indirect chez Mc, mais du style direct chez Mt qui le préfère; Mt emploie le mot « vision » (*horama*), probablement sous l'influence de Dn **10** 1 (LXX; cf. note § 169, I A 2); enfin, la conjonction « jusqu'à ce que » (*heôs hou*) est conforme au style de Mt (7/0/7/2/5).

D'ordinaire, Jésus refuse que l'on fasse connaître son identité de Messie (cf. Mc **1** 24-25; **8** 30), ou que l'on divulgue les miracles qui pourraient le faire reconnaître pour le Messie (Mc **1** 44; **5** 43; **7** 36). Ici, la consigne porte sur le fait de la transfiguration : les disciples ne doivent rien dire « de ce qu'ils ont vu » (Mc), « de la vision » (Mt), et non de la révélation faite par la voix divine qui proclame Jésus roi messianique et nouveau Moïse (Mc **9** 7b). Quel est alors le but, ici, de la consigne de silence ? La transfiguration était comme une anticipation de la gloire du Christ ressuscité (cf. note § 169), et la consigne de silence ne vaut que « jusqu'à ce que le Fils de l'homme s'éveille d'entre les morts » (Mt **17** 9c); il faut donc faire silence sur cette annonce implicite (transfiguration) de la résurrection de Jésus. Pourquoi? Il est difficile de le comprendre; peut-être parce qu'une annonce anticipée de la résurrection aurait entravé le dessein de Dieu ayant prévu la mort de Jésus (cf. Mc **9** 12a)? On objectera que Mc ajoute aux annonces de la Passion l'annonce de la résurrection (voir note § 166); mais ici, il ne s'agit plus d'une « parole » de Jésus, que l'on pouvait mettre en doute; il s'agit d'un fait, « constaté » par les trois disciples, Pierre, Jacques et Jean.

c) Mc seul note la perplexité des trois disciples devant cette allusion à la résurrection (v. 10). L'expression « ils gardèrent la parole » signifie, non pas qu'ils observèrent la consigne de silence, mais qu'ils conservèrent dans leur souvenir cette parole de Jésus sur la résurrection, sans en comprendre le sens. Le verbe « se demander » est typiquement marcien (*syzètein*: 0/6/2/0/2/0). Une telle incompréhension se retrouve à la fin de la seconde annonce de la Passion (§ 172), mais si elle concerne encore, dans Mc, l'annonce de la résurrection, elle se réfère, dans Lc, à l'annonce de l'humiliation du Fils de l'homme (cf. aussi Lc **18** 34, à la fin de la troisième annonce de la Passion, § 253). Ce thème doit être du Mc-intermédiaire.

2. *Dans Lc.* L'équivalent de la consigne de silence de Mc/Mt se trouve en Lc **9** 36b, à la fin du récit de la transfiguration. Ce n'est pas une consigne de silence, mais la constatation d'un fait : les disciples ne dirent rien à personne de ce qu'ils avaient vu. Le style est lucanien : *kai autoi* (« mais eux »; traduit simplement par « et ils »), verbe « se taire » (*sigan*: 0/0/3/0/3/4) verbe « annoncer » (*apaggellein*: 8/3/11/1/16); seule, la double négation « à personne... rien » (*oudeni... ouden*) ne se lit jamais ailleurs dans Lc/Ac. Ici, Lc ne dépend pas du Mc-intermédiaire, mais du proto-Lc (voir note précédente).

II. QUESTION AU SUJET D'ÉLIE
(Mc **9** 11-12a.13; Mt **17** 10-13)

1. Sous sa forme actuelle, le texte de Mc semble pouvoir se comprendre ainsi. Les disciples demandent à Jésus : « Pourquoi les scribes disent-ils qu'Élie doit venir d'abord ?» Cette conviction des scribes se fondait sur le texte de Ml **3** 22-23 : « Voici que je vais vous envoyer Élie le prophète avant qu'arrive mon Jour, grand et redoutable. Il ramènera (= dans la Septante : *apokatastèsei*, il restaurera) le cœur des pères vers les fils et le cœur des fils vers leurs pères, de peur que je ne vienne frapper le pays d'anathème. » Jésus répond en attestant d'abord la vérité de l'oracle de Malachie (v. 12a), et donc en donnant raison aux scribes. Mais une objection se présente aussitôt, formulée par l'insertion ici d'une « annonce de la Passion » (cf. *infra*) : si Élie doit venir tout restaurer, comment le peuple de Dieu sera-t-il assez pervers pour faire souffrir et mépriser le Fils de l'homme (v. 12b)? La réponse à cette difficulté est donnée au v. 13 : Élie est bien venu, mais les hommes l'ont maltraité, probablement parce qu'ils n'ont pas su reconnaître sa venue, comme le dit explicitement Mt: Jésus veut évidemment faire allusion à la venue de Jean-Baptiste, qui se présenta sous les traits d'un nouvel Élie (cf. note § 19). Si donc les hommes n'ont pas su reconnaître la venue du nouvel Élie, ils ne se sont pas convertis, et ils seront incapables de reconnaître la venue du Fils de l'homme, qu'ils feront souffrir et mépriseront.

2. La question des disciples au sujet d'Élie n'offre aucun lien logique avec la consigne de silence qui précède; elle serait

mieux placée après Mc **9** 1 (§ 168) où il s'agit de la venue du royaume de Dieu dans un avenir immédiat, du vivant même de certains auditeurs de Jésus. De toute façon, il est difficile de préciser à quelle source le Mc-intermédiaire la reprend. – Le texte de Mt est de l'ultime Rédacteur matthéen, qui reprend le Mc-intermédiaire en le modifiant pour le rendre plus compréhensible. Au v. 12, il ajoute : « et ils ne l'ont pas connu », qui est une glose explicative (cf. Introd., II D 1 b 3); il transpose à la fin de son v. 12 le thème du rejet du Fils de l'Homme, le mettant en parallèle avec le rejet d'Élie (« de même aussi »); au v. 13, il dit explicitement qu'Élie est venu dans la personne de Jean-Baptiste. Au v. 12, il supprime ces mots de Mc : « suivant ce qui est écrit de lui », jugeant probablement obscure cette référence aux Écritures touchant les souffrances d'Élie. – L'ultime Rédacteur lucanien n'a pas jugé bon de reprendre ce passage du Mc-intermédiaire, car il évite le parallèle entre Jean-Baptiste et Élie (cf. note §§ 19-28).

III. ANNONCE DE LA PASSION

(vv. 12b de Mc; 12c de Mt)

Le Mc-intermédiaire place ici, sous forme de question, une annonce de la Passion de caractère archaïque qu'il tient du Document B.

1. Cette annonce de la Passion a son équivalent en Lc **17** 25 (§ 243) : « Il faut (au Fils de l'homme) souffrir beaucoup et être rejeté par cette génération. » Il est vrai que dans Mc on a le verbe « être méprisé » (*exouthenesthai*), tandis que Lc a le verbe « être rejeté » (*apodokimasthènai*), mais ces deux verbes font allusion au même passage de Ps **118** 22 : « La pierre *rejetée* des bâtisseurs est devenue la tête de l'angle. » Lc **17** 25 a adopté le verbe de la Septante, tandis que Mc suit une autre traduction attestée encore en Ac **4** 11.

a) D'après Lc **17** 25, cette annonce de la Passion commence par le verbe « il faut » (*dei*), qui revêt un sens fort : il s'agit d'une nécessité qui découle des Écritures, et qui donc correspond à une volonté de Dieu exprimée dans les prophéties anciennes (cf. Mc **9** 12; Lc **24** 25-26; **24** 46; Ac **17** 2-3; 1 P **1** 10-12).

b) L'idée centrale, dans Mc comme dans Lc, est que le « Fils de l'homme » doit « beaucoup souffrir ». Ce titre de « Fils de l'homme » provient sans aucun doute de Dn **7** 13. Or, dans Daniel, le Fils d'homme représente avant tout le peuple de Dieu, les « saints du Très-Haut » (**7** 18) dont il est dit : « cette corne (= Antiochus Épiphane) faisait la guerre aux Saints et l'emportait sur eux » (v. 21); ou encore : « (le dixième roi) mettra à l'épreuve les Saints du Très-Haut » (v. 25). L'idée de « beaucoup souffrir » est donc intimement liée à la figure du Fils de l'homme de Daniel, bien que l'expression littéraire soit différente. Précisons que, dans le logion sur la Passion, le titre de « Fils de l'homme » n'est plus pris au sens collectif, mais au sens personnel.

c) Le verbe « souffrir » n'a pas d'équivalent en araméen, mais fut adopté dans le christianisme primitif pour signifier la mort du Christ (Ac **1** 3; **3** 18; He **2** 18; **5** 8; **9** 26; **13** 12; 1 P **2** 21.23; **4** 1; cf. 2 Co **1** 5; Ph **3** 10) en fonction de la similitude des mots grecs *pascha/paschein* (Pâque/souffrir) : en mourant, le Christ fut immolé comme la Pâque, i.e. l'agneau pascal (cf. 1 Co **5** 7; Lc **22** 15). Le thème du Fils d'homme de Daniel a donc été réinterprété, dans un sens personnel, en fonction du terme technique « souffrir » (*paschein*), très fréquent dans le christianisme primitif pour désigner la mort du Christ.

d) Il est dit enfin du Fils de l'homme qu'il doit être « méprisé » ou « rejeté » (cf. *supra*). Cette allusion au Ps **118** 22 a une double portée. D'une part, souligner la culpabilité des chefs du peuple juif qui n'ont pas su reconnaître le dessein de Dieu quand ils ont « rejeté » ou « méprisé » la « pierre d'angle » dont parlait le Psaume; d'autre part, affirmer que, malgré ses « souffrances », le Fils de l'homme est destiné à devenir la « pierre » qui donnera sa cohésion à tout l'édifice nouveau du peuple de Dieu.

2. Sous cette forme courte, sans mention explicite de la mort et de la résurrection du Christ, cette annonce de la Passion doit être rapprochée de celle qui se lit en Lc **9** 44b (§ 172), d'origine palestinienne et que l'on attribuera au Document A. Comme on l'a fait remarquer plus haut (III 1 c), l'annonce qui se lit en Mc **9** 12b et Lc **17** 25 ne peut être que d'origine grecque, étant donné qu'elle joue sur les mots *pascha/paschein* (Pâque/souffrir), jeu de mots qui n'a de raison d'être qu'en grec (rappelons que le verbe « souffrir » n'a pas d'équivalent en araméen); cette annonce de la Passion peut donc être attribuée au Document B, élaboré en milieux grecs. C'est une réinterprétation grecque de l'annonce de la Passion que contenait le Document A (Lc **9** 44b). Elle sera reprise et développée en Mc **8** 31 par le Mc-intermédiaire (voir note § 166). Sur l'ensemble du problème concernant les annonces de la Passion, voir la note générale placée avant la note § 166.

Note § **171**. *GUÉRISON DE L'ENFANT ÉPILEPTIQUE*

La guérison de l'enfant épileptique se lit dans les trois Synoptiques et en même contexte; mais les divergences entre les trois récits sont très nombreuses, ce qui rend l'évolution des textes difficile à préciser.

I. ANALYSE DES RÉCITS

A) LE RÉCIT DE MT

1. *Les additions*. Le récit de Mt contient un certain nombre d'ajouts faits par l'ultime Rédacteur matthéen sous l'influence

du Mc-intermédiaire. Considérons en effet les vv. 16a-18a et 19-20 ; ils sont unis entre eux par l'interférence de trois thèmes : la guérison de l'enfant est un exorcisme de démon (vv. 18a et 19), les disciples de Jésus n'ont pas pu l'accomplir (vv. 16 et 19), cet échec est dû au manque de foi (vv. 17 et 20). Or, plusieurs indices permettent de penser que cet ensemble fut ajouté au texte du Mt-intermédiaire.

a) Au v. 18a, on lit : « Et Jésus lui commanda et le démon sortit de lui. » Cette description de la guérison de l'enfant est étrange. Jusqu'à ce v. 18, il n'a pas été question de « possession » diabolique dans le récit de Mt. Quand le père de l'enfant décrit l'état de son fils (v. 15), il ne la mentionne pas comme on l'aurait attendu en pareil cas (cf. Mt **15** 22c) ; on opposera spécialement le v. 15b de Mt au v. 22a de Mc : tandis que Mc dit que l'esprit mauvais « souvent *l'a jeté* dans le feu... », Mt se contente de dire que l'enfant « souvent *tombe* dans le feu... » ; ce qui est attribué par Mc à l'action de l'esprit mauvais n'est, chez Mt, que l'effet d'un mal non défini : « il se porte mal » (v. 15). Le v. 18a est d'autant plus anormal que le démon, dont on n'a pas encore parlé, est d'abord désigné par un simple pronom : « et Jésus *lui* commanda » ! On a donc l'impression que, dans Mt, un récit de simple guérison a été changé, à partir du v. 18a, puis aux vv. 19-20, en exorcisme.

b) Le v. 19 de Mt, on vient de le voir, est étroitement lié au thème de l'exorcisme et il doit être un ajout comme le v. 18a. Un indice littéraire permet de le penser : les mots qui commencent ce verset portent la marque de l'ultime Rédacteur matthéen ; c'est clair pour le « alors » (*tote*) initial ; c'est vrai aussi pour l'expression « s'approchant de Jésus » ; sans doute, le Mt-intermédiaire utilise fréquemment le verbe « s'approcher » (*proserchesthai*), mais quand il le met au participe, comme ici, il ne le fait jamais suivre d'un datif indiquant de qui on s'approche : ce datif est comme la signature de l'ultime Rédacteur matthéen (cf. note § 357, I A 1 b).

c) Si les vv. 18a et 19-20 ont été ajoutés par l'ultime Rédacteur matthéen, nous sommes invités à nous interroger sur l'authenticité matthéenne des vv. 16 et 17 qui mettent en scène les disciples et introduisent le thème du manque de foi. Deux indices permettent de voir dans ces versets également un ajout. D'une part, il est étrange que les disciples de Jésus, qui vont tenir une place essentielle dans le récit actuel de Mt, ne soient pas nommés dans l'introduction du récit : « Et comme ils venaient vers la foule, un homme... » ; sans doute, le pronom « ils » désigne-t-il Jésus et les trois disciples témoins de la transfiguration, mais il est évident que ce ne sont pas ces trois disciples qui sont en cause dans l'échec de l'exorcisme ! Il en va autrement dans Mc, où les disciples qui n'ont pas été présents à la transfiguration sont nommés dès le début du récit : « Et venant vers les disciples... » (Mc **9** 14a). – D'autre part, l'invective de Jésus contre « la génération incrédule » (v. 17, thème du manque de foi) se termine par ces mots : « Amenez-le moi ici », expression qui forme un jeu de scène avec le v. 16 ; le père a d'abord amené son fils auprès des disciples, Jésus demande maintenant qu'on le lui amène. Or ce verbe « amener » (*pherein*, au v. 17 seulement), qui se lit dans le parallèle de Mc, est plus marcien que matthéen (6/15/4) ; surtout, il a ici le sens de « amener », tandis que son sens normal est

« porter », et ce sens de « amener » est typique du style de Mc (**1** 32 ; **7** 32 ; **8** 22 ; **9** 17.19-20 ; **11** 2.7 ; **15** 22).

Tous ces indices convergents invitent à proposer l'hypothèse suivante : le récit du Mt-intermédiaire ne parlait, ni d'exorcisme, ni des disciples de Jésus et de leur impuissance à expulser un démon ; les vv. 16-18a et 19-20 sont des additions faites par l'ultime Rédacteur matthéen sous l'influence du Mc-intermédiaire.

2. *Un cas d'harmonisation.* L'activité de l'ultime Rédacteur matthéen ne s'arrête pas là. La guérison de l'enfant est exprimée en ces termes : « ... et l'enfant fut guéri dès cette heure-là » (v. 18b). Or une formule semblable se lit à la fin de la guérison du fils du centurion de Capharnaüm : « ... et l'enfant fut guéri à cette heure-là » (Mt **8** 13b, § 84), comme à la fin du récit de la guérison de la fille de la Cananéenne : « ... et sa fille fut guérie dès cette heure-là » (Mt **15** 28b, § 156). A la note § 84, II 2, on a vu qu'une telle finale était de l'ultime Rédacteur matthéen aussi bien au § 84 qu'au § 156 ; elle doit donc être de lui ici aussi.

En résumé, dans le récit actuel de Mt, il faut distinguer deux niveaux rédactionnels. Le récit du Mt-intermédiaire, en provenance du Document A, racontait simplement la guérison d'un enfant épileptique ; il n'en reste que les vv. 14-15 du Mt actuel. Les vv. 16-20 ont été ajoutés par l'ultime Rédacteur matthéen, soit sous l'influence du Mc-intermédiaire (vv. 16-18a et 19-20), soit pour donner même forme aux trois guérisons d'enfants racontées dans Mt (v. 18b ; cf. **8** 13b et **15** 28b).

B) Le récit de Mc

Comme on l'a noté depuis longtemps, le récit de Mc contient un grand nombre d'anomalies. Les scribes, nommés au v. 14, ne jouent plus aucun rôle dans la suite du récit. Le v. 15 interrompt maladroitement le fil du récit entre les vv. 14 et 16, puisque la question de Jésus au v. 16 s'adresse aux scribes, et non à la foule. Au v. 16, la question s'adresse aux scribes, mais au v. 17 la réponse à cette question est faite par le père de l'enfant : c'est une composition artificielle due à la juxtaposition d'éléments d'origine différente. Au v. 17, l'enfant est présenté comme victime d'un « esprit muet » (cf. v. 25) ; mais aux vv. 18.20 et 26 tous les symptômes de maladie sont ceux de l'épilepsie. Au v. 19, il est difficile de préciser qui est visé par le pronom « leur » dans l'expression « il leur dit » : les disciples, la foule, les scribes ? Le v. 22 déborde sans raison apparente l'objet de la question posée par Jésus. Au v. 25, Jésus voit « qu'une foule s'amasse », littéralement : qu'une foule (non précisée) « court-ensemble-vers (lui) » (*episyntrechein*), et semble vouloir faire le miracle avant que cette foule ne soit arrivée ; mais aux vv. 14-15, la foule est déjà là et Jésus va se mêler à elle ! Au v. 26, le sujet des verbes change brusquement : « Et, criant et secouant, il sortit et il devint comme mort... » ; c'est l'esprit impur qui « sort », mais c'est l'enfant qui « devient comme mort ». Ajoutons encore que le père décrit deux fois les symptômes de la maladie de son fils (vv. 18 et 22), et que l'évangéliste note à deux reprises que l'enfant malade est « amené » à Jésus (vv. 17 et 20).

Tous ces doublets et ces anomalies font pressentir un amalgame de traits provenant d'horizons différents, qu'il va falloir inventorier et classer dans la mesure du possible.

1. *Les ajouts de l'ultime Rédacteur.* Comme Lc dépend certainement du Mc-intermédiaire (cf. *infra*) et que l'ultime rédaction matthéenne a subi l'influence du Mc-intermédiaire (cf. *supra*), on pourra attribuer à l'ultime Rédacteur marcien les passages de Mc qui se trouvent aucun écho ni dans Lc ni dans Mt, même s'il n'est pas toujours possible de le prouver par des faits littéraires précis.

a) Il faut d'abord considérer comme un ajout de l'ultime Rédacteur les vv. 26b-27. Rappelons qu'il existe un hiatus entre les vv. 26a et 26b : le sujet du verbe « devenir » (26b) n'est plus le même que celui du verbe « sortir » (26a). Par ailleurs, le v. 27 décrit un jeu de scène que l'on trouve encore dans deux autres récits : la guérison de la belle-mère de Simon (Mc **1** 31, § 34) et la résurrection de la fille de Jaïre (Mc **5** 41-42, § 143) :

9 27	5 41	1 31
Or Jésus,		
lui prenant la main,	Et, ayant pris la main de l'enfant,	Il la fit lever en (lui) prenant la main.
le fit lever	... « Lève-toi »...	
et il se tint debout.	et... elle se tint debout.	

Le parallélisme entre les trois textes est accentué par le fait que, dans les trois cas, ce jeu de scène fait suite à un récit d'exorcisme : Mc **1** 23-26 (§ 33), **5** 2-7.8 (§ 142), **9** 25-26a (§ 171). On a vu à la note § 34 que le fait de « prendre la main » et de « faire lever » symbolisait le pouvoir qu'a Jésus de ressusciter des morts (« faire lever » = « ressusciter » au sens actif; c'est le même verbe en grec); c'est évident en **5** 41-42, où il s'agit d'une enfant qui vient de mourir; c'est clair aussi en **9** 26b-27, puisque l'évangéliste ajoute : « et l'enfant devint comme mort, de sorte que beaucoup disaient : Il est mort » (v. 26b). Si ce jeu de scène peut être attribué au Mc-intermédiaire dans le cas de la résurrection de la fille de Jaïre, puisqu'on le retrouve en partie dans les parallèles de Mt et de Lc, il n'en va pas de même en Mc **1** 31 et Mc **9** 26b-27 où le jeu de scène est propre à Mc. Il faut donc l'attribuer ici à l'ultime Rédacteur marcien, comme en **1** 31; le hiatus littéraire entre les vv. 26a et 26b (cf. *supra*) vient le confirmer.

b) On attribuera encore à l'ultime Rédacteur l'addition des vv. 21-22a, ici en partie sous l'influence du Mt-intermédiaire (**17** 15c). Cette nouvelle description de la maladie de l'enfant fait double emploi avec celle du v. 18 que l'on voit « en acte » au v. 20. Par ailleurs, il existe évidemment un contact littéraire entre les vv. 22a de Mc et 15c de Mt; or un emprunt de l'ultime Rédacteur matthéen au Mc-intermédiaire apparaît peu vraisemblable, car il aurait alors introduit dès le v. 15 la mention du démon (qui n'apparaît qu'au v. 18) au lieu de changer le « il l'a jeté » de Mc en « il tombe ». C'est plutôt Mc qui a emprunté le trait au Mt-intermédiaire, ajoutant encore le v. 21 pour ménager une transition plausible entre le récit du Mc-intermédiaire et le v. 22a qu'il ajoutait. Ces vv. 21 et 22a de Mc ne trouvent aucun écho chez Lc, qui dépend du Mc-intermédiaire (mais non du Mc actuel). Enfin, le v. 21 contient deux mots beaucoup plus « lucaniens » que marciens : « temps » (*chronos*: 3/2/7/4/17) et surtout « que » (*hôs*, conjonction : 0/2/26/20/34), ce qui trahit le Rédacteur marco-lucanien.

c) Le cas des mots « si tu peux » au v. 22, et des vv. 23-24 est moins net. Ils semblent liés au thème de l'impuissance des disciples à chasser le démon (v. 18b, cf. v. 28) : le père arrive avec confiance (v. 17); faute de trouver Jésus, il s'adresse à ses disciples (v. 18b); mais, rebuté par leur échec, il doute aussi de la « puissance » de Jésus (« si tu peux », au v. 22), d'où la réprimande du Christ (v. 23) puis la confession de foi du père (v. 24). Mais ce lien a pu être voulu par l'ultime Rédacteur marcien; les vv. 23-24 ne trouvent d'ailleurs aucun écho ni dans Lc ni dans l'ultime rédaction matthéenne. Il est possible (mais non certain) que ce soit une addition de l'ultime Rédacteur.

d) Le cas du v. 15 offre un problème spécial. Il est certain que ce verset rompt la suite du récit (vv. 14 et 16; cf. *supra*); mais on verra plus loin que le thème de la « stupéfaction » de la foule appartenait probablement à un des récits combinés par le Mc-intermédiaire, en finale de l'épisode. L'ultime Rédacteur marcien aurait donc repris le thème au Mc-intermédiaire, mais l'aurait transféré ici en le complétant. Pourquoi ce transfert? Parce que le verbe « être stupéfait » (*ekthambeisthai*), que Mc est le seul à employer dans le NT (quatre fois), pouvait évoquer la « stupeur » devant la résurrection du Christ (cf. Mc **16** 5-6); après la transfiguration, qui était une glorification anticipée de Jésus, l'ultime Rédacteur marcien montre la foule « stupéfaite » en voyant Jésus redescendre de la montagne (cf. peut-être aussi le précédent de Moïse, en Ex **34** 29 s.).

e) Le cas des scribes qui discutent avec les disciples (fin du v. 14 et v. 16) est impossible à résoudre. On ne voit pas ce qu'ils viennent faire dans le récit, puisqu'ils n'apparaissent plus après. Étaient-ils déjà mentionnés dans le Mc-intermédiaire? C'est possible; Lc les aurait omis, jugeant leur présence inutile.

2. *Les deux récits du Mc-intermédiaire.* Même en faisant abstraction des ajouts de l'ultime Rédacteur, le récit de Mc

contient encore des incohérences et des doublets. Cela vient de ce que le Mc-intermédiaire a fusionné deux récits différents. On peut le déduire des doublets qui restent encore : Jésus se trouve d'abord au milieu de la foule (vv. 14.17), puis il procède à l'exorcisme du possédé quand il voit la foule accourir vers lui (v. 25); par ailleurs, il s'agit d'abord d'un enfant possédé par un « esprit muet » (vv. 17 et 25), puis d'un enfant en proie à des crises d'épilepsie (vv. 18 et 20). Essayons de séparer les éléments des deux récits.

a) *L'exorcisme.*

aa) Il est possible de reconstituer le premier récit en le mettant en parallèle avec l'exorcisme de Mc **1** 23-27 :

Mc **1**	Mc **9**
	17b . . . .
	« Maître, je t'ai amené mon fils qui a un esprit [muet...
	22c aide-nous, ayant pitié de [nous. »
	25 Or Jésus, voyant qu'une [foule s'amasse commanda à l'esprit impur disant : « Esprit muet (), je te l'ordonne, sors de lui et n'entre plus [en lui. »
25 Alors il lui commanda disant : « ... sors de lui. »	
26 Et l'esprit impur, le secouant et criant un grand cri, sortit de lui.	26 Et, criant et (le) secouant, il sortit.
27 Et tous furent stupéfaits... (*ethambèthèsan*)	15 Et (toute la foule...) fut stupéfaite... (*exethambèthèsan*)

Le parallélisme entre les deux textes est remarquable. On notera que le verbe « secouer » (*sparaxas*, aux vv. 26) ne se lit jamais ailleurs dans le NT (sauf en Lc **9** 39 qui dépend de Mc **9** 26). D'autre part, en **9** 25, Jésus dit à l'esprit impur : « je te l'ordonne », et en **1** 27 les gens sont stupéfaits parce qu'il « ordonne » aux esprits impurs et qu'ils lui obéissent; ce sont les deux seuls cas dans Mc où le verbe « ordonner » (*epitassein*) soit employé pour un exorcisme. Il semble bien que l'on soit en présence d'un schéma-type d'exorcisme, utilisé, non seulement ici et en **1** 23 ss., mais encore en **5** 2 ss., texte qui offre des contacts littéraires certains avec **1** 23 ss.; voir notes §§ 33 et 142.

ab) Le Mc-intermédiaire a amplifié ce schéma-type en lui adjoignant le thème de l'impuissance des disciples à chasser le démon (v. 18b), le reproche de Jésus qui suit (v. 19), enfin les vv. 28-29 dans lesquels, à une question des disciples, Jésus répond : « cette espèce (de démon) ne peut sortir que par la prière ».

b) *L'épileptique.* Le second récit utilisé par le Mc-intermédiaire était une guérison d'épileptique; il n'en reste plus que des fragments que l'on va inventorier en leur laissant la forme que Mc leur a donnée.

14a Et venant vers les disciples, ils virent une foule nombreuse autour d'eux.

17a Et quelqu'un de la foule (lui dit...)

18a « Et quand (l'esprit) le saisit, il le jette à terre et il écume et grince des dents et devient raide. »

20 Et, le voyant, l'esprit aussitôt le secoua et, tombé à terre, il se roulait en écumant.

Dans le Mc-intermédiaire, ces crises d'épilepsie étaient attribuées au fait d'une possession démoniaque. Mais il ne devait pas en être ainsi dans le récit primitif repris par le Mc-intermédiaire; la crise d'épilepsie n'aurait été « habillée » en possession démoniaque par Mc que parce qu'il la fusionnait avec un cas de possession démoniaque (« l'esprit muet » du premier récit). Deux indices permettent de le penser. D'une part, le changement de sujet des verbes aux vv. 18a et 20 : d'abord l'esprit, ensuite l'enfant; d'autre part, le changement de sujet des deux verbes parallèles « jeter (à terre) » au v. 18a et « tomber par terre » au v. 20; au v. 18a, c'est le démon qui jette l'enfant (à terre), mais au v. 20 c'est l'enfant qui « tombe à terre », ce qui nous fait rejoindre un détail du récit de Mt : « car souvent *il tombe* dans le feu... » (Mt **17** 15c). On peut même se demander si le Mc-intermédiaire n'a pas *dédoublé* la description de la crise d'épilepsie (vv. 18a et 20), donnant au v. 20 des détails repris du v. 18a et du v. 26 (verbe « secouer »). La description des symptômes de l'épilepsie aurait été la suivante : l'enfant tombe à terre (v. 20), il se roule en écumant (vv. 20 et 18a), il grince des dents et devient raide (v. 18a).

On voit alors que le récit de la guérison d'un épileptique, repris par le Mc-intermédiaire, devait être analogue au récit de guérison qui se lisait dans le Mt-intermédiaire. Jésus vient vers la foule (vv. 14a de Mt et de Mc), un homme se détache de la foule (vv. 14b de Mt et 17a de Mc) et vient lui demander la guérison de son fils (vv. 15a de Mt, cf. 17 de Mc); il est probable que, dans le récit repris par Mc comme dans le récit de Mt, le père n'avait pas amené avec lui son enfant (Mc **9** 17b vient du premier récit : l'exorcisme). Le père de l'enfant décrit alors à Jésus les symptômes de la maladie, assez peu caractéristiques dans Mt (v. 15b), très caractéristiques d'une crise d'épilepsie dans Mc (cf. *supra*). Ni Mt ni Mc n'ont gardé la phrase par laquelle Jésus déclarait le fils guéri. Mt seul a gardé la mention de la guérison (v. 18b); dans Mc, toute la fin du récit de guérison a été remplacée par la scène d'exorcisme (vv. 25-26a), reprise du premier récit, et par le jeu de scène des vv. 26b-27, ajoutés, on l'a vu, par l'ultime Rédacteur marcien.

C) LE RÉCIT DE LC

1. Comme presque partout ailleurs, Lc marque le récit de son propre style. Au v. 37, le verbe « venir à la rencontre » (*synantan*: 0/0/2/0/2). Au v. 38, la formule « et voici, un homme » (*kai idou anèr*: 0/0/7/0/4); les verbes « prier » (*deomai*: 1/0/8/0/7) et « regarder » (*epiblepein*: cf. Lc **1** 48; ailleurs, une fois seulement dans le NT); le substantif « seul-enfant » (*monogenès*: Lc **7** 12; **8** 42; ailleurs dans le NT, seulement dans Jn, 1 Jn et He, dit du Christ). Au v. 39, les adverbes

« soudain » (*exaiphnès*: 0/1/2/0/2) et « à grand-peine » (*molis*: 0/0/1/0/4). Au v. 40, le verbe « prier » (*deomai*, cf. *supra*). Au v. 42, le verbe « guérir » (*iaomai*: 4/1/11/3/4); le détail de Jésus qui « remet » l'enfant à son père, comme dans l'épisode de la résurrection du jeune homme de Naïn (Lc 7 15; ce jeune homme était aussi le « seul-enfant », *monogenès*, de sa mère, cf. *supra*). Enfin, le v. 43 tout entier est de la main de Lc; on notera le mot « grandeur » (*megaleiotès*), ailleurs seulement en Ac 19 27 et 2 P 1 16.

2. Pour l'essentiel du récit, Lc (ultime Rédacteur lucanien) dépend certainement du Mc-intermédiaire; sauf à la fin, ses vv. 39-42 sont repris de Mc. Au v. 39, l'expression « il crie et le secoue » provient probablement de Mc 9 26; au v. 42a, le verbe « jeter (à terre) » vient du v. 18a de Mc, et le verbe « secouer » du v. 20b de Mc. Lc se contente de simplifier Mc, omettant les détails trop réalistes de la crise d'épilepsie (« et grince des dents et devient raide... il se roulait en écumant », aux vv. 18 et 20 de Mc), omettant également la mention de la foule qui accourt (v. 25a de Mc) car il se rendait compte que ce détail était incompatible avec celui de son v. 37 : « une foule nombreuse vint à sa rencontre ». On a vu par ailleurs que les vv. 21-24 de Mc avaient été en grande partie ajoutés par l'ultime Rédacteur marcien, et il ne faut pas s'étonner de ne pas les retrouver dans Lc, qui dépend du Mc-intermédiaire. Les quelques contacts Lc/Mt contre Mc, dans ces versets, sont plus apparents que réels. Au v. 40, Lc et Mt ont : « et ils n'ont pas pu », tandis que Mc a : « et ils n'ont pas eu la force »; mais Mc 9 28 fait dire aux disciples : « pourquoi nous, *n'avons pas pu* le chasser? », ce qui permet de penser qu'au v. 18, c'est l'ultime Rédacteur marcien qui a changé le verbe du Mc-intermédiaire, conservé par Lc et par Mt. Au v. 41, Lc pourrait avoir l'adjectif « pervertie », comme Mt; mais cet adjectif est omis par d'anciens témoins du texte de Lc : *VetLat* (*a e*), Tertullien, Marcion, et déplacé dans les anciennes versions syriaques; il peut très bien être une addition de scribe voulant harmoniser Lc et Mt. Au même verset, Lc aurait « ici » avec Mt, mais cet adverbe est omis par *D r* et déplacé dans un grand nombre de témoins; Lc n'aurait-il pas été harmonisé sur Mt? Dans ces vv. 40 et 41, une dépendance de Lc par rapport à Mt est d'autant moins probable que, on l'a vu, les vv. 16-17 de Mt ont été ajoutés par l'ultime Rédacteur matthéen.

3. La finale du récit de Lc aurait-elle gardé les restes d'un proto-Lc, dépendant du récit du Mt-intermédiaire? On trouve le verbe « guérir » aux vv. 42c de Lc et 18b de Mt, et Lc ne reprend pas les vv. 28-29 de Mc, qui étaient absents du Mt-intermédiaire, comme on l'a vu. Ces deux indices d'une dépendance possible du proto-Lc par rapport au Mt-intermédiaire sont peu probants. Au lieu de « fut guéri » (*etherapeuthè*, au passif), Lc dit : « guérit » (*iasato*, à l'actif); il n'a donc pas le même verbe que Mt, et ne le met pas à la même forme. Par ailleurs, on a vu que la finale du récit du Mc-intermédiaire avait été remplacée au niveau de l'ultime rédaction marcienne par le jeu de scène des vv. 26b-27; il reste donc possible que le Mc-intermédiaire ait eu aussi un verbe « guérir » pour conclure le récit d'exorcisme. Quant à

l'absence des vv. 28-29 de Mc dans le récit de Lc, elle n'a pas grande signification; de toute façon, il faut admettre que l'ultime Rédacteur lucanien les a omis, puisqu'il les lisait dans le Mc-intermédiaire; rien ne permet de conclure qu'il les a omis parce qu'il ne les lisait pas dans le proto-Lc !

En conclusion, on peut donc dire que le récit lucanien est tout entier de l'ultime Rédacteur lucanien, qui dépend ici du Mc-intermédiaire.

II. ÉVOLUTION DES RÉCITS

Voici comment on pourrait se représenter l'évolution des récits synoptiques :

1. Le Document A contenait le récit de la guérison d'un enfant épileptique par Jésus. Ce récit nous a été, en grande partie, conservé par Mt; dans le Mt-intermédiaire, il devait avoir une structure analogue à celle du Document A (cf. I A 2) : un père vient demander à Jésus la guérison de son enfant, sujet à des crises d'épilepsie (probablement mieux décrites en Mc 9 18a.20); Jésus déclare l'enfant guéri, ce qui arrive effectivement « dès cette heure-là ». On notera ce détail : le père n'avait pas amené l'enfant avec lui; Jésus effectue donc une guérison « à distance ». Ni dans le Document A, ni dans le Mt-intermédiaire, ce récit de guérison n'était placé après le récit de la transfiguration, comme on peut le conclure des remarques faites à la note § 172, II A 1 a.

L'ultime Rédacteur matthéen a profondément modifié le récit du Mt-intermédiaire en ajoutant les détails des vv. 16-17 et 19-20, et en remplaçant la parole de Jésus prononçant la guérison de l'enfant par l'exorcisme du v. 18a. Toutes ces additions et modifications ont été faites sous l'influence du Mc-intermédiaire. En ajoutant le v. 20, Mt a changé le thème de la « prière » (Mc) en celui de la foi; puis il a ajouté le logion du v. 20b, dont on trouve l'équivalent en Lc 17 6 et que l'ultime Rédacteur matthéen lisait dans le Mt-intermédiaire, mais à une autre place; cette addition illustrait fort bien le thème de la foi. C'est aussi l'ultime Rédacteur matthéen qui a placé cet épisode après le récit de la transfiguration, toujours sous l'influence du Mc-intermédiaire. Il en a profité pour ajouter l'adjectif « pervertie » (*diestrammenè*) à l'expression « génération incrédule » (v. 17); cet adjectif est repris de Dt 32 5 : « génération (*genea*) fourbe et pervertie (*diestrammenè*) »; cette allusion à l'Exode complétait les rapports entre la scène de la transfiguration et le personnage de Moïse (note § 169).

2. Le Mc-intermédiaire reprend le récit du Document A, mais il le fusionne avec un récit d'exorcisme qu'il utilise également en Mc 1 23 ss. (§ 33) et en Mc 5 2 ss. (§ 142); la guérison de l'enfant épileptique prend donc les traits d'un exorcisme. Ce récit d'exorcisme pourrait provenir du Document C. Le Mc-intermédiaire complète le tout en ajoutant le trait des disciples qui sont incapables d'accomplir l'exorcisme parce qu'ils n'ont pas assez prié (vv. 18b-19 et 28-29). Le but de cette addition était peut-être de donner la raison pour

laquelle, dans l'Église primitive, les exorcismes restaient souvent sans effet. Disons enfin que c'est le Mc-intermédiaire qui plaça son récit composite après la scène de la transfiguration.

L'ultime Rédacteur marcien orienta le récit qu'il reprenait au Mc-intermédiaire vers l'idée de la résurrection. D'une part, il ajouta le détail de la mort apparente de l'enfant après l'expulsion du démon (v. 26b) et le jeu de scène de Jésus prenant l'enfant par la main pour le faire « se lever » (= « ressusciter »), jeu de scène inspiré du récit de la résurrection de la fille de Jaïre (Mc **5** 41-42); cf. I B 1 a. D'autre part, il transféra au début du récit (v. 15) le détail de la foule qui « fut stupéfaite », ajoutant la circonstance « en voyant Jésus »; ce verbe « être stupéfait » évoquait la réaction des femmes devant l'annonce de la résurrection de Jésus (Mc **16** 5-6), résurrection que venait comme anticiper la scène de la transfiguration (§ 169). Sur ces détails, voir I B 1 d. C'est peut-être aussi l'ultime Rédacteur marcien qui a développé le thème de la foi nécessaire pour obtenir un miracle de Jésus, aux vv. 22b-24.

3. Le récit de Lc dépend entièrement de celui du Mc-intermédiaire, qu'il simplifie un peu et marque de son style; il doit être tout entier attribué à l'ultime Rédacteur lucanien.

Note § **172.** *DEUXIÈME ANNONCE DE LA PASSION*

La deuxième annonce de la Passion est donnée par les trois Synoptiques, qui la placent en même contexte.

I. L'INTRODUCTION

Les introductions varient beaucoup suivant les évangélistes. Mt **17** 22a mentionne la Galilée, comme Mc, mais demeure très vague. – Dans Mc **9** 30, Jésus semble se cacher tout en circulant à travers la Galilée; est-ce seulement pour enseigner ses disciples, comme le dit Mc **9** 31a? On pense plutôt à un proscrit, recherché par la police d'Hérode (cf. **3** 6; **4** 35-36; Lc **13** 31), qui change de cachettes et se verra bientôt forcé de quitter la Galilée (**10** 1), car c'est à Jérusalem que son destin doit se consommer. Le style est typiquement marcien : « faire route » (*paraporeuesthai*: 1/4/0/0/0/0); « il ne voulait pas que quelqu'un le sût » (cf. Mc **5** 43; **7** 24); « il enseignait et disait » (cf. Mc **4** 2; **11** 17). – De même, Lc **9** 43b est une suture rédactionnelle qui relie tant bien que mal cette annonce de la Passion au miracle précédent; le style est lucanien : « tous admiraient » (cf. Lc **1** 63; **2** 18; **4** 22; construit avec *epi*, comme ici : Lc **2** 33; **4** 22; **20** 26; Ac **3** 12); verbe « dire » construit avec *pros*, très fréquent chez Lc. – On a donc l'impression que chaque évangéliste s'efforce d'établir un lien avec le contexte précédent. Il est probable cependant que Mt reprend au Mc-intermédiaire la mention de la Galilée.

II. L'ANNONCE DE LA PASSION

A) Problèmes littéraires

1. Le seul problème important qui se pose est celui-ci : Lc offre un texte plus court que Mt/Mc puisqu'il ne mentionne pas explicitement la mort et la résurrection de Jésus; a-t-il tronqué le texte de Mc, ou serait-il le témoin d'un texte plus archaïque amplifié par Mc/Mt? Cette deuxième hypothèse est la meilleure, pour les raisons suivantes :

a) Le texte actuel de Lc ne semble pas dépendre de celui de Mc. Remarquons en effet la phrase, absente de Mt/Mc, qui commence le logion dans Lc : « Vous, mettez dans vos oreilles ces paroles-ci... » (**9** 44a). De quelles paroles s'agit-il? Ce ne sont certainement pas celles de la seconde annonce de la Passion, étant donné le « car » initial de cette annonce; le sens est : c'est *parce que* le Fils de l'homme va être livré aux mains des hommes qu'il faut se mettre dans les oreilles (i.e. bien retenir; Ex **17** 14) les paroles en question. Pour trouver ces paroles, il faut se reporter, par-delà le récit de la guérison de l'enfant épileptique (§ 171), à la scène de la transfiguration (§ 169) qui se termine par l'audition de la voix céleste : « Celui-ci est mon Fils élu, écoutez-le » (Lc **9** 35). Par ces paroles, Dieu affirme solennellement que Jésus est le Messie, le « Fils » qu'il s'engage à protéger et à sauver (cf. Ps **89** 23-27; Ps **2** 6-9; Sg **2** 16-20); ce sont bien ces paroles dont il faudra se souvenir lorsque Jésus sera « livré aux mains des hommes » et que, humainement parlant, il n'y aura plus aucun espoir de voir en lui le « Messie » tant attendu (Lc **22** 32). Lc dépend donc ici d'une source dans laquelle la seconde annonce de la Passion suivait immédiatement le récit de la transfiguration. Cette source doit être le proto-Lc, indépendant de Mc, et ce serait l'ultime Rédacteur lucanien qui aurait ajouté le récit de la guérison de l'enfant épileptique, ainsi que le v. 43b. Ce proto-Lc pourrait dépendre théoriquement, soit directement du Document B, soit du Mt-intermédiaire et, par lui, du Document A. La première hypothèse est à écarter, car l'annonce de la Passion du Document B est celle qui se lit en Mc **9** 12b et Lc **17** 25 (cf. note § 170). Reste la deuxième hypothèse, confirmée par le détail littéraire suivant : au lieu de « est livré » (Mc), Lc a « va être livré » (*mellei paradidosthai*) avec Mt; sans doute, le présent de Mc (cf. Mc **14** 41 et *infra*) est la leçon difficile, et le texte de Mt/Lc en est une correction; mais, voulant corriger le texte attesté par Mc, Mt et Lc auraient pu mettre simplement le verbe « livrer » au futur; le fait qu'ils ont tous les deux l'expression complexe *mellei paradidosthai* indique une dépendance littéraire : cette expression fut introduite par le Mt-intermédiaire et reprise par le proto-Lc.

b) Si Lc ne dépend pas de Mc, mais du Mt-intermédiaire, la forme courte qu'il donne pour la seconde annonce de la

Passion, mérite considération. Or cette forme courte correspond à celle du logion dans le Document C (cf. Mc **14** 41; Mt **26** 45; note § 337, I B 1) et à celle du logion dans le Document B (cf. note § 170), qui ne mentionnaient ni la mise à mort de Jésus, ni sa résurrection. Cette forme courte attestée par Lc **9** 44b doit donc être celle du Document A.

2. Voici donc comment on peut reconstituer l'histoire de ce logion : sa forme primitive était une forme courte, analogue à celle des Documents C et B : « Le Fils de l'homme est livré aux mains des hommes. » Elle remonte au Document A et devait se lire aussi dans le Mt-intermédiaire, d'où elle est passée dans le proto-Lc (Lc **9** 44b); le Mt-intermédiaire avait seulement changé le présent « est livré » en une forme à sens futur : « va être livré ». C'est le Mc-intermédiaire qui a amplifié la forme courte du logion, reprise directement du Document A, en ajoutant le thème de la mort et de la résurrection de Jésus, comme il l'avait fait pour le logion du Document B (note § 166); du Mc-intermédiaire, cette forme longue est passée dans l'ultime rédaction matthéenne.

B) Signification théologique

1. Tandis que la première annonce de la Passion (Mc **9** 12b, § 170; cf. Mc **8** 31, § 166) était constituée par les mots : « le Fils de l'homme doit souffrir beaucoup et être méprisé », de forme typiquement grecque (note § 170), la seconde annonce de la Passion est ainsi formulée : « Le Fils de l'homme est livré aux mains des hommes. » On remarque tout de suite la formule sémitique « être livré aux mains de »; peut-on en préciser l'origine vétéro-testamentaire? Deux textes peuvent être pris en considération.

a) Le thème du « Fils de l'homme » nous renvoie évidemment à Dn **7** 13. Dans Dn **7**, le « Fils d'homme » symbolise avant tout le peuple de Dieu, les « Saints du Très-Haut » (cf. Dn **7** 18 comparé à **7** 14); or, en **7** 25, il est dit que le roi impie (Antiochus Épiphane) « proférera des paroles contre le Très-Haut et mettra à l'épreuve les Saints du Très-Haut... et les Saints *seront livrés en ses mains* pour un temps et des temps et un demi-temps » (cf. la même expression en Dn **1** 2; **3** 32;

11 11). Selon toute vraisemblance, la prophétie de Jésus reprend, dans un sens personnel, les expressions de Dn **7** 13.25 concernant le « Fils d'homme ».

b) On verra à la note § 342 (I A 1b) que, dans le Document A, le récit du procès de Jésus devant le Sanhédrin est littérairement influencé par le précédent de Jérémie qui, ayant prophétisé la ruine du Temple, faillit être mis à mort par les Juifs. Or, cette histoire de Jérémie se termine par ces mots : « Jérémie fut protégé par Ahiqam... si bien qu'il *ne fut pas livré aux mains* du peuple pour être mis à mort »; le verbe hébreu *nathan* a ici le sens de « être livré », comme en témoigne la traduction de la Septante : (*tou mè paradounai auton eis cheiras tou laou*; Jr **26** 24; LXX, **33** 24).

2. Sous sa forme courte, la deuxième annonce de la Passion offre de nombreuses garanties d'authenticité. Elle ne contient, ni les détails trop précis de la troisième annonce (§ 253), ni les tendances apologétiques de la première annonce (note § 170); elle a une formulation sémitique qui tranche sur la formulation grecque de la première annonce; sa cohérence interne, en référence à Dn **7** 13.25, plaide également en sa faveur. Voisine par sa rédaction de l'annonce de la passion du Document C (§ 337), elle pourrait en dériver; voir note générale précédant la note § 166. – L'absence de toute référence à la résurrection ne doit pas nous déconcerter; en s'identifiant au Fils d'homme de Dn **7** 13-14, Jésus annonçait à l'avance, non seulement ses souffrances, mais encore son triomphe final affirmé en Dn **7** 14 (cf. Mc **14** 62 et note § 342).

III. LA CONCLUSION

Au v. 32, Mc note que les disciples « ne comprenaient pas la parole »; il s'agit de la parole concernant la résurrection de Jésus, comme c'est dit explicitement en Mc **9** 10. Au temps de Jésus, si l'idée de résurrection était acceptée par les Pharisiens, elle n'avait pas encore pénétré dans les masses populaires, d'où l'incompréhension des disciples. Ce v. 32 est du Mc-intermédiaire et fut repris, légèrement amplifié, par l'ultime Rédacteur lucanien.

Note § **173.** *L'IMPOT DU TEMPLE ACQUITTÉ PAR JÉSUS ET PIERRE*

1. Cet épisode est propre à Mt; on y trouve cependant deux éléments qui, absents de Lc, se lisent en Mc **9** 33 : l'arrivée à Capharnaüm (v. 24) et l'entrée « à la maison » (v. 25). Le vocabulaire est nettement matthéen, apparenté, semble-t-il, aux couches les plus récentes de Mt : au v. 24, le verbe « s'approcher de » et l'expression « votre maître » (cf. Mt **9** 11; **23** 8); au v. 25, l'emploi absolu de « oui » (*nai*, cf. Mt **13** 51; **21** 16), la formule « qu'en penses-tu? » (*ti soi* ou *hymin dokei*, absente de Mc/Lc, mais cf. Mt **18** 12; **21** 28; **22** 17.42; **26** 66); au v. 26, la formule « ainsi donc » (*ara ge*, cf. Mt **7** 20); au v. 27, le

verbe « scandaliser » (13/8/2/2/0). Selon toute vraisemblance, nous sommes devant un épisode qui, absent de Mc et du Mt-intermédiaire (Lc l'ignore), fut inséré par l'ultime Rédacteur matthéen qui réutilisa deux des données de Mc **9** 33 (ignorées aussi de Lc). Bien entendu, il est possible que l'ultime Rédacteur matthéen ait utilisé, en le remaniant plus ou moins, un épisode appartenant à une source connue de lui seul.

2. Ex **30** 13 racontait la levée d'un demi-sicle en faveur du sanctuaire sur tous les Israélites âgés de 20 ans. D'après Ne **10**

33, il est devenu obligatoire de verser chaque année un tiers de sicle pour les besoins du culte dans le Temple, somme qui, au temps de Jésus, était à nouveau de un demi-sicle (ou un didrachme). Le « statère » valant quatre drachmes pouvait payer la taxe due par Jésus et par Pierre (v. 27). Après la guerre de 70 et la destruction du Temple, les Romains maintinrent la taxe, mais en faveur du Capitole, taxe qui ne fut abolie que sous l'empereur Nerva, en 96. Le raisonnement de Jésus renverse les notions communément admises parmi les Juifs, qui se considéraient comme « enfants de Dieu », tandis que tous les autres peuples n'étaient que des étrangers ; pour Jésus, ce sont ses disciples qui sont véritablement « enfants de Dieu »,

tandis que les Juifs ne sont que des étrangers. Théoriquement, les disciples de Jésus pourraient se considérer exempts de toute redevance envers le Temple ; Jésus dit cependant de payer la taxe, afin de ne pas provoquer le scandale.

3. On notera l'accumulation du « merveilleux » dans ce petit récit : Jésus connaît la démarche faite auprès de Pierre (v. 24) avant même que Pierre n'en parle (v. 25) ; Jésus sait qu'un statère se trouvera dans la bouche du premier poisson pêché par Pierre, phénomène que l'on retrouve dans certaines légendes rabbiniques ou païennes. Certains auteurs (Kilpatrick, H. Montefiore) pensent que le v. 27 est un ajout à un récit plus ancien.

NOTE SUR LES §§ **174-182**

Les paragraphes de cette section (174-182), sauf ceux qui sont ignorés de Mt (175 et 177), ont été groupés par l'ultime Rédacteur matthéen afin de former un « discours ecclésiastique » destiné à régler les rapports entre frères au sein des communautés chrétiennes. Ce « discours ecclésiastique » comprenait aussi, dans la pensée de Mt, le § 173 sur l'impôt du Temple ; on peut le conjecturer du fait que, dans le Mt-intermédiaire, le récit du § 174 commençait par la mention de l'arrivée de Jésus et de ses disciples à Capharnaüm, maintenant en Mt **17** 24a (cf. note § 174, I A 1) ; si l'ultime Rédacteur matthéen a ainsi inséré le récit du § 173 entre l'introduction de la « dispute sur la préséance » (§ 174) et cette dispute elle-même, c'est parce qu'il jugeait que le récit du § 173 devait appartenir à son « discours ecclésiastique ». Voici quels sont les matériaux utilisés par l'ultime Rédacteur matthéen :

a) Dès le début du « discours ecclésiastique », il place l'épisode de l'impôt acquitté par Jésus et par Pierre (§ 173), de façon à mettre Pierre en évidence, lui qui est le chef de l'Église (cf. Mt **16** 17-19, § 165). En finale du récit (Mt **17** 27), Pierre est étroitement uni à Jésus : « ... donne(-le) pour toi et pour moi. » Au v. 26, les disciples de Jésus sont appelés « les fils » du royaume, ce qui convenait bien pour une introduction au « discours ecclésiastique ». Le caractère très « matthéen » du vocabulaire rend difficile l'attribution de ce récit à une source quelconque ; nous sommes probablement en présence d'une composition de l'ultime Rédacteur matthéen, réutilisant peut-être une tradition difficile à préciser (voir note § 173).

b) Après avoir mis Pierre en évidence, l'ultime Rédacteur matthéen donne le vrai sens de cette prééminence : pour être le plus grand parmi les « fils » du royaume (cf. § 173), il faut se faire le plus petit de tous. Ce thème se lisait déjà dans le Mt-intermédiaire (en provenance du Document A), mais ne comprenait que les vv. 1-2.4 de Mt (sur la reconstitution du récit primitif, voir note § 174). L'ultime Rédacteur matthéen a élargi l'horizon de cette petite scène en ajoutant le logion du v. 3 (qui se lisait ailleurs dans le Mt-intermédiaire) et celui du v. 5, ce dernier repris du Mc-intermédiaire. Les paroles de Jésus rassemblées aux vv. 3-5 prennent ainsi une portée très générale : c'est à tout disciple de Jésus qu'il est demandé de

se faire petit, comme un enfant, pour entrer dans le royaume des Cieux.

c) Le thème des « petits » (§ 174), qui évoquait à la fois les « petits enfants » et les « disciples » de Jésus, a attiré celui du « scandale des petits » (§ 176). Ici, le Rédacteur matthéen utilise deux textes parallèles. Le premier (v. 6) est repris au Mc-intermédiaire (cf. Mc **9** 42) ; il se continuait par trois logia sur le « scandale » des membres (Mc **9** 43-47), mais le Rédacteur matthéen fusionne en un seul les deux premiers logia (vv. 8-9). Le second texte (v. 7) est repris du Mt-intermédiaire, qui le tenait lui-même du Document Q (cf. Lc **17** 1-2) ; il se continuait dans le Mt-intermédiaire et le Document Q par le thème du pardon des offenses que l'on retrouvera aux §§ 179 et 181.

d) L'ultime Rédacteur matthéen donne ensuite la parabole de la brebis perdue (§ 178), destinée à illustrer l'enseignement sur la correction fraternelle qui viendra au § suivant. Cette parabole se lisait dans le Document Q, jumelée avec celle de la drachme perdue (cf. Lc **15** 4-10) ; mais le Rédacteur matthéen la reprend au Mt-intermédiaire, qui avait probablement gardé les deux paraboles jumelles du Document Q (cf. les deux autres paraboles jumelles des §§ 133, 134, bien gardées par le Mt-intermédiaire).

e) L'ultime Rédacteur matthéen trouvait dans le Mt-intermédiaire un double logion sur le pardon des offenses (cf. Lc **17** 3-4 ; reconstitution du logion primitif à la note §§ 179, 181, 1). Il réutilise la première partie du logion (cf. Lc **17** 3) en en modifiant la « pointe » : il s'agit maintenant de la correction fraternelle, i.e. de la nécessité d'avertir un frère que l'on voit s'enfoncer dans le péché. Le Rédacteur matthéen amplifie le thème en donnant toute une procédure à suivre, dont on trouve l'équivalent dans la législation des esséniens de Qumrân (voir note § 179, 3). La seconde partie du logion se retrouvera au § 181 ; elle porte spécialement sur la fréquence du pardon. Ici encore, le Rédacteur matthéen va amplifier le thème primitif par une « surenchère » : il faut pardonner, non seulement sept fois, mais soixante-dix-sept fois !

f) Entre les deux parties du logion primitif dont on vient de parler, le Rédacteur matthéen insère un double logion sur la prière en commun, d'origine inconnue. Dans ce contexte, la prière en commun, toujours exaucée par Dieu, porte spécialement sur la conversion des frères endurcis dans le péché.

g) Enfin, pour illustrer le logion sur le pardon des offenses

(§ 181), le Rédacteur matthéen donne la parabole du débiteur impitoyable, fortement marquée par le style matthéen (§ 182); il est impossible d'en préciser l'origine.

Note § **174.** *DISPUTE SUR LA PRÉSÉANCE*

Ce récit se lit dans les trois Synoptiques, qui offrent entre eux des divergences assez considérables qu'il est toutefois relativement facile d'expliquer.

I. LE RÉCIT PRIMITIF

A) LES INTRODUCTIONS

1. *Dans Mt.* L'introduction du récit de Mt (**18** 1) commence par les mots « à cette heure-là », qui ressemblent fort à une cheville rédactionnelle. Effectivement, en **17** 24 (§ 173), Mt mentionne la venue de Jésus (et de ses disciples) à Capharnaüm, comme Mc **9** 33 (même verbe qu'en Mt **17** 24 : « venir », *erchesthai*). Dans le Mt-intermédiaire comme dans Mc, le récit de la dispute sur la préséance devait commencer par la phrase : « Et ils vinrent à Capharnaüm. » En insérant l'épisode du § 173 (voir note), l'ultime Rédacteur matthéen a déplacé en **17** 24 cette mention de l'arrivée à Capharnaüm, faisant de la phrase un génitif absolu (*elthontôn de autôn*) comme souvent ailleurs. – Dans la question des disciples (v. 1a), l'ultime Rédacteur matthéen a ajouté la finale « dans le royaume des cieux », absente des parallèles de Mc/Lc; on en verra la raison plus loin.

2. *Dans Mc.* L'introduction du récit de Mc (**9** 33-34) contient les éléments essentiels de l'introduction qui se lisait dans le Mc-intermédiaire : « Et ils vinrent à Capharnaüm », puis la question des disciples : « qui (est) le plus grand ». Cette question est toutefois donnée en style indirect, après de longues explications (vv. 33b-34a) qui ont été ajoutées par l'ultime Rédacteur marco-lucanien : l'expression « arrivé à » (*ginomai en*) est fréquente dans Lc/Ac (voir spécialement Lc **23** 19; Ac **7** 38; **8** 8; **13** 5; **14** 1); le thème de Jésus et de ses disciples qui se retirent « dans la maison » est typique de l'ultime Rédacteur marcien (Mc **10** 10; **2** 1; **3** 20; **7** 17, qui n'ont pas de parallèle dans Mt/Lc); de même, l'expression « en route » (*en tèi hodôi*), que Mc ajoute aux parallèles de Mt/Lc (cf. Mc **8** 27; **10** 52), ou utilise seul (Mc **10** 32); enfin, tandis qu'au v. 33 on a le verbe « discuter » (*dialogizesthai*), nettement marcien mais que Lc utilise volontiers aussi (3/7/6/0/0), il est remplacé au v. 34 par le verbe « disputer », que Lc (Ac) est presque le seul à employer dans le NT (*dialegomai* : 0/1/0/0/10/3). C'est donc l'ultime Rédacteur marco-lucanien qui a profondément modifié et amplifié l'introduction qu'on lisait dans le Mc-intermédiaire, laquelle devait ressembler fort à celle du Mt-intermédiaire.

3. *Dans Lc.* Lc a supprimé la mention de l'arrivée à Capharnaüm et donne lui aussi la question des disciples sous forme de discours indirect. Il ne le fait pas sous la dépendance de Mc, mais simplement parce qu'il harmonise l'introduction de ce récit avec celle du récit du § 321 (Lc **22** 24; voir vol. I, au § 174). Lc introduit son propre style : le mot « discussion » (*dialogismos* : 1/1/6/0/0), et l'optatif avec *an* (*tis an eiè*).

B) LE GESTE DE JÉSUS

Il est exprimé aux vv. 2 de Mt, 36 de Mc et 47 de Lc. Dans le récit primitif, l'essentiel en était exprimé par les mots communs à Mt et à Mc : « et... un petit enfant il le plaça au milieu d'eux ». Comme participe initial, on préférera celui de Mc, « prenant » (*labôn*); Mc en effet utilise souvent le participe qui se lit dans Mt : « appelant à (lui) » (*proskaleomai* : 6/9/4/0/9); s'il l'avait lu dans sa source, on ne voit pas pourquoi il l'aurait changé pour un autre verbe. En revanche, c'est l'ultime Rédacteur marcien qui ajoute le détail pittoresque de Jésus qui « embrasse » le petit enfant, comme il l'ajoutera encore en **10** 16 (§ 248). Lc se montre assez libre à l'égard de sa source. Il ajoute le trait de Jésus qui connaît, de science surnaturelle, les secrets des cœurs (cf. encore Lc **6** 8a; **24** 38); il remplace le participe « prenant » (*labôn*, cf. Mc) par le composé « prenant à lui » (*epilambanomai* : 1/1/5/0/7/4); enfin il remplace l'expression « au milieu d'eux » par une expression plus personnelle : « près de lui ».

C) LA PAROLE DE JÉSUS

La parole de Jésus qui se lisait dans le récit primitif doit être reconstituée à partir des vv. 4 de Mt et 48c de Lc, les seuls qui contiennent le mot « grand » correspondant à la demande des disciples :

Mt **18** 4	Lc **9** 48c
« Quiconque s'abaissera comme ce petit enfant	« Celui qui est le plus petit parmi vous
celui-ci est le plus grand dans le royaume des cieux. »	celui-ci est grand. »

La version primitive du logion de Jésus semble mieux conservée dans Lc que dans Mt. On attribuera à l'ultime Rédacteur matthéen : le verbe « s'abaisser », moins bien en situation que le terme « plus petit » de Lc, qui s'oppose exactement au terme « plus grand » de la demande des disciples (on verra plus loin la raison d'être du changement fait par Mt);

la comparaison « comme ce petit enfant », qui ne fait qu'expliciter le sens du geste de Jésus plaçant un petit enfant au milieu des disciples ; enfin la finale « dans le royaume des cieux » (cf. v. 1), ajoutée par harmonisation avec le logion additionnel du v. 3. – De son côté, Lc a ajouté « parmi vous », comme il avait ajouté « d'entre eux » au v. 46 ; il remplace probablement le comparatif « plus grand » par le simple adjectif « grand » ; ces deux modifications sont peut-être dues à une influence du logion parallèle de Mt **20** 26 et Mc **10** 43 (§ 255).

D) Le récit primitif

Les analyses précédentes permettent de reconstituer avec une assez grande probabilité la teneur du récit primitif, en provenance du Document A :

Et ils vinrent à Capharnaüm, et les disciples s'approchèrent de Jésus, disant : « Qui est le plus grand ? » Et prenant un petit enfant, il le plaça au milieu d'eux et dit : « Celui qui est le plus petit, celui-ci est le plus grand. »

Ce récit est parfaitement homogène. Les disciples s'inquiètent de savoir lequel (d'entre eux) est le plus grand ; Jésus prend alors un petit enfant et le leur donne en exemple : la condition pour être « grand », c'est de se faire « petit » comme un enfant. Le thème s'inspire probablement de Ps **131** 1-2 : « Mon cœur n'est pas altier, ni mes regards hautains ; je n'ai pas marché parmi les grandeurs... Non, j'ai apaisé et calmé mon âme, comme un enfant sur le sein de sa mère, comme un enfant mon âme est en moi. » Le thème doit se comprendre évidemment dans une perspective théocentrique : aux yeux de Dieu, est grand celui qui reste humble et non celui qui cherche à s'élever au-dessus des autres, souvent à leurs dépens ; ce thème sera précisé dans le parallèle de Mc **10** 42-44 (§ 255).

II. LES REMANIEMENTS ET ADDITIONS

Sous cette forme simple, le récit passa du Document A dans le Mt-intermédiaire (sans modifications importantes), puis dans le proto-Lc.

1. Le Mc-intermédiaire reprit aussi le récit du Document A, mais en lui faisant subir deux modifications importantes. Tout d'abord, il remplaça la parole de Jésus sur le « plus petit » et le « plus grand » par une autre parole de Jésus, en provenance du Document B, et que l'on trouve dans un autre contexte en Mc **10** 42-44 et par. (§ 255) ; ce logion du Document B, jouant sur l'opposition « premier / serviteur », a dû

paraître plus explicite au Mc-intermédiaire, et il n'a pas hésité à le substituer au logion primitif. D'autre part, le Mc-intermédiaire a ajouté le logion du v. 37, à résonance missionnaire, mais qui n'a aucun rapport avec le thème « grand/petit » ; ce logion, dont on a l'équivalent en Mt **10** 40, provient probablement d'un recueil de logia connu aussi de Mt. – On a vu plus haut les diverses modifications apportées au Mc-intermédiaire par l'ultime Rédacteur marcien.

2. L'ultime Rédacteur lucanien a ajouté au texte du proto-Lc le logion du v. 48b, qui ne fait que reprendre celui de Mc **9** 37 (Mc-intermédiaire). Il est difficile de préciser si les modifications notées plus haut doivent être attribuées au proto-Lc ou à l'ultime Rédacteur lucanien.

3. L'ultime Rédacteur matthéen effectua lui aussi deux additions.

a) Celle du v. 5, qui reprend en partie le v. 37 du Mc-intermédiaire. Le fait que Mt et Lc ont cette addition à deux places différentes (Mt après, mais Lc avant le logion primitif) nous indique que l'addition de ce logion s'est faite, non dans la tradition matthéenne, mais au niveau du Mc-intermédiaire, d'où elle est passée dans les ultimes rédactions matthéenne et lucanienne.

b) L'ultime Rédacteur matthéen ajouta aussi le logion du v. **3**, qui a son parallèle en Jn **3** 3.5. Le verbe « changer », de Mt, correspond à un verbe araméen *tôb* qui a le sens de « changer » mais peut aussi indiquer le renouvellement de l'action notée par le verbe qui suit. En référence à ce substrat araméen hypothétique, Mt pourrait se traduire aussi : « Si vous ne re-devenez comme des petits enfants... » ; le parallélisme avec Jn **3** 3.5 devient alors beaucoup plus étroit. Dans la tradition rabbinique, on comparait souvent à un enfant nouveau-né le païen qui se convertissait au judaïsme, en ce sens que sa conversion marquait comme un nouveau départ dans la vie ; ses actions antérieures ne comptaient plus, et spécialement ses péchés passés étaient oubliés ; il redevenait donc comme un petit enfant innocent de toute faute. C'est probablement dans cette ligne qu'il faut interpréter Mt **18** 3 : redevenir comme un petit enfant, c'est renoncer au péché, au mal, comme l'a compris le texte grec actuel : « si vous ne changez », i.e. « si vous ne vous convertissez ».

c) On a vu plus haut que, dans le logion primitif, Mt avait changé l'expression « être le plus petit » par « s'abaisser » ; il l'a fait probablement sous l'influence du texte de la Septante de Ps **131** 1 s. : « Seigneur, mon cœur ne s'est pas élevé... Si je n'avais pas goûté les choses *humbles*, mais élevé mon âme... »

Note § 175. *USAGE DU NOM DE JÉSUS*

Il faut distinguer dans cette section deux parties : la première (Mc **9** 38-40) est commune à Mc et à Lc; la seconde (Mc **9** 41) est absente de Lc mais a son parallèle en Mt **10** 42.

I. LE PREMIER LOGION

1. Les textes de Mc et de Lc sont très proches l'un de l'autre. Selon son habitude, Lc change le mot *didaskale* (« Maître ») en *epistata*, qu'il est seul à employer dans le NT (six fois); c'est probablement lui aussi qui supprime la proposition relative de Mc « qui ne nous suit pas », afin d'éviter une redondance. En revanche, l'expression de Lc « suivre avec » (*akolouthein meta*) est probablement primitive, car elle ne se lit qu'une fois ailleurs dans le NT (Ap **14** 13); elle n'est donc pas lucanienne, et l'on ne voit pas pourquoi Lc aurait changé l'habituel datif qui suit le verbe *akolouthein* en un *meth'hèmôn* étranger à son style (il emploie *syn* beaucoup plus fréquemment que *meta*). Quant au v. 39 de Mc, qui n'a pas de parallèle en Lc, c'est une addition de l'ultime Rédacteur marcien; deux indices permettent de le penser : le redoublement de la conjonction « car » (vv. 39 et 40), et le changement de préposition dans l'expression « en mon nom » (*en* au v. 38, mais *epi* au v. 39).

2. Mc et Lc dépendent tous deux ici du Mc-intermédiaire, qui dépend à son tour probablement du Document B. On rapprochera cette scène du logion du Document Q attesté par Mt **12** 27.28.30 et Lc **11** 19-20.23 (§ 117). Dans les deux textes, il est question d'expulsion de démons, puis du logion concernant ceux qui sont pour ou contre Jésus et ses disciples. Les deux logia supposent que Jésus n'était pas le seul à exorciser les démons, mais que les disciples des Pharisiens le faisaient aussi (cf. Mt **12** 24.27; Ac **19** 13; dans ce dernier cas, ils le font « au nom de Jésus »). Le fait de chasser les démons « au nom de Jésus » prouve que l'exorciste reconnaît la puissance de ce nom; il n'est donc pas contre Jésus et ses disciples, même s'il ne se mêle pas à eux; il est donc en fait avec eux. S'il en est ainsi, pourquoi les empêcher de chasser les démons? Cette discussion reflète probablement certains problèmes qui ont dû se poser dans les premières communautés chrétiennes, comme on le voit par Ac **19** 13.

II. LE DEUXIÈME LOGION

Il est parallèle à Mt **10** 42, comme Mc **9** 37 (§ 174) était parallèle à Mt **10** 40. Il semble que, ici, ce soit l'ultime Rédacteur marcien qui ait ajouté ce logion, sous l'influence de Mt (le Mt-intermédiaire). On notera que le mot « récompense » (*misthos*) ne se lit jamais ailleurs en Mc, tandis que Mt l'emploie dix fois. L'expression de Mc « être du Christ » a une saveur paulinienne indéniable (Rm **8** 9; 1 Co **1** 12; 2 Co **10** 7), ce qui nous confirme que ce logion fut ajouté par l'ultime Rédacteur marcien (cf. Introd., II B **1** a).

Note § 176. *SCANDALE DES PETITS; SCANDALE DES MEMBRES*

Cette section se compose de trois logia différents. Le premier est attesté par les trois Synoptiques (Mt **18** 6; Mc **9** 42; Lc **17** 2; cf. note § 237); le second est lié au premier par le thème du « scandale » (Mt **18** 8-9; Mc **9** 43-48) et fut réutilisé par l'ultime Rédacteur matthéen pour étoffer le Discours inaugural de Jésus (Mt **5** 29-30); le troisième est propre à Mt (**18** 10); il se rattache au premier logion par le thème des « petits ».

2. Mt et Lc dépendent tous deux ici du Mc-intermédiaire, et leur texte appartient aux ultimes niveaux rédactionnels matthéen et lucanien. Il est difficile de dire d'où le Mc-intermédiaire a repris ce logion; peut-être simplement d'un recueil de logia. On notera que Mt et Lc ont rattaché ce logion du Mc-intermédiaire à un autre logion en provenance du Document Q (Lc **17** 1; Mt **18** 7).

I. LE PREMIER LOGION

1. Mc en a gardé, mieux que Mt et Lc, la formulation primitive. L'expression : « il est meilleur pour lui », répond bien à la formule sémitique *tôv lô*, et se retrouve d'ailleurs dans un logion semblable concernant Judas (Mc **14** 21, cf. Mt **26** 24 : § 317); Mt a remplacé cette formule sémitique par le verbe « mieux vaut », de saveur matthéenne (*sympherein*: 4/0/0/3/2). On attribuera aussi à Mt les changements de « est attachée » (Mc/Lc) en « soit pendue » et de « être jeté » (Mc) en « être englouti » (*katapontizesthai*, cf. Mt **14** 30). Sur les remaniements de Lc, voir note § 237.

II. LE SECOND LOGION

Comme le premier logion, le second traite du scandale; ici, il s'agit, non de ceux qui scandalisent les autres, mais de nos membres qui peuvent nous entraîner au scandale.

1. Dans Mc, le logion comprend trois sections parallèles : la main, le pied et l'œil. En Mt **5** 29-30, il n'y a que deux sections, inversées par rapport à Mc : l'œil et la main; étant donné le contexte, Mt n'a retenu que les deux parties de l'homme qui peuvent conduire à la fornication. Quant à Mt **18** 8-9, il fait un compromis entre le logion tel qu'il est donné en Mt **5** 29-30 et celui de Mc **9** 43-48 : le mot « pied »

est ajouté partout où Mt **5** 30 parle de la « main ». Il semble donc que, en **18** 8-9 comme en **5** 29-30, Mt (ultime Rédacteur) dépend du Mc-intermédiaire qui reprend ce logion à un recueil de logia, sans doute le même que celui qui lui a fourni le logion précédent.

2. C'est probablement l'ultime Rédacteur marcien qui a remplacé l'expression « entrer dans la vie » (vv. 43.45, cf. Mt) par : « entrer dans le royaume de Dieu » (v. 47); c'est lui aussi qui a ajouté la citation de Is **66** 24, inspirée de la Septante (v. 48). – Le changement de verbe « s'en aller » (Mc **9** 43), « être jeté » (**9** 45.47), est confirmé par Mt **5** 29-30; en Mt **18** 8, c'est donc l'ultime Rédacteur matthéen qui a harmonisé en remplaçant « s'en aller » par « être jeté ». C'est aussi l'ultime Rédacteur matthéen qui a ajouté la mention du « feu » eschatologique, ignorée du Mc-intermédiaire mais qui est une pièce maîtresse dans l'eschatologie matthéenne (Mt **3** 10-12; **5** 22; **7** 19; **13** 40.42.50; **25** 41).

3. Au terme de sa vie terrestre, l'homme « entre dans la vie » ou « est jeté dans la géhenne ». Ce terme de « géhenne » ne se lit qu'ici dans Mc, mais il est attesté encore dans un logion du Document Q (Mt **10** 28; Lc **12** 5) et dans Mt **23** 15. Le mot est une simple transcription d'une expression hébraïque signifiant « vallée de Hinnom »; cette vallée était située au sud de Jérusalem et c'est là que, dès l'époque d'Achaz, on avait construit un « brûloir » dans lequel on faisait passer par le feu des enfants, en offrande au dieu cananéen Molok (2 R **16** 3; **21** 6; **23** 10). Dans Is **30** 27-33, cette fournaise va

faire périr les Assyriens qui montent à l'attaque de Jérusalem; le Targum remplace ici le mot *tophet* (« fournaise ») par « géhenne ». Dans Jr **7** 30 - 8 3 et **19** 3-13, c'est Israël lui-même qui sera brûlé dans la fournaise de la géhenne en punition de ses crimes. Jr **7** 33 et **19** 7b précisent que les cadavres resteront sans sépulture, étant donné leur nombre. On retrouve cette idée dans Is **66** 24, cité en Mc **9** 48; le Targum place cette scène de Is **66** 24 dans la vallée de la géhenne. Dans tous ces textes, la géhenne est conçue comme le lieu où sont détruits par le feu tous les ennemis de Dieu et de son peuple. – A cette destruction dans la géhenne est opposé le fait d'entrer dans la vie, comme en Mt **19** 16-17.29 et par. (§§ 249 et 251) et en Mt **7** 14 (cf. Mt **25** 46). Il s'agit de la vie parfaite, auprès de Dieu. L'opposition avec le fait d'être jeté dans la géhenne montre clairement que c'est au moment même de la mort, à la fin de cette vie terrestre, que l'homme « entre dans la vie ». Sur la différence entre cette conception de l'eschatologie individuelle et celle héritée de Dn **12** 2, voir note § 284.

III. LE TROISIÈME LOGION

Il est propre à Mt (**18** 10); il se rattache au thème traité dans le premier logion (**18** 6), et ici aussi le terme « petits » désigne les disciples qui croient en Jésus. Ce texte est le plus explicite sur l'existence de ce que l'on appelle maintenant les « anges gardiens ».

Note § **177.** *LE SEL*

Mc **9** 49-50 contient, apparemment, deux logia sur le sel (vv. 49 et 50a), suivis d'une interprétation moralisante du deuxième logion (v. 50b). Le lien avec le contexte antérieur est artificiel, réalisé au moyen de mots-crochets (thème du « feu », aux vv. 48 et 49).

1. Le second logion (v. 50a) a son parallèle en Mt **5** 13 et Lc **14** 34. On trouvera à la note § 51 les rapports littéraires entre les trois formes de textes, et le sens du logion dans la tradition Mt/Lc.

2. Suivi de son commentaire du v. 50b, le logion de Mc doit se comprendre dans le même sens que Col **4** 5-6. Le sel symbolise la « sagesse » qui doit « assaisonner » les paroles que nous adressons au prochain, ce qui a pour effet de maintenir la paix au sein des communautés chrétiennes. Une telle interprétation se situe dans la ligne de Jb **6** 6, d'après la Septante : « Mange-t-on du pain sans sel? Et y a-t-il du goût à des paroles oiseuses? » On est proche aussi du thème de la philosophie stoïcienne : le sel symbolise la note « piquante » qui rend notre conversation agréable (Cicéron, Plutarque, Dion Chrysostome).

3. Mais on s'accorde à reconnaître que le v. 50b est une addition, selon nous une addition de l'ultime Rédacteur marco-lucanien dont les tendances pauliniennes sont certaines (cf.

Introd., II B 1 a). Le caractère paulinien de cette addition est confirmé par le verbe « être en paix » (*eirèneuein*), qui ne se lit ailleurs que chez Paul (Rm **12** 18; 2 Co **13** 11 et surtout 1 Th **5** 13 : « soyez en paix les uns avec les autres »). On notera que, d'après cette addition, le disciple n'est plus le sel, mais il a le sel en lui. Ceci nous invite à chercher quels furent l'expression littéraire et le sens du logion dans le Mc-intermédiaire.

Tel qu'il est dans Mc, le logion manque d'une conclusion comminatoire analogue à celle de Mt **5** 13b et Lc **14** 35. Mais on remarquera que le v. 49 parle du « feu », qui pourrait se comprendre du feu eschatologique comme dans les logia précédents (« feu » au v. 48; « géhenne » aux vv. 43.45.47). En ce sens, ce v. 49 pourrait être l'équivalent de Mt **5** 13b et Lc **14** 35, où il est dit que le sel affadi sera « jeté dehors », i.e. exclu du royaume eschatologique. On peut dès lors formuler une hypothèse, qui permettrait de donner un sens acceptable au v. 49 que les commentateurs s'évertuent en vain à expliquer. Dans le Mc-intermédiaire, au v. 50, il n'y avait pas : « l'assaisonnerez-vous », mais : « sera-t-il assaisonné », comme dans Lc; d'autre part, le v. 49 tenait la place du v. 50b et servait de conclusion comminatoire à portée eschatologique. Le logion devait se comprendre alors comme ceux de Mt et de Lc : si le disciple perd ses qualités de « sel », i.e. rejette la « sagesse » reçue de Jésus, avec quoi le salera-t-on? Il sera salé par le feu (eschatologique) !

Note § **178.** *PARABOLE DE LA BREBIS PERDUE*

L'ultime Rédacteur matthéen place ici la parabole de la brebis perdue, reprise du Mt-intermédiaire qui la tenait lui-même du Document Q et devait l'avoir dans un autre contexte (cf. Lc **15** 1-7); son but est de préparer l'enseignement sur la correction fraternelle (§ 179), la « brebis égarée » symbolisant ici l'homme pécheur, « égaré » loin des voies divines, et qu'il faut ramener dans le droit chemin (cf. note § 179); il ajoutera de même la parabole sur le serviteur impitoyable (§ 182) pour illustrer l'enseignement sur le pardon des offenses

(§ 181). Tandis que, pour Jésus, la parabole avait pour but de justifier contre les accusations des Pharisiens son comportement à l'égard des pécheurs (voir notes §§ 230 et 231), ici elle s'adresse aux disciples (cf. **18** 1) et souligne la nécessité pour tous de tout faire afin de ramener à Dieu les frères égarés; c'est en effet la volonté de Dieu que pas un des plus déshérités des frères ne se perde (v. 14). Sur le sens de la parabole et des remaniements matthéens, voir notes §§ 230 et 231.

Note § **179.** *LA CORRECTION FRATERNELLE*
§ **181.** *PARDONNER SOIXANTE-DIX-SEPT FOIS*

Les deux logia sur la correction fraternelle et sur la fréquence du pardon (§§ 179 et 181) sont unis dans Lc, où ils ne forment pratiquement qu'un seul logion comportant deux parties parallèles. On verra par la suite que Lc a gardé la structure du logion primitif, qui fut dédoublé et amplifié considérablement par Mt. Voici comment on peut reconstituer l'histoire de l'évolution du logion primitif :

1. Dans les deux parties du logion (Lc **17** 3-4), Lc met une condition au pardon des offenses : le repentir de celui qui nous a offensés. Cette condition est absente du parallèle de Mt **18** 21-22 (§ 181); si elle se lit en Mt **18** 15 (§ 179), elle a une tout autre portée que dans Lc (cf. *infra*). On peut donc penser que cette condition ne se lisait pas dans le logion primitif, qui aurait eu cette teneur (cf. Lc) :

v. 3 « Si ton frère a péché contre toi,
　() remets-lui;
v. 4 et si sept fois le jour il pèche contre toi,
　() tu lui remettras. »

Cette remise inconditionnelle des offenses se lisait déjà dans l'enseignement de Jésus en Mt **6** 12.14, et provient de la tradition sapientielle juive : « Remets à ton prochain ses torts, et alors, à ta prière, tes péchés te seront pardonnés » (Si **28** 2). L'originalité du présent logion tient dans la fréquence du pardon (v. 4). Le chiffre « sept » symbolise la totalité; pardonner « sept fois » veut donc dire : pardonner chaque fois que l'occasion se présente, sans limite.

Sous cette forme archaïque, le logion se lisait dans le Mt-intermédiaire, qui le tenait soit du Document Q, soit d'un recueil de logia.

2. Ce logion fut repris par le proto-Lc en dépendance du Mt-intermédiaire (ou peut-être du Document Q?), puis passa dans l'ultime rédaction lucanienne. Il est impossible de dire si l'addition de la clause restrictive du « repentir » (jointe au thème de la « réprimande » au v. 3), est le fait du proto-Lc ou de l'ultime Rédacteur lucanien. Cette addition est en tout cas connue du Testament de Gad : « Et si quelqu'un pèche

contre toi, parle-lui avec paix... et si, ayant reconnu sa faute, il se repent, remets-lui » (cf. vol. I, p. 163); mais nous sommes probablement devant une interpolation chrétienne en dépendance du texte de Lc.

3. En reprenant le logion primitif au Mt-intermédiaire, l'ultime Rédacteur matthéen l'a profondément modifié et amplifié.

a) Il l'a coupé en deux en insérant les deux logia sur la prière du § 180; sur la raison d'être de cette insertion, cf. note § 180.

b) Dans la première partie du logion (§ 179), le sens est assez différent de ce qu'il est dans Lc. Il ne s'agit plus d'une offense faite à un particulier (cf. Lc : « contre toi »), mais d'un péché non précisé, qui ne peut être qu'un péché contre la Loi divine; il faut donc « reprendre » celui qui a péché contre Dieu et, s'il écoute la réprimande, « tu auras gagné ton frère », i.e. tu l'auras sauvé (cf. 1 Co **9** 19-22; 1 P **3** 1). Par ailleurs, le logion de Mt distingue nettement trois stades dans le « reproche » que l'on fait à un frère : il faut d'abord le reprendre en privé, « entre toi et lui seul » (v. 15); s'il n'écoute pas, il faut le reprendre en prenant avec soi « encore un ou deux autres » (v. 16); s'il refuse encore d'écouter, il faut alors le dénoncer « à la communauté »; c'est seulement après ces trois instances que le pécheur incorrigible sera tenu pour un publicain ou un païen, i.e. sera « excommunié » (cf. 1 Co **5** 9-13; 2 Th **3** 6.14). Une telle procédure était en usage dans la communauté de Qumrân, comme l'attestent plusieurs textes. On lit par exemple dans la Règle de la Communauté :

Ils réprimanderont chacun son prochain dans la vérité et l'amour miséricordieux envers chacun. Que l'on ne parle pas à son frère avec colère... car, le jour même, on le réprimandera et ainsi on ne se chargera pas d'une faute à cause de lui. – Et aussi : que personne n'introduise une cause contre son prochain devant les Nombreux sans avoir réprimandé devant témoins » (V 24 - VI 2; cf. II 16-18).

La première partie du texte ne fait que gloser Lv **19** 17-18, où il est question de l'obligation de « réprimander » son prochain. La seconde partie ajoute un thème spécial : avant de dénoncer un tiers devant les chefs de la Communauté (les « Nombreux »), il faut le réprimander devant témoins. La même législation se lit encore dans le Document de Damas :

Et quant à ce qu'Il a dit : « Tu ne te vengeras pas et tu ne garderas pas rancune aux fils de ton peuple (cf. Lv **19** 17 s.) », tout homme d'entre les membres de l'Alliance qui introduira une cause contre son prochain sans l'avoir réprimandé devant témoins et l'introduira dans l'ardeur de sa colère, ou bien racontera l'affaire à ses anciens pour le déshonorer, celui-là se venge et garde rancune (IX 2-5).

On trouve donc à Qumrân la pratique suivante contre un frère qui a commis une faute (contre la Loi ou contre un individu) : le réprimander simplement, en accord avec le précepte de Lv **19** 17; le réprimander devant témoins; si cela ne suffit pas, et à ce moment seulement, le dénoncer aux chefs de la Communauté. Puisqu'on ne trouve, dans la tradition juive, aucune autre attestation de ce triple degré dans la réprimande, l'influence de Qumrân sur le texte actuel de Mt est certaine. L'ultime Rédacteur matthéen a donc réinterprété et amplifié le logion du Mt-intermédiaire pour y introduire la législation en usage à Qumrân.

c) L'ultime Rédacteur matthéen a également ajouté le logion du v. 18, qui a son parallèle en Mt **16** 19 et Jn **20** 23.

d) Dans Mt, la seconde partie du logion est rejetée au § 181, avec deux modifications principales. – *da*) Il fallait une nouvelle introduction à la seconde partie du logion, après l'insertion du § 180; l'ultime Rédacteur matthéen l'a trouvée sous forme d'une intervention de Pierre, qui demande à Jésus s'il faut pardonner jusqu'à sept fois; on a vu plus haut que, dans le logion du Mt-intermédiaire, c'était Jésus lui-même qui ordonnait de pardonner jusqu'à sept fois. On notera le caractère matthéen du début du v. 21 : « alors » (*tote*), typique du vocabulaire de l'ultime Rédacteur matthéen; « s'approchant » et « Seigneur », utilisés aussi bien par le Mt-intermédiaire que par l'ultime Rédacteur; enfin l'intervention de Pierre, que l'on peut attribuer à l'ultime Rédacteur en Mt **14** 28; **15** 15 et **17** 24. – *db*) L'ultime Rédacteur matthéen a introduit également comme une « surenchère » du pardon : Jésus répond à Pierre qu'il faut pardonner « jusqu'à soixante-dix-sept fois ». Cette surenchère s'inspire de l'antique vengeance revendiquée par le patriarche Lamek : « C'est que Caïn est vengé sept fois, mais Lamek soixante-dix-sept fois » (Gn **4** 24); à la surenchère de vengeance, le christianisme oppose une surenchère de pardon ! Mais puisque, on l'a noté plus haut, pardonner « sept fois » veut dire pardonner toutes les fois que l'on est offensé, une telle surenchère apparaît superflue.

Note § **180**. *LA PRIÈRE EN COMMUN*

1. Après le logion sur la correction fraternelle, Mt place deux petits logia concernant la prière en commun. Le premier (v. 19) ajoute au thème général de la prière exaucée par Dieu (cf. §§ 70 et 239) l'idée que toute prière faite en commun a plus de valeur persuasive auprès de Dieu, en raison de la charité qui l'inspire. Le second logion (v. 20), à résonance liturgique, développe une idée semblable : Jésus se tient près de ceux qui ensemble prient en son Nom, afin d'appuyer leur prière auprès du Père (cf. Mt **28** 20; Jn **14** 13-17). On rapprochera ce logion du thème rabbinique : la *Shekina* (symbole de la présence de Dieu) se trouve au milieu des rabbins qui étudient la Loi ou prient ensemble.

2. Ces deux logia ont été placés après le logion sur la correction fraternelle en raison des « mots-crochets » suivants : « toute affaire » (*pan rhêma*, v. 16 et *pan pragma*, v. 19, qui traduisent un *kôl davar* hébreu), et « deux ou trois » (vv. 16

et 20). Mais le Rédacteur matthéen a probablement eu une intention plus profonde, et le contexte antécédent permet de donner aux deux logia un sens assez précis, que l'on peut comprendre de deux façons légèrement différentes : la prière en commun aura pour but de demander à Dieu la lumière nécessaire pour dirimer les « cas » délictueux auxquels fait allusion Mt **18** 15-18; ou encore : la prière en commun aura pour but d'obtenir de Dieu la conversion des frères égarés loin de la Loi divine (cf. Jc **5** 15-20; 1 Jn **5** 16).

3. Si c'est l'ultime Rédacteur matthéen qui a placé ces logia ici afin d'étoffer son « Discours ecclésiastique », ce n'est pas lui qui les a inventés. Il est probable qu'il les lisait déjà dans le Mt-intermédiaire à une autre place, mais on ne peut le prouver. Proviennent-ils du Document A, ou d'un recueil de logia? Il est impossible de répondre.

Note § **182**. *PARABOLE DU DÉBITEUR IMPITOYABLE*

Mt termine son « Discours ecclésiastique » par une parabole destinée à illustrer le commandement du pardon des offenses (cf. § 181).

1. Le thème de la parabole reflète la situation politique et sociale en Égypte à l'époque ptolémaïque (Derrett; cf. Sugranyes de Franch). Les « serviteurs » du roi ne sont pas des

esclaves, mais de hauts fonctionnaires, probablement des satrapes responsables du revenu de l'impôt dans leurs provinces respectives, et qui sont venus rendre compte au roi de la gestion de leur administration financière (cf. Esd **4** 7.9.17.23; **5** 3.6; **6** 6.13, où le mot « *syndouloi* » désigne de hauts fonctionnaires, gouverneurs de province). La parabole oppose deux situations parallèles (comparer les vv. 26 et 29; 30b et 34b; opposer les vv. 27 et 30a). D'une part, un satrape doit au roi une somme énorme (dix mille talents, soit près de soixante millions de francs-or) qu'il est incapable de payer; en châtiment, il devrait être vendu, lui, sa femme et ses enfants; ému de compassion devant la détresse de cet homme, le roi lui fait remise intégrale de sa dette, alors qu'il demandait seulement qu'on lui laisse le temps de réunir la somme due. D'autre part, le même satrape, à peine sorti de chez le roi, rencontre un de ses collègues (venu lui aussi rendre ses comptes?) qui lui devait une somme infiniment moindre (cent deniers, soit près de cent francs-or); sourd à sa supplication, il le fait jeter à la prison pour dettes (cf. Mt **5** 25-26) jusqu'à ce qu'il ait rendu tout ce qu'il devait. En l'apprenant, le roi revient sur son geste de miséricorde et traite le satrape impitoyable comme lui-même a traité son collègue (vv. 30 et 34). Jésus termine la parabole (v. 35) en en donnant le sens religieux : lors du Jugement eschatologique, Dieu (le roi) agira envers nous comme nous aurons agi envers nos frères.

L'enseignement de cette parabole trouve de bons parallèles dans d'autres passages évangéliques; on comparera spécialement Mt **18** 33 et Mt **5** 7; Lc **6** 37c; – Mt **18** 35 et Mt **6** 12.15; Lc **11** 4; Mc **11** 25. Jésus se situe d'ailleurs dans la ligne de la littérature sapientielle; cf. Si **28** 2-5 : « Remets à ton prochain ses torts, et alors, à ta prière, tes péchés seront pardonnés. Si un homme garde de la colère contre un autre, comment peut-il demander à Dieu la guérison? Pour un homme, son semblable, il est sans pitié, et il prierait pour ses propres péchés ! Lui qui n'est que chair garde rancune, qui lui pardonnera ses péchés? »

2. Cette parabole, propre à Mt, est fortement marquée par le style de l'évangéliste. L'introduction (v. 23a) est conforme à celle de nombreuses autres paraboles matthéennes (Mt **13** 24; **22** 2; **25** 1); on comparera spécialement à Mt **22** 2 : « Le royaume des cieux a été comparé à un homme roi » (cf. aussi « un homme maître de maison », en Mt **13** 52; Mt **13** 24 d'après Épiphane; « un homme ennemi » en Mt **13** 28). De nombreuses expressions rejoignent celles de la parabole des talents (§ 306) : « régler (son) compte avec » (Mt **18** 23b et **25** 19; jamais ailleurs dans le NT); « talent » (Mt **18** 24 et **25** 15-28; jamais ailleurs dans le NT); « serviteur méchant... ne fallait-il pas » (Mt **18** 32-33) et « méchant serviteur... il fallait » (**25** 26-27). Voir encore les expressions : « ordonner » (*keleuô*, v. 25; sept fois dans Mt, jamais dans Mc, une fois dans Lc); « se prosterner » (v. 26; treize fois dans Mt, dont trois fois précédé de « tombé [aux pieds] » : ici et Mt **2** 11; **4** 9); « compagnon » (*syndoulos*, vv. 28-29.31.33; ailleurs dans les évangiles seulement en Mt **24** 49); « raconter » (*diasapheô*, v. 31 et Mt **13** 36; jamais ailleurs dans le NT); « mon Père céleste » (v. 35 et Mt **15** 13; cf. « votre Père céleste » en Mt **5** 48; **6** 14.26.32; **23** 9; jamais ailleurs dans le NT). Au moins sous sa forme littéraire actuelle, cette parabole doit donc être de l'ultime Rédacteur matthéen.

MONTÉE DE GALILÉE A JÉRUSALEM SELON LUC

§§ 183-245

Note § **183.** *MAUVAIS ACCUEIL D'UN BOURG DE SAMARIE*

Ce récit sert d'introduction à la section péréenne dans laquelle le proto-Lc avait rassemblé des matériaux repris du Document Q et d'autres en provenance de sources particulières.

I. PROBLÈMES LITTÉRAIRES

1. Le style, assez solennel, imite celui de la Septante. Au v. 51 : « Or il arriva, comme... et lui... », formule d'origine sémitique fréquente chez Lc; « il tourna sa face » (littéralement : « il affermit sa face »), comme en Jr **3** 12; **21** 10; Ez **6** 2; **13** 17; **14** 8, etc. Au v. 52 : « il envoya des messagers devant sa face », est une adaptation de Ex **23** 20 mais pourrait renvoyer aussi à Ml **3** 1 (cf. Lc **7** 27). Au v. 53 : « sa face partait », que l'on comparera à 2 S **17** 11. Tout ceci est conforme au style de Lc qui imite celui de la Septante. On comparera encore les termes : « comme s'accomplissaient les jours de son assomption », à ceux de Ac **2** 1.

2. Il est à noter cependant que le v. 54 cite 2 R **1** 10.12 selon un texte différent de celui de la Septante. Ce serait l'indice que l'épisode lui-même du mauvais accueil d'un bourg samaritain (vv. 52b-55) proviendrait d'une source particulière, impossible à préciser (le Document Q? Simple hypothèse invérifiable).

II. SENS DE L'ÉPISODE

Le style solennel de cet épisode, surtout de son introduction lucanienne (vv. 51-52a), correspond à une intention théologique.

1. Jésus va quitter la Galilée où, d'après les Synoptiques, il a jusqu'ici exercé exclusivement son ministère, pour monter à Jérusalem parce que l'heure est venue de son « assomption ». Nous sommes donc à un tournant décisif de la vie de Jésus. Le mot « assomption » (*analèmpsis*) correspond au verbe « enlever » (*analambanein*) que la tradition biblique emploie à propos d'Élie enlevé au ciel de son vivant par un char de feu (2 R **2** 11; 1 M **2** 58; Si **48** 9). Lc pense certainement ici à Élie, car au v. 54 nous avons une allusion à un fait de l'histoire de ce prophète (2 R **1** 10.12). En utilisant le mot « assomption », il veut donc évoquer à propos de la mort de Jésus l'enlèvement de ce prophète au ciel. Pense-t-il à l'assomption de Jésus telle qu'elle est décrite en Ac **1** 11.12? Plus probablement il a dans l'esprit un thème exprimé dans l'évangile de Pierre, chap. 19 : « Et (Jésus), ayant dit cela, fut enlevé » (*anelèmphthè*, § 355), et qui est évoqué par le mot « exode » de Lc **9** 31 (note § 169); dès sa mort, Jésus est « enlevé » au ciel, à la droite de Dieu.

2. On a vu que le v. 54 contenait une allusion à l'histoire d'Élie et que le v. 52 citait Ex **23** 20, mais avec une référence à Ml **3** 1. Selon la tradition juive, Élie devait revenir à la fin des temps afin de préparer les hommes au grand Jugement eschatologique (Ml **3** 23 s.; cf. **3** 1 ss.). Or on notera comment Lc **9** 51 – **10** 12 est fortement influencé par le thème du Jugement, retardé encore afin de laisser aux pécheurs le temps de se convertir (Lc **9** 53), mais qui menace ceux qui refusent de recevoir l'enseignement de Jésus (**10** 12). Ainsi, après avoir été « enlevé » de terre, Jésus reviendra, comme Élie, en vue du Jugement eschatologique; la « mission » des messagers « devant sa face » fait allusion à la mission des apôtres dont la prédication doit inviter les hommes à se convertir avant le jour du Jugement.

Note § **184.** *TROIS HOMMES VEULENT SUIVRE JÉSUS*

1. Ce triple exemple de vocation provient du Document Q (cf. Mt **8** 19-22); sa place dans Mt est artificielle et doit être attribuée à l'ultime Rédacteur matthéen, qui a omis le dernier des trois exemples (voir note § 87). Il est probable que, dans le Document Q, comme dans Lc, cet épisode précédait celui de la mission des disciples du § 185. Le proto-Lc peut dépendre ici, soit du Mt-intermédiaire, soit directement du Document Q. – On notera quelques particularités lucaniennes. Aux vv. 57.59, la construction *eipen pros.* Au v. 59, la construction : « permets-moi, étant parti » (*epitrepson moi... apelthonti*), qui rappelle Ac **27** 3. Au v. 60b, Lc ajoute la mention de l'envoi en mission afin de mieux lier cet épisode avec le suivant (« annoncer », *diaggellein*, ailleurs dans le NT seulement en Ac **21** 26 et dans une citation de l'AT faite en Rm **9** 17). Au v. 61, le couple *de kai* est typique du style de Lc (3/2/25/8/7).

2. Ces trois exemples de « vocation » sont centrés sur l'idée de « suivre » Jésus, exprimé par le futur disciple aux vv. 57.61, par Jésus au v. 59. C'est là la condition essentielle du disciple (voir note § 31). Mais « suivre » Jésus implique un renoncement radical : le missionnaire de l'Évangile n'aura ni demeure (v. 58, cf. **10** 5-7), ni famille (v. 60) et devra être prêt à partir sur-le-champ (v. 62). Dans ce dernier cas, on a une allusion à la vocation d'Élisée par Élie (cf. 1 R **19** 20 et note § 31); cet épisode se situe donc bien dans la ligne du précédent.

3. Pour les particularités du texte de Mt, voir note § 87.

Note § **185.** *MISSION DES SOIXANTE-DOUZE DISCIPLES*

Lc **10** 1-12 donne du discours de mission de Jésus une version tirée du Document Q, parallèle à celle du Document A (§ 145); le Mt-intermédiaire avait fusionné ces deux discours et Lc (proto-Lc) dépend ici directement du Document Q.

1. L'introduction du discours (**10** 1) ne mentionne que la mission des disciples, étroitement liée au « voyage » qui doit mener Jésus de Galilée à Jérusalem (cf. le parallélisme entre Lc **10** 1 et **9** 51 s.); ici cependant, les envoyés n'ont pas charge de préparer le gîte et le couvert, mais ils doivent disposer les cœurs à recevoir Jésus, ce qui répond mieux au texte de Ml **3** 1 s. auquel **9** 52 fait allusion. L'ensemble du verset est de style lucanien : « après cela » (*meta tauta*, fréquent dans Lc et Jn); « le Seigneur » pour désigner Jésus, propre à Lc dans les récits antérieurs à la résurrection; « désigner » (*anadeiknymi*, ailleurs dans le NT seulement en Ac **1** 24; cf. le substantif correspondant en Lc **1** 80); « autres » (*heteros*: 9/0/33/1/17); la dernière partie du verset est parallèle à **9** 52. Dans ces conditions, il est difficile de préciser ce que le proto-Lc a pu reprendre au Document Q. Il est probable que, dans ce Document Q comme dans le Document A, il était question d'une mission *des Douze;* le proto-Lc a changé « douze » en « soixante-douze » afin d'éviter un doublet trop flagrant; de nombreux manuscrits ont « soixante-dix » au lieu de « soixante-douze » et, si cette leçon était authentique, le chiffre pourrait évoquer les soixante-dix anciens institués par Moïse pour l'aider dans sa tâche (Nb **11** 16).

2. Lc **10** 2-3 contient deux logia qui n'ont pas de parallèle dans le discours de mission du Document A.

a) Le premier logion, sur les ouvriers envoyés à la moisson, se lit également en Mt **9** 37 s., juste avant le discours de mission. Il devait se lire, comme l'atteste Lc, à l'intérieur du discours de mission du Document Q (et probablement aussi du Mt-intermédiaire); l'ultime Rédacteur matthéen l'a déplacé afin de constituer une introduction plus ample à son discours de mission (cf. note § 97). Dans ce logion, la « moisson » ne signifie pas le grand Jugement eschatologique, comme dans l'AT ou Mt **13** 30.39, mais le rassemblement des hommes dans le Royaume déjà instauré, par la prédication évangélique; cf. Jn **4** 35-38.

b) Le deuxième logion sur les agneaux au milieu des loups se lit également en Mt **10** 16, mais à une autre place. Il étonne chez Lc, car la suite du discours ne mentionne pas de persécutions violentes contre les missionnaires; il est au contraire beaucoup mieux en situation dans Mt, comme introduction aux vv. 17 ss. qui mentionnent ces persécutions. Malgré tout, comme Mt **10** 17 ss. fut inséré par l'ultime Rédacteur matthéen et appartenait au discours eschatologique (voir note § 293), c'est probablement l'ultime Rédacteur matthéen qui a déplacé le logion.

3. Lc **10** 4 donne des conseils de pauvreté évangélique analogues à ceux de Mc **6** 8 (Document A). Il ne faut emporter ni bourse ni besace, puisque les destinataires de la prédication évangélique pourvoieront aux besoins des missionnaires (vv. 7 ss.), ni chaussures, qui entravent la marche d'un oriental habitué à aller pieds nus sur la route. La recommandation de ne saluer personne en chemin, ignorée de Mt, est peut-être une addition du proto-Lc inspirée de 2 R **4** 29; le temps presse, et il ne faut pas s'arrêter en route !

4. Les vv. 5-6 de Lc n'ont pas de parallèle dans le Document A, mais on les retrouve en Mt **10** 12 s., ils proviennent donc bien du Document Q. La formulation lucanienne est bien meilleure, avec ses sémitismes : « Paix à cette maison », qui était la formule traditionnelle; « fils de paix », i.e. quel-

qu'un qui est digne de participer à la paix, etc. Mt a grécisé les formules. Pour les sémites, toute parole, bénédiction ou malédiction, revêtait une certaine efficacité; si elle n'atteignait pas son but, elle revenait sur celui qui l'avait prononcée.

5. Le v. 7a : « mais demeurez dans cette maison-là, mangeant et buvant ce qu'il y a chez eux », est probablement une addition au discours du Document Q, en provenance du discours du Document A (cf. Mc **6** 10); cette addition fut probablement effectuée par l'ultime Rédacteur lucanien (sous l'influence du Mc-intermédiaire) qui a transposé également le logion : « car l'ouvrier est digne de son salaire » (cf. Mt **10** 10b); le Rédacteur lucanien a voulu rattacher ce logion, non aux consignes générales du v. 4, mais au thème plus précis de la maison qui reçoit le missionnaire. On notera comment Lc a harmonisé les deux formules de **9** 4a et de **10** 5a; par ailleurs Lc **10** 7a fait double emploi avec la finale du verset et aussi avec le v. 8.

6. Les vv. 8-9 de Lc, ainsi que la fin du v. 11, sont une addition lucanienne puisqu'ils sont ignorés de Mt en ce contexte; ils s'inspirent sans doute du discours de mission du Document A, tel que le proto-Lc le lisait dans le Mt-intermédiaire (cf. note § 145, I B 1). Au v. 8, on notera l'expression : « ce qui vous sera servi » (*ta paratithemena hymin*); ce verbe ne se lit ailleurs qu'en 1 Co **10** 27, passage dans lequel Paul fait allusion aux viandes immolées aux idoles en ces termes : « Si un infidèle vous invite et que vous acceptiez d'y aller, mangez tout ce qu'on vous servira (*pan to paratithemenon hymin*) sans poser de question pour motif de conscience »; Lc ne songerait-il pas aux missionnaires chrétiens qui se trouveraient dans la même situation que les chrétiens auxquels Paul fait allusion? Au v. 11b, ajouté par le proto-Lc (cf. *supra*), noter le très lucanien « pourtant » (*plèn*: 5/1/14/0/4/6).

7. Sur les problèmes posés par Lc **10** 12, voir note § 109.

Note § **186**. *MALHEUR AUX VILLES DES BORDS DU LAC*

Lc termine le discours de mission du Document Q par des invectives contre les villes des bords du lac, qui n'ont pas écouté son appel à la conversion (**10** 13-15; et déjà le v. 12); sur les problèmes littéraires posés par ce texte, et sur son sens, voir note § 109. – Comme Mt **10** 40, Lc **10** 16

donne en conclusion de son discours un logion indiquant que la mission des disciples prolonge celle de Jésus, et que l'attitude des auditeurs envers les missionnaires de l'Évangile est en fait un choix fait devant la prédication du Christ lui-même, représenté par ses disciples (cf. notes §§ 104 et 174).

Note § **187**. *RETOUR DES SOIXANTE-DOUZE DISCIPLES*

1. L'idée générale de cet épisode est facile à saisir. Les exorcismes accomplis par les disciples sont le signe que la puissance de Satan prend fin et donc que le royaume de Dieu est proche (cf. Jn **12** 31; Ap **12** 9.13). L'expression « marcher sur serpents et scorpions », inspirée probablement de Ps **91** 13, doit être prise au sens figuré : serpents et scorpions, comme souvent dans la Bible, symbolisent les puissances du mal déchaînées par Satan (cf. Ap **9** 1-4); ceci est confirmé par l'addition explicative : « et sur toute la puissance de l'ennemi », i.e. de Satan. Mais, à cette joie de pouvoir triompher de Satan, les disciples doivent préférer celle de savoir que leurs

noms sont inscrits dans le ciel, i.e. dans le « livre de vie » (cf. Dn **12** 1; Ex **32** 32-33; Ps **69** 29; Ap **20** 12).

2. Cette scène, ignorée de Mt, fut ajoutée par le proto-Lc comme conclusion à la mission des soixante-douze disciples. Le v. 17 est probablement une composition lucanienne : verbe « revenir » (*hypostrephein*: 0/0/21/0/11/3); suivi de « avec joie » : Lc **24** 52). Mais il est possible que Lc reprenne ici un logion de Jésus qu'il lisait dans une de ses sources; et puisque le thème de Satan tombant du ciel a son équivalent en Jn **12** 31 (cf. Ap **9** 1), cette source pourrait être le Document C, qui a influencé surtout Lc et Jn.

Note § **188**. *L'ÉVANGILE RÉVÉLÉ AUX SIMPLES. LE PÈRE ET LE FILS*

Ce logion, commun à Mt et Lc, provient du Document Q. Les introductions, différentes dans l'un et l'autre évangile (vv. 25a de Mt et 21a de Lc), sont de Mt et de Lc; ceci prouve que le logion n'est dans son contexte ni dans Mt ni dans Lc. Cette conclusion est confirmée par le fait que ni dans Mt ni dans Lc on ne peut déterminer l'objet de la révélation

aux « tout-petits », désigné seulement par le démonstratif « cela »; dans le Document Q, il devait y avoir un contexte antécédent qui permettait de préciser l'objet de cette révélation. – Voir aux notes §§ 110-111 les problèmes littéraires et théologiques soulevés par ce texte.

Note § **189.** « *HEUREUX VOUS QUI VOYEZ* »

Ce logion, qui se lit également en Mt **13** 16-17, provient du Document Q; il est mieux en situation dans Lc, après le § 188 où il est précisément question de révélation faite aux humbles. Lc en a peut-être modifié quelque peu l'introduction (v. 23a), comme l'indiquerait le participe « se tournant » (*strapheis*: 3/0/7/2/0/0).

1. Ce logion est composé de deux parties liées artificiellement; en effet, la seconde partie (vv. 17 de Mt et 24 de Lc) se retrouve, seule et sous une forme différente, dans des textes tels que Thomas 38; 1 P **1** 11-12; cf. aussi Jn **8** 56 et Lc **17** 22.

2. On pressent une source araméenne derrière les textes de Mt/Lc. Les mots « parce que » (v. 16 de Mt) et « qui » (v. 23 de Lc) pourraient traduire le même *di* araméen, à la fois particule causale et pronom relatif. Les verbes « ont désiré » et « ont voulu » (vv. 17 de Mt et 24 de Lc) répondent au même verbe araméen *be'a'*. Enfin, en 1 P **1** 11-12, il est question des prophètes qui cherchent et *des anges* qui désirent; or les mots « anges » de 1 P et « rois » de Lc correspondent à deux substantifs araméens très semblables : *ml'k* et *mlk*, qui ont pu être confondus dans la transmission du logion (T.W. Manson). Si l'on admet l'hypothèse d'un original araméen derrière le Document Q, le Mt-intermédiaire et le proto-Lc auraient connu deux traductions un peu différentes de ce Document.

3. La forme de texte que suit la paraphrase de 1 P **1** 11-12 est la meilleure; d'après les traditions juives, en effet, les révélations de l'AT ont été transmises *aux prophètes* par l'intermédiaire *des anges;* anges et prophètes ont donc eu une connaissance voilée des temps messianiques qu'ils étaient chargés d'annoncer; ils ont désiré « voir » la réalisation de ces temps dont jouissent maintenant les disciples depuis l'inauguration du Royaume par Jésus.

Note § **190.** *LE GRAND COMMANDEMENT*

Voir l'analyse de ce texte, en provenance du Document Q, | à la note § 285.

Note § **191.** *LE BON SAMARITAIN*

1. Destinée à illustrer l'entretien de Jésus avec un légiste (§ 190), cette parabole oppose la manière d'agir d'un prêtre et d'un lévite devant un homme en détresse (vv. 31.32) à celle d'un Samaritain dont la « miséricorde » (v. 37) est décrite avec un luxe de détails qui font mieux ressortir la conduite inhumaine du prêtre et du lévite. Ces personnages sont choisis de façon à exprimer un double enseignement.

a) Celui qui exerce la miséricorde envers le blessé est un Samaritain, de ces gens que les Juifs tenaient en profond mépris à cause de leur syncrétisme religieux et à qui ils réservaient les pires traitements quand ils en avaient l'occasion; le Samaritain exerce donc la miséricorde envers quelqu'un qu'il était en droit de considérer comme un ennemi; il faut conclure : le « prochain » que nous devons aimer (Lv **19** 18; Lc **10** 27b), ce n'est pas seulement notre ami, c'est aussi notre ennemi (voir note § 59).

b) A cette manière d'agir du Samaritain, Jésus oppose la conduite d'un prêtre et d'un lévite dont la fonction était d'offrir les sacrifices dans le Temple; aux yeux de Jésus, la « miséricorde » vaut mieux que les sacrifices et les holocaustes (Os **6** 6); accomplir avec ponctualité les exercices du culte (comme le faisaient sans doute le prêtre et le lévite) ne sert à rien si l'on néglige les obligations les plus élémentaires de l'amour du prochain (cf. note § 285, I 2 c).

2. Les lucanismes abondent dans ce récit. Au v. 29 : « se justifier » (*dikaioô*: 2/0/5/0/2); « dire à » (*legein pros*, très fréquent chez Lc, utilisé à l'occasion par Jn). Au v. 30 : « reprendre » (*hypolambanein* : 0/0/2/0/2/1); *Hierousalèm* : 2/0/27/0/36/11); « tomber au milieu de » (*peripiptein*: Ac **27** 41; Jc **1** 2); « coup » (*plègè*: 0/0/2/0/2). Au v. 32 : « arriver à » (*erchesthai kata*, cf. v. 33 et Ac **16** 7). Au v. 35 : « à mon retour » (*epanerchesthai*, cf. Lc **19** 15; *en tôi* + infinitif : 3/2/32/0/7/8). D'une façon plus générale, on notera les nombreux verbes à suffixe, typiques du style de Lc. Si Lc a utilisé ici une source, il l'a profondément marquée de son style.

Note § **192**. *MARTHE ET MARIE*

1. Cet épisode est propre à Lc; l'ensemble du vocabulaire et du style est lucanien :

	Mt	Mc	Jn	Lc	Ac
v. 38 « tandis que » (*en tôi* + infinitif)	3	2	0	32	7
« recevoir » (*hypodechesthai*)	0	0	0	2	1
v. 39 « appelée » (*kaloumenos*)	0	0	0	11	13
v. 40 « service » (*diakonia*)	0	0	0	1	8
« s'arrêter » (*ephistèmi*)	0	0	0	7	11
« servir » (*diakonein*, sans complément)	1	1	1	4	0
v. 42 « part » (*meris*)	0	0	0	1	2
« enlever » (*aphairein*)	1	1	0	4	0

On notera encore : la formule du v. 38b : « or une femme du nom de Marthe », qui se retrouve identique (sauf une inversion éventuelle) en Ac **5** 1; **8** 9; **10** 1; **18** 24 (cf. encore, avec quelques variantes : Ac **5** 34; **9** 33.36; **16** 1; **18** 2); aux vv. 39 et 41, la désignation de Jésus comme « le Seigneur », typique de Lc dans les récits avant la résurrection; au v. 39 l'expression « écouter la parole » (cinq fois dans Lc et sept fois dans Ac; en Lc **8** 21, Lc remplace les mots de Mt/Mc « faire la volonté de » par « écouter la parole »). Lc n'a donc pas repris cet épisode d'une source écrite; il en a seulement entendu parler par tradition et compose lui-même les détails du récit.

2. Les personnages de Marthe et de Marie se retrouvent dans deux récits johanniques : la résurrection de Lazare (§ 266) et le repas à Béthanie (§ 272). Marthe et Marie sont deux sœurs (Jn **11** 1.3); Marthe est probablement l'aînée puisque c'est elle qui prend les initiatives (Jn **11** 20.39; cf. Lc **10** 38) tandis que Marie semble apprécier la position assise (Jn **11** 20b; Lc **10** 39) ! Au cours du repas, c'est Marthe qui assure le service (Jn **12** 2; Lc **10** 40a) tandis que Marie consacre son temps à Jésus (Jn **12** 3; Lc **10** 39). Il s'agit certainement des mêmes personnages. Lc les fait habiter dans un village de Galilée, Jean à Béthanie, près de Jérusalem (**11** 1; **12** 1 ss.); les souvenirs johanniques sont plus exacts.

3. L'enseignement de ce récit de Lc est clair : écouter la parole de Jésus, évidemment pour la mettre en pratique, vaut mieux que s'affairer à des occupations matérielles, même si elles concernent Jésus lui-même. Ailleurs, Lc dira qu'écouter la parole de Dieu vaut mieux que se prévaloir de liens familiaux avec lui (Lc **8** 21, § **140**; Lc **11** 27 s., § **199**).

Note § **193**. *LA VRAIE PRIÈRE : LE « PATER »*

La prière du « Pater », enseignée par Jésus à ses disciples, ne se lit que dans Mt et Lc; elle provient donc du Document Q.

I. PROBLÈMES LITTÉRAIRES

1. Le premier problème qui se pose est celui du nombre des « demandes » : sept dans Mt, mais cinq seulement dans Lc. Tout bien pesé, il semble que ce soit Mt qui ait amplifié le nombre primitif des demandes, pour les raisons suivantes :

a) Chacun des deux évangélistes donne le « Pater » comme la prière type, la prière parfaite enseignée par Jésus à ses disciples; on voit mal Lc supprimant de son propre chef deux des « demandes » de cette prière, tronquant ainsi la structure initiale voulue par Jésus. On conçoit mieux l'addition par Mt de deux demandes nouvelles, d'autant qu'il a procédé de même pour les Béatitudes, portant leur nombre de quatre à sept (voir note § 50). Le parallèle du cas des Béatitudes inviterait à penser que les additions ont été pratiquées à l'ultime niveau rédactionnel de Mt.

b) La première des deux demandes propres à Mt est : « que soit faite ta volonté comme au ciel aussi sur terre » (**6** 10b); la première partie de cette formule trouve un écho dans les prières de Jésus à Gethsémani, mais surtout dans celle rapportée en Mt **26** 42d qui est de l'ultime Rédacteur matthéen (voir note § 337, I C 2 b). D'ailleurs, l'idée de « faire la volonté du Père » est assez typique de la théologie de l'ultime Rédacteur matthéen : Mt **7** 21 (moins primitif que Lc **6** 46); **18** 14; **21** 31.

c) La seconde des deux demandes propres à Mt est : « mais délivre-nous du Mauvais ». Or, le mot « Mauvais » (*ho ponèros*) ne revêt jamais un sens personnel chez Lc ou dans le Document Q, tandis qu'il a certainement ce sens dans deux textes de l'ultime Rédacteur matthéen, **13** 38 et surtout **13** 19, dans la parabole du semeur, où Mc a « Satan » et Lc « le Diable ».

Ces diverses remarques nous invitent à conclure que les deux demandes du « Pater » ignorées de Lc ont été ajoutées par l'ultime Rédacteur matthéen.

2. Dans les demandes communes à Mt/Lc, comment expliquer les divergences entre les deux textes?

a) Dans l'invocation initiale, Lc a seulement « Père » tandis que Mt a : « Notre Père qui (es) dans les Cieux ». La formule brève de Lc est confirmée par Jn **17** 1 et Mc **14** 36 (du Document B, formule reprise en Rm **8** 15; Ga **4** 6). C'est encore Mt qui a amplifié le simple nom de « Père » en ajoutant une formule qu'il est pratiquement le seul à employer (Mc **11** 25 est une influence de Mt sur l'ultime rédaction marcienne). Mais comme cette formule se lit dans le Mt-intermédiaire aussi bien que dans l'ultime rédaction matthéenne, il est impossible de dire à quel niveau s'est faite l'amplification.

b) Dans la demande concernant le pain, Mt restreint la demande à « aujourd'hui » (*sèmeron*) tandis que Lc l'étend à « chaque jour » (quotidien). C'est évidemment Mt qui a gardé la bonne leçon; Lc a pensé qu'il était plus sûr de demander le pain de « chaque jour » ! Cette expression est d'ailleurs de saveur lucanienne (*kath'hèmeran*: 1/1/5/0/6).

c) Enfin, dans la demande suivante, Mt est certainement plus primitif en parlant de « dettes » que Lc en parlant de « péchés ». En araméen, le mot « dette » était souvent compris au sens de « péché »; Lc a grécisé et employé un mot plus « ecclésiastique ». D'ailleurs, Lc lui-même atteste la leçon matthéenne dans la seconde partie du verset en disant : « ... à tout (homme) *qui nous doit* ».

3. Un dernier problème littéraire se pose : l'authenticité du second membre de phrase de la deuxième demande : « comme nous aussi avons remis à nos débiteurs ». On verra plus loin qu'elle présente une sérieuse difficulté théologique; par ailleurs, elle rompt la simplicité des « demandes », ce qui est surtout sensible dans la structure lucanienne, plus primitive, du « Pater » : c'est le seul cas où une demande est accompagnée d'un considérant. Comme ce deuxième membre de phrase est attesté par Mt et par Lc, deux hypothèses peuvent être envisagées : l'addition fut faite au niveau du Mt-intermédiaire, qui aurait influencé le proto-Lc; l'addition se trouvait déjà dans le Document Q; il est impossible de trancher dans un sens ou dans l'autre.

La formulation la plus primitive du « Pater » aurait donc été :

> Père,
> que soit sanctifié ton Nom,
> qu'arrive ton Règne,
> notre pain quotidien, donne-le nous aujourd'hui,
> et remets-nous nos dettes,
> et ne nous introduis pas en tentation.

II. LE SENS DU « PATER »

1. Il commence par la simple invocation : « Père ». Nous nous adressons à Dieu comme l'enfant à son père, dont il attend tout. Ceci implique notre certitude que Dieu nous considère comme ses enfants : « Ephraïm est-il donc pour moi un fils si cher, un enfant tellement préféré, car après chacune de mes menaces je dois toujours penser à lui, et mes entrailles s'émeuvent pour lui, et pour lui déborde ma tendresse » (Jr **31** 20).

2. Les deux premières demandes concernent l'avènement du Règne. On y trouve un écho de la prière juive, le *Qaddish*, qui concluait le service de la Synagogue et que Jésus a dû connaître : « Que soit glorifié et sanctifié son grand Nom dans le monde qu'il a créé selon sa volonté. Qu'il fasse prévaloir son Règne en votre vie et dans vos jours et dans la vie de toute la maison d'Israël bientôt et dans un temps prochain » (J. Jeremias). Le Règne de Dieu viendra le jour où tous les hommes reconnaîtront la « sainteté », i.e. la transcendance du Nom de Yahvé, celui « qui est » (Ex **3** 14) et qui fait être, le Maître absolu de l'univers (cf. Jn **17** 1-6; Ap **11** 17). L'addition matthéenne de la troisième demande ne fait qu'expliciter le sens des deux premières; mais Mt souligne que cet avènement du Règne est déjà commencé : « sur la terre ».

3. On interprète d'ordinaire la demande concernant le pain au sens matériel : que Dieu nous donne la nourriture dont nous avons besoin. Un tel sens fait toutefois difficulté car il rompt avec l'orientation « eschatologique » de l'ensemble et s'accorde mal avec des textes tels que Mt **6** 35-34 (voir note § 206). J. Jeremias a donc proposé l'hypothèse suivante : au témoignage de S. Jérôme, l'évangile des Nazaréens, écrit en araméen, avait le mot *mahar* (« demain ») là où le texte grec a *epiousios* (« quotidien »); il s'agirait donc du « pain de demain », ce qui voudrait dire, précise Jérôme, « notre pain futur ». Ce « pain futur » serait, non le pain matériel qui nourrit les corps, mais le « pain de vie » qui doit nourrir l'homme dans le monde eschatologique et dont le pain eucharistique serait la préfiguration (cf. Jn **6** 34 : « donne-nous toujours de ce pain »).

4. La quatrième demande est : « Remets-nous nos dettes ». Sa portée eschatologique est certaine : impossible à l'homme de participer au royaume de Dieu s'il se trouve en état d'inimitié avec lui (cf. déjà 2 M **12** 39-46, mais aussi Mt **16** 19). – La seconde partie de cette demande, qui est, on l'a vu, un ajout, fait difficulté. Le texte ne dit pas, en effet : « remets-nous nos dettes à condition que nous remettions à nos débiteurs », mais : « remets-nous nos dettes *comme nous aussi* avons remis à nos débiteurs ». Autrement dit, le fait que nous remettons les dettes de notre prochain serait une invitation faite à Dieu d'agir comme nous ! Pour comprendre ce texte, peut-être faut-il se référer à la loi exprimée en Dt **15** 1 : « Au bout de sept ans, tu feras remise (des dettes). » C'est une telle obligation qui serait évoquée dans l'addition « comme nous aussi avons remis à nos débiteurs »; l'homme ne se donne pas comme exemple à Dieu, il rappelle à Dieu une loi qu'il nous a lui-même enseignée : la remise des dettes.

5. La dernière demande est la plus difficile à comprendre et a suscité de nombreuses discussions. Le texte grec dit littéralement : « Et ne nous introduis pas en tentation. » Il n'est évidemment pas question que Dieu puisse « tenter » l'homme, au sens de le pousser au péché (cf. Jc **1** 13). Le mot « tentation » (*peirasmos*) a souvent le sens de « épreuve »; certains commentateurs pensent alors à la grande « épreuve » eschatologique qui, selon certains textes, précédera l'avènement définitif du Royaume de Dieu (Dn **12** 10-12; Mc **13** 19; 2 Th **2** 3). On demanderait à Dieu de nous épargner cette « épreuve » finale, où beaucoup seront menacés de perdre la foi et d'apostasier (cf. 2 Th **2** 9-12). C'est peut-être ce sens que l'ultime Rédacteur matthéen aurait en vue lorsqu'il ajoute : « mais délivre-nous du Mauvais »; selon 2 Th **2** 3 ss., en effet, c'est Satan qui sera à l'œuvre pour égarer les hommes lors de l'épreuve eschatologique.

Une autre interprétation tourne la difficulté du texte en se référant à l'original hébreu (ou araméen) de cette prière

(J. Carmignac; cf. J. Jeremias). Le grec « ne nous introduis pas » traduirait un *hiphil* (= causatif) hébreu précédé d'une négation. Une telle expression aurait pu se traduire, soit : « ne nous fais pas entrer en tentation » (cf. le grec actuel), soit : « fais que nous n'entrions pas en tentation ». Pour ce second sens, on se reportera à Mc **14** 38 : « Priez, afin de ne pas entrer en tentation » (la négation porte sur le fait d'entrer en tentation); ou encore Ps **141** 4 : « Fais que mon cœur ne tende pas à une chose mauvaise. » On rejoindrait le sens d'une antique prière juive : « Ne conduis pas mon pied dans la puissance du péché ... ni dans la puissance de la tentation », où « ne conduis pas » signifie « ne permets pas que je tombe » (J. Jeremias). L'expression « entrer dans » signifierait « participer à », d'où « succomber à »; on retrouverait donc la traduction française naguère courante : « ... ne nous laisse pas succomber à la tentation ».

Note § **194.** *L'AMI IMPORTUNÉ*

1. Cette parabole, propre à Lc, se comprend d'elle-même : quand on demande quelque chose à un ami, il ne faut pas se décourager d'un refus, même motivé; on sera finalement exaucé, même si l'ami ne nous accorde l'objet de notre demande que pour se débarrasser de notre importunité. L'application théologique ressort du contexte : il en va de même dans nos demandes à Dieu; même si Dieu tarde à nous exaucer, nous ne devons pas nous décourager, mais persévérer dans la prière.

2. La parabole de l'ami importuné a même portée que celle du juge inique, que Lc est seul à nous transmettre (Lc **18** 1-8, § 244). Du point de vue littéraire, ces deux paraboles sont d'ailleurs liées par trois expressions, rares dans les évangiles, et qui ne se lisent que là dans Lc : « donner des ennuis » (*kopon parechein :* **11** 7 et **18** 5); « même si » (*ei kai :* **11** 8 et **18** 4); « en raison de » (*dia ge :* **11** 8 et **18** 5).

3. Le vocabulaire et le style de cette parabole n'offrent aucun contact spécial avec celui du Document Q, sauf l'interrogation : « Qui d'entre vous » (v. 5; cf. Lc **11** 11; **12** 25 et les parallèles de Mt), mais que l'on retrouve ailleurs chez Lc (**14** 28; **15** 4; **17** 7). Son introduction est typiquement lucanienne (« Et il leur dit », *kai eipen pros autous*). La parabole contient aussi un certain nombre de mots chers à Lc. Au v. 5 : « aller » (*poreuomai :* 28/1/49/13/39); « milieu de la nuit » (*mesonyktion :* 0/1/1/0/2/0); « ami » (*philos :* 1/0/15/6/3/4; cf. encore aux vv. 6 et 8). Au v. 6 : « parce que » (*epeidè :* 0/0/2/0/3); « arriver » (*paraginomai :* 3/1/8/1/20); « offrir » (*paratithenai :* 2/4/5/0/4; les quatre exemples de Mc se lisent dans les deux scènes de la multiplication des pains, en **6** 41 et **8** 6-7). Au v. 8, le participe « (une fois) levé » (*anastas*, au singulier ou au pluriel : 2/6/16/0/18); particule *ge* (4/0/8/1/4); « en raison de ce que » (*dia to* + infinitif : 3/3/8/1/8). – Cette parabole n'appartenait donc pas au Document Q, d'autant qu'il serait étrange que Mt ait omis juste les deux paraboles de Lc (celle-ci et celle du § 244) qui sont unies par trois expressions semblables (cf. supra, 2). Lc la tient d'une source qu'il est impossible de préciser; à moins qu'il ne l'ait lui-même rédigée en fonction de données reçues de la tradition.

Note § **195.** *LA PRIÈRE SERA EXAUCÉE*

Ce logion est attesté par Mt et par Lc; il doit donc provenir du Document Q où il se lisait après la prière du « Pater », dont il rappelle la troisième demande.

1. Il se compose de trois parties constituant une manière de raisonnement. La première partie (Mt **7** 7; Lc **11** 9) est une invitation à la prière de demande, exprimée en trois phrases parallèles; selon une façon de parler fréquente dans le judaïsme, les deux passifs impersonnels : « il vous sera donné... il vous sera ouvert », signifient en réalité : « Dieu vous donnera... Dieu vous ouvrira. » La deuxième partie (Mt **7** 8; Lc **11** 10) fonde l'invitation précédente sur un triple principe général qui reprend les termes de la partie précédente : « Quiconque demande reçoit, etc. » La troisième partie tire les conclusions pratiques des deux parties précédentes sous forme parabolique utilisant un argument a fortiori fréquent dans le Document Q (cf. Mt **6** 26.30; **10** 25.31; **12** 12; et les parallèles de Lc). L'ensemble se comprend sans difficulté.

2. Le texte des deux premières parties est rigoureusement identique dans Mt et dans Lc; on notera simplement dans Lc l'addition de la cheville rédactionnelle : « et moi je vous dis », au début du v. 9, rendue nécessaire par l'insertion du paragraphe précédent au niveau du proto-Lc. Dans la troisième partie, Mt et Lc offrent quelques divergences. La formule de Lc : « à quel père d'entre vous », est moins primitive que celle de Mt qui est confirmée par Mt **12** 11 et Lc **15** 4. Au lieu de l'opposition « pain/pierre » (cf. Mt **4** 3; Lc **4** 3), Lc a l'opposition « œuf/scorpion », moins naturelle, mais de même portée péjorative que l'opposition « poisson/serpent » commune à Mt/Lc. Au v. 13, Lc a remplacé le « qui êtes » (*ontes*) de Mt par *hyparchontes* (*hyparchein :* 3/0/15/0/25). Surtout,

Lc a trouvé le « de bonnes (choses) » de Mt trop vague et l'a remplacé par l'expression « un esprit saint », qui donne une portée spirituelle à l'ensemble du logion : il faut demander à Dieu, non pas les biens matériels, mais un esprit·saint qui nous permet de vivre en accord avec sa volonté, et donc de parvenir au royaume de Dieu.

3. Au v. 13 de Lc, il semble que l'expression « le Père qui (est) du ciel » soit une transformation de la formule matthéenne : « votre Père qui (est) dans les cieux »; la première expression est unique dans Lc, tandis que la seconde se lit treize fois dans Mt et doit remonter au Mt-intermédiaire; ce serait un indice que, ici, le proto-Lc dépendrait du Mt-intermédiaire et non du Document Q. – C'est l'ultime Rédacteur matthéen qui a inséré ce logion dans le discours inaugural de Jésus (§ 70).

NOTE SUR LES §§ **196-200**

Lc **11** 14-32 donne à la suite : la guérison d'un démoniaque muet (§ 196), la controverse sur Béelzéboul (§ 197), le retour offensif de l'esprit impur (§ 198), un logion sur la vraie béatitude concernant implicitement la mère de Jésus (§ 199), enfin la controverse sur la demande de signe (§ 200). La même séquence se retrouve en Mt **12**, sans le logion sur la vraie béatitude et moyennant une inversion de Mt; Lc et Mt dépendent du Document Q dans leurs parties communes. On notera toutefois que Lc **11** 16 (§ 197) prépare, avant la controverse sur Béelzéboul, l'épisode de la demande de signe du § 200; ce verset est repris de Mc **8** 11 (§ 160) et doit donc être attribué à l'ultime Rédacteur lucanien. Pour le détail du commentaire, voir les notes §§ 116, 117, 121, 120.

Note § **199.** *LA VRAIE BÉATITUDE*

1. Cet épisode, propre à Lc, rappelle d'assez près celui qui se lit en Mc **3** 34 ss. (§ 122). Jésus enseigne que le fait de s'assimiler la parole de Dieu, qu'il est venu transmettre aux hommes, vaut mieux que tous les liens du sang que l'on pourrait avoir avec lui, même celui de la maternité !

2. Dans l'ensemble, le vocabulaire et le style sont typiquement lucaniens. Au v. 27 : « Or il arriva tandis que » (*egeneto de en tôi* + infinitif), très fréquent chez Lc; « élever » (*epairein*: 1/0/6/4/5/3); l'expression « élever la voix » ne se lit ailleurs dans tout le NT qu'en Ac **2** 14; **14** 11; **22** 22); « Heureux » (*makarios*: chez Lc, neuf fois en plus des cas qu'il a en commun avec Mt); « ventre » (*koilia*: 3/1/8/2/2); « seins » (*mastoi*: ailleurs seulement en Lc **23** 29 et Ap **1** 13); on comparera spécialement Lc **11** 27 à Lc **23** 29 : « *Heureuses* les stériles, *les ventres* qui n'ont pas enfanté et *les seins* qui n'ont pas nourri ! » Au v. 28, le « Mais lui » (*autos de*) est typiquement lucanien; quant au thème de « écouter la parole de Dieu », on a noté déjà ses résonances lucaniennes (note § 192, 1; cf. Lc **8** 21 opposé à Mc **3** 35); « garder » (*phylassein*: 1/1/6/3/8). L'ensemble de cet épisode est donc de rédaction lucanienne. L'ultime Rédacteur lucanien a voulu placer, après la controverse sur Béelzéboul, une parole de Jésus qui exalte ses vrais disciples, parole analogue à celle qu'il lisait dans le Mc-intermédiaire (§ 122) après cette controverse sur Béelzéboul (§ 117). On notera que la mention de la foule, au v. 27, rend inutile l'introduction de l'épisode suivant (v. 29a) qui se trouvait déjà dans le proto-Lc.

Note § **201.** *DEUX LOGIA SUR LA LAMPE*

Le Document Q, et probablement aussi le Mt-intermédiaire, contenait deux logia unis par le thème commun de la « lampe »; ces deux logia sont restés accolés dans Lc (on ne peut dire si le proto-Lc dépend ici du Mt-intermédiaire ou du Document Q), tandis que l'ultime Rédacteur matthéen les a séparés en les insérant dans le Discours inaugural de Jésus (§§ 52 et 65). Pour le sens du premier logion, voir note § 52, III.

Lc **11** 34-35 et son parallèle matthéen est une parabole légèrement allégorisée qui repose sur deux contrastes : œil/corps et lumière/ténèbres, et sur leur relation par la métaphore qui voit dans l'œil la lumière du corps; ceci doit être compris dans la perspective sémitique qui fait de l'œil l'organe du discernement et comprend le corps au sens de toute la personne (et non seulement l'élément physique de l'homme). Une telle parabole est susceptible de recevoir des applications diverses selon que l'on se tient sur le plan moral, intellectuel ou même ontologique. Ce dernier point de vue est celui de Thomas 24, où l'expression « homme de lumière » évoque l'horizon dualiste où lumière et ténèbres caractérisent deux catégories d'hommes, comme dans les textes de Qumrân. – Dans le Document Q (cf. Lc), le sens du logion est obscur puisque son contexte est artificiel, le lien avec le logion précédent étant dû uniquement au mot-crochet « lampe ». – En le transposant dans le Discours inaugural de Jésus, l'ultime Rédacteur matthéen lui a donné un sens plus clair. Songeant au détachement des richesses (Mt 6 19-21.24), Mt donne un relief spécial au thème « œil/corps » : l' « œil simple », qui est libéral, généreux, sachant donner, est opposé à l' « œil mauvais », qui est envieux, avare, et répugne à donner ; sur ce thème de l'œil, principe du don généreux, cf. Pr 22 9 :

« Béni sera l'homme à l'œil bon, car il donne de son pain au pauvre » (voir encore : Tb 4 7.16 ; Pr 28 22 ; Si 4 4.5 ; 14 8.10 ; 31 13 ; 35 9 ; Dt 15 9). Dans cette perspective, l'adjectif « simple » au lieu de « bon » convient bien en grec, où ce terme comporte la signification de « générosité » (mots de même racine : Rm 12 8 ; 2 Co 8 2 ; 9 11.13 ; Jc 1 5).

Le v. 36 de Lc est une glose de l'ultime Rédacteur lucanien qui n'apporte guère de lumière pour comprendre le logion dans son contexte du Document Q !

Note § 202. *CONTRE LES PHARISIENS ET LES LÉGISTES*

1. Ces invectives de Jésus contre les Pharisiens et les légistes (= les scribes) se lisaient dans le Document Q ; l'ultime Rédacteur matthéen les a transportées aux §§ 287 et 288 afin de les combiner avec des invectives semblables, mais beaucoup moins développées, qu'il lisait dans le Mt-intermédiaire en provenance du Document A. Pour le commentaire du texte, voir note § 288.

2. L'introduction (11 37-39a) est de Lc. On comparera le v. 37 à Lc 7 36, où l'on a la même structure de phrase bien que le vocabulaire soit différent ; quant au v. 39a : « Le Seigneur lui dit », il est typiquement lucanien avec l'expression « le Seigneur » pour désigner Jésus et la construction gramma-

ticale *eipen pros*. Il est possible que le v. 38 s'inspire de Mc 7 5 (= Mt 15 2), scène qui n'a pas été reprise par Lc.

3. La conclusion (vv. 53-54) est aussi probablement de Lc et s'inspirerait de Mc 12 13. On notera le *kakeithen* du v. 53 (0/1/1/0/8/0) et le verbe « tendre des pièges » (*enedreuein*, ailleurs seulement en Ac 23 21 ; cf. le substantif *enedra*, seulement en Ac 23 16 ; 25 3). Par ailleurs, tandis que les invectives sont lancées contre les Pharisiens et les *légistes* (*nomikoi* : vv. 45-46.52), le v. 53 parle des *scribes* et des Pharisiens et doit donc appartenir à une autre couche rédactionnelle, évidemment plus récente.

Note § 203. *LE LEVAIN DES PHARISIENS*

On a vu à la note § 161, II 1, que le logion de Jésus sur le levain des Pharisiens se lisait déjà dans le Document A, probablement lié à la controverse sur la pureté rituelle rapportée au § 154 ; le même groupement avait été repris dans le Mt-intermédiaire. Le proto-Lc, tout en supprimant l'épisode du § 154, se serait inspiré de son introduction

(Mt 15 2) pour former l'introduction du paragraphe précédent (Lc 11 38) et aurait repris le logion sur le levain des Pharisiens (Mt 16 6) pour servir de conclusion aux invectives contre les Pharisiens (Lc 12 1) ; la première partie de Lc 12 1 est une rédaction du proto-Lc. Sur le sens du logion, voir note § 161 II.

Note § 204. *CONFESSER JÉSUS SANS CRAINTE*

Cette section de Lc 12 2-12 se lit aussi dans Mt, en grande partie dans le Discours de mission (Mt 10), et provient du Document Q. Elle est composée de logia primitivement distincts.

I. PREMIER LOGION (Lc 12 2-3 ; Mt 10 26-27)

Les vv. 2 de Lc et 26 de Mt ont leur équivalent en Mc 4 22 ; Lc 8 17 (voir note § 130) ; ils sont identiques à une nuance

près : *kalyptein* (« voiler », Mt) est changé en *synkalyptein* par Lc. En revanche, les vv. 3 de Lc et 27 de Mt offrent des divergences, les verbes y étant à des personnes et des modes différents : « Ce que je vous dis... dites-le », « tout ce que vous dites... sera entendu » ; ces divergences correspondent à un changement de sens du logion en raison des contextes différents. Inséré par l'ultime Rédacteur matthéen dans le Discours de mission, le logion revêt une portée missionnaire : malgré les difficultés rencontrées, les missionnaires devront répéter en pleine lumière tout ce que Jésus leur aura dit en cachette. Dans Lc, venant après la mise en garde contre l'hypocrisie des Pharisiens (v. 1), le logion prend le sens suivant : l'hypocrite est celui qui cache aux yeux des autres ses mauvaises actions, sous le voile d'une conduite irréprochable; or, les paroles et les actions les plus secrètes des hommes, même celles dont ils ont à rougir, seront manifestées un jour (au jugement?). Sur ce thème de l'hypocrisie dévoilée, cf. note § 234. Le contexte étant secondaire et dans Mt et dans Lc, il est impossible de dire quel était la teneur et le sens du logion dans le Document Q.

II. DEUXIÈME LOGION (Lc 12 4-7; Mt 10 28-31)

Son étude est assez complexe.

A) LES DIVERS TEXTES

1. *Le texte de Mt*. Au v. 28, le texte de Mt se caractérise par la distinction qu'il établit entre le corps et l'âme; non seulement le corps est distinct de l'âme, mais il peut mourir, tandis que l'âme reste en vie (v. 28a). C'est le seul passage des évangiles (y compris Jn) où soit adoptée cette distinction de saveur platonicienne; il faut voir là une influence de la pensée grecque sur l'ultime Rédacteur matthéen. Ayant ainsi distingué l'âme du corps, le Rédacteur matthéen a remplacé le verbe « jeter » par « perdre » (v. 28b), pour éviter le réalisme physique que constituerait la formule « jeter l'âme (et le corps) ».

2. *Le texte de Lc*.

a) Aux vv. 4-5, le texte de Lc ignore la distinction « âme/corps » introduite par Mt; même au v. 4, le mot « corps » doit être une addition de scribe car il est omis par Marcion et un manuscrit de l'ancienne version latine (*a*). Ce texte reste donc dans la ligne de la pensée sémitique : c'est l'homme tout entier qui est « tué » ou « jeté » dans la géhenne.

b) Il contient trois additions ignorées de Mt : « Or je le dis à vous mes amis » (v. 4a); « je vous montrerai qui vous avez à craindre » (v. 5a); « Oui, je vous (le) dis, celui-là, craignez-le » (v. 5c). On notera au v. 4a, le mot « ami » (1/0/15/6/3) et au v. 5a, le verbe « montrer » (*hypodeiknumi*: 1/0/3/0/2/0), qui trahissent le caractère lucanien de ces ajouts.

c) Au v. 6, c'est probablement Lc qui a remplacé l'expression: « ne tombe sur la terre sans votre Père » (Mt; cf. Am 3 5), par : « n'est oublié devant Dieu » (« devant », *enôpion*: 0/0/22/1/13).

d) Au v. 4b, Lc a : « n'ont rien de plus à faire » (*mè echontôn perissoteron ti poièsai*), tandis que Marcion (qui suit Lc) a : « n'ont plus aucun pouvoir sur vous ». Ces variantes entre Lc et Marcion permettent de suggérer l'hypothèse suivante : en grec, le verbe « avoir » peut revêtir le sens de « pouvoir », mais ce sens reste relativement rare; le proto-Lc aurait eu simplement : « et après cela n'ont rien ( ) à faire », ce qui devrait se comprendre : « et après cela ne peuvent rien faire »; l'ultime Rédacteur lucanien et Marcion auraient, chacun de leur côté, voulu éviter le sens de « pouvoir » du verbe *echein* (« avoir »), le premier en ajoutant le mot « de plus » (*peris-*

soteron), le second en reprenant la formule du second membre du logion : « a pouvoir de » (*echei exousian*; v. 5b). Marcion dépendrait alors, non du Lc actuel, mais du proto-Lc.

3. *Le texte de Justin*. Justin cite ce passage sous une forme assez indépendante, mais confirmée en partie par 2 Clément 5 3-4 :

Justin	2 Clément
« Ne craignez pas ceux qui vous font disparaître et après cela ne peuvent rien faire; mais (*de*) craignez celui qui, après (que) vous êtes morts, peut et l'âme et le corps jeter dans la géhenne. »	« Ne craignez pas ceux qui vous tuent et après cela ne peuvent rien vous faire; mais (*alla*) craignez celui qui, après (que) vous êtes morts, a pouvoir sur âme et corps de jeter dans la géhenne du [feu. »

Malgré quelques divergences, ces deux textes dépendent d'une source commune, étant donné leurs caractéristiques et la façon dont ils se comportent à l'égard des textes de Lc et de Mt. Au début du logion, ils ont : « ne craignez pas ceux qui... », au lieu de : « ne craignez (rien) de ceux qui... » (Mt/Lc); dans la seconde partie du logion, ils ont : « après que vous êtes morts », au lieu de : « après avoir tué » (Lc), leçon facilitante pour éviter de dire que c'est Dieu qui tue les hommes. Dans la première partie du logion, ils n'ont aucune allusion à la distinction « âme/corps », comme Lc, mais ils ont le verbe « pouvoir » (*dynamai*), comme Mt. La source commune à Justin et à 2 Clément avait-elle la distinction « âme/corps » dans la seconde partie du logion? Il ne semble pas. Sans doute, Justin et 2 Clément ont cette distinction; on notera cependant que leur texte est beaucoup plus proche de Lc que de Mt, leur contact avec Mt se réduisant précisément à introduire la distinction « âme/corps »; mais ils le font de façon différente ! Justin reprend à Mt toute la formule : « peut et l'âme et le corps » (*dynamenon kai psychèn kai sôma*), tandis que 2 Clément se contente d'ajouter, après le « a pouvoir » (*echei exousian*) du texte attesté par Lc, le double génitif *psychès kai sômatos* (« sur âme et corps »). Au v. 5 de Lc, le texte de la source commune à Justin/2 Clément aurait eu simplement : « mais craignez celui qui, après (que) vous êtes morts, a pouvoir de jeter dans la géhenne ».

Que penser de ce texte commun à Justin et à 2 Clément? Il ne dépend sûrement pas du Mt actuel, puisqu'il ignore la distinction grecque « âme/corps », certainement dans la première partie du logion, probablement aussi dans la seconde partie. Il ne dépend pas non plus du proto-Lc, puisqu'il ignore les trois additions lucaniennes des vv. 4a, 5ac. Il doit alors dépendre directement du Document Q, comme c'est souvent ailleurs le cas pour le texte suivi par Justin; mais, en reprenant le texte du Document Q, cette source commune à Justin et à 2 Clément y a introduit les deux leçons facilitantes signalées plus haut.

Les analyses précédentes permettent de reconstituer la structure du texte du Document Q correspondant aux vv. 4-5 de Lc et 28 de Mt :

« Ne craignez (rien) de ceux qui tuent, et après cela ne peuvent rien faire (*mè echontôn ti poièsai*) ; craignez celui qui, après avoir tué, a pouvoir (*echei exousian*) de jeter dans la géhenne. »

B) COMPLEXITÉ DU SECOND LOGION

Même au niveau du Document Q, le second logion a subi des additions qui en modifient la portée. On peut y distinguer, en effet, deux « pointes » différentes : aux vv. 5 de Lc et 28b de Mt, l'idée essentielle est qu'il faut craindre Dieu ; aux vv. 6-7 de Lc et 29-31 de Mt, l'idée essentielle est au contraire que Dieu protège les hommes.

1. Le texte primitif du logion repris par le Document Q peut être reconstitué facilement en se référant aux développements du § 206, qui donnent un argument a fortiori dont il est aisé de retrouver la structure dans le présent logion :

Lc 12	Lc 12
4b « Ne craignez (rien) de ceux qui tuent...	22b « Ne vous inquiétez pas pour la vie, de ce que vous mangerez...
6 Est-ce que cinq moineaux ne se vendent pas deux as ? Et pas un d'eux n'est oublié devant Dieu.	24 Observez les corbeaux : ils ne sèment ni ne mois-[sonnent ... et Dieu les nourrit.
7b Ne craignez pas, vous valez mieux que beaucoup de [moineaux. »	Que vous valez plus que les oiseaux ! »

Nous avons pris comme termes de comparaison les deux textes de Lc ; les variantes de Mt ne changeraient rien au fait que nous nous trouvons devant deux textes de structure absolument identique : un argument a fortiori prenant appui sur la façon dont Dieu prend soin même des oiseaux.

2. L'addition des vv. 4c-5 de Lc et 28bc de Mt, faite au niveau du Document Q, a pour but de mettre en garde les disciples contre une apostasie possible en temps de persécution. Le persécuteur ne peut que tuer l'homme, tandis que Dieu a pouvoir de jeter dans la géhenne après la mort (ceux qui auront renié leur foi). Il ne s'agit plus de la protection de Dieu qui garde la vie de ses fidèles, mais de la colère de Dieu qui peut perdre dans la géhenne les renégats.

On rapprochera cette addition concernant les persécutions, faite au niveau du Document Q, de la dernière des béatitudes (Mt 5 11-12 ; Lc 6 22-23) qui, ajoutée elle aussi au niveau du Document Q (cf. note § 50), concerne les persécutés.

Bien qu'il reste dans la ligne du sens du logion primitif, le v. 7a de Lc (cf. le v. 30 de Mt) doit être considéré comme un ajout (fait aussi dans le Document Q), puisqu'il rompt la structure de l'argument a fortiori.

III. LE TROISIÈME LOGION
(Lc **12** 8-10 ; Mt **10** 32-33 et **12** 32)

C'est un ajout, fait au niveau du Document Q, qui se situe dans la même perspective que le remaniement du logion principal : il exhorte le chrétien à reconnaître Jésus pour le Christ devant les tribunaux, sous peine de se voir renier par le Fils de l'homme devant Dieu. Ce logion a son équivalent dans le Document B (Mc **8** 38 ; Lc **9** 26 ; voir note § 168), mais on notera la différence : dans le Document B, le châtiment de ceux qui auront rougi du Christ se fera « quand il viendra dans la gloire de son Père », ce qui suppose une eschatologie conçue en fonction du thème du « retour » du Fils de l'homme sur la terre pour y effectuer le « jugement dernier » ; ici, le châtiment de ceux qui auront renié le Christ se fera « devant les anges de Dieu » (Lc) ou « devant mon Père... » (Mt), ce qui suppose une eschatologie individuelle ; chacun, à sa mort, paraît devant Dieu pour y être jugé. Sur ce problème, voir note § 284.

IV. LE QUATRIÈME LOGION (Lc **12** 11-12 ; Mt **10** 19-20)

Il correspond davantage au thème du logion primitif de Lc **12** 4b.6.7b : Dieu protégera ceux qui seront menés devant les tribunaux parce que l'Esprit sera là pour assurer leur défense. Mais cette insistance sur le thème des persécutions doit être attribuée encore au Rédacteur du Document Q. On lit un logion de même sens en Mc **13** 11, mais c'est l'ultime Rédacteur marcien qui l'a repris au Mt-intermédiaire et donc, indirectement, au Document Q (voir note § 293).

Note § **205**. *PARABOLE DU RICHE INSENSÉ*

1. Lc **12** 13-21 se compose de deux parties : un épisode très court dans lequel Jésus refuse de prendre parti dans une question d'héritage (vv. 13-14), puis une parabole montrant la vanité des richesses terrestres (vv. 16-21) ; le v. 15 ménage la transition entre l'épisode initial et la parabole. Ces deux parties, dont le lien est artificiel, n'ont été jointes que tardivement dans la tradition évangélique, et probablement au niveau du proto-Lc. Elles sont séparées, en effet, dans

Thomas 72 et Thomas 63 qui ignorent le v. 15 ; par ailleurs, ce verset de liaison et le début du v. 16 portent le style de Lc : *eipen pros ;* verbe « garder » (*phylassein* 1/1/6/3/8) ; construction *en tôi* + infinitif (3/2/32/0/7) ; « ce qu'il possède » (*ta hypar-chonta :* 3/0/8/0/1/2) ; « dire une parabole » (cf. **6** 39 ; **15** 3 ; **18** 9 ; **21** 29) ; *eipen pros.*

2. L'épisode initial est très simple. Un homme demande

à Jésus d'intervenir auprès de son frère pour qu'il consente à partager l'héritage familial (v. 13b); Jésus répond par une question qui est une fin de non-recevoir : il n'a pas reçu de Dieu mission de s'ériger en juge dans des questions de biens matériels. Cette phrase s'inspire de Ex **2** 14 (cité en Ac **7** 27) : « Qui t'a établi chef et juge sur nous? », mais les rôles sont inversés puisque, dans Ex **2** 14, ce sont les Hébreux qui refusent de reconnaître l'autorité de Moïse. Le refus de Jésus signifie que, pour lui, la possession des biens temporels n'a rien à voir avec la vie éternelle, seul objet de sa mission.

3. La parabole ne devait comporter primitivement que les vv. 16-20; elle avait pour but de montrer la vanité des soucis que prend l'homme pour augmenter indéfiniment ses biens, alors qu'il peut mourir dans la nuit même ! (Pour la formule : « on te redemande ton âme = ta vie », cf. Sg **15** 8.) Cet enseignement était déjà celui de Qo **2** 18 s. et Si **11** 18 s.

Mais pour Qo, puisque l'on peut mourir brusquement sans avoir joui de ses biens, le mieux est d'en jouir au jour le jour (Qo **2** 24; **8** 15). Dans son contexte lucanien, la parabole doit plutôt se comprendre dans le sens de Si **11** 18 s. : au lieu d'amasser des richesses « à force de soin et d'avarice », le mieux est de s'en remettre à Dieu du soin de nous accorder le nécessaire (cf. Lc **12** 22 ss. et Si **11** 22-23).

Le v. 21 est une addition destinée à donner une valeur théologique plus explicite à la parabole; son authenticité n'est d'ailleurs pas certaine (omis par *D a b* et inconnu de Thomas 63). L'expression « s'enrichir en vue de Dieu » pourrait vouloir dire : « s'enrichir en pensant à ce que Dieu exige de nous », i.e., subvenir aux besoins des pauvres. Cette conclusion opposerait l'homme de la parabole, qui thésaurise en vue de pouvoir un jour vivre largement, à celui qui thésauriserait en vue de pouvoir subvenir aux besoins des pauvres.

Note § **206.** *PAS DE SOUCIS TEMPORELS*

Les paroles de Jésus rapportées en Lc **12** 22-32 ont leur parallèle en Mt **6** 25-34 et proviennent du Document Q; Lc en a gardé la place primitive après les logia du § 204 (cf. *infra*) tandis que l'ultime Rédacteur matthéen les a transférées dans le Discours inaugural de Jésus (§ 67). La structure de l'ensemble est assez facile à reconnaître. Une introduction donne la consigne de Jésus : il ne faut s'inquiéter, ni pour sa nourriture, ni pour son vêtement (vv. 22-23 de Lc; 25 de Mt); puis viennent deux arguments a fortiori semblables : Dieu nourrit les oiseaux, mais vous valez plus qu'eux (vv. 24 de Lc; 26 de Mt), Dieu revêt les lis des champs, mais

vous valez plus qu'eux (vv. 27-28 de Lc; 28-30 de Mt); la conclusion est donnée aux vv. 29-31 de Lc et 31-33 de Mt : il ne faut pas nous inquiéter, car notre Père sait ce dont nous avons besoin. Cette structure, assez simple, a reçu un certain nombre d'ajouts qu'il faut essayer de déceler.

1. *La première partie du texte.*

a) Mettons la première partie du texte (Mt **6** 25-26; cf. Lc) en parallèle avec la citation qu'en fait Justin (1 Apol. 15 *14* s.) et l'argumentation de même nature que nous avons reconstituée à la note § 204 :

Mt **6**	Justin	Lc **12**
25 « [Voilà pourquoi je vous dis :] Ne vous inquiétez pas [pour votre vie] de ce que vous mangerez [ni pour votre corps] de quoi vous vous vêtirez; [la vie n'est-elle pas plus que le corps, et le corps (plus) que le vêtement?]	« Ne vous inquiétez pas de ce que vous mangerez ou de quoi vous vous vêtirez;	4b « Ne craignez (rien) de ceux qui tuent ()
26 Regardez vers les oiseaux du ciel : ils ne sèment ni ne moissonnent ni ne recueillent en des greniers, et votre Père céleste les nourrit.		6 Est-ce que cinq moineaux ne se vendent pas deux as? Et pas un d'eux n'est oublié devant Dieu. 7b Ne craignez pas,
Ne valez-vous pas plus qu'eux? »	ne valez-vous pas plus, vous, que les oiseaux et les bêtes sauvages? Et Dieu les nourrit. »	vous valez plus que beaucoup de moineaux! »

Malgré l'inversion des termes dans la citation de Justin, on reconnaît le même raisonnement rabbinique (« du léger au lourd ») à la base des trois textes.

b) Le texte de Mt **6** 25-26 (cf. Lc **12** 22-24) est manifestement surchargé.

ba) A la fin du v. 25, il contient un premier argument a fortiori qui alourdit le raisonnement; d'autre part, cet argument est d'ordre philosophique (la vie est plus que la nourriture), tandis que l'argument principal (vv. 26 de Mt; 24 de Lc) est tiré de la vie champêtre. Il faut donc considérer comme une addition l'argument secondaire : « la vie n'est-elle pas plus que la nourriture et le corps (plus) que le vêtement? », ainsi que les deux expressions qui le préparent : « pour votre vie... pour votre corps... » Ces additions furent effectuées probablement au niveau du Mt-intermédiaire. Elles sont absentes de Justin, qui cite d'ordinaire les logia directement d'après le Document Q. Par ailleurs, si l'on ne peut rien tirer de certain du mot « nourriture » (*trophè*: 4/0/1/1/7/3), le mot « vêtement » (*endyma*) est typiquement matthéen (7/0/1/0/0/0); on notera que le couple « nourriture/vêtement » se lisait déjà en Mt **3** 4. Par ailleurs, le couple « vie/corps » (*psychè/sôma*) ne se lit ailleurs qu'en Mt **10** 28, dans un texte de l'ultime Rédacteur matthéen, il est vrai, mais qui montre la tendance de la tradition matthéenne à adopter la dichotomie d'origine grecque « âme/corps » (ici, le mot *psychè* a le sens de « vie », qui reste sémitique; le sens de l'opposition « vie/corps » est donc plus archaïque qu'en Mt **10** 28).

bb) On attribuera encore au Mt-intermédiaire la phrase initiale : « Voilà pourquoi je vous dis » (Mt/Lc), absente de Justin; elle ne se lit jamais ailleurs dans Lc mais se retrouve en Mt **12** 31 et **21** 43 (cf. Mc **11** 24).

bc) Il est possible enfin, mais non certain, que la phrase explicative du v. 26 de Mt (cf. Lc) : « ils ne sèment ni ne moissonnent ni ne recueillent en des greniers », soit un ajout du Mt-intermédiaire; cette phrase n'a pas de parallèle dans Justin et alourdit la structure du raisonnement.

2. *Un logion annexe*. La réflexion de Jésus faite en Mt **6** 27 et Lc **12** 25-26 paraît également ajoutée au canevas primitif, comme on le reconnaît assez souvent; elle introduit en effet l'idée de « grandir », étrangère à l'énoncé initial, et a pu être appelée ici par le mot-crochet « s'inquiéter ». Cette addition aura entraîné en Mt **6** 28 celle de : « comme ils grandissent », mots qui ne se lisent pas chez Lc, et aussi la suture rédactionnelle : « Et du vêtement pourquoi vous inquiétez-vous », qui renoue le fil du discours. Le logion du v. 27 de Mt pourrait avoir eu, à l'origine, une existence séparée.

3. *La deuxième partie du texte*. Les développements de Mt **6** 28b-30 et Lc **12** 27-28, sur les lis des champs, sont beaucoup plus amples que ceux concernant les oiseaux du ciel. On pourrait supposer que tout ce qui a trait à Salomon et au caractère éphémère des lis des champs soit addition du Mt-intermédiaire passée dans le proto-Lc.

4. *La conclusion*. Aux vv. 32 de Mt et 30 de Lc, il est possible que l'opposition avec ce que font les païens soit une addition du Mt-intermédiaire; elle est en effet ignorée de Justin et elle introduit un « car » au détriment du second « car » (transformé par Lc en « mais », pour éviter la redondance) qui amenait primitivement le vrai motif : « Ne vous inquiétez pas... car votre Père céleste sait... » – La sentence finale de Mt **6** 34, absente de Lc, substitue à l'opposition des objets dignes de souci celle du jour présent et du lendemain; cette parole, d'excellente frappe et sans doute authentique, a dû circuler isolément avant de s'attacher ici par le mot-crochet « s'inquiéter », peut-être à l'ultime niveau rédactionnel de Mt. De même, la sentence finale de Lc **12** 32, ignorée de Mt mais qui ne porte pas spécialement le style de Lc, pourrait être un logion primitivement isolé, accroché ici par le proto-Lc à cause du thème commun du « royaume ».

Note § **207**. *AMASSER UN TRÉSOR CÉLESTE*

I. SENS DU LOGION

1. Le thème du « trésor » que l'homme se constitue en Dieu est bien connu de la littérature sapientielle.

a) Le texte principal est Tb **4** 7-9, dont on soulignera au passage les affinités avec Lc **12** 33 : « Avec *ce qui t'appartient*, fais *l'aumône*; ne détourne jamais ton visage d'un pauvre et Dieu ne détournera pas le sien de toi... N'hésite pas à faire *l'aumône, tu te thésaurises* un bon dépôt pour le jour du besoin » (cf. Tb **12** 8-9). En quel sens comprendre ce trésor que nous nous constituons en faisant l'aumône? Le livre de Tobie ignorant encore l'idée d'une survie après la mort, il ne peut s'agir d'un trésor de « vie éternelle » en Dieu; l'idée est simplement que « Dieu ne détournera pas son visage » de nous lorsque nous serons dans le besoin : il nous viendra en aide. Ainsi, faire l'aumône tandis que nous sommes dans l'abondance, c'est se constituer un capital en Dieu, que Dieu nous redonnera lorsque viendra le temps de l'adversité (cf. Dt **28** 12, dans une perspective différente).

b) Un thème semblable se lit en Si **29** 10-12 : « Sacrifie ton argent pour un frère ou un ami, qu'il ne rouille pas en pure perte sous une pierre; use de ton trésor selon les préceptes du Très-Haut, cela te sera plus utile que l'or. Serre tes aumônes dans tes greniers, elles te délivreront de tout malheur. » Le thème fondamental de Tb **4** 7 ss. s'enrichit d'un thème secondaire : l'argent que l'on thésaurise risque de rouiller et donc de se déprécier.

c) Dans le bas judaïsme, l'idée que nos bonnes œuvres nous constituent un trésor est très répandue (Hén. 38 *2*; Psaumes de Salomon, 9 *9*; 4 Esdras, 7 *7*; 8 *33*). Mais la perspective devient résolument eschatologique : « Les justes attendent volontiers la fin et quittent sans crainte cette vie parce qu'ils ont un trésor de bonnes œuvres auprès de toi... » (Apoc. Baruch 14 *12*). Citons aussi un passage du Talmud racontant comment le roi Monobaze, converti au judaïsme, distribua tous ses biens en aumône; à ceux qui s'en étonnaient, il répondit : « ... mes pères ont amassé des trésors dans ce monde et moi j'ai amassé des trésors pour le monde à venir; non qu'elle (l'aumône) délivre de la mort, mais elle donne de ne pas mourir au futur à venir » (Pea, 4 *18*).

2. Dans Mt/Lc, le logion principal est augmenté d'un thème annexe (Mt **6** 21; Lc **12** 34).

a) Dans le logion principal, il n'est pas sûr que la perspective soit eschatologique, étant donné le contexte (Lc **12** 22-31; Mt **6** 25-34) nous enseignant que Dieu pourvoiera à nos besoins temporels si nous lui faisons confiance; dans cette même ligne de pensée, le logion pourrait dire simplement : donnez vos biens en aumône, et Dieu se chargera de subvenir à vos besoins; en ce sens, vous vous accumulez un trésor en Dieu pour le jour de l'adversité (cf. Tb **4** 7-9 et Si **29** 10-12, combinés dans le logion de Mt/Lc).

b) Le logion annexe introduit une idée nouvelle : l'importance du trésor vient de l'attachement du cœur, principe de notre agir, qu'il engage (cf. Col **3** 1-4). Mais cette conclusion est probablement un ajout : dans Mt, elle comporte un brusque changement de personne difficilement justifiable (Lc a harmonisé); elle est absente du parallèle de Thomas 76c.

II. PROBLÈMES LITTÉRAIRES

1. *Le logion principal.* Il provient du Document Q.

a) Chez Mt, il offre une structure parfaitement équilibrée : deux phrases en parallélisme antithétique qui contiennent les mêmes mots, à l'exception du changement: « sur la terre, dans le ciel », et moyennant l'inversion des négations. Beaucoup voient là l'écho d'une tradition orale fortement rythmée, qui remonterait à Jésus lui-même. On est étonné toutefois

que rien n'explicite ce qui constitue les trésors aux cieux : bonnes œuvres en général, aumônes? Une telle explicitation est pourtant régulière dans les textes du judaïsme cités plus haut. Par ailleurs, le Mt-intermédiaire sait construire des logia de Jésus parfaitement équilibrés (voir note § 59). Le texte de Lc n'a pas la structure antithétique de celui de Mt, puisqu'il n'a rien qui corresponde à Mt **6** 19. Il est probable toutefois que sa structure soit celle du Document Q, que le Mt-intermédiaire aurait améliorée. Sa première partie offre de nombreux contacts avec Tb **4** 7-9, comme on l'a vu plus haut; plutôt que d'imaginer Lc retouchant le logion matthéen en fonction de Tb **4** 7 ss., mieux vaut penser que le Mt-intermédiaire a refondu le logion du Document Q (cf. Lc) pour lui donner la structure qu'il a encore dans Mt. Un indice littéraire viendrait confirmer cette hypothèse : Lc a « dans les cieux » tandis que Mt a « au ciel »; le pluriel de Lc, seul utilisé en araméen ou en hébreu, est certainement plus primitif que le singulier de Mt (et Lc n'a pas corrigé le singulier en pluriel, car sur trente-quatre emplois de ce mot, Lc n'a que quatre fois le pluriel !); le singulier de Mt ne pourrait-il s'expliquer par l'opposition « sur la terre/au ciel » car Mt met régulièrement au singulier le mot « ciel », pris au sens physique, quand il est en parallèle avec « terre »? Le Mt-intermédiaire aurait donc changé le pluriel en singulier en même temps qu'il forgeait le v. 19. Notons enfin que le v. 33a de Lc est confirmé par Mt **19** 21 et par., en provenance du Document A.

b) Le texte de Lc contient toutefois des notes secondaires : remplacement du verbe « perforer » (qui s'applique bien aux murs de terre de la maison palestinienne) par « approcher » (*eggizein:* 7/3/18/0/6); addition des mots : « des bourses qui ne s'usent pas » (*ballantion:* 0/0/4/0/0); addition de l'adjectif « qui ne fait pas défaut » (*anekleipton*), probablement sous l'influence de Sg **7** 14, où il est dit de la Sagesse qu'elle est un « trésor qui ne fait pas défaut » (*aneklipès*).

2. Le logion annexe a pu être ajouté, soit au niveau du Document Q (que le proto-Lc connaît directement, cf. *supra*), soit au niveau du Mt-intermédiaire d'où il serait passé dans le proto-Lc.

Note § **208.** *LES SERVITEURS VIGILANTS*

1. Cette parabole sur la vigilance devait avoir, primitivement, une structure analogue à celle du § 210, concernant la sobriété; pour s'en convaincre, il suffit de comparer Lc **12** 37 à Lc **12** 43-44. Le v. 38, avec sa reprise maladroite du thème du « retour », est une addition lucanienne (proto-Lc ou ultime Rédacteur lucanien). En revanche, le v. 36 pourrait appartenir à la parabole primitive, car on en a probablement un écho en Ap **3** 20 avec la séquence : le Christ frappe à la porte, on ouvre, et il se met à table pour partager le repas de celui qui lui a ouvert (cf. Lc **12** 36b.37b).

2. Dans le Document Q, les paraboles jumelles de

Lc **12** 36-37 et Lc **12** 42-46 se lisaient à la suite l'une de l'autre (cf. les paraboles jumelles du grain de sénevé et du levain en Lc **13** 18-21, de la brebis et de la drachme perdues en Lc **15** 3-10, toutes en provenance du Document Q). On verra par ailleurs à la note § 209 que, dans le Document Q, la parabole du maître de maison vigilant (§ 209), où les rôles sont inversés puisque c'est le maître de maison qui doit « être prêt » en vue de la venue inopinée du voleur, devait suivre immédiatement le logion sur le trésor du § 207. Puisque le lien entre la parabole du maître de maison vigilant (§ 209) et la parabole de l'intendant fidèle et sobre (§ 210) est connu de Mt, c'est le Mt-intermédiaire qui doit l'avoir établi, et le proto-Lc se sera aligné sur le Mt-intermédiaire.

3. Le double thème de la « vigilance » (§ 208) et de la sobriété (§ 210), illustré par les deux paraboles jumelles du Document Q (la parabole du § 209 ne parlait probablement pas de vigilance, cf. note § 209), se retrouve dans plusieurs autres textes du NT : en Lc 21 34.36, en 1 Th 5 6-7; 1 P 4 7; cf. aussi 1 P 1 13 que l'on comparera à Lc 12 35.45.

Note § **209.** *LE MAITRE DE MAISON VIGILANT*

1. Cette parabole provient du Document Q, où elle suivait immédiatement le logion du § 207 auquel elle est liée par les mots-crochets « voleur » et « percer » (ou « perforer »), gardés en Mt 6 19 s. Dans Lc, cette séquence du Document Q est maintenant rompue par l'insertion de la parabole des serviteurs vigilants (§ 208); quant à l'ultime Rédacteur matthéen, il a transféré la parabole du « maître de maison vigilant », ainsi que la suivante, dans le Discours eschatologique.

2. Les textes de Mt et de Lc sont très semblables et, lorsqu'ils offrent de menues divergences, il est souvent difficile de dire lequel des deux a gardé le texte du Document Q. On peut noter cependant deux additions de l'ultime Rédacteur matthéen : « il aurait veillé », afin d'harmoniser cette parabole avec les autres paraboles que Mt groupe dans son Discours eschatologique (Mt 24 42; 25 13); et, au début du v. 44, la formule « c'est pourquoi ».

3. Le sens de la parabole est clair : il faut « être prêt », c'est-à-dire vivre en accord avec la volonté de Dieu, car la « venue » du Fils de l'homme peut se produire d'un moment à l'autre. Mais comment comprendre cette « venue »? On pense d'ordinaire à la « fin des temps », mais cette interprétation ne s'impose pas. Le Fils de l'homme vient « comme un voleur », donc pour s'emparer de quelque chose; ce « quelque chose » ne serait-il pas l'âme (= la vie) dont parle Lc 12 20? On se rappellera que Lc 12 8-9 et Mt 10 32-33, qui proviennent du Document Q comme la présente parabole, envisagent la comparution individuelle de chaque homme devant Dieu, tandis que le parallèle de Mc 8 38 et Lc 9 26 parle de la venue eschatologique du Fils de l'homme. Le texte de Lc 12 39-40 devrait alors se comprendre en ce sens que le Fils de l'homme peut venir « voler » brusquement la « vie » de chacun; nul ne sait l'heure de sa mort et il faut donc toujours rester « prêt » à paraître devant Dieu.

Note § **210.** *L'INTENDANT FIDÈLE ET SOBRE*

Cette parabole provient du Document Q, où elle suivait immédiatement la parabole sur la vigilance que Lc a gardée, en la modifiant, en **12** 36 ss. (voir note § 208). Après avoir recommandé la vigilance à ses disciples, Jésus leur recommande maintenant la sobriété (sur ce double thème, voir note § 208).

1. La parabole se comprend sans difficulté. Signalons simplement que, pour expliquer le difficile *dichotomèsei* des vv. 51 de Mt et 46 de Lc, qui signifie littéralement « couper en deux », on peut maintenant s'appuyer sur un passage de la Règle de la Communauté de Qumrân : « Que Dieu le sépare pour le malheur, et *qu'il soit retranché* du milieu des fils de lumière, parce qu'il s'est détourné de Dieu... *Qu'il place son lot* parmi ceux qui sont éternellement maudits » (2 *16-17*).

2. Bien qu'elles aient même sens général, les paraboles de Mt et de Lc diffèrent par une nuance importante. Chez Mt, il s'agit d'un « serviteur » (v. 45) qui a simplement une charge particulière au milieu de ses « compagnons » (v. 49) : celle de leur procurer la nourriture en temps voulu. La parabole vise donc tous les disciples de Jésus, comme celle des serviteurs vigilants de Lc 12 36 ss. Dans Lc au contraire, la para-bole concerne spécialement les chefs de l'Église. Ce changement est préparé par l'insertion du v. 41; à la question de Pierre, Jésus répond par une nouvelle parabole qui va concerner spécialement les apôtres. En conséquence, le « serviteur » de la parabole primitive (v. 45 de Mt) devient un « intendant » (Lc 12 42), terme servant à désigner ceux qui, dans l'Église, ont reçu des charismes particuliers (1 Co 4 1 ss.; Tt 1 7; 1 P 4 10); de même, au mot « compagnon » (v. 49 de Mt) Lc substitue l'expression « les serviteurs et les servantes », pour bien montrer que l'intendant ne doit pas être confondu avec eux (il a cependant gardé le mot « serviteur » aux vv. 43.45-46). Selon Lc, il est demandé à ceux qui ont reçu des charismes au service de l'Église de rester sobres, afin de pouvoir exercer ces charismes en toute liberté d'esprit, avec sagesse. Il est impossible de dire si cette transposition est du proto-Lc ou de l'ultime Rédacteur lucanien.

3. Dans la finale de la parabole, l'expression : « là sera le pleur et le grincement des dents », est une addition de l'ultime Rédacteur matthéen (Mt 13 42.50; 22 13; 25 30); c'est probablement lui aussi qui a introduit le mot « hypocrites » qui précède cette expression (cf. Mt 6 2.5.16; 22 18; 23 14-15).

Note § 211. *LE SERVITEUR CHATIÉ SELON SA RESPONSABILITÉ*

Il est difficile de déterminer l'origine et le sens exact du logion que Lc **12** 47-48 place à la suite de la parabole de l'intendant fidèle et sobre. Il faut probablement distinguer littérairement les vv. 47-48a du v. 48b, qui semblent former deux logia primitivement distincts.

1. *Le premier logion.*

a) Dans son contexte actuel, le premier logion apparaît comme un commentaire de la parabole précédente, avec la reprise de l'expression « ce serviteur-là », comme aux vv. 43-46. Il s'agirait du serviteur-intendant qui n'a pas agi selon la volonté exprimée par son maître (cf. une idée semblable en Jc **4** 17 et 2 P **2** 21). Mais qui est visé dans le v. 48a? D'après la parabole précédente, il s'agirait des simples serviteurs (cf. v. 45) qui n'ont pas reçu de charismes spéciaux dans l'Église, et donc n'ont pas, comme les « intendants » pourvus de charismes, une connaissance claire de la volonté de Dieu. Dans son contexte lucanien actuel, le logion voudrait insinuer que les responsables dans l'Église, parce qu'ils ont reçu davantage, seront châtiés davantage s'ils sont infidèles; les simples chrétiens au contraire, moins pourvus de charismes, seront moins durement châtiés.

b) Si les vv. 47-48a ont constitué un logion indépendant, le sens primitif pourrait avoir été différent. En se reportant à Am **3** 2, où Dieu menace Israël infidèle malgré son élection par Dieu (et donc qui a connu la volonté de Dieu), on pourrait voir dans le v. 47 une allusion aux chrétiens, qui ont connu par Jésus la volonté de Dieu et qui seront durement châtiés s'ils sont infidèles. Le v. 48a désignerait au contraire les païens; même s'ils font le mal, ils seront moins durement châtiés parce qu'ils ont ignoré la volonté de Dieu.

2. *Le second logion.*

Au v. 48b, il n'est plus question de « serviteur » ni d' « intendant », mais de « tout homme »; il s'agit probablement d'un logion primitivement indépendant, composé de deux stiques parallèles exprimant la même idée. Pour le thème, on se reportera à la parabole des talents (§ 306). Placé ici par Lc, le logion vise probablement, en accord avec la parabole de l'intendant fidèle et sobre, ceux qui, dans l'Église, ont reçu des charismes abondants.

Note § 212. *JÉSUS CAUSE DE DISSENSIONS*

Cette section se compose d'un logion commun à Mt/Lc, précédé chez Lc par deux versets absents de Mt (vv. 49-50).

1. Les vv. propres à Lc sont difficiles à comprendre.

Le v. 49 est formé de mots étrangers au vocabulaire de Lc et pourrait être un logion isolé, repris par Lc. Il est impossible alors, faute de connaître le contexte primitif de ce logion, de préciser quel est ce « feu » que Jésus est venu jeter sur la terre. — Le v. 50 pourrait être une création lucanienne, car le vocabulaire répond bien à son style : « être baptisé d'un baptême » (cf. Lc **7** 29; Ac **19** 4; sur cette construction sémitisante, cf. Lc **22** 15; **23** 46; Ac **5** 28; **23** 14); « je suis angoissé » (*synechomai* : 1/0/6/0/3/2); « jusqu'à ce que » (*heôs hotou* : 1/0/3/1/0); « être consommé » (*telein;* cf. Lc **2** 39; **18** 31; **22** 37; Ac **13** 29). Si l'on tient ce v. 50 pour une composition lucanienne destinée à expliciter le sens du v. 49, Lc voudrait dire que le « baptême dont Jésus doit être baptisé », i.e. sa mort (cf. Mc **10** 38), est une condition nécessaire à l'envoi du « feu »; pour Lc, le « feu » du v. 49 ne symboliserait-il pas alors l'Esprit Saint envoyé à l'Église après la mort de Jésus (Ac **2** 3; **2** 31-33)?

2. Le logion commun à Mt/Lc provient du Document Q;

c'est l'ultime Rédacteur matthéen qui l'a transporté dans le Discours de mission (Mt **10**).

a) Le sens est assez clair : Jésus, avec le message qu'il apporte de la part de Dieu, va devenir une cause de discorde (cf. Lc **2** 34); les uns prendront parti pour lui, les autres contre, même au sein d'une même famille (cf. Mi **7** 6, Lc étant plus proche du texte de la Septante que Mt). Ce texte aurait même portée que Jn **3** 19-21 : la personne même de Jésus est cause de discrimination, de « jugement », entre les hommes, selon que l'on accueille ou non son message.

b) Mt et Lc ont retouché chacun à sa manière le logion primitif. Mt **10** 34 a exactement même structure que Mt **5** 17, texte retouché par l'ultime Rédacteur matthéen (voir note § 53). Les retouches de Lc sont toutefois plus nombreuses. Au v. 51, « je suis venu » (*paraginesthai* : 3/1/8/1/20); « donner » au lieu du verbe sémitisant « jeter » (qui se lit, non seulement au v. 34 de Mt, mais encore au v. 49 de Lc); « division » au lieu de « glaive ». Au v. 53, le verbe « diviser » (1/1/6/1/2/0). Lc ajoute le v. 52 pour préparer les développements de la citation de Mi **7** 6; outre le verbe « diviser » (cf. v. 52), on y rencontre le très lucanien « désormais » (*apo tou nyn* : 0/0/5/0/1/1). Lc ne compte que cinq personnes dans la maison, car au v. 53 la « mère » et la « belle-mère » ne sont pas deux personnes différentes. Au v. 53, il complète les oppositions reprises de Mi **7** 6.

Note § **213.** *LES SIGNES DU TEMPS*

Ce logion offre un certain rapport thématique avec le précédent; dans les deux cas, il s'agit de prendre parti pour ou contre Jésus, de le reconnaître ou non pour le Messie; mais ce rapprochement fut effectué probablement par Lc, car l'introduction du v. 54a est typiquement lucanienne (*de kai:* 3/2/25/8/7; *elegen de kai*, cf. Lc 5 36; **14** 12; **16** 1). Si l'on admet que les vv. 2b-3 de Mt sont inauthentiques (cf. note § 160, 3 c), rien ne permet d'affirmer que ce logion provienne du Document Q, et son origine reste douteuse.

Le thème se comprend sans difficulté. Grâce à certains signes, les paysans de Galilée savent reconnaître le temps qu'il va faire; mais ils ne veulent pas reconnaître qu'un temps nouveau est arrivé avec Jésus (cf. Mc **1** 15; Lc **19** 44; Rm **3** 26; **13** 11 et *passim*), malgré les « signes », i.e. les miracles accomplis par Jésus devant eux (cf. Mt **11** 2-6 et Lc **7** 18-23 : § 106). Il est probable que le « signe » du nuage qui s'élève au couchant s'inspire de 1 R **18** 44-45 où, à la vue d'un petit nuage qui s'élève du côté de la mer, Élie annonce à Achab des torrents de pluie.

Note § **214.** *SE RÉCONCILIER AVANT LE JUGEMENT*

1. Cette petite parabole des deux plaideurs relève d'une sagesse pratique populaire assez courte, de même esprit que Pr **17** 14 : « C'est ouvrir une digue qu'entamer un procès; avant qu'il ne s'engage, désiste-toi. » Dans son contexte lucanien, qui est celui du Document Q (où l'ultime Rédacteur matthéen l'a puisée afin d'enrichir son Discours inaugural), elle reçoit une pointe eschatologique nous indiquant sans doute l'usage qu'en a fait Jésus : de même qu'il faut se préparer au Jugement eschatologique par le détachement (Lc **12** 13-34), la vigilance (**12** 39-48), la clairvoyance courageuse (**12** 49-56), la conversion (**13** 1-9), de même on doit régler ses comptes avec autrui pour ne pas avoir à rendre des comptes plus sévères au souverain Juge.

2. Tout en émoussant cette pointe eschatologique dans l'usage qu'il a fait de la parabole dans son Discours évangélique (Mt **5** 25-26), Mt en confirme l'application morale et religieuse qui fait des adversaires deux frères chrétiens brouillés par quelque offense, et du juge le souverain Juge.

3. Lc a mieux respecté l'ordre primitif du Document Q, mais il a éprouvé le besoin d'ajouter une courte introduction rédactionnelle (v. 57) qui est bien de son style : « mais aussi » (*de kai* 3/2/25/8/7), « par vous-mêmes », cf. **21** 30; « juger ce qui est juste » (cf. Ac **4** 19). Cette introduction émousse elle aussi la pointe eschatologique en déplaçant l'intérêt vers un autre problème de la communauté primitive, connu par 1 Co **6** 1-6, celui des différends entre frères chrétiens, qu'ils devraient juger « par eux-mêmes » sans les porter devant les pouvoirs publics. C'est dans la ligne de cette application que Lc aura précisé, en des termes plus techniques de l'administration gréco-romaine : « magistrat » et « exécuteur ». D'autres retouches d'élégance – « fais effort » (*ergasia*, ici seulement dans les évangiles, mais quatre fois dans Ac); « en finir avec » (*apallassein*, dans le NT ici seulement et Ac **19** 12; He **2** 15); répétition évitée de « adversaire »; démarches mieux distinguées de l'adversaire (« traîner ») et du juge (« livrer »); préférence pour « lepte » plus correct en grec que le latin « quadrant » – confirment l'impression que Lc a remanié le détail de la forme littéraire, tandis que Mt l'a mieux respectée.

Note § **215.** *INVITATIONS PROVIDENTIELLES A LA CONVERSION*

1. Deux événements, que nous ne connaissons que par ce récit de Lc, donnent à Jésus l'occasion d'inviter ses compatriotes à la pénitence : Pilate massacre des Galiléens, probablement à Jérusalem durant une fête; la tour de Siloé tombe et écrase dix-huit habitants de Jérusalem (vv. 1 et 4a). L'enseignement de Jésus est donné selon le même schéma, les vv. 2-3 et 4b-5 ayant exactement même structure et souvent même vocabulaire. Les gens à qui Jésus s'adresse auraient pu penser que ces malheurs avaient été permis par Dieu pour châtier des pécheurs endurcis; ils en auraient facilement conclu que les autres Galiléens ou les autres habitants de Jérusalem, n'ayant pas mérité un tel châtiment, pouvaient être considérés comme « justes » aux yeux de Dieu. Jésus les détrompe : Galiléens ou habitants de Jérusalem, tous sont pécheurs (parce qu'ils refusent de reconnaître en Jésus le Messie? cf. Lc **12** 56) et, s'ils ne font pas pénitence, ils périront tous;

on comprend que ce sera par la destruction de leur pays ou de leur ville.

2. L'appel à la pénitence est sans doute très lucanien; mais dans l'ensemble, cet épisode est raconté dans un style et avec un vocabulaire qui ne sont pas spécifiquement lucaniens. Lc tient donc ce récit d'une source particulière. On notera certains rapprochements littéraires avec Lc **12** 51 (§ 212), spécialement l'interrogation : « Pensez-vous?... » (**12** 51a; **13** 2a.4b), suivie de la formule : « Non, je vous (le) dis, mais... » (*ouchi legô humin alla*, **12** 51b; **13** 3a.5a), qui ne se lit pas ailleurs dans tout le NT. On a vu à la note § 212 que Lc **12** 51 donnait peut-être la forme primitive du Document Q, Mt **10** 34 en étant un remaniement matthéen (cf. **5** 17); dans ce cas, Lc **13** 1-5 pourrait provenir lui aussi du Document Q et aurait été omis par Mt.

Note § **216.** *PARABOLE DU FIGUIER STÉRILE*

1. Le figuier qui ne porte pas de fruit est l'image d'Israël qui s'est détourné de Dieu (cf. Mi **7** 1; Jr **8** 13; Is **5** 1-7) et qui va être détruit. A l'inverse de la scène racontée en Mt **21** 18-21 (§§ 276, 278), de même sens, Dieu donne ici un sursis à son peuple : s'il accepte de se convertir et de porter du fruit, il échappera à la destruction. En même temps qu'une menace, cette parabole est donc un appel à la conversion,

comme la scène racontée au paragraphe précédent. Sur le thème général de l'arbre et des fruits, cf. note § 73.

2. Lc reprend cette parabole à une source impossible à préciser. C'est lui qui l'a rapprochée de l'épisode précédent, car l'introduction est de lui : « dire une parabole » (0/0/6/0/0). En revanche, sauf quelques exceptions, la parabole elle-même ne porte pas spécialement la marque du style de Lc.

Note § **217.** *GUÉRISON DE LA FEMME VOUTÉE, UN JOUR DE SABBAT*

1. Le sens de cet épisode, propre à Lc, est facile à saisir. On reproche à Jésus de guérir un jour de sabbat, la « guérison » d'un malade étant considérée comme un « travail » qui violait le repos sabbatique. Pour se justifier, Jésus use d'un argument a fortiori analogue à celui que l'on retrouvera en Lc **14** 5 et Mt **12** 11 (§ 223). On attribuait à l'action de Satan la plupart des maladies affectant les hommes; Jésus considère donc la femme voûtée comme « liée » par Satan; d'où son argumentation : le jour du sabbat, vous estimez avoir le droit de « délier » vos bêtes de somme pour les mener boire, comment me reprochez-vous alors de « délier » une pauvre femme ce jour-là? Est-ce qu'une « fille d'Abraham » ne vaut pas mieux qu'une bête de somme?

2. Il est difficile de dire à quelle source Lc reprend cet épisode. Deux indices toutefois permettraient de penser au Document Q, malgré le silence de Mt. L'utilisation de l'argument a fortiori se rencontre ailleurs surtout dans des textes du Document Q : Mt **6** 26.30; **10** 25.31; **12** 12 et les parallèles de Lc. D'autre part, cet épisode est littérairement apparenté à la guérison d'un hydropique racontée au § 223 (cf. *supra*) et provenant du Document Q (note § 223); or celui-ci offre d'autres exemples de « paires » semblables : les deux paraboles du grain de sénevé et du levain (Lc **13** 18-21), les deux paraboles de la brebis et de la drachme perdues (Lc **15** 3-10); peut-être le

Document Q contenait-il également ces deux épisodes « jumeaux » : guérison de la femme voûtée et guérison de l'hydropique. C'est au moins une hypothèse à envisager.

3. Le style lucanien affleure d'un bout à l'autre du récit. Au v. 10, les mots : « il enseignait... durant le sabbat », ont leur équivalent exact en Lc **4** 31 (opposer Mc **1** 21); on sait d'ailleurs que Lc utilise souvent la construction périphrastique pour indiquer l'imparfait (avec *èn didaskôn*, comme ici : Lc **4** 31; **5** 17; **19** 47; **21** 37); de même, l'expression « dans une synagogue » est lucanienne (*en miai* + génitif : Lc **5** 12.17; **8** 22; **20** 1). Au v. 11, la formule : « et voici une femme » ou « un homme », est fréquente chez Lc (**7** 37; **5** 12.18; **9** 38; **19** 2; **23** 50); « maladie » (*astheneia*: 1/0/4/2/1; le seul cas de Mt est une citation de l'AT). Au v. 12, le verbe « interpeller » (*prosphônein*: 1/0/4/0/2/0). Au v. 13, l'adverbe « aussitôt » (*parachrèma*: 2/0/10/0/6); « se tenir droit » (*anarthoô*, cf. Ac **15** 16); « glorifier Dieu » (2/1/8/1/3). Au v. 15, l'expression « le Seigneur » pour désigner Jésus, utilisée seulement par Lc dans les récits antérieurs à la résurrection (les cas johanniques sont douteux). Au v. 16, l'expression « fille d'Abraham » (cf. Lc **19** 9). Au v. 17, « se réjouir » (*chairein*, hormis l'expression « salut ! », *chaire*: 3/1/11/8/5). Ces expressions peuvent être, soit du proto-Lc, soit de l'ultime Rédacteur lucanien.

Note § **218.** *PARABOLE DU GRAIN DE SÉNEVÉ*
Note § **219.** *PARABOLE DU LEVAIN*

Lc reprend ces deux paraboles jumelles au Document Q (cf. Mt **13** 31-33). Pour les analyses littéraires et le sens, voir

notes §§ 133 et 134.

Note § **220.** *L'ENTRÉE DIFFICILE DANS LE ROYAUME*

Lc **13** 22-30 donne, sur la difficulté d'entrer dans le royaume de Dieu, un enseignement de Jésus, dont on trouve l'équivalent dans Mt, mais en cinq passages différents ! Dans l'ensemble, ces textes proviennent du Document Q.

I. LE TEXTE DE LC

1. L'introduction (v. 22) est de Lc lui-même, dont elle reflète le vocabulaire : « s'en aller » (*diaporeuesthai*: 0/0/3/0/1/1);

« à travers villes et villages » (*kata* distributif : 1/1/5/0/9; pour l'expression elle-même, Lc **8** 1; cf. **8** 4; **9** 6). Lc ne veut pas laisser son lecteur oublier que Jésus est en route vers Jérusalem (cf. **9** 51; **13** 33; **17** 11).

2. Le reste présente une certaine unité, dominée par le thème du rejet des Juifs et de l'appel des païens au salut.

a) Le thème est introduit au v. 23 par la question d'un interlocuteur anonyme sur le petit nombre des sauvés, question fréquemment agitée par les rabbins. Dans sa réponse (v. 24), Jésus laisse entendre que l'entrée dans le royaume est difficile, car la porte pour y entrer est étroite; mais il ne se prononce pas explicitement sur la proportion de ceux qui ne pourront pas entrer. La suite du texte montre d'ailleurs qu'il s'agit ici du problème très particulier du petit nombre *des Juifs* qui seront sauvés (cf. vv. 26-28); dans la bouche d'un rabbin, la question du v. 23 ne pouvait viser que le peuple juif, car pour la pensée juive, au temps de Jésus, rares étaient les païens qui pouvaient être sauvés.

b) La seconde partie du logion (vv. 25-27) ne laisse aucune ambiguïté sur le véritable sens du passage. Le maître de maison est Jésus lui-même (cf. v. 26); il s'adresse à ses compatriotes et ceux-ci essaient de le fléchir, de faire ouvrir la porte, en invoquant le fait qu'ils sont ses compatriotes, qu'ils ont vécu dans son intimité. Deux thèmes fréquents dans le judaïsme sont ici mis en œuvre. Le premier est que Dieu a accordé un temps précis à Israël pour « trouver Dieu » et se convertir à sa Loi (Is **55** 6); une fois ce temps passé, il sera trop tard (Pr **1** 28; Os **5** 6; Jn **7** 34; **8** 21), la porte aura été fermée (v. 25a). Les Juifs auraient dû se convertir tandis que Jésus était avec eux et leur annonçait les véritables exigences du royaume; après sa mort, il sera trop tard pour eux, ils ne pourront plus entrer. – Le v. 26 fait allusion à une idée assez répandue dans le judaïsme : il suffisait d'être de la race d'Abraham pour être assuré de son salut. C'est une telle illusion que dénonçait déjà le Baptiste (Lc **3** 7-9 et par.) et dont parle Jn **8** 31 ss. : « Peut être tenu pour un fils du monde à venir celui qui habite dans le pays d'Israël, parle la langue sainte, et lit matin et soir la prière du *Shema* » (texte de rabbi Meïr cité par Lagrange). En Lc **13** 26, les compatriotes de Jésus peuvent donc s'étonner de ne pouvoir entrer dans le royaume ! En fait, ils ne se sont pas convertis à l'appel de Jésus (**13** 1 s.).

c) La troisième partie du logion (vv. 28-30) accentue encore le thème majeur de ce passage. Les Juifs qui auront refusé de se convertir verront les patriarches et tous les prophètes dans le royaume, tandis qu'ils seront rejetés à l'extérieur. Au temps de Jésus, on se représentait souvent le royaume comme un banquet (v. 29). Par ailleurs, la perspective n'est pas celle du Jugement dernier; le texte suppose que patriarches et prophètes sont depuis longtemps dans le royaume et que chaque homme y entre ou en est exclu lors de sa mort (cf. note § 284); c'est une eschatologie individuelle, et non collective (cf. Lc **12** 8-9, note § 204). Le thème négatif du rejet des Juifs rebelles à l'enseignement de Jésus est complété par le thème positif de l'appel des païens au salut; ce sont eux qui viendront « du levant et du couchant, et du nord et du sud », i.e. de tous les points de la terre, pour prendre part au banquet. D'où la conclusion du v. 30 : les derniers appelés au salut (les païens) passeront les premiers, tandis que les premiers appelés (les Juifs) passeront les derniers.

II. PROBLÈMES LITTÉRAIRES

Lc **13** 23-30 est formé de morceaux primitivement distincts.

1. Il existe bien un lien entre les vv. 23-24 d'une part, 25 ss. d'autre part : celui de la « porte » par laquelle il faut entrer dans le royaume; mais aux vv. 23-24 Jésus parle d'une porte « étroite », d'accès difficile, tandis qu'aux vv. 25 ss. il s'agit d'une porte qui sera fermée. Nous sommes en présence de deux thèmes voisins, mais primitivement distincts; ceci est confirmé par les remarques suivantes :

a) Les vv. 23-24 de Lc ont leur équivalent en Mt **7** 13-14, où le thème de la « porte étroite » est combiné avec celui des « deux voies » (note § 72). Mais le v. 25 de Lc a son équivalent en Mt **25** 10 ss., dans un tout autre contexte. Mt témoignerait donc de l'indépendance des logia de Lc **13** 23-24 et **13** 25 ss. au niveau du Document Q, source de Lc et de Mt.

b) De même, Lc **13** 23-24.30 a son équivalent en Mc **10** 24b.26-27.31, texte qui provient du Document B (voir les textes juxtaposés à la note § 250, I 2); mais ce parallèle du Document B ne contient aucune allusion aux thèmes développés en Lc **13** 25 ss., nouvelle preuve que la tradition évangélique distinguait les logia de Lc **13** 23 s. et de Lc **13** 25 ss.

2. Les vv. 25-27 de Lc n'offrent pas de difficulté interne, sinon la répétition de la parole de Jésus : « Je ne connais pas d'où vous êtes » (vv. 25c et 27). Il semble cependant que le v. 25 et les vv. 26-27 appartenaient primitivement à des contextes différents.

a) Ils correspondent à des contextes très différents de Mt : la parabole des dix vierges d'une part (§ 305), un fragment du Sermon sur la montagne d'autre part (§ 74). Or, dans chacun de ces contextes de Mt, le logion de Jésus contient les mots : « je ne vous connais pas », preuve qu'il s'agit bien de deux logia primitivement distincts, centrés chacun sur la parole : « je ne vous connais pas ».

b) On lit dans 2 Clém. 4 5 une citation de l'évangile des Hébreux (cf. vol. I, 3e registre) qui donne le logion de Lc **13** 26-27 sous une forme assez différente; l'idée principale est cependant la même : Jésus rejettera même ses plus proches s'ils n'ont pas obéi à ses commandements. Or, dans ce logion cité par 2 Clément, il n'y a aucune allusion à la « porte fermée » dont parle Lc **13** 25. On peut en conclure que Lc **13** 26-27 donne un logion de Jésus, primitivement indépendant de celui de Lc **13** 25, qui a reçu des applications diverses : pour être sauvé, il faut faire la volonté de Dieu; il ne servira à rien de se prévaloir, soit d'avoir appartenu à la même race que Jésus (Lc **13** 26-27), soit d'avoir été un disciple doué de charismes nombreux (Mt **7** 22-23), soit même d'avoir joui d'une certaine intimité avec Jésus (2 Clément).

3. Les vv. 28-29 de Lc ont leur parallèle en Mt **8** 11-12; l'ultime Rédacteur matthéen les a insérés dans l'épisode où est guéri le fils du centurion de Capharnaüm. Le logion a meilleure structure dans Mt. Dans Lc, l'adverbe « là », par lequel il commence, est peu en situation puisque aucun lieu précis n'a été mentionné auparavant; il est mieux en place dans Mt, après la mention des « ténèbres extérieures ». De même, la formule de Mt : « ils s'assiéront à table avec Abraham, Isaac et Jacob », est bien meilleure que celle de Lc, qui mentionne d'abord les Patriarches dans le royaume,

puis au v. 29b seulement le thème du festin eschatologique. Enfin, la formule : « là sera le pleur et le grincement des dents », ne se lit qu'ici dans Lc tandis qu'elle se lit encore en Mt **13** 42.50; **22** 13; **24** 51; **25** 30; elle est typique du style eschatologique de Mt. On peut donc penser que le logion de Lc **13** 28-29 aura été repris par Lc directement au Mt-intermédiaire, et non au Document Q.

En résumé, Lc **13** 22-30 est formé de matériaux de provenance diverse. Ils ont été réunis ici par le proto-Lc parce qu'ils évoquaient plus ou moins directement le thème du rejet par Jésus des Juifs rebelles à son enseignement.

Note § **221**. *HÉRODE, CE RENARD! JÉSUS DOIT MOURIR A JÉRUSALEM*

1. Cet épisode est propre à Lc qui l'a inséré ici d'une manière très artificielle (v. 31 : « En cette heure-là », *en autèi tèi hôrai*: Lc **10** 21; **12** 12; **20** 19; jamais ailleurs dans le NT). A travers cette réponse de Jésus à une menace d'Hérode, Lc voudrait indiquer la fin du ministère galiléen : Jésus, en route vers Jérusalem (Lc **9** 51; **13** 22), se tourne définitivement vers cette ville (cf. Lc **13** 34-35). Le sens de l'épisode semble être le suivant : il est vraisemblable qu'Hérode désirait le départ de Jésus, car sa prédication, et plus encore ses miracles (cf. Ac **2** 22; **10** 38), risquaient de susciter un mouvement de masse que le tétrarque aurait eu du mal à contrôler. Hérode aurait donc voulu se débarrasser de Jésus comme il s'était débarrassé de Jean-Baptiste (§ 147). Aux Pharisiens venus le prévenir, Jésus aurait répondu que rien n'entraverait sa mission. Qu'Hérode donc ne se méprenne pas : si Jésus quitte la Galilée, ce n'est pas sous le coup d'une menace, mais pour continuer sa mission en accomplissant « demain » ce qui a commencé « aujourd'hui », de sorte qu'il atteigne le « troisième jour » où tout doit être consommé (allusion

à sa mort qui doit le conduire dans la gloire, cf. Lc **18** 31). Le temps de son activité, comme celui de sa mort, a été fixé par le plan de Dieu, annoncé par les prophètes (cf. peut-être Os **6** 2), et que Jésus accepte librement. Jésus quitte la Galilée afin d'accomplir les prophéties et parce qu'il ne convient pas qu'un prophète périsse hors de Jérusalem; « inutile qu'Hérode s'en mêle à présent puisque Jérusalem a le monopole de ces crimes » (Loisy; voir Lc **13** 34 s.).

2. Selon son habitude, Lc impose son vocabulaire. Au v. 32, « guérison » (*iasis*, ailleurs seulement en Ac **4** 22.30). Au v. 33 : « cependant » (*plèn*: 5/1/15/0/4); « suivant » (*echômenos*: 0/1/1/0/2/1); *Hierousalèm* (2/0/27/0/37). On remarquera que le v. 33 reprend en partie les termes du v. 32, avec changement de « je suis consommé » en « je pars »; il est possible que Lc ait simplement repris ici un logion de Jésus (v. 32) que lui donnait une source particulière, et qu'il l'ait adapté au contexte historique du départ de Jésus pour Jérusalem, en ajoutant le v. 33.

Note § **222**. *APOSTROPHE A JÉRUSALEM*

I. PROBLÈMES LITTÉRAIRES

Ce texte n'offre que de menues divergences littéraires entre Mt et Lc, sauf en Mt **23** 39 et par., où les variantes reflètent une interprétation différente du logion (cf. *infra*).

1. On admet d'ordinaire que Mt et Lc reprennent ce logion au Document Q. Son caractère « lucanien » est cependant indéniable. La forme *Hierousalèm* (au lieu de *Hierosoluma*), inconnue de Mc/Jn, ne se lit jamais ailleurs dans Mt tandis qu'elle revient vingt-sept fois dans Lc et trente-sept fois dans Ac ! D'autres accords avec le vocabulaire lucanien viennent appuyer cette proportion massive en faveur de Lc.

Au v. 37 de Mt, le verbe « lapider » (*lithobolein*) se lit bien en Mt **21** 35, mais par influence du présent logion (voir note § 281); ailleurs dans le NT on ne le trouve qu'en Ac **7** 58-59; **14** 5 et He **12** 20 (dans ce dernier cas, en citation). La formule : « ceux qui lui ont été envoyés », correspond à un participe parfait (*hoi apestalmenoi*), mais le parfait du verbe *apostellô* ne se lit ailleurs dans les Synoptiques qu'en Lc (deux fois) et sept fois dans Ac (on notera spécialement le participe parfait pluriel, comme ici, en Lc **19** 32, ajouté par Lc au récit primitif, et en Ac **10** 17; **11** 11). L'emploi du mot « enfants » au sens métaphorique, pour désigner les habitants de Jérusalem, a son équivalent exact en Lc **19** 44 (cf. Lc **7** 35, opposé à Mt **11** 19). « A la manière de » (*hon* *tropon*) ne se lit ailleurs dans le NT qu'en Ac (quatre fois) et 2 Tm **3** 8. – D'une façon plus générale, pour les thèmes, on comparera ce texte avec Ac **7** 48-59, qui mentionne successivement : l'inutilité du Temple de Jérusalem (vv. 48-50; cf. Mt **23** 38 et par.), la persécution et la mise à mort des prophètes par les Juifs (vv. 51-52), puis la lapidation d'Étienne (vv. 58-59, verbe *lithobolein*). Ce texte proviendrait donc, non pas du Document Q (ou source Q), mais d'un proto-Lc, d'où il serait passé dans l'ultime rédaction matthéenne.

2. Dans le Lc actuel, le logion est accroché à la scène précédente (§ 221) par association de mots et d'idées : « il ne convient pas qu'un prophète périsse hors de Jérusalem/ Jérusalem qui tue les prophètes... » Dans Mt, le logion vient très bien, et comme conclusion des malédictions contre scribes et Pharisiens (cf. Mt **23** 34-36), et comme introduction au discours sur la ruine du Temple (Mt **24** 1-3). On notera également que la citation du Ps **118** 26 forme une excellente inclusion au ministère de Jésus à Jérusalem (ici et § 273). Mais il est impossible de conjecturer la place primitive du logion dans le proto-Lc.

II. LE SENS DU LOGION

1. La première partie du logion (vv. 37-38 de Mt et 34 de Lc) ne présente pas de difficulté sérieuse d'interprétation. Jésus reproche à Jérusalem son attitude passée envers les prophètes (cf. 2 Chr **18** 23-36; Jr **26** 20 ss.; He **11** 37 ss.) et son refus de reconnaître en Jésus le Messie; à cause de cette attitude et de ce refus, leur « maison », i.e. le Temple, sera abandonnée par Dieu, ce qui signifiera la rupture de l'ancienne alliance entre Dieu et son peuple. En parlant de Jérusalem qui « tue les prophètes », Jésus fait probablement une allusion implicite à sa mort prochaine, lui, le dernier de ceux qui auront été « envoyés » vers Jérusalem (cf. § 281); l'allusion devient évidente en Lc **13** 33-34. Enfin, dans la phrase : « que de fois j'ai voulu rassembler tes enfants... », peut-être

pourrait-on voir une allusion à différents séjours de Jésus à Jérusalem, comme le suppose la tradition johannique.

2. La deuxième partie du logion (vv. 39 de Mt, 35b de Lc) est plus difficile à comprendre.

a) Selon Lc, Jésus aurait prononcé ce logion lors de son voyage vers Jérusalem, mais il suppose en fait que Jésus s'adresse directement aux gens de Jérusalem. Si Lc reste fidèle à sa source en plaçant ce logion *avant* l'ultime semaine de Jésus à Jérusalem, la citation du Ps **118** 26 ferait alors allusion aux acclamations de l'entrée solennelle dans la ville (§ 273; mais dans le Lc actuel, ce sont les disciples qui acclament Jésus, non la foule de Jérusalem, comme dans Mt). Lors de son avant-dernier séjour à Jérusalem, Jésus aurait averti qu'il n'y reviendra plus jusqu'au jour où il y fera une entrée solennelle; implicitement, c'était dire que ses appels à la conversion ne s'y feront plus entendre. Cette interprétation reste toutefois conjecturale, puisque nous ne savons pas exactement où se trouvait le logion dans le proto-Lc.

b) Dans Mt, le logion étant placé *après* l'entrée solennelle à Jérusalem ne peut renvoyer à cette scène. On admet alors d'ordinaire que la proposition « jusqu'à ce que vous disiez : Béni soit, etc. » a une portée eschatologique : il s'agirait de reconnaître en Jésus le Messie, lors de son retour à la fin des temps. Le « désormais » (*ap'arti*, cf. Mt **26** 29.64) soulignerait le temps entre le départ de Jésus (sa mort) et son retour. Il reste cependant deux façons de concevoir le sens du texte. Selon l'interprétation la plus courante, Jésus annoncerait de façon voilée une conversion d'Israël avant la fin des temps : il arrivera un jour où vous me reconnaîtrez pour le Messie, et alors je reviendrai (cf. Rm **11** 26-27). Il est possible toutefois que le texte puisse s'entendre seulement au sens conditionnel (Van der Kwaak), si l'on tient compte de l'usage de la conjonction *heôs an* (jusqu'à ce que) dans d'autres textes matthéens, surtout Mt **5** 26, de même structure; on pourrait comprendre : désormais vous ne me verrez plus, tant que vous n'aurez pas dit... Ce serait un appel à la conversion (cf. Ac **3** 19-23), et non une annonce prophétique de la conversion.

Note § **223.** *GUÉRISON D'UN HYDROPIQUE, UN JOUR DE SABBAT*

1. L'introduction de ce récit (v. 1) est de rédaction entièrement lucanienne, comme le montrent le vocabulaire et le style : « Et il arriva, tandis que... » (*kai egeneto en toi* + infinitif), très fréquent chez Lc, par imitation de la Septante; « chef » (*archôn* : 5/1/8/7/11); « et eux » (*kai autoi*), très fréquent chez Lc; imparfait exprimé au moyen de la construction périphrastique (« l'épiaient », *èsan paratèroumenoi*); l'expression « manger du pain », au sens de « prendre un repas », est moins spécifiquement lucanienne (1/3/3/0/0), mais elle reflète l'usage de la Septante. Ce verset introduit une série de quatre sections qui toutes semblent se passer dans la maison du Pharisien qui a invité Jésus : la guérison de l'hydropique (§ 223), la parabole sur le choix des places (§ 224), le conseil d'inviter les pauvres

à dîner (§ 225), enfin la parabole des invités qui se dérobent (§ 226). Comme on le verra, les introductions de ces diverses sections, surtout celle du § 224 (Lc **14** 7) sont de Lc lui-même, on peut conclure que le groupement de ces quatre sections fut effectué par Lc.

2. L'épisode de la guérison de l'hydropique est repris du Document Q, car il est utilisé par Mt **12** 9-14 qui le combine avec le récit de la guérison d'un homme à la main desséchée, repris du Document A. Sur les rapports entre Mt et Lc, la teneur du texte du Document Q, l'activité rédactionnelle de Lc, voir note 45 (II 2).

Note § **224.** *PARABOLE SUR LE CHOIX DES PLACES*

Lc 14 7-24 contient trois paraboles artificiellement juxtaposées, liées par le thème commun de l'invitation à un banquet, mais dont la pointe est différente. Ces trois paraboles sont censées avoir été prononcées dans la maison d'un notable Pharisien qui avait invité Jésus à dîner (Lc **14** 1).

1. La première parabole (§ 224), constituée de deux parties antithétiques (vv. 8-9 et 10), exprime une vérité de la sagesse populaire dont on trouve un excellent précédent en Pr **25** 6-7 : « Ne te glorifie pas devant un roi et ne te tiens pas à une place (réservée) aux grands; parce que mieux (vaut) qu'on te dise : Monte ici, que d'être abaissé devant un prince. » Ce thème est repris ici dans la perspective d'un banquet de noces; le sens ne fait aucune difficulté.

2. Dans son contexte lucanien, la parabole prend une dimension eschatologique. Les deux paraboles suivantes sont en effet eschatologiques (cf. vv. 14 et 15), et il doit en être de même de celle-ci : c'est lors du jugement eschatologique, ou plus exactement lors de l'entrée au banquet eschatologique que ceux qui, ici-bas, auront voulu se mettre aux premières places, devront les céder avec honte, et inversement.

3. L'introduction est probablement de Lc lui-même, étant donné son style lucanien : « or il disait » (*elegen de:* 1/1/9/2/0); « remarquant » (*epechein:* 0/0/1/0/2); « choisir » (*eklegomai:* 0/1/4/5/7); préposition *pros* après le verbe « dire » (deux fois ici; très fréquent dans Lc/Ac par influence de la Septante; moins souvent chez Jn). On notera que cette introduction est à la troisième personne du pluriel, tandis que la parabole est à la deuxième personne du singulier; ceci confirme son indépendance par rapport à la parabole, que Lc reprend d'une source particulière. C'est probablement Lc aussi qui a ajouté la conclusion du v. 11, laquelle se lit en termes presque identiques en Mt **23** 12 et Lc **18** 14. Deux conclusions peuvent être tirées des remarques précédentes.

a) Si l'introduction à la parabole est de Lc, ceci prouve que le groupement des trois paraboles sur le banquet (§§ 224-226) est de Lc lui-même; il semble d'ailleurs que seule la dernière parabole (§ 226), qui a son parallèle en Mt, provienne du Document Q, tandis que les deux premières, ignorées de Mt, seraient reprises d'une autre source particulière à Lc.

b) Introduction et conclusion donnent à la parabole une pointe antipharisaïque qu'elle ne comportait pas primitivement : ce sont en effet les Pharisiens qui choisissent les « premières places » (*prôtoklisia:* ici et Mt **23** 6 et par. : § 287), et le logion final (v. 11) est caractéristique de la polémique anti-pharisaïque (sur son utilisation, voir note § 234, 3).

4. Cette parabole a dû circuler dans la tradition évangélique sous des formes diverses, dont l'une nous a été conservée dans certains témoins de la tradition manuscrite « occidentale » après Mt **20** 28 (§ 255, voir vol. I, 1er registre). Mettons les deux textes en regard pour les comparer :

Lc 14	Trad. occid.
	« Mais vous, cherchez à grandir à partir de (quelque chose de) petit et à être moindre à partir de (quelque chose de) plus grand. Or, entrant
	et invités
8 « Quand tu es invité par [quelqu'un à des noces, ne t'étends pas à la première place de peur qu'un plus digne [que toi ait été invité par lui,	à dîner, ne vous étendez pas aux endroits en vue de peur qu'un plus noble [que toi ne survienne,
9 et, venant, celui qui t'a invité avec lui te dira : 'Donne (cet) endroit à [celui-ci', et alors tu commenceras [avec honte à occuper le dernier endroit.	et, s'approchant, l'hôte ne te dise : 'Retire-toi encore (plus) [bas', et tu auras honte.
10 Mais quand tu as été invité, va t'allonger au dernier endroit,	Mais si t'allonges à l'endroit moindre, et que survienne un moindre que toi,
afin que quand il viendra, celui qui t'a invité te dira : 'Ami, monte plus haut', et tu auras de la gloire devant tous ceux qui sont convives avec toi.	l'hôte te dira : 'Mets-toi encore (plus) haut', et cela te sera profitable. »
11 Car tout (homme) qui s'élève sera abaissé et qui s'abaisse sera élevé. »	

Si le schéma général est le même, le détail des expressions varie assez considérablement. Certaines variantes entre les deux textes proviennent de l'activité littéraire de Lc. Au v. 8, le verbe « s'étendre » (*kataklinô:* 0/0/5/0/0/0; dans le parallèle de la tradition occidentale, on a le verbe *anaklinô*, plus fréquent dans la tradition synoptique : 2/1/3/0/0). Au même verset, l'expression « à la première place » (*prôtoklisia*) est évidemment influencée par le v. 7, qui lui-même dépend, on l'a vu, de Mt **23** 6 et par. (cf. 3b); le substantif « endroit » (*topos*), de la tradition occidentale, est certainement meilleur, étant donné le parallélisme avec le v. 10a, où l'on a *topos* dans les deux formes de texte. Toujours au v. 8, l'adjectif « plus digne » (*entimoteros*) est aussi de la main de Lc, car il ne se lit ailleurs dans les évangiles qu'en Lc **7** 2 (*entimos*). Au v. 9, l'expression « tu commenceras... à occuper » est typiquement lucanienne : verbe « commencer » (au futur) + infinitif : 1/0/5/0/0; verbe « occuper » (*katechein:* 0/0/3/0/1). Au v. 10, Lc a détruit le parallélisme initial entre les deux parties de la parabole en supprimant la mention : « et que survienne un moindre que toi » (cf. v. 8c). Dans ce verset, on retrouve encore quelques expressions lucaniennes : « ami » (*philos*: 1/0/15/6/3); « devant » (*enôpion*: 0/0/22/1/13). En revanche, le v. 10b de Lc semble plus proche de Pr **25** 6 que le parallèle de la tradition occidentale.

Il faut bien reconnaître cependant que l'activité littéraire de Lc ne suffit pas à expliquer les divergences nombreuses entre les deux textes. Nous sommes en présence de deux traditions différentes racontant la même parabole. Peut-on supposer deux traductions différentes d'un même original araméen (M. Black, J. Jeremias)? C'est possible, mais non prouvé.

Dans le texte de la tradition occidentale, on notera le curieux changement de personne à partir du v. 8b. On pourrait l'expliquer ainsi : la parabole était rédigée tout entière à la deuxième personne du singulier (cf. Lc, sauf l'introduction du v. 7, et le texte occidental à partir de 8b); dans la tradition occidentale, on lui a adjoint, au début, un logion primitivement indépendant (« mais vous, cherchez à grandir, etc. ») et rédigé à la deuxième personne du pluriel; l'auteur de cette addition aurait harmonisé le v. 8a en le mettant aussi à la deuxième personne du pluriel, mais il aurait laissé le reste dans son état primitif, à la deuxième personne du singulier.

Note § **225**. *SUR LE CHOIX DES INVITÉS*

1. Comme la précédente, cette parabole se compose de deux parties antithétiques : v. 12 et vv. 13-14; l'accumulation de quatre termes pour indiquer ceux que l'on invite accentue le parallélisme entre les deux sections. Elle a également même structure littéraire : « Quand... ne... pas... de peur que... mais quand » (*hotan... mè... mèpote... all'hotan*). Enfin, elle aussi brode sur un thème de la sagesse populaire dont on a un excellent précédent dans la Sagesse d'Ahikar (3 *31*) : « Mon fils, reçois chez toi celui qui est au-dessous de toi et celui qui est moins riche que toi; s'il s'en va et ne te rend pas, Dieu te rendra. » Même enseignement sur le don généreux et désintéressé en Lc **6** 34-35.

2. Comme dans les deux sections précédentes, l'introduction est de Lc : « Or il disait » (*elegen de*: 1/1/9/2/0); « aussi »

après « or » (*de kai*: 3/2/25/8/7); « à celui qui l'avait invité » (*tôi keklèkoti*, participe parfait qui reprend celui du v. 10). Mais il semble que la parabole elle-même soit davantage influencée par le style de Lc que la précédente. Au v. 12, « amis » (*philos*: 1/0/15/6/3); « proches » (*suggenès*: 0/0/3/1/1); « voisins » (*geitôn*: 0/0/3/1/0); « riches » (*plousios*: 3/2/11/0/0); « eux aussi » (*kai autoi*; très fréquent chez Lc). Au v. 13, l'énumération des invités répond exactement à celle de la parabole suivante (**14** 21), énumération propre à Lc. Au v. 14, on notera surtout la formule « avoir à » (*echein* + infinitif : 1/0/5/3/6). En revanche, l'expression « résurrection des justes » (v. 14) ne se lit jamais ailleurs, ni dans Lc, ni dans le reste du NT; elle semble impliquer l'idée que seuls les justes ressusciteront un jour, idée qui est probablement celle de Dn **12** 2 (A. Alfrink).

Note § **226**. *SUR LES INVITÉS QUI SE DÉROBENT*

A l'occasion du repas chez le Pharisien, mentionné en **14** 1, Lc place ici une troisième parabole concernant un festin et ceux qui y sont invités. Le v. 15 est de la main de Lc et veut mettre un lien avec la parabole précédente; mais la parabole

elle-même, dont on retrouve l'essentiel en Mt **22** 1 ss., provient probablement du Document Q. Sur sa forme primitive et les remaniements qu'elle a subis dans les rédactions lucanienne et matthéenne, voir note § 282.

Note § **227**. *SE RENONCER POUR SUIVRE JÉSUS*

Lc **14** 25-27 et Mt **10** 37-38 donnent un double logion de Jésus qui, pour l'essentiel, provient du Document Q. La première partie du logion a son équivalent en Mc **10** 29 et par. (§ 251), la seconde partie en Mc **8** 34 et par. (§ 168); la liaison entre les deux parties est donc probablement artificielle.

1. *Le logion dans Mt.* Dans Mt (cf. § 103), le logion suit

immédiatement le thème de « Jésus cause de dissensions » (§ 102) que l'on trouve aussi en Lc **12** 51-53 (note § 212); il en est comme un commentaire. Sa structure est ternaire, scandée par l'expression : « n'est pas digne de moi », qui revient deux fois au v. 37 et une fois au v. 38. Les deux premiers stiques (v. 37) reprennent manifestement l'énumération du v. 35 (§ 102) : « père, mère, homme (= fils), fille ». L'idée serait celle-ci : Jésus est venu séparer les membres d'une même famille, en ce sens que les uns prendront parti pour lui, les autres contre lui (§ 102); celui qui, par attachement affectif pour un membre de sa famille, renoncerait à sa foi en Jésus n'est pas digne de Jésus. Le v. 38 est moins étroitement lié à ce thème, sinon peut-être que « prendre sa croix » signifierait renoncer, pour le nom de Jésus, à toutes ses affections familiales.

2. *Le logion dans Lc.* Il semble avoir subi des influences diverses et certains remaniements.

a) Comme dans les sections précédentes, l'introduction (v. 25) est probablement de Lc : « faire route avec » (*symporeuomai* : 0/1/3/0/0/0); « se retourner » (*strephô* : 6/0/7/4/3/1); « il leur dit » (*eipen pros*, très fréquent chez Lc).

b) Au niveau du proto-Lc, le logion devait avoir une forme ternaire, mais différente de celle de Mt. Les deux premiers stiques de Mt (v. 37) n'en forment qu'un seul chez Lc (v. 26); le troisième stique de Mt est le second de Lc (v. 27); quant au troisième stique de Lc, il faut le chercher au v. 33 (§ 228); il a en effet même structure que ceux du § 227 et se termine par la même formule : « ... ne peut être mon disciple ». Ces trois stiques devaient être unis dans le proto-Lc, et c'est l'ultime Rédacteur lucanien qui aura inséré la parabole de 14 28-32.

c) Comment expliquer les divergences entre le logion de Mt **10** 37-38 et celui du proto-Lc : Lc **14** 26-27.33? Le logion du proto-Lc aurait subi les influences suivantes :

ca) Le noyau principal proviendrait du Document Q, dont Mt **10** 37-38 aurait gardé la teneur primitive.

cb) La liste de Lc **14** 26 commence par mentionner « père » et « mère », comme celle de Mt **10** 37; mais la suite : « enfants », « frères », « sœurs » reprend les données de Mt **19** 29 (§ 251),

avec addition de « femme » comme en Lc **18** 29b (parallèle à Mt **19** 29); le proto-Lc a donc bloqué les deux stiques de Mt **10** 37 pour obtenir un seul stique ayant une énumération semblable à celle de Mt **19** 29. Il devient alors évident que le troisième stique du proto-Lc (**14** 33) est une reprise du thème de Mt **19** 21 : « ... va, vends ce qui t'appartient et donne (-le) à des pauvres », avec la même expression *ta hyparchonta* en Mt (« ce qui t'appartient ») et en Lc (« tous ses biens »); le proto-Lc a remanié le logion de Mt **19** 21 en fonction de son propre style : « tout (homme)... qui » (*pas hos* : 1/0/8/5/5); « renoncer » (*apotassomai* : 1/0/2/0/2/1). En résumé, le proto-Lc a bloqué les deux stiques de Mt **10** 37 en un seul, complété la liste des membres de la famille, ajouté le stique du v. 33, sous l'influence de Mt **19** 21.29 (Mt-intermédiaire).

cc) Le logion du proto-Lc se distingue encore de celui de Mt : par le changement de « aimer... plus que » en « haïr », et par l'addition, vers la fin du v. 26, des mots : « et même encore sa propre vie » (*tèn psychèn heautou*). On songe alors au logion rapporté en Jn **12** 25 : « Qui aime sa vie la perdra, et qui hait sa vie (*ho misôn tèn psychèn autou*) la gardera pour la vie éternelle », logion qui précède immédiatement le thème de « suivre Jésus » (Jn **12** 26), comme en Lc **14** 27. Il est impossible de penser que Jn ait repris à Lc **14** 26 deux notes par lesquelles Lc se distingue du parallèle matthéen, pour constituer le logion de **12** 25 ! Une influence de Jn sur le proto-Lc est aussi à exclure. La seule solution est d'admettre que Jn **12** 25-26 donne un logion repris du Document C et que Lc **14** 26 a subi lui aussi l'influence de ce logion du Document C; on sait que Jn et le proto-Lc sont les deux évangiles qui ont le plus subi l'influence de ce Document C (voir à la note § 309 les influences de ce Document sur tout le complexe de Jn **12** 23-30).

Note § 228. *RÉFLÉCHIR A L'ENJEU DU RENONCEMENT*

1. Dans le proto-Lc, le v. 33 de cette section faisait suite aux vv. 26-27 pour former un logion à trois stiques parallèles (voir note § 227, 2 b). L'ultime Rédacteur lucanien a rompu cette unité en insérant deux petites paraboles (vv. 28-30 et vv. 31-32) qui expriment un même thème de la sagesse populaire répondant à notre proverbe français : « il faut réfléchir avant d'agir ». Inutile de se lancer dans une entre-

prise, construction ou guerre, si l'on n'a pas les moyens de la mener à bien; autrement, on sera la risée de tous.

2. En insérant ces deux paraboles entre le deuxième et le troisième stiques du logion du proto-Lc (vv. 27 et 33), l'ultime Rédacteur lucanien donne à ces paraboles une application particulière : avant de se décider à devenir disciple de Jésus, il faut réfléchir et voir si l'on est capable des renoncements que cela exige.

Note § 229. *LE SEL*

Ce logion sur le sel se lisait, et dans le Document Q, et dans Mc; la rédaction lucanienne, tout en se rattachant fondamentalement au texte du Document Q (cf. Mt **5** 13), a subi quelques influences du texte du Mc-intermédiaire dans son ultime rédaction. Sur ces problèmes littéraires et sur le sens du logion, cf. note § 51.

Le sel étant le symbole de la condition du disciple (voir note § 51), le logion se trouve en bonne place dans Lc, après l'énoncé par Jésus des conditions requises pour être son disciple (§ 227 et v. 33). La séquence lucanienne peut refléter l'ordre du Document Q, tandis que Mt aurait transféré le logion dans son Sermon sur la montagne, qu'il voulait étoffer.

Note § **230.** *PARABOLE DE LA BREBIS PERDUE*
§ **231.** *LA DRACHME PERDUE*

Les deux paraboles de la brebis perdue (Lc **15** 1-7) et de la drachme perdue (**15** 8-10) ont même structure et même sens; ce sont deux paraboles « jumelles », comme celles du grain de sénevé et du levain (§§ 218 s.), qui proviennent du Document Q. Mt **18** 12-14 n'a retenu que la première de ces deux paraboles.

I. PROBLÈMES LITTÉRAIRES

1. *Le texte de Lc.*

a) L'introduction est une composition lucanienne qui reprend en partie les données de Lc **5** 30 (§ 42). Au v. 1, « s'approchaient » (*èsan... eggizontes*: construction périphrastique, très fréquente chez Lc; verbe *eggizein*: 7/3/18/0/6; suivi du datif, comme ici : 0/0/4/0/3); « tous les publicains et les pécheurs », repris de Lc **5** 30 (= Mc **2** 16b), avec addition de « tous » qui correspond à l'habitude de Lc de généraliser; « pour l'écouter » (cf. Lc **6** 18; **5** 15). Au v. 2, « Et les Pharisiens et les scribes murmuraient », comme en Lc **5** 30 (différent de Mc **2** 16), avec addition de la particule *te* (3/0/9/3/134 environ); « accueillir » (*prosdechesthai*: 0/1/5/0/2/6); « manger avec » (*synesthiein*: Ac **10** 41; **11** 3). Au v. 3, « il leur dit » (*eipen pros*, typique du style de Lc); « dire une parabole » (0/1/13/0). L'introduction des vv. 1-3 est donc lucanienne, probablement de l'ultime Rédacteur.

b) L'ultime Rédacteur lucanien a retouché aussi le texte des paraboles. Au v. 7, au lieu du texte de Mt : « ... pour elle plus que pour quatre-vingt-dix-neuf qui ne se sont pas égarées », Lc a : « pour *un seul pécheur se repentant* plus que pour quatre-vingt-dix-neuf *justes qui n'ont pas besoin de repentir* »; ces modifications correspondent au texte de Lc **5** 32 (§ 42, cf. *supra*) : « Je ne suis pas venu appeler *les justes* mais *les pécheurs au repentir* » (Mc **2** 17b n'a pas « au repentir »). – Il est probable aussi que Lc a ajouté les vv. 6 (§ 230) et 9 (§ 231), qui n'ont pas de parallèle dans Mt; le vocabulaire est en effet très lucanien : « convoquer » (*synkalein*: 0/1/4/0/3/0); « ami » (*philos*: 1/0/15/6/3/4); « amis et voisins », comme en Lc **14** 12; « se réjouir avec » (*synchairein*, cf. Lc **1** 58). – Il est possible enfin que Lc ait changé « égaré » (Mt) en « perdu » afin d'harmoniser les deux paraboles.

2. *Le texte de Mt.* Il offre aussi un certain nombre de notes secondaires qui sont probablement de l'ultime Rédacteur matthéen. L'introduction : « Que vous en semble », est typiquement matthéenne (Mt **17** 25; **21** 28; **22** 17.42; **26** 66). Le début de la parabole : « S'il y a à un homme... », est aussi de Mt, car la formule de Lc : « Quel homme d'entre vous ayant... », se lit dans Mt **12** 11, texte qui provient lui aussi du Document Q. A la fin du v. 14, la mention des « petits » fut ajoutée afin de conformer la parabole au contexte général dans lequel l'a placée l'ultime Rédacteur matthéen (cf. *infra*). Enfin, le thème de la « volonté » de Dieu, au v. 14,

donne de la parabole une application théologique moins homogène que celle de Lc : c'est le thème de la « joie » qui forme la pointe de la parabole, après la séquence « égarée », « cherchée », « trouvée ».

II. SENS DES PARABOLES

La parabole de la drachme a même sens que celle de la brebis perdue; c'est à partir de celle-ci que nous allons approfondir leur sens.

1. *Dans le Document Q.* Il est impossible de retrouver le contexte de ces deux paraboles dans le Document Q; pour dégager leur sens, nous ne pourrons nous aider que de leur analyse interne.

a) Les attaches vétéro-testamentaires.

aa) L'utilisation allégorique du thème de la brebis perdue a d'excellents précédents dans l'AT. Mais c'est probablement Ez **34** 16 qui nous donne le meilleur parallèle : « Je chercherai la brebis perdue, je ramènerai l'égarée... la grasse, je veillerai sur elle. » On notera que le dernier membre de phrase semble avoir inspiré plus immédiatement le texte de Thomas 107. Ce recours à Ez **34** pourrait peut-être expliquer un détail étrange des textes de Mt et de Lc : le pasteur abandonne les brebis « sur les montagnes » (Mt) ou « dans le désert » (Lc) pour aller chercher celle qui est perdue; or on lit dans Ez **34** 6 : « Mon troupeau erre partout, *sur les montagnes* et sur les collines élevées », par allusion probablement aux cultes des hauts lieux païens; mais, en Ez **34** 25, c'est « dans le désert » que paîtront les brebis, dans cette région à l'est de Jérusalem qui se couvre d'herbe à la saison des pluies.

ab) Le thème de la « joie » dans le ciel lorsque la brebis perdue est retrouvée pourrait s'inspirer de Ez **33** 11 : « Je ne prends pas plaisir à la mort du méchant, mais (je prends plaisir) au repentir du méchant (qui se détourne) de son chemin pour qu'il vive. » On se reportera aussi à Sg **1** 13 : « Dieu ne se réjouit pas de la perte des vivants. »

b) Le sens de la parabole. Le but premier de la parabole est d'inviter le pécheur à la conversion en lui montrant la sollicitude de Dieu à son égard, au moyen d'un exemple simple, accessible à tous : de même que le berger n'éprouve plus que de la joie en retrouvant une brebis qui s'était égarée, de même Dieu n'éprouve plus que de la joie en « retrouvant » un homme qui s'était égaré loin des sentiers de la justice; ce sera encore le thème essentiel de la parabole suivante (note § 232). – La parabole de la brebis perdue contient un paradoxe absent de celle de la drachme perdue : Dieu se réjouit davantage de retrouver la brebis perdue que d'avoir gardé les quatre-vingt-dix-neuf qui ne se sont pas égarées ! Jésus ne veut évidemment pas dire que le pécheur a plus de prix que les justes aux yeux de Dieu. Peut-être faut-il voir dans ce paradoxe une intention polémique contre les Pharisiens, que Lc mettra mieux en lumière; les brebis qui ne se sont pas égarées évoqueraient, non pas les « justes », mais les Pharisiens qui se croient justes tout en s'égarant hors des voies de Dieu. La parabole aurait donc une pointe d'ironie contre ces prétendus justes, en disant que Dieu a plus de joie lorsqu'un pécheur se convertit que lorsque ces prétendus justes restent dans leurs ornières.

2. *Chez Lc.* En ajoutant l'introduction des vv. 1-3 et en remaniant le v. 7 de façon à expliciter l'opposition entre « justes » et « pécheurs », Lc a voulu rapprocher la parabole de la scène racontée en Lc 5 30-32 (§ 42). Par le fait même, il donne une importance beaucoup plus grande à l'intention polémique de la parabole, qui se trouve dirigée contre les Pharisiens et les scribes. Ceux-ci méprisaient les « pécheurs » de toutes catégories et tenaient pour « impureté » le fait de les fréquenter (cf. note § 42, II 1). En les mettant en scène, Lc critique leur attitude de deux façons différentes. D'une part, il veut montrer que Jésus a raison de fréquenter les pécheurs, contrairement au comportement des Pharisiens : n'est-ce pas la seule manière de les ramener à Dieu? Or le seul désir de Dieu, c'est que même les pécheurs se convertissent et soient sauvés. D'autre part, en parlant de « pécheurs »

et de « justes qui n'ont pas besoin de repentir » (v. 7), Lc accentue l'ironie de la parabole : existe-t-il des « justes qui n'ont pas besoin de repentir »? Les Pharisiens se tenaient pour tels, mais quelle illusion était la leur ! Dieu se réjouit donc plus de la conversion d'un pécheur que de la prétendue « justice » des Pharisiens, qui s'imaginent ne pas avoir besoin du pardon de Dieu (cf. § 245).

3. *Chez Mt.* L'ultime Rédacteur matthéen a inséré la parabole de la brebis perdue dans le « Discours ecclésiastique »; elle est donc adressée, non pas aux Pharisiens, mais aux disciples. En fait, elle est là pour préparer et illustrer le logion sur la « correction fraternelle » (Mt 18 15-17), ce qui correspond à Ez 33 où la phrase : « Je ne prends pas plaisir à la mort du méchant » (v. 11), reprise en Mt 18 14, est immédiatement précédée par l'ordre donné au prophète d'avertir le pécheur pour qu'il se convertisse (Ez 33 7-9). Dans ce contexte, la parabole n'a pas pour but de justifier le comportement de Jésus frayant avec les pécheurs, mais d'inciter les chrétiens, spécialement les chefs des communautés, à ramener vers Dieu leurs frères égarés, usant d'autant de sollicitude que le berger pour retrouver la brebis égarée. Cette exigence se fonde sur la volonté de Dieu que pas un seul des frères déshérités ne se perde (v. 14).

Note § **232.** *LE FILS PERDU ET LE FILS FIDÈLE*

Pour répondre aux reproches des Pharisiens et des scribes concernant l'accueil fait par Jésus aux pécheurs, Lc donne une troisième parabole, celle du fils perdu et du fils fidèle. Elle est introduite par une expression typiquement lucanienne : « Or il dit » (*eipen de*: 0/0/59/1/15), ce qui laisse supposer qu'elle ne faisait pas suite aux deux paraboles précédentes dans le Document Q; peut-être même Lc la reprend-il à une autre source qui nous est inconnue. – Le seul problème littéraire qui se pose au sujet de cette parabole est celui de son unité. Certains exégètes (J. Weiss, A. Loisy, Wellhausen, J. T. Sanders) pensent que la seconde partie de la parabole (vv. 25-32) fut ajoutée par Lc à une parabole qui ne comportait primitivement que les vv. 1-24. D'autres maintiennent l'unité de la parabole; elle aurait eu une « double pointe », comme cela se rencontre ailleurs (J. Jeremias). A vrai dire, les arguments s'appuyant sur le vocabulaire ou le style pour discerner deux couches littéraires dans la parabole ne sont pas très convaincants. Cette hypothèse toutefois revêt une certaine probabilité quand on compare la parabole du fils perdu et du fils fidèle à celle de la brebis perdue.

1. La première partie de la présente parabole (vv. 1-24), malgré de plus amples développements, offre des analogies manifestes avec la parabole de la brebis perdue. De même que le berger, en retrouvant la brebis qui s'était perdue (vv. 4-5a), ne songe plus qu'à se réjouir de l'avoir retrouvée

(v. 6), de même le père de l'enfant prodigue, en retrouvant son fils perdu (v. 24), ne lui fait aucun reproche mais ne pense qu'à la joie du retour (vv. 22-23). Dans l'une et l'autre parabole, l'enseignement est identique : il en va de même de Dieu; quand un homme qui s'était égaré loin des voies de Dieu revient dans le bon chemin, Dieu le reçoit avec joie, sans même songer à lui reprocher ses fautes.

2. La seconde partie de la parabole (vv. 25-32) met sous nos yeux la réaction du fils resté près de son père, lorsqu'il voit la conduite de ce dernier. Comme on le reconnaît d'ordinaire, ce fils « fidèle » représente les Pharisiens; comme eux, il se targue de n'avoir jamais transgressé les commandements de son père (= de Dieu; v. 29; cf. Lc 11 42); il s'indigne de la bonté de son père envers un fils qui vient de mener une vie dissolue, comme les Pharisiens s'indignaient de voir Jésus accueillir les pécheurs et leur pardonner; il refuse de s'asseoir à la même table que son frère, comme les Pharisiens refusaient de manger avec des pécheurs et reprochaient à Jésus de le faire. Toute cette polémique anti-pharisienne rejoint exactement l'intention des additions pratiquées par l'ultime Rédacteur lucanien dans la parabole de la brebis perdue : l'introduction des vv. 1-3 et l'ajout du thème « justes/pécheurs » au v. 7 (voir note § 230, I 1 et II 2). On pourrait donc en conclure que la seconde partie de la présente parabole est aussi de Lc.

Note § **233.** *L'INTENDANT ASTUCIEUX*

Lc **16** 1-13 comprend les éléments suivants : la parabole de l'intendant astucieux (vv. 1-9), que Lc tire d'une source particulière; une conclusion ajoutée par Lc (vv. 10-12), qui adapte à la parabole un logion provenant probablement du Document Q; le logion sur Dieu et l'Argent (v. 13), identique à celui de Mt **6** 24, provenant lui aussi du Document Q.

I. LA PARABOLE (vv. 1-9)

1. L'anecdote qui constitue le fond de la parabole (vv. 1-8a) a souvent embarrassé les commentateurs. Comment justifier les procédés de cet intendant qui assure son avenir aux dépens des biens de son maître? Pourquoi le maître lésé n'a-t-il pas un mot de reproche en apprenant le tort qui lui est fait? Comment Jésus peut-il donner en exemple les malversations de cet intendant? Pour sortir de l'impasse, suffit-il de dire que « l'intendant n'est pas loué pour sa friponnerie, mais pour son habileté à sortir d'une situation désespérée » (BJ)? Ou Jésus veut-il réellement enseigner que « dans ce royaume nouveau, il vaudra mieux s'être fait des amis parmi les pauvres, même par l'injustice, que d'avoir été un économe correct » (Renan)?

Ces difficultés disparaissent cependant si l'on interprète l'anecdote en fonction des lois et coutumes qui existaient en Palestine au temps de Jésus (M.D. Gibson, J.M.D. Derrett, J.A. Fitzmyer). L'intendant d'un domaine agissait au nom et place de son maître; comme il n'était pas rémunéré, il pouvait se dédommager de ses frais aux dépens des débiteurs auxquels il confiait en « prêt » les biens de son maître. La tentation était grande alors de majorer le montant de ces frais, ce qui constituait une sorte de prêt à intérêt, une véritable usure. Ceci était interdit par la Loi mosaïque (Ex **22** 24; Lv **25** 36-37; Dt **15** 7-8), mais toléré par l'usage. La casuistique rabbinique s'en était d'ailleurs mêlée pour favoriser cet usage. Si le billet de créance était rédigé sous cette forme : « Je paierai à Un tel un denier le premier Nisan; si je ne le fais pas, je lui paierai un denier un quart en plus chaque année », il y avait « usure » et le débiteur pouvait attaquer son créancier en justice. Mais si le billet portait seulement : « Je dois à Un tel dix kors de blé », on admettait qu'il n'y avait pas usure au sens strict, même si le porteur du billet n'avait effectivement touché que sept ou huit kors, la différence constituant son « bénéfice ». L'anecdote doit alors se comprendre ainsi. Sur les cent baths d'huile (environ 3 700 litres) portés sur le reçu (v. 6), cinquante seulement avaient été effectivement prêtés par l'intendant sur les biens de son maître, et cinquante constituaient à la fois le remboursement des frais de l'intendant et la « commission » exorbitante qu'il avait prise sur l'opération. Ainsi, lorsque l'intendant fait changer le montant du reçu, il ne lèse pas son maître, mais renonce simplement à ses propres bénéfices. Si la conclusion du récit le nomme un « intendant injuste » (v. 8a), ce n'est pas en raison de son action présente, mais de ses actes passés auxquels fait allusion le v. 1 (cf. Lc **18** 6, où le juge est qualifié de « injuste » en référence à ce qui est dit de lui au v. 2).

2. Contrairement à l'opinion de nombreux auteurs, il faut tenir le v. 9 comme la conclusion de la parabole appartenant au document suivi par Lc, et non comme une création de Lc lui-même. Il est normal que Jésus ait donné l'interprétation spirituelle de l'exemple qu'il proposait, dans une phrase qui se soude sans difficulté au contexte : elle reprend les termes du v. 4, et son début : « moi je vous dis », répond bien au : « le maître loua... », du v. 8a (le v. 8b étant en revanche une insertion lucanienne). Du point de vue littéraire, il est difficile d'attribuer à la plume de Lc le sémitisme « argent d'injustice » (bien dans le style du document primitif, cf. « intendant d'injustice » au v. 8a, et Lc **18** 6 : « juge d'injustice »), alors qu'au v. 11 il transposera en forme grecque : « argent injuste ».

Si l'on garde la variante beaucoup mieux attestée : « quand il vous manquera » (*hotan eklipè*), le texte est très difficile. Comment est-ce au moment où l'argent manquera que l'on sera reçu dans le monde eschatologique (évoqué par l'expression « les tentes éternelles »; cf. peut-être 2 Co **5** 1)? Faut-il dire que la mort marque le moment « où les richesses nécessairement disparaissent, et où l'homme se trouve sans rien » (Lagrange)? La variante *hotan eklipète*, donnée par la *Koinè* et qui a le sens bien attesté en grec de « quand vous mourrez », donnerait évidemment un sens bien meilleur et pourrait répondre au « quand je serai relevé » du v. 4, ce verbe (*methistèmi*) se lisant en Gn **5** 24 (LXX) à propos de Hénoch « transféré » auprès de Dieu.

Quoi qu'il en soit de ce dernier point, Jésus veut dire qu'il faut se hâter, avant de mourir, de se défaire de l'argent acquis aux dépens des autres (dans la parabole : par l'économe aux dépens, non de son maître, mais des débiteurs de son maître), si l'on veut être reçu dans le monde eschatologique. On rejoint l'enseignement de Jésus sur le détachement des richesses (cf. Mt **6** 19-21; Lc **12** 33).

II. LA CONCLUSION LUCANIENNE (vv. 10-12)

Contrairement à ce que l'on pense souvent, les vv. 10-12 ne sont pas une création entièrement lucanienne; Lc reprend ici, amplifie et adapte un logion qui a connu des applications diverses : en 2 Clément **8** 5, plus proche de la forme primitive, dans la parabole des talents (Mt **25** 21; Lc **19** 17 : § 270), et probablement aussi en Mt **5** 19 (§ 53).

1. Le logion primitif peut se reconstituer en comparant Lc **16** 10.12 avec 2 Clément, Irénée et Hilaire :

Lc	Irénée (= Hilaire)	2 Clément
« Celui qui est fidèle pour une très petite (chose) est fidèle aussi pour une grande et si vous n'avez pas été fidèles pour celui d'un autre, qui vous donnera le vôtre ? »	« et si vous n'avez pas été fidèles pour une petite (chose) qui vous donnera ce qui (est) grand ? »	« Celui qui est fidèle pour une très petite (chose) est fidèle aussi pour une grande et si vous n'avez pas gardé la petite (chose) qui vous donnera la grande ? »

La première partie du logion est conservée sans variante dans Lc et 2 Clément; la seconde partie est bien rendue par Irénée (= Hilaire), tandis que 2 Clément introduit une légère variante. La première partie est probablement un proverbe repris par Jésus, la seconde partie en est l'application pratique, visant ceux qui doivent recevoir une charge au sein de la communauté, le sens précis devant dépendre du contexte.

2. 2 Clément, qui donne une citation **explicite** de l'évangile, la fait précéder de ces mots : « Ainsi, frères, accomplissant la volonté du Père et gardant pure (notre) chair et *gardant* les commandements du Seigneur, *nous recevrons* la vie éternelle. Car le Seigneur dit dans l'évangile, etc. » 2 Clément inverse les clauses de la citation pour mieux l'adapter au contexte précédent. Il interprète la « fidélité » dans les petites choses au sens de « garder » les commandements de Dieu, même minimes, d'où le changement de : « vous n'avez pas été fidèles », en : « vous n'avez pas gardé ». La « grande chose » qui nous sera donnée, ce sera la vie éternelle.

3. Mt **5** 19 utilise la seconde partie du logion en reprenant l'opposition « le plus petit / grand »; son interprétation rejoint celle de 2 Clément : « Celui qui violera un de ces commandements les plus petits », répond à 2 Clément : « si vous n'avez pas gardé la petite (chose) », i.e. les plus petits commandements; et la finale : « celui-là sera appelé grand dans le royaume des cieux », répond à la finale du logion : « qui vous donnera ce qui est grand », que 2 Clément interprète de la vie eschatologique.

On notera que le contexte de Mt **5** 19 est analogue à celui de Lc **16** 10-12. Mt **5** 17 affirme la pérennité de la Loi et des prophètes, tandis que Lc **16** 16 en montre l'accomplissement jusqu'au Baptiste; Mt **5** 18 a son équivalent en Lc **16** 17; quant à Lc **16** 18, on le retrouve en Mt **5** 32. Ce contexte formé de logia traitant de la Loi mosaïque, qui devait être celui du Document Q, aurait rendu possible l'interprétation du logion dans 2 Clément et Mt **5** 19.

4. En reprenant la première partie du logion (v. 10a), Lc la complète par le v. 10b, qui reprend le thème sous forme négative; il obtient ainsi l'adjectif « injuste » qui répond au thème de la parabole. Par ailleurs, il dédouble la seconde partie du logion en l'adaptant au contexte. Au v. 11, l'opposition « petit/grand » devient « argent injuste » (repris du v. 9)/ « (argent) véritable ». La pensée de Lc semble être celle-ci : si vous ne pouvez être fidèles lorsqu'il s'agit des richesses matérielles, qui vous confiera les richesses spirituelles du royaume? Au v. 12, Lc reprend la deuxième partie du logion avec une nouvelle opposition, découlant elle aussi de la parabole : « (argent) étranger »/ « votre (argent) ». La perspective est la même qu'au v. 11, les biens matériels étant considérés comme « étrangers » à l'homme, et les richesses spirituelles comme lui appartenant.

5. Dans la parabole des talents (Mt **25** 21/ /Lc **19** 17), le logion est repris dans une perspective semblable à celle de Lc **16** 11-12 : de la fidélité dans l'administration des biens temporels, il faut passer, en transposant, à la fidélité dans l'administration des biens spirituels (voir note § 270).

III. LE LOGION FINAL (v. 13)

Il a son parallèle en Mt **6** 24 et provient du Document Q. Les textes de Lc et de Mt sont identiques, sauf que Lc a ajouté le mot « domestique » (*oiketès*) pour faire le lien avec la parabole précédente. Le logion n'est en place ni dans Mt ni dans Lc et il est impossible d'en retrouver le contexte primitif. — L'idée est cependant facile à saisir et se situe dans la perspective de Mt **6** 21 (§ 64) : celui qui se laisse asservir par la loi de l'Argent et dont la vie est finalisée par le souci d'acquérir des richesses, ne peut en même temps servir Dieu; car servir Dieu consiste à obéir à la loi de l'amour fraternel (§ 285); mais comment aimer ses frères si, par amour de l'argent, on refuse de partager ses biens avec eux, si même on les lèse dans leurs biens pour gagner davantage?

Note § **234**. *CONTRE L'ORGUEIL DES PHARISIENS*

1. Ce logion provient peut-être du Document Q, car il trouve un écho en Mt **23** 28. Son insertion ici est due à l'ultime Rédacteur lucanien qui veut compléter la polémique contre les Pharisiens, commencée au § 230 (où les vv. 1-3 sont de l'ultime Rédacteur lucanien) en même temps que la mise en garde contre l'amour de l'argent (§ 233). Le v. 14 porte d'ailleurs la marque du style de Lc : *hyparchein* au sens de « se trouver tel » (0/0/7/0/24); « se moquer » (*ekmyrithèzein*, ailleurs dans le NT seulement en Lc **23** 35).

2. Jésus s'en prend ici à l'hypocrisie des Pharisiens, qui accomplissent ostensiblement des « œuvres bonnes » (aumônes, prières, jeûnes; cf. Mt **6** 1), de façon à passer pour de rigoureux observateurs de la Loi, tandis qu'ils en négligent les préceptes les plus graves (Mt **23** 23). S'ils peuvent passer pour « justes » aux yeux des hommes, Dieu ne s'y trompe pas, lui qui connaît le « cœur » de chacun. En proférant ces reproches, Jésus se situe dans la ligne de la tradition sapientielle, dont la phraséologie se retrouve ici : « se montrer juste devant... » (Si **7** 4-5; jamais ailleurs dans l'AT); « Dieu connaît le cœur des hommes » (Pr **24** 12; Ps **7** 10; **44** 22; Si **42** 18-20); toute la finale pourrait être une citation de

Pr **16** 5 : « Objet de dégoût pour Yahvé (est) tout cœur élevé (= altier)... »; la formule « objet de dégoût devant Dieu » est typique du style des Proverbes (Pr **11** 1; **11** 20; **12** 22; **15** 9.26 et *passim*).

3. D'une façon plus générale, un certain nombre de thèmes qui sont développés dans les controverses antipharisaïques semblent inspirés par Si **1** 29-30 :

Ne sois pas *hypocrite* devant le monde et veille sur tes lèvres. *Ne t'élève pas toi-même, de peur de tomber* et de te couvrir de honte, car le Seigneur *révélerait tes secrets* et, au milieu de l'assemblée, *il te jetterait à terre*. On saurait que tu n'as pas pratiqué la crainte du Seigneur et que *ton cœur est plein de fraude*.

Les Pharisiens sont des hypocrites (Mt **23** 13 ss.; **6** 2.5.16; Lc **12** 1). Ils paraissent « élevés » aux yeux des hommes (Lc **16** 15), tandis que « leur cœur est plein d'iniquité » (Mt **23** 28; Lc **16** 15). Mais Dieu révélera leur fourberie, parce que « rien n'est caché qui ne sera dévoilé » (Lc **12** 1-3); finalement, ils seront confondus, parce que « tout (homme) qui s'élève sera abaissé » (Lc **18** 9.14; Mt **23** 12; Lc **14** 11, où les Pharisiens sont encore visés, d'après Mt **23** 6).

Note § **235**. *TROIS LOGIA SUR LA LOI*

Lc donne ici trois logia sur la Loi, insérés par Mt en des contextes différents. Pour le sens de ces logia, voir les parallèles matthéens : note § 107, III; note § 53, II; note § 246, III. Le seul problème qui se pose est celui de leur groupement et de la raison d'être de leur insertion ici.

Ces logia viennent au terme d'une longue section dirigée contre les Pharisiens (§§ 230-234), et spécialement contre leur « hypocrisie » dénoncée au § 234. Cette hypocrisie consistant surtout dans le fait que les Pharisiens *paraissent*

observer la Loi tandis qu'ils en omettent les points les plus graves, on comprend que l'ultime Rédacteur lucanien ait voulu rappeler, pour terminer cette section, l'existence de la Loi (**16** 16) et sa pérennité (**16** 17). Lc a-t-il trouvé ces logia déjà groupés dans le proto-Lc? Étaient-ils déjà groupés dans le Document Q d'où ils proviennent? Il est impossible de répondre, car aucun indice ne permet de trancher dans un sens ou dans l'autre.

Note § **236**. *LE MAUVAIS RICHE ET LE PAUVRE LAZARE*

1. « Mais malheur à vous les riches, car vous recevez votre consolation » (Lc **6** 24); cette malédiction, propre à Lc, reçoit ici sa meilleure illustration. La parabole du mauvais riche et du pauvre Lazare fait partie d'un ensemble, le chap. **16** de Lc, centré sur le problème des richesses. Jésus ne les condamne pas, il met en garde contre leur mauvaise utilisation; elles restent une menace perpétuelle, car il est impossible de servir Dieu et l'Argent (Lc **16** 13). De même dans cette parabole, d'après son contexte, Jésus condamne surtout le fait que le riche refusait de faire partager aux pauvres ses biens. – Cette parabole contient deux autres thèmes importants. Le v. 22 évoque le problème du destin

de l'homme aussitôt après sa mort (sur ce point, voir note § 284, II 3). D'autre part, la deuxième partie de la parabole (vv. 27-31) explicite un thème que reprendra l'épisode des disciples d'Emmaüs. Le mauvais riche supplie Abraham d'envoyer Lazare auprès de ses frères, afin qu'il les avertisse du destin qui les menace et qu'il les invite à se convertir; mais Abraham lui répond : « ils ont Moïse et les prophètes; qu'ils les écoutent » (v 29); même si Lazare revenait sur terre, ce prodige ne susciterait pas leur conversion (v. 31). Cette conviction de l'Église primitive, Lc la développera dans le récit des disciples d'Emmaüs. Ces derniers n'ont pas su reconnaître le Christ ressuscité qui cheminait avec eux; leurs yeux ne se sont ouverts qu'au moment où Jésus leur fit le commentaire de Moïse et des prophètes (**24** 27), et à la fraction du pain. Seule la parole de Dieu, transmise par Moïse et les prophètes, partagée dans la fraction du pain, peut conduire à la foi (cf. encore Lc **24** 44-46; Ac **28** 23). De même ici. La législation mosaïque contenait des dispositions précises en faveur des pauvres (Ex **22** 25; Dt **24** 6.10-13 et *passim*); Isaïe demande de partager le pain avec l'affamé, d'accueillir le malheureux (Is **58** 7); Amos condamne le luxe insensé qui méprise les pauvres (Am **6** 4 ss.; **8** 4); ce témoignage de Moïse et des prophètes sur la volonté de Dieu est plus persuasif que le miracle d'une résurrection.

2. Comme dans la plupart des paraboles propres à Lc, il est impossible de savoir si l'évangéliste réutilise, en lui imprimant son style, une parabole en provenance de quelque source inconnue de nous, ou s'il la crée de toutes pièces. Le style de Lc affleure partout. Au v. 19, « un homme » (*tis* + un nom : 1/2/38/7/63); « riche » (3/2/11/0/0); pour début de verset, voir Lc **16** 1; « festoyant » (*euphrainôn:* 0/0/6/0/2); « chaque jour » (*kath'hèmeran:* 1/1/5/0/6); « brillamment » (*lamprôs,* ailleurs seulement en Ac **10** 30). Au v. 20, « du nom de » (*onomati:* 1/1/7/0/22). Au v. 21, « désirant » (*epithymein:* 2/0/4/0/1; pour l'ensemble « désirant se rassasier », cf. Lc **15** 16); « de ce qui tombait de la table »,

cf. Mt **15** 27, de l'ultime Rédacteur matthéo-lucanien. Au v. 22, « il arriva que... mourut » (*egeneto* + infinitif : 0/1/5/0/16); « mais aussi » (*de kai:* 3/2/25/8/7). Au v. 23, « dans l'Hadès » (cf. Lc **10** 15; Ac **2** 27-31); « lever » (*epairein:* 1/0/6/4/5); « se trouver » (*hyparchein,* hormis l'expression *ta hyparchonta:* 0/0/7/0/24). Au v. 24, « et lui » (*kai autos:* 4/5/41/7/8); « je suis torturé » (*odynaomai:* seulement ici et Lc **2** 48; Ac **20** 38). Au v. 25, « (Abraham) dit » (*eipen de:* 0/0/59/1/15); « tu as reçu » (*apolambanein:* 0/1/4/0/0); « pareillement » (*homoiôs:* 3/2/11/3/0); « maintenant » (*nyn:* 4/3/14/28/25). Au v. 26, « et avec tout cela » (*en pasitoutois;* à rapprocher de *syn pasin toutois,* en Lc **24** 21, dans l'épisode des disciples d'Emmaüs); « a été fixé » (*stèrizein:* 0/0/3/0/1). Au v. 27, *eipen de,* cf. v. 25; « je te demande » (*erôtaô:* 4/3/15/27/7); « envoyer à » (*pempein eis:* 1/1/2/0/5). Au v. 28, « témoigner » (*diamartyresthai:* 0/0/1/0/9/5); « eux aussi » (*kai autoi;* cf. v. 24). Au v. 29, « Moïse et les prophètes », cf. Lc **16** 31; **24** 27; Ac **28** 23, jamais dans Mt/Mc/Jn; le texte de Ac **28** 23 est spécialement intéressant : à Rome, Paul *rend témoignage* (*diamartyresthai*) du royaume de Dieu et cherche à persuader (*peithein;* cf. **16** 31) les Juifs de cette ville au sujet de Jésus, en partant « de la Loi de Moïse et des prophètes ». Au v. 30, « non... mais » (*ouchi... alla:* 0/0/5/1/0/2); « ils font pénitence » (*metanoein:* 5/2/9/0/5). Au v. 31, « ils ne seront (pas) persuadés » (*peithesthai:* 0/0/2/0/9).

Note § **237.** *SCANDALE DES PETITS*

Lc insère ici un logion sur le scandale des petits dont on trouve l'équivalent en Mt **18** 6-7 et, en partie, dans Mc **9** 42 (§ 176). Le sens de ce logion va de soi, et seuls les problèmes littéraires vont nous retenir.

1. Le lien avec la parabole du mauvais riche (§ 236) est factice et dû à l'activité rédactionnelle de Lc. L'introduction du logion, en effet, est typiquement lucanienne : « Or il dit à... » (*eipen de:* 0/0/59/1/15; *eipen... pros,* très fréquent chez Lc).

2. La première partie du logion de Lc (v. 1) a son parallèle en Mt **18** 7, mais non en Mc; elle remonte sûrement au Document Q, qui donnait la séquence : « malheur à ceux par qui les scandales arrivent » (Lc **17** 1; Mt **18** 7), « correction fraternelle et pardon » (Lc **17** 3-4; Mt **18** 15.21-22). Il est difficile de dire quelle était la formule du Document Q : « (c'est) nécessité qu'arrivent » (Mt), ou : « il est impensable que... n'arrivent pas » (Lc); le mot « nécessité » (*anagkè*) ne se lit jamais ailleurs dans Mt, et l'expression « il est impensable » (*anendekton estin*) jamais ailleurs dans Lc, si bien que l'on ne peut accuser l'un ou l'autre évangéliste d'avoir changé le texte du Document Q pour y introduire son style. On donnera toutefois la préférence à Mt, dont le texte est appuyé par les Homélies Clémentines (voir vol. I, p. 201) qui dépendent ici d'un texte plus archaïque que ceux de Mt et de Lc (cf. *infra*). Lc a peut-être trouvé la formule « (c'est) nécessité... » trop rigoureuse et limitant la liberté des hommes.

3. La seconde partie du logion (v. 2 de Lc) appartenait-elle aussi au Document Q? Il ne semble pas. Mt **18** 6, en effet, dépend certainement du texte de Mc (Mc-intermédiaire) et est de l'ultime Rédacteur matthéen. Ce Rédacteur matthéen a remplacé « il est meilleur » (*kalon estin*), de saveur sémitique, par « mieux vaut » (*sympherei:* 4/0/0/3/0), comme il le fait ailleurs (Mt **5** 29-30, opposé à Mt **18** 8-9// Mc **9** 43.45.47 ; en faveur de la formule de Mc, voir encore Mc **14** 21 // Mt **26** 24); il a remplacé aussi le verbe « être jeté » (Mc) par « être englouti » (*katapontizesthai;* cf. Mt **14** 30, de l'ultime Rédacteur matthéen; jamais ailleurs dans le NT). – Lc **17** 2 doit dépendre aussi du Mc-intermédiaire; il n'offre aucun contact avec Mt contre Mc et son texte est, en revanche, très proche de celui de Mc. Il a changé la formule sémitique « il est bon » en « il est avantageux » (*lysitelei, hapax*), et remplacé le verbe « jeter » (Mc) par « précipiter » (*rhiptein:* 3/0/2/0/3/0). Le v. 2 serait donc de l'ultime Rédacteur lucanien, complétant le logion du Document Q (v. 1) par un texte repris du Mc-intermédiaire (v. 2). Le v. 3a doit être aussi de lui : « Prenez garde à vous » (*prosechete heautois,* cf. Lc **21** 34; Ac **5** 35; **20** 28).

4. La citation des Homélies Clémentines 12 *29* ignore les vv. 2 de Lc et 6 de Mt, mais donne un logion de forme plus complète que Lc **17** 1 et Mt **18** 7. Peut-être dépend-elle d'un recueil de logia d'où le Document Q aurait repris la formule de Mt **18** 7//Lc **17** 1.

Note § **238**. *CORRECTION FRATERNELLE ET PARDON*

Ces deux logia de Lc, qui ont leur parallèle en Mt **18** 15.21-22, proviennent du Document Q où ils faisaient suite au logion sur le scandale de Lc **17** 1 et Mt **18** 7 (§ 237). Sur les problèmes qu'ils posent, voir note § 179.

Note § **239**. *PUISSANCE DE LA FOI*

Lc insère ici un logion sur la puissance de la foi attesté aussi en Mt **17** 20, juste après la guérison de l'enfant épileptique (§ 171); on reconnaît d'ordinaire que ce logion proviendrait du Document Q. Un logion analogue se lit encore en Mc **11** 23 et Mt **21** 21, après l'épisode du figuier desséché; inséré là par le Mc-intermédiaire (cf. note § 278), il pourrait provenir d'un recueil de logia dont il est difficile de préciser la nature.

1. *Contexte primitif du logion.* Le contexte primitif du logion est impossible à préciser. C'est certainement Lc qui l'a inséré en **17** 5-6, car son introduction (v. 5 et début du v. 6) est typiquement lucanienne : « apôtres » (1/1/6/1/28); Jésus désigné par l'expression « le Seigneur » (ici et au début du v. 6; propre à Lc dans les récits antérieurs à la résurrection); « augmenter » (*prostithèmi*: 2/1/7/0/6/2); au début du v. 6, *eipen de:* 0/0/59/1/15. De même, sa présence à la fin du récit de la guérison de l'enfant épileptique (§ 171) est due à l'ultime Rédacteur matthéen (note § 171, II 1). Enfin, son addition après l'épisode du figuier desséché est le fait du Mc-intermédiaire (cf. note § 276, II 2).

2. *Teneur primitive du logion.*

a) Les divergences entre Lc **17** 6 et Mt **17** 20 sont dues, presque toutes, à des remaniements faits par l'ultime Rédacteur matthéen. Les impératifs du texte de Lc : « déracine-toi et plante-toi », ainsi que la mention de la « mer », sont confirmés par le texte de Mc **11** 23 (même si les verbes sont différents); d'ailleurs, le verbe « s'en aller » (*metabainein*, deux fois) de Mt est caractéristique de son style (6/0/1/3/1). Enfin, la dernière phrase de Mt **17** 20 : « et rien ne vous sera impossible », ignorée des autres témoins du logion, provient manifestement du contexte donné au logion par l'ultime Rédacteur matthéen : elle veut répondre à la question posée par les disciples en Mt **17** 19 : « Pour quelle raison, nous, n'avons-nous pas pu le chasser? »

b) Il reste à se demander quel est le thème le plus primitif : celui attesté par Mc **11** 23 (cf. Mt **21** 21), où il s'agit d'une « montagne », avec les impératifs « soulève-toi et jette-toi »; ou bien celui attesté par Lc **17** 6 : il s'agirait d'un mûrier, avec les impératifs « déracine-toi et plante-toi? » On ne peut se fier au témoignage de Mt **17** 20 pour donner raison à Mc contre Lc, car l'ultime Rédacteur matthéen aurait pu harmoniser les deux formes du logion, comme il le fait souvent. L'antiquité du texte attesté par Mc est confirmée par la citation de Paul en 1 Co **13** 2 : « Quand j'aurais la plénitude de la foi, une foi à transporter les montagnes... » Ce n'est pas une preuve absolue que le texte de Mc exprime la forme la plus ancienne du logion; c'est du moins un argument assez fort. Lc aurait changé le thème peut-être parce qu'il trouvait exagérée l'image d'une montagne qui se déplace.

Note § **240**. *« VOUS ÊTES DES SERVITEURS INUTILES »*

1. Lc insère ici une parabole, sans contexte précis, dont il est difficile de préciser l'origine; certains détails littéraires pourraient la faire attribuer au Document Q, mais rien n'emporte la conviction. Au v. 7, l'expression « qui d'entre vous » (*tis ex hymôn*) se retrouve dans des textes du Document Q (cf. Lc **11** 11; **12** 25 et les parallèles de Mt), mais aussi dans des textes propres à Lc (**11** 5; **14** 28; **15** 4); le thème du « serviteur » revient dans plusieurs paraboles du Document Q (Lc **12** 37; **12** 42 ss.), mais aussi dans des paraboles propres à Lc (cf. **12** 47 s.). Au v. 8, l'expression « manger et boire », absente des Documents A et B, se lit bien dans le Document Q (Lc **12** 29.45; **17** 27 et les parallèles matthéens), mais est fréquente aussi chez Lc (4/0/14/1/3). Au v. 9, le mot *charis* au sens de « merci » semble se lire au moins une fois dans le Document Q (Lc **6** 32, voir note § 53), mais sa saveur lucanienne est aussi indéniable (0/0/8/4/17). Bref, s'il est possible que cette parabole remonte au Document Q, nous n'en avons aucune certitude.

2. La parabole se comprend d'elle-même, sauf en ce qui concerne la « pointe » finale : « Nous sommes des serviteurs inutiles... » (v. 10). Que signifie cet adjectif « inutiles »? Plutôt que « sans utilité », « qui ne sert à rien », il faut probablement comprendre : qui ne mérite, de par son travail, aucune récompense spéciale. C'est une invitation à l'humilité : l'homme qui fait ce que Dieu lui commande n'a pas de récompense spéciale à attendre, il n'a fait que son devoir. Si Dieu veut le récompenser, ce sera par pure bonté, et non en vertu d'un acte de justice.

Note § **241.** *GUÉRISON DES DIX LÉPREUX*

1. Après avoir rappelé que Jésus est en route de Galilée vers Jérusalem (v. 11; cf. **9** 51; **13** 22.31), Lc raconte la guérison de dix lépreux faite par Jésus. La « pointe » du récit ne consiste pas dans le miracle lui-même, mais dans le fait que, sur les dix lépreux guéris, un seul eut la pensée de revenir remercier Jésus, et c'était un Samaritain ! Or les Samaritains étaient tenus par les Juifs en profond mépris, assimilés aux païens · à cause de leur syncrétisme religieux qui datait du temps de l'invasion assyrienne (cf. 2 R **17** 30 ss.). Le récit veut donc en quelque sorte réhabiliter les Samaritains : non seulement Jésus guérit le Samaritain en même temps que les Juifs, et donc le fait participer aux bienfaits du royaume de Dieu, mais le Samaritain se montre supérieur aux Juifs en ayant seul un sentiment de reconnaissance envers son sauveur.

2. Beaucoup de commentateurs estiment que ce récit est une création de Luc, dont l'intérêt pour les Samaritains est bien connu et se manifeste surtout dans les Actes des Apôtres. Cette opinion est en partie vraie, car le vocabulaire et le style de tout le récit sont typiquement lucaniens. Au v. 11, « Et il arriva, comme il allait » (*egeneto en tôi* + infinitif, habituel chez Lc par influence de la Septante); « il allait » (*poreuesthai*: vingt-huit fois chez Mt, quatre fois chez Mc, dont trois dans la finale apocryphe, mais quarante-neuf fois chez Lc); « Jérusalem » avec la forme *Hierousalem* (2/0/27/0/37); « qu'il passait » (litt. « et lui passait »); *kai autos*, très fréquent chez Lc; « passer » (*dierchesthai*: 1/2/10/2/20). Au v. 12, « village » (*kômè*: 4/7/12/3/1); « hommes » (*anèr*: 8/4/27/8/100; cf. spécialement Lc **5** 12). Au v. 13, « et ils élevèrent la voix », litt. « et eux élevèrent la voix »; « et eux » (*kai autoi*, très fréquent chez Lc); « élever la voix » (*airein* ou *epairein tèn phônèn*: 0/0/2/0/4/0); « maître » (*epistatès*: 0/0/6/0/0/0). Au v. 14, « étant partis » (*poreuthentes*, cf. *supra* v. 11); « et il arriva comme ils s'en allaient » (*kai egeneto en tôi* + infinitif, habituel chez Lc). Au v. 15, « il avait été guéri » (*iaomai*: 4/1/11/3/4); « revint en arrière » (*hypostrephein*: 0/0/21/0/11); « glorifier Dieu » (2/1/8/1/3); « haute voix » (*phônè megalè*: 2/4/6/1/6; cf. spécialement Lc **19** 37). Au v. 16, « il tomba sur sa face » (cf. Lc **5** 12 opposé à Mt/Mc); « devant ses pieds » (*para tous podas*: 0/0/3/0/5); « le remerciant » (*eucharistein*: 2/2/4/2/2); « *kai autos* » (habituel chez Lc); « Samaritain » (1/0/3/4/1). Au v. 18, « trouver » (27/11/46); « revenir en arrière » (cf. v. 15); « donner gloire à Dieu » (cf. « glorifier Dieu » au v. 15). Au v. 19, « lève-toi », litt. « t'étant levé » (*anastas*: 2/6/16/0/18); « et va » (*poreuou*, cf. v. 11); « ta foi t'a sauvé », cf. Lc **7** 50, mais aussi Mt **9** 22; Mc **5** 34; **10** 52 et, pour ces deux derniers textes, les parallèles lucaniens. Il est donc

indéniable que, dans son ensemble, la rédaction de ce récit est lucanienne.

3. On a souvent dit que Lc avait brodé sur le récit de la guérison du lépreux racontée en Mc **1** 40 ss. (§ 39); mais une telle opinion ne peut être retenue pour les raisons suivantes : le papyrus Egerton 2 nous donne une version du récit du § 39 sous une forme plus archaïque que celle de Mc et qui doit dépendre directement du Document A, moyennant quelques remaniements (voir note § 39, I A 2). Or le récit de Lc **17** 11-19 présente plusieurs contacts caractéristiques avec le récit de Egert. 2. Contrairement à ce qui se passe dans le récit de Mc, dans Lc **17** 11 ss. et dans Egert. 2 Jésus ne touche pas les (le) lépreux pour les (le) guérir, et il n'impose aucune consigne de silence. Jésus est interpellé par le titre de « maître Jésus », qui ne se lit nulle part ailleurs dans le NT; on a *didaskale Ièsou* dans Egert. 2, et *Ièsou epistata* dans Lc **17** 13, et l'on sait que Lc, qui est le seul à employer le mot *epistatès*, change souvent *didaskalos* en *epistatès;* les deux formules peuvent donc remonter à la même source, que Lc a adaptée à sa manière de parler. Enfin, l'ordre de Jésus au(x) lépreux est identique dans Lc **17** 14 et Egert. 2 (moyennant le changement du singulier en pluriel) : *poreutheis epideixon seauton tois hiereusin/poreuthentes epideixate heautous tois hiereusin,* formule différente de ce qu'elle est dans Mc **1** 44 et par. Ces contacts entre le récit de Lc **17** 11 ss. et celui de Egert. 2, plus archaïque que celui de Mc **1** 40 ss., nous obligent à admettre l'indépendance de Lc par rapport à Mc **1** 40 ss.

On notera par ailleurs que les vv. 12-14 de Lc **17** contiennent un certain nombre d'expressions non lucaniennes. Au v. 12, « vinrent à sa rencontre », « à distance »; au v. 13, « Jésus, maître »; au v. 14, « montrez-vous »; surtout le verbe « s'en aller » (*hypagein*) que Lc évite presque toujours quand il le rencontre dans ses sources ! On pourrait alors formuler l'hypothèse qu'il existait un récit ne comportant que les vv. 12-14 de Lc et mentionnant la guérison d'un seul lépreux; il aurait eu la structure suivante :

... vint à sa rencontre un lépreux qui se tint à distance et éleva la voix, disant : « Jésus, maître, aie pitié de moi! » L'ayant vu, il lui dit : « Étant parti, montre-toi aux prêtres. » Et il arriva, tandis qu'il (y) allait, qu'il fut purifié.

Ce récit archaïque (dont la formulation primitive était probablement moins « lucanienne »), proviendrait d'un recueil de miracles. Lc l'aurait repris et amplifié pour mettre en scène le Samaritain qui revient remercier Jésus de sa guérison (vv. 11 et 15-19). C'est ce récit archaïque qui aurait été repris aussi par le Document A (cf. Egert. 2), d'où il serait passé dans Mc **1** 40 ss. et par. (voir note § 39, I B).

Note § **242.** *« LE ROYAUME DE DIEU EST PARMI VOUS »*

1. Ce petit logion de Jésus oppose deux façons différentes de concevoir l'avènement du règne de Dieu sur la terre. Certains (et probablement les Pharisiens à qui Jésus s'adresse)

pensaient que cette venue du royaume serait précédée de « signes » extraordinaires; Jésus répond par la négative, et il donne sa façon de penser : « le royaume de Dieu est au-dedans de vous ». Cette expression (*entôs humôn*) peut se comprendre de deux manières différentes. Ou bien : « à l'intérieur de vous », en ce sens que le règne de Dieu serait purement spirituel; mais comment Jésus pourrait-il parler ainsi aux Pharisiens, qui refusaient de croire en lui? Il vaut donc mieux traduire : « parmi vous »; Jésus veut dire que le règne de Dieu est déjà inauguré parmi les hommes, par sa prédication et ses miracles; en ce sens, voir Lc **11** 20 (§ 197) et aussi Lc **12** 54-56 (§ 213); c'est l'interprétation qui est retenue par le texte de Thomas 113 (cf. vol. I, 3e registre).

2. Il est difficile de déterminer l'origine de ce petit logion,

qui doit certainement être littérairement distingué du Discours eschatologique qui le suit (discours repris du Document Q). On notera son vocabulaire assez particulier. Au v. 20, c'est le seul cas dans les évangiles où le verbe « interroger » (*eperôtaô*) est utilisé au passif; plus anormale encore est la formule : « il répondit et dit » (*apekrithè kai eipen*), qui ne se lit jamais ailleurs dans les Synoptiques tandis qu'elle est extrêmement fréquente dans Jn. A la fin de ce verset, la périphrase « ne se laisse pas observer » traduit l'expression grecque *meta paratèrèseôs*, ce substantif ne se lisant qu'ici dans le NT. Au v. 21, la préposition « au-dedans de » (*entos*) ne se lit ailleurs qu'en Mt **23** 26.

Note § **243**. *LE JOUR DU FILS DE L'HOMME*

Le discours de Lc **17** 22-37 est une description du Jugement de la fin des temps. Lc en reprend les principaux éléments au Document Q : ce sont les passages qui se retrouvent en Mt **24** et que l'ultime Rédacteur matthéen a incorporés au discours sur la ruine du Temple (§§ 296 et 302). Mais Lc a complété ce discours du Document Q en y insérant divers éléments empruntés à des contextes divers : le v. 22 (cf. § 189), le v. 25 (cf. § 166), le v. 31 (cf. § 294, où Lc omet ce passage parce qu'il l'a transféré ici), le v. 33 (cf. §§ 103 et 168).

I. LE DISCOURS DU DOCUMENT Q

Il était composé de quatre éléments plus ou moins bien liés ensemble.

1. *Manifestation du Fils de l'homme* (Lc **17** 23-24; Mt **24** 26-27).

a) Le premier thème est constitué de deux parties complémentaires, liées par la conjonction « car » (*gar*). La première partie doit se comprendre en fonction de traditions juives affirmant que le Messie resterait inconnu de tous jusqu'au jour de sa manifestation à Israël; il devrait donc rester « caché », soit au désert, soit dans des endroits ignorés de tous (cf. le v. 26 de Mt). Mais comment reconnaître cette manifestation du Messie, si certains prétendent qu'il serait apparu dans le désert ou dans d'autres lieux? Il ne faudra pas s'inquiéter de tous ces bruits, *car* le Fils de l'homme sera comme l'éclair (v. 24 de Lc). On a souvent mal compris cette comparaison en insistant sur le caractère soudain, inopiné, de la manifestation de l'éclair (et donc du Fils de l'homme); le lien avec le verset précédent, établi par la conjonction « car », indique le vrai sens de la comparaison : ne croyez pas ceux qui vous disent que le Messie est caché en tel ou tel endroit, car lorsqu'il se manifestera, il sera aussi éclatant et lumineux que l'éclair, visible d'un point à l'autre du ciel ! La comparaison de l'éclair met donc en évidence le caractère, non pas « soudain », mais « visible », presque

« aveuglant », de la venue du Fils de l'homme. Dans l'Apocalypse de Baruch, le Messie est comparé à un rayon éclatant qui « brillait au point d'illuminer toute la terre » (53 *9*). La formulation littéraire s'inspire peut-être de Ps **50** 1 ss. : « Le Dieu des dieux, Yahvé, parle et appelle la terre, du lever du soleil jusqu'au couchant; de Sion, beauté parfaite, Dieu resplendit; il vient, notre Dieu... il va juger son peuple » (LXX : « Dieu viendra *manifestement, emphanôs* »).

b) Mt **24** 26 a mieux gardé le texte du Document Q, tandis que Lc **17** 23 a pu être influencé par Mc **13** 21 en reprenant les adverbes « ici » et « là » (influence du Mc-intermédiaire sur l'ultime Rédacteur lucanien, comme pour le v. 31). Dans la seconde partie du thème, Lc a abandonné l'expression biblique traditionnelle « du levant jusqu'au couchant » (Mt); mais Mt a remplacé le verbe « briller » (*lampein*, jamais ailleurs dans Lc, qui tient ce verbe du Document Q) par « luire » (*phainein* : 13/1/2/2/0), et surtout, il a ajouté le mot « avènement » (*parousia*), comme en **24** 3 et en **24** 37.39 (cf. *infra*).

2. *Le déluge et Sodome* (Lc **17** 26-30; Mt **24** 37-39).

a) Le Fils de l'homme apparaîtra pour exercer le Jugement de la fin des temps, préfiguré par le déluge (Gn **7** 7.10) et la destruction de Sodome (Gn **19** 24). Ces deux événements sont souvent donnés dans la tradition juive comme exemples du châtiment de Dieu contre les impies. On lit dans Si **16** 6 ss. :

Dans l'assemblée des pécheurs s'allume le feu, dans la race rebelle s'est enflammée la colère. Dieu n'a pas pardonné aux Géants d'autrefois (cf. les *Nephilim* de Gn **6** 4, détruits par le déluge) qui s'étaient révoltés, fiers de leur puissance; il n'a pas épargné la ville où habitait Lot : leur orgueil lui faisait horreur.

De même, on lit dans 3 Ma **2** *4-5* (apocryphe juif du premier siècle avant notre ère) cette prière du grand prêtre Simon :

Toi, tu es juste et tu juges ceux qui agissent avec violence et orgueil. Ceux qui ont agi avec injustice, parmi lesquels il y avait les Géants (Gn **6** 4), confiants dans leur force et leur violence, tu les as détruits, amenant sur eux l'eau sans mesure. Les Sodomites...

tu les as consumés par le feu et le soufre, les ayant posés comme exemple pour ceux qui viendraient après.

Dans le NT, 2 P **2** 5-9 (cf. **3** 5-7) reprend les deux mêmes exemples; Jude 7 et Ap **14** 10; **19** 20 s'en tiennent au seul exemple de Sodome et Gomorrhe, mais toujours pour évoquer le Jugement de la fin des temps. Nous sommes donc devant une tradition fermement établie, ayant ses racines dans le judaïsme postérieur.

b) Les retouches littéraires sont surtout le fait de Mt, qui ajoute la mention de l'avènement du Fils de l'homme (*parousia*, vv. 37 et 39), ainsi que : « et ils ne surent rien jusqu'à ce que », au v. 39a. Lc a rejeté au v. 30 la seconde mention du Jour du Fils de l'homme, qui devait se lire après le v. 28a dans le Document Q, à l'analogie de la structure du v. 26; ce transfert fut motivé par l'insertion du v. 31 qui commence par « en ce jour-là »; l'ultime Rédacteur lucanien a voulu rapprocher les deux mentions du « jour ». – On notera que les citations faites en Lc **17** 27.29 suivent le texte de la Septante, ce qui correspond bien à la manière de faire du Document Q.

3. *Le jugement* (Lc **17** 34-35; Mt **24** 40-41).

a) Ces images expriment le « Jugement », i.e. la séparation des justes et des impies qui se fera à la fin des temps. En quel sens comprendre cette séparation? De deux personnes occupées ensemble, l'une sera « prise » et l'autre « laissée ». Le verbe *paralambanein* signifie très précisément, non seulement « prendre », mais « prendre avec soi », d'où « accueillir ». Il faut donc comprendre : lors de la catastrophe finale, les justes seront « accueillis » par le Fils de l'homme, dans sa gloire et dans la gloire de Dieu, tandis que les impies seront « laissés » dans le monde et périront avec lui (cf. 2 P **2** 12). On rejoint l'idée de Ps **73** : des impies, il est dit que Dieu les pousse vers la catastrophe, puis le psalmiste s'écrie : « Ah ! que soudain ils font horreur, disparus, achevés par l'épouvante » (v. 19); le juste au contraire peut dire : « ... par ton conseil tu vas me conduire, puis dans la gloire tu me prendras (*proslambanein*) » (v. 24). De même, en Sg **10** 4-8, on voit que Noé et Lot sont « arrachés » par Dieu et échappent à la destruction provoquée par le déluge ou le feu.

b) Dans l'ensemble, Lc est resté moins fidèle que Mt au texte du Document Q. Il change les présents : « est pris », « est laissé », en futurs; surtout il ajoute la précision « cette nuit-là », influencé par les textes où la venue du Fils de l'homme est dite se produire « la nuit » (cf. Lc **12** 39 s.; 1 Th **5** 2); il se trouve alors obligé de remplacer « dans les champs » (Mt) par « sur un lit ».

4. *Le rassemblement des vautours* (Lc **17** 37; Mt **24** 28). Les commentateurs sont ici très embarrassés ! On pense, avec une certaine vraisemblance, qu'il s'agit là d'un proverbe cité, mais en quel sens? Ceux qui font confiance à l'ordre de Mt (le v. 28 suit la mention du Fils de l'homme, du v. 27) pensent que le « cadavre » désigne ce Fils de l'homme, vers lequel se rassembleront tous les vautours, i.e. les élus; solution à peine concevable ! Il vaut mieux s'en tenir à l'ordre de Lc et interpréter le logion en fonction de la dernière image :

« ... la seconde sera laissée »; on a vu qu'il s'agissait là de la destruction des impies; le texte veut donc dire que les vautours viendront se repaître des cadavres des impies. C'est l'image employée par Ap **19** 17.21, dans un contexte de destruction eschatologique : « ... et tous les oiseaux se rassasièrent de leurs chairs » (cf. Ez **39** 17-20).

En résumé, le texte du Document Q est une description du grand Jugement eschatologique. Il est lié au retour du Fils de l'homme et se réalisera ainsi : la terre subira une catastrophe dont le déluge et la destruction de Sodome par le feu furent la préfiguration; en ce Jour-là, les justes seront « accueillis » par le Fils de l'homme, dans la gloire; mais les impies, « laissés » dans le monde, périront avec lui. Des textes comme 2 P **3** 3 s. laissent entendre que les premiers chrétiens attendaient ce Jugement dans un avenir relativement proche.

II. LES ADDITIONS LUCANIENNES

1. L'introduction, au v. 22 a, est de l'ultime Rédacteur lucanien : « Or il dit aux disciples » (*eipen de :* 0/0/59/1/15; *eipen pros*, typique du style de Lc). Il est donc impossible d'intégrer le logion du § 242 au discours sur le Jour du Fils de l'homme, comme certains ont voulu le faire.

2. Lc **17** 22 contient un logion apparenté à celui qui se lit au § 189, mais plus ou moins remanié par Lc; l'expression « les jours du Fils de l'homme », par exemple, pourrait avoir été introduite par Lc pour préparer les vv. 26.28. Quoi qu'il en soit de la teneur du logion primitif, son insertion ici par Lc (proto-Lc) a pour but de répondre à ceux qui s'étonnaient du retard de cette « venue » du Fils de l'homme à la fin des temps : Jésus a lui-même averti ses disciples qu'ils ne la verraient pas !

3. Le logion du v. 25 correspond à la première annonce de la Passion telle qu'elle se lisait dans le Document B (cf. note § 166, II 1), et c'est à ce Document que le proto-Lc la reprend. Il est difficile de voir la portée du lien chronologique que le proto-Lc établit entre les vv. 24 et 25 (« Mais d'abord »); voudrait-il assimiler l'apparition du Fils de l'homme (v. 24) à son entrée dans la gloire céleste après sa résurrection? Un texte comme Lc **24** 26 pourrait le faire penser.

4. Lc **17** 31 est très proche de Mc **13** 15 s.; c'est une insertion de l'ultime Rédacteur lucanien, faite d'après le Mc-intermédiaire (**13** 15 s.). Les conseils qui sont donnés ne s'expliquent qu'en fonction d'une catastrophe à laquelle on peut échapper par la fuite (ruine de Jérusalem). Cette insertion semble indiquer que Lc interprète le discours sur la fin du monde du Document Q comme un discours concernant la ruine de Jérusalem. – Les derniers mots du v. 31 : « qu'il ne retourne pas en arrière », pouvaient évoquer Gn **19** 26, ce qui permet à Lc de rappeler l'exemple de la femme de Lot changée en statue de sel (v. 32). Quant au logion du v. 33, qui a revêtu des formes et des applications diverses dans la tradition synoptique (cf. note § 168), il est difficile de dire quel sens exact Lc lui donne ici.

Note § **244.** *PARABOLE DU JUGE INIQUE ET DE LA VEUVE IMPORTUNE*

Il faut distinguer la parabole elle-même (vv. 2-5) de son application théologique (vv. 6-8).

1. *La parabole.*

a) La parabole elle-même se comprend facilement. Même s'il ne craint ni Dieu, ni les hommes, un juge rendra finalement la justice à une veuve, dont il ne se soucie nullement par ailleurs, uniquement pour qu'elle ne vienne plus l'importuner; il lui fera justice pour se débarrasser d'elle ! L'application théologique se faisait probablement d'après le contexte : à combien plus forte raison Dieu nous exaucera si nous prions sans cesse.

b) Cette parabole a même portée que celle de l'ami importun qui se lit en Lc 11 5-8 et concerne également la nécessité de prier sans fin. Outre qu'elle développe le même thème, elle lui est liée par trois expressions relativement rares et qui ne se lisent jamais ailleurs dans Lc : « donner des ennuis » (*kopon parechein*: **18** 5 et **11** 7); « en raison de » (*dia ge*: **18** 5 et **11** 8); « même si » (*ei kai*: **18** 4 et **11** 8). Nous sommes en présence de deux paraboles « jumelles » appartenant certainement à la même source (impossible à identifier) et qui devaient se suivre l'une l'autre. Comme la parabole de l'ami importun, celle du juge inique avait une portée très générale concernant la prière de demande.

2. *Application théologique* (vv. 6-8).

a) L'application théologique des vv. 6-8 doit être attribuée à Lc. On pourrait déjà le déduire du fait que la parabole jumelle de l'ami importun manque d'une telle conclusion théologique. Mais l'analyse du vocabulaire le confirme. Au v. 6, la formule : « Or le Seigneur dit », est certainement lucanienne (*eipen de*: 0/0/59/1/15); « le Seigneur » pour désigner le Christ n'est utilisé que par Lc dans les récits antérieurs à la résurrection; « juge injuste » (*ho kritès tès adikias; adikia*: 0/0/4/1/2; sur la formule, voir Lc **16** 9). Au v. 7, « justice » (*ekdikèsis*: 0/0/3/0/1); « crier » (*boaô*: 2/2/4/1/3/1). Au v. 8, « rapidement » (*en tachei*: 0/0/1/0/3/4); « pourtant » (*plèn*: 5/1/14/0/4/6); « est-ce que » (*ara*: ici et Ac **8** 30; Ga **2** 17). Cette application théologique fut ajoutée à la parabole en

même temps que Lc la plaçait après le discours sur le jour du Fils de l'homme.

b) Si Lc a ajouté cette parabole après le discours précédent et l'a augmentée de son application théologique des vv. 6-8, c'est certainement pour répondre au problème du retard du Jugement dernier, que les premiers chrétiens attendaient dans un avenir imminent. L'intention est la même que celle qui a motivé, au § 243, l'addition du v. 22 (voir note § 243, II 2); il faut donc attribuer cette activité littéraire au proto-Lc (cf. fin de la note § 243).

c) Le v. 7 reprend certaines expressions de Si **35** 18-19. Dans ce passage (Si **35** 11-24), le Siracide compare Dieu à un juge qui écoute les doléances de tous : pauvres, opprimés, orphelins, veuves, surtout quand leurs prières sont faites avec persévérance (v. 17). Aux vv. 18-19, on lit : « Il (l'humble) n'a de cesse que le Très-Haut n'ait jeté les yeux sur lui, qu'il n'ait fait droit aux justes *et fait justice (krisin)*; et le Seigneur ne tardera pas, il n'aura pas de patience envers eux (*oude mè makrothymèsèi ep'autois*) »; puis vient la description du jugement de Dieu contre les impies. L'emprunt de Lc à Si **35** 19 présente toutefois une difficulté. Dans Si, il est dit que Dieu n'aura pas de patience envers eux, i.e. n'aura pas de patience en ce qui concerne le fait de rendre justice aux opprimés : il ne tardera pas. Dans Lc **18** 7, au contraire, la négation manque : « il patiente envers eux » ! Comment comprendre cette expression? La réponse est donnée par 2 P **3** 9 : dans tout ce passage, il est question du retard de la Parousie et du Jugement qui marquera la destruction des impies; pourquoi ce retard? se demandent beaucoup de chrétiens. L'auteur de l'épître répond en se référant lui aussi à Si **35** 19, mais au moyen d'une citation plus complète : « *Le Seigneur ne tarde pas* quant à ses promesses... mais *il patiente envers vous*, ne voulant pas que certains périssent, mais que tous possèdent le repentir. » Il est remarquable que, dans 2 P comme dans Lc, la négation de Si **35** 19 est supprimée! Dieu patiente, Dieu laisse en suspens le Jugement dernier; la raison en est qu'il veut laisser aux hommes le temps de se convertir. Mais Lc est assez pessimiste quant à cette conversion : « Pourtant, est-ce que le Fils de l'homme, venant, trouvera encore de la foi sur la terre? » (Lc **18** 8b).

Note § **245.** *LE PHARISIEN ET LE PUBLICAIN*

1. Cette parabole termine la grande section lucanienne décrivant la « Montée de Galilée à Jérusalem » de Jésus (cf. § 183); c'est une attaque contre le « pharisaïsme », ce qui montre l'intérêt porté par Lc à ce problème (voir note § 234). Tandis que le Pharisien se glorifie devant Dieu d'accomplir les prescriptions de la Loi, et même un peu plus, le publicain se contente de demander à Dieu de lui pardonner, car il se sait pécheur. L'attitude du Pharisien n'est pas entièrement

mauvaise : il « remercie » Dieu de l'avoir fait tel qu'il se croit être, différent des autres hommes. Il fait donc remonter à Dieu ce qu'il croit être sa « justice ». Mais il se trompe lui-même en se croyant meilleur que les autres, fermant les yeux sur ses propres défaillances, probablement contre l'amour du prochain. L'attitude du publicain est beaucoup plus simple : il ne calcule pas, il ne compte pas ses « bonnes actions »; il sait simplement qu'il est un pécheur, et il s'en remet à la miséricorde de Dieu. Cette attitude lui vaut en effet le pardon de Dieu (v. 14a), tandis que le Pharisien demeure enfermé dans son aveuglement.

2. L'introduction à la parabole (v. 9) est de Lc lui-même : verbe « dire » construit avec la préposition *pros;* « or... aussi » (*de kai:* 3/2/25/8/7); « être persuadé » (*peithô:* 3/0/4/0/17); « les autres » (*hoi loipoi:* 3/1/6/0/5). Cf. aussi, pour la première moitié du verset, Lc **20** 20, ajouté par Lc à sa source. On attribuera aussi à la plume de Lc la clause finale : « Car tout (homme) qui s'élève, etc. », addition que l'on a déjà rencontrée en **14** 11 (§ 224); dans ce dernier cas, la portée était eschatologique : c'est au moment du Jugement final que celui qui s'élève sera abaissé, et inversement; on peut penser qu'il en va de même ici, étant donné le discours eschatologique qui précède (§ 243), et la portée eschatologique du § 244.

MINISTÈRE EN JUDÉE

§§ 246-311

Note § **246.** *QUESTION SUR LE DIVORCE*

Cette péricope, donnée seulement par Mt et Mc, contient trois parties : une introduction historique et géographique (**19** 1-2; **10** 1), une discussion sur la légitimité de la répudiation (**19** 3-8; **10** 2-9), un logion annexe complémentaire (**19** 9; **10** 10-12) dont on trouve l'équivalent en Mt **5** 32 et Lc **16** 18.

I. L'INTRODUCTION

Mt et Mc contiennent la même donnée topographique : Jésus quitte (la Galilée) et vient dans le territoire de la Judée, au-delà du Jourdain. C'est le tournant décisif de la vie de Jésus : il va affronter ses adversaires dans leur fief, à Jérusalem; il accepte ainsi de se livrer en leurs mains. Mt fait précéder cette donnée topographique du « refrain » (v. 1a) qui termine chacun des cinq discours de Jésus (**7** 28; **11** 1; **13** 53; **26** 1) et qui doit être attribué à l'ultime Rédacteur matthéen. Par ailleurs, Mt et Mc brodent sur le thème principal chacun selon sa manière propre; sur les divergences entre Mt et Mc, voir notes §§ 47 et 151.

II. LA RÉPUDIATION

1. Au temps de Jésus, le principe de la répudiation était couramment admis; un homme avait le droit de renvoyer sa femme, ce qui lui permettait de contracter un nouveau mariage. Ce principe est déjà supposé comme un fait dont on ne discute pas la légitimité en Dt **24** 1-4. Dans les écoles rabbiniques, on ne discutait pas le principe de la répudiation, mais seulement la gravité du motif qui permettait à l'homme de répudier sa femme, en interprétant plus ou moins strictement la « chose honteuse » dont parle Dt **24** 1. L'école de Hillel admettait comme motif suffisant tout ce qui pouvait provoquer l'aversion du mari (même le fait de laisser brûler un plat !); celle de Shammaï n'autorisait la répudiation que dans le cas où l'inconduite de la femme pouvait la faire soupçonner d'infidélité envers son mari. La législation juive n'envisageait pas le cas d'une femme voulant quitter son mari; elle n'en avait pas le droit. Ce droit du mari à la répudiation avait pour but de permettre un second mariage; « répudiation » impliquait toujours « remariage », l'Israélite ne concevant pas, pour un homme, la possibilité de rester seul, et donc de ne plus procréer, ce qui paraissait contraire au précepte de Gn **1** 28.

La tradition juive n'est cependant pas unanime. Dès avant le christianisme, on constate dans certains milieux une hostilité au principe de la répudiation. On lit en Ml **2** 14-16 : « Yahvé est témoin entre toi et la femme de ta jeunesse envers qui tu te montras perfide, bien qu'elle fût ta compagne et la femme de ton alliance. N'a-t-il pas fait un seul être, qui a chair et souffle de vie?... Car je hais la répudiation, dit Yahvé le Dieu d'Israël. » Les mots : « n'a-t-il pas fait un seul être », font allusion à Gn **2** 24, invoqué ici en faveur du mariage indissoluble. – On lit de même dans le Document de Damas (Qumrân) : « ... ceux-là ont été pris dans deux (de ces pièges) : dans la luxure, de façon à prendre deux femmes durant leur vie, alors que le principe de la création est : Il les a créés mâle et femelle » (**4** *20* s.). L'idée principale est de condamner la polygamie, comme il ressort du contexte, mais on admet souvent que le texte pourrait envisager aussi le cas de la répudiation suivie de remariage. L'Écriture invoquée ici n'est pas Gn **2** 24, mais Gn **1** 27 : les mots « mâle » et « femelle » étant au singulier, on pouvait en tirer argument en faveur de la monogamie.

2. A la question qui lui est posée, Jésus répond en renvoyant à Gn **1** 27 et surtout **2** 24 (cf. Ml, *supra*), qu'il commente en ces termes : « Ce que Dieu a uni, que l'homme ne le sépare pas. » Le texte de Gn **1** 27, qui viserait la monogamie plutôt que l'indissolubilité du mariage, vient ici surtout comme une sorte d'introduction rappelant la création de l'homme sous forme de « couple ». Jésus se situe donc dans la même ligne que Ml **2** 14-16 : le principe de l'indissolubilité du mariage a été proclamé par Dieu lui-même; la femme ayant été créée par Dieu à partir d'un élément pris à l'homme (Gn **2** 21-23), le mariage a fait retrouver cette unité primordiale, de telle façon que l'homme et la femme redeviennent « une seule chair », i.e. « un seul être », selon la façon biblique de parler.

3. Mt et Mc sont d'accord pour noter que la question posée à Jésus a pour but de « le mettre à l'épreuve » (vv. 3 de Mt et

2 de Mc), i.e. de le mettre en difficulté par la réponse qu'il va donner (cf. Mt 22 18, § 283). Mais en quoi consiste ce « piège » tendu à Jésus? Il est difficile de répondre. Une chose semble probable : en mettant Jésus « à l'épreuve », ses adversaires savent déjà qu'il va répondre par la négative à la question de savoir s'il est permis de répudier sa femme. Deux hypothèses peuvent alors être faites, qui ne sont pas exclusives l'une de l'autre. Les Pharisiens comptent mettre Jésus dans l'embarras en lui opposant le texte de Dt 24 1 ss., comme le suppose la structure du texte de Mt; mais on a vu que Jésus n'était pas le seul à s'appuyer sur Gn 2 24 pour défendre le principe de l'indissolubilité du mariage. Plus probablement, on veut le rendre suspect aux yeux d'Hérode Antipas, sur le territoire duquel il se trouvait encore (en Transjordane, cf. les vv. 1 de Mt/Mc) : Jésus, affirmant l'indissolubilité du mariage, condamnait par le fait même la conduite d'Hérode qui avait répudié sa femme pour épouser sa nièce. La tactique serait la même que celle de l'épisode raconté au § 283.

III. LE LOGION ANNEXE

Il se lit, non seulement ici (vv. 9 de Mt, 10-11 de Mc), mais encore sous une forme plus complexe en Mt 5 31-32 et Lc 16 18. Pour cette raison, on peut penser qu'il eut une existence séparée dans la tradition évangélique. On notera d'ailleurs que sa liaison avec la scène précédente est, soit typiquement marcienne (« à la maison », cf. Mc 7 17; 9 33; « de nouveau », *passim*; « interroger », spécialement fréquent chez Mc), soit typiquement matthéenne (opposition entre Moïse et Jésus, cf. *infra*). Enfin, la tonalité de ce logion est différente de celle du logion précédent. Là, Jésus tranchait la question en faisant appel à la structure même du mariage : son indissolubilité est une conséquence de sa nature, qui fait de deux êtres un seul être. Ici, on est ramené à un « cas » de morale : le remariage après divorce est prohibé en tant qu' « adultère ». Cette différence de tonalité permet de se demander si ce logion annexe remonte bien à Jésus; on a plutôt l'impression qu'il ne fait qu'exprimer, sous forme juridique, le logion donné par Mt 19 6b et Mc 10 9. C'est à ce logion de Mt 19 6b et Mc 10 9 que Paul fait allusion en 1 Co 7 10 s., comme à un ordre reçu du Seigneur (même verbe « séparer »), et non au logion de Mt 19 9 et par.

IV. ÉVOLUTION LITTÉRAIRE DES RÉCITS

1. *Quelques remarques préliminaires.*

a) Dans Mc, le récit revêt un caractère de polémique moins marqué que dans Mt. Les interlocuteurs ne sont pas des Pharisiens, mais des gens anonymes, si l'on fait confiance à la leçon « occidentale » qui a simplement : « et ils l'interrogeaient »; ce pluriel impersonnel est conforme au style de Mc, et la leçon concurrente provient d'une harmonisation avec Mt (Lagrange). A la question qui lui est posée, Jésus répond par une question :

« Qu'est-ce que Moïse vous a commandé ? » Le procédé est classique, mais il évoque le cas d'un rabbi interrogé sur un point de doctrine, par des interlocuteurs qui ne sont pas forcément malveillants, plus qu'une véritable polémique (cf. note § 285). Par sa question, Jésus pense déjà au texte de Gn 2 24, qui contient, à ses yeux, le véritable commandement de Moïse : « ils seront deux en une seule chair ». Les interlocuteurs répondent en renvoyant à Dt 24 1 ss., qui suppose la répudiation permise; Jésus le reconnaît, mais explique cette permission comme une concession faite à la « dureté de cœur » des Israélites. La pensée de Jésus est claire : dès l'origine de la création, Dieu a institué le mariage indissoluble; si Moïse a permis la répudiation, c'est en vue d'un moindre mal, mais le temps est venu de retourner à la loi primordiale.

b) Dans Mt, l'intervention des Pharisiens pour en appeler au texte de Dt 24 1 ss. est transférée *après* l'affirmation par Jésus du principe de l'indissolubilité du mariage. Cette activité rédactionnelle de Mt est trahie par la répétition de l'expression « dès l'origine » (vv. 4 et 8). Ce changement de structure eut un double motif. Il permettait de donner au récit un ton de polémique plus marqué : on attend que Jésus ait affirmé le principe du mariage indissoluble pour lui opposer le texte de Dt 24 1, présenté comme un « commandement » de Moïse. Surtout, la nouvelle structure permettait de comparer l'enseignement de Jésus et l'enseignement de Moïse, en faisant appel au logion du v. 9 : « Moïse vous a permis de répudier vos femmes... » (v. 8), mais moi « je vous dis... » (v. 9); Jésus est donc venu « perfectionner » la Loi mosaïque, comme le montraient déjà les oppositions en Mt 5 21-48; mais nous sommes là devant une problématique propre au Mt-intermédiaire (cf. notes §§ 53, 154). La structure actuelle du texte de Mt ne peut donc remonter plus haut que le Mt-intermédiaire.

c) Il est alors important de remarquer que les citations de ce récit faites par les auteurs anciens (cf. vol. I, p. 208), d'une part ont la formule de Mt : « dès l'origine il n'en fut pas ainsi » (v. 8 de Mt), d'autre part placent le v. 8 de Mt *avant* les citations de Gn 1 27 ou 2 24 (fin du v. 4 et v. 5 de Mt), et donc à l'endroit où se lit le premier « dès l'origine » de Mt; dans ce dernier cas, ils rejoignent la structure attestée par Mc. Notons encore que le plus ancien de ces auteurs, Ptolémée, semble connaître un texte où les interlocuteurs de Jésus sont des anonymes, et non des Pharisiens (cf. Clément d'Alexandrie); par ailleurs, il ne cite explicitement ni Gn 1 27 ni Gn 2 24, il ne contient qu'une discrète allusion à Gn 2 24. Malgré leurs divergences, ces auteurs anciens ne seraient-ils pas l'écho d'un texte plus archaïque que le Mt-intermédiaire : le Document A, dont dépendrait aussi le texte de Mc (d'où l'analogie de structure entre ces citations anciennes et le récit de Mc)?

2. En tenant compte des remarques précédentes, on pourrait reconstituer ainsi l'évolution de ce récit :

a) Dans le Document A, le récit avait une structure plus proche de Mc que du Mt actuel. Son texte avait approximativement cette teneur, que nous donnons en suivant la numérotation des versets de Mc (sur la justification de certains choix textuels, cf. les développements ultérieurs) :

2   Et ils l'interrogeaient (cf. IV 1 a) (pour savoir) s'il est permis () de répudier sa femme.

3   Or, répondant, il leur dit : « Qu'est-ce que Moïse vous a commandé ? »

4   Ils dirent : « Moïse a permis d'écrire un acte de divorce et de répudier » (simple allusion à Dt **24** 1).

5   Il leur dit : « A cause de votre dureté de cœur il a écrit pour vous ce commandement ;

6a   mais dès l'origine, il n'en fut pas ainsi (cf. Mt),

8b   ils (n'étaient) plus deux, mais une seule chair (allusion à Gn **2** 24; cf. un écho dans Ptolémée);

9   donc, ce que Dieu a uni, que l'homme ne le sépare pas. »

b) Le Mt-intermédiaire transforme le récit du Document A en controverse, selon un procédé qui lui est habituel (cf. §§ 54 ss.). Pour cela, il introduit les citations explicites de Gn **1** 27 et **2** 24, d'après la Septante. Il rejette en finale l'argumentation contenant l'allusion à Dt **24** 1 (le v. 8 actuel), d'où le dédoublement de l'expression « dès l'origine » (vv. 4 et 8). Il insère le logion du v. 9, qui dut avoir une existence séparée (cf. *supra*), de façon à obtenir le principe du « dépassement » signalé en IV 1 b : « Moïse vous a dit ... moi je vous dis. » On lui attribuera également la mention des « Pharisiens », au début du v. 3, et l'expression « le mettant à l'épreuve » (v. 3), qui prépare la controverse sur le « dépassement » de la Loi. On notera que le : « N'avez-vous pas lu », au v. 4, est bien dans la manière de Mt (**12** 3.5; **22** 31; Mc **12** 26 par influence matthéenne).

c) L'ultime Rédacteur marcien aligne le texte du Mc-intermédiaire sur celui du Mt-intermédiaire. Au v. 2, il ajoute : « le mettant à l'épreuve », mais à une autre place que dans Mt **19** 3 (indice que l'expression ne se lisait pas dans le récit primitif du Document A). Il ajoute également les citations explicites des vv. 6b-8a; pour introduire celle du v. 6b, il adopte la formule, au v. 6a, de Mt **19** 4 (suppression des mots :

« il n'en fut pas ainsi », cf. Mt **19** 8). Toujours sous l'influence du Mt-intermédiaire, il ajoute le logion du v. 11, introduit par le v. 10 de facture marcienne (cf. Mc **7** 17; **9** 33, du Mc-intermédiaire, que l'ultime Rédacteur marcien imite ici). L'ultime Rédacteur marcien ajoute enfin le v. 12 pour ses lecteurs grecs : le droit pour la femme de répudier son mari était en effet un usage gréco-romain (cf. 1 Co **7** 10), non prévu par la loi juive.

d) L'ultime Rédacteur matthéen ajoute au v. 3 les mots : « pour n'importe quel motif », voulant évoquer probablement les querelles des écoles rabbiniques dont il a été parlé plus haut (II 1). Surtout, il ajoute au v. 9 la clause restrictive : « pas pour prostitution », de même qu'il a ajouté en **5** 32 : « hormis le cas de prostitution ». Ces additions sont ignorées de Mc, de Lc (§ 235), et même de Paul (1 Co **7** 10-11); elles reflètent probablement les préoccupations d'un milieu déterminé. Mais quelles préoccupations? On a pensé aux communautés d'Antioche, où les mariages consanguins, permis par le paganisme mais interdits par la loi juive, étaient considérés par les frères venus du judaïsme comme une « fornication » (*porneia*), à annuler pour permettre des relations normales entre frères (J. Bonsirven). Plus probablement, cette restriction matthéenne doit se comprendre en fonction de la mentalité juive. Jadis, l'adultère était puni de mort (Lv **20** 10; Dt **22** 22; Jn **8** 4); plus tard, la législation devint moins sévère, mais l'adultère de la femme était considéré comme une faute qui obligeait le mari à renvoyer sa femme; dans ce cas d'adultère, la répudiation n'était pas seulement permise, elle était obligatoire : « Celui qui garde une épouse adultère est un sot *et un impie* » (Pr **18** 22, LXX). Dans ces conditions, n'était-il pas normal que certains milieux judéo-chrétiens aient voulu préciser, dans cette perspective, le logion primitif (J. Moingt)?

Note § 247. *LA CONTINENCE VOLONTAIRE*

I. ORIGINE DU LOGION

1. Plusieurs arguments permettent de penser que cette parole de Jésus fut artificiellement liée à la question sur le divorce (§ 246), probablement par l'ultime Rédacteur matthéen.

a) Elle est ignorée de Mc, qui a pourtant, comme Mt, la question sur le divorce.

b) Le v. 10, destiné à établir un lien entre la question sur le divorce et le logion sur la continence volontaire, est de style matthéen, et plutôt de l'ultime Rédacteur matthéen. L'adverbe « ainsi » (*houtôs*, traduit ici par « telle ») est employé surtout par Mt et Lc; le mot « homme » (*anthrôpos*), au sens indéfini de « quelqu'un », est fréquent surtout chez Mt; « il est expédient » (*sympherei*: 4/0/0/3/2), est matthéen.

c) Enfin, Justin et Épiphane (cf. vol. I, p. 209) citent cette parole de Jésus sous une forme différente de celle du Mt actuel; d'une part, ils inversent les deux premières clauses

(« par les hommes », puis « par naissance »); d'autre part, ils omettent l'un et l'autre l'expression « du sein de (leur) mère ». Or on sait que Justin et Épiphane ont souvent des citations différentes de celle du Mt actuel, et qui viennent d'une forme de texte plus archaïque. C'est le cas ici; en effet, la clause que Mt a en plus de Justin/Épiphane : « du sein de (leur) mère » (*ek koilias mètros*), doit être de l'ultime Rédacteur matthéo-lucanien; le mot *koilia* est plutôt de saveur lucanienne (3/1/8/2/2), et l'expression « du sein de (sa) mère » ne se lit ailleurs qu'en Lc **1** 15; Ac **3** 2; **14** 8. – On notera par ailleurs que Justin *termine* le logion qu'il cite par: « cependant, tous ne comprennent pas cela », mots qui se lisent, suivis d'une addition, en Mt **19** 11, donc *au début* du logion; pour mieux faire le lien entre la question sur le divorce (§ 246) et le logion sur la continence volontaire qu'il ajoutait, le Rédacteur matthéen a procédé ainsi : il a ajouté le v. 10 (de son style), puis il a placé en tête du logion la phrase qu'il lisait en finale dans sa source « Tous ne comprennent pas cette (parole) »; enfin, il a remplacé la finale qu'il avait déplacée par une phrase analogue, mais de son cru : « Qui peut comprendre, qu'il comprenne ! »

2. La citation de Justin et d'Épiphane nous prouve que l'ultime Rédacteur matthéen n'a pas créé de toutes pièces le logion sur la continence volontaire. Il le reprend probablement au Mt-intermédiaire, mais ce dernier l'avait dans un autre contexte qu'il est impossible de préciser. Le Mt-intermédiaire lui-même a dû reprendre le logion à une source plus ancienne, soit le Document A, soit un recueil de logia.

II. SENS DU LOGION

Pour préciser le sens du logion, il faut distinguer soigneusement : le sens que le Rédacteur matthéen a voulu lui donner en le plaçant après la question sur le divorce; le sens que le logion pouvait avoir en lui-même, abstraction faite de son contexte actuel.

1. *Le logion dans son contexte actuel.*

a) Pour beaucoup d'auteurs, ceux qui se sonts faits eunuques eux-mêmes à cause du royaume des cieux seraient ceux qui auraient renoncé au mariage, et donc auraient fait profession de « virginité », pour mieux se préparer au royaume des Cieux. Il y aurait donc une opposition entre « mariage » (pour le « vulgaire ») et « virginité » (pour ceux qui « peuvent comprendre »). Une telle interprétation se heurte cependant à de sérieuses difficultés. A Jésus qui vient de condamner le remariage après « répudiation » (Mt 19 9), les disciples répliquent avec humeur : « Si telle est la condition de l'homme avec la femme, il n'est pas expédient de se marier ! » (v. 10); autrement dit, mieux vaut ne pas se marier. Jésus donnerait donc raison aux disciples, après avoir précisé l'idéal du mariage tel qu'il a été voulu par Dieu (vv. 5-6). Cette interprétation ferait violence aux procédés littéraires des évangélistes : une intervention des disciples, s'étonnant de l'enseignement de Jésus, donne occasion au Christ de préciser sa propre doctrine en relevant les méprises de ses interlocuteurs. – Par ailleurs, dans la langue rabbinique, le terme « eunuque » ne désigne pas celui qui n'est pas marié, mais celui qui ne peut pas accomplir l'acte procréateur; le

Rédacteur matthéen ne parle donc pas ici d'un idéal consistant à ne pas se marier. – Enfin, dans 1 Co 7, après avoir rappelé l'ordre de Jésus concernant divorce et remariage, Paul dit explicitement qu'il ne connaît aucun ordre du Seigneur sur la virginité; il ignorait donc, ou ce logion, ou du moins son interprétation en fonction de la virginité.

b) Une autre interprétation semble préférable (J. Dupont, Q. Quesnell), en fonction de Mt 19 9. « L'enchaînement des sentences se fait non sur l'interdiction de la répudiation, mais sur l'accusation d'adultère qui s'attache au nouveau mariage contracté après répudiation. Ce léger déplacement correspond fort bien au point de vue de l'évangéliste. Il a pris soin de préciser que la répudiation n'est pas toujours et nécessairement coupable; l'interdiction qui la frappe admet une exception : le cas d'*infidélité* de la femme. Mais la répudiation ne dissout pas le mariage; un nouveau mariage serait adultère. Pour éviter cet adultère et pouvoir entrer dans le royaume des Cieux, le mari n'a pas le choix : il doit accepter un renoncement qui le rend semblable aux eunuques » (J. Dupont). Cette interprétation est d'autant plus acceptable que, on l'a vu à la note § 246, la clause de Mt 19 9 : « pas pour prostitution », est une addition de l'ultime Rédacteur matthéen, comme le logion sur la continence volontaire; on est donc fondé à interpréter ce logion, dans son contexte matthéen, en fonction de la clause additionnelle du v. 9.

2. *Le logion en lui-même.* Si Mt a repris un logion remontant à Jésus, le sens de ce logion n'est pas forcément celui que Mt lui donne en raison du contexte dans lequel il l'insère ; mais, hors de tout contexte, le sens devient difficile à préciser. Peut-être cette parole fut-elle prononcée par Jésus dans des circonstances précises. On sait que les Juifs attachaient une grande importance au principe de la procréation exprimé en Gn 1 28. Or Jésus n'était pas marié, et plusieurs de ses disciples avaient laissé leur femme pour le suivre. Une telle situation a pu provoquer les sarcasmes de ses adversaires, traitant d'eunuques tout le groupe. Jésus aurait répondu à ces sarcasmes en expliquant que des motifs supérieurs, en vue du royaume des Cieux, peuvent dispenser du devoir d'engendrer (J. Blinzler). Peut-être Jésus a-t-il voulu simplement faire allusion au genre de vie des esséniens, qui s'abstenaient du mariage, ou à celui du Baptiste. Mais ce ne sont là que des conjectures.

Note § **248.** *JÉSUS ACCUEILLE LES PETITS ENFANTS*

I. ÉVOLUTION DU RÉCIT

Ce récit, analogue à celui du § 174 mais de « pointe » différente (cf. *infra*), aurait pu évoluer de la façon suivante :

1. Il proviendrait du Document A, comme celui du § 174, et aurait eu une forme assez proche de celle du Mt actuel. Les citations faites par Clément d'Alexandrie et Épiphane (vol. I, p. 209) permettent toutefois de retrouver une forme

plus ancienne que celle de Mt. D'une part, au v. 13, on aurait eu : « et (les) bénit », au lieu de : « et priât » (cf. surtout Épiphane, mais aussi Clément); d'autre part, le récit primitif n'aurait pas comporté le v. 15 de Mt.

2. Le Mc-intermédiaire aurait repris le récit au Document A, moyennant quelques modifications. Il aurait renvoyé en finale le thème de l'imposition des mains et de la bénédiction (v. 16), et l'aurait remplacé au v. 13 par les mots : « pour qu'il les

touchât » (sur ce passage de l'idée de « toucher » à celle de « imposer les mains », voir Mc **8** 22-23.25). D'autre part, il aurait ajouté après le logion du v. 14 celui du v. 15, ignoré de Mt. – L'ultime Rédacteur marcien aurait ajouté les détails pittoresques de Jésus qui « se fâche » (v. 14) et qui « embrasse » les petits enfants (même addition au § 174, en Mc **9** 36).

3. Le Mt-intermédiaire devait avoir un texte semblable à celui du Document A. C'est l'ultime Rédacteur matthéen qui, au v. 13, aurait changé le thème de la « bénédiction » en celui de la « prière »; c'est lui qui aurait ajouté le v. 15 sous l'influence du Mc-intermédiaire.

4. Le récit de Lc, qui n'offre aucun contact Lc/Mt contre Mc, doit dépendre du Mc-intermédiaire et serait donc de l'ultime Rédacteur lucanien, qui a apporté au texte de Mc de menues retouches.

II. SENS DE LA SCÈNE

1. La « pointe » de la scène est constituée par la parole de Jésus : « ... (c'est) à de tels (qu') est le royaume de Dieu », qui rappelle les béatitudes (cf. Mt **5** 3.10, § 50). Le sens fondamental de cette parole est analogue à celle de Jésus au § 174 : le royaume de Dieu appartient à ceux qui savent s'imprégner de l'humilité des petits enfants, et non aux orgueilleux et aux puissants de ce monde.

2. Dans les trois Synoptiques, Jésus aurait dit : « ne les empêchez pas de venir à moi. » L'expression « ne les empêchez pas » a probablement joué un rôle dans la liturgie primitive du baptême (cf. Ac **8** 36; **10** 47; **11** 17; Mt **3** 14), et il est certain que ce texte fut utilisé en faveur du baptême des petits enfants (Tertullien). Il est donc possible que cette expression (qui pourrait être un ajout) soit un indice que, très tôt, on s'est préoccupé de baptiser, non seulement les adultes, mais encore les enfants en bas âge.

Note § **249.** *LE (JEUNE) HOMME RICHE*

L'épisode du (jeune) homme riche se lit dans les trois Synoptiques, en même contexte. Si Mc et Lc restent assez proches l'un de l'autre, Mt en revanche se montre plus indépendant.

I. SENS DE L'ÉPISODE

Cet épisode contient deux thèmes distincts : celui de la « bonté » de Dieu (Mc **10** 18 et par.), celui de la réponse à la question posée à Jésus (Mc **10** 19 ss. et par.). Ces deux thèmes sont artificiellement liés et l'évangile des Hébreux semble attester un stade archaïque de la tradition où ils étaient distincts (vol. I, p. 210). Mt est conscient du manque de lien entre les deux parties de la réponse de Jésus, aussi ajoute-t-il au v. 17b : « si tu veux entrer dans la vie », afin de reprendre le fil du récit.

A) Le thème de la bonté

1. Il se présente de façon très différente dans Mc/Lc et dans Mt. Dans Mc/Lc, l'homme s'adresse à Jésus en lui disant : « bon maître », et Jésus proteste : « Pourquoi m'appelles-tu bon? Nul n'est bon sinon Dieu seul. » Dans Mt, le jeune homme dit simplement à Jésus : « maître »; l'adjectif « bon » est inclus dans sa question qui devient : « que ferai-je de bon...? » En conséquence, le reproche de Jésus devient : « Pourquoi m'interroges-tu sur le bon? », mais la finale garde même portée que dans Mc/Lc : « Seul est le Bon », ce qui veut dire : le Bon par excellence, i.e. Dieu, est unique, il n'y en a pas d'autre. Avec la majorité des commentateurs, il faut reconnaître que c'est Mt qui transpose les données de la discussion, probablement pour éviter une parole où Jésus semble nier sa divinité en refusant ce titre de « bon » qui,

dit-il, n'appartient qu'à Dieu. La correction est maladroite puisque Mt garde l'affirmation de l'unicité du (Dieu) Bon, alors qu'on aurait attendu une réponse telle que : « le bien est unique ».

2. Certains témoins anciens ont d'ailleurs gardé la forme matthéenne primitive du logion : Justin, les Homélies Clémentines, les Marcosiens (gnostiques du milieu du second siècle), l'évangile des Naasséniens (cf. Marcion?). Ils donnent la réponse de Jésus sous cette forme, à quelques variantes près : « Pourquoi m'appelles-tu bon? Seul est bon le Père qui est dans les cieux. » L'interrogation est celle qui se lit en Mc/Lc et suppose donc l'appellation « bon maître » donnée à Jésus (cf. d'ailleurs Justin et les Marcosiens). En revanche, la suite : « seul est bon... » (*heis estin agathos*), est matthéenne (*heis estin ho agathos*), surtout avec le sujet (absent du Mt actuel) « le Père qui est dans les cieux », formule typiquement matthéenne (treize fois, jamais dans Mc/Lc/Jn sauf Mc **11** 25, par influence matthéenne). On peut donc penser que les divers témoins cités plus haut ont gardé le texte du Mt-intermédiaire, changé au niveau de l'ultime rédaction matthéenne pour éviter la difficulté signalée ci-dessus.

B) L'abandon des richesses

Les textes de Mc/Lc d'une part, de Mt d'autre part, sont ici encore assez différents.

1. *Le récit dans Mc/Lc.* A la question qui lui est posée : « Que ferai-je pour que j'hérite de la vie éternelle? » (Mc **10** 17), Jésus répond en deux temps : il renvoie d'abord aux commandements du Décalogue qui concernent les devoirs envers le prochain (v. 19, cf. Ex **20** 13-16), puis, l'homme ayant affirmé les

avoir observés dès sa jeunesse, il déclare qu'il lui manque encore une chose : vendre ses biens, les donner aux pauvres et suivre Jésus (v. 21b). Comment comprendre cet enseignement ?

a) Selon beaucoup de commentateurs, Jésus distinguerait comme deux « degrés » dans la vie chrétienne. A ceux qui suivent la voie « ordinaire », il ne serait demandé que d'observer les préceptes du Décalogue; à d'autres, désireux de suivre une voie plus parfaite, Jésus donnerait le « conseil » d'abandonner aux pauvres tous leurs biens afin de pouvoir « suivre » Jésus.

b) Selon d'autres commentateurs, seraient invités à vendre leurs biens, pour les donner aux pauvres, et à suivre Jésus tous ceux qui veulent être simplement « disciples » de Jésus, et donc « chrétiens ». Il est vrai que l'invitation à « suivre » Jésus peut concerner ceux que Jésus appelle à une vocation spéciale, comme les Douze (cf. Mc **1** 17.20; **2** 14; Jn **1** 43); mais, dans d'autres textes, ce sont tous les hommes qui sont invités à « suivre » Jésus, i.e. à devenir ses « disciples » au sens large (cf. Mc **8** 34; Lc **14** 26; Jn **12** 26). Par ailleurs, la parole de Jésus en Mc **10** 21 se lit encore sous une forme assez voisine en Mt **6** 19-21 et Lc **12** 33, où elle concerne certainement l'ensemble des disciples de Jésus (note § 207), et c'est pourquoi Mt l'a incorporée dans son Sermon sur la montagne, qui s'adresse à tous. Enfin, la suite du récit, en Mc **10** 23 et par., contient une nouvelle parole de Jésus disant que la possession des richesses est un obstacle presque insurmontable pour entrer dans le royaume de Dieu. On doit donc conclure que la parole sur l'abandon des richesses, en Mc **10** 21, répond effectivement à la question posée par l'homme à Jésus en Mc **10** 17 : « ... que ferai-je pour que j'hérite de la vie éternelle ? »

c) Cette seconde interprétation est certainement la bonne. Pour mieux le comprendre, il faut replacer cette scène dans le contexte théologique qui l'explique. Le thème de la « vie » (Mc **10** 17) et surtout l'énumération de clauses bien déterminées du Décalogue (v. 19) évoquent le traité juif des Deux Voies, connu de Jésus et repris dans le christianisme primitif (voir note §§ 53-59). D'après ce traité, la « voie de la vie », i.e. la condition indispensable pour entrer dans la vie, c'est avant tout d'aimer Dieu et d'aimer son prochain comme soi-même, cette seconde clause étant reprise de Lv **19** 18. Ce commandement de l'amour du prochain est fondamental parce que, avec sa formulation positive : « tu aimeras le prochain comme toi-même », il résume et transcende les prescriptions purement négatives du Décalogue concernant nos rapports avec le prochain : « Tu ne tueras pas, tu ne voleras pas, etc. » En accord avec cette doctrine, Jésus peut affirmer qu'il est venu « accomplir » la Loi (Mt **5** 17), en ce sens qu'il a rappelé le primat du commandement positif de l'amour du prochain (cf. note § 53). – Il en est de même ici. Jésus veut dire que, pour obtenir la vie éternelle, il ne suffit pas d'observer les prescriptions négatives du Décalogue (la tradition synoptique ajoute la clause : « honore ton père et ta mère », à l'énumération faite par le traité des Deux Voies), il nous faut encore aimer « positivement » notre prochain en lui distribuant nos richesses. Le texte de Mc/Lc, il est vrai, ne mentionne pas explicitement le commandement positif de Lv **19** 18, mais cette référence est faite dans l'évangile des Hébreux (vol. I, p. 210), qui glose le récit primitif en ajoutant ces réflexions : « Et le Seigneur lui dit : Comment dis-tu : 'J'ai accompli la Loi et les prophètes ?' Car il est écrit dans la Loi : Tu aimeras ton prochain comme toi-même; et voici que beaucoup de tes frères, fils d'Abraham, sont vêtus de fumier, mourant de faim, tandis que ta maison est pleine de beaucoup de biens, et absolument rien n'en sort pour eux... »

d) A la lumière du traité des Deux Voies, le sens du récit est le suivant : Jésus ne distingue pas deux « états de vie », l'un commun à tous les chrétiens (observer le Décalogue), et l'autre particulier à certains « élus » appelés à une vie plus parfaite (distribuer ses biens aux pauvres). L'abandon des richesses est exigé de *tous* les disciples de Jésus, mais il doit se comprendre en fonction du principe qui le commande : non pas comme un dépouillement, comme l'abandon d'une chose en soi mauvaise (l'argent), comme une ascèse qui nous rendrait plus apte au royaume, mais comme l'expression concrète de notre amour pour autrui, spécialement pour nos frères pauvres auxquels nous devons donner sans compter. Cet idéal d'amour effectif dépasse infiniment le simple fait de ne pas tuer, de ne pas voler, etc., comme se contentait de l'exiger le Décalogue.

2. *Le récit dans Mt*. Outre certaines divergences d'ordre simplement littéraire, le récit de Mt se distingue de celui de Mc/Lc par deux traits principaux.

a) Mt ajoute à la nomenclature des préceptes du Décalogue (vv. 18-19a) le commandement de l'amour du prochain de Lv **19** 18 (v. 19b). En conséquence, le don de ses biens aux pauvres n'est plus considéré comme l'expression concrète du commandement de l'amour fraternel, mais il devient une forme de « perfection » qui transcende le commandement de Lv **19** 18, lequel est mis sur le même plan que les prescriptions négatives du Décalogue; il devient lui aussi sujet d'un « dépassement » : le don de ses biens aux pauvres. Une telle interprétation du commandement de l'amour fraternel est moins profonde que celle donnée par Jésus; elle est caractéristique du Mt-intermédiaire, comme on l'a vu à la note § 59 à propos de Mt **5** 43 ss.

b) Au v. 21, Mt fait commencer la seconde réponse de Jésus par les mots : « si tu veux être parfait ». Mt aurait-il, lui, distingué deux états dans la vie chrétienne : celui des simples chrétiens, qui se contentent d'observer les prescriptions de la Loi (vv. 18-19) et celui des « parfaits » (v. 21), qui distribuent leurs biens aux pauvres ? Il ne semble pas. Mt en effet n'utilise qu'une fois ailleurs ce terme de « parfait » (*teleios*, absent de Mc/Lc/Jn/Ac) : en **5** 48; or ce verset résume tout l'enseignement donné par Jésus (selon Mt) dans les §§ 53-59, au début du Sermon sur la montagne; il ne caractérise donc pas un groupe de privilégiés parmi les chrétiens, mais il veut opposer la « perfection » de la Loi nouvelle apportée par Jésus à l'imperfection de la Loi ancienne. Pour Mt comme pour Mc/Lc, le don de ses biens aux pauvres est la condition pour hériter de la vie éternelle.

II. ÉVOLUTION DES RÉCITS

1. Ce récit doit remonter au Document A, qui avait déjà effectué la fusion entre les deux thèmes de la « bonté » de Dieu et celui de l'abandon des richesses. Sa structure générale est mieux conservée dans Mc/Lc que dans Mt.

2. Le récit du Document A fut repris par le Mc-intermédiaire sans changement notable. – L'ultime Rédacteur marcien ajouta un certain nombre de détails concrets absents de Mt/Lc : au v. 17, l'introduction : « et comme il partait en route » (sur le « en route », cf. Mc **8** 27; **9** 33.34; **10** 32, où la mention de la « route » est ajoutée par l'ultime Rédacteur marcien); au même verset, peut-être l'addition du participe « ayant fléchi le genou »; au v. 21, l'addition de la clause : « ayant fixé sur lui son regard, l'aima » (cf. cependant Mc **10** 27, où l'on attribuera au Mc-intermédiaire l'expression «ayant fixé son regard»).

3. Le récit du Document A fut repris aussi par le Mt-intermédiaire qui y apporta les modifications notées en I B 2 : addition de la citation de Lv **19** 18 au v. 19b; addition de la clause « si tu veux être parfait » au v. 21. – En reprenant le texte du Mt-intermédiaire, l'ultime Rédacteur matthéen modifia l'expression du thème de la « bonté » (vv. 16-17) comme il a été dit plus haut (I A 1).

4. Le texte de Lc dépend manifestement, pour l'essentiel, du Mc-intermédiaire. Il offre cependant quelques accords positifs avec Mt contre Mc. Au v. 21 de Lc, la forme active *ephulaxa* au lieu de la forme moyenne de Mc *ephulaxamèn;* au v. 22, l'adverbe « encore » (*eti*, cf. le v. 20 de Mt); plus loin, le pluriel sémitique « cieux » au lieu du singulier chez Mc. Au v. 23, le participe « ayant entendu » au lieu du participe « assombri » de Mc. Ces accords positifs Mt/Lc contre Mc indiqueraient-ils qu'il y aurait eu ici un proto-Lc, en dépendance du Mt-intermédiaire, dont le texte aurait été remplacé par celui du Mc-intermédiaire au niveau de l'ultime rédaction lucanienne, les accords Lc/Mt contre Mc ne restant plus que comme des « organes témoins » du texte du proto-Lc? C'est possible, mais le petit nombre de ces accords positifs Lc/Mt contre Mc pourrait faire penser que c'est l'ultime Rédacteur marcien qui a introduit quelques variantes par rapport au texte de la source commune (cf. aussi les additions qu'il a effectuées, notées plus haut).

L'hypothèse de l'existence d'un proto-Lc serait cependant confirmée par la citation que Marcion fait de Lc **18** 18-19 (cf. vol. I, p. 210). On sait que Marcion n'utilisait que le texte de Lc. Or, au v. 19, au lieu de la formule du Lc actuel : « nul (n'est) bon sinon Dieu », qui est identique à celle de Mc, Marcion a : « seul est bon Dieu, le Père... », qui se rapproche beaucoup de celle du Mt-intermédiaire telle que la donnent Justin, Homélies Clémentines, les Marcosiens, l'évangile des Naasséniens (cf. *supra*, I A 2). Marcion aurait donc cité Lc d'après le proto-Lc, assez proche du Mt-intermédiaire; l'ultime Rédacteur lucanien aurait remplacé la formule du proto-Lc (v. 19b) par celle du Mc-intermédiaire.

Une autre confirmation de cette hypothèse sera donnée à la note § 250, II 4. On y verra que, dans le Document A et le Mt-intermédiaire, l'épisode du jeune homme riche était suivi par le logion sur la difficulté pour les riches d'entrer dans le royaume; or, cette note (II 4) établira que ce logion se lisait dans le proto-Lc, en dépendance du Mt-intermédiaire; il est donc vraisemblable que le proto-Lc avait aussi l'épisode du jeune homme riche.

Note § **250.** *LE DANGER DES RICHESSES*

Dans les trois Synoptiques, l'épisode du jeune homme riche est suivi d'une parole de Jésus concernant le danger des richesses, parole qui a subi de profonds remaniements.

I. LES DEUX LOGIA PRIMITIFS

1. *Analyse du texte de Mc.* Le texte de Mc offre des anomalies qui ont été notées depuis longtemps.

a) Les vv. 24b et 26a reprennent le thème des vv. 23-24 : Jésus affirme la difficulté d'entrer dans le royaume de Dieu, ce qui provoque l'étonnement des disciples; on est en présence d'un doublet dont Mc s'est efforcé de lier les termes au moyen de chevilles rédactionnelles habituelles en pareil cas : « de nouveau » (v. 24b) et « à l'excès » (v. 26a). On notera cependant que le v. 24a a une portée universelle, tandis que le v. 23 restreint aux seuls riches la difficulté d'entrer dans le royaume.

b) Si Jésus ne pense qu'aux riches quand il dit la difficulté d'entrer dans le royaume (vv. 23 et 25), on s'explique mal la réflexion angoissée des disciples : « Et qui peut être sauvé? » (v. 26b); le monde ne serait-il composé que de riches? Les disciples n'ont-ils pas tout abandonné pour suivre Jésus (Mc **10** 28)? La question : « et qui peut être sauvé »?, ne se comprend qu'après une affirmation de Jésus ayant une portée universelle, comme celle du v. 24b : « combien il est difficile d'entrer dans le royaume de Dieu ! »

Le texte actuel de Mc est donc constitué par la fusion de deux logia primitivement distincts : l'un affirme la difficulté *pour les riches* d'entrer dans le royaume; l'autre, *pour tous les hommes*, d'où la question angoissée des disciples : « Et qui peut être sauvé? » La réponse de Jésus, au v. 27, se rattache évidemment à la seconde forme du logion. La comparaison du « chameau », au v. 25, se rattache au contraire à la première forme du logion, puisqu'il y est explicitement question des riches.

2. *Le logion à portée universelle.* La distinction de deux logia

différents dans le texte de Mc est confirmée par le fait que le logion à portée universelle, que nous avons séparé du logion concernant les seuls riches, trouve un excellent parallèle en Lc **13** 23 ss. (combiné par Mt **7** 13 s. avec le thème des Deux Voies; cf. note § 72) :

Mc **10**	Lc **13**
24b (Jésus dit :) « (Mes) enfants, combien il est difficile d'entrer dans le royaume de Dieu ! » 26 Ils étaient interdits () se disant les uns aux [autres : « Et qui peut être sauvé ? » 27 Ayant fixé sur eux son regard, Jésus dit : « Pour les hommes, impossible, mais non pour Dieu; car toutes (choses sont) possibles pour Dieu. »	24 « ... car des gens nombreux chercheront à entrer et ne pourront pas. » 23 « Seigneur, sont-ils nombreux ceux qui (seront) sauvés ? »

Dans Mc comme dans Lc, malgré une formulation différente et l'inversion des clauses, le thème est le même : une question concernant le petit nombre des sauvés est jointe à une affirmation de Jésus sur la difficulté d'entrer dans le royaume. Le parallélisme entre les deux logia est peut-être plus strict encore. On trouve en effet un logion semblable dans Mc **10** 31 et Lc **13** 30 :

Mc **10** 31	Lc **13** 30
« Beaucoup de premiers seront derniers et les derniers premiers. »	« Il y a des derniers qui seront premiers et il y a des premiers qui seront derniers. »

Il y a de grandes chances que ce logion, sous ces deux formes parallèles, complétait, dans les sources respectives de Mc **10** 24b.26-27 et Lc **13** 23-24, la parole de Jésus sur la difficulté d'entrer dans le royaume. S'il en était ainsi, la parole de Jésus sur la difficulté d'entrer dans le royaume n'aurait pas eu une portée aussi universelle que l'on aurait pu le penser. En effet, le thème des « premiers » qui seront « derniers » fait allusion aux Juifs, premiers appelés au royaume, mais qui seront derniers à y entrer, tandis que les païens, appelés après eux, entreront dans le royaume avant eux. Le logion s'adresse spécialement aux Juifs, contemporains de Jésus; c'est certainement le sens qu'il a en Lc **13** 23-24, étant donné le contexte (voir note § 220).

3. *Le logion sur les riches.* On peut penser qu'il faisait suite, dans le Document A, à l'épisode du jeune homme riche. Mais quelle en était la teneur? Primitivement, il ne devait comporter que la comparaison du chameau, avec sa forme paradoxale très sémitique (Mt **19** 24 et par.). Deux indices le prouvent. L'évangile des Hébreux ne donne effectivement, après l'épisode du jeune homme riche, que la comparaison du chameau (cf. vol. I, p. 212). Par ailleurs, il est clair que l'expression « de

nouveau je vous dis », qui introduit la comparaison du chameau dans Mt (début du v. 24), est une cheville rédactionnelle (cf. Mt **18** 19) due à Mt; la source de Mt ne contenait donc que la comparaison du chameau, comme dans l'évangile des Hébreux.

II. ÉVOLUTION DES TEXTES

Les analyses précédentes permettent de retracer l'évolution des divers récits.

1. Dans le Document A, l'épisode du jeune homme riche (§ 249) était suivi d'une parole de Jésus en dégageant la signification. Le jeune homme riche refuse de donner ses biens aux pauvres; on a vu à la note § 249 que cet abandon des richesses au profit des pauvres était la condition essentielle pour entrer dans le royaume de Dieu; devant le refus du jeune homme riche, Jésus est obligé de constater : « Il est plus facile à un chameau d'entrer par un trou d'aiguille qu'à un riche dans le royaume de Dieu. » – Le Mt-intermédiaire reprit le texte du Document A sans y apporter de changement notable.

2. C'est le Mc-intermédiaire qui fusionne la comparaison du chameau (Document A) avec le logion sur l'impossibilité d'entrer dans le royaume (cf. sa reconstitution *supra*, I 2), en provenance probablement du Document B. Il a effectué cette fusion de la façon suivante : il insère la comparaison du chameau (son v. 25) entre le début du logion repris du Document B (son v. 24b) et la suite de ce logion (vv. 26-27). Mais son v. 24b ne faisait plus allusion aux riches ! Pour mieux assurer le lien avec l'épisode du jeune homme riche, le Mc-intermédiaire forge son v. 23b qu'il calque sur le v. 24b en ajoutant seulement le sujet (« ceux qui ont des richesses »), puis il ajoute le v. 24a pour ménager une transition entre les vv. 23b et 24b. Les vv. 23b-24a sont donc de son cru.

3. L'ultime Rédacteur matthéen complète le texte du Mt-intermédiaire (vv. 23a et comparaison du chameau au v. 24) en fonction du Mc-intermédiaire. Trouvant cependant que les vv. 23b et 24b de Mc faisaient doublet et que le v. 24b, ne parlant pas de riches, était peu adapté au contexte, il ne reprend au Mc-intermédiaire que les vv. 23b et 26 -27 de Mc. Pour faire le lien entre son propre verset 23b et la comparaison du chameau, il ajoute la cheville rédactionnelle du début du v. 24 : « de nouveau je vous dis » (cf. Mt **18** 19).

4. Du point de vue littéraire, le texte de Lc n'est pas homogène. Son introduction (début du v. 24) est proche de celle de Mt, ne différant d'elle que par l'addition de l'expression « le voyant » (Mt : *ho de Ièsous eipen*; Lc : *idôn de Ièsous auton eipen*; mais Mc : *kai periblepsamenos ho Ièsous legei*). De même, son v. 25 (comparaison du chameau) et le début de son v. 26 sont proches de Mt : « entrer par un trou » (*dia trèmatos eiselthein*, au lieu de Mc *dia tès trumalias dielthein*); absence d'article devant

le mot « aiguille »; participe « ayant entendu ». Ce texte remonte au proto-Lc qui, en dépendance du Mt-intermédiaire, ne devait avoir, lui aussi, que la comparaison du chameau. On aura remarqué que le participe « ayant entendu », au début des vv. 25 de Mt et 26 de Lc, doit remonter au Mt-intermédiaire; c'est ici que, dans le Mt-intermédiaire et le proto-Lc,

commençait la section suivante, comme on le verra à la note § 251. – Tout le reste du texte de Lc, soit les vv. 24b et 26-27, ont été repris au Mc-intermédiaire par l'ultime Rédacteur lucanien. Comme l'ultime Rédacteur matthéen, Lc a voulu éviter le doublet des vv. 23b et 24b de Mc; il ne retient donc que le v. 23b, qui parlait des riches, et omet de v. 24.

Note § **251.** *RÉCOMPENSE PROMISE AU DÉTACHEMENT*

Cet épisode est commun aux trois Synoptiques, qui offrent cependant entre eux de nombreuses variantes.

I. ANALYSES LITTÉRAIRES

1. *L'introduction.* D'après les trois Synoptiques, ce serait Pierre qui aurait fait remarquer à Jésus : « Voici que nous avons tout quitté, etc. » Ce n'était pas le cas, semble-t-il, dans la tradition matthéenne; on peut le conclure à partir de plusieurs indices. Au lieu de s'adresser à Pierre, la réponse de Jésus s'adresse à un groupe non défini : « (Il) *leur* dit » (Lc/Mt), « En vérité je *vous* dis » (Mt/Mc/Lc). On a vu à la note précédente que, dans Mt/Lc, les vv. 25-26 de Mt et 26-27 de Lc avaient été ajoutés au dernier niveau rédactionnel, sauf le verbe « entendre » au début des vv. 25 de Mt et 26 de Lc; dans le Mt-intermédiaire, ce verbe « entendre », suivi du verbe « dire », devait donc introduire le § 251. Enfin, tandis que, dans Mc **10** 28, la formule : « (Pierre) se mit à lui dire » (*èrxato legein*), correspond parfaitement au style du Mc-intermédiaire, la formule de Mt **19** 27 : « Alors, prenant la parole, Pierre lui dit » (*tote apokritheis ho Petros eipen autôi*), est typique du style de l'ultime Rédacteur matthéen (pour la formule complète, avec le *tote* initial, cf. spécialement Mt **15** 28). On peut donc conclure que, dans le Mt-intermédiaire, l'épisode commençait ainsi : « Or ceux qui avaient entendu dirent (cf. Lc **18** 26a) : Voici que nous avons tout quitté... (cf. Mt **19** 27b). »

2. Il serait étrange que Jésus demande à ses disciples de tout abandonner pour le suivre et leur promette en même temps de tout « récupérer » au centuple dès cette vie ! Sans doute, les termes concernant la parenté pourraient se comprendre au sens spirituel, mais pas les « maisons » ni les « champs ». Le texte long de Mc (v. 30) pourrait refléter les idées pauliniennes exprimées en 1 Co **3** 22 et 2 Co **6** 10.

3. Le récit de Lc a subi certainement l'influence de celui de Mc, surtout aux vv. 29-30. Mais il offre aussi plusieurs contacts avec Mt contre Mc. On l'a vu déjà en ce qui concerne l'introduction (cf. *supra*). Notons encore : au v. 28, la forme *èkolouthèsamen* (Mc : *èkolouthèkamen*); au v. 29, la formule « Or il leur dit » (*ho de eipen autois*; cf. Mt : *ho de Ièsous eipen autois*, contre Mc : *ephè ho Ièsous*); l'addition de *hoti* après « En vérité

je vous dis »; peut-être, au v. 30, « de nombreuses fois autant » (*pollaplasiona*) au lieu de « cent fois autant » (Mc), mais cette leçon de Lc n'est pas certaine, cf. *infra*. Ici comme souvent ailleurs, il y avait un proto-Lc, dépendant du Mt-intermédiaire, dont le texte fut en partie remplacé par celui du Mc-intermédiaire au niveau de l'ultime rédaction lucanienne.

II. ÉVOLUTION DES RÉCITS

Voici dès lors comment on peut reconstituer l'évolution de ces récits.

1. Dans le Document A, la séquence était la suivante : après le départ du jeune homme riche qui refuse de vendre ses biens (Mt **19** 22, § 249), Jésus fait remarquer : « Il est plus facile à un chameau, etc. » (Mt **19** 24b; voir note § 250). Ceux qui entendent cette parole (début des vv. 25 de Mt et surtout 26 de Lc) font alors cette réflexion : « Voici que nous avons tout quitté et nous te suivîmes » (Mt **19** 27b; les mots « Qu'aurons-nous donc ? » sont une glose explicative de l'ultime Rédacteur matthéen). Jésus dit alors clairement quelle sera la récompense de ceux qui auront tout abandonné pour le suivre : la vie éternelle (**19** 29). Par mode d'inclusion, on revient au thème initial de l'épisode du jeune homme riche (Mt **19** 16 et surtout Mc **10** 17, avec la formule biblique « hériter la vie éternelle »). On notera que l'expression « vie éternelle », si fréquente chez Jn, ne se lit dans les Synoptiques qu'en Mt **19** 16.29 et par., y compris Lc **10** 25, et en Mt **25** 46. – Le Mt-intermédiaire reprit cet épisode du Document A sans modification notable.

2. Le Mc-intermédiaire reprend aussi le récit du Document A, mais en lui faisant subir certaines modifications importantes. Après le logion du Document B (**10** 26-27, § 250), il fait prendre la parole à Pierre qui demande : « Voici que nous avons tout quitté... » (v. 28a). Au v. 30, il fait une surenchère en changeant « de nombreuses fois autant » en « cent fois autant », il introduit l'opposition « en ce temps-ci »/« dans le siècle à venir » et reprend l'énumération du v. 29, pour préciser que c'est dès ce temps-ci qu'il nous est rendu au centuple ce que l'on a abandonné pour suivre Jésus. Au v. 31, on retrouve le logion en provenance du Document B (note § 250, I 2). – L'ultime Rédacteur marcien ajoute à la fin du v. 29 l'expres-

sion paulinienne « à cause de l'évangile » (cf. **8** 35), et peut-être aussi l'adverbe « maintenant » devant « en ce temps-ci », également par influence paulinienne (cf. Rm **3** 26; **8** 18; **11** 5; 2 Co **8** 14). Enfin, à la fin de l'énonciation du v. 30, il ajoute : « avec des persécutions », pour donner une tournure ironique à cette « récupération » au centuple de ce que l'on aura abandonné pour suivre Jésus.

3. L'ultime Rédacteur matthéen aligne le Mt-intermédiaire sur le Mc-intermédiaire. Il ajoute l'intervention de Pierre au début du v. 27, peut-être, au v. 29, la mention des « champs » (absente de Lc), enfin le v. 30. Par ailleurs, il complète la parole de Jésus en insérant ici un logion (v. 28) du Mt-intermédiaire provenant du Document Q, dont on a l'équivalent en Lc **22** 30 (voir note § 322).

4. Comme on l'a vu plus haut, l'ultime Rédacteur lucanien complète le texte du proto-Lc (semblable à celui du Mt-intermédiaire) en fonction de celui du Mc-intermédiaire; il renonce toutefois à reprendre l'énumération des personnes ou des biens que l'on « récupère » dès ce temps-ci (Mc **10** 30).

Notons enfin qu'au v. 30 de Lc les témoins « occidentaux » de son texte (*D VetLat* et *SyrHarcl. marge*) lisent « sept fois autant » (*eptaplasiona*), et non « de nombreuses fois autant » (*pollaplasiona*). Cette expression provient certainement de Si **35** 10 : « Car le Seigneur paie de retour, il te rendra sept fois autant. » Deux hypothèses sont possibles. Cette variante « occidentale » a gardé l'expression primitive du Document A, dont le logion s'inspirait alors de Si **35** 10; ou bien l'expression primitive du Document A était celle de Mt, et ce serait dans Lc que l'on aurait fait le changement de mot pour évoquer Si **35** 10, changement fait, soit par Lc, soit par un scribe recopiant le manuscrit du texte de Lc.

Note § **252.** *LES OUVRIERS ENVOYÉS A LA VIGNE*

Cette parabole doit se comprendre d'abord hors de son contexte actuel, puis en fonction du contexte dans lequel l'a insérée Mt.

1. C'est une parabole à double « pointe » (Dodd, Jeremias).

a) Dans la première partie (vv. 1-9), Jésus indique que les ouvriers de la onzième heure reçoivent le même salaire que les ouvriers embauchés au petit matin : un denier, qui représentait le salaire normal d'une journée de travail. Le maître de la vigne estime donc que les ouvriers de la onzième heure ont droit, comme les autres, au « minimum vital », même s'ils n'ont trouvé à travailler qu'une partie de la journée. En agissant ainsi, il se montre « bon » envers eux (v. 15). De même Dieu sait se montrer généreux et magnanime envers les pauvres.

b) La seconde partie de la parabole (vv. 10-15) décrit l'indignation des ouvriers embauchés dès le point du jour, qui s'estiment lésés de ne pas recevoir plus que les autres. Mais le maître de la vigne leur répond : « Ton œil est-il mauvais parce que je suis bon ? », ce qui veut dire : es-tu jaloux de ce que je me montre bon ? Cette seconde « pointe » est probablement dirigée contre ceux qui critiquaient la façon dont Jésus offrait la bonne nouvelle à tous, publicains et pécheurs compris; en renvoyant à la « bonté » de Dieu, il justifiait par là même sa façon d'agir (cf. la parabole du fils perdu et du fils fidèle, Lc **15** 11-32, § 232).

2. En reprenant cette parabole et en l'insérant à la suite de l'épisode du jeune homme riche (§ 249) et de ses logia annexes (§§ 250 et 251), en la faisant suivre aussi du logion qui terminait la promesse de récompense promise au détachement, qu'il dédouble (Mt **19** 30; **20** 16), l'ultime Rédacteur matthéen en change l'intention principale. Il s'attache surtout à l'opposition « premiers/derniers » exprimée aux vv. 8-12 et au renversement de situation que semble affirmer le v. 8 : « ... commençant par les derniers jusqu'aux premiers » (dans la parabole, cette remarque a surtout pour but de permettre aux « premiers » d'être témoins de ce que reçoivent les « derniers » embauchés). Il y voit l'évocation du renversement de situation qui se produira lors du jugement eschatologique, où les repus de la terre (comme le jeune homme riche du § 249) passeront après les pauvres et les déshérités. Ceux qui étaient les « premiers » en ce monde, par leurs richesses, passeront les « derniers ». En reprenant le logion de **19** 30, l'ultime Rédacteur matthéen en change le sens originel, à savoir : l'opposition entre les Juifs (premiers appelés au royaume) et les païens (derniers appelés, mais qui précéderont les Juifs pour entrer dans le royaume; cf. note § 220).

Note § **253.** *TROISIÈME ANNONCE DE LA PASSION*

Cette troisième annonce de la Passion est une composition libre due au Mc-intermédiaire, comme on le verra plus loin; du Mc-intermédiaire, elle est passée dans les ultimes rédactions matthéenne et lucanienne.

1. *L'introduction.* On peut y distinguer trois sections.

a) Mc nous dit d'abord que Jésus et le groupe des disciples « étaient en route, montant à Jérusalem ». L'expression « monter à Jérusalem » était une formule stéréotypée qu'on employait lorsqu'on faisait route vers Jérusalem, à quelque endroit que l'on fût. Mc a déjà noté que Jésus est arrivé « dans le territoire de la Judée, au-delà du Jourdain » (Mc **10** 1, § 246);

il mentionnera plus loin l'arrivée à Jéricho (Mc **10** 46, § 268); il place donc cette annonce de la Passion sur la route, quelque part entre la Transjordanie et Jéricho. Mt garde le thème de la montée à Jérusalem et déplace légèrement l'expression « en route » (*en tēi hodōi*, fin du v. 17 de Mt). Quant à Lc, il supprime ici cette partie de l'introduction de Mc et la transporte en **19** 28 (§ 273), juste avant de décrire l'entrée messianique de Jésus à Jérusalem.

b) Le Mc-intermédiaire donne ensuite des précisions sur la disposition des personnages et leur état d'âme; Mt supprime ce passage, mais on en trouve un écho dans Lc **19** 28 (cf. *supra*), où Lc dit que Jésus « marchait en tête » (*eporeueto emprosthen*, qui correspond au *proagein* de Mc). Le texte de Mc est difficile à comprendre; faut-il distinguer deux groupes derrière Jésus, les uns « dans la stupeur » et les autres « effrayés »? C'est peu probable. Le texte actuel de Mc est-il corrompu? On a proposé de lire : « … et Jésus marchait devant eux et *il était* dans la stupeur et ceux qui suivaient étaient effrayés » (Turner, Torrey), ce qui donnerait un sens excellent.

c) L'introduction immédiate aux paroles de Jésus se retrouve dans les trois Synoptiques. L'ultime Rédacteur marco-lucanien a glosé le texte du Mc-intermédiaire, peut-être en introduisant la formule très marcienne : « il commença à leur dire » (*ērxato legein*; opposer Mt/Lc : « il (leur) dit »), surtout en ajoutant les mots : « ce qui allait lui arriver », nettement plus lucaniens que marciens (*mellein*: 10/2/13/12/33; *symbainein*: 0/1/1/0/3/3). Mt ajoute le mot « disciples » après « les douze » (cf. Mt **10** 1; **26** 20, opposés aux parallèles de Mc/Lc; Mt **11** 1, de l'ultime Rédacteur matthéen) et l'expression « en particulier ».

2. *L'annonce de la Passion*. De toutes les « annonces de la Passion », c'est la plus développée (voir note générale avant a note § 166); elle précise en effet les divers moments de l'action dramatique. Le Fils de l'homme « sera livré aux grands prêtres et aux scribes » (cf. Mc **14** 10 s., § 314); « ils le condamneront à mort » (cf. Mc **14** 64, § 342); « ils le livreront aux païens » (cf. Mc **15** 1, § 345); « ils le bafoueront » au cours d'une séance de dérision (cf. Mc **15** 20, § 350); « ils cracheront sur lui » (cf. Mc **15** 19, § 350); « ils le flagelleront » (cf. Mc **15** 15, § 349); finalement, il sera mis à mort (cf. Mc **15** 37, § 355), mais ressuscitera après trois jours (cf. Mc **16** 1 s., § 359). – Mt omet le thème des crachats, mais précise que la mise à mort se fera par crucifixion (cf. Mt **26** 2, de l'ultime Rédacteur matthéen). – Lc remanie assez considérablement le texte. Il supprime la mention des grands prêtres et de la condamnation à mort, si bien que son texte semble rejeter sur les païens toute l'horreur de la Passion. En revanche, il souligne que tout ce qui va arriver sera conforme aux prophéties anciennes (cf. Lc **24** 20.25-27; **24** 44-46 : §§ 364 et 366); en finale, il ajoute le thème de l'incompréhension des disciples, comme pour la seconde annonce (§ 172).

3. *Son origine*. Cette troisième annonce de la Passion n'est qu'un développement de la seconde (le Fils de l'homme « sera livré »), en fonction des divers moments de la Passion de Jésus. Ce développement doit être attribué au Mc-intermédiaire. Il aime « dédoubler » les récits de ses sources. Par ailleurs, le style est plus marcien que matthéen. Au v. 32, l'expression « les Douze » est marcienne (3/10/6/4/1) et l'on a vu plus haut que Mt l'évitait en ajoutant le mot « disciples ». Au v. 33, le fait que Jésus sera livré « aux grands prêtres et aux scribes » correspond au texte de Mc **14** 1 plus qu'à celui de Mt **26** 3 (§ 312); l'expression « et ils le condamneront à mort » (*katakrinein auton thanatōi*) est un écho de Mc **14** 64 : « ils décrétèrent qu'il méritait la mort » (*katekrinan auton enechon einai thanathou*; Mt **26** 66 n'a pas le verbe *katakrinein*). – On a noté, au cours des analyses précédentes, les remaniements effectués par les ultimes Rédacteurs de Mt/Mc/Lc.

Note § **254**. *DEMANDE DES FILS DE ZÉBÉDÉE*

Cet épisode, attesté par Mc et Mt, est omis par Lc qui en a transféré la suite (§ 255) à la dernière Cène (§ 321).

I. SENS DE L'ÉPISODE

Les deux fils de Zébédée (ou leur mère, cf. Mt) demandent à Jésus le privilège de siéger à sa droite et à sa gauche dans sa gloire (Mc **10** 37); ils veulent obtenir les deux premières places dans le monde eschatologique. D'une façon plus précise, puisque le fait de « siéger » évoque un pouvoir de juridiction (Mt **19** 28; Lc **22** 30), ils demandent à devenir les « premiers ministres » de Jésus. Si la perspective est eschatologique, on notera (Haenchen) que le texte ne fait aucune allusion à un « retour » du Christ sur la terre; le royaume de Jésus est dans la gloire divine. La réponse de Jésus se divise en deux parties, l'une affirmative (vv. 38-39) et l'autre dubitative (v. 40). La première partie répond seulement à la demande des deux frères de parvenir avec Jésus « dans la gloire », abstraction faite des places qu'ils occuperont. Jésus commence par dire : « Vous ne savez ce que vous demandez », i.e. vous ignorez le prix qu'il faut payer pour entrer dans la gloire ! Le prix, c'est de « boire la coupe ». Cette expression est fréquente dans l'AT pour désigner une épreuve terrible qui va s'abattre, comme un châtiment de Dieu, sur son peuple ou sur les païens (cf. Ps **75** 9; Is **51** 17-22; Jr **25** 15; Ez **23** 32-34); elle se lit précisément dans l'agonie à Gethsémani pour désigner la Passion et la mort de Jésus (Mt **26** 39.42 et par., § 337). Mc ajoute le thème du « baptême », qui désigne aussi la Passion de Jésus en Lc **12** 50. L'ensemble forme un thème fréquent dans les écrits du NT : la « passion » (*paschein, ta pathēmata*) est la condition requise pour entrer dans la gloire (*doxa*), qu'il s'agisse de Jésus (Lc **17** 25; **24** 26; **24** 46;

Ac **3** 13.18; 1 P **5** 1) ou de ses disciples (1 P **1** 11; **4** 13; Rm **8** 18; Ph **3** 10-11; cf. note § 166). En annonçant aux deux frères : « La coupe que moi je bois, vous (la) boirez » (v. 39), Jésus leur promet implicitement que, ayant souffert comme lui, ils pourront eux aussi entrer dans la gloire. – La seconde partie de la réponse de Jésus (v. 40) concerne la demande plus précise des premières places; mais c'est une réponse évasive : Jésus n'est pas maître de donner ces places à qui il lui plaît; elles ont déjà été préparées (par Dieu).

II. ÉVOLUTION DU RÉCIT

1. L'épisode primitif avait-il ces développements? On en peut douter. D'une part, le v. 40 de Mc est d'une autre venue littéraire que le v. 37 auquel il correspond. L'expression « à gauche » ne se dit plus *ex aristerôn* (v. 37), mais *ex euônymôn* (Mt a harmonisé); aux expressions « ma droite » et « ma gauche », le possessif n'est plus placé avant le substantif (v. 37), mais après. D'autre part, la demande intempestive des fils de Zébédée (vv. 35-37) a embarrassé la tradition chrétienne primitive (cf. *infra*) et il est difficile d'en nier le caractère archaïque. Au contraire, l'opposition entre la « gloire » (fin du v. 37 de Mc) et les souffrances (vv. 37-39) qui conditionnent cette gloire, si elle est contenue déjà implicitement en Dn **7** et Is **53**, ne sera développée systématiquement que dans les communautés chrétiennes primitives (cf. *supra*, I) et pourrait donc constituer ici un développement plus tardif. – On peut dès lors se demander si, primitivement, la réponse de Jésus à la demande des deux frères n'était pas le logion qui se lit en Mc **10** 42b-45 et Mt **20** 25b-28 (Wendling, Dibelius). Jésus leur aurait répondu immédiatement par une leçon

d'humilité ! Et puisque, on le verra à la note § 255, ces vv. **10** 42b-45 de Mc (et par.) donnent un logion repris par le Mc-intermédiaire au Document B, le récit sous sa forme courte que l'on vient de postuler remonterait lui aussi au Document B.

2. En reprenant le récit du Document B, le Mc-intermédiaire l'a complété en ajoutant les vv. 38-40 (moins le thème du baptême); il veut développer le thème, courant dans le christianisme primitif, que, pour entrer dans la gloire, il faut d'abord souffrir et passer par la mort. Ce thème fut sans doute introduit pour expliquer le sens des premières persécutions qui s'abattirent sur les communautés chrétiennes, comme on le voit dès les Actes des Apôtres (et cf. 1 P **1** 6-12; **4** 12-14). – C'est probablement l'ultime Rédacteur marcien qui a ajouté le thème du « baptême » aux vv. 38 et 39 (verbe renforcé par un substantif de même racine; cf. note § 19, II 2 *a ad*), car on ne voit pas pourquoi Mt l'aurait supprimé s'il l'avait lu dans sa source. L'ultime Rédacteur marcien a peut-être voulu évoquer en même temps l'eucharistie (coupe) et le baptême.

3. En reprenant le récit du Mc-intermédiaire, l'ultime Rédacteur matthéen en change le début : ce ne sont plus les fils de Zébédée eux-mêmes mais c'est leur mère qui fait à Jésus la demande, pour ses fils, de siéger à la droite et à la gauche du Christ; Mt a voulu décharger les deux apôtres d'une démarche qui n'était pas à leur honneur ! Aux vv. 22-23, l'ultime Rédacteur matthéen a procédé à quelques retouches littéraires en vue d'améliorer le style.

4. Lc (ultime Rédacteur lucanien) omet toute la scène, probablement pour éviter de rapporter un épisode peu glorieux pour Jacques et Jean; on a déjà dit qu'il transférera au § 321 (la Cène) le logion du § 255.

Note § **255.** *LE PLUS GRAND DOIT SERVIR*

Cet enseignement de Jésus fait suite à la demande des fils de Zébédée en Mc et Mt; Lc le réserve pour une autre circonstance, où il sera illustré par un geste concret de Jésus (§ 321 et note).

I. SENS DU LOGION

On a vu à la note précédente que, dans la source de Mc, ce logion de Jésus suivait immédiatement la demande des fils de Zébédée exprimée en Mc **10** 37.

1. Le logion principal (vv. 42b-44 de Mc et par.) est donc la réponse primitive à cette demande. A Jacques et à Jean, qui réclament le privilège de tenir les premières places dans le royaume de Jésus, celles de gouverneur ou de premier ministre, Jésus répond en expliquant qu'il n'en va pas du royaume de Dieu comme des royaumes terrestres : dans ceux-ci, les « chefs » sont des despotes qui ont pouvoir absolu sur le

peuple; dans celui-là, le « chef » est celui qui se met au service des autres.

2. Après avoir exposé ce principe général, Jésus l'illustre par l'exemple du Fils de l'homme. Dans Dn **7** 13 s., le Fils d'homme reçoit de Dieu pouvoir et domination sur les peuples, il est donc leur chef. Et cependant il est venu pour servir et non pour être servi. La fin du logion précise en quel sens Jésus est venu « servir » les hommes : il a donné sa vie en rançon pour eux ! En d'autres termes, il est mort afin de délivrer les hommes de la captivité du péché. Ce thème est repris presque certainement de Is **53** 10 : « S'il donne sa vie en expiation... », complété probablement par Ps **49** 8-9a : « Mais l'homme ne peut acheter son rachat ni payer à Dieu sa rançon : il est coûteux le rachat de son âme » (A. Feuillet). Le mot « beaucoup » est un hébraïsme qui indique, en fait, la totalité (cf. Mc **14** 24, § 318). La phrase a une saveur sémitique indéniable, d'autant que la citation de Is **53** 10 est faite, non d'après la Septante, mais d'après le texte hébreu.

II. ÉVOLUTION DES RÉCITS

1. Les vv. 43-44 semblent être une variante du logion exprimé en Mt **18** 4 et Lc **9** 48c (note § 174), que nous avons attribué au Document A, variante adaptée au cas des fils de Zébédée et de leur demande ; il ne s'agit plus d'une opposition entre « grands » et « petits », mais d'une opposition entre « être grand » et « servir », ou « être premier » et « être esclave ». Ce logion, avec la scène qui l'introduit, pourrait donc être attribué au Document B, qui apparaît souvent comme une « relecture » du Document A.

2. En reprenant l'épisode du Document B, le Mc-intermédiaire a ajouté, on l'a vu à la note § 254, les vv. 38-40 ; ici, ce serait donc lui qui aurait ajouté les vv. 41-42a ; on notera que l'expression « les dix » rappelle l'expression « les Douze », caractéristique du style de Mc (3/10/6/4/1). – L'ultime Rédacteur marco-lucanien a apporté certaines retouches au texte. Au v. 42, l'expression « les chefs » est devenue : « ceux qui passent pour être chefs », par addition du verbe *dokein* suivi de l'infinitif (ce verbe *dokein* est rare dans Mc : 10/2/10/8/9 ; suivi de l'infinitif, il ne se lit jamais ailleurs dans Mc, une fois dans Mt, mais cinq fois dans Lc et trois fois dans Ac.) Au v. 44, le changement de « votre esclave » en « esclave de tous » correspondrait bien au radicalisme de Lc, qui généralise volontiers en introduisant l'adjectif « tous ».

3. Certains commentateurs tiennent pour une addition d'inspiration paulinienne les mots qui terminent le logion : « et donner sa vie en rançon pour beaucoup ». Cette hypothèse se fonde sur les arguments suivants :

a) La phrase : « le Fils de l'homme n'est pas venu pour être servi mais pour servir », a une structure qui se lit ailleurs dans les Synoptiques : « Je ne suis pas venu appeler les justes, mais les pécheurs » (Mc **2** 17b et par.) ; « Je ne suis pas venu abolir la Loi, mais accomplir » (Mt **5** 17, texte des citations patristiques) ; « Je ne suis pas venu jeter la paix, mais le glaive » (Mt **10** 34). Aux vv. 45 de Mt et 28 de Mc, cette structure classique est alourdie par l'addition : « et donner sa vie en rançon pour beaucoup ».

b) Le vocabulaire est étranger à celui des Synoptiques. L'expression « donner sa vie » (*didonai tèn psychèn*), relativement fréquente chez Jn, ne se lit pas ailleurs dans les Synoptiques ; le mot « rançon » (*lytron*) est un *hapax* du NT ; la préposition « pour » (*anti*) ne se lit pas ailleurs dans Mc ; dans Mt, elle revient qu'en des textes propres à Mt et qui n'appartiennent donc pas à la tradition synoptique (Mt **2** 22 ; **5** 38 ; **17** 27).

c) Sans doute, l'idée de la mort expiatrice d'un individu pour une collectivité se lisait déjà en Is **53** 10-12. Mais, de fait, elle trouve peu d'écho dans le reste de la tradition synoptique (sur le sens de Mc **14** 24, cf. note § 318, II 2 c) et dans la prédication apostolique primitive (Ac **3** 13 ne se réfère à Is **52** 13 ; **53** 11 que par le biais de la Septante) ; ce thème est au contraire fréquent chez Paul (Rm **3** 24 ss. ; 1 Co **1** 30 ; Col **1** 14 ; Ep **1** 7.14 ; **4** 30 ; Tt **2** 14) et ce sont deux écrits attribués à Paul qui reprennent Mc **10** 45b en le paraphrasant : 1 Tm **2** 5-6 et Tt **2** 13-14 ; on serait donc devant le résultat d'une réflexion théologique élaborée dans les milieux pauliniens, probablement sous l'influence de Is **53** 10-12. Ce serait un cas où la « révélation » par Dieu du mystère de salut se serait continuée après la mort de Jésus par le ministère des apôtres (cf. Jn **16** 12-13). On remarquera cependant que la tonalité sémitique du logion (cf. I 2) rend peu probable son élaboration en milieux pauliniens et confirmerait plutôt son authenticité.

3. Comme pour l'épisode précédent, l'ultime Rédacteur matthéen dépend ici du Mc-intermédiaire, dont il reprend le texte sans changement notable.

Note § **259.** *LA FEMME ADULTÈRE*

On s'accorde à reconnaître que ce récit n'est pas d'origine johannique. Chez Jn, en effet, les scribes ne sont jamais mentionnés (v. 3), et les interlocuteurs de Jésus ne lui donnent jamais le titre de « Maître » (au moins sous sa forme grecque *didaskale*, v. 4 ; cf. Jn **1** 39 ; **20** 16). Comme par ailleurs la péricope est omise par les meilleurs témoins du Texte Alexandrin, appuyés par quelques manuscrits de la *VetLat* et les anciennes versions syriaques, on admet communément qu'elle n'a jamais appartenu à l'évangile de Jn, mais fut ajoutée tardivement par quelque copiste. Comment se serait-elle conservée dans la tradition ? On ne peut qu'émettre des hypothèses invérifiables. Le problème n'est toutefois pas aussi simple qu'on le dit d'ordinaire.

1. Si ce récit n'est pas johannique, son caractère lucanien est indéniable. On verra à la note § 308 que le « sommaire » de Jn **8** 1-2, qui introduit le récit, est fort semblable à celui de Lc **21** 37-38 et contient même certaines expressions typiquement lucaniennes absentes du parallèle de Lc ! Ce « sommaire » devait se trouver dans le Document A à la fin du récit de l'entrée de Jésus à Jérusalem, car on en trouve encore des traces en Mt **21** 17, Mc **11** 11b.19 et Lc **19** 47a.48b ; du Document A, il passa dans le Mt-intermédiaire, puis dans le proto-Lc (Lc **21** 37-38). – Non seulement le sommaire de Jn **8** 1-2 est lucanien, mais le récit lui-même de la femme adultère offre des notes lucaniennes. Au v. 7, la conjonction « comme » (*hôs* : 0/2/26/20/34 ; suivie de la particule *de* : 0/0/2/5/28) ; le verbe « continuer » (*epimenein* : 0/0/0/0/7 ; suivi du participe comme ici, cf. Ac **12** 26) ; aux vv. 7 et 10, le verbe « se redresser » (*anakyptein*, ailleurs seulement deux fois dans Lc). Au v. 9, le verbe « commencer » suivi de la préposition *apo* (3/0/4/0/3). Au v. 11, l'expression « désormais » (*apo tou nyn* : 0/0/5/0/1/1). Le récit de la femme adultère est donc un récit de tradition synoptique retouché littérairement par Lc.

2. Le cas du sommaire et du récit de Jn **8** 1-11 est alors analogue à d'autres cas rencontrés dans l'évangile de Jn. Le sommaire, gardé par Lc **21** 37-38, serait du proto-Lc et aurait été repris par Jn **8** 1-2; quant au récit, il aurait été contenu aussi dans le proto-Lc, mais abandonné par l'ultime Rédacteur lucanien tandis que Jn l'aurait conservé! Le cas serait identique à ceux qui ont été signalés dans l'Introduction (II F **1** b 2). Au témoignage d'Eusène de Césarée (Hist. Eccl., III 39 *17*), Papias aurait connu un épisode semblable qu'il attribuait à l'évangile selon les Hébreux; cette origine palestinienne confirmerait la présence de ce récit dans le Document A, une des sources du proto-Lc par le biais du Mt-intermédiaire.

3. Mais alors, pourquoi le silence du Mt actuel et du Lc actuel concernant ce récit? Pourquoi aurait-il disparu des meilleurs témoins du texte johannique? Quand on voit l'embar-ras des Pères anciens qui commentent ce récit, on perçoit facilement la raison qui aurait poussé les ultimes Rédacteurs matthéen et lucanien, et certains copistes scrupuleux recopiant le texte de Jn, à omettre cet épisode : Jésus n'accorde-t-il pas trop facilement son pardon à la femme adultère, l'exhortant seulement à ne plus pécher? Bien plus, prenant prétexte des péchés plus ou moins secrets des autres pour excuser la faute de cette femme, il critique l'hypocrisie de ceux qui veulent la condamner. Un tel récit ne constituait-il pas un danger pour la morale « établie », une invitation tacite à un certain laxisme moral? En supprimant ce texte, en l'ôtant de la tradition évangélique, on voulait supprimer le danger que courait, pensait-on, la saine morale chrétienne.

Il est possible d'ailleurs que l'on trouve un écho de cet épisode dans le récit de la pécheresse pardonnée (Lc **7** 36-50); voir note § 123, 3 c.

Note § 262. *GUÉRISON D'UN AVEUGLE-NÉ*

Sur les contacts littéraires entre ce récit de Jn et celui de la guérison de l'aveugle de Bethsaïde (Mc **8** 22-26), voir note § 268, I.

Note § 264. *JÉSUS SE DÉCLARE LE FILS DE DIEU*

Cet épisode est un développement théologique fait par Jn à partir du récit de la comparution de Jésus devant le Sanhédrin, tel qu'il se lisait dans le proto-Lc (et dans le Document B, dont dépend le proto-Lc); voir de plus amples détails à la note § 342, I C 1-2.

Note § 267. *LES CHEFS JUIFS DÉCIDENT LA MORT DE JÉSUS*

1. *Le récit primitif.* Le texte actuel de Jn ne semble pas homogène. Au v. 49, les mots : « étant Grand Prêtre de cette année-là », sont probablement un ajout destiné à harmoniser Jn avec Mt **26** 3 s. (Spitta); si, dans le texte primitif, Caïphe avait été tenu pour le Grand Prêtre, on ne l'aurait pas désigné par le très vague « l'un d'eux » (cf. Ac **5** 34, où une formule semblable désigne Gamaliel, qui n'était pas Grand Prêtre). La même correction, en termes identiques, se retrouvera en Jn **18** 13 s. où, dans le texte primitif, le Grand Prêtre était Anne, conformément aux données de Ac **4** 6 (voir note § 339). Le v. 52 fait aussi l'effet d'un ajout, avec son « non seule-ment... mais encore » analogue à ceux de **5** 18 et **12** 9, versets qui sont certainement des additions. Ce v. 52 est d'ailleurs étroitement lié au v. 51 qui reprend les expressions des vv. 49 et 50, spécialement la proposition : « qui était Grand Prêtre de cette année-là », que nous avons reconnue plus haut être un ajout. Les vv. 51-52 sont donc une addition au texte primitif où le v. 53 faisait immédiatement suite au v. 50

On notera toutefois le caractère « johannique » de ces ajouts, spécialement aux vv. 51-52. « De lui-même » (*aph'heautou*, au singulier : 0/0/0/5/0, presque toujours avec un verbe signifiant « dire »); « non seulement... mais encore », comme en **12** 9 (« non seulement », *ou monon*: 0/1/0/4/5); « les enfants de Dieu » (*ta tekna tou theou*: 0/0/0/2/0, et aussi 1 Jn **3** 1-2.10; **5** 2). Le thème du rassemblement dans l'unité, enfin, fait écho à Jn **10** 16. Si les ajouts sont « johanniques », le problème se pose alors de l'origine du récit fondamental dans lequel ont été insérés ces ajouts.

2. *Affinités littéraires du récit primitif.* Dégagé de ses additions, le récit primitif se présentait ainsi : « Les grands prêtres et les Pharisiens réunirent le Sanhédrin et ils disaient : 'Que faisons-nous, puisque cet homme fait beaucoup de signes? Si nous le laissons ainsi, tous croiront en lui et les Romains

viendront et ils détruiront notre Lieu et notre nation'. L'un d'eux, Caïphe, () leur dit : 'Vous n'y connaissez rien et vous ne calculez pas qu'il vaut mieux qu'un seul homme meure pour le peuple et que la nation tout entière ne périsse pas.' () A partir de ce jour, ils décidèrent qu'ils le tueraient. »

Malgré quelques traits johanniques, qui pourraient se situer au même niveau rédactionnel que les ajouts signalés plus haut, ce récit offre des notes lucaniennes incontestables.

a) Le vocabulaire, tout d'abord, est en partie de saveur lucanienne, comme le montre le tableau suivant (dans la colonne « Jn », le comput ne tient pas compte évidemment de Jn **11** 47-53, ni de Jn **18** 13b-14 qui reprend manifestement les termes de ce passage) :

Jn **11** 47-53

	Jn	Mt	Mc	Lc	Ac	Reste du NT
v. 47 Sanhédrin	0	3	3	0	13	0
v. 48 Romains	0	0	0	0	11	0
Lieu (*topos* = le Temple)	0	1	0	0	2	0
Nation (*ethnos* = le peuple juif)	1	0	0	2	6	0
Ainsi, en fin de proposition	(1)	0	2	4	3	–
v. 49 Un (*tis*, couplé avec un chiffre)	0	0	1	2	1	0
« un... Caïphe » (*tis* + nom propre)	1	0	1	1	7	0
v. 50 Peuple (*laos*)	0	14	2	37	48	37

Cette statistique appelle quelques compléments. Des trois cas où l'une des expressions mentionnées se retrouve ailleurs dans Jn, l'un (« ainsi », en fin de proposition) se lit en Jn **21** 1, au début d'un récit qui n'est probablement pas de Jn; le second (*ethnos* = le peuple juif) se lit en Jn **18** 35, dans le procès de Jésus devant Pilate, où Jn suit une source lucanienne (cf. note § 347); le dernier cas se retrouve effectivement en Jn **11** 1, mais la formule de Jn **11** 49 : « l'un d'eux » (*heis de tis ex autôn*), trouve un meilleur parallèle en Lc **22** 50 : « l'un d'eux » (*heis tis ex autôn*). On peut donc dire que les expressions mentionnées ci-dessus ne sont pas johanniques, mais lucaniennes, et surtout fréquentes dans les Actes.

b) Comparons alors cette réunion du Sanhédrin avec les deux réunions jumelles de Ac **4** 16 ss. et **5** 17 ss. qui suivent la guérison du boiteux par Pierre et Jean (Ac **3**). En Ac **4** 16, les membres du Sanhédrin se demandent : « *Que ferons-nous à ces hommes-là*? Car, qu'*un signe* (= miracle) notoire ait été accompli par eux, c'est connu de tous les habitants de Jérusalem et nous ne pouvons le nier. » Le désarroi des san-

hédrites est le même qu'en Jn **11** 47 : « *Que faisons-nous*, puisque *cet homme* fait beaucoup de *signes*? » Dans leur seconde réunion, d'après Ac **5** 34 ss., un des membres du Sanhédrin prend la parole (cf. Jn **11** 49) et propose : « Ne vous occupez pas de *ces hommes-là* et *laissez-les* (*aphete autous*) »; à l'inverse, les sanhédrites de Jn **11** 48 expriment leur crainte en disant : « Si *nous les laissons* ainsi... (*hean aphômen houtôs*) ». Les réunions du Sanhédrin, en Jn **11** 47 ss. d'une part, en Ac **4** 16 ss. et **5** 17 ss. d'autre part, reflètent donc les mêmes préoccupations. On retrouvera de semblables parallélismes de situation dans le récit de la comparution de Jésus devant Anne (§ 340) et surtout dans le procès de Jésus devant Pilate (note §§ 347, 349).

c) On remarquera enfin que la parole de Caïphe au v. 50 offre des analogies avec le conseil qu'Ahitophel donne à Absalom d'après 2 S **17** 3, à propos de David en fuite lors de la révolte de son fils :

Jn **11** 50	2 S **17** 3 (LXX)
« il vaut mieux qu'un seul homme meure pour le peuple et que la nation tout entière ne périsse pas. »	« mais tu cherches (à prendre) la vie d'un seul homme et pour tout le peuple il y aura paix. »

On trouve ici le parallélisme entre Jésus et David en fuite (« un seul homme ») qui se poursuivra dans le « discours après la Cène » de Lc **22** 21 ss. et surtout dans l'annonce du reniement de Pierre (note § 323), parallélisme que Jn connaît aussi (voir les textes rassemblés note § 323), mais qui prouve une même tradition fondamentale entre Lc et Jn, à savoir celle du proto-Lc.

On peut dès lors se demander si le récit de Jn **11** 47-53, débarrassé de ses ajouts, ne proviendrait pas du proto-Lc (et du Document C), l'ultime Rédacteur lucanien n'ayant pas jugé bon de le reprendre dans son évangile.

3. *Contexte historique du récit*. Si l'on admet que le récit johannique est repris du proto-Lc, on peut se demander quel en était le contexte historique dans cette source de Jn. Il semble que l'on puisse rapprocher les données historiques de Jn **11** 47.53 de celles de Mt **26** 3-4a (§ 312); on notera d'ailleurs la proximité de la Pâque indiquée en Jn **11** 55 (donc littérairement liée à **11** 47-53) et en Lc **22** 1 (§ 312). Pour plus de détails, voir note § 312.

Note § **268**. *L(ES)' AVEUGLE(S) A JÉRICHO*

Cet épisode est commun aux trois Synoptiques, qui le placent en même contexte. Quelle est l'origine de ce récit? Comment expliquer les divergences qu'il présente?

I. LES RÉCITS DE GUÉRISON D'AVEUGLES

Dans les évangiles, nous lisons d'autres récits de guérison d'aveugles : en Mt **9** 27-31 (§ 95), en Mc **8** 22-26 (§ 162),

en Jn **9** 1 ss. (§ 262). Existe-t-il des rapports littéraires entre ces divers récits? Avant de répondre, il faut apporter les précisions suivantes : on reconnaît d'ordinaire, avec raison, que le récit de Mt **9** 27-31 n'est qu'un doublet, simplifié, du récit de la guérison des aveugles de Jéricho (Mt), doublet rédigé par l'ultime Rédacteur matthéen afin d'obtenir le chiffre de dix pour son recueil de miracles des chap. **8-9**; il faut toutefois compter sur la possibilité que ce doublet, rédigé à partir du Mt-intermédiaire, ait pu conserver des traits archaïques, disparus des rédactions *actuelles* des Synoptiques au § 268 (aveugles de Jéricho). Par ailleurs, le récit de la guérison de l'aveugle de Bethsaïde, en Mc **8** 22 ss., est strictement parallèle au récit de la guérison d'un sourd-bègue, en Mc **7** 32-37 (§ 157); on en conclut souvent que nous sommes en présence d'un doublet littéraire (cf. note § 162); mais ici encore, il reste possible que le récit du § 157 ait gardé des traits archaïques disparus du récit jumeau du § 162. C'est donc de cet ensemble de récits qu'il nous faut maintenant analyser les détails afin de les comparer.

1. *Arrivée de Jésus.* Le récit de Jn **9** 1 commence ainsi : « Et, *en passant*, il vit un homme aveugle de naissance. » Le participe « en passant » (*paragôn*) se lit également au début du récit de Mt **9** 27 ss. : « Et, Jésus passant... » (*paragonti*). Le même verbe se retrouve en Mt dans l'épisode des aveugles de Jéricho : « ayant entendu que Jésus passe » (*paragei*, Mt **20** 30; cf. Lc **18** 37, *parerchetai*). Ce contact littéraire n'est pas fortuit, car ce verbe *paragein* ne se lit jamais ailleurs dans Jn, une fois ailleurs dans Mt (**9** 9) et reste relativement rare dans le NT (3/3/0/1/0/3).

2. *L'aveugle.* La description de l'aveugle est assez semblable en Jn **9** 8 et Mc **10** 46. On lit dans Jn : « ... et ceux qui voyaient, auparavant, qu'il était un *mendiant* (*prosaitès*), disaient : N'est-ce pas celui qui *était assis* et mendiait (*ho kathèmenos kai prosaitôn*)? »; et dans Mc : « ... un *mendiant* (*prosaitès*), aveugle, *était assis* (*ekathèto*) au bord du chemin. » L'aveugle est donc caractérisé, dans Mc comme dans Jn, par les deux mêmes expressions, dont l'une (*prosaitès*) ne se lit jamais ailleurs dans tout le NT. Lc **18** 35 a gardé cette double caractéristique du mendiant, changeant simplement l'adjectif *prosaitès* en *epaitôn*. Mt **20** 30 n'a pas gardé le thème de la « mendicité ».

3. *Le mode de guérison.* Ici, Jn se rapproche plutôt des parallèles de Mc **8** 22 ss. et Mc **7** 32 ss. Dans les trois récits, Jésus guérit le malade avec sa salive, le même verbe « cracher » étant utilisé dans les trois cas (Jn **9** 6; Mc **7** 35; **8** 23); ce sont les seuls exemples, dans le NT, de guérisons effectuées de cette manière. Par ailleurs, Mc **8** 25 et Jn **9** 6 ont la même formule : « il imposa... sur ses yeux » (*epethèken... epi tous ophthalmous*); Mc **7** 32 a conservé un écho de cette formule. – Par ailleurs, dans le récit des aveugles de Jéricho, l'expression de Mt **20** 34 : « il leur toucha les yeux », offre deux contacts intéressants avec les récits de Mc **7** et **8**; on lit en Mc **7** 35 : « il toucha sa langue » (cf. le même verbe en Mc **8** 22); de plus, pour désigner les « yeux » des aveugles, au lieu de l'habituel *ophthalmoi*, Mt **20** 34 et Mc **8** 23 ont *ta ommata*, jamais ailleurs dans le NT.

4. *La guérison.* Pour indiquer la guérison de l'aveugle, Jn dit que ses yeux « furent ouverts » (Jn **9** 10.14.17, etc.), comme en Mt **20** 33 et **9** 30; ce verbe se retrouve en Mc **7** 35 pour indiquer la guérison du sourd-bègue, avec le mot « oreilles » pour sujet; ce sont les seuls textes du NT où ce verbe est utilisé pour signifier la guérison d'un malade. On

notera encore le verbe *anablepein*, traduit tantôt par « regarder », tantôt par « voir » ou « voir à nouveau », en Jn **9** 11.15.18; Mt **20** 34 et par.; Mc **8** 24 et même Mc **7** 34, mais dit du Christ et non du malade.

5. A la suite de ces analyses, on peut formuler les conclusions suivantes :

a) Tous les récits que nous venons d'analyser offrent entre eux des contacts littéraires certains; ils sont liés par des traits épisodiques ou des mots qui, souvent, ne se lisent pas ailleurs dans le NT. Ils dépendent donc tous, plus ou moins directement, d'une source commune; puisque cette source est connue du Mt-intermédiaire (cf. *infra*), elle doit être le Document A. Une autre hypothèse serait possible : pour écrire ces divers récits connus par la tradition, les évangélistes auraient utilisé un schéma commun stéréotypé, comme dans les cas de guérison de paralytiques (note § 40).

b) Le récit de Jn **9** 1 ss. (§ 262) est celui qui offre le plus de contacts littéraires avec ce schéma commun; il ne dépend donc pas des récits actuels de Mc ou de Mt. Mais puisque, d'une façon générale, Jn ne semble pas avoir connu directement le Document A, peut-être dépend-il ici d'un recueil de miracles qu'aurait utilisé aussi le Document A. Ce n'est évidemment qu'une hypothèse.

c) Le récit de Mt **9** 27 ss. (§ 95) est bien un doublet du récit de la guérison des aveugles de Jéricho (voir note § 95). Toutefois, puisqu'il contient des traits en provenance du Document A qui sont absents du récit des aveugles de Jéricho, il doit dépendre, non de ce récit sous sa forme actuelle, mais du récit tel qu'il se lisait dans le Mt-intermédiaire.

II. L(ES)' AVEUGLE(S) A JÉRICHO

Il devient plus facile, maintenant, de retracer l'évolution des récits.

1. Le récit de Lc ne contient presque aucun accord avec Mt contre Mc. On peut signaler seulement : au v. 38, le participe « disant » (au pluriel chez Mt); au v. 41, le vocatif « Seigneur », peu significatif car Mt et Lc ont tendance à l'ajouter. S'il a existé un proto-Lc, son texte a donc entièrement disparu; Lc (ultime rédaction lucanienne) dépend uniquement du Mc-intermédiaire. Les principales divergences d'avec Mc viennent, en partie, de ce que l'ultime Rédacteur lucanien a imposé son style au récit, comme partout ailleurs.

2. Le Mc-intermédiaire est responsable des modifications suivantes :

a) Le participe absolu « comme il sortait » est de son style (cf. Mc **10** 17; **13** 1; verbe *ekporeuesthai* : 5/11/3/2/3; sur les cinq emplois de Mt, l'un provient d'une citation de l'AT, trois autres sont dus à une influence de Mc : **3** 5; **15** 11.18; voir notes §§ 19 et 155). Est-ce lui alors qui a localisé la scène à Jéricho? Cet indice littéraire ne suffit pas à le conclure et il est probable que cette localisation se lisait déjà dans le Document A; on notera en effet le doublet de Mc : « Et ils viennent à Jéricho. Et comme il sortait de Jéricho... » (v. 46); la première proposition pourrait venir du Document A, et la seconde être une addition du Mc-intermédiaire (on verra plus loin que Mt **20** 29 est de l'ultime Rédacteur matthéen, par l'influence du Mc-intermédiaire).

b) C'est encore le Mc-intermédiaire qui a introduit le jeu de scène du v. 48 en redoublant l'invocation de l'aveugle : « Fils de David, aie pitié de moi ! » (vv. 48b, cf. v. 47b). Au v. 52, il a changé le mode de guérison, Jésus ne touche plus les yeux de l'aveugle (avec sa salive), il lui dit seulement : « Va, ta foi t'a sauvé » (cf. Mc **5** 34 et par., § 143). Pour motiver cette foi, il a probablement créé le jeu de scène et le dialogue des vv. 49a et 51, qui n'ont pas de parallèle dans les autres récits qui dépendent du Document A.

3. L'ultime Rédacteur marcien, à son tour, a amplifié le récit du Mc-intermédiaire. On a vu en effet que Lc dépend du Mc-intermédiaire, on verra plus loin que le récit actuel de Mt a été influencé lui aussi par le Mc-intermédiaire; on peut raisonnablement attribuer à l'ultime Rédacteur marcien les traits de Mc absents de Mt et surtout de Lc : au v. 46, la mention des disciples, puis le nom de l'aveugle : « le fils de Timée, Bartimée »; les développements pittoresques des vv. 49b-50; au v. 52, l'expression « sur la route » (*en tèi hodôi*, cf. Mc **8** 27; **9** 33; **10** 17; **10** 32). Enfin, signalons l'expression « une foule assez grande » (*ochlou hikanou*) au v. 46; la mention

de la foule se lisait déjà dans le Mc-intermédiaire, puisqu'on la retrouve en Lc **18** 36 et en Mt **20** 29; mais l'adjectif *hikanos* est de l'ultime Rédacteur marco-lucanien (au sens de « nombreux, assez grand » : 1/1/6/0/16; *ocholos hikanos* : Lc **7** 12; Ac **11** 24.26; **19** 26); l'expression du Mc-intermédiaire devait être celle de Mt **20** 29, *ochlos polus*; cf. *infra*).

4. On retrouve substantiellement le texte du Mt-intermédiaire aux vv. 30 et 33-34 de Mt. Au v. 30, l'introduction du récit proprement dit : « Et voici deux aveugles assis au bord du chemin... », est tout à fait dans le style du Mt-intermédiaire; de même, le verbe « passer (par là) » (*paragein*) provient du Document A (cf. *supra*); absent de Mc, il doit avoir existé dans le Mt-intermédiaire. Aux vv. 33-34, les détails sont ceux du récit du Document A; en partie absents de Mc, ils devaient se lire dans le Mt-intermédiaire. — Mais l'ultime Rédacteur matthéen a introduit de nombreux thèmes en provenance du Mc-intermédiaire, spécialement les vv. 29 et 31-32. Au v. 29, le verbe « sortir » (*ekporeuesthai*) n'est pas matthéen mais marcien (cf. *supra*, II 2); l'expression « une foule nombreuse » (*ochlos polus*) est également marcienne; Mt utilise le mot « foule » surtout au pluriel, tandis que Mc le préfère au singulier; par ailleurs, l'expression « foule nombreuse » ne se lit ailleurs dans Mt qu'en **14** 14, par influence marcienne (cf. note § 151), tandis qu'on la trouve six fois chez Mc. Quant aux vv. 31-32, ils reprennent le jeu de scène introduit par le Mc-intermédiaire (cf. *supra*).

Note § **269.** *ZACHÉE*

1. Ce récit est propre à Lc, qui l'a marqué de son style. Pour ne pas surcharger cette note, nous ne donnerons les caractéristiques lucaniennes que des premiers versets. Au v. 1, le verbe « traverser » (*dierchesthai* : 2/2/10/2/20). Au v. 2, la construction : « et voici un homme » (*kai idou anèr*) est typiquement lucanienne (0/0/7/0/4), le mot « homme » (*anèr*) étant d'ailleurs spécialement apprécié de Lc (8/4/27/7/100); « du nom de » (*onomati kaloumenos*) est aussi typique du style de Lc (*onomati* : 1/1/7/0/22; *kaloumenos* : 0/0/11/0/13); « et lui » (*kai autos*, deux fois de suite ici : 4/5/41/7/8); « riche » (*plousios* : 3/2/11/0/0); presque tous les mots et les structures grammaticales de ce verset sont donc lucaniens. Au v. 3, « chercher à voir » (*zètein* + infinitif : 2/1/7/12/5); le thème de « chercher à voir Jésus » se retrouve en Lc **9** 9 et **23** 8, à propos d'Hérode (cf. Jn **12** 21); « à cause de la foule » (*apo* au sens causal : 4/0/4/1/3). Au v. 4, « monter sur » (*anabainein epi* : 0/0/2/0/2); « il allait » (*èmellen* : 0/0/4/5/3); « passer par » (*dierchesthai* : 2/2/10/2/20). — Devant cette accumulation de termes lucaniens, on serait tenté de voir dans ce récit une composition libre de Lc, reprenant peut-être une donnée traditionnelle. Mais il ne faut pas oublier que dans une mesure plus ou moins grande, Lc retouche toujours ses sources pour leur imprimer son style. Il reste donc possible qu'il utilise, ici aussi, une source écrite. On notera que, dans les sept premiers versets, les liaisons des

phrases sont toutes faites grâce à la conjonction « et » (*kai*), mais aux vv. 8 et 9, la liaison est faite par la particule *de*. Il ne semble cependant pas que l'on puisse voir là l'indice de deux couches rédactionnelles différentes.

2. Après l'épisode du jeune homme riche (§ 249), celui-ci complète l'enseignement de Jésus au sujet des richesses. Dans l'épisode du jeune homme riche, il ne semblait pas y avoir de milieu : il faut abandonner tous ses biens aux pauvres pour entrer dans le royaume des cieux. Ici, il y a une attitude intermédiaire : Zachée renonce à la moitié de ses biens. Par ailleurs, en restituant le quadruple à qui il a fait tort, Zachée devient le modèle de la conversion toujours possible, même pour un riche. On rejoint ici un des thèmes chers à Lc : la réhabilitation de ceux que le pharisaïsme condamnait comme pécheurs irrémédiables ! Dans cette catégorie, il y avait les « publicains » et les « femmes de mauvaise vie »; ici, Lc réhabilite un « chef de publicains » en nous montrant sa conversion, comme en **7** 36 ss. (§ 123) il avait raconté la réhabilitation d'une femme pécheresse. Il suffit au pécheur de se « convertir » pour retrouver l'amitié de Dieu. Sur cet enseignement, comparer les vv. 7-9 de ce récit avec le récit du § 42; comparer le v. 10 avec Mc **2** 17b et par., ou encore avec l'enseignement des §§ 230 et 231.

Note § **270.** *PARABOLE DES MINES*

La parabole des mines, en Lc **19** 11 ss., offre des analogies manifestes avec celle des talents, en Mt **25** 14 ss. (§ 306), mais aussi de profondes divergences, surtout dans la première partie. Certains ont pensé que l'on se trouvait devant deux paraboles différentes, opinion qui trouve de moins en moins de défenseurs. L'opinion la plus courante aujourd'hui est que Lc et Mt dépendent d'une même source, qu'ils ont plus ou moins remaniée selon leurs goûts littéraires; de plus, Lc a amplifié la parabole primitive en y ajoutant le thème de l'homme qui part recevoir la royauté malgré l'opposition de ses concitoyens (cf. surtout aux vv. 12.14-15.27), thème qui pourrait provenir d'une autre parabole ou que Lc aurait lui-même forgé. C'est cette dernière hypothèse que nous retiendrons. Dans une première partie, nous allons comparer les textes de Lc et de Mt, afin de préciser autant que possible le texte de leur source commune; nous nous demanderons ensuite si cette source ne contiendrait pas des indices permettant de penser que la parabole exista primitivement sous une forme encore plus archaïque. Dans une seconde partie, nous reprendrons la parabole sous ses diverses formes successives pour dégager son sens primitif et la signification des divers remaniements qu'elle a subis.

I. ANALYSES LITTÉRAIRES

1. *La source commune à Mt/Lc.*

a) Le v. 11, qui introduit la parabole de Lc, est certainement une composition lucanienne, étant donné l'abondance des expressions typiquement lucaniennes : « ajouter » (*prostithèmi*: 2/1/7/0/6); « dire une parabole » (0/0/14/0/0); « parce qu'il était » (*dia to* + infinitif : 3/3/8/1/8); « Jérusalem », sous la forme *Hierousalèm* (2/0/27/0/39); « penser » (*dokein*: 10/2/10/8/9); « tout de suite » (*parachrèma*: 2/0/10/0/6); « apparaître » (*anaphainein*: ici et Ac **21** 3 dans tout le NT).

b) Les vv. 12-13 de Lc ont leur parallèle dans les vv. 14-15 de Mt. Les mots communs aux deux textes sont rares : « homme », « appeler », « serviteurs », « donner »; mais le thème général est le même : avant de partir en voyage, un homme appelle ses serviteurs et leur remet en dépôt une certaine somme d'argent. Le v. 12 de Lc offre de nombreux indices de remaniements lucaniens : « de haute naissance » (*eugenès*, ici et Ac **17** 11, 1 Co **1** 26 dans tout le NT; cette précision lucanienne a pour but de préparer le thème de la royauté);« s'en aller » (*poreuesthai*: 28/1/49/13/39); « dans un pays lointain » (*eis chôran makran*, cf. Lc **15** 13; *makros*: 0/1/3/0/0); « recevoir la royauté », introduction par Lc du thème annexe de la royauté, comme aux vv. 14-15a et 27; « revenir » (*hypostrephein*: 0/1/21/0/11). Le v. 14a de Mt est certainement plus primitif, confirmé d'ailleurs par Mc **13** 34, début d'une parabole sur la vigilance où Mc fusionne plusieurs paraboles différentes (cf. notes §§ 291-301, I B 3 b); pour le verbe « partir à l'étranger », voir encore Mt **21** 33 et par., au début de la parabole des vignerons homicides (§ 281). On attribuera cependant au Rédacteur matthéen

le « car » initial, qui relie cette parabole au conseil de veiller terminant la parabole précédente chez Mt.

Le v. 13a de Lc répond aux vv. 14b-15 de Mt. Les divergences sont toutefois très importantes. Lc parle de dix serviteurs tandis qu'il n'y en a que trois dans Mt; c'est évidemment Lc qui a forcé le nombre puisque, chez lui comme chez Mt, trois serviteurs seulement viendront rendre compte de leur gestion; Lc a pensé qu'un futur roi devait avoir plus de trois serviteurs ! – Dans Lc, chacun des dix serviteurs reçoit une mine; ils ont donc tous la même somme en dépôt; dans Mt, les trois serviteurs reçoivent des sommes différentes : cinq, deux et un seul talents. Les sommes données par Mt sont bien supérieures à celles données par Lc : la « mine » valait en effet cent « deniers », le denier représentant environ une journée de travail (cf. Mt **20** 8-10), tandis que le « talent » valait de six à dix mille deniers ! Il est difficile de dire qui, de Lc ou de Mt, a gardé les sommes indiquées dans la source. Contre Mt, on fait valoir que de si grandes sommes ne s'accordent pas avec le « peu de choses » dont il sera parlé aux vv. 21 et 23 de Mt; mais on verra que ces versets reprennent un logion de Jésus plus ancien, et le rédacteur de la parabole a pu ne pas voir l'anomalie qui en résultait. Pour l'interprétation de la parabole, le problème est d'ailleurs de peu d'importance. Par ailleurs, Mt a probablement raison contre Lc en faisant remettre des sommes différentes à chacun des trois serviteurs; Lc a pu simplifier parce que le chiffre de dix qu'il avait adopté pour nombrer les serviteurs lui compliquait trop le travail consistant à établir une distinction entre les sommes données par le maître; d'autre part, le « à chacun selon ses capacités » de Mt pourrait trouver un écho dans Mc **13** 34 : « à chacun sa tâche ».

Le v. 13b de Lc n'a pas de parallèle en Mt : l'homme donne à ses serviteurs l'ordre explicite de faire fructifier l'argent jusqu'à son retour. Ainsi, le serviteur qui n'a qu'une mine à rendre à son maître (v. 20) sera coupable, non seulement de paresse (Mt **25** 26), mais encore de désobéissance. Mais nous sommes là probablement devant une addition lucanienne : d'abord parce que le reproche du maître à son serviteur ne contient aucune allusion à une désobéissance quelconque (vv. 22-23); ensuite parce que ce demi-verset de Lc rejoint le thème de la parabole du serviteur châtié pour n'avoir pas agi selon la volonté de son maître, parabole propre à Lc (**12** 47, § 211).

Dans l'ensemble, il semble donc que Mt **25** 14-15 a gardé, mieux que Lc, le texte original de la parabole.

c) Au v. 14 de Lc, on retrouve le thème de l'homme qui va chercher au loin la royauté malgré l'opposition de ses concitoyens. Ce verset, ignoré de Mt, n'a rien à voir avec la parabole des mines confiées aux serviteurs; c'est une addition lucanienne à la parabole primitive. On notera dans ce verset deux mots que Lc est presque seul à employer dans le NT : « concitoyens » (*politai*, cf. Lc **15** 14; Ac **21** 39; He **8** 11, en citation de l'AT; Lc emploie aussi les mots voisins de *politarchès*, en Ac **17** 6.8, *politeia* en Ac **22** 28, et *politeuomai* en Ac **23** 1) et « ambassade » (*presbeia*, ailleurs seulement en Lc **14** 32).

d) Les vv. 16-18 de Mt n'ont pas de parallèle dans Lc. Ils ne font que décrire la manière d'agir des trois serviteurs, et tous les détails seront repris dans les vv. 20 ss. Sont-ils une addition de Mt, ou Lc les a-t-il supprimés pour simplifier le récit? Il est difficile de répondre. Même si ces versets ne contiennent aucun terme spécifiquement matthéen, la première hypothèse semble la plus vraisemblable, car la tendance des réviseurs du texte évangélique était plutôt d'ajouter des détails que d'en retrancher. De toute façon, qu'il y ait addition de Mt ou suppression de Lc, le sens de la parabole n'en est pas modifié.

e) Les vv. 15 de Lc et 19 de Mt décrivent le retour du maître, mais en termes très différents puisqu'ils n'ont en commun que le mot indispensable de « serviteurs ». Lc a certainement modifié considérablement le texte de sa source. La formule initiale : « et il arriva quand... » (*kai egeneto en tôi* + infinitif), est typiquement lucanienne; le verbe « être de retour » (*epanerchesthai*) contient un redoublement de préfixe qui est bien dans le style de Lc et ne se lit ailleurs qu'en Lc 10 35; la précision : « ayant reçu la royauté », est une addition de Lc, dans la ligne des vv. 12 et 14; on tiendra aussi pour addition lucanienne la finale du verset : « afin qu'il sache ce que chacun avait gagné en affaires », qui correspond à l'addition notée à la fin du v. 13. – Mt semble aussi avoir profondément remanié le texte de sa source. L'expression « après beaucoup de temps » a même portée que « dans un pays lointain », de Lc **19** 12 : évoquer la longueur de l'absence du maître; mais on est là devant une addition matthéenne, car si Lc avait lu cette expression dans sa source, on ne voit pas pourquoi il l'aurait supprimée, lui qui ajoute une expression semblable en Lc **20** 9 (opposer les parallèles de Mt/Mc). Il est probable également que l'expression « régler son compte » (*synairein logon*) est de Mt, car on la retrouve en Mt **18** 23-24, dans la parabole du serviteur impitoyable (§ 182), propre à Mt (cette dernière parle aussi de « talents » prêtés à un serviteur, **18** 24, et le mot ne se rencontre que dans ces deux paraboles). Devant ces remaniements de Mt et de Lc, il est impossible de préciser en quels termes leur source commune décrivait le retour du maître.

f) Les vv. 16-19 de Lc et 20-23 de Mt décrivent la comparution des deux premiers serviteurs devant leur maître, compte tenu des divergences notées au début de la parabole : dans Mt, les deux serviteurs ont reçu cinq et deux talents, dans Lc une mine chacun. On notera que, dans Mt, les deux scènes sont absolument identiques, sauf évidemment en ce qui concerne les chiffres des sommes reçues et rendues; dans Lc au contraire, on perçoit le souci très lucanien de varier le style : « se présenta », « a rapporté », « il lui dit », « aie autorité sur » dans la première scène, « vint », « a fait », « il dit à celui-ci aussi », « sois sur », et omission de la louange faite par le maître au serviteur dans la seconde scène. La répétition uniforme des mêmes expressions dans la rédaction matthéenne est plus conforme aux lois du parallélisme sémitique. D'autres détails du texte de Mt semblent plus primitifs que ceux du texte de Lc. Chez Mt, dans la parole des deux serviteurs à leur maître, l'expression « tu m'as confié » correspond à celle de la fin du v. 14; quant au « voici », on le retrouve dans la parole du

troisième serviteur aussi bien chez Lc que chez Mt (vv. 20 de Lc et 25 de Mt), ce qui confirme la leçon de Mt. Chez Mt, la récompense promise aux deux bons serviteurs : « sur beaucoup je t'établirai », rappelle la récompense promise au serviteur fidèle dans la parabole de l'intendant fidèle et sobre : « il l'établira sur tous ses biens » (Mt **24** 27 et Lc **12** 44 : § 210); dans Lc au contraire, la récompense promise : « aie autorité sur dix villes », est évidemment en harmonie avec le thème de l'homme qui va recevoir la royauté (vv. 12.14.15); Lc a donc, ici encore, remanié le texte de sa source.

Dans l'ensemble, Mt semble donc mieux refléter que Lc le texte de leur source commune. Il s'est permis toutefois quelques modifications littéraires et quelques additions (qui se retrouvent d'ailleurs dans la comparution du troisième serviteur). Le participe « s'étant avancé » (vv. 20, 22 et 24) est trop typiquement matthéen pour être attribué à la source de Mt/Lc; on lui préférera, non pas le « se présenta » de Lc **19** 16, trop typiquement lucanien (*paraginesthai*: 3/1/8/1/20), mais le simple verbe « il vint » des vv. 18 et 20 de Lc. Dans la parole du maître aux serviteurs, Mt dédouble le qualificatif : « bon et fidèle » aux vv. 21 et 23 (Lc n'a que le premier), « mauvais et paresseux » au v. 26 (Lc n'a que « mauvais »). Enfin, Mt dédouble également la sanction qui doit récompenser ou punir les serviteurs en ajoutant : « entre dans la joie de ton maître », aux vv. 21 et 23; « rejetez-le dans les ténèbres extérieures, là sera le pleur et le grincement des dents », au v. 30. Cette dernière sanction, appliquée au serviteur inutile, est typiquement matthéenne (cf. Mt **8** 12; **22** 13 et aussi **13** 42.50; **24** 51 et Lc **13** 28).

g) La reddition de compte du troisième serviteur est plus développée, aussi bien dans Mt que dans Lc (vv. 24-30 de Mt, 20-26 de Lc). On notera une inversion sur laquelle nous aurons à revenir plus loin : tandis que les vv. 21 de Lc et 24 de Mt se correspondent, le v. 20 de Lc répond au v. 25 de Mt. A part cette inversion, les textes de Mt et de Lc sont plus proches ici que dans le début de la parabole; ils offrent toutefois un certain nombre de divergences où il est impossible de préciser ce qui appartenait à la source commune à Mt/Lc. Ces divergences n'affectent d'ailleurs pas la substance de la parabole. On notera simplement deux points. Tandis que, dans Lc, le serviteur a déposé la mine dans un linge (v. 20), dans Mt il cache le talent dans la terre (v. 25); on a là un indice que la parabole primitive parlait de mines, et non de talents : le talent pesant en effet plus de vingt kilos, il n'était pas possible de le cacher dans un linge ! On comprend donc que Mt ait changé le texte et parlé de « cacher en terre », s'il substituait les talents aux mines du récit primitif; si au contraire le texte de Mt répondait au texte primitif de la parabole, on ne voit pas pourquoi Lc aurait parlé de « linge », car la mine pouvait fort bien être enfouie dans la terre. L'autre point à noter est l'addition par Lc du v. 24a et du v. 25, pour la clarté du récit (cf. Lc **14** 21a, § 226, une addition semblable dans la parabole des invités qui se dérobent). Au paragraphe précédent, on a vu que le v. 30 de Mt était une addition faite au récit primitif.

h) Le v. 27 de Lc est évidemment une addition lucanienne, conclusion des additions faites aux vv. 12.14-15a : c'est le châtiment, non plus du mauvais serviteur, mais de ceux qui s'opposaient à la royauté de l'homme de haute naissance.

En résumé, un grand nombre des divergences entre Mt et Lc s'expliquent par l'activité littéraire de l'un et l'autre évangélistes, et notamment par l'addition lucanienne d'un thème annexe : celui de l'homme de haute naissance qui s'en va recevoir la royauté. Nous ne sommes pas en présence de deux paraboles différentes, mais d'une seule parabole plus ou moins remaniée par Mt et surtout par Lc. Il reste encore à se demander si la source commune à Mt/Lc représente l'état le plus ancien de la parabole.

2. *En quête de la parabole primitive.*

a) La plupart des commentateurs ont remarqué que la sentence finale du texte commun à Mt/Lc (vv. 26 de Lc et 29 de Mt) se lisait également en Mc 4 25 et par. (§ 130), dans le contexte de l'enseignement en paraboles. On en a conclu que cette sentence avait dû avoir une existence séparée, et qu'elle aurait été ajoutée dans la parabole des mines (ou des talents) pour illustrer la conclusion primitive des vv. 24 de Lc et 28 de Mt. Puisque cette addition se trouve dans Mt comme dans Lc, elle devait déjà exister dans leur source commune. Cette hypothèse est vraisemblable, mais elle doit être complétée, ce qui ne fait d'ailleurs qu'en renforcer la vraisemblance. Comme on vient de le noter, la sentence générale des vv. 26 de Lc et 29 de Mt illustre parfaitement le cas particulier de la sanction portée contre le mauvais serviteur, aux vv. 24 de Lc et 28 de Mt. Mais cette sanction n'est pas dans la ligne de la parabole ! Aux vv. 17.19 de Lc et 21.23 de Mt, il n'est pas question pour les deux bons serviteurs de garder l'argent qui leur avait été confié, ni les intérêts qu'ils ont acquis au bénéfice de leur maître; ils rendent tout l'argent et, en récompense, ils obtiennent une charge importante, soit dans l'administration des biens de leur maître (Mt), soit dans le gouvernement du royaume (Lc). Les vv. 24 de Lc et 28 de Mt supposent au contraire que les bons serviteurs auraient gardé en récompense l'argent qui leur avait été confié, ainsi que les intérêts acquis : le châtiment du mauvais serviteur consiste en effet à se voir enlever son talent (ou sa mine), qui est donné à celui « qui a les dix talents » ou « qui a les dix mines » (cf. le v. 25 de Lc !). La conclusion s'impose : le rédacteur de la source commune à Mt/Lc a bien ajouté le logion final (vv. 26 de Lc et 29 de Mt), mais il a aussi changé la sanction primitive du mauvais serviteur pour en forger une de son cru (vv. 24 de Lc et 28 de Mt), en accord avec le logion qu'il voulait introduire.

Quelle était alors la sanction du mauvais serviteur dans la parabole primitive? On serait tenté de penser au v. 30 de Mt : l'adjectif « inutile » (*achreios*, cf. Lc **17** 10) caractérise bien le serviteur qui a négligé de faire fructifier l'argent de son maître, et la sanction : « rejetez-le dans les ténèbres extérieures, etc. », ne suppose aucunement que les bons serviteurs gardent l'argent qui leur avait été confié. Malheureusement, ce v. 30, ignoré de Lc, est trop typiquement matthéen pour pouvoir être attribué aux couches anciennes de la parabole; il ne pouvait d'ailleurs, au moins sous sa forme actuelle, faire suite au v. 27 de Mt. Force nous est donc d'avouer notre ignorance quant

à la sanction qui frappait le mauvais serviteur dans la parabole primitive.

b) Le texte commun à Mt/Lc contient encore une anomalie. La raison pour laquelle le mauvais serviteur a caché l'argent reçu, sans le faire fructifier, est qu'il sait que son maître est un homme dur, exigeant des autres plus qu'il ne leur a donné (vv. 21 de Lc et 24 de Mt). Mais la crainte de son maître aurait dû alors l'inciter à faire fructifier son argent, et non à le cacher ! La raison qu'il donne ne correspond pas à sa façon d'agir. On notera par ailleurs que le jugement du mauvais serviteur sur son maître (vv. 21 de Lc et 24 de Mt) se lit chez Lc *après* les paroles du serviteur expliquant ce qu'il a fait (v. 20), mais chez Mt *avant* (cf. v. 25). Cette inversion de Mt par rapport à Lc pourrait être le signe que le jugement du mauvais serviteur sur son maître est un ajout, l'un des évangélistes ayant connu un texte plus court et l'ayant complété en fonction de l'autre évangile, tout en plaçant l'ajout à un endroit différent. Dans ce cas, la reprise par le maître des mêmes expressions, aux vv. 22 de Lc et 26 de Mt, serait aussi une addition au texte primitif de la parabole.

II. LA PARABOLE ET SES DÉVELOPPEMENTS

1. *La parabole primitive.* Elle était nettement plus courte que dans les textes actuels de Mt et de Lc. En voici une reconstitution hypothétique, étant bien entendu que le détail des expressions reste sujet à caution, quand il est impossible de préciser lequel des deux, Mt ou Lc, a mieux conservé les termes primitifs. Ces variantes sont d'ailleurs de peu d'importance pour l'intelligence de la parabole, le schéma général étant à peu près assuré.

(C'est) comme un homme (qui), partant à l'étranger, appela ses serviteurs et leur confia ses biens. Et à l'un il donna cinq mines (?), à un autre deux, à un autre une, à chacun selon ses capacités. (Description du retour du maître, difficile à reconstituer)... Vint celui qui avait reçu les cinq mines, disant : « Maître, tu m'as confié cinq mines, voici cinq autres mines que j'ai gagnées. » Son maître lui déclara : « (C'est) bien, bon serviteur, en peu de choses tu fus fidèle, sur beaucoup je t'établirai. » Vint celui qui avait reçu deux mines, disant : « Maître, tu m'as confié deux mines, voici deux autres mines que j'ai gagnées. » Son maître lui déclara : « (C'est) bien, bon serviteur, en peu de choses tu fus fidèle, sur beaucoup je t'établirai. » Vint celui qui avait reçu la mine unique, disant : « Maître, voici ta mine que j'avais déposée dans un linge, car j'avais peur de toi. » Son maître lui dit : « Mauvais serviteur, il fallait que tu places mon argent chez les banquiers et, arrivé, moi j'aurais recouvré mon bien avec un intérêt. » (Sanction contre le mauvais serviteur, impossible à reconstituer.)

Quelle est la « pointe » de cette parabole? Il faut la chercher évidemment dans le contraste entre la façon d'agir des deux premiers serviteurs et celle du troisième (le « mauvais » opposé aux « bons »), entre la récompense promise aux bons serviteurs et le châtiment du mauvais. L'ensemble de ces oppositions rappelle une parole de Jésus rapportée par plusieurs auteurs anciens et utilisée aussi, avec les adaptations nécessaires, en

Lc **16** 10-12 et Mt **5** 19. Cette parole de Jésus devait avoir à peu près cette forme, d'après les analyses faites à la note § 233, II 1 : « Celui qui est fidèle pour une très petite chose (*en elachistôi*) est fidèle aussi pour une grande (littéralement : pour beaucoup, *en pollôi*); et si vous n'avez pas été fidèles pour une petite chose, qui vous donnera ce qui est grand? » La première partie du logion offre des analogies évidentes avec la parole du maître aux deux bons serviteurs : « en peu de choses (*epi oliga*) tu fus fidèle, sur beaucoup (*epi pollôn*) je t'établirai » (Mt **25** 21.23); ou, selon la version lucanienne : « en très petite chose (*en elachistôi*) tu as été fidèle... » (Lc **19** 17). La seconde partie du logion envisage le cas de ceux qui n'ont pas été fidèles en une petite chose; on rejoint la situation du mauvais serviteur de notre parabole, même si les contacts proprement littéraires manquent (mais n'oublions pas que nous ignorons quelle était la sanction portée contre ce mauvais serviteur dans la parabole primitive).

En quel sens particulier notre parabole fait-elle l'application du logion de Jésus? Le thème du maître qui s'en va et reviendra dans un avenir indéterminé est classique dans ce genre de paraboles et évoque la mort du Christ et son retour à la fin des temps; rien, dans la parabole primitive, ne permet de dire si ce retour est envisagé dans un avenir proche ou lointain. L'argent que le maître confie à ses serviteurs, plus aux uns et moins aux autres, symbolise les biens messianiques, et peut-être d'une façon plus particulière les charismes, ces dons ordonnés au bien et au développement de l'Église. En ce cas, la parabole s'adresserait plutôt aux apôtres, aux chefs de l'Église, qu'à l'ensemble des chrétiens. Lors du retour du Christ, ceux qui ont fait fructifier au service de l'Église les dons qu'ils ont reçus recevront une charge plus importante dans le gouvernement du peuple de Dieu; celui qui n'a pas fait fructifier ces dons sera châtié d'une façon, on l'a noté plus haut, qu'il ne nous est plus possible de déterminer à travers les textes actuels. On notera que, lors du jugement eschatologique, Dieu ne tiendra pas compte de ce que nous aurons à rendre peu ou beaucoup, mais de ce que nous aurons su faire valoir ce qui nous avait été donné, que ce soit peu ou que ce soit beaucoup.

2. *La parabole dans la source commune à Mt/Lc.* Elle ne semble pas avoir subi de modifications essentielles dans l'introduction et la première partie (comparution des deux bons serviteurs). Au contraire, la seconde partie, comparution du mauvais serviteur, fut profondément réinterprétée moyennant, d'une part l'addition du jugement défavorable porté sur son maître par le mauvais serviteur (vv. 21 de Lc et 24 de Mt, repris aux vv. 22 de Lc et 26 de Mt), d'autre part la substitution à la sanction primitive portée contre le mauvais serviteur d'une nouvelle sanction, inspirée d'un logion du Christ qui se retrouve en Mc **4** 25 et par. (vv. 24-26 de Lc et 28-29 de Mt). Quel est le sens de cette réinterprétation?

a) Tout d'abord, le cas du mauvais serviteur prend une importance beaucoup plus grande. Dans la parabole primitive, il tenait une place à peine plus grande que celle tenue par chacun des deux bons serviteurs; maintenant, il tient une place double de celle des deux bons serviteurs réunis ! Une

telle disproportion a certainement un motif déterminé : le mauvais serviteur devient le symbole d'une catégorie de gens contre lesquels les premières communautés chrétiennes eurent à lutter pour préserver leur existence; on pense tout de suite aux chefs du peuple juif, les scribes et les Pharisiens.

b) La réflexion mise dans la bouche du mauvais serviteur (vv. 21 de Lc et 24 de Mt) serait le reflet de leur mentalité religieuse : en rendant au maître, i.e. à Dieu, la somme d'argent qui leur avait été confiée, n'ont-ils pas obéi scrupuleusement aux exigences de la justice? Et n'est-ce pas le maître qui se montre injuste en exigeant plus qu'il n'avait donné? « Le signalement de ces mécontents ne permet pas d'hésiter : il s'agit de gens incontestablement remplis de la crainte de Dieu, soucieux de rendre à Dieu tout ce qui lui est dû, de le servir fidèlement sans jamais transgresser ses commandements. Nous reconnaissons l'attitude des scribes, des Pharisiens, des pieux observateurs de la Loi » (J. Dupont, à la suite de C. H. Dodd, J. Jeremias, H. Kahlefeld). Dans ce cas, les « bons serviteurs » qui ont fait fructifier l'argent qui leur avait été confié seraient les disciples de Jésus, qui acceptent son enseignement, lequel va bien au-delà des exigences de la Loi mosaïque, du moins selon le point de vue de Mt exposé principalement en **5** 17-48 : « Vous avez entendu qu'il a été dit aux anciens... or moi je vous dis... » (§§ 53-59). D'après Mt, Jésus est venu « accomplir » la Loi et les prophètes, i.e. la parfaire, la rendre plus exigeante qu'elle ne l'était selon sa formulation mosaïque (voir note § 53). Si ces remarques sont vraies, on pourrait situer cette réinterprétation de la parabole primitive au niveau du Mt-intermédiaire, d'où proviennent aussi l'interprétation de Mt **5** 17 dans le sens exposé plus haut, et les applications qui en sont faites en Mt **5** 21 ss.

c) Si l'addition du jugement porté par le mauvais serviteur sur son maître évoque l'attitude religieuse des scribes et des Pharisiens, on comprend mieux pourquoi le Mt-intermédiaire a substitué à la sanction primitive frappant ce mauvais serviteur celle que nous avons maintenant aux vv. 24-26 de Lc et 28-29 de Mt. L'idée d'enlever à quelqu'un ce qu'il a pour le donner à d'autres évoque alors le thème bien connu du royaume qui est enlevé aux Juifs pour être donné aux païens, comme dans la finale de la parabole des vignerons homicides (Mt **21** 41 et par., § 281), dont le sens est explicité en Mt **21** 43 : « Aussi, je vous dis que le royaume de Dieu vous sera retiré et donné à une nation lui faisant produire du fruit. » On retrouve la même idée dans la parabole des invités qui se dérobent (§ 282), ou dans l'enseignement de Jésus sur l'entrée difficile dans le royaume (§ 220, spécialement Lc **13** 28-30 et Mt **8** 11-12).

3. *La parabole chez Lc.* Lc dépend certainement du Mt-intermédiaire, puisqu'il en retient les additions et les changements. Il est possible cependant qu'il ait connu aussi une source plus ancienne, qu'il aurait complétée en fonction du Mt-intermédiaire, ce qui expliquerait l'inversion notée plus haut en Lc **19** 20 ss. (le v. 20 de Lc correspondant au v. 25 de Mt). Les réinterprétations lucaniennes portent sur les points suivants :

a) On a vu que le vocabulaire du v. 11 était presque entièrement lucanien, ce qui oblige à attribuer à Lc l'entière rédaction de ce verset. Or il donne assez clairement l'idée générale qui intéresse Lc : rétablir la vérité quant à la date de la Parousie du Christ. Les disciples s'imaginaient que le royaume de Dieu allait apparaître dans un avenir tout proche; la parabole est destinée à détromper les disciples. Lc le fait en insérant le thème de l'homme qui part « dans un pays lointain » (v. 12); il est évident que, si le pays est loin, le retour du maître des serviteurs n'est pas pour tout de suite.

b) Lc retouche profondément la parabole en y insérant le thème de la royauté que l'homme de haute naissance va recevoir (vv. 12 en partie, 14, 15 en partie, 27). On a pensé que ces éléments insérés provenaient d'une autre parabole connue seulement de Lc. Avec plus de probabilité, d'autres ont vu dans ces additions une allusion à un fait historique : après la mort d'Hérode le Grand, son fils Archelaüs partit à Rome afin d'y recevoir des mains d'Auguste le titre de roi; mais, en même temps, les Juifs envoyèrent une ambassade afin de s'opposer à cette nomination. En reprenant ce thème, Lc lui donne évidemment une portée christologique dans la ligne de la parabole : l'homme de haute naissance représente le Christ qui, par sa mort et sa résurrection, s'en va auprès de Dieu afin d'y être intronisé roi. Mais les Juifs refusent de reconnaître cette royauté (v. 14); lors de son retour, à la fin des temps, le Christ fera périr tous ceux qui ont refusé de le reconnaître pour roi (v. 27).

c) On a vu plus haut que Lc avait ajouté à la parabole primitive le v. 13b, dans lequel le maître ordonne explicitement à ses serviteurs de faire fructifier l'argent reçu. N'oublions pas que Lc écrit pour des chrétiens convertis du paganisme; il pense sans doute que la pointe de la parabole telle qu'il la reçoit du Mt-intermédiaire sera peu compréhensible pour ses lecteurs (cf. *supra*, II 2 b), puisqu'elle joue sur la façon de concevoir les exigences de la Loi mosaïque. Chez Lc, on comprend beaucoup mieux la colère du roi contre son mauvais serviteur : il a désobéi à un ordre explicite de son maître.

4. *La parabole chez Mt.* Le texte du Mt actuel dépend évidemment du Mt-intermédiaire, comme celui de Lc. Mais les remaniements qu'il fait subir au texte de sa source sont beaucoup moins importants que chez Lc.

a) Comme Lc, Mt veut laisser entendre que le retour du maître des serviteurs, i.e. de Jésus après sa résurrection, n'est pas pour tout de suite, d'où l'addition au v. 19 de l'expression « après beaucoup de temps ».

b) Par ailleurs, Mt relie cette parabole à celle des dix vierges et plus spécialement à sa conclusion : « Veillez donc, parce que vous ne savez pas le jour ni l'heure » (**25** 13); le lien se fait au moyen du « car » qui introduit la parabole des talents (v. 14). Le cas des serviteurs qui font ou ne font pas fructifier l'argent qui leur a été confié est assimilé au cas de ceux qui veillent ou ne veillent pas en attendant le retour de leur maître. Ce thème suppose évidemment que ce retour tarde.

c) Mt donne une portée eschatologique beaucoup plus marquée au châtiment du mauvais serviteur en ajoutant le v. 30, dont on a vu plus haut qu'il correspondait à un thème fréquemment utilisé par Mt dans les paraboles parlant du jugement eschatologique (I 1 f, à la fin).

d) Les autres modifications apportées par l'ultime Rédacteur matthéen sont d'ordre purement littéraire et n'affectent pas le sens de la parabole; même l'addition des vv. 16-18, destinée à rendre la parabole plus claire en indiquant tout de suite la façon d'agir des trois serviteurs, n'ajoute rien au texte du Mt-intermédiaire, puisque tous les détails de ces versets se retrouveront dans la suite de la parabole.

5. *Du point de vue du problème synoptique*, on peut schématiser ainsi les relations entre les divers niveaux rédactionnels : au départ, il y eut une parabole qui dut, soit circuler isolément, soit être incorporée dans un recueil de paraboles. Elle fut reprise, moyennant un certain nombre de modifications (cf. *supra*, I 2 a), dans la source commune à Mt/Lc, probablement le Document Q. Du Document Q, cette parabole est passée dans le Mt-intermédiaire, puis dans l'ultime rédaction matthéenne. Bien que cela n'apparaisse pas dans les analyses, il faut probablement distinguer deux niveaux rédactionnels dans Lc. Le proto-Lc dépend à la fois du Document Q et du Mt-intermédiaire, comme on peut le constater en d'autres cas; son texte fut repris dans l'ultime rédaction lucanienne, sans qu'il soit possible de déceler les retouches littéraires que ce Rédacteur a pu introduire.

Note § **271.** *L'APPROCHE DE LA PÂQUE*

Malgré certains contacts avec les récits du § 312, ce petit épisode est propre à Jn. Il présente d'ailleurs l'état d'esprit des grands prêtres (et des Pharisiens) autrement que les Synoptiques au § 312. Là, on verra les chefs du peuple chercher une « ruse » pour mettre Jésus à mort, car ils craignent une réaction du peuple en sa faveur; ici, ils donnent des ordres explicites afin que quiconque, sachant où se trouve Jésus, le dénonce ! Il n'est pas question de craindre les réactions du peuple; au contraire, on demande sa collaboration pour arrêter Jésus.

Cette différence dans l'attitude des grands prêtres se greffe

sur une différence plus profonde qui met en jeu la façon même dont on a pu se représenter la dernière semaine de la vie de Jésus. D'après Jn 11 55-57, on a l'impression que Jésus se cache comme un proscrit; les grands prêtres ne savent pas le lieu de sa retraite et donnent des ordres pour que ce lieu leur soit divulgué par ceux qui le connaîtraient. Une telle situation est incompatible avec les événements qui suivent : en 12 9-11, tout le monde sait que Jésus est à Béthanie, et on accourt pour le voir. En 12 12 ss., Jésus fait une entrée solennelle à Jérusalem ! En aucun cas, on ne voit les grands prêtres tenter la moindre démarche pour arrêter Jésus. Jn 11

55-57 se concilie difficilement aussi avec la représentation que les Synoptiques se font de la dernière semaine de la vie de Jésus : entrée solennelle à Jérusalem, puis enseignement dans le Temple et discussions avec les grands prêtres et les scribes (notes §§ 273 ss.). D'où la question : qui a raison ? Est-ce le texte de Jn **11** 57, où Jésus apparaît comme un proscrit qui se cache ? Est-ce le texte des Synoptiques (repris en partie par Jn), où l'on voit Jésus entrer à Jérusalem et enseigner aux yeux de tous ? Deux indices permettent de penser que Jn **11** 57 pourrait avoir raison.

a) On verra à la note § 273 que l'épisode du cortège messianique vers Jérusalem, suivi de l'épisode des vendeurs chassés du Temple, se situerait durant la fête des Tabernacles (en octobre) beaucoup mieux qu'aux approches de la Pâque. Par ailleurs, la série de controverses donnée par les Synoptiques aux §§ 279-286 est probablement une construction artificielle destinée à « meubler » le séjour de Jésus à Jérusalem durant les jours qui suivent l'entrée solennelle dans la ville. Ces épisodes ont fort bien pu se passer à un autre moment. Puisque les Synoptiques ne mentionnent qu'un seul séjour de Jésus à Jérusalem, avant sa mort, ils ont pu bloquer pendant ce séjour des épisodes qui auraient eu lieu à Jérusalem, mais à une autre époque (cf. ce que l'on vient de dire pour l'entrée solennelle à Jérusalem). En définitive, les épisodes que les Synoptiques placent aux §§ 273 ss. ont probablement eu lieu plus tôt qu'aux approches de la Pâque, ce qui permettrait de redonner tout son sens au détail donné par Jn **11** 57.

b) La situation supposée par Jn **11** 57 permet seule d'expliquer en quoi consista la « trahison » de Judas. D'après le récit du § 338, on voit qu'il prend la tête de la troupe qui vient arrêter Jésus ; mais pourquoi cette arrestation de nuit, alors que Jésus enseignait chaque jour dans le Temple, au grand jour ? Parce que l'on craignait un tumulte du peuple (§ 312) ? Mais le récit de la comparution de Jésus devant Pilate (§§ 347, 349) nous montre le peuple parfaitement indifférent au sort de Jésus et ne se préoccupant que de « récupérer » Barabbas, en qui il voyait un champion de l'indépendance nationale, rôle que Jésus refusa toujours de jouer. Les Synoptiques sont dans l'embarras, et pour donner consistance au thème de la « trahison » de Judas, le Mc-intermédiaire imagine la convention faite entre Judas et les gens venus arrêter Jésus : « Celui que je baiserai, c'est lui ; emparez-vous de lui » (Mc **14** 44) ; comme si la trahison de Judas avait consisté à distinguer Jésus parmi le groupe de ses disciples ! Jn **18** 2, au contraire, se situe dans la même ligne que Jn **11** 57 : Jésus se cache quelque part aux alentours de Jérusalem, probablement à Béthanie dans une maison amie ; les grands prêtres ont donné des ordres pour que celui qui connaîtrait la retraite de Jésus la leur fasse connaître. C'est Judas qui va se charger de cette besogne ; en effet, « il connaissait le lieu (où Jésus se retire) parce que souvent Jésus y était venu avec ses disciples » (**18** 2). La « trahison » de Judas consista dans le fait de conduire la troupe, chargée d'arrêter Jésus, là où il se cachait.

Cette façon de concevoir comment se passèrent les derniers jours de Jésus avant la fête de la Pâque, et comment Judas trahit son maître, Jn ne l'a pas inventée ; il doit la tenir du Document C, qui se montre presque toujours très indépendant et se fait l'écho d'une tradition assez différente de celle représentée par les Documents A et B. On verra plus loin combien Jn et le proto-Lc ont été influencés par le Document C dans leurs récits de la Passion de Jésus.

Note § **272.** *L'ONCTION DE BÉTHANIE*

Comme dans Mt et Mc, l'onction de Béthanie se trouve placée chez Jn peu après le complot des chefs juifs contre Jésus (voir notes §§ 267 et 271), mais l'ensemble est chronologiquement décalé : deux jours avant la Pâque chez Mt/Mc, six jours chez Jn ; la donnée johannique délimite l'ultime semaine de la vie terrestre de Jésus.

On verra à la note § 313 que le récit de Jn dépend fondamentalement du Document B, qui a servi de source au récit composite de Mc. Précisons simplement ici les remaniements ou additions du Rédacteur johannique.

1. Le récit de Jn est surchargé par un emprunt à Lc **7** 38 (la pécheresse pardonnée, § 123) : Marie oignit les pieds de Jésus et les essuyait avec ses cheveux (Jn **12** 3b). Cette insertion en provenance de Lc n'est pas heureuse, car il est étrange d'essuyer de l'huile (et non des larmes, comme dans Lc) avec ses cheveux.

2. Le Rédacteur johannique a également ajouté des traits qui font écho à Jn **13** 21 ss. (§ 317) : le nom de Judas (cf. Jn **13** 26, fin), l'indication que Judas possédait la bourse commune et qu'il était chargé de donner l'argent aux pauvres (v. 6, cf. Jn **13** 29).

3. Le Rédacteur johannique a enfin ajouté le cadre, propre à Jn, dans lequel l'épisode est inséré : la mention du repas à Béthanie, avec la présence de Marthe et surtout de Lazare (vv. 1-2) ; le concours de foules venant voir Jésus et Lazare, ainsi que la décision des grands prêtres de tuer aussi Lazare (vv. 9-11).

Note § **273.** *CORTÈGE MESSIANIQUE VERS JÉRUSALEM*

Cet épisode se lit, non seulement dans les trois Synoptiques, mais encore dans Jn, bien que sous une forme beaucoup plus sobre.

I. PROBLÈMES LITTÉRAIRES

A) LA TRADITION MATTHÉENNE

Comme souvent ailleurs, pour étudier la tradition matthéenne il faut partir du texte de Lc, l'un de ses témoins indirects.

1. Le texte de Lc.

a) Il offre un certain nombre de particularités que l'on peut attribuer, soit au Rédacteur lucanien, soit éventuellement au proto-Lc (cf. *infra*). Le v. 28 est une création de Lc ; ce dernier reprend la mention de Jérusalem qui se lit en Mc **11** 1 et Mt **21** 1 et il la combine avec des éléments en provenance de Mc **10** 32 (§ 253) : en montant à Jérusalem, Jésus marche en avant de ses disciples. Au v. 32, Lc donne comme sujet de la phrase l'expression « les envoyés » ; cette retouche littéraire, jointe à celle du v. 28, a pour but de prolonger la perspective de Lc **9** 51 ss. et **10** 1 (voir notes §§ 183 et 185) : Jésus monte à Jérusalem et les disciples sont *envoyés* devant lui pour préparer son entrée dans la ville, en accord avec la prophétie de Ml **3** 1. Aux vv. 33b-34, il reprend plus littéralement que Mc les données du v. 31. Le v. 37 est presque entièrement une composition lucanienne : « approcher » (7/3/18/0/6/7) ; génitif absolu accompagné de « déjà » (*èdè*), cf. Lc **7** 6 ; « tout le groupe » (*plèthos* : 0/2/8/2/17/3 ; *pan* ou *apan to plèthos* : 0/0/4/0/3/0) ; « dans la joie » (*chairein*, à l'exclusion du sens de « salut ! » : 3/1/11/8/5) ; « louer » (*ainein* : 0/0/3/0/3/2) ; l'expression « louer Dieu », jointe au v. 38b, nous renvoie aux acclamations des anges en Lc **2** 13 s. : « ... louant Dieu et disant : Gloire à Dieu au plus haut des cieux et sur la terre paix... »

b) A partir de quel texte Lc a-t-il effectué ces remaniements ? Qu'il connaisse le texte de Mc, personne ne songe à le nier et nous ne perdrons pas notre temps à le démontrer. Mais Lc connaît aussi le texte de Mt, comme le prouvent ses nombreux contacts, positifs ou négatifs, avec Mt contre Mc. Au v. 29, Lc et Mt ont les deux verbes « approcher » et « envoyer » à l'aoriste (passé simple), tandis qu'ils sont au présent chez Mc. Au v. 30, Lc et Mt ont le verbe « dire » au participe, tandis qu'il est à l'indicatif présent chez Mc ; à la fin du même verset, Lc et Mt ont : « ayant détaché amenez » (*lusantes agagete*), au lieu de : « détachez et apportez » (*lusate kai pherete*). Au v. 31, Lc et Mt ont : « vous direz que (ou parce que) » (*ereite hoti*) tandis que Mc a simplement : « dites » (*eipate*). Au v. 32, Lc et Mt commencent la phrase par un participe accompagné de la particule *de* (« or »), tandis que Mc a le verbe à l'indicatif précédé de *kai* (« et ») ; Lc et Mt ont l'adverbe « comme » (*kathôs*) en même position, tandis qu'il se trouve repoussé au v. 6 chez Mc. Au v. 35, Lc et Mt ont « amenèrent » (*ègagon*) tandis que Mc a « portent » (*pherousin*). Au v. 36, Mt et Lc

ont le verbe « étendre » *avant* le complément « manteaux » (il est après chez Mc), le pronom *heautôn* au lieu de *autôn*, enfin *en tèi hodôi* (« sur le chemin ») au lieu de *eis tèn hodon* (Mc). Au v. 38, Lc et Mt ajoutent le participe « disant » ; ils ignorent la phrase de Mc **11** 10a.

Pour apprécier les rapports Lc/Mt contre Mc, il faut encore tenir compte des vv. 39-40 de Lc, qui ont leur équivalent, bien que sous une forme assez différente, en Mt **21** 15-16. Bien que repoussés après l'expulsion des vendeurs du Temple chez Mt, ces vv. 15-16 devaient primitivement suivre les acclamations de la foule exprimées au v. 9, comme dans Lc ; nous en avons un indice dans la reprise de l'acclamation « Hosanna au fils de David » (vv. 9 et 15) : c'est un procédé rédactionnel classique que de reprendre les mêmes mots du texte de base après une insertion (ici le récit de l'expulsion des vendeurs du Temple). Donc, aux vv. 39-40 de Lc comme aux vv. 15-16 de Mt, des Juifs (grands prêtres et scribes dans Mt, Pharisiens dans Lc) se scandalisent de l'acclamation royale faite à Jésus, mais Jésus donne raison à ceux qui l'acclament ; on ne trouve rien d'équivalent chez Mc. Ce parallélisme entre Mt **21** 15-16 et Lc **19** 39-40 permet de signaler un autre contact Mt/Lc contre Mc : ceux qui participent au cortège « ont vu » les prodiges ou les miracles accomplis par Jésus (Mt **21** 15a ; Lc **19** 37c).

Tous ces contacts Lc/Mt contre Mc invitent à penser que Lc connaît aussi une tradition matthéenne. Ici comme souvent ailleurs, il faut donc distinguer deux niveaux rédactionnels chez Lc : le proto-Lc, en dépendance du Mt-intermédiaire, et l'ultime rédaction lucanienne qui a révisé le texte du proto-Lc en fonction de celui du Mc-intermédiaire.

2. Le texte de Mt. L'analyse du texte de Lc nous a amenés à conclure à l'existence d'un texte remontant au Mt-intermédiaire. Pour en préciser la teneur, il faut éliminer du texte actuel de Mt les remaniements que l'on peut raisonnablement attribuer à l'ultime Rédacteur matthéen.

a) Notons d'abord, au v. 1, un détail d'une importance mineure. Il est probable que la précision : « au mont des Oliviers », soit de l'ultime Rédacteur matthéen, par influence marcienne. Dans la tradition matthéenne, d'origine palestinienne, il n'était pas besoin de préciser que Bethphagé se trouvait « au mont des Oliviers » ; par ailleurs, cette expression est suivie de l'adverbe « alors » (*tote*), que le Rédacteur matthéen insère souvent après une addition faite au texte du Mt-intermédiaire. Le sujet « Jésus », absent du parallèle de Lc, doit être aussi une addition du Rédacteur matthéen.

b) Toujours au v. 1, la proposition : « Et quand ils furent proches de Jérusalem et arrivèrent à Bethphagé », semble surchargée ; il est probable que le Mt-intermédiaire avait seulement : « Et quand () ils arrivèrent à Bethphagé... » De toute façon, dans Mt, Jésus prononce les paroles du v. 2 au moment *où il est déjà arrivé* au village de Bethphagé, le dernier avant Jérusalem (tandis que dans Mc, c'est seulement à l'approche de ce village) ; il ne peut donc avoir dit, au v. 2, les mots : « qui (est) en face de vous et aussitôt », mieux en situation dans Mc; ils ont été ajoutés par le Rédacteur matthéen sous l'influence du Mc-intermédiaire. D'ailleurs, l'adverbe « aussitôt », sous la forme *euthus* (au lieu de *eutheôs*), est beaucoup plus marcien que matthéen.

c) Aux vv. 4 et 5, la citation de Za **9** 9 est certainement une addition de l'ultime Rédacteur matthéen; son introduction stéréotypé du v. 4 est en effet typique du style de ce Rédacteur. L'insertion de cette citation de Zacharie a obligé le Rédacteur matthéen à quelques retouches du texte du Mt-intermédiaire. La citation de Zacharie mentionne en effet deux animaux, une ânesse et son ânon; le Rédacteur matthéen se croit alors obligé de modifier le v. 2b; au lieu du texte primitif : « vous trouverez un ânon attaché », il écrit : « vous trouverez une ânesse attachée et un ânon avec elle ». De même au v. 7, il ajoute la mention de l'ânesse avant celle de l'ânon, puis il met les pronoms compléments au pluriel : « sur eux » (*bis*), son texte laissant supposer alors que Jésus est assis sur l'ânesse *et* sur l'ânon ! A la fin du v. 3, il avait déjà mis au pluriel le complément du verbe « envoyer ».

d) Au v. 6, Mt a la même formule qu'en **26** 19 (§ 315) : « Et les disciples... ayant fait (**26** 19 : « firent ») comme Jésus leur avait commandé. » Or, il est assez remarquable de constater que les parallèles de Lc **19** 32 (§ 273) et de Lc **22** 13 (§ 315) ont également une formule identique : « ... s'en étant allés, trouvèrent comme il leur avait dit »; cette formule se lit bien en Mc **14** 16 (§ 315), mais pas en Mc **11** 4a (les mots « comme Jésus avait dit » sont repoussés au v. 6). A la note § 315 (I 1), on verra que la formule matthéenne, inspirée de l'AT, est de l'ultime Rédacteur matthéen; il doit en être de même ici et, dans le Mt-intermédiaire, le v. 6 (Mt) devait avoir même teneur que le v. 32 de Lc (avec le mot « disciples » au lieu de « envoyés »; cf. *supra*).

e) Aux vv. 8a et 9a, Mt mentionne d'abord une « très grande foule », puis « les foules ». Les parallèles de Lc ne mettent en scène que les « disciples » de Jésus. Il serait étrange que Lc ait systématiquement rabaissé le caractère grandiose de la manifestation s'il avait lu la mention des foules dans le Mt-intermédiaire. En revanche, on comprend pourquoi l'ultime Rédacteur matthéen a changé la mention des « disciples » (Mt-intermédiaire; cf. Lc) en celle de la foule; la citation de Za **9** 9, introduite, on l'a vu, par le Rédacteur matthéen, s'adresse à la « fille de Sion », et aussi à la « fille de Jérusalem » (cf. Za); c'est donc tout Jérusalem qui est conviée à accueillir son roi ! La présence des seuls disciples, pour acclamer Jésus comme roi, n'était plus suffisante au Rédacteur matthéen; il met en scène une « très grande foule », dont il est facile de comprendre qu'elle est venue de Jérusalem, de Sion.

f) Le v. 8b de Mt trouve un parallèle dans le v. 8b de Mc, mais pas dans Lc; le thème des gens qui coupent des branches pour les étendre sur le chemin est donc probablement une insertion de l'ultime Rédacteur matthéen, sous l'influence de Mc **11** 8b. On notera d'ailleurs, chez Mt, le redoublement de l'expression « étendre sur le chemin », le premier verbe « étendre » étant à l'aoriste et le second à l'imparfait; ce redoublement dénonce le caractère composite du texte actuel de Mt. Le Rédacteur matthéen a également remplacé la mention des « disciples » (cf. Lc **19** 37 et *infra*, *h*) par celle des foules

qui précèdent et suivent Jésus (mention ignorée de Lc), toujours sous l'influence du Mc-intermédiaire (Mc **11** 9a).

g) Au v. 9b, on maintiendra comme primitive l'invocation : « Hosanna au fils de David », que l'on retrouvera au v. 15, après l'insertion du récit des vendeurs chassés du Temple; Lc l'a supprimée, comme il supprime le second « hosanna », parce que ce mot grec, transcrit de l'hébreu, ne disait rien à ses lecteurs grecs. En revanche, la citation de Ps **118** 26, faite d'après la Septante, doit être un emprunt du Rédacteur matthéen au Mc-intermédiaire. La dernière partie de l'invocation : « Hosanna au plus haut des cieux », peut être dans la tradition primitive matthéenne.

h) On a dit plus haut (I A 1 *b*) que les vv. 15-16 de Mt, parallèles à Lc **19** 39-40 (cf. aussi **19** 37c), faisaient partie du récit de l'entrée à Jérusalem dans le Mt-intermédiaire. En insérant le récit de l'expulsion des vendeurs du Temple, repris du Mc-intermédiaire, l'ultime Rédacteur matthéen a dédoublé l'acclamation « Hosanna au fils de David » (vv. 9b et 15b), et transposé avant la seconde acclamation la mention de la vue des prodiges faits par Jésus; cette mention devait précéder, dans le Mt-intermédiaire, l'acclamation du v. 9 (cf. Lc **19** 37c). Le v. 15 est donc une composition du Rédacteur matthéen qui reprend deux données du Mt-intermédiaire. Par ailleurs, le Mt-intermédiaire devait mentionner les « Pharisiens », comme en Lc **19** 39; sous l'influence de Mc **11** 18, le Rédacteur matthéen les a remplacés par les « grands prêtres et scribes » (cf. Mc **8** 31; **10** 33; **11** 18.27; **14** 1.43.53; ailleurs dans Mt en **2** 4; **16** 21; **20** 18, ces deux derniers cas sous l'influence du Mc-intermédiaire). C'est probablement l'ultime Rédacteur matthéen qui a ajouté la mention des « enfants » au v. 15 et la citation de Ps **8** 3, d'après la Septante, au v. 16. Dans l'ensemble, Lc **19** 37c.39-40 a mieux conservé que Mt le texte du Mt-intermédiaire.

Les thèmes de Lc **19** 37c.39-40 (cf. Mt), ignorés du Document B (et du Mc-intermédiaire), ne remontent probablement pas au Document A, mais seraient des ajouts du Mt-intermédiaire. Le texte du Mt-intermédiaire doit reprendre celui du Document A, sa source habituelle.

B) LA TRADITION MARCIENNE

Pour retrouver le texte de la source de Mc, il faut éliminer successivement les additions : des scribes recopiant le texte de Mc, de l'ultime Rédacteur marcien, enfin du Mc-intermédiaire.

1. Au v. 1 de Mc, le texte est certainement surchargé, avec la succession des trois noms propres ! Mais l'expression « de Bethphagé » est omise par divers témoins de la tradition textuelle « occidentale » : *D* 700 *VetLat;* on peut la considérer comme une addition de scribe voulant harmoniser les textes de Mc et de Mt. On lisait donc simplement dans Mc : « Et quand ils approchent de Jérusalem () et de Béthanie... »

2. Les additions de l'ultime Rédacteur marco-lucanien sont peu nombreuses. La plus vraisemblable est celle du v. 10a : « Béni soit le royaume qui vient de notre père David ! » Cette

phrase ne trouve d'écho ici ni dans Lc ni dans Mt; par ailleurs, l'expression « notre père David » ne se lit ailleurs dans le NT qu'en Ac **4** 25 (cf. Ac **7** 2 : « notre père Abraham »); enfin le v. 10a de Mc attribue implicitement le « royaume » à Jésus, le descendant de David, thème qui n'est pas marcien mais plutôt matthéen (Mt **13** 41; **16** 28; **20** 21) et surtout lucanien (Lc **1** 33; **19** 12.15; **22** 29 s.; **23** 42). – On pourra peut-être attribuer encore à l'ultime Rédacteur marcien les précisions du v. 4b : « près d'une porte, dehors, dans la rue »,

et celle du v. 6 : « et on les laissa (faire) », qui n'ont pas de parallèle dans Lc (ni dans Mt).

3. Les additions du Mc-intermédiaire sont plus difficiles à déceler.

a) La plus visible se trouve aux vv. 4b-6a. Pour la reconnaître, il suffit de mettre en parallèle les vv. 4-7a de Mc avec les vv. 32-35a de Lc et les versets de même structure qui se lisent au § 315 (cf. *supra*, I A 2 d) : Mc **14** 16 et Lc **22** 13 (pour simplifier, on ne donnera ici que Mc **14** 16).

Mc **11**	Lc **19**	Mc **14** 16
4 Et ils s'en allèrent et *ils trouvèrent*	32 Or... s'en étant allés (ils) *trouvèrent* *comme il leur avait dit.*	Et les disciples partirent () et *ils trouvèrent* *comme il leur avait dit,*
un ânon attaché... et ils le détachent. 5 Et quelques-uns... 6 Mais ils leur dirent	33 Or, comme ils détachaient l'ânon, ses maîtres... 34 Mais ils dirent : « Parce que le Seigneur en a besoin. »	
comme Jésus avait dit; 7 et ils apportent l'ânon...	35 Et ils l'amenèrent...	et ils préparèrent la Pâque.

Il est clair que Mc insère dans le texte de sa source, entre « ils trouvèrent » et « comme il leur avait dit », tout le développement des vv. 4b-6a qui ne fait que reprendre le récit des vv. 2b-3. Et, puisque Lc connaît une addition semblable, qu'il dispose différemment, l'addition des vv. 4b-6a, dans Mc, doit remonter au Mc-intermédiaire, d'où elle sera passée au niveau de l'ultime rédaction lucanienne.

b) Il est possible, mais non certain, que le Mc-intermédiaire ait ajouté, au v. 2, le passage : « qui (est) en face de vous et aussitôt en y entrant ». La préposition « en face de » (*katenanti* : 1/3/1/0/0/3) ne se lit qu'ici dans Mt/Lc, mais deux fois ailleurs dans Mc (**12** 41; **13** 3); quant à l'expression « entrer dans » (*eisporeuesthai eis*), elle est typiquement marcienne (1/6/2/0/2); enfin l'adverbe « aussitôt », sous la forme *euthus* (au lieu de *eutheôs*), est caractéristique du style de Mc. Cet ensemble, de facture marcienne, pourrait donc être attribué au Mc-intermédiaire, d'où il sera passé, en partie, dans les ultimes rédactions matthéenne et lucanienne.

c) Il est également possible, mais non certain, que la précision, au v. 2 : « sur lequel pas un homme ne s'est encore assis », soit du Mc-intermédiaire. La construction *oudeis* + négation est assez marcienne (1/14/6/17/2), comme aussi la négation *oupô* (2/5/1/13/0). Dans la tradition synoptique, cette proposition est donc assez typiquement marcienne (cf. aussi Jn); il est possible qu'elle soit du Mc-intermédiaire, d'où elle aura passé dans Lc.

S'il y a d'autres additions du Mc-intermédiaire, elles sont impossibles à déceler. La source du Mc-intermédiaire, de structure assez proche de celle du Document A, mais de vocabulaire différent, doit être le Document B, source principale du Mc-intermédiaire. Pour la reconstitution de son texte, voir plus loin (II).

C) La tradition johannique

Dans Jn, on peut trouver des matériaux très archaïques, mais aussi des matériaux beaucoup plus récents, en provenance spécialement de l'ultime rédaction matthéenne. Qu'en est-il ici?

1. Le récit johannique offre des contacts évidents avec Mt. Eux seuls citent, plus ou moins littéralement, Za **9** 9 (Mt **21** 4-5; Jn **12** 14b-15); eux seuls parlent d'une « foule nombreuse » (Jn **12** 12) ou d'une « très grande foule » (Mt **21** 8). Il présente également trois contacts avec Mc : au v. 13, l'acclamation : « Hosanna ! Béni soit celui qui vient au nom du Seigneur » (cf. Mc **11** 9b; la formule est un peu différente dans Mt et dans Lc); au v. 14, la séquence « trouver » et « petit âne » (ou « ânon »), dans le récit et non dans les paroles de Jésus (cf. Mc **11** 4); enfin l'expression : « il s'assit sur lui » (vv. 14 de Jn et 7 de Mc), avec la forme rare *kathizein epi* + accusatif. Ces contacts pourraient tous se situer au niveau de l'ultime rédaction johannique.

2. En revanche, le récit de Jn est beaucoup plus simple que celui des Synoptiques, et même de leurs sources. Dépendrait-il ici, pour le fond du récit, d'une source plus archaïque, par exemple le Document C? C'est possible, mais les contacts notés plus haut entre Jn et Mt ou Mc ne laissent plus grande place à une influence plus archaïque ! On peut donc envisager aussi l'hypothèse selon laquelle Jn aurait simplifié le récit des Synoptiques en n'en gardant que les traits essentiels, mettant en lumière le thème du roi messianique accueilli par son peuple (cf. II).

D) Analogies

Ce récit du cortège messianique vers Jérusalem offre des analogies de structure évidentes avec le récit de la préparation de la Pâque (§ 315); ces analogies sont inconnues du Document A et doivent remonter au Document B, sur ce problème, cf. note § 315, II 3 c.

II. ÉVOLUTION DES RÉCITS

Mettons d'abord en parallèle les textes des Documents A et B tels que les analyses précédentes ont permis de les reconstituer; les numéros des versets sont ceux de Mt **21** pour le Document A et Mc **11** pour le Document B.

Document A	Document B
1 Et quand () ils arrivèrent à Bethphagé,	1 Et quand ils approchent de Jérusalem et de Béthanie au mont des Oliviers,
il envoya deux disciples	il envoie deux de ses disci-[ples
2 en leur disant : « Partez au village () et vous trouverez (un ânon attaché, cf. Lc); l'ayant détaché, amenez-le	2 et il leur dit : « Allez au village () et vous trouverez un ânon attaché (); détachez-le et apportez-le
3 et si l'on vous dit quelque chose, vous direz que le Seigneur en a besoin (). »	et si l'on vous dit : Pourquoi faites-vous cela? Dites : Le Seigneur en a besoin et aussitôt il le renvoie ici. »
6 Or, les disciples étant partis (trouvèrent comme il leur avait dit, [cf. Lc).	4 Et ils s'en allèrent et ils trouvèrent () 6 comme Jésus avait dit ().
7 Et ils amenèrent l'ânon	7 Et ils apportent l'ânon à [Jésus
et ils disposèrent sur (lui) leurs manteaux et il s'assit sur (lui);	et ils mettent sur lui leurs manteaux et il s'assit sur lui;
8a et ils étendaient (Lc) leurs manteaux sur le [chemin ()	8 et beaucoup étendirent leurs manteaux sur le che-min, d'autres, de la verdure, l'ayant coupée dans les champs;
	9 et ceux qui marchaient devant et ceux qui suivaient criaient :
9b et criaient disant : « Hosanna au fils de David [(),	« Hosanna, Béni soit celui qui vient au nom du Seigneur,
Hosanna au plus haut des [cieux! »	10 () Hosanna au plus haut des cieux! »

1. *Le récit du Document A.*

a) L'intention première du récit du Document A est facile à saisir : décrire l'entrée de Jésus à Jérusalem en tant que roi messianique. Cette intention transparaît à plusieurs détails.

aa) Au v. 9b, Jésus est acclamé comme « fils de David »

(cf. Mt **12** 23; **15** 22; **20** 30 s.); il est donc l'héritier du trône de son ancêtre, dont le prophète Natân avait annoncé qu'il subsisterait à jamais (2 S **7** 16).

ab) L'importance que le récit donne à la découverte de l'ânon par les disciples de Jésus (vv. 1-6) indique que cet ânon doit avoir une signification spéciale. Jésus précise aux disciples qu'ils trouveront « un ânon attaché » (v. 2); cette expression évoque l'oracle de Gn **49** 8-12, dans lequel Jacob bénit son fils Juda en ces termes :

« Le sceptre ne s'éloignera pas de Juda, ni le bâton de chef d'entre ses pieds, jusqu'à ce que vienne le *Shiloh* à qui obéiront les peuples. *Il attache* à la vigne *son ânon*, au cep le petit de son ânesse » (vv. 10-11).

Ce texte annonçait la venue d'un roi issu de Juda, comme l'ont précisé les Targums et certains textes de Qumrân qui remplacent le difficile « *Shiloh* » par le mot « roi » : « ... jusqu'à ce que vienne le roi ». Cette prophétie est reprise dans les oracles de Balaam (Nb **24** 8-9.17), et surtout par Za **9** 9 : « Voici que ton roi vient à toi... monté sur un âne, sur un ânon petit d'une ânesse. » L'ensemble de la scène évoquait donc tout ce complexe de textes annonçant la venue d'un roi de descendance davidique.

ac) Si les disciples mettent leurs manteaux sur l'ânon, ce peut être simplement pour procurer une monture plus décemment accommodée (cf. Jg **5** 10); mais lorsqu'ils étendent leurs manteaux sur le chemin (v. 8a), leur geste évoque celui des compagnons de Jéhu lors de son investiture royale : « Aussitôt, tous prirent leurs manteaux et les étendirent sous lui » (2 R **9** 13).

On notera que, dans le récit du Document A, les disciples seuls interviennent pour rendre à leur maître ces honneurs royaux (voir le texte reconstitué plus haut, et aussi Lc **19** 39); la « foule » de Jérusalem n'était pas même mentionnée.

b) Déjà dans le Document A, Jésus envoie ses disciples en leur annonçant qu'ils vont trouver un ânon attaché. L'intention du Rédacteur évangélique est-elle de souligner la prescience de Jésus, sachant à l'avance ce qui va arriver? C'est possible, mais non certain; en ce temps-là, comme maintenant encore dans les campagnes, l'âne était le moyen de transport le plus courant en Palestine, et il s'en trouvait de tout prêts aux portes des villes pour les besoins d'éventuels voyageurs. Jésus pouvait donc s'attendre à ce que ses disciples trouvent ânes, ânesses et ânons à l'entrée du village. On notera toutefois comment, selon le Document A, Jésus s'appelle lui-même « le Seigneur »; ce titre qu'il se donne évoque à lui seul le caractère « royal » de celui qui va faire son entrée dans la ville.

2. *Le récit du Document B.*

Il est évidemment une réinterprétation du récit du Document A.

a) Le Document B s'adresse à des lecteurs issus du paganisme, et donc peu au courant de la géographie de la Palestine. Aussi a-t-on remplacé le nom de Bethphagé par celui de Béthanie, plus connu; et, pour plus de précision, on mentionne la proximité de Jérusalem et le mont des Oliviers. Les lecteurs du Document B pouvaient alors parfaitement situer la scène !

b) L'épisode prend une dimension plus grande. Le « beaucoup » du v. 8, malgré son imprécision, laisse entendre que les disciples ne sont probablement pas les seuls à rendre à Jésus ces hommages royaux; on a l'impression maintenant qu'il s'est formé un groupe assez important, les uns marchant devant Jésus, les autres derrière (v. 9). Les personnages de la scène étendent sur le chemin, non seulement leurs manteaux, mais encore de la verdure coupée dans les champs (v. 8b).

c) Enfin, si le Document A contenait déjà une brève allusion au Ps **118** 25, par le mot « Hosanna ! », simple transcription d'une expression hébraïque signifiant : « Sauve-donc ! », le Document B, qui pense toujours à ses lecteurs issus du paganisme, complète la citation et la rend plus intelligible en ajoutant le v. 26 du psaume : « Béni soit celui qui vient au nom du Seigneur ! » On verra plus loin (III) la signification, ici, de cette citation du Psaume **118** 25-26.

3. *Le récit du Mc-intermédiaire.* Des trois additions faites par le Mc-intermédiaire au texte du Document B, une seule a une signification théologique, la précision du v. 2 concernant l'ânon : « sur lequel pas un homme ne s'est encore assis ». Le Mc-intermédiaire veut évoquer l'usage sacré qui va être fait de la monture, en référence peut-être à des textes tels que Nb **19** 2 ou Dt **21** 3. – Des additions de l'ultime Rédacteur marcien, on ne retiendra que celle du v. 10a : « Béni soit le royaume qui vient de notre père David ! »; elle a pour but de rendre plus claire l'intention de donner à toute la scène le sens d'une intronisation royale.

4. *Le récit de Mt.* Le Mt-intermédiaire avait repris le récit du Document A sans modifications appréciables, sauf l'addition du thème répondant aux vv. 15-16 de Mt, 37c.39-40 de Lc. L'ultime Rédacteur matthéen au contraire apporte au texte du Mt-intermédiaire des modifications importantes.

a) Aux vv. 4-5, il cite explicitement Za **9** 9, développant ainsi le thème du récit du Document A (référence discrète à Gn **49** 11, cf. *supra*) : Jésus venant à Jérusalem monté sur un ânon, c'est le roi de Jérusalem qui fait son entrée dans sa ville !

b) L'oracle de Za **9** 9 s'adresse à la « fille de Sion », à la « fille de Jérusalem »; ce sont donc les habitants de Jérusalem qui doivent entourer leur roi, et non simplement les disciples de Jésus; pour cette raison, Mt mentionne la présence d'une « très grande foule » (v. 8, cf. v. 9), reprenant au Mc-intermédiaire le jeu de scène des gens qui marchent devant et derrière Jésus (v. 9a). Au v. 10 (§ 275), l'ultime Rédacteur matthéen montrera « toute la ville en rumeur » (cf. peut-être 1 R **1** 45); c'est donc bien tout Jérusalem qui accueille son roi !

c) Parmi les détails repris au Mc-intermédiaire par l'ultime Rédacteur matthéen, on notera surtout au v. 9b, la citation du Ps **118** 26, qui rend plus explicite la référence à ce psaume.

5. *Le récit de Lc.* Comme on l'a dit (I 1 b), il faut distinguer deux niveaux rédactionnels dans Lc : le proto-Lc, qui dépendait du Mt-intermédiaire, et l'ultime rédaction lucanienne qui a révisé le texte du proto-Lc en fonction du Mc-intermédiaire. Les modifications faites par le proto-Lc ou Lc sont d'ordre purement littéraire et n'ont pas de portée théologique spéciale. On notera que Lc seul a gardé un trait du Document A : ce sont uniquement les disciples qui donnent à Jésus ces honneurs royaux (cf. Lc **19** 37.39).

6. *Le récit de Jn.* Il ne retient du récit des Synoptiques que les deux éléments majeurs : Jésus entre à Jérusalem monté sur un petit âne (cf. la citation de Za **9** 9, reprise à Mt); la foule (cf. Mt) acclame Jésus en reprenant le Ps **118** 25-26. – Jn est le seul à préciser que la foule sortit (de Jérusalem) à la rencontre de Jésus, ayant en main des rameaux de palmiers (v. 13). Mieux que les Synoptiques, il décrit donc l'entrée de Jésus à l'analogie des entrées triomphales des monarques orientaux : on partait à sa rencontre jusqu'à une certaine distance de la ville, puis on revenait en ville en accompagnant le souverain, branchages en main et acclamations sur les lèvres.

III. PRÉCISION CHRONOLOGIQUE

A la note § 271, nous avons souligné la contradiction qui existe entre ce récit d'entrée solennelle à Jérusalem et la tradition archaïque (Document C?) rapportée par Jn **11** 57 et **18** 2 : Jésus aurait passé ses derniers jours à Jérusalem comme un proscrit recherché par la police, se cachant dans une maison amie, probablement à Béthanie. Cette situation permet seule d'expliquer en quoi consista la trahison de Judas (attestée par les quatre évangiles) : le traître connaissait les endroits où se cachait Jésus (Jn **18** 2), il put donc y conduire la troupe chargée de l'arrêter. Le problème se pose donc de savoir si l'entrée de Jésus à Jérusalem eut lieu un peu avant la Pâque juive, comme le disent les quatre évangiles, ou durant une autre fête, et donc un certain nombre de mois avant l'arrestation et la mort de Jésus. De fait, quelques indices permettraient de placer l'entrée de Jésus à Jérusalem, non pas avant la fête de la Pâque, mais lors de la fête des Tabernacles, soit fin septembre ou début d'octobre.

1. La fête des Tabernacles était la plus populaire de toutes les fêtes juives. Au cours de la fête, on venait en procession jusqu'au Temple, en portant « des thyrses, des rameaux verts et des palmes » (2 M **10** 7), et durant cette procession on chantait, en chœurs alternés, le Ps **118**, composé spécialement en vue de cette liturgie. Un midrash sur ce Ps **118** nous décrit la cérémonie : les gens de Jérusalem, à l'intérieur des murs de la ville, dialoguent les vv. 25-29 du psaume avec les gens de Juda, restés à l'extérieur. Le midrash ne dit pas de quelle fête il s'agit, mais on peut penser qu'il s'agit de la fête des Tabernacles, étant donné le chant alterné du Ps **118**. L'analogie entre l'entrée de Jésus à Jérusalem et la liturgie de la fête des Tabernacles est indéniable : procession solennelle qui aboutit au Temple (§ 275), acclamations reprises du Ps **118** (déjà dans le Document A, avec le « Hosanna » de Ps **118** 25), palmes dans la main des participants (Jn **12** 13). Notons enfin

que, selon de nombreux auteurs, lors de la fête des Tabernacles on célébrait la royauté de Yahvé; ici, c'est Jésus-roi que l'on acclame.

2. La fin du livre de Zacharie (chap. **14**) confirme l'hypothèse avancée plus haut. Le prophète affirme que les païens « d'année en année monteront (à Jérusalem) se prosterner devant le Roi Yahvé Sabaoth et célébrer la fête des Tabernacles » (**14** 16; cf. vv. 17-18); et l'oracle se termine sur ces mots : « il n'y aura plus de marchands dans le Temple de Yahvé Sabaoth ce jour-là » (**14** 21). On aura noté au passage que, le jour de la fête des Tabernacles, Yahvé est adoré en tant que « roi ». Par ailleurs, est-ce un hasard si le Document B (cf. note § 275) fera suivre l'entrée solennelle à Jérusalem de l'épisode des vendeurs chassés du Temple par Jésus, en accord avec Za **14** 21? Est-ce un hasard également si, après l'entrée solennelle à Jérusalem, Jn **12** 20-22 parle des « Grecs », i.e. des païens, qui sont montés (à Jérusalem) pour adorer (Dieu) pendant la fête?

Ces contacts avec Za **14** 16-21 nous prouvent que la tradition évangélique primitive plaçait l'entrée de Jésus à Jérusalem le jour de la fête des Tabernacles; c'est pourquoi le Document B la fait suivre de l'expulsion des vendeurs du Temple, et Jn (qui place des palmes dans la main des gens) la fait suivre de la mention des païens qui sont montés à Jérusalem pour adorer Yahvé.

3. Les Synoptiques, dans leur état actuel, ne connaissent qu'une venue de Jésus à Jérusalem, quelques jours avant sa mort (fête de la Pâque); on comprendrait donc qu'ils aient placé là des événements qui, en fait, se seraient passés au cours d'une montée précédente de Jésus à Jérusalem, à la fête des Tabernacles, par exemple. Est-ce un hasard encore si Jn **8** 1-2 place durant la fête des Tabernacles un « sommaire » que la tradition synoptique réserve pour la clôture de l'entrée de Jésus à Jérusalem, après l'expulsion des vendeurs du Temple? Sur ce dernier problème, voir notes § 275 et aussi §§ 259 et 308.

Note § **274.** *JÉSUS PLEURE SUR JÉRUSALEM*

Dans cet épisode, propre à Lc, Jésus annonce la ruine de Jérusalem en termes qui évoquent les destructions de villes dans l'AT : « ils t'environneront de retranchements et t'investiront » (cf. Is **29** 3; **37** 33; Jr **52** 4; Ez **4** 2); « ils te presseront » (*synexousin se*, cf. Jr **52** 5 : « la ville fut pressée », *eis synochèn*); « ils t'écraseront, toi et tes enfants en toi » (cf. Os **10** 14; **14** 1; Na **3** 10; Ps **137** 9; et aussi 2 R **8** 12; Is **13** 16); « ils ne laisseront pas en toi pierre sur pierre » (cf. 2 S **17** 13; Mi **1** 6; Za **5** 4). – Jésus donne les raisons de cette catastrophe : « Si tu avais reconnu le message de paix !... parce que tu n'as pas reconnu le temps où tu fus visitée (litt. de ta visite) »; il s'agit ici du temps du châtiment qu'Israël n'a pas su reconnaître pour se convertir, d'après Jr **6** 14-15 : « (les faux prophètes) pansent la blessure de mon peuple en disant; 'paix, paix', alors qu'il n'y a pas de paix !... Ils n'ont pas reconnu leur honte; c'est pourquoi ils tomberont... ils périront au temps

de leur visite. » Jérusalem sera détruite pour n'avoir pas fait pénitence comme l'y invitait Jésus.

Cette annonce de la ruine de Jérusalem est un doublet de l'annonce de la ruine du Temple donnée au § 291; elle formait l'introduction du discours sur la ruine de Jérusalem que le proto-Lc tenait du Document B et que nous pouvons encore lire en Lc (§§ 292-301), mais mêlé à des éléments en provenance du Discours eschatologique de Mc **13** (A. Salas). Sur ce discours du proto-Lc et ses liens avec le présent récit, voir notes §§ 291-301.

C'est le proto-Lc qui a placé ici cet épisode, puisqu'il gardait en **21** 5-7 l'introduction du Discours eschatologique en provenance du Mt-intermédiaire (Document A; voir note § 291, I A 1 c). Il place donc cette annonce de la ruine de Jérusalem (Document B) juste au moment où Jésus arrive près de la ville (Lc **19** 41a).

Note §§ **275, 277.** *EXPULSION DES VENDEURS DU TEMPLE*
279. *QUESTION DES JUIFS SUR L'AUTORITÉ DE JÉSUS*

Le récit de l'expulsion des vendeurs du Temple se lit dans les quatre évangiles. Mt et Lc placent la scène le jour même de l'entrée de Jésus à Jérusalem, Mc le lendemain seulement, Jn beaucoup plus tôt, lors du premier séjour de Jésus à Jérusalem (§ 77).

I. ANALYSES LITTÉRAIRES

A) LE RÉCIT PRIMITIF

1. Beaucoup d'auteurs admettent que, dans un récit plus

archaïque que celui des Synoptiques, la discussion sur l'autorité de Jésus (§ 279) était étroitement liée au récit de l'expulsion des vendeurs du Temple (§ 275). En faveur de cette hypothèse, on peut avancer les raisons suivantes :

a) Dans la discussion sur l'autorité de Jésus (§ 279), les grands prêtres demandent au Christ : « Par quelle autorité fais-tu cela? » (Mc **11** 28a et par.). Le démonstratif « cela », répété aux vv. 28b-29.33 de Mc, fait évidemment allusion à l'expulsion des vendeurs du Temple; mais il ne se justifie que si les grands prêtres interviennent juste après l'expulsion des vendeurs par Jésus, non le lendemain comme le supposent Mc **11** 19-20 et Mt **21** 17-18. Le récit primitif fut donc coupé en deux par l'insertion de l'épisode du figuier maudit (§§ 276, 278) et de la mention du départ de Jésus, en Mc **11** 19 et Mt **21** 17.

b) Mc **11** 17-18, suivi par Lc, mentionne une intervention des grands prêtres et des scribes (v. 18a) beaucoup plus virulente que celle du § 279. Ils ne s'en prennent pas au geste de colère de Jésus expulsant les vendeurs (§ 279), mais à la parole qu'il vient de prononcer : « ... vous en avez fait une caverne de brigands » (v. 17). Cette citation de Jr **7** 11 évoquait l'éventualité d'une destruction du Temple, et du rejet d'Israël par Dieu (Jr **7** 12-15), d'où la fureur des chefs du peuple qui cherchent à mettre Jésus à mort (v. 18b). Ce *decrescendo* dans les réactions des chefs du peuple juif (Mc **11** 18, puis **11** 28 ss.) se justifie difficilement. On peut donc en conclure que les vv. 17-18 de Mc, comme, on l'a vu plus haut, le v. 19 et l'épisode du figuier maudit, ont été insérés dans le récit primitif des §§ 275, 279.

c) Le récit johannique confirme les analyses précédentes. Chez Jn, le récit de l'expulsion des vendeurs du Temple (**2** 13-16) est immédiatement suivi par une intervention des Juifs (les chefs religieux du peuple, selon la façon de parler de Jn), au v. 18, analogue à celle de Mc **11** 28 et par. (§ 279) : Jésus est mis en demeure de dire qui lui a donné mandat de « faire cela » (noter le *tauta poieis*, commun aux quatre évangiles) ; seul, le récit de Jn permet de justifier la présence du très vague démonstratif « cela ». Par ailleurs, si Jn mentionne une parole de Jésus à l'adresse des vendeurs chassés (Jn **2** 16b), elle n'a pas la portée théologique de celle que rapporte Mc **11** 17, et ne fait aucune allusion à une éventuelle destruction du Temple ; la réaction des « Juifs » est donc modérée (v. 18), comme dans Mc **11** 28 et par. L'analyse du récit de Jn permet donc de confirmer les conclusions de *a* et *b* ; elle permet aussi d'affirmer que Jn ne dépend pas des Synoptiques, mais de leur source.

2. Quelle est cette source ? Probablement le Document B pour les raisons qu'on va dire.

a) Les accords Mt/Lc contre Mc, qui nous feraient remonter à un Mt-intermédiaire dépendant du Document A, sont rares et peu significatifs (dans les analyses suivantes, on ne tiendra pas compte des vv. 17-19 et 27a de Mc, absents du récit primitif).

aa) Dans l'épisode des vendeurs chassés (§ 275), le v. 45 de Lc se retrouve en termes identiques dans le v. 15b de Mc. Il semble que Lc a tronqué le récit, mais, pour la partie qu'il n'a plus (vv. 12b de Mt et 15c de Mc), Mt et Mc sont identiques à une inversion près (place du verbe « il retourna »). Quant au v. 16 de Mc, absent de Mt/Lc/Jn, il est une addition de l'ultime Rédacteur marco-lucanien ; on notera que *diapherein*, au sens de « transporter », ne se lit ailleurs qu'en Ac **13** 49 ; **27** 27 ; le mot « objet » conviendrait bien aussi au style de Lc (*skeuos* : 1/2/2/1/5). Rien ne permet donc de supposer ici l'existence d'un Mt-intermédiaire.

ab) Dans la discussion du § 279, il existe quelques accords Mt/Lc contre Mc, mais peu significatifs. Le verbe « enseigner »

(vv. 23 de Mt et 1 de Lc) pourrait être un écho de Mc **11** 17a. Aux vv. 24 de Mt et 3 de Lc, on trouve la même expression : « mais ... en répondant » (*apokritheis de*), qui ne se lit jamais chez Mc ; dans Mt, elle fait partie d'un ensemble typique du style de l'ultime Rédacteur matthéen : « Mais Jésus en répondant leur dit » (*apokritheis de* + sujet + *eipen* + complément au datif ; treize fois dans Mt) ; elle se lit souvent aussi dans Lc (onze fois) ; comme Mt et Lc n'ont jamais ailleurs, ensemble, cette expression, elle ne peut pas remonter au Mt-intermédiaire. Aux mêmes versets de Mt/Lc, le changement de « répondez » en « dites » semble dépendre du changement précédent, et serait aussi des ultimes Rédacteurs matthéen et lucanien. Toujours aux vv. 24 de Mt et 3 de Lc, on trouve la même expression « et moi » (*kagô*) ; absente dans Mc, elle se lit neuf fois dans Mt, dont deux fois ici et quatre fois en des textes propres à Mt (**2** 8 ; **11** 28 ; **16** 18 ; **18** 33) ; elle se lit sept fois dans Lc, dont quatre fois en des textes propres à Lc (**1** 3 ; **2** 48 ; **22** 29 ; **24** 49) ; hormis le cas présent, Mt et Lc n'ont jamais ensemble ce *kagô* qui ne peut donc remonter au Mt-intermédiaire. Il est clair enfin qu'aux vv. 26 de Mt et 6 de Lc, Mt et Lc cherchent à améliorer la rédaction très maladroite de Mc ; au lieu de « dirons-nous », ils reprennent le « si nous disons » du verset précédent ; ils remplacent la difficile formule à la troisième personne : « ils craignaient la foule », par une formule à la première personne du pluriel (différente dans Mt et dans Lc) qui rend la phrase plus cohérente. Les quelques petits accords Mt/Lc contre Mc qui restent pourraient s'expliquer par d'éventuelles retouches au texte du Mc-intermédiaire par l'ultime Rédacteur marcien. Ici non plus, la faiblesse des accords Mt/Lc contre Mc ne permet pas de supposer l'existence d'un Mt-intermédiaire ; les récits de Mt et de Lc doivent dépendre uniquement du Mc-intermédiaire.

b) Si le récit de l'expulsion des vendeurs, suivi de la controverse sur l'autorité de Jésus, ne se lisait que dans le Mc-intermédiaire, il doit remonter au Document B (pourquoi le Mt-intermédiaire l'aurait-il abandonné s'il l'avait lu dans le Document A ?). Cette conclusion est confirmée par les remarques suivantes : d'ordinaire, quand, à un certain niveau rédactionnel, un récit se trouve inséré dans la trame d'un autre récit, c'est qu'il appartenait à un autre Document que le récit dans lequel il se trouve maintenant inséré. Or, Mt a inséré dans la trame du récit de l'entrée à Jérusalem, en provenance du Document A, le récit de l'expulsion des vendeurs du Temple (cf. note § 273 ; les vv. 15-16 de Mt proviennent du récit de l'entrée à Jérusalem) ; par ailleurs, on verra aux notes §§ 276, 278 que Mc a inséré dans la trame du récit de l'expulsion des vendeurs l'épisode du figuier maudit et desséché, en provenance du Document A. Selon toute vraisemblance, le récit de l'expulsion des vendeurs doit donc appartenir, non au Document A, mais au Document B.

B) LES ÉLÉMENTS DE MC **11** 17-19

1. L'ensemble formé par les vv. 17-19 de Mc est fort peu cohérent. Il commence par l'expression : « et il enseignait », mal adaptée au contexte, car on ne voit pas que les deux citations du v. 17 de Mc puissent être appelées un « enseigne-

ment » ! On retrouve une difficulté analogue au v. 18 : Mc nous dit que les grands prêtres craignaient la foule, « car toute la foule était frappée de son enseignement » ; il s'agit ici de la « foule » des habitants de Jérusalem qui, d'après les Synoptiques, n'a pas encore eu l'occasion d'entendre l'enseignement de Jésus ! Enfin, comme on l'a noté plus haut, le v. 19 de Mc est hors de situation ; d'une part, il reporte au lendemain la discussion sur l'autorité de Jésus ; d'autre part sa formulation à l'imparfait, qui indiquerait une *habitude* de Jésus, ne s'accorde pas avec les vv. 12 et 20 qui donnent au v. 19 la valeur d'une action accomplie en un jour précis.

2. Essayons alors de voir l'origine des éléments contenus dans ces vv. 17-19 de Mc.

a) Les deux citations du v. 17 sont probablement du Mc-intermédiaire, car elles ont même portée que l'épisode du figuier maudit, inséré ici par le Mc-intermédiaire (cf. *infra*, II).

b) Le v. 18 reprend des éléments que l'on trouve, soit en Mc **14** 1 (les grands prêtres veulent mettre Jésus à mort, mais craignent la foule), soit en Mc **1** 22 (la foule était frappée de son enseignement).

c) Quant au thème de l'enseignement de Jésus (début du v. 17) et de son départ hors de la ville (v. 19 complété par le v. 11b, voir note § 276), il est repris à un sommaire plus complet qui se lit en Lc **21** 37-38 et Jn **8** 1-2, dont on retrouvera d'autres éléments en Mc **12** 35a.37b.38a (voir note § 286). Ce sommaire devait appartenir au Document A et suivait le récit de l'entrée solennelle de Jésus à Jérusalem (§ 273). On peut le conjecturer à deux indices qui nous orientent vers le proto-Lc et le Mt-intermédiaire (ce dernier dépendant toujours du Document A) : l'accord de Mt **21** 17 et de Lc **21** 37 sur le verbe *aulizomai*, qui ne se lit nulle part ailleurs dans le NT ; d'autre part, le v. 47a de Lc **19** : « Et, chaque jour, il enseignait dans le Temple », est parallèle à Lc **21** 37a ; l'ultime Rédacteur lucanien, tout en transportant au § 308 le sommaire du proto-Lc qui suivait l'entrée de Jésus à Jérusalem, en aurait gardé un vestige en **19** 47a, rejeté après l'expulsion des vendeurs du Temple sous l'influence du Mc-intermédiaire.

II. ÉVOLUTION DES RÉCITS

1. *Le récit du Document B.* Il avait la structure suivante : Jésus entre à Jérusalem et vient dans le Temple, d'où il expulse les vendeurs et les acheteurs qui y faisaient commerce (Mc **11** 15). Il accompagne son geste d'une parole à l'adresse des vendeurs, non sous forme de citations bibliques (Mc **11** 17), mais sous forme d'une défense dont on aurait un écho plus fidèle en Jn **2** 16b : il ne faut pas transformer la maison de Dieu en maison de commerce. Grands prêtres et scribes interviennent alors et demandent à Jésus en vertu de quelle autorité il agit ainsi (Mc **11** 27b-28, § 279). Dans leur pensée, ils sont seuls responsables de ce qui se passe dans le Temple, et Jésus empiète sur leurs droits en expulsant les vendeurs sans avoir reçu mandat d'aucun des grands prêtres. La question implique évidemment une réponse négative (sur le plan humain), et donc une condamnation du geste de Jésus. La réponse de ce dernier est habile. Il sait que, s'il déclare avoir agi en tant que prophète, par mandat divin, les grands prêtres contesteront sa mission prophétique. Il riposte donc en posant lui-même une question touchant l'authenticité de la mission du Baptiste, question qui met les grands prêtres dans l'embarras (Mc **11** 29-32) ; on comprend d'ailleurs que les grands prêtres, ayant eu tort de méconnaître la mission de Jean, se trouvent également dans leur tort en méconnaissant la mission de Jésus. Finalement, devant le silence de ses opposants, Jésus refuse aussi de leur répondre. Dans cette scène, Jésus se pose simplement en réformateur religieux ; la purification du Temple a valeur symbolique : c'est toute une certaine forme de vie religieuse, une certaine façon de concevoir les relations entre Dieu et son peuple, que Jésus entend « purifier », dans la ligne de l'enseignement qu'il a prodigué aux foules.

2. En reprenant le récit du Document B, le Mc-intermédiaire en modifia profondément la structure. Il le coupa en deux, faisant de la discussion sur l'autorité de Jésus un épisode indépendant (§ 279), muni d'une nouvelle introduction (Mc **11** 27a). Une telle opération chirurgicale permettait, après avoir remplacé la parole de Jésus aux marchands (cf. Jn **2** 16b) par des citations de Is **56** 7 et surtout Jr **7** 11, d'insérer l'épisode du figuier maudit, repris au Document A (cf. note §§ 276.278), en le plaçant non loin de la citation de Jr **7** 11 (cf. Introd., II A 2 b). L'intention théologique de ces remaniements est claire. La citation de Jr **7** 11, par ses prolongements (vv. 12-15), évoquait la ruine du Temple et le rejet du peuple de Dieu ; de même, l'épisode du figuier maudit et desséché avait valeur symbolique : le peuple de Dieu, devenu stérile parce qu'il n'a pas voulu reconnaître en Jésus le Messie envoyé par Dieu, est maudit et va se dessécher (cf. note § 276). Citation de Jr **7** 11 et épisode du figuier maudit se complètent. Pour mieux faire ressortir le sens de la citation de Jr **7** 11, le Mc-intermédiaire ajoute la réaction des grands prêtres et des scribes au v. 18, reprise de Mc **14** 1. Enfin, il utilise au v. 19 une partie du sommaire qui, dans le Document A, devait suivre le récit de l'entrée de Jésus à Jérusalem. – L'ultime Rédacteur marcien reprendra le texte du Mc-intermédiaire, moyennant les modifications qui seront analysées à la note § 276, à propos de l'épisode du figuier desséché. C'est lui qui ajoute le v. 16 (cf. *supra*, I A 2 a aa).

3. L'épisode des vendeurs chassés du Temple (§ 275, complété par le § 279) ne se lisait pas dans le Mt-intermédiaire ; il fut introduit par l'ultime Rédacteur matthéen sous l'influence du Mc-intermédiaire, et inséré avant la finale matthéenne du récit de l'entrée de Jésus à Jérusalem (vv. 15-16 ; cf. note § 273). L'ultime Rédacteur matthéen en profite pour procéder à deux additions : d'abord, les vv. 10-11, montrant toute la ville de Jérusalem en émoi, en accord avec la prophétie de Za **9** 9 (voir note § 273) ; ensuite, le v. 14 (et en partie le v. 15, cf. note précédente). La mention des « aveugles » et des « boiteux » fait probablement allusion à 2 S **5** 8, où ce proverbe est cité à propos de David : « Aveugles et boiteux n'entreront pas au Temple. » Il y aurait à la fois un parallélisme entre David et Jésus entrant à Jérusalem (parallélisme appelé par le

titre de « fils de David » donné à Jésus aux vv. 9 et 15), et une opposition : l'entrée de Jésus provoque le retour dans le Temple des « aveugles » et des « boiteux ». Dans le sommaire en provenance du Document A, qui terminait le récit de l'entrée à Jérusalem (v. 17), le Rédacteur matthéen ajoute la mention de « Béthanie », sous l'influence du Mc-intermédiaire.

4. Le récit de Lc dépend tout entier de celui du Mc-intermédiaire et doit donc être attribué à l'ultime Rédacteur lucanien, qui ampute d'ailleurs de sa finale la partie du récit de Mc concernant la scène même de l'expulsion des vendeurs (Lc **19** 45). Il semble toutefois que, pour le sommaire qui terminait dans le Document A l'entrée de Jésus à Jérusalem, Lc a gardé au v. 47a le début du texte du proto-Lc, en dépendance du Mt-intermédiaire : « Et, chaque jour, il enseignait dans le Temple », texte que l'on retrouvera, déplacé, en Lc **21** 37a (voir note § 308).

5. Jn, on l'a dit, dépend du Document B qu'il amplifie en ajoutant des détails concrets : au v. 14, les mots : « bœufs, brebis et colombes et les changeurs assis »; au v. 15, la mention du fouet de cordes; l'addition « et les brebis et les bœufs », puis une autre : « et il renversa la monnaie ». Il abandonne en partie la discussion avec les grands prêtres (§ 279), n'en gardant que le début : « Quel signe nous montres-tu, que tu fasses cela ? » Il la remplace par une allusion à sa mort (v. 19a, cf. aussi le v. 17) et à sa résurrection (v. 19b), « signe » par excellence de sa mission par Dieu. Le commentaire du v. 21 évoque le remplacement du culte célébré dans le Temple par un autre culte, centré sur le « corps » de Jésus. En réinterprétant le récit primitif, Jn rejoint donc en partie les tendances du Mc-intermédiaire.

Note § **276.** MALÉDICTION DU FIGUIER
§ **278.** LE FIGUIER DESSÉCHÉ

L'épisode du figuier maudit et desséché se lit dans Mt et dans Mc. Dans Mt, il ne forme qu'une seule scène, placée après l'expulsion des vendeurs du Temple; dans Mc, il est divisé en deux par le récit des vendeurs chassés du Temple. Lc omet toute la scène, probablement parce qu'il a déjà donné une parabole concernant un figuier stérile dont la portée théologique est analogue (Lc **13** 6-9, § 216).

I. PROBLÈMES LITTÉRAIRES

Il faut distinguer l'épisode lui-même du figuier desséché (vv. 18-20 de Mt, 12-14 et 20-21 de Mc) et l'enseignement de Jésus sur la foi, qui le suit. Pour plus de clarté, nous allons analyser d'abord les logia sur la foi.

A) L'ENSEIGNEMENT SUR LA FOI

Il est composé de plusieurs logia différents qui, on va le voir, n'étaient pas liés primitivement à l'épisode du figuier desséché.

1. Mc est le seul à donner en finale du récit un logion sur le pardon des offenses (v. 25) qui a son équivalent, en partie en Mt **5** 23-24, en partie en Mt **6** 14. On notera l'expression « votre père céleste » qui ne se lit ailleurs, dans tout le NT, que dans Mt (**5** 16.45; **6** 1.9; **7** 11.21; **10** 32-33; **12** 50; **16** 17; **18** 14.19); nous sommes donc devant un logion en provenance du Mt-intermédiaire, que l'ultime Rédacteur marcien a ajouté ici à cause du mot-crochet « prier » (vv. 24 et 25). L'introduction du logion : « et quand vous êtes debout » est probablement du Rédacteur marcien, étant donné la cons-

truction *hotan* + indicatif qui ne se lit ailleurs dans les évangiles qu'en Mc **3** 11; **11** 19.

2. Le logion sur la foi (vv. 21 de Mt, 22-23 de Mc) se trouve en trois contextes différents : ici, dans le récit de la guérison d'un enfant épileptique (§ 171) et dans un recueil de logia conservé par Lc (§ 239). On notera la précision « cette » montagne (ici et Mt **17** 20) et la mention de la « mer » (ici et Lc **17** 6) qui, dans les évangiles, désigne d'ordinaire le lac de Tibériade; Jésus aurait donc prononcé cette parole en Galilée, en vue du lac de Tibériade, et la montagne qu'il désigne ne serait pas le mont des Oliviers, comme pourrait le suggérer le contexte (ici) de Mc/Mt, mais une des montagnes surplombant le lac, à l'ouest ou au nord-ouest. C'est la preuve que le logion est artificiellement joint à l'épisode du figuier desséché. L'ultime Rédacteur matthéen a en partie harmonisé le logion de **21** 21 sur celui de **17** 20. Pour plus de précisions sur ce logion, voir la note § 239.

3. Le logion sur l'efficacité de la prière, aux vv. 22 de Mt et 24 de Mc, n'était pas lié primitivement au logion sur la foi, puisqu'il n'a d'écho ni en Mt **17** 20 (§ 171) ni en Lc **17** 6 (§ 239). Le lien avec le logion précédent, dans Mc, fait difficulté. L'expression : « c'est pourquoi je vous dis », en effet, serait matthéenne et non marcienne (*dia touto*: 11/3/4/15/1; « c'est pourquoi je vous dis » : 3/1/1/0/0). En fait, l'expression se lit, soit dans le Document Q (Mt **6** 25 = Lc **12** 22), soit à l'ultime niveau rédactionnel de Mt (**12** 31 et **21** 43); de même, la construction *dia touto* se lit deux fois dans le Document Q (Mt **12** 27; **23** 34; cf. Lc **11** 19; **11** 49) et ailleurs seulement dans l'ultime rédaction matthéenne (Mt **13** 13; **13** 52; **14** 2; **18** 23; **24** 44). Comme la présence de l'expression « c'est pourquoi je vous dis » en Mc **11** 24 ne peut s'expliquer ni

par le Document Q, ni par l'ultime rédaction matthéenne, on est bien forcé de l'attribuer, soit au Mc-intermédiaire, soit plus probablement à l'ultime Rédacteur marcien (étant donné son absence dans le parallèle de Mt).

En résumé, l'enseignement de Jésus sur la foi et sur la prière n'appartenait pas au récit primitif du figuier maudit et desséché. Les logia sur la foi et la prière, communs à Mt et à Mc, ont été introduits ici par le Mc-intermédiaire, comme on le verra plus loin; le dernier logion, sur le pardon des offenses, propre à Mc (v. 25), fut ajouté par l'ultime Rédacteur marcien qui le reprit du Mt-intermédiaire, où il se trouvait dans un tout autre contexte.

B) LE FIGUIER MAUDIT ET DESSÉCHÉ

1. Du point de vue littéraire, le problème le plus important est de savoir si, dans la source de Mt/Mc, l'épisode du figuier ne formait qu'une seule scène (Mt) ou se trouvait coupé en deux par l'insertion du récit de l'expulsion des vendeurs (Mc).

a) La solution la plus facile serait de donner raison à Mt contre Mc. Dans Mc, en effet, le cadre du récit des vendeurs chassés du Temple est dédoublé : Jésus vient à Jérusalem dans le Temple (vv. 11a, puis 15a de Mc; cf. Mt **21** 10a), puis il quitte la ville (vv. 11b, puis 19 de Mc; cf. Mt **21** 17). Un tel dédoublement est d'autant plus insolite que, au v. 11, on ne voit pas ce que Jésus vient faire au Temple ! La seule façon d'expliquer ce dédoublement est de supposer que Mc, partant d'un texte dans lequel l'épisode du figuier desséché, formant un tout, faisait suite à l'expulsion des vendeurs (cf. Mt), ne garde de ce texte que le cadre du récit (v. 11 : Jésus entre dans le Temple puis en sort), tandis qu'il transpose le récit et son cadre (dédoublé) pour l'insérer dans l'épisode du figuier desséché. Le récit de l'expulsion des vendeurs du Temple aurait été inséré au milieu de l'épisode du figuier maudit et desséché au moment où était dédoublé le cadre du récit de l'expulsion des vendeurs; l'insertion devrait être attribuée à l'ultime niveau rédactionnel de Mc.

b) Mais, de son côté, le texte matthéen offre une anomalie significative. Pour que l'épisode du figuier maudit et desséché puisse se réaliser en une scène unique, il faut évidemment que le figuier se dessèche *immédiatement*, sous les yeux des disciples. Ce fait est exprimé dans Mt au moyen de l'adverbe « en un instant », à la fin du v. 19 et au v. 20. Mais au lieu de l'adverbe *eutheôs*, habituel chez Mt (douze fois, plus sept fois sous la forme voisine *euthus*), nous avons ici *parachrèma* qui, en dehors de cet épisode matthéen, n'est utilisé que par Lc dans tout le NT (2/0/10/0/6/0)! Cet insolite *parachrèma* est comme la signature de l'ultime Rédacteur matthéo-lucanien. Il faut alors en conclure que c'est l'ultime Rédacteur matthéen qui a bloqué ensemble les deux parties de l'épisode, qu'il trouvait séparées dans sa source.

c) Nous sommes apparemment devant une impasse : le Rédacteur marcien trouve un récit unique qu'il dédouble; le Rédacteur matthéen trouve un récit dédoublé qu'il unifie ! Voici dès lors la solution que l'on pourrait proposer. Le récit

primitif ne contenait que la malédiction du figuier; il aurait eu à peu près la teneur des vv. 18b-19ab de Mt : Jésus a faim, il voit un figuier près du chemin, s'en approche et n'y trouve que des feuilles; il maudit alors ce figuier stérile (au lecteur de comprendre quel sera, à terme plus ou moins long, l'effet de cette malédiction). Sous cette forme brève, ce récit remonterait au moins au Document A, d'où il aurait passé dans le Mt-intermédiaire sans changement notable; dans le Document A comme dans le Mt-intermédiaire, il devait se trouver à une autre place, difficile à préciser. – Le Mc-intermédiaire reprend aussi le récit du Document A, mais il lui ajoute une seconde partie qui était immédiatement liée à la première : le figuier que Jésus vient de maudire se dessèche, et Jésus en profite pour donner un enseignement sur l'efficacité de la prière; c'est le Mc-intermédiaire qui place cet épisode (Document A) entre le récit de l'expulsion des vendeurs du Temple et celui de la question sur l'autorité de Jésus, tous deux du Document B. – L'ultime Rédacteur matthéen reprend le récit du Mt-intermédiaire (donc ne comprenant que la malédiction du figuier) en lui faisant subir deux modifications : d'une part, il ajoute le dessèchement immédiat du figuier avec l'enseignement sur la foi qui lui faisait suite; d'autre part, il place ce nouveau récit après la scène de l'expulsion des vendeurs du Temple. Ces deux modifications sont faites, évidemment, sous l'influence du Mc-intermédiaire. – Enfin l'ultime Rédacteur marcien reprend le récit du Mc-intermédiaire, mais en le modifiant encore une fois. Il le coupe en deux et insère entre ces deux parties le récit de l'expulsion des vendeurs du Temple, après en avoir dédoublé le cadre.

2. Ajoutons maintenant quelques précisions littéraires en fonction des analyses précédentes.

a) Le v. 18a de Mt, qui relie l'épisode du figuier desséché au récit des vendeurs chassés du Temple, est de l'ultime Rédacteur matthéen. Il reprend l'adverbe « le matin » (*prôi*: 2/5/0/2/1) au récit du Mc-intermédiaire, qui l'avait en tête (cf. *infra*); on notera que le verbe « rentrer » (*epanagein*) ne se lit ailleurs dans tout le NT qu'en Lc **5** 3-4. La fin du v. 19 de Mt (« et en un instant le figuier sécha ») est aussi de l'ultime Rédacteur matthéen qui reprend le verbe « sécher » au récit de Mc (*xèrainein*: 3/6/1/1/0/4; cf. ici les vv. 20 et 21 de Mc) et ajoute l'adverbe « en un instant » (*parachrèma*: 2/0/10/0/6/0). On retrouve ces deux mots au v. 20 de Mt; quant au v. 21 de Mt, il commence par une formule typique de l'ultime Rédacteur matthéen : « Or, répondant, Jésus leur dit » (cf. note § 275, I A 2 *a ab*).

b) Dans le Mc-intermédiaire, le récit (non coupé en deux) devait commencer par : « et en passant au matin » (cf. Mc **11** 20), puisque l'adverbe « au matin » se lit en Mt **21** 18a, qui dépend du Mc-intermédiaire. En coupant le récit en deux, l'ultime Rédacteur marco-lucanien a laissé les mots : « et en passant au matin », à la suite du récit de l'expulsion des vendeurs du Temple (puisqu'il les lisait là dans le Mc-intermédiaire), et il a forgé une nouvelle introduction pour la première partie du récit (Mc **11** 12a); on notera le style lucanien de ce v. 12a : « le lendemain » (*tèi epaurion*: 1/1/0/5/10) et surtout « sortir de » (*exerchesthai apo*: 5/1/13/2/3; c'est donc le seul exemple dans Mc, qui construit d'ordinaire ce verbe avec la préposition *ek*, et non *apo*). Le v. 13 de Mc est manifestement surchargé d'additions explicatives : « qui avait des feuilles », « si par hasard il y trouverait quelque chose » (noter la reprise du verbe « aller » après cette addition, procédé classique dans le cas de l'insertion d'une glose dans un récit), « car ce n'était pas la saison des figues »; l'addition de cette dernière glose est maladroite, car elle enlève tout motif à la malédiction du figuier par Jésus - On peut attribuer ces gloses à l'ultime Rédacteur marcien. Au v. 21, c'est aussi l'ultime Rédacteur marcien qui introduit le personnage de Pierre ainsi que le verbe « se ressouvenant » (cf. Mc **14** 72, où l'on trouve le même verbe *anamimneskein*, jamais rencontré ailleurs dans les évangiles).

II. LE SENS DE L'ÉPISODE

1. Dans le Document A et le Mt-intermédiaire, l'épisode ne comprenait, on l'a vu, que les vv. 18b-19ab de Mt (jusqu'à « et en un instant le figuier se dessécha »). L'enseignement est celui-ci : tout arbre qui ne porte pas de fruit tombe sous l'effet de la malédiction divine (cf. Mt **7** 19 et par., § 73; Jn **15** 1 ss.). Cet enseignement rejoint celui de la parabole de Lc **13** 6-9 (§ 216); on notera la similitude des vv. 6 de Lc et 19a de Mt. – Dans l'AT, c'est un *leitmotiv* de la prédication prophétique de comparer Israël rejeté par Dieu à un arbre (térébinthe, vigne, figuier) qui devient sec et stérile en châtiment de ses infidélités (Is **1** 30; **5** 1-7; Os **9** 16; Jr **8** 13; **12** 10; Ez **15** 1-8; **17** 9 ss.; Jb **18** 16); dans le Document A l'épisode visait-il implicitement le peuple d'Israël? Il est impossible de répondre, faute de connaître le contexte dans lequel il était inséré.

2. Le Mc-intermédiaire plaça cet épisode du Document A après le récit de l'expulsion des vendeurs du Temple, dans lequel il inséra la citation de Jr **7** 11 (voir note § 275). L'épisode prenait ainsi une signification sans équivoque. La citation de Jr **7** 11 évoquait le rejet d'Israël par Dieu (cf. Jr **7** 12-15); l'épisode du figuier stérile et maudit symbolisait alors le rejet d'Israël par Dieu, dans la ligne des textes prophétiques signalés plus haut. Pour accentuer la leçon de l'épisode, le Mc-intermédiaire ajouta la seconde partie du récit : on voit l'effet immédiat de la malédiction de Jésus, à savoir le dessèchement du figuier. Il est difficile de voir pourquoi le Mc-intermédiaire a voulu ajouter les logia sur la foi et la prière.

3. Dans l'ultime rédaction matthéenne, le thème de la foi prend une importance plus grande que dans le Mc-intermédiaire. En Mt **21** 20, les disciples s'étonnent en disant : « *Comment*, en un instant, le figuier a-t-il séché? » La valeur symbolique de l'épisode s'estompe au profit de ce que les disciples considèrent comme un « miracle ». Dans la réponse de Jésus, l'addition de : « non seulement vous ferez comme au figuier, mais même... », montre clairement que l'épisode du figuier desséché est vu surtout sous l'angle d'un « miracle » effectué par Jésus.

4. Quant à l'ultime Rédacteur marcien, il veut accentuer l'enseignement déjà introduit par le Mc-intermédiaire. En insérant le récit des vendeurs chassés du Temple dans la trame de l'épisode du figuier maudit et desséché, il accentue le lien entre les deux épisodes, et met donc davantage en valeur leur portée symbolique : le rejet par Dieu d'Israël, et de toute sa vie cultuelle, qui avait pris le pas sur le commandement essentiel de l'amour du prochain.

Note § **280.** *PARABOLE DES DEUX FILS*

1. Cette parabole est propre à Mt. Elle abonde en notes qui trahissent l'ultime Rédacteur matthéo-lucanien. Au v. 28, l'expression : « Que vous en semble? » (*ti hymin*, ou *soi, dokei*), se lit encore en Mt **17** 25; **18** 12; **22** 17.42; **26** 66, mais jamais dans Mc/Lc/Jn/Ac; elle est sûrement de l'ultime Rédacteur matthéen. Le participe « s'approchant » (*proselthôn*) revient souvent dans le Mt-intermédiaire, mais sans complément au datif; ici, ce complément (« du premier », *tôi prôtôi*) indique la main du Rédacteur (cf. note § 357, I A 1 b). Le mot « aujourd'hui » (*sèmeron*: 8/1/12/0/9) se lit surtout dans Mt et Lc/Ac; des huit cas de Mt, un est douteux (Mt **16** 3) et quatre sont sûrement du Rédacteur (**11** 23; **27** 8; **27** 19; **28** 15). Au v. 29, la formule : « Mais lui, répondant, dit », est matthéenne (18/2/4/0/0), comme l'adverbe « plus tard » (*hysteron*: 7/0/1/1/0); des sept exemples de Mt, deux se lisent ici (vv. 29 et 32) et quatre sont rédactionnels (**4** 2; **21** 37; **25** 11; **26** 60). Le participe « pris de remords » (ou « repentis », au v. 32) (verbe *metamelein*: 3/0/0/0/0/2) ne se lit ailleurs dans Mt qu'en **27** 3, texte du Rédacteur matthéen. A la fin du verset,

le verbe « s'en aller » (*aperchesthai*) est commun aux trois Synoptiques; mais utilisé ainsi en fin de phrase, sans aucun mot après lui, il est du Rédacteur matthéen (cf. Mt **16** 4; **20** 5; **22** 22; **27** 60). Au v. 30, on retrouve trois formules du Rédacteur matthéen des versets précédents : « s'approchant du second », « mais lui, répondant, dit », « et n'alla pas ». L'adverbe « pareil » (*hôsautôs*: 4/2/3/0/0) est utilisé volontiers par le Rédacteur matthéen (Mt **20** 5; **21** 36; **25** 17). Au v. 31, la formule « faire la volonté du père » est matthéenne (cf. **7** 21; **12** 50). On notera, à la fin du verset, l'expression « royaume de Dieu » au lieu de l'habituelle formule du Mt-intermédiaire : « royaume des Cieux ». Au v. 32, le mot « justice » (*dikaiosynè*: 7/0/1/2/4) est certainement du Rédacteur matthéen (cf. **3** 15; **5** 6.10.20; **6** 33); le mot « voie » pris au sens métaphorique est surtout lucanien (1/0/1/0/9; cf. Lc **1** 79 : « une voie de paix »).

Nous sommes donc devant une composition de l'ultime Rédacteur matthéen qui adapte au contexte un logion de Jésus.

2. Cette parabole a pour but d'illustrer deux thèmes connexes qui se lisent, d'une part en Lc 7 29-30, d'autre part dans la péricope précédente (Mt 21 25 ss. et par.), thèmes dont on trouve un écho dans le v. 32 de notre parabole (noter que la formule « croire en lui », *pisteuein* + datif de la personne, ne se lit dans les Synoptiques qu'en Mt 21 25 et par., et Mt 21 32). Les chefs du peuple juif n'ont pas voulu croire en la mission du Baptiste (Mt 21 25; Lc 7 30); en revanche, ceux que le judaïsme officiel tenait pour des « maudits », les

« publicains » (Lc 7 29) et les « prostituées » (Mt 21 32), ont cru en la mission de Jean et se sont convertis; ils entreront donc avant les chefs du peuple juif dans le royaume de Dieu (25 31), car ce qui compte aux yeux de Dieu, ce ne sont pas les observances légales dont se prévalaient les Pharisiens, mais la droiture du cœur, et donc la « conversion ». Plutôt que les Pharisiens dont parle Lc 7 30, le Rédacteur matthéen vise les grands prêtres et les anciens du peuple mentionnés en Mt 21 23.

Note § **281.** *PARABOLE DES VIGNERONS HOMICIDES*

La parabole des vignerons homicides est donnée par les trois Synoptiques, en même contexte. Elle se lit également dans l'évangile de Thomas (Thomas 65, cf. vol. I, p. 245), comme un logion isolé et de forme plus simple.

ÉVOLUTION DE LA PARABOLE

1. Le texte de la parabole donné par Thomas 65 est nettement plus court que celui des Synoptiques; il ne contient, ni la citation de Is 5 2 au début (cf. Mc 12 1 et par.), ni la finale de Mc 12 9-12 et par. (vengeance du maître de la vigne contre les vignerons, citation de Ps 118, réaction des chefs du peuple contre Jésus). Or, plusieurs indices permettent de penser que le texte de Thomas 65 reflète un état plus primitif de la parabole (J. Jeremias).

a) Dans les Synoptiques, les citations de Is 5 2 et du Ps 118 22 s. sont faites d'après la Septante, ce qui trahit une couche rédactionnelle relativement récente.

b) L'enseignement en paraboles (Mc 12 1 et par.) est réservé d'ordinaire aux foules anonymes, alors qu'ici il s'adresserait aux grands prêtres et aux scribes (Mt/Mc); la finale de Mc 12 12 et par., indiquant la réaction des grands prêtres à cet enseignement de Jésus, devient donc très suspecte.

c) Enfin, tandis que Thomas 65 nous donne une parabole légèrement allégorisante (cf. *infra*), les Synoptiques développent une allégorie beaucoup plus systématique; le changement de la parabole en allégorie est plus vraisemblable qu'un éventuel changement d'une allégorie en simple parabole. Pour étudier l'évolution de la parabole, nous devons donc partir du texte de Thomas, puis voir la différence entre le texte des Synoptiques et celui de Thomas.

2. La parabole primitive contenait les éléments suivants (cf. Thomas 65) : un homme avait une vigne qu'il loue à des vignerons ; au temps des vendanges, il envoie un serviteur aux vignerons afin de percevoir les fruits de la vigne, mais les vignerons battent ce serviteur et le renvoient les mains vides; un second, puis un troisième (?) serviteurs envoyés par le maître subissent le même sort; le maître envoie finalement son fils, pensant que les vignerons n'oseront pas le maltraiter;

or, au contraire, ceux-ci décident de le tuer pour obtenir l'héritage; la parabole se terminait par ces mots : « Et, l'ayant saisi, ils le tuèrent et le jetèrent hors de la vigne. » – Jésus raconte une parabole, i.e. un épisode de la vie journalière (parfaitement vraisemblable, étant donné le droit en vigueur à l'époque sur les questions d'héritage), dont il laisse aux auditeurs le soin de tirer la conclusion. Cette parabole contient un climax : les serviteurs sont battus, blessés, et finalement le fils est tué; comme la mention de la mise à mort du fils termine la parabole, il faut comprendre que c'est là son enseignement fondamental. Jésus s'identifie au « fils » envoyé en dernier, se distinguant nettement des simples « serviteurs »; par cette parabole, il veut annoncer d'une façon voilée sa mort qu'il sent prochaine. Tel est le sens de la parabole de Jésus; mais on notera qu'il était facile de passer de la parabole à une allégorie à peine esquissée. Pour un Juif, le thème de la vigne devait évoquer le peuple élu par Dieu (cf. Os 10 1; Jr 2 21; 5 10; 6 9; 12 10; Ez 15 1-8; 17 3-10; 19 10-14; et surtout Is 5 1-7), ce qui invitait à voir, dans les « serviteurs » envoyés successivement, des « prophètes ». Il est vraisemblable que Jésus a senti lui-même la portée allégorique de la parabole, étant donné le climax « serviteurs »/« fils »; c'est dans ce sens que la tradition évangélique va la développer.

3. A un stade ultérieur, la parabole primitive fut notablement remaniée.

a) On y ajouta, dès le début, une citation de Is 5 2 qui transformait la parabole en allégorie : la vigne symbolisait le peuple d'Israël (cf. Is 5 7), le maître de la vigne était Dieu, les serviteurs envoyés successivement figuraient les prophètes, le « fils » envoyé en dernier était Jésus. Mais le choix de Is 5 2 avait une signification plus profonde encore. Dans Isaïe, en effet, la « vigne » n'a pas répondu à l'espérance de Dieu (Is 5 2c); malgré tous les soins dont elle fut entourée, elle n'a produit que du verjus ! Dieu va donc l'abandonner (vv. 5-6). La suite du texte d'Isaïe développe ce thème (vv. 8-24) et se termine par une description de l'invasion assyrienne, au cours de laquelle seront exterminés les chefs du peuple (v. 25). C'est en fonction de cette perspective isaïenne que la parabole primitive va être complétée. On y ajoute Mc 12 9 et par.; l'interrogation : « que fera le maître de la vigne? », reprend les expressions de Is 5 5 : « Je vais vous expliquer ce que je ferai à ma vigne... » Puis vient le thème des vignerons mis à mort (Mc **12** 9 ; cf. Is **5** 25) et de la vigne donnée à d'autres, ce qui évoquait, soit le rejet des mauvais chefs et la remise du peuple d'Israël à d'autres chefs meilleurs, soit le rejet d'Israël et l'appel des païens au salut. – La parabole primitive annonçait de façon voilée la mort de Jésus ; on en complète le texte en ajoutant une citation de Ps **118** 22 s., afin d'évoquer le triomphe de Jésus après sa mort : il deviendra finalement la « pierre de faîte » de la construction nouvelle (le nouveau peuple de Dieu). – Enfin, puisque, sous sa forme nouvelle, la parabole/allégorie est dirigée contre les chefs du peuple, on ajoute comme conclusion les réactions des grands prêtres en Mc **12** 12 et par.

b) Peut-on préciser à quel niveau rédactionnel se sont faits ces remaniements de la parabole primitive ? Probablement au niveau du Mc-intermédiaire. C'est lui qui, dans le récit de l'expulsion des vendeurs du Temple, a ajouté la citation de Is **56** 7 et surtout celle de Jr **7** 11 qui évoquait la destruction du Temple et le rejet du peuple de Dieu (voir note §️ 275) ; c'est lui qui a inséré, après le récit de l'expulsion des vendeurs, l'épisode du figuier desséché, lequel, venant après la citation de Jr **7** 11, évoquait le peuple de Dieu « maudit » parce qu'il n'avait pas produit de fruit ; c'est lui qui a organisé l'ordre actuel des Synoptiques aux §️§️ 275-279, mettant en évidence le groupe des grands prêtres et des scribes (cf. note §️ 276). Les additions faites ici à la parabole primitive et l'orientation allégorique qui lui est donnée ont même tonalité que les remaniements faits par le Mc-intermédiaire dans les sections précédentes. Où le Mc-intermédiaire a-t-il trouvé la parabole primitive ? Il est difficile de répondre. On peut penser à un recueil de paraboles ; on peut penser aussi à l'un de ses Documents de base (A ou B), dans lequel la parabole aurait eu une place différente ; ce dernier point a d'ailleurs relativement peu d'importance.

4. L'ultime Rédacteur marcien apporta quelques retouches au texte du Mc-intermédiaire. Au v. 5, particulièrement, en faisant déjà mettre à mort le troisième serviteur, il affaiblit le climax du texte primitif dans lequel la mise à mort ne survenait que dans le cas du « fils ».

5. Les accords Mt/Lc contre Mc sont très rares et peu significatifs ; ils peuvent d'ailleurs s'expliquer par les retouches littéraires de l'ultime Rédacteur marcien. Selon toute vraisemblance, Mt et Lc dépendent donc du texte du Mc-intermédiaire (au niveau des ultimes rédactions matthéenne et lucanienne).

a) L'ultime Rédacteur matthéen accentue la tendance allégorisante déjà donnée par le Mc-intermédiaire. Au lieu de trois serviteurs envoyés successivement, Mt donne deux groupes de plusieurs serviteurs (vv. 34.36), ce qui lui permet de bloquer en une phrase, dès le premier groupe (v. 35), le sort que leur font subir les vignerons : ils « battirent l'un, tuèrent l'autre, en lapidèrent un autre » ; l'allusion aux prophètes maltraités par le peuple de Dieu est alors évidente (cf. Mt **23** 37a et Lc **13** 34a : §️ 289). Au v. 43, il explicite le sens du v. 41 : rejet d'Israël au profit des nations païennes. Il est probable enfin qu'il interprète le châtiment d'Israël au sens d'une « parousie » de Dieu (cf. le texte connu d'Épiphane en Mt **13** 33 ss., note §️ 136) ; après avoir signalé avec Mc/Lc que le maître de la vigne est parti pour l'étranger (v. 33, fin), il ajoute aussitôt : « quand approcha le temps des fruits », expression qui pouvait évoquer l'avènement du Royaume (Mt **3** 2 ; **4** 17 ; **10** 7), et plus précisément le temps eschatologique (Mt **24** 32 s.) ; enfin, plus clairement que Mc/Lc, il introduit l'intervention du maître de la vigne châtiant les vignerons par ces mots : « Lors donc que (re)viendra le maître de la vigne... »

b) Le récit de Lc dépend lui aussi de celui du Mc-intermédiaire, auquel il n'apporte que des retouches stylistiques. On notera cependant l'addition par Lc du v. 18, qui explicite le sens de la citation de Ps **118** 22 s.

Note §️ **282**. *PARABOLE DES INVITÉS QUI SE DÉROBENT. LA ROBE NUPTIALE*

Mt **22** 1-14 et Lc **14** 15-24 nous donnent chacun une parabole concernant un festin et l'attitude des gens qui y sont invités. Les deux textes offrent entre eux un certain nombre de contacts, mais aussi des divergences importantes. Comment concevoir les rapports littéraires entre les deux textes ? Sur ce point, les opinions divergent considérablement. Pour les uns, Mt et Lc nous donneraient deux paraboles (ou une allégorie et une parabole) complètement indépendantes l'une de l'autre, hypothèse de moins en moins soutenue maintenant. Selon d'autres, il faudrait reconnaître un « noyau commun » à Mt et à Lc, sans que l'on puisse parler de source écrite. Selon d'autres encore, Mt et Lc auraient utilisé la même source, mais en la modifiant profondément, surtout Mt. Le problème de Mt est d'ailleurs plus complexe que celui de Lc, et beaucoup d'auteurs seraient disposés à voir dans Mt la combinaison de

deux ou même trois paraboles différentes. Voyons ce que va donner une analyse littéraire assez serrée des textes.

I. LES AFFINITÉS LITTÉRAIRES

1. Il semble impossible de mettre en doute l'existence au moins d'un noyau commun aux deux paraboles de Mt et de Lc. Dans l'une et l'autre, il s'agit de quelqu'un qui organise un repas et qui envoie son ou ses serviteurs pour dire aux invités de venir (vv. 2-4 de Mt et 16-17 de Lc). Mais les invités se dérobent tous, pour des motifs divers (v. 5 de Mt et 18-20 de Lc). L'organisateur du festin envoie alors son ou ses serviteurs chercher tous ceux qu'ils trouveront sur les che-

mins, pour prendre la place de ceux qui avaient été invités (vv. 8-10 de Mt et 23 de Lc). Malgré les divergences assez considérables des deux récits, dont il faudra rendre compte plus loin, le « noyau », ou la trame, des deux paraboles est semblable.

2. S'agit-il seulement d'une « tradition » commune, reprise par Mt et par Lc, ou les deux évangélistes travaillent-ils à partir d'un texte *écrit* commun? Pour répondre à cette question, il faut analyser de plus près les contacts littéraires entre eux.

a) L'invitation. Aux vv. 2 de Mt et 16 de Lc, on a les deux phrases parallèles : « ... un homme ... fit des noces », et « un homme faisait un ... dîner »; sans insister sur la différence entre l'aoriste de Mt (« fit ») et l'imparfait de Lc (« faisait »), on notera que les mots « noces » (*gamos*) et « dîner » (*deipnon*) pourraient être deux traductions différentes d'un même mot araméen *mish*e*t*e*ia*; comme son correspondant hébreu *mish*e*tèh*, qui dérive du verbe *shatah* (« boire »), il signifie un repas solennel où l'on boit avec abondance, soit un repas de noces, soit un repas rassemblant des invités nombreux; la Septante traduit l'hébreu, tantôt par *gamos* (« noces » : Gn **29** 22; Est **2** 18; **9** 22), tantôt par *dochè* (« banquet » : Gn **21** 8; **26** 30; Est **1** 3). Le même substrat araméen pouvait donc se traduire, soit par « noces », soit par « grand dîner ». – L'envoi des serviteurs est dédoublé dans Mt (vv. 3 et 4), unique dans Lc (v. 17). Mais une grande partie des éléments du récit de Lc se retrouve dans l'une et l'autre « mission » des serviteurs de Mt **22** 3-4 : la phrase de Lc **14** 17a : « et il envoya son serviteur », se retrouve en Mt **22** 3a : « et il envoya ses serviteurs » (on rendra compte plus loin du changement par Mt du singulier en pluriel); cette phrase est précédée chez Lc par le verbe « inviter » (*ekalesen*, v. 16b), et suivie chez Mt par le même verbe (*kalesai*, traduit dans la Synopse par « appeler »). Par ailleurs, le v. 4 de Mt reprend : « il envoya... des serviteurs », et la suite : « Dites aux invités... tout (est) prêt, venez » (*eipate tois keklèmenois... panta hetoima, deute...*), rejoint le texte de Lc **14** 17b : « dire aux invités : venez... c'est prêt » (*eipein tois keklèmenois erchesthe... hetoima*). Malgré le dédoublement effectué par Mt (cf. *infra*), il est difficile de ne pas voir le même texte, plus ou moins remanié, derrière Mt et Lc.

b) Le refus des invités. Il est exprimé aux vv. 5 de Mt et 18-20 de Lc. C'est ici que les divergences entre les deux évangélistes sont les plus grandes, Mt étant beaucoup plus bref que Lc et n'ayant en commun avec lui que le substantif « champ » (*agros*). Si l'on n'avait que cette section pour juger il faudrait conclure évidemment à l'indépendance foncière des deux paraboles.

c) L'invitation aux inconnus. On la trouve aux vv. 8-10 de Mt et 21-23 de Lc. A l'inverse de ce que l'on a vu plus haut (*a*), c'est ici Lc qui a deux envois successifs du serviteur (vv. 21b et 23), tandis que Mt n'en a qu'un. Relevons les contacts littéraires. Lc **14** 21b note que le maître de maison était « en colère » (*orgistheis*), détail qui se lit également en Mt **22** 7 (*ôrgisthè*), dans une section propre à Mt (la destruction de la ville), mais que Mt reprend sans doute du schéma qu'il suit en commun avec Lc (cf. *infra*). Malgré le dédoublement

de Lc, l'idée générale est la même : l'organisateur du festin dit à son (ou ses) serviteur(s) d'aller chercher tous ceux qu'il trouvera, pour les faire participer au festin. Du point de vue littéraire, les expressions sont assez différentes; on rapprochera cependant les vv. 9a de Mt : « allez donc aux départs des chemins », et 23 de Lc : « sors par les chemins »; la phrase de Lc trouve même un meilleur écho dans le v. 10a de Mt : « (et ces serviteurs) étant sortis par les chemins... » (*exelthe eis tas hodous/exelthontes eis tas hodous*). Finalement, bien qu'avec un verbe différent, Mt et Lc notent que la salle de noces ou la maison est *pleine* (de convives).

Les contacts littéraires sont surtout nombreux dans la première invitation (*a*), moindres dans la dernière (*c*), presque nuls dans le refus des invités (*b*). L'ensemble donne cependant l'impression qu'il est impossible d'expliquer ces contacts littéraires autrement que par la dépendance de Mt et de Lc par rapport à une source commune, à un texte déjà fixé par écrit. Cette conclusion va être confirmée par l'analyse des particularités de Mt et de Lc, où l'on verra de nombreux indices prouvant l'activité rédactionnelle de l'un et l'autre évangéliste.

II. L'ACTIVITÉ RÉDACTIONNELLE DE MT

Dans Mt, la parabole offre un certain nombre d'incohérences qui ont été relevées par les commentateurs. Au v. 2, que vient faire la mention du « fils », dont il ne sera plus jamais question ensuite? Quand placer l'intervention vengeresse décrite au v. 7 et qui dut demander un certain temps, puisque le banquet de noces est déjà prêt (vv. 4c et 8)? Aux vv. 11-13, comment le roi pouvait-il exiger un « vêtement de noces » de gens ramassés au long des chemins? Quel lien peut avoir le v. 14 avec l'ensemble de la parabole, puisque *tous ceux* qui ont été invités aux noces se récusent? Ces anomalies ont conduit divers auteurs à penser que Mt groupait ici les éléments de deux ou même trois paraboles différentes. Voyons si cette hypothèse s'impose, ou si ces heurts ne pourraient pas tous s'expliquer par l'activité rédactionnelle de Mt.

a) Le v. 1 est évidemment rédactionnel; le « de nouveau » s'explique parce que Mt place cette parabole à la suite de la parabole des vignerons homicides. Le v. 2 porte également la marque du style propre à Mt : le verbe « est semblable » (*homoioun*: 8/1/3/0/1) est fréquent chez Mt pour introduire une parabole; l'expression « royaume des cieux » est habituelle chez lui; quant au couple « homme roi », on le retrouve en **18** 23, dans une parabole propre à Mt, et on le comparera aux expressions similaires : « homme ennemi » (**13** 28), « homme maître de maison » (**13** 52), textes se lisant également dans des paraboles propres à Mt. Ajoutons que Mt **22** 2a est pratiquement identique à Mt **18** 23a, introduction de la parabole du débiteur impitoyable (propre à Mt), et proche de Mt **13** 24 ou encore **25** 1. On peut donc conclure que Mt a retravaillé sa source afin d'y introduire sa façon particulière de commencer une parabole. – Mt a en plus de Lc les trois thèmes du « roi », des « noces » et du « fils ». Le thème du

« roi » semble préparer l'insertion des vv. 6-7 (cf. *infra*); les thèmes des « noces » et du « fils », qui ont probablement une portée messianique (cf. Is **25** 6; Mt **26** 29; Ap **19** 7.9), préparent l'addition matthéenne des vv. 11-13; ici encore, on se trouve vraisemblablement en présence de remaniements matthéens de la parabole primitive.

b) Les vv. 3-5 racontent la double mission des serviteurs, et le double refus des invités. On a vu que dans Lc **14** 17-20 il n'y avait qu'une seule mission d'un seul serviteur, mais qu'en revanche le refus des invités était plus développé. Ici encore, les principales divergences d'avec Lc semblent dues à l'activité rédactionnelle de Mt. Aux vv. 3 et 4, la pluralité des serviteurs et leur double mission rappellent le thème de la parabole des vignerons homicides (§ 281), où Mt a changé le singulier de Mc/Lc en pluriel; d'ailleurs, les formules des vv. 3 et 4 de Mt : « et il envoya ses serviteurs... De nouveau il envoya d'autres serviteurs », répondent exactement à celles de Mt **21** 34.36. Ces remaniements littéraires ont probablement pour but, comme dans la parabole des vignerons homicides, de suggérer que ces nombreux serviteurs, envoyés successivement, symbolisent les prophètes envoyés par Dieu à son peuple. Mt prépare ainsi l'addition des vv. 6-7, dont la signification historique ne fait guère de doute (cf. *infra* et § 289). On notera en passant l'impératif « dites (aux invités) » (*eipate*: 10/4/6/1/2; six fois dans des passages propres à Mt), et le « venez » qui termine le v. 4 (*deute*: 6/3/0/2/0), expressions bien matthéennes. De même, le v. 5 semble un résumé fait par Mt du thème plus ample attesté par Lc, car le style est matthéen. L'expression : « n'(en) ayant cure, s'en allèrent » (*amelèsantes apèlthon*), rappelle celle de Mt **21** 29, dans une parabole propre à Mt : « pris de remords, il s'en alla » (*metamelètheis apèlthen*); quant à l'expression « s'en aller à » (*aperchesthai eis*), elle convient bien au style de Mt (12/8/4/6/0).

On hésite davantage devant le petit discours que les serviteurs tiennent aux invités, au v. 4 : « Voici, j'ai apprêté mon banquet, mes taureaux et les bêtes grasses (ont été) égorgés. » L'ensemble pourrait s'inspirer de Pr **9** 2-3, surtout d'après la Septante, où la Sagesse dit : « elle a immolé ses (bêtes) à égorger (*thumata*), elle a mélangé son vin dans la coupe et préparé sa table; elle a envoyé ses serviteurs... » Il faut reconnaître cependant que, même en tenant compte d'une influence possible de ce texte, le langage n'est pas matthéen, mais se rapprocherait davantage de celui de Lc ! Le « voici » (*idou*) est aussi bien lucanien que matthéen. Le verbe « préparer » (*etoimazein*) se lit sept fois en Mt : une fois en citation (**3** 3), deux fois repris du Document A (**26** 17.19) et trois fois au passif, pour indiquer la destinée eschatologique « préparée » par Dieu (**20** 23; **25** 34.41); **22** 4 est donc le seul passage propre à Mt où le verbe soit employé à l'actif; en revanche, on le trouve neuf fois, toujours à l'actif, dans des passages propres à Lc ! Le substantif « banquet » (*ariston*) ne se lit ailleurs dans tout le NT qu'en Lc **11** 38 et **14** 12 (et cf. le verbe *aristaô*, seulement en Lc **11** 37 et dans la finale de Jn **21** 12.15). Le mot « taureau » ne se lit qu'ici et en Ac **14** 13; « bêtes grasses » (*sitiston*) est un hapax du NT, mais on le rapprochera du synonyme *siteuton* de Lc **15** 23.27.30. Enfin, le verbe « égorger » (*thuein*) ne se lit pas ailleurs dans Mt tandis

qu'il est relativement fréquent dans Lc/Ac (1/1/4/1/4). Pour ces deux derniers mots, on comparera Mt à Lc **15** 23 : « apportez le veau gras, égorgez-le » (cf. vv. 27.30). Le vocabulaire du petit discours adressé par les serviteurs aux invités n'est pas matthéen; nous ne serions donc pas devant une addition de Mt à la source qu'il suit. Est-ce Lc qui l'aurait supprimé? On reviendra sur ce problème un peu plus loin.

c) Presque tous les auteurs admettent que les vv. 6-7 sont une addition matthéenne à la parabole primitive. Ils sont insérés maladroitement entre deux mentions du repas qui est prêt (vv. 4 et 8), la seconde mention étant une suture rédactionnelle pour renouer le fil du récit. On notera que, dans la parabole des vignerons homicides, Mt a ajouté le détail que les serviteurs envoyés par le maître ont été tués par les vignerons (Mt **21** 35). Ici, l'addition du v. 6 fait allusion aux prophètes envoyés par Dieu et mis à mort par Israël (cf. § 289), tandis que le v. 7 évoque la ruine de Jérusalem réalisée en 70 par les Romains.

d) Les vv. 8-10 contiennent eux aussi de nombreuses notes matthéennes. Le v. 8b est du rédacteur matthéen; « la noce est prête » reprend le thème du v. 4; « les invités n'étaient pas dignes » est de style matthéen (sur l'adjectif « digne », *axios*, employé absolument, cf. Mt **10** 11.13). Au v. 9, le « appelez aux noces » reprend les termes du v. 3. Au v. 10, le verbe « rassembler » est matthéen (*synagein*: 24/5/6/7/11); de même, le couple « mauvais et bons », qui se retrouve en Mt **5** 45 (cf. Mt **7** 17-18; **12** 34-35), est certainement une addition matthéenne destinée à préparer les vv. 11-13; on notera cependant que ces deux mots sont unis par l'expression *te kai*, typique du style de Lc/Ac (les deux conjonctions juxtaposées : 1/0/4/0/26 !); cette indéniable caractéristique lucanienne, jointe aux notes lucaniennes que l'on a reconnues au petit discours des serviteurs (v. 4), invite à poser le problème des rapports de l'ultime Rédacteur matthéen avec Lc.

Ici, Mt n'a qu'une mission des serviteurs, tandis que Lc en a deux; qu'en était-il dans la source commune à Mt/Lc? Sur ce problème, voir les développements à Lc **14** 21-23.

e) Les vv. 11-13 n'ont pas de parallèle dans Lc. Il est étrange, par ailleurs, que des gens rassemblés en hâte « par les chemins » puissent être revêtus de la « robe nuptiale » ! Et le roi en trouve un seul qui ne l'est pas, alors que le v. 10 semble indiquer qu'il y avait un certain nombre de « mauvais ». Tout le monde est donc à peu près d'accord pour admettre que nous sommes devant une addition matthéenne. Mais est-ce une création libre de Mt, ou reprend-il la finale d'une autre parabole? Les avis sont partagés sur ce point. On notera les nombreuses caractéristiques matthéennes de ces versets. Au v. 11, le mot « vêtement » est matthéen (*enduma*: 7/0/1/0/0). Au v. 12, le mot « ami » est également matthéen *hetaire*: 3/0/0/0/0). Surtout, la finale : « jetez-le dans les ténèbres extérieures; là sera le pleur et le grincement des dents », est typique des paraboles propres à Mt (cf. pour l'expression entière : Mt **8** 12; **25** 30; pour la seconde partie : Mt **13** 42.50; **24** 51). Le mieux est donc de penser que Mt a voulu terminer la parabole des invités discourtois en y ajoutant une finale conforme à beaucoup de ses autres paraboles, de même qu'il avait voulu la commencer, à l'analogie de ses autres paraboles (cf. *b*). Le « vêtement de noces » symbolise la pureté d'une vie conforme à la volonté de Dieu (cf. Ap **19** 7-9 !) ; ceux qui n'auront pas vécu dignement ne pourront participer aux noces du Christ et de son Église, et seront donc rejetés dans les « ténèbres extérieures ».

Le v. 14 semble un logion indépendant. Il ne convient pas à la parabole elle-même, puisque *aucun* des « appelés » ne viendra au festin de noces ; il ne convient pas non plus à l'addition des vv. 11-13, où, sur le nombre des appelés, un seul est rejeté dehors ! Retiré de son contexte primitif, il est impossible de saisir la portée exacte de ce logion.

En conclusion de ces analyses sur le texte de Mt, on voit qu'un grand nombre des divergences entre Mt et Lc doivent s'expliquer par l'intervention rédactionnelle de Mt, qui apparaît très importante tout au long de la parabole.

III. L'ACTIVITÉ RÉDACTIONNELLE DE LUC

Elle est beaucoup moins importante que celle de Mt. A part quelques retouches de style, inévitables chez Lc, on peut noter les points suivants :

a) L'introduction de la parabole (v. 15) ne contient aucune note décisivement lucanienne, même si le vocabulaire, en général, s'harmonise assez bien avec celui de Lc. Il semble cependant qu'elle doive être attribuée à la plume de Lc. Cette introduction fait évidemment le lien avec la parabole précédente ; or on a vu, dans les notes précédentes, que la juxtaposition des §§ 223-226 était le fait de Lc lui-même, et non du Document Q. Le verset de liaison entre les deux dernières paraboles (v. 15) devrait donc être aussi de Lc.

b) Au v. 17, Lc précise que le serviteur est envoyé « à l'heure du dîner » ; il distingue donc l'invitation, faite longtemps à l'avance (v. 16), de l'appel aux noces, lorsque tout est prêt. Une telle distinction évoque la proximité de l'événement eschatologique, celle-ci étant encore soulignée par l'adverbe « maintenant » (fin du v. 17) et l'adverbe « vite » (v. 21). Comme la perspective de Lc lui-même, au v. 15, semble plutôt celle d'une eschatologie différée, on pourra penser que les trois détails que l'on vient de souligner appartenaient à la source Mt/Lc, bien qu'ils aient été omis par Mt (cf. Mt **3** 10 // Lc **3** 9, pour le « maintenant » eschatologique ; Mt **12** 18 // Lc **11** 20, sur l'imminence de l'arrivée du royaume).

c) Aux vv. 18-20, Lc décrit les excuses de ceux qui ne veulent pas répondre à l'invitation de l'homme faisant un grand dîner. On a vu que Mt était beaucoup plus bref (v. 5). Contrairement à l'opinion d'assez nombreux auteurs, il faut admettre, semble-t-il, que Lc tient de sa source les deux premières excuses (vv. 18-19) et qu'il ajoute la troisième. On est frappé en effet par le parallélisme exact des vv. 18 et 19, tandis que le v. 20 a une tout autre facture. D'autre part, les vv. 18 et 19 parlent de négoce, ce qui répond au résumé de Mt **22** 5, tandis que le v. 20 introduit le thème du « mariage » : le fait de se marier serait un inconvénient pour répondre à l'appel de Dieu ; nous avons là un thème propre à Lc dans les évangiles (cf. Lc **20** 34-36 et la note § 284 ; l'addition du mot « femme » dans les

logia où il est question de la nécessité de tout abandonner pour suivre Jésus : Lc **14** 26, § 227, et Lc **18** 29, § 251). Le v. 20 est donc une *addition* de Lc, ce qui laisse supposer que les vv. 18-19 sont de sa source.

d) Lc a deux envois successifs aux seconds invités (vv. 21-23), tandis que Mt n'en a qu'un (vv. 9-10) ; est-ce Lc qui a dédoublé ou Mt qui a simplifié ? Ici encore, les avis sont partagés et il est difficile de répondre. Notons d'abord que le v. 21a est presque certainement de la main de Lc, étant donné son vocabulaire : « étant rentré » (*paraginomai* : 3/1/8/1/20) ; « rapporter » (*apaggellein* : 8/3/11/1/16) ; l'emploi de « maître » au lieu de « maître de maison » (*oikodespotès*, quelques mots plus loin). Lc a jugé que le récit serait plus clair s'il mentionnait le retour du serviteur. Quant aux deux envois du serviteur dans Lc, il faut remarquer que c'est le second (v. 23) qui correspond à celui de Mt ; dans les deux cas, il s'agit d'aller « par les chemins » (cf. le début du v. 10 de Mt) pour chercher tous ceux que l'on trouvera, sans précision. Mais alors le premier envoi, dans Lc, devient suspect ! Il s'agit de faire venir spécialement les indigents (v. 21b), thème cher à Lc, et selon une énumération que l'on avait déjà en Lc **14** 13. On notera également l'expression : « sors par les places », qui a son équivalent en Lc **10** 10 (opposer le parallèle matthéen). Il semble donc que l'on puisse admettre ici, avec la grande majorité des commentateurs, que c'est Lc qui a dédoublé le thème de l'envoi du serviteur. On notera cependant que, le thème de la « colère » du maître de maison de Lc **14** 21b ayant son équivalent en Mt **22** 7, il faut garder comme primitive la première formule : « Alors, en colère, le maître de maison dit à son serviteur... » (v. 21b), tandis que la seconde : « Et le maître dit à son serviteur... » (v. 23a) appartient à l'addition lucanienne (cf. d'ailleurs la formule *eipen pros*, typique du style de Lc, tandis qu'au v. 21b on a le datif).

Le v. 24, avec sa formulation à la deuxième personne du pluriel qui répond à la situation évoquée par le v. 15 (lucanien) et le v. 17 (également lucanien), semble être une conclusion due à la plume de Lc.

IV. CONCLUSIONS

1. Au niveau du Document Q, dont Mt et Lc dépendent, la parabole devait avoir à peu près la teneur des matériaux communs à Mt et à Lc, sans qu'il soit possible d'en préciser l'expression exacte : un homme veut faire un grand dîner et invite beaucoup de gens ; à l'heure du dîner, il envoie son serviteur les prévenir que tout est prêt, mais ils s'excusent tous en prétextant des affaires urgentes ; en colère, l'homme dépêche à nouveau son serviteur pour inviter ceux qu'il trouvera par les chemins, et la salle du festin est finalement remplie, mais de gens qui n'avaient pas été invités ! Quelle était la « pointe » exacte de cette parabole ? Jésus voulait-il simplement mettre en garde contre l'attachement aux richesses, aux biens de ce monde, qui est cause du refus des invités (Lc **14** 18-19 ; Mt **22** 5) ? C'est possible, et c'est effectivement en ce sens que le comprend Thomas 64 : « Les acheteurs et

les marchands n'entreront pas dans la maison de mon Père. » Mais comment rendre compte alors de la différence entre ceux qui avaient été invités, et ceux qui ne furent invités qu'après le refus des premiers ? Il est difficile de ne pas voir ici une « pointe » contre le peuple d'Israël, qui, invité à participer au royaume, se verra, à cause de son refus massif, supplanté par les païens qui eux n'avaient pas été invités.

2. En reprenant la parabole, Lc dédouble l'envoi du serviteur aux gens qui vont supplanter les invités. On a voulu voir là une allusion plus explicite à l'appel des Gentils (deuxième mission), mais rien dans le texte ne le suggère. Il semble plutôt que Lc, comme Thomas 64, voit la « pointe » de la parabole dans le danger des richesses, d'où son addition du v. 21 : ce sont les « pauvres », les malheureux de ce monde, qui entreront dans le royaume.

3. Mt au contraire, dont l'activité littéraire est ici beaucoup plus marquée que celle de Lc, donne résolument à la parabole une « pointe » dirigée contre le peuple de Dieu. Dès le v. 2, le thème du roi, des noces de son fils, évoque le thème messianique des noces du Christ et de son Église. Aux vv. 3 et 4,

en multipliant le nombre des « serviteurs » envoyés par le roi (Dieu), Mt évoque les nombreux prophètes envoyés par Dieu à son peuple, et dont certains seront même mis à mort (v. 6, cf. § 289). Pour châtier son peuple infidèle et rétif, Dieu va finalement détruire sa ville (v. 7), allusion à la destruction de Jérusalem en 70 par les Romains. Il devient alors évident que les « invités » qui refusent de venir symbolisent les Juifs, tandis que ceux qui sont appelés en dernier (vv. 9-10) symbolisent les païens. Mais Mt ne perd pas de vue l'aspect moral de la parabole ; s'il passe rapidement sur le danger de l'attachement aux biens terrestres (v. 5), il ajoute le thème du « vêtement de noces », symbole de la pureté de cœur nécessaire à ceux qui veulent participer aux noces du Christ et de son Église, et il termine la parabole sur une menace : le châtiment eschatologique des « mauvais », rejetés dans les ténèbres extérieures (v. 13).

4. Il est possible que Lc (proto-Lc) dépende directement du Document Q ; dans ces conditions, il serait vain de vouloir préciser si les remaniements matthéens sont du Mt-intermédiaire ou de l'ultime Rédacteur matthéen, si les remaniements lucaniens sont du proto-Lc ou de l'ultime Rédacteur lucanien.

Note § **283.** *L'IMPOT DU A CÉSAR*

I. SENS DE L'ÉPISODE

Offensés par la parabole des vignerons homicides (§ 281), et n'osant pas s'attaquer à Jésus à cause de la foule (Mc **12** 12 et par.), les chefs du peuple (grands prêtres et scribes d'après Mc **11** 27, Pharisiens d'après Mt **22** 15a) vont essayer de le compromettre aux yeux des autorités romaines (cf. Lc **20** 20, plus explicite) en lui faisant poser une question insidieuse : « Est-il permis ou non de payer l'impôt à César ? », i.e. à l'empereur romain. Les gens chargés de cette mission commencent hypocritement par rendre hommage à la véracité et à l'impartialité de Jésus, mais leur intention de le prendre en défaut est percée à jour. Taxés d'hypocrisie (Mt/Mc), ils sont invités à présenter le denier de l'impôt et, puisque cette monnaie porte l'effigie et l'inscription de César, à rendre à César et à Dieu ce qui leur appartient respectivement. Les adversaires de Jésus sont étonnés ; en effet, en élevant le débat au niveau des principes, Jésus ne se compromet, ni vis-à-vis du peuple en paraissant renoncer à l'indépendance nationale, ni vis-à-vis de la puissance occupante en paraissant cautionner une volonté de révolte (cf. Lc **23** 2, § 347). Au lieu d'opposer, comme Judas le Galiléen, l'obéissance à César et celle à Dieu, seul chef et maître (Josèphe), il les unit tout en distinguant les domaines.

II. PROBLÈMES LITTÉRAIRES

L'évolution littéraire de cet épisode est assez difficile à préciser.

1. *Remarques générales*. Voici d'abord quelques remarques générales qui permettront ensuite de proposer une hypothèse assez vraisemblable.

a) Cet épisode est cité par Thomas 100 et Justin (cf. vol. I, p. 249). Or ni l'un ni l'autre ne le présentent comme une controverse. Des gens dont l'identité n'est pas précisée viennent demander une « consultation » à Jésus, rabbi célèbre, sur un problème qui devait agiter bien des consciences : payer le tribut à César, n'est-ce pas reconnaître la légitimité de l'occupation romaine ? La façon dont Justin et Thomas 100, qui sont certainement indépendants l'un de l'autre, présentent cet épisode nous invite à mettre en doute l'aspect de « controverse » que revêt le récit sous sa forme synoptique actuelle. Le v. 13 de Mc (et par.), ainsi que les deux remarques faites au v. 15 (et par.) : « Mais lui sachant leur hypocrisie », et « Pourquoi me mettez-vous à l'épreuve ? », seraient des additions faites au récit primitif. – Peut-on préciser à quel niveau rédactionnel se sont faits ces ajouts ? On a dit plus haut que cette attaque sournoise des adversaires de Jésus était une conséquence de la parabole racontée par Jésus au § 281, dirigée contre les chefs du peuple (cf. Mc **12** 12 et par.) ; mais c'est le Mc-intermédiaire qui a inséré là cette parabole, en lui donnant d'ailleurs une note polémique beaucoup plus accentuée (cf. note § 281) ; on peut donc penser que c'est le Mc-intermédiaire qui a donné à l'épisode de l'impôt dû à César son caractère de « controverse ».

b) Les gens envoyés pour perdre Jésus commencent ainsi leur discours : « Maître, nous savons que tu es véridique... la voie de Dieu en vérité » (Mc **12** 14 et par.). Cette façon de parler est inhabituelle dans la tradition synoptique : l'adjectif « véridique » (*alèthès*), si fréquent chez Jn, ne se lit jamais ailleurs dans les Synoptiques pas plus que la formule « regarder au rang des personnes » (= « faire acception des personnes »), ou l'expression « la voie de Dieu » pour indiquer la vraie religion. Or, ces mots qui commencent le discours des adversaires de Jésus sont ignorés de Thomas 100 et de Justin; on peut donc les tenir pour un ajout. Comme la formulation de ce thème semble plus archaïque dans Mc, avec sa construction en chiasme, on peut penser que c'est le Mc-intermédiaire qui est responsable de cet ajout, qu'il reprend sans doute d'un texte dont il est impossible de préciser l'origine (Document C?).

c) Le texte de Lc offre plusieurs contacts avec Justin contre Mt/Mc : au v. 22, le mot « tribut » (*phoros*), confirmé par Rm **13** 7, au lieu du mot « impôt » (*kensos*), simple transcription du latin *census*, que l'on attribuera facilement au Mc-intermédiaire; au v. 24, « De qui a-t-il effigie » (*tinos echei eikona*), au lieu de : « De qui (est) cette effigie » (*tinos hè eikôn autè*). Par ailleurs, au v. 23, Lc ignore la réflexion de Jésus : « Pourquoi me mettez-vous à l'épreuve ? », addition, on l'a noté plus haut, du Mc-intermédiaire. Enfin, le v. 13 de Mc, autre addition du Mc-intermédiaire, est rendu de façon très libre par Lc **20** 20, ce qui arrive souvent lorsque l'ultime Rédacteur lucanien complète le proto-Lc en fonction du Mc-intermédiaire. On est donc amené à admettre l'existence d'une forme de récit attestée par le proto-Lc, indépendante du Mc-intermédiaire, mais qui aurait été plus ou moins harmonisée avec le Mc-intermédiaire par l'ultime Rédacteur lucanien. – Ce récit du proto-Lc dépendait-il directement du Document B, ou du Document A par le biais du Mt-intermédiaire? Cette seconde hypothèse est plus vraisemblable, étant donné les quelques accords Lc/Mt contre Mc qu'il est possible de déceler. Au v. 21, Lc a le participe « en disant », sans complément (cf. Mt), tandis que Mc a : « ils lui disent »; au v. 22, Lc ignore la redondance de Mc : « (Faut-il) que nous donnions ou que nous ne donnions pas ? » (cf. Mt); au v. 24, Lc a : « Montrez-moi... » (cf. Mt) au lieu de : « Apportez-moi... que je (le) voie »; au v. 25 de Lc, le verbe « rendez » est placé avant « ce qui est à César » (cf. Mt), il l'est après chez Mc; au v. 26, Lc a le simple *thaumazein* (« être étonné »), comme Mt, au lieu du composé *ekthaumazein* de Mc. Même assez modestes, ces accords Lc/Mt contre Mc seraient l'indice d'un Mt-intermédiaire dont dépendrait le proto-Lc dépisté plus haut.

2. *Évolution du récit.* Voici dès lors comment on pourrait reconstituer l'évolution de ce récit.

a) Il se lisait dans le Document A, sous une forme voisine de celle qu'atteste Justin (1 Apol. 17 *2*). Des gens s'approchent de Jésus et lui soumettent un « cas » difficile concernant le fait de payer l'impôt exigé par le pouvoir romain; on procédait souvent de même avec des « rabbis » plus ou moins célèbres. Jésus répond par une remarque de bon sens : puisqu'on accepte *de facto* l'occupation romaine en utilisant la monnaie à l'effigie impériale, il faut bien se résoudre à payer les impôts exigés par la puissance occupante. – Du Document A, cet

épisode passa dans le Mt-intermédiaire, puis dans le proto-Lc, sans modifications notables; il est impossible d'en préciser le contexte exact.

b) En reprenant le récit du Document A, le Mc-intermédiaire lui donna sa physionomie actuelle. Il le plaça après la parabole des vignerons homicides (dont il accentua le caractère de polémique en ajoutant spécialement le v. 12) et en fit une riposte des chefs du peuple, grands prêtres et scribes, à la « pointe » que Jésus leur aurait décochée dans sa parabole. Dans ce but, le Mc-intermédiaire ajouta l'introduction du v. 13, la remarque du v. 15 : « sachant leur hypocrisie », ainsi que la question de Jésus, toujours au v. 15 : « Pourquoi me mettez-vous à l'épreuve ? » – On attribuera encore au Mc-intermédiaire l'addition de la phrase qui commence le discours des adversaires de Jésus : « Maître, nous savons que tu es véridique... la voie de Dieu en vérité », dont on a noté plus haut le vocabulaire non synoptique.

c) L'ultime Rédacteur matthéen a, dans une grande mesure, remplacé le texte du Mt-intermédiaire par celui du Mc-intermédiaire, marquant d'ailleurs le récit de son propre style. Il remanie le début (vv. 15-16) de façon à introduire le thème des Pharisiens qui « tiennent conseil » contre Jésus (cf. Mt **12** 14, et § 45 note); on obtient ainsi un meilleur parallélisme entre les controverses du ministère de Jésus à Jérusalem et celles de son ministère en Galilée. Il change le verbe « attraper (au piège) » de Mc (*agreuein*) en « attraper (au filet) » (*pagideuein*), qui pourrait évoquer certains passages des psaumes où il est question de tendre un « filet » (*pagis*) pour attraper le juste persécuté (Ps **9** 16; **35** 7; **57** 6, etc.); Jérémie aussi se plaint que ses ennemis lui tendent un filet pour le perdre (Jr **18** 22). Au v. 15, on notera les très matthéens « alors » (*tote*) et « pour » (*hopôs*: 17/1/7/1/14). Au v. 17, c'est Mt qui ajoute la phrase de transition : « dis-nous donc ce qu'il te semble » (*ti soi ou hymin dokei*: Mt **17** 25; **18** 12; **21** 28; **22** 17.42; **26** 66; jamais dans Mc/Lc). Au v. 18, il remplace « hypocrisie » par « perversité » (*ponèria*, ici seulement dans Mt, mais cf. *ponèros*: 24/2/11/3/8), parce qu'il veut qualifier plus loin les Pharisiens d'hypocrites (*hypokritès*: 14/1/3/0/0). La finale du v. 22 de Mt : « et, l'ayant laissé, ils s'en allèrent », reprend la finale du récit précédent de Mc (§ 281, fin du v. 12 de Mc); on comprend que l'ultime Rédacteur matthéen l'ait changée de place puisqu'il ajoute la parabole du § 282 que Jésus adresse aux mêmes auditeurs !

d) Il faut distinguer dans Lc deux niveaux rédactionnels : le proto-Lc, qui dépendait du Mt-intermédiaire, et l'ultime rédaction lucanienne, qui a harmonisé le proto-Lc avec le Mc-intermédiaire. L'ultime Rédacteur lucanien (v. 20) reprend le v. 13 de Mc d'une façon très libre : « s'étant mis aux aguets » (Lc **6** 7; **14** 1; Ac **9** 24; cf. Mc **3** 2); « jouant hypocritement les justes » (cf. Lc **18** 9); « afin de le surprendre » (*epilambanesthai*, ici et v. 26 : 1/1/5/0/7/4); « au pouvoir et à l'autorité » (cf. Lc **12** 11). Les ajouts de l'ultime Rédacteur lucanien au v. 26 portent également la marque de son style : « devant le peuple » (*enantion*: 0/0/3/0/2/0); *laos*, un des mots favoris de Lc; « ils se turent » (*sigan*: 0/0/3/0/3/4).

Note § **284.** *LA RÉSURRECTION DES MORTS*

Cet épisode, commun aux trois Synoptiques, forme la troisième des cinq controverses contenues dans le ministère de Jésus à Jérusalem.

I. PROBLÈMES LITTÉRAIRES

Comme la plupart des autres récits des Synoptiques, celui-ci a connu une évolution qu'il faut essayer de préciser.

1. Il est certain que le texte de Lc fut largement influencé par celui de Mc (Mc-intermédiaire). Mais ne pourrait-on pas déceler, par-delà le texte actuel de Lc, des traces d'un proto-Lc qui aurait dépendu de la tradition matthéenne (Mt-intermédiaire)?

a) Au v. 27 de Lc, on trouve trois accords avec Mt contre Mc : le verbe « s'approcher » (*proserchesthai*, de saveur matthéenne); le participe *antilegontes* (« disant au contraire ») qui correspond au participe *legontes* de Mt, tandis que Mc a l'indicatif présent (*legousin*); enfin l'aoriste *epèrôtèsan* (« l'interrogèrent »), tandis que Mc a l'imparfait (*epèrôtôn*). Or le v. 18 de Mc, parallèle à Lc 20 27a, offre une caractéristique non marcienne : le verbe « viennent » (présent historique) est suivi d'un verbe à l'imparfait, « ils l'interrogeaient »; partout ailleurs dans Mc, le présent historique « vient/viennent » est suivi d'un verbe qui se trouve également au présent (Mc **2** 18; **5** 15.22; **8** 22; **14** 37.41); la seule exception, en plus de celle-ci, serait Mc **16** 2-3, mais le v. 3 n'appartient pas à la même couche rédactionnelle que le v. 2 (voir note § 359). Ce v. 18 de Mc pourrait donc être une addition au texte du Mc-intermédiaire, faite par l'ultime Rédacteur marcien sous l'influence du Mt-intermédiaire (Mt **22** 23a). Lc **20** 27a dépendrait donc du Mt-intermédiaire et aurait appartenu substantiellement au proto-Lc.

b) Au v. 32, Lc a l'adverbe « après », comme dans Mt; or cet adverbe est typiquement matthéen (*hysteron*: 7/1/1/1/0/1; le seul cas de Mc se trouve dans la finale apocryphe). Ce contact Mt/Lc nous invite à analyser d'assez près les vv. 30-31 de Lc. On y lit la même séquence que dans Mt : « et le deuxième et le troisième », tandis que chez Mc les deux adjectifs ordinaux sont séparés par : « la prit et mourut ne laissant pas de postérité ». Il est vrai que ces mots de Mc se retrouvent dans Lc, mais ailleurs : l'expression « la prit » se lit après « le troisième »; « et mourut ne laissant pas (*mè katalipôn*) de postérité » se retrouve sous une forme semblable au v. 31 de Lc, après la mention des « sept » frères : « ne laissèrent (*ou katelipon*) pas d'enfants et moururent » (noter le *katelipon* de Lc, tandis que Mc **12** 22 a *aphèkan*). On a l'impression ici que l'ultime Rédacteur lucanien complète un texte du proto-Lc analogue à celui du Mt-intermédiaire : « et le deuxième et le troisième jusqu'aux sept; après (*hysteron*)... », en reprenant les expressions de Mc **12** 21 (Mc-intermédiaire) situées entre les deux adjectifs ordinaux « deuxième » et « troisième ».

– On notera en passant le « donc » (*oun*), attesté au début des vv. 33 de Lc et 28 de Mt (mais absent de Mc).

c) Au v. 23, Mc a une leçon double : « à la résurrection quand ils ressusciteront », tandis que Lc/Mt n'ont que « à la résurrection ». Au v. 25, Mc aura la seule leçon « quand ils ressusciteront » (*hotan anastôsin*, comme au v. 23), tandis que les vv. 35 de Lc et 30 de Mt ont le substantif « résurrection » (*anastasis*). On peut donc penser que, au v. 23 de Mc, l'expression « à la résurrection » fut ajoutée par l'ultime Rédacteur marcien sous l'influence du Mt-intermédiaire; primitivement, le Mc-intermédiaire avait : « quand ils ressusciteront », tandis que Mt/Lc ont : « à la résurrection » (Mt-intermédiaire suivi par le proto-Lc). – Un détail confirme ici le rapprochement entre les textes de Lc et de Mt : le verbe « sont » est placé en fin de phrase aux vv. 30 de Mt et 36 de Lc (dans le texte grec), juste après la conjonction initiale « mais » dans Mc.

d) Faisons enfin, sous toute réserve, une hypothèse. Au v. 25, Mc a le pluriel « dans les cieux »; or, sur les dix-sept emplois de « ciel » dans Mc, douze sont au singulier; des quatre qui ont le pluriel hors du présent passage, deux sont dus à une influence de Is **63** 19 (Mc **1** 10-11), un est dû à une influence de Is **34** 4 (Mc **13** 25), et le dernier (Mc **11** 25) provient certainement d'une influence matthéenne (cf. note §§ 276, 278). Comment expliquer le pluriel en Mc **12** 25? N'y aurait-il pas ici influence du Mt-intermédiaire, qui emploie beaucoup plus souvent le pluriel que le singulier? On objectera évidemment que Mt **22** 30 a le singulier ! Mais ce singulier de Mt ne serait-il pas dû, soit à une correction du Rédacteur matthéen, soit à une correction de scribe (quelques témoins : *thèta*, *r*, la Sahidique, ont le pluriel)?

Quoi qu'il en soit du dernier exemple analysé, il semble bien que la controverse sur la résurrection se lisait, et dans le Mt-intermédiaire, et dans le Mc-intermédiaire, tous les deux l'ayant reprise au Document A, la source habituelle de Mt et occasionnelle de Mc. Le texte du proto-Lc, dépendant du Mt-intermédiaire, aurait été en grande partie remplacé par celui du Mc-intermédiaire au niveau de l'ultime rédaction lucanienne.

2. On peut se demander si l'accord actuel des trois Synoptiques sur le schéma général de l'épisode ne masquerait pas des divergences relativement importantes à un stade antérieur du texte (Document A). Deux cas sont surtout à considérer.

a) La citation de l'ordre donné par Moïse, en Mc **12** 19 et par., diffère sensiblement suivant les témoins. Dans Mt, la première partie du texte : « Si quelqu'un meurt n'ayant pas d'enfants », reprend Dt **25** 5, d'après l'hébreu; mais la seconde partie dépend de Gn **38** 8 d'après la Septante : « va vers la femme de ton frère et épouse-la (*gambreusai autèn*) et suscite (*anastèson*) une postérité à ton frère. » Dans Mc, on lit : « que son frère prenne la femme », au lieu de : « son frère épousera la femme » (Mt), ce qui correspond au texte de Dt **25** 5 : « le frère de son mari... la prendra pour femme ». Enfin, dans Épiphane (cf. vol. I, p. 250), l'emprunt à Dt **25** 5 est beaucoup plus net : « de la conduire à son frère afin de susciter une postérité au nom du défunt ». Il semble d'ailleurs qu'Épiphane ait connu un texte qui ignorait primitivement la citation de l'AT, car celle-ci apparaît comme une glose qui oblige ensuite à résumer les explications déjà données. On peut donc conjecturer que, dans le Document A, il n'y avait pas de citation explicite de l'AT (ni de référence à Moïse) au début du récit. Pour un Juif, il suffisait de raconter l'histoire des sept frères pour évoquer aussitôt la loi du lévirat de Dt 25 5, sans qu'il soit besoin de la citer explicitement ! Une telle explicitation serait devenue nécessaire pour des lecteurs moins au fait de la législation juive ; on peut donc l'attribuer au Mc-intermédiaire, d'où elle sera passée dans les ultimes rédactions matthéenne et lucanienne.

b) Dans les trois Synoptiques, la réponse de Jésus est composite. L'argument tiré de Ex 3 6 (Mc 12 26 et par.) correspond évidemment à l'interrogation de Jésus en Mc 12 24 et par. : « ... ne connaissant pas les Écritures... ? » La précision concernant le fait que les gens qui ressuscitent ne se marient pas (Mc 12 25 et par.) apparaît ainsi comme une surcharge ; d'ailleurs, le v. 26a de Mc (et par.) : « au sujet des morts, qu'ils ressuscitent », est une cheville rédactionnelle destinée à reprendre le fil du récit, rompu par la glose du v. 25. Le texte du Document A donnait la réponse de Jésus simplement sous cette forme : « N'est-ce pas pour cela que vous êtes dans l'erreur, ne connaissant pas les Écritures ? () N'avez-vous pas lu () comment Dieu dit, etc. » ; venait alors l'argument décisif touchant la victoire des « justes » sur la mort, exprimé aux vv. 26c-27 de Mc (et par.). – On a pensé ensuite que Jésus ne répondait pas exactement à l'objection des Sadducéens, et l'on a ajouté Mc 12 25 et par. afin de combler ce que l'on croyait être une lacune. Étant donné les remarques littéraires faites *supra* (I 1 *c* et peut-être aussi *d*), on attribuera cette addition au Mt-intermédiaire, d'où elle sera passée dans le proto-Lc et au dernier niveau rédactionnel de Mc. On attribuera également à l'ultime Rédacteur marco-lucanien l'indication : « dans le livre de Moïse, au (passage) du buisson », dont la seconde partie se lit aussi en Lc. L'expression « dans le livre de », suivie du nom d'un auteur de la Bible, ne se lit jamais ailleurs dans Mc, alors qu'elle est plusieurs fois attestée dans Lc/Ac (Lc 3 4 ; 20 42 ; Ac 1 20 ; 7 42 ; cf. encore Lc 4 17, avec *biblion* au lieu de *biblos* ; jamais ailleurs dans le NT). De même, le mot « buisson » ne se lit en Mc qu'ici et n'est utilisé dans le NT que par Lc/Ac (Lc 6 44 ; 20 37 ; Ac 7 30.35 ; on notera que Ac 7 35 renvoie précisément à la scène de Ex 3 où Dieu apparaît à Moïse dans le buisson ardent). Le Mc-intermédiaire devait avoir un texte analogue à celui de Mt : « N'avez-vous pas lu () comment Dieu déclara à Moïse, disant : Je suis, etc. »

En résumé, le Mt-intermédiaire aurait ajouté au texte du Document A : l'intervention des Sadducéens en Mt 22 23a (cf. *supra*, I 1 *a*), et la partie de la réponse de Jésus concernant le fait qu'au ciel on ne se marie pas (Mt 22 30) avec la cheville rédactionnelle qui suivait (début du v. 31 de Mt). Le Mc-intermédiaire aurait ajouté la citation explicite de l'AT en Mc 12 19 (après le titre de « Maître » donné à Jésus, qui

appartenait au récit du Document A). Les récits du Mt-intermédiaire et du Mc-intermédiaire furent ensuite harmonisés au niveau des ultimes rédactions matthéenne et marcienne.

II. SENS DE L'ÉPISODE

Dans le Document A, cet épisode n'était pas présenté comme une controverse entre les Sadducéens et Jésus ; il commençait ainsi : « Et ils l'interrogèrent, disant : Maître (), il y avait sept frères... » (cf. *supra*, I 1 *a*). C'est le Mt-intermédiaire qui a accentué l'aspect « controverse » en mettant en scène les Sadducéens, comme il le fera dans les deux épisodes suivants. Quel est alors le sens du récit ?

1. Préparée par des textes tels que Ez 37 et surtout Is 26 19 (cf. 26 14), qui parlent probablement du réveil national d'Israël, la croyance en une résurrection personnelle après la mort ne s'est exprimée clairement qu'au second siècle avant notre ère, à l'occasion de la mort de martyrs durant la persécution d'Antiochus Épiphane (Dn 12 1-2 ; 2 M 7 9.11.14.23.29. 36 ; 12 41-46 ; 14 46). Au temps de Jésus, cette foi en la résurrection était répandue dans les milieux pharisaïques, mais certains groupes religieux, tels les Sadducéens, la repoussaient comme une « nouveauté » étrangère à la foi juive (Ac 23 8) ; il semble qu'elle n'avait pas pénétré dans les masses populaires, au moins en Galilée (Mc 9 10.32). On vient donc s'informer de la pensée de Jésus sur ce point, en lui présentant un « cas » qui semblait mettre en difficulté la théorie de la résurrection. Sept frères ont eu successivement la même femme, en vertu de la loi du lévirat ; la législation juive interdisant la polyandrie, la situation de cette femme et de ses sept maris successifs ne sera-t-elle pas inextricable si l'on admet le principe de la résurrection des morts ?

2. Dans sa réponse (limitée aux vv. 26b-27 de Mc et par. ; cf. *supra*, I 2 *b*), Jésus refuse de placer le problème sur ce plan purement juridique ; il va tout de suite au fond du problème, qu'il résout toutefois dans une optique différente de celle de Dn 12 1-2 ou de 2 M 7. Son argumentation est la suivante : Dieu dit dans la Bible : « Je suis le Dieu d'Abraham, d'Isaac et de Jacob » (Ex 3 6) ; pour Jésus, comme pour tout Juif qui entendait cette affirmation, l'expression « Dieu de un tel » ne signifiait pas « Dieu adoré par un tel », mais « protecteur de un tel » (P. Dreyfus) ; Dieu se présente donc comme le protecteur des Patriarches, leur « bouclier », leur sauveur. En conséquence, l'expression « Dieu de morts » (cf. v. 27 de Mc) impliquerait une contradiction évidente : un homme « mort », c'est-à-dire, selon la conception sémitique courante, réduit à l'état d'ombre inconsciente et privée de vie dans le shéol, a perdu la protection de Dieu, puisqu'il n'existe plus en tant qu'homme vivant et conscient. Un tel raisonnement suppose que, dans la pensée de Jésus, les Patriarches ne sont pas réduits à l'état d'ombres, dans l'obscurité absolue du shéol, mais vivent actuellement en Dieu dans leur intégrité physico-psychique, comme l'a compris l'auteur des Homélies Clémentines : « Et, à ceux qui disent qu'Abraham et Isaac et Jacob

sont morts, il déclara : Il n'est pas un Dieu de morts, mais de vivants » (3 *55*).

Une telle conception de la victoire de l'homme sur la mort se distingue de celle de Daniel et 2 Maccabées en ce que l'homme n'a plus à connaître la « mort » au sens, que lui donnaient les sémites, d'un quasi-anéantissement de sa vie consciente dans les ténèbres du shéol. La « mort » du juste est en même temps son entrée dans la vie même de Dieu; il ne « meurt » plus, au sens sémitique du terme (cf. Sg 3 1-4), mais il est aussitôt transféré en Dieu, à l'analogie d'Hénoch (Gn 5 24, dont Sg 4 10 reprend le texte de la Septante à propos du juste qui meurt prématurément), ou du prophète Élie (2 R 2 11). Comme le chante le psalmiste, le juste sera « pris » par Dieu dans sa gloire (Ps **73** *24*; même verbe hébreu qu'en Gn 5 24; cf. Ps **49** *16*), parce que Dieu est son « rocher » (Ps **73** *26*). C'est dans cette ligne de pensée que le Christ johannique peut dire : « Si quelqu'un garde ma parole, il ne verra jamais la mort » (Jn 8 *51*), i.e. il ne connaîtra pas les ténèbres du shéol. Dès la fin de sa vie terrestre, il « entrera dans la vie » (Mc **9** *43* ss.; Mt **7** *14*; Mc **10** *17*). Il reste que Jésus parle en sémite et pour des sémites; or, dans la mentalité sémitique, ce transfert en Dieu ne peut être celui d'une âme désincarnée, au sens platonicien; il est l'entrée dans la vie divine de l'homme intégral, avec son réalisme psycho-physique (cf. § 176).

3. C'est selon cette ligne de pensée que Lc complète les termes de la réponse de Jésus. Pour mieux le comprendre, il faut lire quelques passages du Quatrième livre des Maccabées, homélie juive composée vers le milieu du premier siècle de notre ère en l'honneur des sept frères dont 2 M 7 raconte le martyre. A l'inverse de 2 M 7, dont il s'inspire pourtant, l'auteur de l'homélie ne parle jamais de « résurrection », mais d'immortalité (7 *3*; 14 *5*; 16 *13*); c'est que, à sa mort, le martyr trouve en Dieu l'épanouissement de sa vie, il est reçu par les Patriarches qui l'y attendent : « Abraham et Isaac et Jacob nous recevront (*hypodexontai*), nous qui serons morts de cette façon, et tous les Pères nous loueront » (13 *17*) – « ... sachant bien que ceux qui meurent à cause de Dieu (*dia ton theon*) vivent en Dieu (*zôsin tôi theôi*), comme Abraham et Isaac et Jacob et tous les Patriarches » (16 *25*) – « Mais les fils d'Abraham, avec leur mère victorieuse, sont joints au chœur des Pères, ayant reçu de Dieu des âmes saintes et immortelles » (18 *23*) – « Même le tyran a admiré leur constance, grâce à laquelle ils se tiennent maintenant auprès du trône de Dieu et ils vivent la bienheureuse éternité » (17 *18*). Il n'y a donc plus de « mort » au sens sémitique du terme : « Ne craignons pas celui qui

s'imagine donner la mort (*ton dokounta apokteinein*) » (13 *14*; cf. Sg 3 *2* et aussi Lc **12** *4-5*, § 204) – « Ils étaient persuadés que, en Dieu, ils ne meurent pas (*theôi ouk apothneskousin*), comme non plus nos Patriarches Abraham et Isaac et Jacob, mais ils vivent en Dieu (*zôsin tôi theôi*) » (7 *19*). Le sens de tous ces textes est clair : à la « mort », le martyr ne descend pas au shéol comme une ombre sans conscience et sans vie (Dn et 2 M), mais il est aussitôt transféré auprès de Dieu où il est accueilli par les Patriarches Abraham, Isaac et Jacob, qui bénéficient en Dieu, depuis leur « mort », de l'immortalité bienheureuse.

C'est aussi la pensée de Lc. Lorsque Lazare meurt, « il est emporté par les anges dans le sein d'Abraham » (Lc **16** *22*, § 236), ce qui suppose qu'Abraham est vivant, en Dieu. De même, Jésus dit au bon larron : « aujourd'hui, avec moi, tu seras dans le Paradis » (Lc **23** *43*, § 353). De tels textes peuvent se comprendre, non dans la perspective de Dn **12** *1-2* ou 2 M 7, mais dans celle de 4 Maccabées. D'ailleurs, les additions lucaniennes sont ici proches des textes de 4 M. On comparera Lc **20** *35a* : « ceux qui auront été jugés dignes d'avoir part à ce siècle-là » (i.e. au monde eschatologique), avec 4 M 18 *3* : « Ils ont été jugés dignes de la part divine » (le verbe *kataxiousthai* ne se lit nulle part ailleurs dans Lc ou dans 4 M; cf. 2 Th 1 *5*). Les additions de Lc aux vv. 36 et 38b : « et en effet ils ne peuvent plus mourir... car tous vivent en lui » (*pantes gar autôi zôsin*), sont à rapprocher de 4 M 7 *19* : « Ils étaient persuadés que, en Dieu, ils ne meurent pas, comme non plus nos patriarches Abraham et Isaac et Jacob, mais ils vivent en Dieu » (*zôsin tôi theôi*; sur ce datif causal, cf. Ac **17** *28*). – Voici donc comment interpréter les développements de Lc : tandis que les « fils de ce siècle » se marient, ceux qui ont été jugés dignes de participer un jour au « siècle à venir » ne se marient pas (**20** *34-35*); l'opposition entre les deux catégories de gens implique que c'est dès cette vie que les futurs « bienheureux » renoncent au mariage, exaltation lucanienne de la virginité dont on trouve des traces ailleurs (Lc **18** *29b* comparé à Mc **10** *29*, § 251; Lc **14** *26* comparé à Mt **10** *37*, § 227). Quand Lc ajoute : « et en effet, ils ne peuvent plus mourir » (v. 36), il ne pense pas aux justes dans le ciel, mais aux justes encore sur la terre, comme dans 4 M 7 *19* ou Jn 8 *51*. Dès maintenant, les justes sont « fils de Dieu » (v. *36b*), au sens où Sg 2 *13.18* comprend l'expression : Dieu protégera les justes et les fera échapper à la mort (cf. Sg 3 *1-4*). Lc interprète la réponse de Jésus dans la perspective du Quatrième livre des Maccabées, mais ce faisant il n'altère pas la pensée de Jésus, il ne fait que l'expliciter.

Note § **285.** *LE PLUS GRAND COMMANDEMENT*

L'entretien entre Jésus et un scribe sur le plus grand commandement se lit ici dans Mt/Mc, mais en **10** 25-28 chez Lc. Quels sont les rapports entre ces trois versions du même épisode?

I. LA TRADITION MARCIENNE

A) LE RÉCIT DE MC

Dans Mc, l'épisode se présente sous forme, non de controverse, mais d'un entretien pacifique entre un scribe de bonne volonté et Jésus. Il faut y distinguer deux parties.

1. *Première partie* (vv. 28-31).

a) Dans son état actuel, l'épisode a le sens suivant : un scribe pose à Jésus une question souvent agitée dans les écoles rabbiniques : « Quel est le commandement le premier de tous ? » Jésus donne la réponse, tirée de Dt **6** 4-5 et Lv **19** 18 : le premier commandement est celui de l'amour de Dieu, le second celui de l'amour du prochain ; on rejoint l'enseignement classique du Traité des Deux Voies (cf. *infra*, à propos de la tradition matthéenne).

b) Mais le récit offre une anomalie notée par les commentateurs. Tandis que le scribe demande à Jésus quel est le premier commandement, Jésus répond en citant le premier et aussi le second ! On peut donc se demander s'il n'y aurait pas eu, au niveau de l'ultime rédaction marcienne, une influence de la tradition matthéenne (cf. *infra*). Dans le Mc-intermédiaire, Jésus, se plaçant sur le plan des relations avec le prochain, répondait en ne citant qu'un seul commandement : celui de l'amour du prochain (Lv **19** 18), que la tradition juive tenait effectivement pour le principal. Ainsi, rabbi Hillel disait : « Ce qui est haïssable pour toi, ne le fais pas à ton prochain ; ceci est toute la Loi, le reste n'est que commentaire » (voir note § 71) ; et rabbi Aqiba : « Tu aimeras ton prochain comme toi-même ; c'est le principe fondamental de la Loi. »

c) Dans cette hypothèse, il faut admettre que les termes de « premier » (vv. 28.29) et de « second » (v. 31) ont été introduits par l'ultime Rédacteur marcien, en même temps qu'il ajoutait, sous l'influence du Mt-intermédiaire, la citation de Dt **6** 4-5, soit un commandement de plus. Au v. 28, le Mc-intermédiaire devait avoir : « Quel est le commandement (le) plus grand ? », comme dans le v. 36 de Mt ; ceci nous est confirmé par la finale de son texte : « Il n'y a pas d'autre commandement *plus grand*... » (v. 31), qui, dans le Mc-intermédiaire, devait évidemment se terminer par une formule au singulier : « ... que celui-là ».

2. *Seconde partie* (vv. 32-34). La seconde partie du récit est étrange. Le début (v. 32a) reprend le v. 28b : le scribe félicite Jésus d'avoir bien répondu. Aux vv. 32b-33, ce scribe ne fait que reprendre les éléments de la réponse de Jésus exprimée aux vv. 30-31 ; on s'étonne alors que Jésus puisse admirer la pseudo-« réponse » du scribe (v. 34a), puisque c'est Jésus lui-même qui avait donné la réponse ! Essayons d'analyser de plus près cette section pour en résoudre les difficultés.

a) Mc **12** 32-34 est plus proche de Lc **10** 25 ss. que de Mc **12** 28-31 : il n'y est plus question d'une distinction entre « premier » et « second » commandement, mais les deux commandements de l'amour de Dieu et de l'amour du prochain sont donnés à la suite, comme s'ils ne faisaient qu'un ; c'est la présentation de Lc **10** 27, non celle de Mc **12** 29-31. Par ailleurs, c'est le scribe lui-même, et non Jésus, qui cite Dt **6** 5 et Lv **19** 18, ce qui correspond encore à Lc **10** 27 ; on comprend alors que Jésus puisse féliciter le scribe de sa « réponse », en Mc **12** 34 comme en Lc **10** 28. Le récit de Mc **12** 32b-34 est

donc l'écho d'un récit dans lequel c'était le scribe qui répondait à une question de Jésus en citant Dt **6** 5 et Lv **19** 18.

b) Le vocabulaire, assez intellectualiste (Bornkamm), reflète le langage de Paul ou de Lc plus que celui de Mc. Au v. 32, « en vérité » (*ep'alètheias* : Mc **12** 14, probablement par influence de Lc : Lc **4** 25 ; **20** 21 ; **22** 59 ; Ac **4** 27 ; **10** 34 ; jamais ailleurs dans le NT) ; « que lui » (*plèn autou* ; *plèn* : 5/1/15/0/4/6 ; suivi du génitif comme ici, seulement trois fois dans les Actes). Au v. 33, remplacement de « âme » par « intelligence » (*synesis* : Lc **2** 47 et cinq fois dans Paul ; fréquent dans la Septante). Au v. 34, « sagement » (*nounechôs*, jamais ailleurs dans le NT) ; « loin » (*makran* : 1/1/2/1/3/2).

c) En reprenant la réponse de Jésus citant Dt **6** 5 et Lv **19** 18, le scribe ajoute : « ... est plus que tous les holocaustes et sacrifices. » Le primat de l'amour (ou de l'obéissance) sur la fidélité aux actes cultuels est souvent exprimé dans la Bible (1° S **15** 22 ; Ps **40** 7-9 ; Os **6** 6) et repris dans le NT (Mt **9** 13 ; **12** 7). Mais on notera que Lc illustre la discussion sur le plus grand commandement (**10** 25-28) par la parabole du bon Samaritain (§ 191), dans laquelle Jésus oppose l'attitude du Samaritain qui a exercé la miséricorde envers son prochain (**10** 37) à celle du prêtre et du lévite (vv. 31.32), ceux-là justement qui avaient charge d'offrir holocaustes et sacrifices ! L'addition de « est plus que tous les holocaustes et sacrifices », en Mc **12** 33c, a donc même portée que l'addition de la parabole du bon Samaritain en Lc **10** 29 ss.

d) Le caractère « lucanien » de l'addition des vv. 32-34 apparaît également quand on analyse la façon dont a procédé le Rédacteur marcien. Lc, ici, a gardé le cadre rédactionnel de l'épisode de Mc, en **20** 39-40 (cf. *infra*). Or le v. 39 de Lc est beaucoup plus proche du v. 32 de Mc que du v. 28. Il faut en conclure que l'ultime Rédacteur marcien a repris le texte du Mc-intermédiaire (dont dépend Lc **20** 39) au v. 32a, pour faire le lien avec les deux parties du récit, et qu'il a composé le v. 28 en s'inspirant, plus librement, du texte du Mc-intermédiaire. On notera alors la formule « les ayant entendus discuter » de ce v. 28 de Mc ; cette structure grammaticale (verbe *akouein* suivi d'un pronom au génitif flanqué d'un participe également au génitif) ne se lit ailleurs dans Mc qu'en **14** 58 (par influence lucanienne), est absente de Mt, mais se retrouve onze fois dans Lc/Ac.

En résumé, on peut tirer, à propos des vv. 32-34 de Mc, les conclusions suivantes : le début du v. 32 et la fin du v. 34, qui ont leur parallèle aux vv. 39 et 40 de Lc, proviennent, plus ou moins remaniés (au moins le v. 32) du Mc-intermédiaire. Les vv. 32b-34a sont un écho, soit du récit de Lc **10** 25-27, soit d'un récit parallèle à celui de Lc ; ils sont ajoutés ici par l'ultime Rédacteur marco-lucanien. Le v. 28 de Mc contient un écho du Mc-intermédiaire (cf. son parallélisme avec le v. 32), mais remanié par l'ultime Rédacteur marco-lucanien.

A la suite des analyses précédentes, on peut reconstituer ainsi le texte du Mc-intermédiaire :

28.32a Et l'un des scribes lui dit : « Bien, Maître » ;
  28c et il l'interrogea : « Quel est le commandement le plus grand de tous ? »

29a Jésus répondit : «() C'est :
31b Tu aimeras ton prochain comme toi-même ; il n'y a
   pas d'autre commandement plus grand que (celui-là). »
34b Et nul n'osait plus l'interroger.

B) Le récit de Lc **20**

Lc n'a pas repris ce récit du Mc-intermédiaire, puisqu'il en donnait l'équivalent en **10** 25 ss. ; il en a toutefois conservé le cadre, à savoir Lc **20** 39-40, qui semble, chez lui, former la conclusion de la discussion sur le problème de la résurrection. Puisqu'ils dépendent du Mc-intermédiaire, ces versets doivent être attribués à l'ultime Rédacteur lucanien.

II. LA TRADITION MATTHÉENNE

1. Dans la tradition matthéenne, l'entretien sur le plus grand commandement ne se lisait pas là où on le lit dans le Mt actuel. Au v. 34, en effet, Mt dit que les Pharisiens « se réunirent en groupe » (*synèchthèsan epi to auto*) ; nous avons là une citation de Ps **2** 2 faite d'après la Septante. Dans l'épisode suivant (§ 286), Mt reprend cette indication au v. 41 sous la forme : « les Pharisiens étant réunis » ; par ailleurs, cet épisode du § 286 dépend certainement, lui aussi, du Ps **2**, car la question de Jésus aux Pharisiens : « Que vous semble-t-il du Christ ? De qui est-il fils ? », est un écho de Ps **2** 2.7 : « Les chefs se réunirent en groupe contre le Seigneur et contre *son Christ*... Le Seigneur m'a dit : *Tu es mon fils*... » (voir note § 286). Il faut en conclure que Mt **22** 34 (§ 285) était, dans le Mt-intermédiaire, l'introduction de la discussion sur le Christ, fils et seigneur de David (§ 286), et non l'introduction de l'entretien sur le plus grand commandement. C'est l'ultime Rédacteur matthéen qui a inséré ici l'entretien sur le grand commandement, sous l'influence du Mc-intermédiaire qui le donnait déjà après la discussion sur le problème de la résurrection (§ 284).

2. Le récit de Mt **22** 35-40 contient de nombreux contacts littéraires et de structure avec celui de Mc. Mais il offre aussi des contacts littéraires très importants avec celui de Lc **10** 25 ss. Nous n'insisterons pas sur la présence du mot « légiste » au début du v. 35 de Mt (cf. v. 25 de Lc), car ce mot est omis par des témoins du texte matthéen dont l'accord n'est jamais négligeable (cf. vol. I, p. 251, registre de critique textuelle) ; comme ce mot ne se lit ailleurs dans tout le NT que dans Lc, la leçon de la plupart des manuscrits de Mt pourrait provenir d'une harmonisation avec Lc. Retenons alors comme accords Mt/Lc contre Mc : au v. 35, l'expression « pour le mettre à l'épreuve » ; au v. 36, la place du titre de « Maître », puis l'expression « dans la Loi » (cf. v. 26 de Lc) ; au v. 37, la formule de Mt : « or il lui déclara » (*ho de ephè autôi*), est beaucoup plus proche de celle de Lc : « or il lui dit » (*ho de eipen pros auton*, le *pros auton* remplaçant sûrement un *autôi* de sa source), que de celle de Mc : « Jésus répondit que » (*apekrithè ho Ièsous hoti*) ; dans la citation de Dt **6** 5, Mt et Lc ont à trois reprises la préposition « par » (*en*), au lieu de « de » (*ex*) chez Mc. – Il faut donc distinguer deux niveaux rédactionnels chez Mt : celui du Mt-intermédiaire, qui explique les accords Mt/Lc contre Mc ; celui de l'ultime rédaction matthéenne, qui explique les accords Mt/Mc contre Lc (par influence du Mc-intermédiaire).

3. Quelle était alors la teneur du Mt-intermédiaire ?

a) On a vu que le v. 34 de Mt appartenait primitivement au récit suivant ; dans le Mt-intermédiaire, ce n'était donc pas un Pharisien qui interrogeait Jésus. Chez Lc (cf. v. 25), le mot « légiste » est toujours équivalent de « scribe » ; on peut donc penser que, dans le Mt-intermédiaire, c'était un scribe qui interrogeait Jésus, comme dans Mc.

b) Les textes de Lc (v. 27) et de Mt (vv. 37.39) donnent à la suite le commandement de l'amour de Dieu, puis de l'amour du prochain. Cette juxtaposition des deux commandements se lisait déjà dans le Traité des Deux Voies, d'origine juive, mais passé dans le christianisme (sur ce Traité et ses influences sur le NT, voir note §§ 53-59) ; on peut donc déceler ici une dépendance du texte Mt/Lc par rapport au Traité des Deux Voies. Voyons quelles conséquences on peut en tirer. Dans la note citée à l'instant, on a montré quelle influence considérable eut le Traité des Deux Voies sur le Mt-intermédiaire (cf. aussi notes §§ 53 à 59) ; on peut donc penser que l'addition du commandement de l'amour de Dieu avant la mention du commandement de l'amour du prochain (le seul mentionné au niveau du Mc-intermédiaire, cf. *supra*) fut effectuée par le Mt-intermédiaire. – La référence au Traité des Deux Voies va nous permettre encore de résoudre une difficulté sérieuse. Le texte de Lc a une structure assez différente du texte de Mt : dans Lc, c'est le scribe qui répond en citant Dt **6** 5 et Lv **19** 18 ; dans Mt, ces citations sont faites par Jésus, Mt étant d'ailleurs sur ce point identique à Mc. De même, en Mt **22** 36, l'interlocuteur de Jésus pose une question analogue à celle qui se lit en Mc **12** 28 ; dans Lc, la question est très différente et rejoint celle qu'on lit en Lc **18** 18. Qui représente le mieux le texte du Mt-intermédiaire ? On peut penser que c'est Lc, pour plusieurs raisons. Même si les deux textes de Lc **10** 25 et **18** 18 ont été quelque peu harmonisés, on notera que le récit de Lc est beaucoup plus proche du Traité des Deux Voies que celui de Mt ; le double commandement de l'amour de Dieu et du prochain se trouve encadré par le thème de la « vie » (vv. 25.28), ce qui nous renvoie évidemment au début du Traité des Deux Voies : « Tel est le chemin de la vie : D'abord, tu aimeras, etc. » (cf. Didachè, vol. I, p. 252). Par ailleurs, ni le Traité des Deux Voies ni Lc ne mentionnent le mot « commandement » à propos de Dt **6** 5 ou Lv **19** 18 ; ce mot est venu dans l'ultime rédaction matthéenne sous l'influence du texte de Mc, et c'est évidemment l'ultime Rédacteur matthéen qui a introduit les adjectifs numéraux « premier » et « second » (vv. 38b-39a), liés au mot « commandement ». Enfin, les textes de Dt **6** 5 et Lv **19** 18 commencent l'un et l'autre par le verbe « tu aimeras », que l'on retrouve effectivement dans Mc et dans Mt ; mais Lc, comme le Traité des Deux Voies, supprime le second « tu aimeras », le texte de Lv **19** 18 dépendant du verbe de Dt **6** 5. On peut donc conclure de ces remarques que Lc a gardé substantiellement le texte du Mt-intermédiaire (c'est ce Mt-intermédiaire, rappelons-le, qui a remodelé sur le Traité des Deux Voies le récit primitif), tandis que l'ultime Rédacteur matthéen a largement remplacé le texte du Mt-intermédiaire par celui du Mc-intermédiaire.

III. CONCLUSIONS

Si l'on admet les analyses précédentes, voici comment on pourrait se représenter l'évolution de ce récit : il se lisait déjà dans le Document A, où il devait avoir approximativement la forme reconstituée plus haut (I A 2 d), moins le début du texte ; il devait commencer simplement ainsi : « Et un scribe l'interrogea... » – Le Mc-intermédiaire le reprit directement du Document A, et l'inséra après la discussion sur le problème de la résurrection (§ 284), d'où l'addition des mots par lesquels le scribe approuve la réponse de Jésus : « Bien, Maître » (vv. 28.32a). – Le Mt-intermédiaire reprit aussi le récit du Document A, mais le transforma profondément afin de le conformer au Traité des Deux Voies ; au commandement de Lv 19 18, concernant l'amour fraternel, il préfixa le commandement de l'amour de Dieu exprimé en Dt 6 5 ; il donna au récit la structure qu'il a dans Lc 10 25-28, encadrant les deux citations de Dt 6 5 et Lv 19 18 par le thème de la vie. – Du Mt-intermédiaire, le récit passa, sans modifications appréciables, dans le proto-Lc, puis dans l'ultime rédaction lucanienne, au § 190. – L'ultime Rédacteur matthéen remplaça en partie le récit du Mt-intermédiaire par celui du Mc-intermédiaire ; les accords Mt/Lc de son texte sont tout ce qui reste, chez lui, du Mt-intermédiaire. Ajoutons enfin que les adjectifs numéraux « premier » et « second » ont été introduits par les ultimes Rédacteurs matthéen et marcien (ce dernier a complété aussi la citation de Dt 6 5 en y préfixant Dt 6 4, au v. 29b). – Au § 285, l'ultime Rédacteur lucanien n'a gardé du récit du Mc-intermédiaire que son cadre, en Lc 20 39-40.

Note § 286. *LE CHRIST, FILS ET SEIGNEUR DE DAVID*

Dans Mt, ce récit forme la dernière des cinq controverses entre Jésus et ses adversaires, durant son séjour à Jérusalem ; dans Mc et Lc, le récit est en même contexte que dans Mt, mais son aspect de controverse est très atténué.

I. ANALYSES LITTÉRAIRES

A) LES INTRODUCTIONS

1. *Dans le récit de Mt.* Les premiers mots du récit matthéen actuel : « Or, les Pharisiens étant réunis », sont de l'ultime Rédacteur. Ils ne font en effet que reprendre, en la simplifiant, l'introduction du récit précédent : « Or, les Pharisiens... se réunirent en groupe » (22 34), qui fait écho à Ps 2 2 : « Les rois de la terre se sont ligués et les chefs *se sont réunis en groupe* contre le Seigneur et contre son Christ. » Mais on verra plus loin que, surtout chez Mt, le corps de la présente controverse fait écho également au Ps 2 (vv. 2 et 7) ; on peut donc conclure que, dans le Mt-intermédiaire, Mt 22 34 était la véritable introduction de la controverse sur l'origine du Christ ; elle en est maintenant séparée par l'épisode de la discussion sur le premier commandement (§ 285), inséré ici par l'ultime Rédacteur matthéen.

2. *Dans le récit de Mc.* L'introduction de Mc 12 35a présente les paroles de Jésus qui suivent, non comme une controverse, mais comme un enseignement donné aux foules (cf. aussi 12 37b). Il semble bien cependant que, dans Mc comme dans Mt, l'introduction actuelle est artificielle. On a vu en effet, à la note § 275, que Mc 11 17a.19 (complété par le v. 11b) faisait écho à un sommaire plus ample en provenance du Document A et conservé intégralement en Lc 21 37-38 (cf. Jn 8 1-2, § 308) ; or, Mc 12 35a.37b (versets qui encadrent le présent récit) complètent Mc 11 17a.19 pour reformer le sommaire attesté par Lc 21 37 s. :

Mc 11	Mc 12	Lc 21
		37 Or, pendant les jours,
	35a Or, prenant la parole Jésus disait, enseignant dans le Temple...	
17a Et il enseignait...		il enseignait dans le Temple mais les nuits, sortant,
19 et lorsque le soir venait, il partait hors de la ville		il séjournait au mont des Oliviers
11b vers Béthanie...	37b et la foule nombreuse	38 et tout le peuple venait à l'aurore vers lui dans le Temple pour l'écouter.
	l'écoutait avec plaisir 38a et dans son enseignement il disait...	

Le Mc-intermédiaire aurait donc coupé en plusieurs tronçons le sommaire du Document A attesté par Lc **21** 37 s., et en aurait utilisé certains éléments pour encadrer les paroles de Jésus données ici.

3. *Dans le récit de Lc.* L'introduction y est réduite à sa plus simple expression : « Or il leur dit... » (v. 41a). On verra plus loin que, pour le corps du récit, Lc dépend essentiellement du Mc-intermédiaire ; il reprendra également Mc **12** 37b au début du paragraphe suivant (v. 45) ; on peut penser que Lc (ultime Rédacteur lucanien) connaissait, ici aussi, le texte du Mc-intermédiaire. S'il omet la mention de l'enseignement dans le Temple (cf. Mc), c'est qu'il en avait déjà parlé en Lc **20** 1 et que, depuis, rien n'indique que Jésus ait cessé son enseignement. Mais, tandis que dans Mc on a l'impression que Jésus s'adresse à la foule dont il sera parlé en **12** 37b, dans Lc il s'adresse aux scribes qui sont intervenus en Lc **20** 39.

B) Le corps du récit

1. Il faut d'abord voir comment se comporte Lc, car les remarques que l'on pourra faire à ce sujet auront leurs répercussions sur les analyses ultérieures.

a) Aux vv. 41b-43, Lc dépend certainement du Mc-intermédiaire, car il n'offre aucun contact avec Mt contre Mc, les deux textes de Mt et de Mc étant cependant très différenciés. Les divergences entre Lc et Mc s'expliquent par l'activité rédactionnelle du Rédacteur lucanien. Au v. 41, il supprime la mention des scribes, ce qui se comprend puisque c'est à eux que Jésus s'adresse (cf. *supra*) ; c'est Lc aussi qui met la proposition complétive à l'infinitif. Au v. 42, il remplace « dans l'Esprit Saint » par « dans le livre des Psaumes » (cf. Lc **3** 4 ; Ac **1** 20 ; **7** 42). Enfin, au v. 43, il remplace « dessous » par « (comme) marchepied », de façon à rejoindre le texte de la Septante du Ps **110** 1.

b) Au v. 44, Lc contient encore quelques contacts avec Mc contre Mt : au lieu d'avoir une proposition conditionnelle suivie de la proposition principale (Mt), il a deux propositions principales coordonnées par « et » (Mc) ; il a également la séquence *autou... huios* (Mc), et non l'inverse (Mt). Mais Lc contient aussi quatre accords importants avec Mt contre Mc : « donc » (*oun*), verbe « appeler » (*kalein*) au lieu de « dire », « comment » (*pôs*) au lieu de « de quelle manière » (*pothen*), enfin le verbe « être » rejeté en fin de proposition (cf. le texte grec). Ces quatre accords Lc/Mt contre Mc en un seul verset sont trop nombreux pour être fortuits ; le v. 44 de Lc serait donc, en grande partie, l'écho d'un proto-Lc, dépendant du Mt-intermédiaire. Aux vv. 41-43 et, dans une mesure beaucoup moindre, au v. 44, le texte du proto-Lc aurait été remplacé par celui du Mc-intermédiaire au niveau de l'ultime rédaction lucanienne.

2. Un problème se pose maintenant, commun aux textes de Mc et de Mt. La citation du Ps **110** 1, faite d'après la Septante (donc relativement tardive), est encadrée, dans Mc comme dans Mt, par les mêmes mots : « David lui-même (dit) »,

chez Mc ; « David... l'appelle Seigneur », chez Mt. Une telle répétition trahit souvent une suture rédactionnelle ; ici, on peut penser que la citation explicite du Ps **110** 1 fut ajoutée au texte primitif du logion de Jésus. Pour un lecteur juif habitué à lire les psaumes, le seul fait de dire : « David le dit Seigneur » (cf. Mc, v. 37a) suffisait à évoquer le Ps **110** 1 ; la citation explicite de ce psaume aurait été ajoutée pour des lecteurs non juifs.

A quel niveau rédactionnel fut effectuée cette addition ? On pense spontanément au Mc-intermédiaire, qui écrit pour des lecteurs non juifs ; son addition serait ensuite passée au niveau des ultimes rédactions matthéenne et lucanienne. Le Mc-intermédiaire aurait agi ici exactement comme en Mc **12** 1, où il explicite la citation de Is **5** 2 (voir note § 281) ; on a vu aussi aux notes § 275 et § 281 qu'il avait ajouté les citations explicites de Is **56** 7 ; Jr **7** 11 (Mc **11** 17) et de Ps **118** 22s. (Mc **12** 10 s.). Mais une difficulté se présente : aux vv. 45 de Mt et 44 de Lc, le « donc » est évidemment lié à la citation explicite du Ps **110** 1 ; or l'accord Mt/Lc contre Mc nous ferait remonter au Mt-intermédiaire, comme on l'a admis plus haut ; ne faut-il pas conclure que la citation du Ps **110** se lisait déjà dans le Mt-intermédiaire ? A cette objection on pourra répondre, ou que le « donc » ne se lisait pas dans Lc (ce mot est omis par *D VetLat* et Marcion), ou que l'addition de ce mot s'est faite spontanément aux ultimes niveaux rédactionnels de Mt et de Lc (l'une ou l'autre hypothèse diminue évidemment le nombre des notes qui nous ont permis d'affirmer ici l'existence d'un proto-Lc, dépendant du Mt-intermédiaire).

3. Puisque le récit du § 286 se lisait dans le Mt-intermédiaire (cf. *supra*, I A 1) et dans le Mc-intermédiaire, il doit remonter au moins au Document A. Sauf en ce qui concerne l'introduction (cf. *supra*), le Mc-intermédiaire reprit le logion du Document A sans modification notable. Le Mt-intermédiaire, au contraire, a changé ce qui n'était qu'un logion de Jésus, en un dialogue entre Jésus et les Pharisiens, de façon à accentuer l'aspect de « controverse » de l'épisode. On va préciser (II) sa façon de procéder.

II. ÉVOLUTION DES RÉCITS

1. Dans le Document A, il n'y avait qu'un logion de Jésus dont le contexte ne peut plus être retrouvé ; sa forme en a été gardée aux vv. 35b et 37a de Mc :

« Comment les scribes disent-ils que le Christ est fils de David ? () David lui-même le dit Seigneur, et de quelle manière est-il son fils ? »

Ce logion de Jésus était une critique de l'enseignement des scribes, incapables de pénétrer le vrai sens des Écritures parce qu'ils se refusaient à comprendre la véritable personnalité de Jésus. S'appuyant sur l'oracle de Nathan à David (2 S **7** 11b-16), la tradition juive admettait unanimement que le roi messianique serait un descendant de David (cf. Is **9** 5-6 ; **11** 1 ss. ; Jr **23** 5 ; **30** 9 ; **33** 15-17 ; Ez **34** 23-24 ; **37** 24 ; Os **3** 5 ; Am **9** 11 ; Mi **5** 1ss.). Mais, si le roi messianique doit être un descendant, i.e. un « fils », de David (cf. Mt **21** 9.15 ; Mc **10** 47), comment

David peut-il parler de lui en disant : « mon Seigneur », comme on le voit dans le Ps **110** 1, que la tradition massorétique et la Septante attribuent explicitement à David ? Ce titre de « Seigneur » n'était donné en effet qu'à un « maître » par ses serviteurs (cf. Gn **24** 12), à un « roi » par ses sujets (cf. Gn **40** 1), ou encore à Dieu par ses créatures (cf. Ps **8** 2); comment penser que le roi David puisse dire : « mon Seigneur », à un de ses descendants ? Cela suppose évidemment, ce que ne comprennent pas les scribes, que le roi messianique soit beaucoup plus qu'un roi ordinaire ! Le Ps **110** ne le place-t-il pas « à la droite » de Dieu, assis à ses côtés pour régir le monde ? Cette situation du roi messianique veut dire, et que par sa dignité il doit transcender tous les rois de la terre, et que son royaume n'est pas terrestre, mais céleste. Les scribes refusent de le comprendre; comment pourraient-ils expliquer alors ce titre de « mon Seigneur » donné par David à son fils de l'avenir ?

2. Reprenant ce logion de Jésus, le Mc-intermédiaire le complète en ajoutant le v. 36, qui cite explicitement le Ps **110** 1, de façon à rendre plus claire pour ses lecteurs issus du paganisme la simple allusion contenue dans le Document A : « David le dit Seigneur. » Il lui donne aussi une introduction nouvelle (v. 35a), reprise d'un sommaire du Document A utilisé déjà en Mc **11** 17.19 (cf. *supra*, I A 2). – L'ultime Rédacteur marcien ne semble pas avoir retouché notablement le texte de sa source.

3. Le Mt-intermédiaire reprend lui aussi le logion du Document A, mais il le modifie assez considérablement. Son but est de transformer en controverse le simple logion de Jésus. Il lui donne donc pour introduction le v. 34, et non le v. 41a (cf. *supra*, I A 1) dont la formule : « se réunirent en groupe », évoquait le complot des « chefs » contre le « Christ », d'après Ps **2** 2. Mais, contrairement à ce qui s'était passé dans la controverse du § 283 (impôt dû à César), ici, c'est Jésus qui va attaquer le premier, d'après le récit de Mt. Jésus s'adresse aux Pharisiens en employant une formule typiquement matthéenne : « Que vous en semble ? » (cf. Mt **17** 25; **18** 12; **21** 28; **22** 17; **26** 66; jamais dans Mc/Lc), et il leur demande de qui le Christ est le fils. Les Pharisiens sont obligés de répondre : « de David », puisque c'était la croyance commune (cf. *supra*), et Jésus en profite pour élever l'objection donnée au v. 45 : « Si () David l'appelle Seigneur, comment est-il son

fils ? » Les Pharisiens sont beaucoup mieux impliqués dans la controverse, puisqu'ils sont là pour donner leur opinion sur l'origine du roi messianique. Pour bien montrer qu'il s'agit d'une controverse brûlante et actuelle, le Mt-intermédiaire ajoute la finale : « et nul ne pouvait lui répondre un mot » (v. 46a), qui devait probablement se lire aussi dans le proto-Lc, mais que l'ultime Rédacteur lucanien n'a pas jugé à propos de reprendre : puisqu'il adoptait presque entièrement le texte du Mc-intermédiaire, l'aspect « controverse » était aussi estompé chez lui que chez Mc.

Les modifications effectuées par le Mt-intermédiaire ont également une portée théologique assez importante. Au lieu de reprendre l'affirmation des scribes : « le Christ est fils de David » (cf. Mc), le Mt-intermédiaire fait poser par Jésus cette question aux Pharisiens : « De qui (le Christ) est-il fils ? » (v. 42). L'allusion au Ps **2** 2 contenue dans l'introduction ajoutée par le Mt-intermédiaire (cf. *supra*) donne un relief très grand à cette question; dans le psaume, en effet, Dieu dit à son Christ : « Tu es mon fils; moi, aujourd'hui, je t'ai engendré » (Ps **2** 7). Pour un chrétien lisant le récit de Mt, le problème posé aux Pharisiens et sa solution devenaient beaucoup plus clairs. Les Pharisiens ne voient en Jésus qu'un homme et donc, même s'ils voyaient en lui le roi messianique, ils ne pourraient pas comprendre comment David l'appelle « Seigneur ». Mais, d'après le Ps **2** 7, le Christ doit être fils de Dieu, d'où sa dignité suréminente qui explique que David puisse lui donner le titre de « Seigneur ».

4. L'ultime Rédacteur matthéen reprend le texte du Mt-intermédiaire, moyennant deux additions. Sous l'influence du Mc-intermédiaire, il ajoute la citation explicite du Ps **110** 1, introduite par les paroles de Jésus du v. 43 (après « il leur dit : ») et suivie par le « donc » ajouté au v. 45. Il ajoute la deuxième partie du v. 46, reprise de l'épisode précédent (cf. Mc **12** 34b), de façon à clore la série des cinq controverses de cette section de l'évangile. Le début du v. 46 est aussi de sa main, avec l'expression « répondre un mot » (*apokrinesthai logon*), qui ne se lit ailleurs qu'en Mt **15** 23, où il est de l'ultime Rédacteur matthéen (voir note § 156).

5. Sur l'origine du texte de Lc et les retouches d'ordre purement littéraire qu'il apporte à ses sources, voir *supra*, I A 3 et I B 1.

Note § **287**. *HYPOCRISIE ET VANITÉ DES SCRIBES ET DES PHARISIENS*

Après la discussion sur l'origine du Christ, les Synoptiques placent une attaque virulente de Jésus contre les scribes (et les Pharisiens), qui nous fut transmise par deux sources différentes : le Document A (cf. *infra*) et le Document Q, beaucoup plus développé. Ici, Mc et Lc ne donnent que le texte du Document A (§ 287); Mt fusionne les textes des deux sources (§§ 287 et 288); Lc avait donné le texte du Document Q au § 202.

I. ANALYSES LITTÉRAIRES

Dans cette note § 287, nous n'analyserons que le texte en provenance du Document A (Mt/Mc/Lc), réservant à la note suivante l'analyse du texte du Document Q.

1. *Additions du Rédacteur matthéen*. Le texte de Mt est beaucoup plus long que celui de Mc/Lc; ceci provient, en partie, de ce

que l'ultime Rédacteur matthéen a amplifié le texte de sa source, le Mt-intermédiaire.

a) Les vv. 2 et 3 de Mt forment une introduction générale à l'ensemble du discours de Jésus. Il y est question de l'*enseignement* des scribes et des Pharisiens, thème absent du texte du Document A (cf. Mc/Lc) mais qui forme le fond de la première moitié du texte du Document Q (cf. note § 288); ces versets de Mt se rattacheraient donc plutôt au Document Q. Toutefois, ils ne contiennent aucune critique contre l'enseignement des scribes et des Pharisiens, au contraire : « tout ce qu'ils vous diront, faites-le et observez-le » (v. 3); ceci ne s'accorde pas avec le v. 4 de Mt, en provenance du Document Q (cf. Lc 11 46), où c'est précisément l'enseignement des scribes qui est mis en cause ! Comme ces vv. 2-3 de Mt n'ont aucun écho dans Lc (ni ici, ni au chap. 11), le mieux est de voir en eux une addition de l'ultime Rédacteur matthéen.

b) Le v. 4 de Mt a son parallèle en Lc 11 46 et provient donc du Document Q. C'est l'ultime Rédacteur matthéen qui l'a inséré dans la trame du texte du Document A, en supprimant l'invective initiale : « Malheur à vous, scribes (et Pharisiens) ! » (cf. Lc 11 46 et les formules de Mt 23 13.15, etc.).

c) Le v. 5a de Mt n'a de parallèle ni dans Mc ni dans Lc. Sa formulation littéraire est caractéristique du style de l'ultime Rédacteur matthéen : le mot « actions » (*ta erga*) est repris du v. 3 (« selon leurs actions »); surtout, les mots : « ils font... pour être remarqués des hommes » (*poiousin pros to teathēnai tois anthrôpois*), sont presque identiques à ceux de Mt 6 1a, attribués à l'ultime Rédacteur matthéen (note § 60) : « de pratiquer... devant les hommes de façon à être regardés par eux » (*poiein emprosthen tôn anthrôpôn pros to teathēnai autois*; la traduction française rend mal l'identité partielle du vocabulaire grec). Ce v. 5a est donc, lui aussi, de l'ultime Rédacteur matthéen.

d) C'est enfin l'ultime Rédacteur matthéen qui a ajouté les deux logia des vv. 11 et 12. Celui du v. 11 est une simple reprise de Mt 20 26 (cf. Mc 10 43b, § 255); celui du v. 12 a reçu des applications diverses : au sujet du choix des places (Lc 14 11, § 224; à comparer ici avec Mt 23 6a), ou de l'orgueil des Pharisiens (Lc 18 14, § 245; voir note § 234, 3).

e) Le cas du v. 10 de Mt est moins simple. Il forme la troisième partie d'un ensemble (vv. 7b-10) dans lequel Jésus interdit de se faire attribuer des titres particuliers : « Rabbi... Père... Docteurs ». Mais il est certain que cette troisième partie est de rédaction postérieure. En effet, le titre de « Docteur » est l'équivalent de « Rabbi », de sorte que le v. 10 apparaît comme un doublet partiel du v. 8; dans les deux premiers membres, le titre est au singulier : « Rabbi... Père... », tandis qu'ici il est au pluriel : « Docteurs »; le style est différent : pronom *hymôn* (« votre ») placé *après* « Docteur », construction avec « parce que » (*hoti*) au lieu de « car » (*gar*), liaison initiale grâce au mot *mède*, alors qu'on aurait attendu « et »; enfin, addition de la précision « le Christ », absente du parallèle du v. 8. On verra tout à l'heure que les vv. 8-9 sont probablement une addition du Mt-intermédiaire; est-ce lui qui aurait complété le logion en ajoutant aussi le v. 10? L'addition du v. 10 fut-elle effectuée par l'ultime Rédacteur matthéen? Cette

seconde hypothèse semble plus probable, bien qu'il soit difficile de la prouver.

2. *Additions du Mt-intermédiaire.* Comme les vv. 7b-9 de Mt n'ont de parallèle ni dans Mc ni dans Lc, on serait tenté de les attribuer à l'ultime Rédacteur matthéen. Le problème est cependant moins simple et, pour le résoudre, il faut élargir le champ de nos investigations. Les vv. 8 et 9 de Mt sont liés au logion précédent grâce à la cheville rédactionnelle du v. 7b : « et à être appelés par les hommes 'Rabbi' ». Le logion précédent a son équivalent exact, non en Mc 12 38b-39a, mais en Lc 11 43b, étant donné l'inversion des termes (« premiers sièges... salutations »); il faut donc l'attribuer, sinon au Document Q (voir les remarques de la note § 288 à ce sujet), du moins à la tradition dont dépend Lc 11 43. Or il semble bien que l'inversion des termes dans le logion de Mt/Lc (« premiers sièges... salutations ») ait eu pour but de permettre l'insertion du logion de Mt 23 8-9, car le thème des « salutations » (v. 7a) introduit plus facilement celui des Pharisiens qui veulent *se faire appeler* « Rabbi ». Puisque l'inversion des thèmes « premiers sièges... salutations » est connue aussi de Lc 11 43, elle doit remonter au moins au Mt-intermédiaire. Ce serait donc le Mt-intermédiaire qui aurait ajouté le logion des vv. 8-9. S'il ne se lit pas à la suite de Lc 11 43, c'est probablement parce que Lc a jugé que ce titre juif de « Rabbi » n'intéressait pas ses lecteurs de formation grecque; il ne l'utilise d'ailleurs jamais dans son évangile (alors que ce titre est relativement fréquent chez Mc).

3. *Le comportement de Lc.* Dans le récit de la triple tradition (Lc 20 45 ss.), Lc suit dans son ensemble le texte du Mc-intermédiaire. Il offre toutefois quelques accords avec Mt contre Mc. Au v. 45, Jésus s'adresse aussi aux *disciples*, comme dans Mt. Au v. 46, tandis que Mc a : « gardez-vous de » (*blepete apo*), Lc a : « méfiez-vous de » (*prosechete apo* : 4/0/2/0/0/0); or, le second emploi de cette dernière formule dans Lc se trouve en 12 1 dont le parallèle Mt 16 6 a lui aussi *prosechete apo*, tandis que le parallèle Mc 8 15 a *blepete apo*, comme ici. La formule *prosechete apo* apparaît donc comme typiquement matthéenne et l'on peut penser que Lc 20 46 la tient du Mt-intermédiaire; si elle ne se lit plus en Mt 23 5a, c'est qu'elle fut remplacée par : « ils font toutes leurs actions pour être remarqués des hommes », au niveau de l'ultime rédaction matthéenne (cf. *supra*, I 1 c). Enfin, toujours au v. 46, Lc a le verbe « aimer », comme en Mt 23 6a. Pour ce dernier cas, on pourrait objecter que ce verbe se lit aussi en Lc 11 43 et qu'il pourrait donc provenir du Document Q, Lc ayant plus ou moins harmonisé ses textes de 20 46 et de 11 43; mais on verra à la note § 288 que le thème des « premiers sièges » et des « salutations », même s'il se lit de façon analogue en Mt 23 6b et Lc 11 43, ne provient pas du Document Q, mais de la source qui a fourni à Mc ses vv. 38b-39a; l'accord Mt/Lc sur le verbe « aimer » est donc bien un accord Mt/Lc contre Mc, en ce qui concerne le texte dont nous nous occupons ici. – Ces trois accords Mt/Lc contre Mc invitent à distinguer deux niveaux rédactionnels dans Lc : celui du proto-Lc (accords Mt/Lc contre Mc) et celui de l'ultime rédaction lucanienne qui a, en grande partie, remplacé le texte du proto-Lc par celui du Mc-intermédiaire.

Les accords Mt/Lc contre Mc nous permettent d'affirmer

l'existence ici, non seulement d'un proto-Lc, mais encore d'un Mt-intermédiaire, source du proto-Lc. Connu du Mt-intermédiaire et du Mc-intermédiaire, le présent récit remonterait donc au moins au Document A, leur source commune.

4. *Le texte du Document A*. Essayons de préciser la teneur du récit dans le Document A.

a) On a vu à la note précédente que l'introduction de Mc **12** 37b-38a était un fragment d'un sommaire plus vaste, en provenance du Document A, mais qui se lisait primitivement à la suite du récit de l'entrée de Jésus à Jérusalem. Dans Mc, cette introduction va d'ailleurs assez mal avec le texte qui suit, car il est difficile de prendre pour un « enseignement » les quelques phrases que Jésus va prononcer contre les scribes (Lc, qui s'en rend compte, supprime la mention de l'enseignement de Jésus); nous sommes en présence d'une construction artificielle du Mc-intermédiaire. L'ultime Rédacteur marcien a ajouté l'adverbe « avec plaisir » (*hèdeôs*; ailleurs dans les évangiles et les Actes seulement en Mc **6** 20, traduit par « volontiers »). – En comparant Lc et Mt, on peut conjecturer que le Mt-intermédiaire avait seulement : « Il dit à ses disciples », texte qui pourrait être celui du Document A; la mention des « foules » en Mt et de « tout le peuple » (typique du style de Lc) en Lc, aurait été ajoutée sous l'influence du Mt-intermédiaire dans les ultimes rédactions matthéenne et lucanienne.

b) On a vu plus haut que, dans le Mt-intermédiaire, le début des paroles du Christ devait commencer par : « méfiez-vous des scribes », comme en Lc **20** 46a; on devait donc avoir dans le Document A une formule analogue à celles de Mc ou de Lc : une mise en garde contre les scribes et non une malédiction (Lc **11** 43).

c) Aux vv. 38b-39 de Mc, cette mise en garde contre les scribes porte sur quatre attitudes : porter de longues robes, être salués, avoir les premiers sièges dans les synagogues ou les premiers divans dans les festins. De ces quatre attitudes, les trois dernières se lisent aussi en Mt **23** 6-7a et l'on a vu plus haut (I 2) que l'inversion des thèmes était due au Mt-intermédiaire qui voulait mieux introduire le thème de ses vv. 8-9. Les vv. 38b-39 de Mc reprennent donc assez exactement le texte du Document A. – Il en va autrement pour la première attitude. Dans Mc, les scribes « veulent circuler en (longues) robes »; dans Mt **23** 5b, « ils élargissent leurs phylactères et allongent leurs franges »; la description donnée par Mt suppose connues les coutumes juives : port du phylactère, signification des franges des vêtements (cf. II 1); on comprend donc que le Mc-intermédiaire, suivi par Lc, l'ait remplacée par une description plus compréhensible pour des lecteurs venus du paganisme. C'est donc Mt **23** 5b qui a gardé le texte du Document A.

d) Le v. 40 de Mc (cf. Lc **20** 47) n'a pas de parallèle dans Mt. Plutôt que de penser à une addition du Mc-intermédiaire, il

vaut mieux admettre que c'est l'ultime Rédacteur matthéen qui aurait omis cette section lorsqu'il a combiné les textes du Mt-intermédiaire en provenance du Document A et du Document Q. Le thème de la « condamnation » serait une bonne conclusion pour ce réquisitoire de Jésus contre les scribes.

II. LE SENS DE L'ÉPISODE

1. Dans cet épisode rapporté par le Document A, Jésus met en garde ses disciples, non pas tant contre la vanité des scribes que contre leur hypocrisie religieuse. Extérieurement, ils font profession de suivre scrupuleusement les moindres prescriptions de la Loi. « Ils élargissent leurs phylactères » (Mt **23** 5b), i.e. les parchemins contenant, écrits, certains textes de la Loi, et que l'on portait dans de petites boîtes attachées au front ou sur le bras, selon les prescriptions (comprises trop matériellement) de Ex **13** 16; Dt **6** 8 et **11** 18. « Ils allongent leurs franges » (Mt **23** 5b), i.e. les houppes des vêtements, dont la vue devait rappeler aux Israélites les commandements de Dieu, selon Nb **15** 38-39 (cf. Mc **6** 56). « Phylactères » et « franges » des vêtements avaient donc le même but : rappeler aux Juifs la Loi de Dieu; les scribes les élargissent ou les allongent, pour bien faire voir qu'ils exécutent (matériellement !) la volonté de Dieu. S'ils réclament salutations, premières places dans les synagogues et premiers divans dans les festins (Mc **12** 38b-39), c'est afin de faire reconnaître par les autres qu'ils sont les premiers en fait d'observances légales. Ils font semblant de prier longuement, mais ce n'est qu'une apparence, et durant ce temps leur imagination doit s'égarer loin de Dieu (cf. Mc **12** 40b). Mais que vaut toute cette pseudo-ferveur religieuse? Rien ! Ils manquent aux véritables commandements de la Loi, celui par exemple qui prescrit de ne pas maltraiter les veuves (ni les orphelins); ils subiront donc la condamnation prévue par la Loi : « Vous ne maltraiterez pas une veuve ni un orphelin. Si tu le maltraites... je prêterai l'oreille à sa plainte. Ma colère s'enflammera et je vous ferai périr par l'épée » (Ex **22** 21-23; cf. Mc **12** 40ac).

2. On a vu plus haut que, dans le Document A, cette mise en garde de Jésus contre l'hypocrisie religieuse des scribes commençait par : « Méfiez-vous des scribes... », ou une formule semblable. On lit la même formule en Mt **16** 6 et il est probable que, dans le Document A, elle se trouvait liée aux reproches adressés par Jésus aux Pharisiens et aux scribes concernant leur casuistique, qui leur permettait de tourner les préceptes de la Loi (§ 154; cf. note § 161). Dans le Document A, Jésus mettait donc en garde ses disciples, d'une part contre la casuistique des scribes (et des Pharisiens), d'autre part contre leur hypocrisie religieuse. Une telle structure est également celle du Document Q dans les textes qui seront étudiés à la note suivante.

Note § 288. *SEPT MALÉDICTIONS AUX SCRIBES ET AUX PHARISIENS*

A la suite des reproches que Jésus adresse aux scribes et dont le noyau remonte au Document A (§ 287), Mt place une série de sept malédictions contre les scribes et les Pharisiens, scandées par le refrain : « Malheur à vous, scribes et Pharisiens hypocrites ». De ces sept malédictions, cinq se lisent en Lc 11 39-52 (§ 202) et deux sont propres à Mt; mais Lc en contient deux autres dont on retrouve la matière en Mt 23 4 et 6b-7a (§ 287), sans la formule de malédiction initiale. Comment expliquer les accords et les divergences entre Mt et Lc? D'où provient ce recueil de malédictions? Dans les analyses suivantes, nous ne nous astreindrons pas à étudier toutes les variantes existant entre Mt et Lc; nous nous bornerons à dégager les grandes lignes des rapports entre Mt et Lc au moyen des exemples les plus significatifs.

I. SECTIONS COMMUNES A MT/LC

Pour dégager la structure des sections communes à Mt/Lc, nous partirons du texte de Lc tel qu'il est disposé au § 202. En voici le schéma avec, en regard, le numéro d'ordre des malédictions correspondantes de Mt (numéro d'ordre établi sans tenir compte des deux malédictions propres à Mt).

Contre les Pharisiens

(1)	**11** 39-41 :	Vous purifiez l'extérieur de la coupe, votre intérieur est plein de rapine...	Mt **23** 25	(4
(2)	**11** 42	: Vous acquittez la dîme, vous négligez la justice...	Mt **23** 23	(3
	(**11** 43)	: (vous aimez le premier siège...)	(**23** 6-7)	
(3)	**11** 44	: Vous êtes comme les tombeaux...	Mt **23** 27-28	(5

Contre les scribes

(4)	**11** 46	: Vous chargez les hommes... (Vous aimez les premiers sièges)	Mt **23** 4 (**23** 6-7)	(1
(5)	**11** 47-51	: Vous bâtissez les tombeaux des prophètes, mais vos pères les ont tués...	Mt **23** 29-36	(6
(6)	**11** 52	: Vous avez la clef de la science...	Mt **23** 13	(2

Quels enseignements tirer de la comparaison de ce schéma dans Mt et dans Lc?

1. Le texte de Lc est parfaitement bien structuré, à deux exceptions près. Les trois premières malédictions (numérotées) concernent les Pharisiens; elles sont parfaitement homogènes puisque toutes trois s'en prennent à l'hypocrisie de ces gens-là : leur attitude extérieure peut donner le change aux yeux des hommes, mais leur disposition intérieure est mauvaise (malédictions 1 et 3, cette dernière mieux conservée dans Mt, avec l'opposition « extérieur/intérieur »); ils se font scrupule d'observer de petites observances bien visibles, mais ils négligent le principal et le plus exigeant de la Loi (malédiction 2). Les trois dernières malédictions concernent les scribes (ou légistes) et sont également très homogènes puisque

toutes les trois s'en prennent à la façon dont les scribes (ou légistes) interprètent la Loi : ils l'ont tellement surchargée d'observances annexes qu'elle est devenue un fardeau impossible à porter (malédiction 4); ils ont tué les prophètes envoyés par Dieu pour rappeler le vrai sens de la Loi (malédiction 5); ils ont la clef donnant accès au royaume, i.e. l'interprétation de la Loi, mais ils ne s'en servent que pour interdire, par leur casuistique, l'accès au royaume (malédiction 6). La structure des malédictions dans Lc correspond exactement aux reproches que Jésus adresse aux scribes et aux Pharisiens dans le Document A : casuistique d'une part, hypocrisie religieuse d'autre part (voir note § 287, II 2). Nous reviendrons plus loin sur les deux exceptions de cette structure homogène.

2. La structure de Lc ne se retrouve pas dans les parallèles matthéens, et il est facile d'en voir la raison : Mt a voulu rapprocher les malédictions comportant des expressions semblables. Des trois malédictions contre les Pharisiens de Lc, les deux premières sont inversées, ce qui a pour effet de rapprocher l'une de l'autre les deux malédictions (1 et 3 de Lc) jouant sur l'opposition « extérieur/intérieur » (cf. les textes de Mt). Par ailleurs, la cinquième malédiction de Lc a quitté le groupe des malédictions adressées aux légistes pour se placer après la troisième malédiction (Lc) adressée aux Pharisiens; comme ces malédictions 3 et 5 de Lc parlent de « tombeaux », Mt les a rapprochées l'une de l'autre. Ajoutons enfin que, dans l'ensemble, Mt, qui ne distingue pas les Pharisiens des scribes, a inversé l'ordre des deux groupes de malédictions distingués par Lc et inséré la quatrième malédiction attestée par Lc dans la trame du récit précédent (§ 287), supprimant d'ailleurs ses premiers mots « malheur à vous... »

Il est donc clair que Lc a gardé la structure primitive de l'ensemble tandis que Mt l'a plus ou moins bouleversée pour les motifs indiqués plus haut.

3. Revenons maintenant sur les deux anomalies signalées à propos de la structure de Lc.

a) La malédiction donnée en Lc **11** 43, que nous n'avons pas numérotée, est certainement un ajout à la structure primitive. En effet, elle transforme la structure 3 + 3 en une structure 4 + 3. Par ailleurs, elle n'est pas homogène aux trois autres malédictions de son groupe : elle ne reproche pas aux Pharisiens leur hypocrisie religieuse, mais leur vanité. Enfin et surtout, à une inversion près, elle se lit exactement dans les mêmes termes en Mc **12** 38b-39a (§ 287), en provenance du Document A; cette identité de formulation entre deux textes appartenant à deux sources aussi différentes que le Document A et le Document Q est tout à fait anormale; on doit en conclure que le texte du Document A est passé dans celui du Document Q (Mt/Lc). Mais puisque cet ajout se lit dans Lc (**11** 43) et dans Mt (**23** 6b-7, qui a même disposition que Lc **11** 43, différente de celle de Mc **12** 38b-39a), il ne provient pas de Lc mais se lisait déjà dans le Mt-intermédiaire.

b) La seconde anomalie de la structure de Lc est la longueur insolite de la cinquième malédiction qui comporte cinq longs versets (**11** 47-51), tandis que les autres n'en comportent qu'un seul (sauf la première dont le corps principal, v. 39, est flanqué de deux courtes annexes, vv. 40 et 41, absentes d'ailleurs du parallèle de Mt). Il est clair que les vv. 49-51 de Lc, contenant une citation de la « Sagesse de Dieu » formulée en un style impersonnel qui contraste avec les « vous » des malédictions, forment un ajout au thème primitif. Et puisque cet ajout se lit aussi en Mt **23** 34-36, il doit remonter au Mt-intermédiaire.

Une conclusion s'impose : puisque le texte de Lc contient deux anomalies en provenance du Mt-intermédiaire, il a subi l'influence, non seulement du Document Q, mais encore du Mt-intermédiaire. Bien mieux, rien ne nous prouve qu'il ait connu *directement*, ici, le texte du Document Q ! En effet, toutes les notes secondaires du texte de Mt par rapport à celui de Lc peuvent s'expliquer comme des remaniements effectués par *l'ultime Rédacteur matthéen*, travaillant lui aussi à partir du texte du Mt-intermédiaire.

4. Donnons seulement deux exemples montrant que ni le Mt actuel ni Lc n'ont gardé la teneur du Mt-intermédiaire.

a) Dans la longue addition des vv. 34-36 de Mt et 49-51 de Lc, due, on l'a vu, au Mt-intermédiaire, les retouches de l'ultime Rédacteur matthéen sont nombreuses. Au v. 34, il ajoute les mots suivants : « et crucifierez » (cf. Mt **20** 19; **26** 2), « et vous en flagellerez dans vos synagogues » (cf. Mt **10** 17b), « de ville en ville » (cf. Mt **10** 23). D'une façon plus générale, c'est lui qui a changé le « style », remplaçant la formulation à la troisième personne attestée par Lc par une formulation à la deuxième personne du pluriel, mieux en accord avec le reste du discours; un indice le confirme : au v. 36, « sur cette génération » correspond au : « à cette génération » de Lc à la fin du v. 51 (c'est donc le mot du Mt-intermédiaire); en revanche, au début du v. 35, il a remplacé « à cette génération », encore attesté par Lc à la fin de son v. 50, par « sur vous »; c'est donc lui qui a introduit la formulation à la deuxième personne du pluriel. – Mais le texte de Lc porte lui aussi des notes secondaires. Au v. 49, il a remplacé « des prophètes et des sages » (cf. Mt) par « des prophètes et des apôtres », de façon à christianiser le thème par la mention des « apôtres » (*apostolos* : (1/1/6/1/28). Au v. 50, il a remplacé la formule sémitique peu claire : « de sorte que vienne sur... tout sang... », par une autre formule biblique plus compréhensible : « afin qu'il soit demandé compte du sang » (cf. 2 S **4** 11; fréquente dans la Septante).

b) Mt **23** 27 est certainement de formulation plus primitive que Lc **11** 44, avec son opposition « extérieur/intérieur » qui correspond bien au thème général de cette section. Lc a modifié le texte, probablement pour éviter le réalisme de l'invective comparant les Pharisiens à des sépulcres remplis d'ossements de morts ! En revanche, le v. 28 de Mt est une glose explicative de l'ultime Rédacteur matthéen (cf. Introd., II D **1** b 3); le verbe « paraître » (*phainein*) est matthéen (13/1/2/2/0), et le mot « iniquité » (*anomia* : 4/0/0/0/0) ne se lit ailleurs dans Mt que dans des textes rédactionnels (**7** 23; **13** 41; **24** 12).

II. SECTIONS PROPRES A MATTHIEU

Mt a en plus de Lc deux malédictions : le v. 15 d'une part, les vv. 16-22 d'autre part; il faut ajouter les vv. 24 et 26 qui complètent, chez Mt, les malédictions des vv. 23 et 25. Que faut-il en penser?

1. Nous sommes certainement devant des additions de l'ultime Rédacteur matthéen au texte du Mt-intermédiaire, comme le prouvent les remarques qui suivent. La malédiction de Mt **23** 16-22 est la seule qui commence par l'apostrophe : « malheur à vous, guides aveugles » (au lieu de « malheur à vous, scribes et Pharisiens hypocrites »); elle est la seule également qui offre une structure assez caractéristique, différente de la structure des autres malédictions (cf. *infra*); elle ne doit donc pas appartenir à la même couche rédactionnelle que les autres malédictions. Par ailleurs, aux vv. 16.17.19.24 et 26, les Pharisiens sont traités de « guides aveugles » ou d' « aveugles », expressions qui ne reviennent pas ailleurs; il serait étrange que Lc ait omis précisément les divers textes contenant ce reproche aux scribes et aux Pharisiens ! Le contraire est seul vraisemblable : c'est l'ultime Rédacteur matthéen qui a ajouté ces textes, liés littérairement par ce mot « aveugles ». On notera qu'en Mt **15** 14 (§ 155) l'ultime Rédacteur matthéen ajoute au texte attesté par Mc un logion en provenance du Document Q (cf. Lc **6** 39), qu'il fait précéder de : « ils sont des aveugles guidant des aveugles », mots qui s'appliquent précisément aux Pharisiens. Ces remarques ne valent que pour le logion des vv. 16 à 22 et les vv. 24 et 26, mais on peut généraliser et dire que le logion du v. 15 fut aussi ajouté par l'ultime Rédacteur matthéen, puisque Lc l'ignore.

2. La malédiction prononcée aux vv. 16-22 mérite d'être étudiée de plus près, car elle est citée par Épiphane sous une forme très différente (vol. I, p. 256). Dans Mt, nous avons la structure suivante : Jésus présente la casuistique des Pharisiens concernant le fait de jurer, soit par le sanctuaire, soit par l'or du sanctuaire (v. 16); il montre aussitôt l'absurdité d'une telle casuistique (v. 17). Jésus présente ensuite la casuistique des Pharisiens concernant le fait de jurer, soit par l'autel, soit par l'offrande qui est sur l'autel (v. 18); il montre ensuite l'absurdité d'une telle casuistique (v. 19). Au v. 20, Jésus tire la conséquence de son argumentation des vv. 16 et 17 (premier cas de casuistique); au v. 21, il tire la conséquence de son argumentation des vv. 18 et 19. Mais on est étonné de voir, au v. 22, une *troisième* conséquence, découlant d'une argumentation dont il n'a pas été question dans les versets précédents : le cas de quelqu'un qui jure par le Ciel ou par Celui qui siège sur le Ciel comme sur un trône ! Ce v. 22 de Mt est comme un « organe témoin » d'une argumentation plus complète dont le début aurait disparu du texte de Mt. – Reportons-nous maintenant à la citation d'Épiphane. La structure est différente de celle de Mt et ne comporte que deux temps (et deux exemples différents). Jésus présente la casuistique des Pharisiens concernant ceux qui jurent, soit par l'autel, soit par ce qui est sur l'autel (cf. Mt **23** 18); il présente ensuite la

casuistique des Pharisiens concernant ceux qui jurent, soit par le Ciel, soit par (celui qui est) sur le Ciel. Il montre ensuite l'absurdité d'une telle casuistique concernant l'un et l'autre cas. On aura remarqué que le deuxième cas envisagé par Jésus dans la citation d'Épiphane correspond au cas dont Mt **23** 22 ne nous donne que la conclusion ! Les contacts littéraires entre Mt et Épiphane sont certains :

Mt **23** 22	Épiphane
« Et celui qui a juré par le Ciel	« Et jurer par le Ciel, vous déclarez que (ce) n'est rien ; mais si quelqu'un jure par (celui qui est) sur le ciel,

jure par le trône de Dieu et par celui qui siège sur lui. »	cela est déclaré juste... ... et le Ciel n'est-il pas le trône de Celui qui est assis dessus ? »

Cette comparaison entre Mt et Épiphane permet de conclure. Le texte de la source reprise par le Rédacteur matthéen ne comportait que les vv. 16-21. Épiphane cite d'après une autre source, de structure différente, et qui donnait le cas du serment fait par le Ciel au lieu du cas du serment fait par le sanctuaire (cf. v. 16 de Mt). L'ultime Rédacteur matthéen connaît aussi le texte de cette autre source, et il ajoute son v. 22, structuré comme les vv. 20 et 21, mais dont le thème général provient de l'autre source, celle qui est utilisée par Épiphane.

Note § **289**. *APOSTROPHE A JÉRUSALEM*

Mt termine les sept malédictions aux scribes et aux Pharisiens par une apostrophe à Jérusalem annonçant l'abandon du Temple par Dieu et donc la rupture de l'Alliance (cf. Jr **22** 5). En insérant ce texte ici, il prépare sa section suivante : annonce de la ruine du Temple (§ 291), et il forme une inclusion avec l'entrée solennelle de Jésus à Jéru-

salem (§ 273) ; en effet, le début et la fin du ministère de Jésus à Jérusalem sont centrés sur l'acclamation messianique du Ps **118** 26. Le caractère très lucanien de ce logion fait penser qu'il fut repris par l'ultime Rédacteur matthéen au proto-Lc et inséré ici. Voir note § 222.

Note § **290**. *L'OBOLE DE LA VEUVE*

Cet épisode ne se lit que dans Mc et Lc ; il est peut-être appelé ici par le mot-crochet « veuve » (Mc **12** 40.42). Son sens ne fait pas de difficulté, ni la leçon que Jésus en tire (pour la situation historique, cf. 2 R **12** 10 ss.). Mais la citation libre qu'en fait Épiphane (vol. I, p. 258), en partie confirmée par les Constitutions Apostoliques, permet de préciser l'évolution littéraire du texte.

1. La citation d'Épiphane se rapproche de Lc **21** 1 en ce qu'elle a : « il vit ceux qui jetaient », au lieu de : « il observait comment la foule jette » (Mc) ; mais elle nomme l'endroit où l'on jette l'argent « Corbôna », et non « Trésor » (*gazophylakion*) comme Lc et Mc. Le mot grec *corbôna*, ou mieux *corbana* (Const. Apost.), est la simple transcription du mot hébreu ou araméen signifiant « offrande », que la Septante traduit d'ordinaire par *dôron* (cf. aussi Mc **7** 11) ; plus tard ce mot en est venu à désigner la caisse placée dans le Temple où l'on jetait les offrandes destinées au culte (cf. Mt **27** 6). On rapprochera alors du texte d'Épiphane la formule que l'on trouve au v. 4 de Lc : « ils ont jeté *dans les offrandes* » (*eis ta dôra* ; opposer Mc **12** 43, qui a encore « jeter dans le Trésor »). Le v. 4 de Lc confirme donc les données du texte d'Épiphane : il a existé une forme de récit dans laquelle le lieu où l'on jetait l'argent destiné au culte, ne s'appelait pas « Trésor » (Mc), mais « offrande », ce nom étant donné, soit en

simple transcription de l'araméen (*corbana*, cf. Épiphane et Mt **27** 6), soit en traduction grecque (*dôra*, Lc **21** 4).

2. Il est alors possible de reconstituer l'histoire littéraire de ce texte. Le récit primitif distinguait nettement la salle où l'on gardait les trésors du Temple, appelée précisément « Trésor » (*gazophylakion*, cf. Ne **10** 38-40 ; **13** 4-9 ; 2 M **3** 28), et la petite caisse où les gens venaient jeter leur argent destiné aux besoins du Temple, appelée « offrande » (*corbana/dôra*). Seul, Épiphane a gardé ce texte primitif : « S'approchant du Trésor, il vit ceux qui jetaient dans le corbôna... » Le verbe « s'approcher », assez typique du style de Mt, comme le mot *corbôna* (ou *corbana*) que l'on retrouve en Mt **27** 6, fait penser à une tradition matthéenne ; on attribuera donc le texte connu d'Épiphane au Mt-intermédiaire (abandonné par l'ultime Rédacteur matthéen), qui devait le tenir du Document A, sa source habituelle. – Le Mc-intermédiaire dépend lui aussi du Document A ; outre certains remaniements littéraires ou stylistiques, il a voulu éviter la transcription grecque de l'araméen *corbana*, incompréhensible pour ses lecteurs non juifs, et il a remplacé ce mot par celui de « Trésor », déjà utilisé au début du récit pour désigner la salle où se gardaient les trésors du Temple, d'où la répétition insolite du mot « Trésor » en Mc **12** 41. – Comme souvent ailleurs, le Lc actuel dépend de deux traditions différentes. Le proto-Lc

avait repris le texte du Mt-intermédiaire, d'où son accord avec Épiphane sur le début du récit; mais il avait remplacé la transcription de l'araméen *corbana* par une traduction plus intelligible : « offrandes » (*dôra*), comme en témoigne son v. 4 : « (ils) ont jeté leur superflu dans les offrandes ». En reprenant le texte du proto-Lc, l'ultime Rédacteur lucanien en modifie le premier verset, en partie sous l'influence du Mc-intermé-diaire; ayant sous les yeux la phrase : « il vit ceux qui jetaient *dans les offrandes* » (proto-Lc), il garde le mot « offrandes » pour en faire le complément du verbe « jeter », et il ajoute « dans le "Trésor" », expression qu'il reprend du Mc-inter-médiaire. Pour éviter d'avoir deux fois de suite le mot « Trésor », il supprime le début du récit montrant Jésus s'approchant du Trésor.

Note §§ **291-301.** *DISCOURS ESCHATOLOGIQUE*

Le Discours eschatologique se lit dans les trois Synoptiques; il offre de nombreuses difficultés, littéraires ou théologiques, qui ont suscité une littérature abondante.

I. ANALYSES LITTÉRAIRES

A) L'introduction (§ 291)

Les problèmes littéraires concernant l'introduction du Discours eschatologique ne sont pas identiques à ceux du reste du Discours; nous allons donc les traiter séparément.

1. *Le texte de Lc.*

a) Il se distingue nettement de ceux de Mc et Mt. Toute la scène se passe en un même lieu : un des parvis du Temple (§ 290); dans Mc/Mt, au contraire, Jésus vient de sortir du Temple (Mc **13** 1), puis il se trouve sur le mont des Oli-viers (**13** 3). Les interlocuteurs sont différents : dans Mc/Mt ce sont un ou des disciples qui interrogent Jésus (Mc **13** 1.3), dans Lc ce sont des anonymes (vv. 5.7); on notera en passant que, si Lc dépendait de Mc, on ne voit pas pourquoi il aurait remplacé la mention précise d'un des disciples de Jésus par le vague « certains » (la tendance était plutôt de donner des précisions personnelles ou topographiques, comme au § 313 où l'on s'accorde à reconnaître que le « certains » de Mc **14** 4 est plus primitif que la mention des disciples de Mt **26** 8).

b) Le texte de Lc offre quelques contacts avec celui de Mt, contre Mc; ils portent toutefois davantage sur la structure générale du récit que sur le vocabulaire. Les interlocuteurs de Jésus sont multiples (« certains », « les disciples »), tandis que dans Mc c'est un des disciples. L'admiration de ces interlocuteurs est exprimée en style indirect, et non en style direct (Mc). La réponse de Jésus est formulée à la seconde personne du pluriel, sans mentionner à nouveau les « cons-tructions » du Temple évoquées par le simple *tauta* (« cela », « ce »); Lc/Mt ont : « qui ne sera détruite » (*hos ou kataly-thèsetai*), au lieu de : *hos ou mè katalythè* (Mc). Signalons enfin, sans trop y attacher d'importance, le participe « disant » des vv. 7 de Lc et 3 de Mt.

c) Indépendance de Lc par rapport à Mc, contacts avec Mt

contre Mc, ces indices permettent de penser que Lc (proto-Lc) dépend ici du Mt-intermédiaire, par le biais duquel on pour-rait remonter au Document A. La position de Lc est donc la même qu'au § 290 (où Jésus s'adressait aussi à des gens anonymes, et non aux disciples comme dans Mc).

d) Rappelons que Lc **19** 41-44 (§ 274) avait déjà donné une annonce de la ruine de Jérusalem qui pourrait être un doublet de celle de Lc **21** 6; on reviendra plus loin sur ce fait important.

2. *Le texte de Mt.* Les quelques accords de structure Mt/Lc contre Mc nous ont fait admettre l'existence d'un Mt-inter-médiaire; mais il faut reconnaître que, dans l'ensemble, le texte actuel de Mt dépend plutôt du Mc-intermédiaire, moyen-nant des retouches qu'il est facile d'attribuer à l'ultime Rédacteur matthéen. Le v. 1a de Mt n'est qu'un remaniement du parallèle de Mc; au lieu de : « comme il partait de », très marcien (*ekporeuesthai*: 5/11/3/2/3), on a chez Mt : « étant sorti de... partait » (*exelthôn apo... eporeueto*); or la construction *exerchesthai apo* est surtout lucanienne (5/1/13/2/3; sur les quatre autres emplois chez Mt, trois sont certainement de l'ultime Rédacteur : **15** 22; **17** 8; **24** 27; voir notes § 156, I 2 b, et § 171, I A 1 a); quant au verbe *poreuesthai* (28/0/50/13/39), il est utilisé à l'imparfait presque uniquement par Lc (1/0/6/1/3/0) le v. 1a de Mt est donc une « relecture » du v. 1a de Mc par le Rédacteur matthéo-lucanien. Au v. 2, la formule : « mais répondant il leur dit » (*ho de aprokritheis eipen*), est typique du style de ce Rédacteur (18/2/3/0/0). Enfin, au v. 3, le Rédacteur matthéen introduit le thème de l'avènement du Christ (*parousia*, jamais dans Mc/Lc/Jn/Ac, mais Mt **24** 27.37.39), et change le verbe « finir » de Mc (*synteleisthai*) en une formule qui lui est propre : « la fin du monde » (*synteleia tou aiônos*: Mt **13** 39-40.49; **28** 20, tous textes de l'ultime Rédacteur matthéen).

3. *Le texte de Mc.* Comme dans tout le reste du Discours eschatologique, le Mc-intermédiaire dépend ici du Docu-ment A; on justifiera cette affirmation dans la seconde partie, théologique, de cette note. L'ultime Rédacteur marcien a pro-cédé à quelques retouches : au v. 3, l'addition des mots « en face du Temple » (absents de Mt/Lc) et surtout des noms « Pierre, Jacques, Jean et André », comme en **1** 29 (voir note § 34). On pourra attribuer au Mc-intermédiaire la double localisation des vv. 1a et 3a.

B) LE DISCOURS PROPREMENT DIT

1. *Le texte de Lc.*

a) Selon une hypothèse retenue par divers auteurs (V. Taylor, T. W. Manson, P. Winter, A. Salas), il faut distinguer deux couches rédactionnelles chez Lc. Ceci est surtout visible aux §§ 294 et 297 : tandis que certains versets n'offrent que peu ou pas de contacts verbaux avec les parallèles de Mc (vv. 20.21b.22.23b.24-26a.28), d'autres au contraire reproduisent le texte de Mc presque sans variante (vv. 21a.23a.26b-27). Il est clair que l'ultime Rédacteur lucanien a inséré des « tranches » de Mc dans un texte très différent de celui de Mc, que nous pouvons attribuer au proto-Lc. Le même phénomène se retrouve aux §§ 298-301 : au § 298, les vv. 29-30 de Lc sont très différents du v. 28 de Mc (sauf la finale), alors que le v. 31 est presque identique au v. 29 de Mc (sauf la finale). Au § 299, Lc est, à un mot près, identique à Mc; mais au § 301 l'appel à la vigilance de Lc n'offre que deux mots communs avec le parallèle de Mc (§ 300). – Au § 293, bien que les emprunts à Mc soient moins littéraux, la distinction des deux couches rédactionnelles s'impose, comme le prouve l'analyse des vv. 14-18. Il existe certainement un hiatus entre les vv. 16-17 où se lit l'affirmation : « ils en mettront à mort d'entre vous », et le v. 18 qui dit : « un cheveu hors de votre tête ne périra pas » ! Ce v. 18 devait suivre primitivement les vv. 14-15 : vous vous défendrez si bien devant les tribunaux que vos adversaires ne vous feront aucun mal (V. Taylor). Or justement, les vv. 14-15.18 n'ont aucun rapport littéraire avec Mc, tandis que les vv. 16-17 sont proches de Mc (il y a identité entre les vv. 17 de Lc et 13a de Mc; au v. 16, Lc a mis le thème à la deuxième personne du pluriel afin de l'harmoniser avec le contexte). On notera par ailleurs le style lucanien des vv. 14-15 : « mettez dans vos cœurs » (cf. Lc **1** 66); « se défendre » (*apologeisthai* : 0/0/2/0/6/2); « contredire » (*antilegein*, Ac **4** 14); « adversaire » (*hoi antikeimenoi*, cf. Lc **13** 17); pour l'ensemble du thème, voir Ac **6** 10. De même, le v. 12a, qui n'a pas de parallèle dans Mc, est de style lucanien, avec l'expression « porter les mains sur quelqu'un » (cf. Lc **20** 19; Ac **4** 3; **5** 18; **12** 1; **21** 27). En définitive, dans ce § 293, on attribuera au proto-Lc les vv. 12a.14-15.18, à l'ultime Rédacteur lucanien les vv. 12bc.16-17 et peut-être aussi 19, en provenance du Mc-intermédiaire. – Au § 292, Lc est proche de Mc, sauf pour la fin de son v. 11; on serait donc tenté de tout mettre au compte de l'ultime Rédacteur lucanien. On notera toutefois au début du v. 10 les mots : « Alors il leur disait », qui rompent le discours de Jésus; il est impensable que Lc les ait introduits de lui-même, alors qu'il supprime d'ordinaire, quand il en trouve dans Mc, des sutures rédactionnelles analogues. On peut donc penser que Lc a gardé ici le début du Discours eschatologique tel qu'il le lisait dans le proto-Lc. On verra d'ailleurs (II) que le v. **9** de Lc (cf. Mc) contient une citation de Dn **2** 28, alors que le v. 10 de Lc (cf. Mc) contient une citation de Is **19** 2 et des allusions à des thèmes fréquents dans Jérémie, mais absents de Daniel; or, la source du discours marcien abonde en citations de Daniel, et celle du proto-Lc en réminiscences d'Isaïe ou Jérémie (cf. II); les vv. 9 et 10-11

de Lc doivent donc appartenir à deux sources différentes. Ici, on attribuera au proto-Lc les vv. 10-11, mais à l'ultime rédaction lucanienne les vv. 8-9, repris du Mc-intermédiaire.

Voici donc, en résumé, comment on peut répartir les versets de Lc selon les deux couches littéraires différentes. On attribuera au proto-Lc les vv. 10-12a, 14-15.18, 20.21b.22.23b-26a.28, 29-30, 34-36 (voir la reconstitution du texte en II 4); les autres versets ont été insérés par l'ultime Rédacteur lucanien qui les a repris du Mc-intermédiaire.

b) D'où le proto-Lc tenait-il sa propre version du Discours eschatologique? On écartera le Mt-intermédiaire (et donc le Document A); dans tout ce discours, en effet, les accords Lc/Mt contre Mc sont extrêmement rares et peuvent tous s'expliquer par des remaniements de l'ultime Rédacteur marcien (cf. *infra*); par ailleurs, les nombreuses citations de l'AT sont faites d'après la Septante, ce qui empêche de faire remonter le fond du discours du proto-Lc au Document A. Pour la même raison, le discours du proto-Lc ne peut provenir du Document C. Reste alors comme source possible le Document B; on verra (II) que le discours attesté par le proto-Lc est effectivement une relecture du discours du Document A (cf. Mc) dans une perspective grecque, ce qui correspond bien aux caractéristiques du Document B. Nous reprendrons tous ces points dans la deuxième partie de cette note. – On hésitera cependant à attribuer au Document B les vv. 12a.14-15.18 de Lc (§ 293) qui, comme on l'a noté plus haut, sont de style typiquement lucanien; il faut plutôt les considérer comme des ajouts faits par le proto-Lc au récit du Document B.

c) Quelle était l'introduction du Discours eschatologique dans le Document B? Ce n'était pas celle de Lc **21** 5-7 qui, on l'a vu plus haut (I A), dépend du Document A. On pourrait alors songer au doublet de Lc **19** 41-44 (A. Salas); on notera en effet que ce texte de Lc annonce la ruine de Jérusalem, et non celle du Temple (opposer Mc **13** 5-6), de même que Lc **21** 20 parle explicitement de la ruine de Jérusalem (mais non le parallèle de Mc **13** 14); d'autre part, Lc **19** 43-44 est tissé de réminiscences bibliques d'après le texte de la Septante (voir note § 274), comme le discours du proto-Lc au chap. **21** (cf. II). Il y a donc de fortes chances pour que le texte de Lc **19** 41-44 ait formé l'introduction du Discours eschatologique dans le Document B.

2. *Le texte de Mt.*

a) Sauf au § 293 (cf. *infra*), le texte de Mt est très souvent identique à celui de Mc; on peut l'attribuer tout entier à l'ultime Rédacteur matthéen qui a repris le texte du Mc-intermédiaire. Notons quelques modifications apportées au texte du Mc-intermédiaire. Au § 294, Mt ajoute la glose explicative : « dont a parlé le prophète Daniel » (v. 15; cf. Introd., II D 1 b 3), et complète la citation de Dn **9** 27 en remplaçant « là où il ne faut pas » (Mc) par « dans le lieu saint »; au v. 20, il ajoute : « ni un sabbat », à l'intention de ses lecteurs judéo-chrétiens. – Au § 296, l'ultime Rédacteur matthéen ajoute un fragment repris du Document Q par le biais du Mt-intermédiaire (cf. Lc **17** 23-24.37b), formant en partie doublet avec Mt **24** 23 (cf. Mc). – Au § 297, on notera trois ajouts de Mt :

l'apparition du signe du Fils de l'homme, la conversion de « toutes les tribus de la terre » (cf. Za **12** 12 ss.), le son de la trompette.

b) Le cas du § 293 est plus complexe. Le parallèle complet des vv. 9-13 de Mc ne se lit pas ici, mais dans le « discours de mission », en Mt **10** 17-22 (§ 100). Mt **24** 9-14 a cependant gardé quelques éléments de Mc : au v. 9a, « ils vous livreront »; au v. 9b, « et ils vous tueront » (verbe différent de Mc), « et vous serez haïs... à cause de mon nom »; aux vv. 13 et 14, il reprend les vv. 13c et 9c-10 de Mc. Quant aux vv. 10-12, ils ont été ajoutés par l'ultime Rédacteur matthéo-lucanien pour compléter le texte du Mc-intermédiaire qu'il amputait, comme l'indique le vocabulaire. Le v. 9 commence par un *tote* (« alors ») typique du style du Rédacteur matthéen. Au v. 10, on a deux fois le mot *allèlous* (« les uns les autres »), qui ne se lit qu'une fois ailleurs dans Mt (**25** 32, de l'ultime Rédacteur) mais est fréquent dans Lc/Ac (3/5/11/15/8). Au v. 12, le mot « iniquité » (*anomia*) se lit quatre fois dans Mt, mais jamais dans Mc/Lc/Jn/Ac; le mot « charité » (*agapè*) est étranger au vocabulaire des Synoptiques, mais prolifère dans les autres écrits du NT (1/0/1/7/0/107), ce qui dénote le caractère relativement tardif de cette section matthéenne. Plus précisément, on notera les notes lucaniennes suivantes : au v. 12, les mots : « et par l'abondance de », traduisent le texte grec *dia to plèthynthènai;* or le verbe *plèthynein* est plutôt lucanien (1/0/0/0/5/5), comme la construction *dia to* + infinitif (3/3/8/1/8/5; les deux autres exemples de Mt sont en **13** 5-6 = Mc **4** 5-6, de l'ultime Rédacteur matthéen; cf. note § 129); au v. 14, Mt ajoute au texte du Mc-intermédiaire l'expression « dans l'univers entier », qui est encore lucanienne (*oikoumenè* : 1/0/3/0/5/6).

3. *Le texte de Mc.* Dans l'ensemble, le texte de Mc remonte au Document A par le biais du Mc-intermédiaire (cf. II). Il est toutefois possible de déceler un certain nombre d'additions faites au texte du Document A, soit par le Mc-intermédiaire, soit par l'ultime Rédacteur marcien.

a) Voici les ajouts du Mc-intermédiaire : au § 292, le logion concernant les séducteurs (vv. 5-6) se retrouve sous des formes différentes, soit plus loin dans ce même discours (§ 295), soit dans le Document Q (Lc **17** 23 // Mt **24** 26 : § 243), soit encore en Lc **17** 21; il a donc dû exister sous forme isolée et fut inséré en divers contextes. Son insertion ici doit être attribuée au Mc-intermédiaire pour les raisons suivantes : il ne se lisait pas dans le proto-Lc (dont le discours commençait en Lc **21** 10, cf. *supra*), et donc était ignoré du Document B; comme le discours du Document B est une « relecture » du discours du Document A, on peut conjecturer que le logion ne figurait pas dans le Document A. Par ailleurs, à la question des disciples : « Dis-nous quand cela sera... » (Mc **13** 4), devait correspondre la réponse de Jésus : « Quand vous entendrez... » (Mc **13** 7). Enfin, on notera la tonalité marcienne du v. 5 : « Or Jésus » (*ho de Ièsous*, seize fois à partir de Mc **9** 23); « commença » (*èrxato* ou *èrxanto* : 9/26/19/1/5); « prenez garde » (*blepete*, impératif : 1/7/2/0/1); comme ce dernier verbe se lit aussi dans Mt/Lc, ceci nous confirme leur dépendance, ici, à l'égard du Mc-intermédiaire. — Au même § 292, on a vu

plus haut que les vv. 8-9 et 10-11 de Lc appartenaient à deux couches littéraires différentes; il doit en être de même des vv. 7 et 8 de Mc : le v. 7 proviendrait du Document A, mais le v. 8 du Document B, comme les vv. 10-11 de Lc; en fusionnant les deux textes, le Mc-intermédiaire a changé le « Alors il leur disait » (Lc) en « car », ce qui fait du v. 8 une explication du v. 7 (guerres et rumeurs de guerre), explication qui vient toutefois trop tard après la conclusion : « mais (ce n'est) pas encore la fin »; la finale du v. 8, absente du parallèle de Lc, est une addition du Mc-intermédiaire.

A l'exception du v. 11 qui, on le verra plus loin, est de l'ultime Rédacteur marcien, tout le § 293 peut être attribué au Mc-intermédiaire. En effet, Mc **13** 9-10 et 12-13 n'a pas de parallèle dans le proto-Lc (= Document B), ce qui ne plaide pas en faveur de l'antiquité de ce passage dans le Document A, source du proto-Lc par le biais du Document B. D'autre part, cette section commence par un « regardez à » (*blepete*) typiquement marcien (cf. *supra*, en Mc **13** 5). Enfin et surtout, les vv. 9 et 10 semblent avoir été écrits en référence aux expériences missionnaires de Paul racontées en Ac **22-26**, où l'on voit Paul traîné d'abord devant le Sanhédrin, puis comparaissant devant le gouverneur Festus et enfin devant le roi Agrippa; on comparera aussi le v. 10 de Mc à des textes tels que Ga **2** 2; 1 Tm **3** 16; Col **1** 23, qui parlent de l'apostolat de Paul auprès des païens auxquels il apporte l'évangile. Une telle influence paulinienne sur la rédaction évangélique est impossible au niveau du Document A, d'origine palestinienne et judéo-chrétienne, mais se concevrait bien au niveau du Mc-intermédiaire. Les vv. 9-10 et 12-13 seraient donc une composition assez libre du Mc-intermédiaire; toutefois, au v. 12, il doit reprendre un logion apparenté à celui qui se lit en Mt **10** 35-36 // Lc **12** 53 (§ 212, Document Q), étant donné le passage insolite de la deuxième personne du pluriel à la troisième personne du singulier.

Le § 295 contient deux logia différents, l'un concernant les faux christs (Mc **13** 21), l'autre les faux christs et les faux prophètes (Mc **13** 22-23). Comme ils n'ont pas de parallèle dans le proto-Lc, ils ont dû être ajoutés ici par le Mc-intermédiaire qui les aura trouvés, soit à l'état isolé (cf. ce a été dit déjà du premier logion à propos de Mc **15** 5-6), soit dans une de ses sources, mais à une autre place; on notera que Mt **7** 15 contient aussi une mise en garde contre les faux prophètes. Ces deux logia s'appelaient l'un l'autre, et l'insertion ici du second est motivée par le thème des « élus » (Mc **13** 22) qui se retrouve dans les contextes antérieur (**13** 20) et postérieur (**13** 27).

Au § 298, le Mc-intermédiaire reprend au Document A la parabole du figuier (v. 28), qui se lisait aussi dans le proto-Lc sous une forme assez différente (Lc **21** 29-30); mais il lui ajoute l'explication du v. 29, reprise par l'ultime Rédacteur lucanien en **21** 31. — Il faut également attribuer au Mc-intermédiaire les trois logia du § 299, inconnus du proto-Lc; le second logion n'est d'ailleurs que la reprise, adaptée au contexte, d'un logion attesté aussi par Mt **5** 18 // Lc **16** 17 (Document Q).

b) L'activité de l'ultime Rédacteur marcien est marquée surtout par deux additions importantes. La première est, au § 293, Mc **13** 11. Le cas de ce verset marcien et de ses parallèles est assez curieux. Il a bien son parallèle en Mt **10** 19-20, mais pas en Lc **21** 14-15 qui n'a aucun mot commun avec lui ! Le vrai parallèle lucanien à ce verset de Mc se trouve en Lc **12** 11b-12, qui devrait dépendre du Document Q comme la plupart des éléments de la section « péréenne » de Lc. De fait, ce texte de Lc présente quelques accords avec Mt contre Mc : « ne vous inquiétez pas » (*mè merimnèsete*) au lieu de *mè promerimnate* (Mc); addition de « comment ou » avant « quoi dire » (Lc ajoute l'idée de « se défendre », comme en **21** 14); les vv. 19-20 de Mt, parallèles à Lc **12** 11b-12, proviendraient donc du Document Q par le biais du Mt-intermédiaire. On doit dès lors se demander si le v. 11 de Mc ne serait pas de l'ultime Rédacteur marcien qui l'aurait repris au Mt-intermédiaire ! Cette hypothèse se trouve confirmée par l'analyse du début de ce v. 11. L'expression « pour vous livrer » fait évidemment écho au : « ils vous livreront », du début du v. 9 et donne l'impression d'une cheville rédactionnelle; elle se trouve jointe au verbe « mener » (*agein*) qui, utilisé au sens transitif (actif ou passif), est typique du style de Lc (3/1/12/8/25/8); ne se lisant jamais ailleurs dans Mc, il est comme la signature du Rédacteur marco-lucanien. Ainsi, Mc **13** 11 est repris de Mt **10** 19-20, texte du Mt-intermédiaire qui, ayant son parallèle en Lc **12** 11b-12, provient du Document Q.

La seconde addition de l'ultime Rédacteur marcien se trouve au § 300. On devait lire dans le Mc-intermédiaire simplement l'appel à la vigilance contenu dans le v. 33 du Mc actuel; le « faites attention » (*blepete*) du début est bien dans le style du Mc-intermédiaire (cf. **13** 5), et les mots « ne vous endormez pas » (*agrypneite*) et « moment » (*kairos*) devaient se lire déjà dans le Document A, puisqu'on les retrouve dans le proto-Lc (Lc **21** 36). En revanche, les vv. 34-37 sont de l'ultime Rédacteur marcien. S'ils s'étaient trouvés déjà dans le Mc-intermédiaire, on ne voit pas pourquoi Mt aurait omis un texte aussi important sur la vigilance, lui qui rassemble en finale de son Discours eschatologique tous les appels à la vigilance qu'il peut trouver ! Ces vv. 34-36 sont d'ailleurs composés d'éléments disparates. Le v. 34 met en scène un homme qui part pour l'étranger en laissant sa maison à la garde de ses serviteurs; c'est le début de la parabole des talents (ou des mines) que Mt **25** 14 et Lc **19** 12 s. tiennent du Document Q; mais Mc en change le thème : l'homme ne donne pas aux serviteurs des sommes d'argent, il donne « à chacun sa tâche ». Pour faire le lien avec la suite, Mc ajoute : « et au portier il a commandé de veiller », qui fait l'effet d'une cheville rédactionnelle. Quant aux vv. 35-36, ils ont leur parallèle en Lc **12** 37-38 : il s'agit du maître de maison qui doit rentrer à une heure tardive et qu'il faut attendre en restant éveillé. Le v. 37 de Mc rappelle Lc **12** 41, verset-charnière entre la parabole des serviteurs qui doivent « veiller » et celle de l'intendant fidèle et vigilant. – On notera que, au v. 35, la façon de diviser la nuit en quatre sections est de type « romain », ce qui ne plaide pas en faveur de l'antiquité de cette parabole sous sa forme marcienne. Aux vv. 35 et 36, on notera deux mots qui ne se lisent ailleurs dans tout le NT que dans Lc/Ac : « minuit » (*mesonyktion*: 0/1/1/0/2/0) et « à l'improviste » (*exaiphnès*: 0/1/2/0/2/0); quant au mot « tâche »

(*ergon*, au singulier), il ne se lit qu'une autre fois dans Mc, dans l'expression sémitisante « œuvre bonne » (cf. Mt), mais six fois dans Ac et une fois dans Lc.

En résumé, le Discours eschatologique du Document A devait comporter seulement les versets suivants de Mc **13** : 7, 14-20, 24-27, 28, 33. – Il est curieux que l'on ne trouve dans tout ce discours aucune trace du Mt-intermédiaire, ni dans le Mt actuel qui dépend tout entier du Mc-intermédiaire, ni dans le proto-Lc qui dépend tout entier du Document B; force nous est de conclure que le Mt-intermédiaire avait cru bon de l'omettre.

II. LE SENS DU DISCOURS ESCHATOLOGIQUE

Le discours eschatologique de Mc **13** et par. est un des passages du NT qui a suscité le plus de controverses. D'après Mc **13** 1-4, Jésus y donnerait les signes annonçant la ruine de Jérusalem; mais Mc **13** 24 ss. semble décrire le retour du Fils de l'homme à la fin des temps ! Selon certains commentateurs, Jésus ne parlerait dans ce discours que des événements relatifs à la ruine de Jérusalem, cette ruine marquant toutefois l'essor du royaume de Dieu dans l'Église. Selon d'autres, le thème essentiel serait celui de la fin du monde, la ruine du Temple restant à l'arrière-plan. D'autres distinguent ruine du Temple et fin du monde, mais ajoutent que Jésus aurait prononcé les deux parties du discours dans des circonstances différentes; la confusion serait le fait de la tradition évangélique. Enfin, beaucoup pensent que nous serions devant une « petite apocalypse » d'origine juive, constituée au minimum par les vv. 7-8, 14-20 et 24-27 de Mc, et qui aurait été complétée par des additions chrétiennes. Dans ce dernier cas, le discours ne remonterait pas à Jésus lui-même, mais émanerait de milieux apocalyptiques judéo-chrétiens. C'est dans ce dernier sens que vont nous orienter les analyses faites dans la première partie de cette note.

La structure du Discours eschatologique est beaucoup plus apparente dans le Document B que dans le Document A; on aurait pu analyser d'abord le Document B, ce qui aurait permis de jeter un éclairage plus net sur le discours du Document A; nous avons préféré rester fidèle à la méthode suivie jusqu'ici et analyser d'abord le discours du Document le plus ancien.

1. *Dans le Document A.*

a) L'introduction (Mc **13** 1-4). Comme jadis le prophète Michée (Mi **3** 12), et après lui Jérémie (Jr **26** 6.18), Jésus annonce la ruine du Temple de Jérusalem (sur la forme littéraire du logion, voir 2 S **17** 13). Cette annonce avait une portée religieuse : le Temple, centre du culte et lieu de la présence de Dieu, était le nœud de l'Alliance ancienne; annoncer la ruine du Temple, c'était par le fait même prédire la rupture de l'Alliance entre Dieu et son peuple, le rejet du peuple élu par Dieu. – Les disciples posent alors une question à Jésus (v. 4) qui donne la clef permettant d'interpréter le discours qui suit. Cette question comporte deux parties. La première,

« Dis-nous quand cela sera », se réfère certainement à l'annonce de la destruction du Temple : à quel moment se produira-t-elle? La seconde partie, « et quel sera le signe lorsque tout cela va finir? », contient une allusion à Dn **12** 7 : « ... et tout cela finira »; dans Daniel, il s'agit de la fin de l'oppression du peuple de Dieu; tout porte à croire qu'il en est de même dans le texte du Document A. Nous sommes donc prévenus; le discours du Document A va comporter deux parties complémentaires : l'une concernera la catastrophe qui va s'abattre sur le Temple et sur le peuple de Dieu; l'autre annoncera au contraire l'heure de la délivrance du peuple de Dieu.

b) Première partie du discours. Elle comportait les vv. 7 (§ 292) et 14-20 (§ 294) de Mc **13**. A la question des disciples : « Dis-nous quand cela sera... », Jésus répond d'abord : « Quand vous entendrez parler de guerres, etc. » (v. 7); ces bruits de guerre ne seront que les signes lointains annonçant la catastrophe, ils n'annoncent « pas encore la fin ». « Il faut que (cela) arrive » est une citation de Dn **2** 28; c'est donc dans Daniel qu'il faut probablement chercher l'origine de ces allusions à des guerres nécessaires, et l'on pense à Dn **11** 1 ss. – Le signe prochain de la catastrophe est donné au v. 14a : « Mais quand vous verrez l'abomination de la désolation établie là où il ne faut pas... » L'expression « abomination de la désolation » est reprise de Dn **12** 11 (cf. Dn **9** 27) et désigne les emblèmes des cultes païens, baals et Zeus, plantés dans le Temple de Jérusalem, comme le dit Mt plus explicitement (cf. aussi Dn **9** 27). Cette profanation du Temple sera le signe prochain de la catastrophe. A ce signe, il faudra quitter Jérusalem et fuir le plus vite possible (vv. 14b-16), en souhaitant que cette fuite ne soit pas entravée par des difficultés personnelles (v. 17) ou climatiques (v. 18). – La description de la catastrophe (v. 19) reprend les termes par lesquels Dn **12** 1 décrit la destruction de la Terre sainte par un envahisseur du nord, « au temps de la fin » (Dn **11** 40). Quant à l'allusion aux jours abrégés par Dieu (v. 20 de Mc), elle est probablement motivée par le fait que Dn **12** 11-12 donne deux chiffres différents pour compter les « jours » durant lesquels durera l'oppression du peuple de Dieu par ses ennemis : 1290 et 1355. Mais le fait même d'annoncer que ces jours terribles « seront abrégés » suggère que la calamité qui se sera abattue sur le peuple de Dieu aura un terme; cette finale du v. 20 de Mc annonce le renversement de situation décrit dans la section suivante.

c) Seconde partie du discours. Les emprunts à l'AT y sont nombreux. Les signes cosmiques décrits aux vv. 24-25 (§ 297) proviennent de Is **13** 10 : « et le soleil s'obscurcira dès son lever et la lune ne donnera plus sa lumière », complété par Is **34** 4 : « et toutes les étoiles tomberont ». La vision centrale du v. 26 reprend Dn **7** 13, ce qui assure le lien thématique avec le § 294 (citations de Dn **11**-**12**). Enfin, le v. 27 combine deux textes différents, légèrement remaniés, Za **2** 10 : « Je vous rassemblerai des quatre vents du ciel » (= des quatre points cardinaux); et Dt **30** 4 : « Si tu es dispersé de l'extrémité du ciel à l'extrémité du ciel, de là le Seigneur Dieu te rassemblera. » – On a souvent mal compris cette seconde partie du discours parce qu'on a interprété d'une façon trop matérielle les « signes cosmiques » décrits en Mc **13** 24-25.

Pas plus qu'en Ac **2** 19 s., qui cite Jl **2** 30 ss., il ne s'agit ici d'une fin « du monde » au sens où nous la comprenons maintenant; c'est une description traditionnelle chez les prophètes pour souligner une intervention de Dieu dans le monde, description qui amplifie des phénomènes naturels tels que éclipses de soleil et de lune, ou étoiles filantes. Ici, l'intervention de Dieu est sans aucun doute la délivrance de son peuple. Les signes cosmiques sont repris de Is **13**, qui annonce le « jugement » de Babylone la persécutrice, et de Is **34**, « jugement » d'Edom coupable d'hostilité contre Israël. La « venue » du Fils de l'homme (v. 26) signifie, dans Dn **7** 13-14, un renversement de situation : après avoir été persécuté, le peuple de Dieu reçoit domination sur le monde entier. Le rassemblement des élus (v. 27) est un thème classique de la littérature prophétique (Za **2** 10-17; Jr **32** 37-44; Dt **30** 3-4) : après avoir été « dispersé » aux quatre coins du monde, le peuple de Dieu sera de nouveau rassemblé par Dieu pour vivre en paix sur la Terre que Dieu lui a donnée. Cette seconde partie du discours forme donc opposition avec la première : à l'oppression et aux souffrances succédera la domination triomphante sur le monde (cf. Dn **7** 13-14).

d) Conclusion du discours. Dans le Document A, le discours se terminait par les vv. 28 et 33 de Mc. La parabole du figuier (sans l'explication du v. 29) doit être comparée à d'autres paraboles concernant la proximité du royaume de Dieu (Mt **12** 28 et par., § 117; Lc **12** 54-56, § 213); ici aussi, elle indiquerait les signes auxquels on pouvait reconnaître la proximité du royaume, comme l'a bien compris Lc au v. 31. Quant à l'appel à la vigilance du v. 33, il se comprend très bien, puisque la tradition prophétique confondait souvent jugement eschatologique contre les nations païennes et jugement contre tous les impies; il faut donc « veiller » afin de ne pas se trouver englouti dans la tourmente qui va emporter les ennemis du peuple de Dieu.

e) Au niveau du Document A, le Discours eschatologique n'offre rien de spécifiquement chrétien (mise à part évidemment l'introduction de Mc **13** 1-4); il suppose au contraire un nationalisme juif exacerbé par la domination romaine et qui, opprimé par une nation païenne, se berce de l'espoir d'une délivrance en glosant les oracles de Dn **7** et **11**-**12**. Ce discours fut repris très tôt dans des milieux judéo-chrétiens qui n'avaient pas rompu avec les espérances juives d'un messianisme politique (cf. Ac **1** 6) et fut placé après des paroles de Jésus (cf. Mc **13** 2) qui, à la suite de Michée et de Jérémie (cf. *supra*), annonçaient la destruction du Temple en châtiment de la perversion religieuse des chefs du peuple saint.

2. *Dans le Mc-intermédiaire.* Ayant reçu ce discours du Document A, le Mc-intermédiaire le « christianisa » en y insérant des éléments nouveaux. Aux §§ 292 et 295, la mise en garde contre les faux christs (**13** 5-6; **13** 21) et les faux prophètes (**13** 22-23); sur le sens de ces textes, voir notes § 243 et § 73. Au § 293, l'annonce des persécutions et des haines qui vont atteindre les prédicateurs de l'évangile (**13** 9-10) et même tous les disciples du Christ (**13** 12-13). Au § 299, l'insertion de trois logia annonçant l'imminence du jugement eschatologique (Mc **13** 30; cf. Mc **9** 1; 1 Th **4** 13-18), la certitude que tout cela

va arriver (**13** 31, qui adapte un logion de Jésus sur la pérennité de la Loi, cf. Lc **16** 17), enfin l'incertitude concernant le moment précis où vont se produire ces événements (Mc **13** 32). On notera que, dans ce dernier logion, la connaissance de Jésus semble limitée, bien que Jésus ait une dignité supérieure à celle des anges (cf. la parabole du § 281); ce logion est l'écho d'une époque et de milieux dans lesquels la divinité de Jésus, déjà admise dans son principe, n'avait pas encore été pleinement perçue selon toutes ses modalités. – Quant à l'ultime Rédacteur marcien, il se contentera de compléter la section chrétienne du § 293 en ajoutant le v. 11 de Mc, repris du Mt-intermédiaire (Mt **10** 19-20), et de développer l'appel à la vigilance du § 300 au moyen de deux paraboles qu'il trouvait dans la tradition du Document Q, probablement par le biais du Mt-intermédiaire, et qu'il fusionne en n'en retenant que certains éléments. Pour plus de détails, voir ce qui a déjà été dit *supra*, I B 3 b.

3. *Dans Mt.* Pour tout ce Discours eschatologique, l'ultime Rédacteur matthéen dépend fondamentalement du Mc-intermédiaire, auquel il fait subir quelques transformations. Dans l'introduction du discours (§ 291), il introduit en finale le thème de l'avènement de Jésus (*parousia*), comme aux vv. 27.37.39 (jamais ailleurs dans les évangiles, mais cf. 1 Th **2** 19; **3** 13; **4** 15; **5** 23; 1 Co **15** 23; 2 P **1** 16; **3** 4.12), et change le verbe « finir » de Mc en « fin du monde », expression qui se lit encore dans les paraboles eschatologiques propres à Mt (**13** 39-40.49) et en Mt **28** 20. Dans la perspective matthéenne, le discours sur la ruine du Temple devient plus nettement un discours « eschatologique », sur la fin du monde. – Cette tendance se manifeste encore dans le fait que Mt accumule, en finale du discours, un certain nombre de paraboles sur la vigilance (§§ 303-307) : il est nécessaire de « veiller » en attendant le retour de Jésus qui va tenir les assises du grand jugement eschatologique (§ 307), vision grandiose qui clôt le discours dans Mt. – C'est encore pour accentuer l'aspect de « fin du monde » que Mt complète le discours en y insérant deux fragments du discours eschatologique du Document Q : l'avènement du Fils de l'homme (§ 296) et la séparation entre bons et mauvais, dont le déluge avait été la préfiguration (§ 302). – Enfin, aux vv. 30-31 (§ 297), Mt ajoute au texte du Mc-intermédiaire trois thèmes complémentaires. Les thèmes du « signe » (= « étendard ») et de la « trompette » sont souvent liés dans l'AT (cf. Is **18** 3; Jr **4** 21; **6** 1; **51** 27); l'un et l'autre sont utilisés pour annoncer le rassemblement des dispersés d'Israël (cf. Is **11** 12; **27** 13; **49** 22), et c'est certainement le sens qu'ils ont ici (T.F. Glasson). Quant à la citation de Za **12** 12.14, Mt la comprend probablement comme s'appliquant, non à la Terre sainte (Za), mais à l'ensemble de la terre habitée; tous se frapperont la poitrine, car l'heure du châtiment a sonné pour les impies. – Selon toute vraisemblance, 2 Th **2** 1-12 s'inspire du Discours eschatologique sous sa forme matthéenne; comme l'authenticité paulinienne de cette épître – et donc sa date – est controversée, on ne peut tirer argument de ces contacts littéraires pour prouver l'antériorité de la forme matthéenne sur la forme marcienne du discours.

4. *Dans le Document B.* Comme on l'a dit plus haut, l'introduction du discours du Document B se trouve maintenant transférée en Lc **19** 41-44 (§ 274; voir la note). Puisque le texte de ce discours se trouve mêlé dans Lc à d'autres éléments, repris surtout du Mc-intermédiaire, nous allons en donner une reconstitution en fonction des analyses faites plus haut (I).

Lc **21**

10 Alors il leur disait : « Se dressera nation contre nation et royaume contre royaume;

11 et il y aura de grands tremblements de terre et, selon les lieux, des pestes et des famines; et il y aura des (choses) effrayantes et de grands signes venant du ciel.

20 (Et) quand vous verrez Jérusalem encerclée de campements, alors sachez que sa désolation est proche.

21b Ceux (qui seront) au milieu d'elle, qu'ils s'en éloignent; et ceux (qui seront) à la campagne, qu'ils n'y entrent pas.

22 Car ce sont des jours de vengeance, pour que soit accompli tout ce qui a été écrit.

23b Car ce sera une grande détresse sur la terre et une colère contre ce peuple.

24 Et ils tomberont au fil de l'épée et ils seront emmenés captifs dans toutes les nations, et Jérusalem sera foulée aux pieds par les nations jusqu'à ce que soient accomplis les temps des nations.

25 Et il y aura des signes dans le soleil et la lune et les étoiles et sur la terre angoisse des nations, dans l'inquiétude du bruit de la mer et des flots;

26a les hommes expirant de peur et d'attente de ce qui va arriver à l'univers.

28 Or, lorsque ces choses commenceront d'arriver, redressez-vous et relevez la tête, parce que votre rédemption approche.

29 Voyez le figuier et tous les arbres.

30 Quand ils bourgeonnent déjà, en regardant, par vous-mêmes, vous savez que déjà l'été est proche.

34 Prenez garde à vous, de peur que vos cœurs, etc. (§ 301).

a) *L'arrière-plan vétéro-testamentaire.* Pour mieux comprendre la structure de ce discours, il faut lire un certain nombre de textes qui, dans une même perspective, traitent de la « désolation » (*erêmôsis*, cf. Lc **21** 20) de la Terre sainte et de Jérusalem. En Dt **28** et Lv **26**, Dieu menace son peuple de malédiction s'il refuse d'écouter sa voix et de lui obéir. Notons spécialement Lv **26** 31 ss., où reviennent sans cesse les mots « désolé » et « désolation » : « Et je rendrai vos villes désolées (*erêmous*) et je désolerai (*exerêmôsô*) vos sanctuaires... Et je désolerai (*exerêmôsô*) votre terre, et vos ennemis qui y habitent s'étonneront à votre sujet. Et je vous disperserai parmi les nations et le glaive en passant vous fera périr. Et votre terre sera désolée (*erêmos*) et vos villes seront désolées (*erêmoi*). C'est alors que le pays acquittera ses sabbats, tous les jours de sa désolation (*tès erêmôseôs autès*). »

Jr **25** contient également une menace de Dieu contre son peuple. Puisque Juda n'a pas voulu écouter la parole de Dieu, Dieu va susciter contre lui Nabuchodonosor, roi de Babylone, qui va venir dévaster le pays (vv. 8-10). L'oracle se termine sur ces mots : « Toute la terre (= tout le pays de Juda) sera réduite en désert et ils resteront en servitude parmi les nations pendant soixante-dix ans... J'amènerai contre cette terre toutes les paroles que j'ai prononcées contre elle, tout ce qui a été écrit (*panta ta gegrammena*) dans ce livre » (vv. 10-13). Le texte de Jr se distingue de celui de Lv en ce qu'il assigne une durée déterminée au temps durant lequel le peuple de Dieu sera soumis aux païens : soixante-dix ans. Il précise également : « Mais lorsque seront accomplis les soixante-dix ans, je visiterai le roi de Babylone et cette nation, à cause de leur crime; ainsi que le pays des Chaldéens, pour en faire un désert éternel » (**25** 12). La captivité du peuple de Dieu prendra donc fin au bout des soixante-dix ans (cf. Jr **29** 10), tandis que les nations païennes recevront le châtiment de leur impiété.

L'auteur du deuxième livre des Chroniques termine ainsi le récit de la prise de Jérusalem par les Chaldéens : « Puis Nabuchodonosor déporta à Babylone ceux qui restaient; et ils durent le servir, lui et ses enfants, jusqu'au règne des Mèdes, afin que fût accomplie la parole du Seigneur (dite) par la bouche de Jérémie : Jusqu'à ce que le pays ait acquitté ses sabbats, il chômera tous les jours de sa désolation, jusqu'à l'accomplissement des soixante-dix ans » (2 Ch **36** 20-21). Ce dernier chiffre seul est repris de Jr **25** 11 (cf. *supra*); le reste de la citation reprend les expressions de Lv **26** 34 (cf. *supra*).

La vision du chap. **9** de Daniel est un commentaire des textes précédents, comme l'indique explicitement Dn **9** 1-2 : « ... moi, Daniel, je scrutai les Écritures, calculant le nombre des années tel qu'il fut révélé par Yahvé au prophète Jérémie, pour l'accomplissement de la désolation (*erèmôseôs*) de Jérusalem : soixante-dix ans. » Daniel entreprend alors une longue confession collective, rappelant comment le peuple de Dieu refusa d'écouter la voix de Yahvé; pour le punir, Dieu fit venir contre lui la malédiction, « ainsi qu'il est écrit dans la Loi de Moïse » (**9** 10-13); c'est un rappel de Dt **28** et Lv **26**. Dieu a donc envoyé sa colère et sa fureur sur Jérusalem (v. 16), comme en témoigne la « désolation » (*erèmôsis*) de la ville (v. 18). La prophétie des vv. 24-27, très obscure, fait allusion à des événements du temps d'Antiochus Épiphane; Daniel y prédit la suppression d'un messie et une nouvelle destruction de la ville (Jérusalem) et du sanctuaire (v. 25).

On se trouve donc devant une tradition très homogène : la terre de Juda (Jr) et plus précisément Jérusalem (2 Ch, Dn) sera livrée à la « désolation » en châtiment de ses infidélités envers Dieu; elle se trouvera au pouvoir des nations païennes. Mais cette servitude ne durera qu'un temps limité : soixante-dix ans. Après ce temps viendra la délivrance de Jérusalem en même temps que le châtiment des nations païennes (Jr). Ce sont ces deux faces du diptyque que l'on va retrouver dans le discours eschatologique du Document B.

b) Première partie du discours. Elle comporte les vv. 10-11 et 20-24 de Lc (moins les insertions en provenance de Mc; cf. la restitution du texte, *supra*). Le thème essentiel est celui de la « désolation » (*erèmôsis*) de Jérusalem (v. 20) annoncée par Lv, Jr et Dn. Cette désolation sera précédée de signes (Lc **21** 10-11) décrits surtout en référence à un certain nombre de textes de Jérémie et d'Isaïe : « Et se dresseront Égyptiens contre Égyptiens, et un homme fera la guerre à son frère... ville contre ville et royaume contre royaume » (Is **19** 2); ce texte fait partie d'un oracle contre l'Égypte, mais il est repris par 2 Ch **15** 6-7, qui change « royaume contre royaume » en « nation contre nation » (cf. Lc), dans un contexte où il s'agit

d'une épreuve qui s'abattra sur le peuple de Dieu en châtiment de ses infidélités. Quant aux autres signes : tremblements de terre, famines, pestes (Lc **21** 11a), ils sont souvent mentionnés dans Jérémie (**10** 22; **11** 22; **15** 2; **21** 6-9) comme devant accompagner le châtiment de Jérusalem. En Lc **21** 11b, on notera l'adjectif « effrayant » (*phobètron*), qui ne se lit ailleurs dans toute la Bible qu'en Is **19** 17. – Lorsque le temps sera venu, fixé par Dieu pour sa « désolation » (Lc **21** 20), Jérusalem sera encerclée par les ennemis et il faudra la quitter en hâte (v. 21b); sa condamnation est arrivée, conformément à « tout ce qui a été écrit » (v. 22; cf. Jr **25** 13 et Dn **9** 13); comme dans Dn **9** 13, ce sera l'accomplissement des malédictions de Lv **26** 31 ss. (*supra*), puisque la suite du texte en reprend les points principaux : détresse « sur la terre » (v. 23b; c'est la terre de Juda, comme en Lv **26** 32 et Jr **25** 11), mort par l'épée (v. 24a; cf. Lv **26** 33), captivité et déportation chez les nations païennes (v. 24b; cf. Lv **26** 33). Cette sombre perspective est résumée dans une citation de Za **12** 3, faite d'après la Septante : « Jérusalem sera foulée aux pieds par les nations (païennes). » – Cette première partie du discours se termine cependant sur une lueur d'espoir : « ... jusqu'à ce que soient accomplis les temps des nations » (v. 24d); il s'agit évidemment du temps accordé par Dieu aux nations païennes pour « fouler aux pieds Jérusalem », en accord avec Jr **29** 10 : « Lorsque seront accomplis (*plèrousthai*) les soixante-dix ans accordés à Babylone... » (cf. Dn **9** 27 : « ... et la désolation prendra fin »).

c) Seconde partie du discours. Le temps de l'oppression de Jérusalem aura un terme : un jour viendra la *délivrance* (Lc **21** 28 : *apolytrôsis*). C'est précisément ce renversement de situation que décrit la seconde partie du discours (vv. 25-26a.28). Ce n'est plus Jérusalem qui sera dans l'angoisse, mais les nations païennes (v. 25). Le vocabulaire de cette section reflète celui des textes de l'AT qui annoncent un « jugement » de Dieu; mais c'est Is **13** qui est utilisé systématiquement : signes cosmiques et angoisse sur la terre (Is **13** 10.13); bruits de tempête qui pourraient évoquer le rassemblement des peuples envahisseurs (Is **13** 4; **17** 12); les hommes expirent de peur (cf. Is **13** 7); l'univers entier va être atteint (Is **13** 5.9.11). Or, Is **13** contient un oracle contre Babylone coupable d'avoir opprimé Jérusalem! Ces signes cosmiques ne sont donc pas une « fin du monde » au sens où nous l'entendons maintenant, mais ils soulignent l'intervention de Dieu contre les nations païennes (cf. *supra*, à propos du discours du Document A).

d) Appel à la vigilance. L'appel à la vigilance qui terminait le discours du Document A se retrouve ici au v. 36 de Lc : « ne vous endormez pas, à tout moment... » (*agrupneite en panti kairô*); mais il fut considérablement amplifié, toujours selon le même procédé, qui consiste à construire une mosaïque de textes de l'AT. Le principal est Is **24** 17-18.20 :

Is **24**	Lc **21**
17 Peur et trou et filet sur vous les habitants	35 ... comme un filet. Car il s'abattra sur tous ceux qui habitent sur la [face
de la terre;	de toute la terre.

18 et celui
qui fuira (*ho pheugôn*)
la peur tombera dans le
[trou...
20 La terre a chancelé...
comme l'ivrogne et le dé-
[bauché
et elle tombera et ne pourra
[pas
se tenir debout (*anastènai*).

36b ... afin d'avoir la force
d'échapper (*ekphygein*)...

34b ... dans la débauche et
l'ivrognerie...

36c ... et de vous tenir (*stathè-
nai*) devant le Fils de
l'homme. »

Au v. 35, « sur vous les habitants de la terre » (Is) est complété au moyen d'une réminiscence de Gn 7 23, qui parle du déluge : « Et il effaça tout être vivant qui était *sur la face de toute la terre.* » – Enfin, le caractère inattendu de la catastrophe est souligné par un emprunt à Qo 9 12 : « Et, comme des oiseaux chassés *au filet*, ainsi seront pris au filet les fils de l'homme, au temps du malheur, lorsqu'*il tombera* sur eux à l'improviste (*aphnô*). »

e) Ce discours du Document B offre des analogies évidentes avec celui du Document A, dont il reprend la structure générale : une introduction, une première partie annonçant la destruction du Temple (de Jérusalem), une seconde partie prédisant la libération du peuple de Dieu et le « jugement » des nations païennes, enfin un appel à la vigilance. Mais les deux faces du diptyque sont beaucoup mieux marquées, avec les passages-clefs : « Jérusalem sera foulée aux pieds par les nations » (v. 24), « relevez la tête parce que votre rédemption approche » (v. 28). Par ailleurs, les emprunts à Dn 7 et **11-12,** assez mystérieux avec leur allusion à « l'abomination de la désolation » (Mc 13 14), laissent la place à des allusions aux oracles de Lv, Jr, 2 Ch, qui formaient une tradition mieux connue, semble-t-il, et plus compréhensible. On a l'impression

que le discours du Document B est une « relecture » de celui du Document A en vue de le rendre plus clair, plus compréhensible pour des non-juifs. De là probablement aussi l'importance donnée au thème de « Jérusalem », au détriment de celui du « Temple » ; de là encore les allusions aux textes de l'AT faites d'après la Septante, et non d'après le texte hébreu.

f) Notons enfin deux échos que ce discours (appel à la vigilance) trouve dans les écrits pauliniens. En 1 Th **5** 3, après avoir évoqué la parabole sur la vigilance de Lc **12** 39 en disant : « vous savez que le jour du Seigneur *vient comme un voleur...* », Paul poursuit : « ... alors *à l'improviste* fondra sur eux la ruine... et ils ne pourront *échapper* » (*aiphnidios autois ephistatai... kai ou mè ekphygôsin*); les mots soulignés sont les mêmes que dans Lc **21** 34.36 : « ... et que ne fonde sur vous, à l'improviste, ce jour-là... afin d'avoir la force d'échapper à tout cela » (*kai epistè eph'hymas aiphnidios... ekphugein*). On notera que le mot *aiphnidios* ne se lit jamais ailleurs dans tout le NT (trois fois seulement dans la Septante). Il est donc probable que Paul dépend ici du Document B, si toutefois cette section de 1 Th est bien de la main de Paul, ce qui n'est pas absolument certain. – De même, la formule : « Ne vous endormez pas, à tout moment priant... », se retrouve en Ep **6** 18 : « ... *priant à tout moment*, dans l'Esprit, et pour cela *n'étant pas endormis* (*agrypnountes*) »; on a déjà noté que ce verbe *agrypnein* ne se lisait que dans les deux passages parallèles de Lc **21** 36 et Mc **13** 33, et dans He **13** 17 (au lieu du plus fréquent *grègorein*).

5. Rappelons pour terminer que le proto-Lc, en reprenant le discours du Document B, y a ajouté les développements plus chrétiens de Lc **21** 12a.14-15.18 (§ 293). – Quant à l'ultime Rédacteur lucanien, il a inséré dans le texte du proto-Lc divers versets repris littéralement du Mc-intermédiaire.

NOTE SUR LES §§ 302 à 307

L'ultime Rédacteur matthéen complète le discours eschatologique qu'il tient du Mc-intermédiaire en y ajoutant les éléments suivants : un fragment du discours eschatologique du Document Q (§ 302), mieux conservé en Lc 17 22-37 (voir note § 243); trois paraboles sur la vigilance (§§ 303, 304, 306), en provenance également du Document Q puisqu'elles se lisent aussi dans Lc (voir notes §§ 209, 210, 270); enfin deux paraboles propres à Mt dont on trouvera l'analyse aux notes §§ 305 et 307.

Note § **305.** *LA PARABOLE DES DIX VIERGES*

La parabole des dix vierges est une composition de l'ultime Rédacteur matthéen qui rassemble divers thèmes de la tradition évangélique.

a) Les dix vierges sont sorties à la rencontre de l'époux (**25** 1), mais celui-ci se fait attendre et elles s'endorment (**25** 5). Mt reprend ici le thème fondamental des paraboles sur la vigilance : il faut veiller en attendant le retour du maître

(cf. §§ 303, 304 et aussi 300), explicité en **25** 13 (cf. Mc **13** 35; Lc **12** 37; Mt **24** 44). Ce thème semble toutefois secondaire; le but premier de la parabole n'est pas de recommander la vigilance, puisque les cinq vierges « sensées » se sont endormies elles aussi, ce qui ne les empêchera pas d'entrer dans la salle du festin !

b) L'enseignement fondamental de la parabole apparaît par

comparaison avec la parabole des deux hommes qui construisent leur maison, au § 75. Dans les deux paraboles, Jésus oppose ceux qui sont « sages » ou « sensés » (*phronimoi*) à ceux qui sont « sots » ou « fous » (*môroi*). C'est un thème classique de la littérature sapientielle : est « sage » celui qui agit selon la volonté de Dieu; est « fou » celui qui agit selon sa volonté propre. Cette opposition est illustrée par l'exemple des deux hommes qui construisent leur maison sur le roc ou sur le sable (§ 75) et par l'exemple des dix vierges dont cinq ont apporté avec elles leur provision d'huile et cinq ont oublié de le faire (§ 305).

c) Les cinq vierges qui ont été obligées d'aller chercher leur provision d'huile arrivent en retard et trouvent la porte du festin fermée (Mt **25** 10-11). Lorsqu'elles frappent pour entrer, l'époux leur répond : « Je ne vous connais pas »

(v. 12). Ce thème a son équivalent en Lc **13** 25 (Document Q, § 220), et c'est probablement de ce texte que Mt s'inspire ici. Mais la parole : « Je ne vous connais pas », avait déjà été utilisée par Mt en **7** 23 (§ 74), liée au thème de « faire la volonté de Dieu » (**7** 21). L'idée première est que Jésus ne reconnaîtra pour siens que ceux qui auront fait la volonté de son Père, autrement dit les « sages » au sens biblique. Il est assez remarquable que le dernier « discours » de Jésus, dans Mt (Discours eschatologique) se termine en évoquant les thèmes qui terminent son premier discours (Sermon sur la montagne); cette « inclusion » veut indiquer ce qui, pour Mt, forme l'essentiel de l'enseignement de Jésus : au jour du jugement dernier (§ 307), seuls seront appelés à entrer dans le royaume ceux qui auront accompli, durant leur vie, la volonté du Père.

Note § **307**. *LE JUGEMENT DERNIER. FIN DU DISCOURS*

Mt termine le Discours eschatologique par une fresque grandiose décrivant le jugement dernier. Du point de vue littéraire, on peut distinguer dans ce texte deux sortes de matériaux.

1. Le scénario du jugement dernier est de l'ultime Rédacteur matthéen. Le Fils de l'homme siégera sur son trône de gloire (**25** 31), comme en Mt **19** 28a (propre à Mt). Comme dans la parabole du filet (§ 138, propre à Mt), il y aura un rassemblement de tous les hommes (**25** 32 et **13** 47; même verbe *synagein*, traduit par « ramasser » ou « rassembler »); le jugement sera une « séparation » (*aphorizein*, **25** 32 et **13** 49); les « justes » prendront possession du royaume (**25** 37.46 et **13** 47.49), tandis que les autres seront envoyés au feu éternel (**25** 41 et **13** 50). On comparera aussi ce texte avec l'explication de la parabole de l'ivraie (§ 136), où l'on voit ceux qui sont du parti du Diable (**13** 39; cf. **25** 41) jetés au feu, tandis que les « justes » resplendissent dans le royaume. Ces thèmes sont donc typiquement matthéens. Par ailleurs, toute la parabole est scandée par une série de « alors » (*tote*; vv. 31.34.37.41.44-45), caractéristique du style de l'ultime Rédacteur matthéen.

2. En revanche, la description des œuvres bonnes d'après lesquelles les hommes seront jugés (vv. 35-40; cf. 42-44) est probablement reprise d'un document déjà étudié à propos du Sermon sur la montagne : le Traité des Deux Voies (note §§ 53-59). Ceci découle des remarques suivantes :

a) Le double thème de nourrir l'affamé et de vêtir celui qui est nu se trouve déjà en Ez **18** 7 et Is **58** 7, augmenté dans ce dernier texte du conseil de faire entrer dans sa maison celui qui est sans toit, i.e. l'étranger; ce double thème se lit également en Tb **4** 16, où il suit immédiatement la « règle d'or » donnée sous forme négative : « ce que tu hais, ne le fais à personne » (**4** 15); or, cette règle d'or est une des pièces centrales du Traité des Deux Voies (cf. note §§ 53-59 et note § 71).

b) On trouve un bon parallèle à Mt **25** 35-36 dans Test. Jos. 1 4 ss. (voir vol. I, 3e registre); toutefois, le contexte n'est pas celui d'un jugement eschatologique, mais celui d'une opposition entre « amour » et « haine »; or, une telle opposition constitue, avec la règle d'or, le centre même du Traité des Deux Voies (cf. note §§ 53-59).

c) Les Homélies Clémentines semblent citer Mt **25** 35-36 à quatre reprises différentes (voir vol. I, 3e registre). Mais, si les thèmes sont exactement les mêmes (avec une inversion), le vocabulaire est très différent dans Hom. Clém. et dans Mt; on notera que les quatre citations sont relativement homogènes dans leurs divergences d'avec Mt, ce qui exclut l'hypothèse de citations libres faites par Hom. Clém.; leur auteur suit un texte précis, différent de celui de Mt. Par ailleurs, le contexte de ces citations, dans Hom. Clém., n'est pas celui d'un jugement eschatologique; en 3 69 il s'agit du commandement de l'amour du prochain (Lv **19** 18); en 11 4, de la règle d'or; en 12 32, de l'amour du prochain et de la règle d'or, thèmes fondamentaux du Traité des Deux Voies. L'auteur des Homélies Clémentines ne dépend donc pas ici de Mt, mais du Traité des Deux Voies.

Comme la tradition matthéenne a largement utilisé ce Traité (voir note §§ 53-59), on peut penser que Mt est allé y puiser l'énumération des œuvres bonnes à accomplir pour être accueilli dans le Royaume lors du jugement eschatologique.

L'intention matthéenne apparaît alors assez claire. La parabole des dix vierges (§ 305) répond aux thèmes de la finale du Sermon sur la montagne (voir note § 305); la parabole du jugement dernier reprend les thèmes du Traité des Deux Voies, largement utilisés dans la première partie du Sermon sur la montagne (Mt **5** 17-43, voir les notes). Mt veut montrer que seuls ceux qui auront suivi l'enseignement de Jésus tel qu'il est donné dans le Sermon sur la montagne pourront entrer dans le royaume, lors du jugement dernier.

Note § 308. *JÉSUS ENSEIGNE DANS LE TEMPLE ET PASSE LES NUITS AU MONT DES OLIVIERS*

Lc est le seul à placer, après le discours sur la ruine du Temple, un sommaire qui décrit les activités de Jésus à Jérusalem. Essayons d'en préciser l'origine.

1. On peut lire un sommaire semblable à celui de Lc en Jn 8 1-2; malgré une inversion de structure, les renseignements que Jn nous donne sont les mêmes que ceux de Lc, formulés souvent en termes identiques. On notera l'expression commune « tout le peuple » (*pas ho laos*), typique du style de Lc (1/0/12/1/6/2), et les expressions de même racine = « à l'aurore » (*orthrizein:* Lc 21 38; *orthros:* Jn 8 2; Lc 24 1; Ac 5 21) que Lc est le seul à employer dans tout le NT (cf. encore *orthrinos:* Lc 24 22). Or il est curieux de constater que Jn offre d'autres notes lucaniennes absentes du texte actuel de Lc ! Le verbe « partir » (*poreuesthai:* 28/1/50/13/39); dans Jn, ce verbe n'est utilisé que dans des discours, jamais comme ici en récit; le verbe « arriver » (*paraginomai:* 3/1/8/2/20/3); la phrase : « et assis il les enseignait », qui a son équivalent exact en Lc 5 3 mais ne se lit ni dans Mt ni dans Mc. On notera également la parenté entre Jn 8 2 et Ac 5 20 s. : « *Partez* et, vous tenant *dans le Temple,* parlez *au peuple*... Ayant entendu, ils entrèrent *à l'aurore* (*hypo ton orthron*) *dans le Temple* et *ils enseignaient.* » Enfin, le texte de Jn est mieux structuré que celui de Lc; dans Lc, on s'étonne que la mention du peuple qui vient écouter Jésus dès l'aurore soit séparée de la mention de Jésus qui enseigne (vv. 37a.38), ce qui oblige à répéter de façon anormale l'expression « dans le Temple ». Ces remarques littéraires obligent à admettre que Jn et Lc dépendent tous les deux du proto-Lc, mieux conservé chez Jn que dans l'ultime rédaction lucanienne. On a déjà vu, à la note § 259, que le récit de la femme adultère, qui suit ce sommaire chez Jn, était aussi de saveur nettement lucanienne.

2. D'où le proto-Lc tient-il ce sommaire? On a vu à la note § 275 que le récit de l'expulsion des vendeurs du Temple contenait un sommaire offrant des analogies manifestes avec celui de Lc 21 37-38 (cf. Jn). En particulier, Lc 19 47a.48b est très proche de Lc 21 37a.38, de même que Mt 21 17 contient le même verbe rare que Lc 21 37b : « séjourner » (*aulizomai,* jamais ailleurs dans le NT). On peut donc penser que le proto-Lc a repris, en le « lucanisant », un sommaire qu'il lisait dans le Mt-intermédiaire, non pas à la suite du récit de l'expulsion des vendeurs du Temple (inséré là par l'ultime Rédacteur matthéen, voir note § 275), mais en conclusion du récit de l'entrée solennelle de Jésus à Jérusalem. Un tel sommaire provenait du Document A.

Note § 309. *LE CHRIST ANNONCE SA GLORIFICATION PAR SA MORT*

Dans cette note, on se contentera de signaler les passages johanniques qui sont en parallèle avec certains textes des Synoptiques, dont plusieurs pourraient provenir du Document C.

1. Jn 12 23.27 reprend en partie le récit de l'agonie de Jésus (à Gethsémani), en provenance du Document C; ces éléments seront repris par le Mc-intermédiaire (Mc 14 34-35.41) qui les combinera avec le récit de l'agonie des Documents A et B. Voir note § 337, I B 1.

2. Jn 12 24 pourrait être l'écho d'une parabole en provenance du Document C, réutilisée et modifiée par Mc 4 26-29 (parabole de la semence qui croît d'elle-même); voir note § 131, 2 et 3.

3. Jn 12 25-26 donne un logion de Jésus qui pourrait remonter aussi au Document C, et que Lc combine avec un logion en provenance du Document Q en 14 25 (voir note § 227, 2 c cc).

4. Jn 12 26 reprend le thème de 2 S 15 21, un des épisodes qui se rattachent à l'histoire de la fuite de David devant son fils Absalom en révolte contre lui. Ce parallélisme entre Jésus traqué par les chefs du peuple juif et David en fuite est développé de façon systématique par Jn et par Lc; voir note § 323, 4.

PASSION ET RÉSURRECTION

§§ 312-376

Note § **312.** *COMPLOT DES JUIFS CONTRE JÉSUS*

Dans les trois Synoptiques, ce récit marque le début de ce qu'on appelle la « passion » de Jésus ; il veut mettre en lumière, avant toute autre circonstance, la culpabilité des chefs du peuple juif, qui vont être les instigateurs de tout le drame.

I. LES DIVERSES TRADITIONS

1. *Le récit de Mt.* Il commence par une phrase stéréotypée typiquement matthéenne qui forme charnière entre la fin du Discours eschatologique et le début des récits de la Passion (cf. **7** 28 ; **11** 1 ; **13** 53 ; **19** 1). Ce récit matthéen offre une anomalie qui a été notée depuis longtemps : il n'y a aucun lien entre les vv. 2 et 3, et l'on ne voit pas ce que vient faire ici ce v. 2 qui ressemble au début d'un récit amputé de sa suite. En fait, le texte actuel de Mt résulte de la fusion de deux textes appartenant à deux traditions différentes.

a) Les vv. 3 et 4 (en partie) ont leur équivalent, non pas chez Mc, mais en Jn **11** 47-53. A vrai dire, le parallélisme est moins strict qu'il n'apparaît à première vue. On a montré en effet (note § 267) que, dans le récit de Jn, les mots : « étant Grand Prêtre de cette année-là », étaient un ajout destiné à harmoniser Jn avec Mt **26** 3 ; par ailleurs, dans Mt, la relative « qui s'appelait Caïphe » est probablement aussi un ajout, comme en Mt **26** 57 le nom de Caïphe, absent des parallèles de Mc/Lc (§ 339). Il reste cependant que Mt et Jn parlent d'une réunion (même verbe *synagein*, au passif dans Mt, à l'actif dans Jn) des membres du Sanhédrin (Jn joint les Pharisiens aux grands prêtres, comme en **7** 32.45 ; **11** 57 ; **18** 3) qui *décidèrent* (*synebouleusanto/ebouleusanto*) la mort de Jésus. Comme le récit de Jn **11** 47-53, compte tenu de certains remaniements johanniques, est repris par Jn au proto-Lc (voir note § 267), on doit en conclure que Mt **26** 3-4 (en partie) appartenait au Mt-intermédiaire, une des sources du proto-Lc. Dans le Mt-intermédiaire, le récit devait avoir approximativement cette teneur :

Les grands prêtres et les anciens du peuple se réunirent dans le palais du Grand Prêtre () et ils décidèrent ensemble qu'ils tueraient Jésus.

En reprenant ce récit, le proto-Lc l'a considérablement augmenté, comme il le fera pour le récit de la comparution de Jésus devant Pilate (notes §§ 347, 349). Sur ce développement du récit dans le proto-Lc, voir note § 267. Quant au Mt-intermédiaire, il doit dépendre du Document A.

b) La mention des deux jours et de la Pâque, au v. 2, puis les vv. 4b-5 ont leur équivalent en Mc **14** 1-2. En reprenant le texte de Mc, Mt lui fait subir quelques modifications. La plus importante se trouve au v. 2 : la mention des deux jours avant la Pâque est mise dans la bouche de Jésus et sert à introduire une annonce de la crucifixion qui prépare la description de la réunion du Sanhédrin où sa mort est décidée. On notera que, avant les récits de la Passion, Mt est le seul à employer le verbe « crucifier » (**20** 19 ; **23** 34), verbe provenant de retouches de l'ultime Rédacteur matthéen. En fait, la fusion entre les deux récits différents, celui du Mt-intermédiaire (vv. 3-4a) et celui repris de Mc (vv. 2 et 4b-5), fut effectuée par l'ultime Rédacteur matthéen. Sur les divergences entre les vv. 5 de Mt et 2 de Mc, voir *infra*.

2. *Les récits de Mc et de Lc.*

a) Lc suit certainement un texte de tradition marcienne, car il n'offre aucun accord avec Mt contre Mc. Au v. 2, Lc change le verbe « tuer » en « supprimer », qu'il affectionne (*anairein* : 1/0/2/0/18).

b) Un problème très délicat est posé par la finale des trois textes : vv. 1b-2 de Mc, 4b-5 de Mt (dans ces deux textes, à partir des mots «s'étant emparés / ils s'empareraient») et 2b de Lc. Comment rendre compte des divergences entre les textes, et comment concevoir le processus de leur évolution ? Voici l'hypothèse qui nous a semblé la plus plausible. Le texte le plus difficile est celui de Mt : les grands prêtres et les scribes décident de ne pas tuer Jésus *pendant la fête*, pour éviter une émeute du peuple ; or l'arrestation et la mise à mort de Jésus se produiront précisément pendant la fête ! Il y a donc une contradiction entre le v. 5 de Mt et la suite des récits de la Passion. Le texte de Mc évite cette difficulté en mettant l'accent sur la ruse et non sur « pas pendant la fête » ; il implique que Jésus sera arrêté et mis à mort pendant la fête, mais il faudra utiliser une ruse afin d'éviter une émeute parmi le peuple. Le texte de Lc supprime, non seulement la mention de la fête, mais également celle de la ruse; en effet, on ne voit pas comment, dans la suite du récit, il sera question d'une « ruse » pour s'emparer de Jésus : l'utilisation de la personne de Judas n'en sera pas une ! C'est donc le récit de Lc qui est le plus conforme à la suite des récits de la Passion. En appliquant le principe que le texte le plus difficile doit être le plus authentique, voici comment on pourrait expliquer l'évolution des récits : le texte de Mt 26 4b-5 serait le texte primitif du Mc-intermédiaire, repris sans modifications par l'ultime Rédacteur matthéen. Les divergences entre Mt et Mc proviendraient d'une révision du texte faite par l'ultime Rédacteur marco-lucanien; on notera que le « de peur que » (*mèpote* : 8/2/7/1/2) est plus lucanien que marcien, d'autant que le seul autre exemple dans Mc provient d'une citation de l'AT; quant au mot « peuple » (*laos*), il est typiquement lucanien : 14/2/37/2/48; se trouvait-il dans le Mc-intermédiaire, puisqu'il serait passé dans Mt? Ou l'ultime Rédacteur matthéen l'aurait-il ajouté aussi dans son texte? Cette seconde solution est peut-être la plus plausible. Enfin, Lc ne veut entendre parler ici ni de « ruse » ni d'arrestation pendant la fête (cf. Mt, témoin du Mc-intermédiaire); il remplace alors le texte du Mc-intermédiaire par une formule beaucoup plus vague : « Car ils craignaient le peuple », dont on trouve l'équivalent exact en Ac 5 26 (cf. Lc 20 19).

En résumé, on aurait à la base de nos récits actuels deux récits fondamentaux, remontant aux Documents A et B. Le récit du Document A aurait été repris par le Mt-intermédiaire et se retrouverait dans les vv. 3 et 4a de Mt (cf. le texte reconstitué plus haut, I 1 a; peut-être le texte du Document A mentionnait-il la proximité de la Pâque, au début, mais sans l'addition des « Azymes »; cf. Jn 11 55 et la mention de la Pâque, sans les Azymes, en Mt 26 2). Le proto-Lc dépendait du Mt-intermédiaire, mais son texte aurait été remplacé par celui de Mc; enfin, Jn 11 47-53 dépendrait du proto-Lc, moyennant quelques amplifications et modifications

johanniques. - Le récit du Document B aurait été repris par le Mc-intermédiaire, puis par l'ultime Rédacteur marcien qui aurait toutefois modifié la finale (finale mieux conservée dans le v. 5 de Mt). Au lieu de reprendre le récit du proto-Lc, l'ultime Rédacteur lucanien aurait préféré celui, plus sobre, du Mc-intermédiaire; il en aurait cependant modifié lui aussi la finale (son v. 2b). - Enfin l'ultime Rédacteur matthéen aurait complété le récit du Mt-intermédiaire (vv. 3-4a) en reprenant les détails du récit du Mc-intermédiaire dont il aurait gardé la vraie finale en son v. 5.

II. PROBLÈMES HISTORIQUES

1. Le récit du Document B contient une donnée chronologique précise : « Or c'était la Pâque et les Azymes dans deux jours ». Au temps de Jésus, le mot « Pâque » ne désignait pas une fête, mais l'agneau pascal (cf. 1 Co 5 7; Mc 14 12; Jn 18 28) que l'on devait immoler la veille de la fête des Azymes, laquelle se célébrait le 15 nisan (avril) et durait toute une semaine. A une époque plus tardive, le mot « Pâque » en est venu à désigner la fête des Azymes, que l'on faisait commencer alors le 14 nisan, jour où l'on immolait la Pâque (Lc 22 1; Jn 2 13; 6 4; 11 55; 13 1). Mc 14 1 semble identifier lui aussi « Pâque » et « Azymes »; le jour de la fête visé par Mc est donc le 14 nisan; le complot contre Jésus, dans la tradition du Document B, se situerait donc deux jours plus tôt, soit le 12 nisan.

2. Le Document A ne donnait pas de date précise pour la réunion du Sanhédrin qui décida la mort de Jésus, mais se contentait peut-être de mentionner la proximité de la Pâque. Puisque le Document B est dans son ensemble une réinterprétation du Document A, c'est probablement lui qui a introduit la précision des « deux jours ».

Note § 313. *L'ONCTION DE BÉTHANIE*

Cet épisode est donné par Mt, Mc et Jn. Malgré certains contacts littéraires dus à des contaminations tardives, le récit de Lc 7 40 ss. (§ 123) concerne un autre événement (voir note § 123).

I. LES DEUX RÉCITS FONDAMENTAUX

1. Les textes de Mc et de Mt contiennent un certain nombre d'anomalies, plus sensibles dans Mc, qui trahissent l'existence de deux récits parallèles, maintenant fusionnés dans les textes de Mc/Mt; le récit de Jn, malgré des additions tardives, dépendrait d'un seul de ces textes.

a) Aux vv. 4-5b de Mc (cf. Mt), certains des assistants

posent d'abord une question : « en vue de quoi ce gaspillage de parfum s'est fait? », puis expliquent qu'il eût été mieux de vendre ce parfum et d'en donner le prix aux pauvres. Le parallèle de Jn 12 5 ne contient qu'une question, qui correspond à l'explication donnée au v. 5 de Mc. Est-ce Jn qui a simplifié le texte de Mc? Il ne semble pas, car la répétition anormale du mot « parfum » dans Mc fait pressentir la fusion de deux textes primitivement distincts; le second, attesté par Jn, aurait été transformé en « explication » (« car ») afin d'éviter deux questions successives.

b) Au v. 6a, Mc bloque deux propositions dont la première : « laissez-la », a son équivalent en Jn 12 7a, et dont la seconde : « pourquoi la tracassez-vous? », se lit au v. 10 de Mt. Est-ce Mt et Jn qui ont simplifié le texte complexe de Mc en choisissant, l'un le premier des deux membres de phrase et l'autre le second? Plus vraisemblablement, c'est Mc qui bloque deux récits différents, attestés, l'un par Jn et l'autre par Mt.

c) Le v. 7 de Mc, avec son « car » initial, rompt la suite des idées entre les vv. 6b et 8, puisque c'est le v. 8 qui explique en quoi consiste la « bonne œuvre » de la femme mentionnée au v. 6b (cf. *infra*); le début du v. 8 : « elle a fait ce qu'elle a pu », serait une cheville rédactionnelle de Mc destinée à renouer le fil du récit après l'insertion du v. 7. Ici aussi, Mc combine deux textes différents. – Le logion sur les pauvres (vv. 7 de Mc et 8 de Jn) revêt une facture sémitique plus accentuée chez Jn, avec le parallélisme strict des deux membres de phrase (meilleur même que dans Mt, avec le mot « pauvre » en tête de phrase); il appartient donc au texte fondamental de Jn et répond parfaitement à la question de Jn **12** 5; en revanche, le v. 7b de Jn, auquel il est impossible de donner un sens satisfaisant, serait une addition pratiquée par le Rédacteur johannique pour former une « inclusion » avec le récit de l'ensevelissement (cf. note § 357, I B 3 c).

En résumé, dans Mc et aussi dans Mt, le dialogue entre Jésus et certains des assistants résulterait de la fusion de deux dialogues parallèles, dont l'un aurait été mieux conservé dans Jn, malgré certains remaniements dus à l'ultime Rédacteur. Ces deux dialogues peuvent facilement être restitués de la manière suivante :

Récit I	Récit II
Mais certains s'indignaient entre eux : « En vue de quoi ce gaspillage de parfum s'est fait »	Mais (Judas) dit : « Pourquoi ce parfum ne fut-il pas vendu trois cents deniers et donné aux pauvres? »
Mais Jésus dit : « Pourquoi la tracassez-vous?	Jésus dit : « Laissez-la, car les pauvres vous les aurez toujours avec vous,
Elle a accompli une bonne [œuvre sur moi : d'avance elle a parfumé mon corps en vue de l'ensevelissement. »	mais moi, vous ne m'aurez pas toujours. »

Dans les deux récits, l'harmonie est parfaite entre la réflexion des assistants et la réponse de Jésus. Dans le récit I, les mots : « elle a parfumé » et « en vue de », reprennent, en forme de chiasme, ceux de la question précédente : « en vue de quoi » et « parfum »; dans le récit II, le « car les pauvres », en début de phrase (Jn), reprend le thème des « pauvres » qui termine la question des assistants.

2. Le récit I est le plus primitif, car il n'a pu être élaboré que dans des milieux parfaitement au courant des coutumes juives, et sa rédaction grecque trahit une origine sémitique.

a) D'après les récits de Mc et de Mt (§ 357), Jésus aurait été enseveli sans que fussent pratiquées sur son corps les onctions en usage chez les Juifs; or ceci était considéré comme

un déshonneur (D. Daube) ! Dans leurs controverses contre les chrétiens, les Juifs ne devaient pas manquer d'utiliser cet argument : votre prétendu Messie fut enterré de façon ignominieuse. Mais le récit primitif de l'onction de Béthanie pouvait répondre à de telles critiques : l'onction funèbre rituelle avait été faite à l'avance, lors du repas de Béthanie.

b) La réponse de Jésus (vv. 6b et 8 de Mc) tient compte d'une distinction classique dans les milieux rabbiniques : sous le titre général de « œuvres bonnes », on classait diverses catégories de bonnes actions faites envers le prochain : d'un côté les « aumônes », de l'autre les « œuvres de bienfaisance », parmi lesquelles on rangeait l'ensevelissement des morts (J. Jeremias). En vertu de ces catégories, Jésus peut dire : en répandant le parfum sur ma tête, la femme n'a pas fait de « gaspillage » (v. 4b de Mc); elle a accompli une « bonne œuvre » (v. 6b), à savoir un ensevelissement (v. 8).

c) On notera enfin, aux vv. 6b et 8 de Mc, certaines expressions sémitisantes. Au v. 6b, la construction grammaticale « accomplir sur » (*ergazesthai en*, au lieu de *eis* chez Mt; mais cf. Mt **25** 16, où l'on a *en*); surtout, au v. 8, la formule : « d'avance elle a parfumé » (*proelaben murisai*), à peine compréhensible en grec mais qui pourrait refléter une construction sémitique (Mt a : « pour m'ensevelir », avec *pros* et l'infinitif, typique du style de l'ultime Rédacteur matthéen; cf. Mt **5** 28; **6** 1; **13** 30; **23** 5).

3. Le récit II est une réinterprétation du récit I, faite en milieux pagano-chrétiens. Dans ces milieux, en effet, on ne comprenait plus le véritable sens de l'épisode. Ignorant que le fait d'être enseveli sans les onctions rituelles était une « ignominie », on ne voyait plus le sens de cet « ensevelissement » fait à l'avance. D'ailleurs, les récits évangéliques plus tardifs, rédigés en milieux grecs, disaient explicitement que Jésus avait été enseveli selon les rites nécessaires (cf. Lc **23** 56; **24** 1 et surtout Jn **19** 40, § 358). On a donc réinterprété le récit dans un sens plus immédiatement christocentrique, mais aussi à tendance moralisante. Toute action faite pour le Christ, par amour pour sa personne, a une valeur en soi, même si, aux yeux de certains, elle semble faite en pure perte. Par ailleurs, la réponse du Christ laisse entendre que, après sa mort, le souci de subvenir aux besoins des pauvres sera toujours une obligation pour les chrétiens (cf. Dt **15** 11).

II. ÉVOLUTION LITTÉRAIRE DES TEXTES

1. A l'origine de ces récits, il y eut un événement très précis. Au cours d'un repas à Béthanie, une femme vint répandre sur la tête de Jésus un vase de parfum. C'était là une marque d'honneur attestée dans la Bible (Ps **23** 5; **92** 11; **133** 2; Qo **9** 8; Am **6** 6), et dont parlent les écrits rabbiniques. Certains des assistants se scandalisèrent de ce geste, mais Jésus justifia la femme par une parole qu'il est difficile de restituer (le récit le plus ancien est déjà une interprétation de l'événement dans un sens apologétique, cf. *supra*), mais qui devait faire allusion à sa mort prochaine. Il se savait

traqué par les autorités juives qui avaient décidé sa mort; d'ailleurs, n'est-ce pas au cours du même repas qu'il avait annoncé la trahison de l'un des siens (cf. note § 317, III)?

2. Cet événement nous est parvenu dans une première rédaction, appartenant au Document A comme le prouvent son contenu nettement sémitisant et sa connaissance des coutumes juives. Dans ce Document A, il devait faire suite au complot des Juifs contre Jésus sous la forme qu'il revêt en Mt **26** 3-4a (cf. note § 312); le thème de l'ensevelissement de Jésus était appelé naturellement par la décision des grands prêtres de tuer Jésus. On a noté plus haut la tendance apologétique de ce récit (I 2 a).

3. La réinterprétation du récit du Document A appartient au Document B, d'origine pagano-chrétienne (cf. I 3).

4. La fusion des récits A et B fut effectuée par le Mc-intermédiaire; il présente en effet une leçon double absente de Mt et de Jn : « Laissez-la, pourquoi la tracassez-vous? » (v. 6a). On a noté également la présence chez Mc de tournures grammaticales sémitisantes, absentes de Mt et de Jn. – L'ultime Rédacteur marcien a procédé à quelques retouches, dont la principale est l'addition du v. 7b : « et quand vous le voudrez, vous pourrez leur faire du bien », qui rompt le parallélisme de la phrase; il a peut-être aussi ajouté à la fin du v. 3 la mention du vase brisé, et à la fin du v. 5 le verbe « ils la rudoyaient » (cf. Mc **1** 43).

5. Le récit du Document A fut repris dans le Mt-intermédiaire; on en aurait encore une trace dans la formule simple : « Pourquoi la tracassez-vous? » (sans « Laissez-la »). Mais l'ultime Rédacteur matthéen remplaça presque complètement ce récit du Mt-intermédiaire par un autre récit reprenant, moyennant un certain nombre de retouches, le récit composite du Mc-intermédiaire.

Il est difficile de se prononcer sur l'auteur de l'addition des vv. 13 de Mt et 9 de Mc. La présence du mot « évangile » ferait penser à une addition de l'ultime Rédacteur marcien (sept fois dans Mc, dans des additions rédactionnelles; jamais dans Lc, trois fois ailleurs dans Mt, mais toujours suivi de la détermination : « du royaume »). En revanche, la structure de la phrase rappelle de très près celle de Mt **24** 14, attribuée à l'ultime Rédacteur matthéen : « Et sera proclamé cet évangile du royaume dans l'univers entier, en témoignage pour toutes les nations. » L'ultime Rédacteur marcien ne serait-il pas le même que l'ultime Rédacteur matthéen? Il serait alors responsable de l'addition, et dans Mt, et dans Mc (cf. Introd., II D **3**).

6. Jn dépend directement du Document B. Le rédacteur johannique a ajouté le v. 7b : « qu'elle le garde pour le jour de mon ensevelissement », sous l'influence de l'ultime Rédacteur matthéen. Il a aussi introduit un certain nombre de traits en provenance du récit de Lc **7** 36 ss. (§ 123).

Note § **314.** *TRAHISON DE JUDAS*

La trahison de Judas nous est rapportée par les trois Synoptiques, qui dépendent d'un seul texte fondamental; comme ce récit fait suite à celui du § 312 (cf. note § 312, I 2 b, fin, et II 2), il doit remonter comme lui au Document B.

I. PROBLÈMES LITTÉRAIRES

1. *Le texte de Mc.* Plus dépouillé que ceux de Mt et de Lc, le texte de Mc nous permet d'atteindre la structure la plus primitive du récit. Il est possible toutefois d'y discerner un certain nombre de remaniements littéraires effectués par l'ultime Rédacteur marco-lucanien. Au v. 11, le verbe « se réjouir » est suspect; hormis la formule « salut ! » (*chaire*), il ne se lit jamais ailleurs dans Mc, mais on le trouve douze fois dans Lc et cinq fois dans Ac. Par ailleurs, si le participe « en écoutant » est fréquent dans les trois Synoptiques, la formule : « ceux-ci en l'écoutant » (*hoi de akousantes*), ne se lit jamais ailleurs dans Mc tandis qu'on la trouve en Lc **18** 23 (au singulier) et en Ac **4** 24; **5** 33; **21** 20. Les mots « en l'écoutant se réjouirent » seraient donc un ajout de l'ultime Rédacteur marco-lucanien. On peut s'étonner également de trouver dans ce petit texte de Mc deux fois l'optatif (*paradoi*,

à la fin des vv. 10 et 11), car les grammairiens sont d'accord pour affirmer que Lc est le seul des Synoptiques à employer volontiers cette forme (qui tend à disparaître dans le grec populaire). Mais, au v. 11, l'emploi de l'optatif est lié à deux autres particularités du texte de Mc : l'insertion de la particule « comment » (*pôs*), qui commande l'optatif, et le changement du substantif *eukairian* (Mt/Lc) en l'adverbe *eukairôs* (« au bon moment »). Toutes ces particularités de Mc seraient donc à attribuer à l'ultime Rédacteur marco-lucanien. Dans le Mc-intermédiaire comme dans le Document B, le récit devait avoir approximativement cette forme : « Ceux-ci () promirent de lui donner de l'argent et il cherchait le bon moment (*eukairian*) pour le livrer » (cf. Mt).

2. *Le texte de Mt.* Il dépend du Mc-intermédiaire et doit être attribué à l'ultime Rédacteur matthéen qui a effectué les remaniements suivants :

a) Aux vv. 14 et 16, ce ne sont que des retouches grammaticales. Addition de l'adverbe « alors » (*tote*) au début du v. 14. Changement du verbe à l'indicatif « s'en alla » de Mc en un participe « étant parti » (*poreutheis*), de façon à faire porter l'attention sur le verbe principal « il dit » (début du v. 15), et donc sur les paroles prononcées par Judas (cf. *infra*). Transfert de l'expression « un des Douze » avant le nom de Judas Iscariote, de façon à pouvoir introduire le *ho legomenos* (traduit ici : « qui s'appelait »), typique du style de l'ultime Rédacteur matthéen (cf. la même construction en Mt 26 3; 26 36; 27 16; d'une façon plus générale, le participe *legomenos*, avec ou sans article, peut toujours être attribué à l'ultime Rédacteur matthéen). Enfin, Mt grécise la forme *Iskariôth* de Mc en *Iskariôtès* (cf. Mt 10 4). Au v. 16, il conserve mieux que le Mc actuel le texte du Mc-intermédiaire, exception faite d'un ajout, le « de ce moment » (*apo tote*), qui se lit encore en Mt 4 17 et 16 21 (« dès lors »).

b) C'est au v. 15 que Mt modifie le plus profondément le texte du Mc-intermédiaire. Ce ne sont plus les grands prêtres qui proposent de l'argent à Judas, c'est lui qui en exige pour livrer Jésus. Ce changement a pour but de préparer la scène du § 346 (Mort de Judas), qui contient la même allusion à Za 11 12. Comme le récit du § 346, propre à Mt, est certainement de l'ultime Rédacteur matthéen (voir note § 346), on attribuera à ce même Rédacteur la refonte du v. 15.

3. *Le texte de Lc.* Selon son habitude, Lc introduit dans le récit son style propre et certains détails particuliers. Au v. 3, il mentionne que « Satan entra en Judas », détail qui se lit également en Jn 13 27a par influence lucanienne (cf. note § 317, I 4), mais qui a son équivalent aussi en Jn 13 2 : « le Diable ayant déjà mis au cœur de Judas (fils) de Simon, l'Iscariote... » Ce serait sous l'influence de cette tradition attestée par Jn 13 2 que Lc aurait grécisé le nom propre « Iskariôth » de Mc (alors qu'il ne le fait pas en Lc 6 16, où il garde la forme sémitique de Mc). Lc ajoute le participe *kaloumenon* (« appelé ») devant *Iskariôtèn*, comme il le fait souvent (cf. Lc 6 15 à propos de Simon le zélé; 8 2 à propos de Marie de Magdala); ce participe est caractéristique de son style (0/0/7/0/10). La formule « du nombre des Douze » est également retouchée par lui (*arithmos*: 0/0/1/1/5). Au v. 4, le verbe « parler avec » est de saveur lucanienne (*synlalein*: 1/1/3/0/1). Lc ajoute « et les chefs des gardes » après la mention des grands prêtres (*stratègos*: 0/0/2/0/8), personnages que l'on retrouvera au moment de l'arrestation de Jésus (Lc 22 52). Au v. 5, le verbe « convenir de » est probablement de Lc (ailleurs seulement en Jn 9 22 et Ac 23 20). Au v. 6, Lc ajoute le verbe « il acquiesça » et, en finale, l'expression « à l'insu de la foule » (*ater*, ici et Lc 22 35 dans tout le NT). Tous ces remaniements sont le fait de l'ultime Rédacteur lucanien travaillant à partir du texte du Mc-intermédiaire.

II. SENS DE L'ÉPISODE

1. Dans le Document B, le récit de la trahison de Judas faisait suite à l'épisode du complot des Juifs contre Jésus (§ 312). Les grands prêtres ont décidé la mort de Jésus; Judas vient alors les trouver pour leur proposer de le leur livrer. Pour encourager ce dessein, ils promettent de l'argent à Judas, qui cherche alors la bonne occasion de mettre à exécution son projet. Mais il est difficile de comprendre en quoi exactement a consisté la trahison de Judas, puisque Jésus venait chaque jour pour enseigner dans le Temple où les grands prêtres avaient tout loisir de le faire arrêter. Sur ce problème, voir l'hypothèse proposée à la note § 271.

2. Chaque évangéliste a voulu, par les détails de son texte, broder sur le thème fondamental de la trahison de Judas.

a) Dans Mc, on notera au v. 10 le verbe « s'en aller auprès de », après l'indication que Judas était « l'un des Douze ». Construit avec la préposition *pros* (« auprès de »), ce verbe est assez rare dans le NT (0/2/1/4/0/1); or les deux seuls emplois dans Mc sont ici et 3 13, ce dernier texte racontant l'appel des Douze. Ce contact littéraire n'est probablement pas fortuit : il y a une opposition entre l'attitude de Judas, qui « vient à Jésus » pour devenir son disciple, puis qui vient auprès des grands prêtres afin de leur livrer son Maître pour de l'argent !

b) L'ultime Rédacteur matthéen, on l'a vu, remanie complètement le v. 15 afin de préparer le récit du § 346. La cupidité de Judas est bien mise en relief puisque c'est lui qui demande de l'argent pour prix de sa trahison (cf. Jn 12 6). Par ailleurs, l'allusion à Za 11 12, texte que l'on retrouvera cité au § 346, veut faire comprendre que ce prophète, évalué au prix d'un esclave (Ex 21 32), était la préfiguration du Christ.

c) Lc commence le récit en notant que « Satan entre en Judas »; même si la responsabilité de Judas reste entière, ce que Lc insinue peut-être en ajoutant le verbe « et il acquiesça » au début du v. 6, c'est Satan qui est le véritable instigateur du drame qui approche, Satan qui depuis la scène de la tentation attendait son heure (Lc 4 13, § 27). On notera le rapprochement avec la scène racontée en Ac 5 3 ss., où c'est Satan qui suggère à Ananie de tromper les apôtres en gardant l'argent au lieu de tout donner à la communauté; dans Lc, cependant, à l'inverse de Mt 26 15, ce n'est pas la cupidité qui semble le motif premier de la démarche de Judas. Lc termine son récit en ajoutant que Judas va tenter de réaliser son dessein « à l'insu de la foule »; c'est probablement une réminiscence de ce qui fut dit déjà en Lc 22 2b.

Note § 315. *PRÉPARATION DE LA PAQUE*

Le récit de la préparation de la Pâque est donné par les trois Synoptiques. Dans Mc (cf. Lc), sa structure est analogue à celle du récit de l'entrée royale à Jérusalem (§ 273) et la volonté d'harmoniser les deux récits est évidente. En Mt au contraire, malgré l'analogie des situations, les contacts se réduisent à peu de chose, sauf dans la finale : « les disciples firent (ayant fait) comme leur avait ordonné Jésus » (21 6 et 26 19). Comme Mt est beaucoup plus court que Mc (et Lc), beaucoup de commentateurs estiment qu'il en est un abrégé; une analyse littéraire précise va montrer au contraire que c'est le texte de Mc qui combine deux récits différents.

I. LES DIVERSES FORMES DU RÉCIT

1. *Le récit de Mt.* Du point de vue littéraire, le récit de Mt se recommande par sa simplicité extrême, sans détails anecdotiques superflus; cette simplicité même permet de l'attribuer au Document A, d'où il sera passé dans le Mt-intermédiaire. On peut y déceler toutefois quelques retouches, dues à l'ultime Rédacteur matthéen: au v. 17, le verbe « s'approcher », typique du Rédacteur matthéen; au v. 18, l'expression « mon temps est proche », dont on ne trouve ici aucun parallèle, même lointain, en Mc/Lc (mais cf. Jn 7 6-8; Mt 21 34; Lc 21 8). Le changement le plus important se trouve au v. 19, parallèle on l'a vu à Mt 21 6 (§ 273). Dans les deux textes, la formule: « faire comme a ordonné un tel », est stéréotypée (Pesch) et empruntée à l'AT qui en fournit de nombreux exemples; l'élément central en est « faire comme », mais le verbe de commandement varie: *syntassô* (Ex 1 17; Lv 8 4; Nb 20 27; Jb 42 9; cf. Mt 21 6; 26 19), *prostassô* (Mt 1 24), *didaskein* (Mt 28 15). L'influence ici de la Septante (*syntassein* ne se lit ailleurs dans le NT qu'en Mt 27 10, formule assez semblable qui pourrait dériver de Za 11 13), comme aussi les parallèles de Mt 1 24 et 28 15, textes relativement

tardifs dans Mt, font penser que nous sommes en présence d'expressions provenant de l'ultime Rédacteur matthéen. C'est donc lui qui serait responsable, dans Mt, du seul contact littéraire entre les récits des §§ 315 et 273 (entrée à Jérusalem), probablement sous l'influence des parallèles marciens signalés au début de cette note. Au v. 19, le texte primitif était probablement: « Et les disciples préparèrent la Pâque. » L'analyse du texte de Mc permettra de préciser d'autres points.

2. *Le texte de Mc.* Il comporte presque toutes les données présentes dans Mt (trente-quatre mots rigoureusement identiques de part et d'autre), mais aussi de nombreux détails absents de ce dernier: Jésus envoie deux des disciples; il leur donne comme signe la rencontre d'un homme portant une cruche d'eau; qu'ils le suivent et, là où il entrera, qu'ils demandent au maître de maison où est la salle où manger la Pâque; on leur montrera une salle haute, et c'est là qu'ils auront à faire les préparatifs; les disciples s'en vont et trouvent les choses comme l'avait annoncé Jésus. Est-ce Mt qui a supprimé tous ces détails ou Mc qui les a ajoutés? Une analyse serrée du texte de Mc va prouver qu'il combine deux récits parallèles, l'un provenant du Document A (cf. Mt), l'autre, plus théologique, provenant du Document B.

a) On a déjà signalé le parallélisme qui existe entre le récit du § 273 et le présent récit de Mc. Or Mc 14 12-13a combine des éléments semblables à ceux de Mc 11 1 (§ 273) et d'autres analogues à ceux de Mt 26 17:

Mc 11 1	Mc 14 12-13a	Mt 26 17
	Et le premier jour des Azymes,	Or, le premier (jour) des Azymes,
Et quand (*hote*) ils approchent de Jérusalem,	quand (*hote*) on immolait la Pâque, ses disciples lui disent : « Où veux-tu que, étant partis, nous préparions pour que tu manges la Pâque ? »	les disciples s'approchèrent de Jésus, disant : « Où veux-tu que nous te préparions à manger la Pâque ? »
il envoie deux de ses disciples...	Et il envoie deux de ses disciples...	

Mc 14 12-13a combine un texte parallèle à Mc 11 1 avec un autre texte repris de Mt 26 17 (ou de sa source). Une telle combinaison explique la double donnée chronologique du v. 12 de Mc (cf. Mc 1 32, § 35 et sa note). Elle explique aussi la répétition insolite de « ses disciples », avec le possessif; dans le second cas, on aurait attendu une formule telle que « deux d'entre eux » (*duo ex autôn*), d'autant que Mc n'a pas l'habitude de répéter les substantifs, même si la clarté doit en souffrir (au v. 16, le sujet du verbe « dire », Jésus, n'est pas exprimé). Notons tout de suite que Lc, bien qu'il ait la double donnée chronologique de Mc, mentionne juste après elle l'envoi des deux disciples, comme dans Mc 11 1; il semble donc connaître, et le texte mêlé de Mc, et l'une des sources de Mc (ici, le Document B).

b) Au v. 13, la plupart des manuscrits de Mc ont simplement: « allez à la ville », comme dans Mt 26 18a. Le parallèle de Lc a: « comme vous entrerez dans la ville » (*eiselthontôn hymôn eis tèn polin*), construction grammaticale défectueuse puisque ce génitif absolu est construit sur un pronom au datif (*apantèsei hymin*); une telle incorrection est fréquente chez Mc (5 2.18.21; 9 9.28; 10 17; 11 27; 13 1.3), mais Lc la corrige d'ordinaire et il serait étrange qu'il l'ait introduite de lui-même en 22 10. Lc n'aurait-il pas gardé ici le texte primitif de la source de Mc? On vient de voir qu'il devait la connaître directement. Cette hypothèse est étayée par le fait que ce texte de Lc correspond à celui de 1 S 10 5 qui, on le verra plus loin, a influencé la rédaction marcienne: « Et il arrivera, quand vous entrerez dans la ville, là, viendra à ta rencontre... » (LXX); de même dans Lc : « comme vous entrerez dans la ville, viendra à votre rencontre... » Il est donc probable que le texte de Lc correspond à celui du Mc-intermédiaire et de sa source, tandis que l'ultime Rédacteur marcien l'aurait remplacé par celui de Mt.

c) Pour comprendre les deux cas suivants, rappelons la remarque faite plus haut (I 1) : le texte actuel de Mt correspond à celui du Mt-intermédiaire (en provenance du Document A), mais légèrement remanié par l'ultime Rédacteur matthéen, surtout au verset final (« ils firent comme leur avait ordonné Jésus »); il est donc possible que cet ultime Rédacteur matthéen ait omis certaines clauses du Mt-intermédiaire, qui pourraient alors se retrouver dans le Mc actuel puisque la tradition marcienne a subi l'influence de la tradition matthéenne, soit au niveau du Mc-intermédiaire (qui combine les Documents A et B), soit au niveau de l'ultime rédaction marcienne (qui puise dans le Mt-intermédiaire). Ceci dit, examinons les propositions de Mc : « et là, préparez tout » (v. 15, fin) – « ils vinrent à la ville » (v. 16). La première fait doublet avec l'expression « toute prête », qui la précède immédiatement (Lc supprime « toute prête »). La seconde fait également doublet avec le verbe « ils partirent »; on notera d'ailleurs la séquence : « ils partirent et vinrent à la ville et ils trouvèrent »; le verbe « trouver », chez Mc, succède d'ordinaire à *un seul* verbe de mouvement, soit « aller » (Mc **11** 13; **13** 36; **14** 37.40), soit « s'en aller » (*aperchomai* : **7** 30; **11** 4; ce dernier exemple est significatif, étant donné le parallélisme noté entre les récits du § 273, auquel il appartient, et du § 315); ici, le verbe « trouver » est précédé de *deux* verbes de mouvement, « partir » et « venir », ce qui serait le signe que l'un des deux est un ajout. Notons enfin que la première des deux propositions suspectes de former doublet : « et là préparez tout », répond exactement à la question des disciples : « Où veux-tu que nous préparions?... », qui appartient au récit du Document A (cf. Mt **26** 17b), tout comme la seconde : « et vinrent à la ville », répond à l'ordre de Jésus : « Allez dans la ville... », qui vient aussi du Document A (cf. Mt **26** 18a). Les doublets que l'on vient de relever prouvent donc que, ici encore, le Mc-intermédiaire a combiné deux récits parallèles.

d) En généralisant les analyses précédentes, on peut penser que les deux derniers parallèles littéraires entre Mc et Mt : « le Maître dit » (v. 14 de Mc) et « ils préparèrent la Pâque » (v. 16 de Mc), s'expliquent comme des influences de la tradition matthéenne sur Mc.

3. Voici dès lors comment on peut reconstituer l'histoire du développement de ce récit :

a) A l'origine, on a deux récits archaïques appartenant, l'un au Document A et l'autre au Document B; à quelques variantes près, on peut les reconstituer ainsi :

Document A	Document B
Le premier (jour) des Azymes les disciples disent : « Où veux-tu que nous te préparions à manger la Pâque? »	Quand on immolait la Pâque, il envoie deux de ses disciples
Il dit : « Allez dans la ville,	et leur dit : « Comme vous entrerez dans la ville, viendra à votre rencontre un homme portant une cruche d'eau; suivez-le et là où il entrera
chez un tel, et dites-lui : Le Maître dit : Chez toi je fais la Pâque avec mes disciples;	dites au propriétaire : Où est ma salle où je mangerai la Pâque avec mes disciples; Et lui vous montrera une salle haute, grande, garnie de cous-[sins, toute prête. »
là, préparez (tout) pour nous. » Et les disciples vinrent à la [ville et ils préparèrent la Pâque.	Ils partirent et ils trouvèrent comme il le leur avait dit.

De ces deux récits parallèles, celui du Document A est certainement le plus ancien; celui du Document B implique déjà une réflexion théologique, comme on le verra plus loin (II).

b) Le récit du Document A fut repris sans modifications appréciables dans le Mt-intermédiaire. Mais l'ultime Rédacteur matthéen y apporta quelques retouches, mentionnées au début de cette note (I 1).

c) C'est le Mc-intermédiaire qui a combiné les récits des Documents A et B. L'ultime Rédacteur marcien a peut-être fait la substitution de textes mentionnée en I 2 b.

d) Il faut probablement distinguer deux niveaux littéraires dans Lc. Le proto-Lc était proche du Document B dont il dépend, comme on l'a vu (I 2 a et b). Mais l'ultime Rédacteur lucanien a presque entièrement remplacé son texte par celui du Mc-intermédiaire. Outre de menues retouches littéraires faites sur le texte de Mc, l'ultime Rédacteur lucanien a précisé le nom des deux disciples envoyés par Jésus : Pierre et Jean (cf. Ac **3** 1.3.11; **4** 13.19; **8** 14).

II. LE SENS DES RÉCITS

1. *Le récit du Document A.*

a) Ce sont les disciples qui prennent l'initiative et demandent à Jésus : « Où veux-tu que nous te préparions à manger la Pâque? » Dans sa réponse, Jésus ne précise pas qui il envoie, et l'on pourrait en conclure que tout le groupe, sans distinction, est parti (Lohmeyer).

b) Jésus ne donne pas de signe à ses disciples. Il les envoie chez quelqu'un dont l'évangéliste ne donne pas le nom (« un tel »), soit qu'il n'ait pas jugé utile de nous le transmettre, soit qu'il ne l'ait pas connu. Mais il n'y a pas la moindre volonté de mystère autour de ce nom; les disciples savent parfaitement où ils iront et qui ils trouveront.

c) Le message de Jésus que les disciples doivent transmettre (Mt **26** 18b) est une décision du Maître. Jésus ne demande pas s'il est possible de célébrer la Pâque chez lui, il s'impose comme le Maître à l'égard de ses disciples, et l'appellation « le Maître », sans autre précision, corrobore cette impression. Sans doute, ce titre utilisé pour parler de Jésus entre tiers se lit encore en Mc 5 35 // Lc 8 49 (§ 143), mais le cas est un peu différent car Jésus est alors présent; ici, le texte évangélique suppose que l'interlocuteur connaît parfaitement le groupe de Jésus et de ses disciples : il suffit que les disciples disent : « Le Maître », pour que l'interlocuteur comprenne qu'il s'agit de Jésus (cf. Jn 11 28, à propos de Marthe et de Marie, du cercle des intimes de Jésus; peut-être aussi Jn 13 13 ss.). C'est donc chez une personne de son entourage, chez un de ses intimes, que Jésus a décidé de célébrer la Pâque.

d) Ce récit du Document A se caractérise par sa sobriété littéraire et son aspect purement descriptif. La manière dont Jésus s'impose à son hôte n'a aucune prétention à la transcendance : même le titre de « Maître » est un titre modeste (Bertram). Parler de Jésus en disant « le Maître » nous reporte dans le cercle de ses disciples, et de son vivant (une telle appellation n'avait plus de raison d'être après la mort de Jésus, et elle tend à disparaître; on ne la rencontre nulle part ailleurs dans le NT (sauf en Jn 11 28) et, d'après Schlier, on la trouve seulement chez Ignace d'Antioche et une fois dans le récit du martyre de Polycarpe). Nous atteignons donc ici une couche très ancienne des traditions évangéliques. Mais, malgré son antiquité, ce récit ne va-t-il pas contre la vraisemblance (Rauch)? L'affluence à Jérusalem obligeait une partie des pèlerins à camper hors de la ville, vers le nord. Attendre le jour même de la fête pour s'assurer une salle où l'on ferait le repas pascal, c'était se condamner à ne rien trouver ! Mais Jésus n'aurait-il pas tourné cette difficulté précisément en demandant à l'un de ses familiers de lui offrir l'hospitalité, ce familier ayant déjà évidemment prévu et préparé une salle pour lui-même?

2. *Dans l'actuelle rédaction matthéenne.* On a déjà dit que le Mt-intermédiaire avait repris sans retouches appréciables le récit du Document A. L'ultime Rédacteur matthéen, au contraire, apporte des retouches qui ont une portée théologique. En ajoutant « s'approchèrent » (v. 17) et surtout la finale : « ils firent comme leur avait ordonné Jésus », il met en valeur la dignité de Jésus. Les disciples exécutent les ordres reçus, dont on supprime les maigres détails fournis par le texte primitif. L'addition : « mon temps est proche » (v. 18), est à rapprocher de « avant le temps (*pro kairou*) » (Mt 8 29). En 8 29, les démons reprochent à Jésus de mener la lutte contre eux « avant le temps ». Ici, si le temps est proche, c'est que Jésus va affronter Satan et le vaincre.

3. *Le récit du Document B.* Il est d'un genre littéraire très différent de celui du Document A, plus théologique aussi.

a) Les détails de la rencontre de l'homme portant la cruche d'eau s'inspirent du précédent de 1 S 10 1-7. Samuel donne à Saül un « signe » prouvant qu'il a été réellement oint par Dieu comme roi sur Israël; ce « signe » consiste dans la rencontre successive par Saül de trois groupes différents :

d'abord deux hommes (v. 2), puis trois hommes portant, l'un des chevreaux, l'autre des pains, le dernier une outre de vin (v. 3), enfin une bande de prophètes (v. 5). Le récit du Document B reprend les détails des deuxième et troisième rencontres; la phrase : « comme vous entrerez dans la ville, viendra à votre rencontre... » (cf. Lc 22 10), correspond à 1 S 10 5 (LXX) : « Et il arrivera, lorsque vous entrerez là, dans la ville, viendra à ta rencontre... »; mais la suite du récit B : « un homme portant (une cruche d'eau) », correspond à 1 S 10 3 : « Tu y trouveras trois hommes... le dernier portant (une outre de vin). » On notera que, dans le Document B, le parallèle de l'entrée de Jésus à Jérusalem (§ 273) utilise le même thème de la « rencontre » prévue à l'avance; or Jésus fait son entrée dans la ville comme roi messianique (cf. note § 273), ce qui répond très bien au texte de 1 S 10 1 ss., puisque la rencontre prévue à l'avance est le « signe » que Saül est bien le roi désigné par Dieu.

b) Dans la logique de ce thème repris de 1 S 10, les disciples ne connaissent pas ceux à qui ils auront affaire, ni le lieu où ils se rendent. C'est à un propriétaire anonyme qu'ils auront à demander l'hospitalité. Ne le connaissant pas, il n'est pas question de s'imposer à lui comme à l'ami du récit A; on demande où est la salle disponible pour la célébration du repas pascal. L'accent n'est plus, comme chez Mt, sur les préparatifs de la Pâque par les disciples; au contraire, la salle est toute prête, sans intervention de leur part ! La « pointe » du récit est dans la finale : « ils trouvèrent comme il (le) leur avait dit ». Ainsi s'affirme la prescience de Jésus. Ce caractère merveilleux des préparatifs dont Jésus est le seul acteur véritable est renforcé par l'indication initiale : ce n'est pas à l'avance, mais « quand on immolait la Pâque », donc à un moment où la chose était devenue humainement impossible, qu'on trouve un local libre et préparé ! Le genre littéraire du récit n'exclut pas, semble-t-il, dans la pensée de son auteur, que Jésus ait préparé cette célébration du repas pascal en se mettant d'accord à l'avance avec le propriétaire; pour faible que soit l'indice fourni par le possessif « ma » salle, omis d'ailleurs par un bon nombre de manuscrits, il n'est peut-être pas négligeable.

c) Les analyses littéraires précédentes permettent de poser en termes nouveaux le problème des rapports littéraires entre la préparation de la Pâque et l'entrée messianique à Jérusalem. Au niveau de la rédaction du Document A, il ne semble y avoir aucun rapport entre les deux récits; on notera que, déjà dans le Document A, le récit de l'entrée messianique laisse supposer une certaine prescience de Jésus, qui se doute que les disciples trouveront un ânon près de la porte de la ville (mais n'était-ce pas là qu'on devait les trouver normalement, pour les besoins d'éventuels voyageurs?). C'est le Document B qui réinterprète complètement le récit de la préparation de la Pâque en le conformant au récit de l'entrée messianique qu'il trouvait dans le Document A; il modifie d'ailleurs quelque peu ce récit de l'entrée messianique de façon à ce que les deux récits : entrée messianique et préparation de la Pâque, soient exactement parallèles.

Note § **317**. *ANNONCE DE LA TRAHISON DE JUDAS*

L'annonce de la trahison de Judas est donnée par les trois Synoptiques; elle précède l'institution de l'Eucharistie dans Mt/Mc, elle le suit dans Lc (§ 319). Pour Jn, le problème est assez complexe. Au chap. **13**, qui ne mentionne pas l'Eucharistie, nous avons deux annonces distinctes, séparées par un verset rédactionnel (v. 20) qui n'offre aucun lien avec le contexte : la première est très courte et centrée sur une citation du Ps **41** 10 (**13** 18-19, § 316); la seconde est très développée et plus proche des parallèles de Mt/Mc (vv. 21-30). Au chap. **6**, il y avait déjà une annonce de la trahison de Judas (vv. 70-71), située peu après une parole de Jésus parallèle à celle de l'institution de l'Eucharistie (**6** 51, cf. note § 318). Est-il possible de retracer la genèse littéraire de tous ces textes? (Nous verrons plus loin (II) que Mc **14** 17-18a et par. appartenait primitivement à la péricope suivante : Institution eucharistique; c'est donc à la note § 318 que nous en parlerons)

I. LES DIVERSES FORMES DU RÉCIT

1. *Le texte de Mt/Mc.* Malgré des divergences inévitables les récits de Mc et de Mt sont relativement proches l'un de l'autre (mise à part l'addition du v. 25 chez Mt), surtout si on les compare à celui de Lc. Cet accord toutefois ne doit pas faire illusion; il masque en fait une préhistoire du texte assez complexe.

a) Dans Mt comme dans Mc, le récit offre une anomalie assez visible. Jésus commence par annoncer, de façon très concrète, que l'un de ses disciples va le trahir (vv. 18 de Mc et 21 de Mt); attristés, les disciples lui demandent l'un après l'autre : « Serait-ce moi? » (vv. 19 de Mc et 22 de Mt); en principe, la deuxième parole de Jésus (vv. 20 de Mc et 23 de Mt) devrait répondre à cette question; en fait, elle se contente de reprendre, sous une forme différente, le contenu de la première ! Étant donné les nombreux « doublets » que l'on rencontre tout au long des récits de la Passion, il y a de fortes chances que l'on soit ici aussi en présence d'un doublet, les vv. 19 de Mc et 22 de Mt étant de simples versets rédactionnels destinés à établir un lien artificiel entre les deux formes du récit. L'analyse des récits de Lc et de Jn viendra confirmer cette hypothèse. Notons également le début du récit dans Mc (v. 18a), où les deux verbes de la proposition : « tandis qu'ils étaient à table et qu'ils mangeaient » (dans le grec, deux génitifs absolus), qui ont même signification, pourraient se rapporter respectivement à l'un et l'autre des récits primitifs (Mt évite le doublet en transposant le verbe « se trouver à table » au v. 20).

b) Le récit le plus ancien se trouve aux vv. 20 de Mc et 23 de Mt. C'est Mt qui en a gardé la formulation la meilleure et il provient du Document A : « Celui qui a plongé la main avec moi dans le plat, celui-ci me livrera. » Sous cette forme, le récit ne contient aucune allusion théologique; il se réfère seulement à une coutume répandue en Orient : les mets étaient servis dans un seul plat et les convives, en cercle autour du plat commun, mangeaient en prenant avec leurs doigts les mets du plat. Jésus veut donc seulement dire que l'un de ses familiers, l'un de ceux avec qui il a l'habitude de prendre ses repas, va le trahir. Sous cette forme, le récit ne doit rien au Ps **41** 10. Il s'explique très bien dans le contexte psychologique de ces derniers jours de Jésus; traqué par les chefs religieux du peuple, qui veulent le mettre à mort, Jésus se cache quelque part aux environs de Jérusalem, probablement à Béthanie (cf. note § 271); mais il se doute que l'un des siens va le trahir en révélant sa cachette aux autorités juives (cf. Jn **18** 2), et il l'annonce en termes voilés, peut-être pour faire réfléchir le traître et toucher son cœur.

c) Le deuxième récit se lit aux vv. 18 de Mc et 21 de Mt; c'est Mc qui en a gardé la formulation la meilleure et il provient du Document B : « En vérité je vous dis : l'un de vous me livrera, celui qui mange avec moi. » C'est une réinterprétation du récit du Document A. On a remplacé l'expression : « celui qui a plongé la main avec moi dans le plat », jugée trop réaliste pour des lecteurs occidentaux, par une formule plus élégante : « celui qui mange avec moi ». Même ici, l'influence du Ps **41** 10 est peu probable, le verbe « manger », seul contact avec le Psaume, pouvant très bien s'expliquer par le souci d'éviter les termes trop réalistes du Document A. Par ailleurs, on constate une tendance à rendre plus concrète la parole de Jésus; il s'adresse maintenant directement aux douze disciples : « l'un de vous me livrera »; les commensaux de Jésus (Document A) sont en fait les Douze (Document B). Enfin, pour rendre la parole de Jésus plus solennelle, on la fait précéder de la formule bien connue : « En vérité, je vous dis... »

d) La fusion entre les deux récits a dû se faire au niveau du Mc-intermédiaire, qui a ajouté le v. 19 pour servir de lien entre ces deux récits; le verbe « ils se mirent à », commun aux textes de Mc et de Mt, est en effet caractéristique de Mc. Mais l'ultime Rédacteur marcien a quelque peu retouché le texte du Mc-intermédiaire, spécialement au v. 20 : il ajoute la mention des Douze, supprime celle de la main (peut-être pour rendre le texte moins réaliste, réaction identique à celle du Rédacteur du Document B), et supprime également « celui-ci me livrera » (cf. Mt), pour atténuer l'effet de doublet entre ses vv. 18 et 20.

e) Le Mt-intermédiaire ne devait connaître que le Document A (v. 23), car le récit parallèle de Lc, qui dépend vraisemblablement du Mt-intermédiaire (cf. *infra*), ne connaît lui aussi que le récit du Document A. – Ce serait donc l'ultime Rédacteur matthéen qui aurait ajouté les vv. 21b et 22, sous l'influence du Mc-intermédiaire. Il effectue toutefois un certain nombre de retouches littéraires. Au v. 21, il supprime les mots « celui qui mange avec moi », pour atténuer l'effet de doublet avec le v. 23. Au v. 22, il introduit des expressions qui lui sont plus habituelles : « vivement attristés » (cf. **17** 23; **18** 31, deux textes de l'ultime Rédacteur; « vivement », *sphodra*: 7/1/1/0/1); « un chacun » (*heis ekastos*: 1/0/2/0/6;

nouvelle preuve que l'ultime Rédacteur matthéen a des affinités avec Lc). Il ajoute enfin le v. 25, dans lequel Jésus dit à Judas que c'est lui le traître (pour la finale « tu l'as dit », cf. Mt **26** 64, § 342).

f) Il est difficile de dire à quel niveau rédactionnel fut effectuée l'addition des vv. 21 de Mc et 24 de Mt, qui a pour but d'appliquer au traître la parole de Jésus, en provenance du Document Q, rapportée en Lc **17** 1-2 et Mt **18** 7 (§ 237). L'utilisation du Document Q ferait penser à une addition effectuée au niveau du Mt-intermédiaire, puis passée de Mt dans l'ultime rédaction marcienne; mais l'expression « comme il est écrit » n'est pas matthéenne, l'adverbe « comme » (*kathôs*) ne se lisant ailleurs en Mt qu'en **21** 6 (de l'ultime Rédacteur) et en **28** 6 (repris de Mc). On notera par ailleurs que ces deux versets de Mc et de Mt, malgré leur longueur, sont presque identiques. Aurions-nous là encore un cas prouvant que la même main aurait ajouté, dans Mc le v. 21, dans Mt le v. 24, et donc que l'ultime Rédacteur marcien serait identique à l'ultime Rédacteur matthéen (cf. Introd., II D 3)?

2. *Le texte de Lc*. Chez Lc, l'annonce de la trahison de Judas se place *après* l'institution eucharistique, de façon à étoffer le petit « discours après la cène » que Lc veut y développer (cf. note § 319). Il faut probablement distinguer dans son récit deux couches littéraires différentes (Bultmann).

a) Le v. 21 contient l'annonce de la trahison proprement dite. Le texte en est plus proche de Mt que de Mc, avec les mots « main » et « livrer »; il ne contient aucune trace de ce qui, dans Mc et l'ultime rédaction matthéenne, correspond au Document B. Nous sommes en présence d'un récit du proto-Lc, en dépendance du Mt-intermédiaire. Ce proto-Lc a toutefois effectué d'importantes modifications. Il introduit des mots lucaniens (« mais », *plèn*: 5/1/15/0/4, et « voici », *idou*). Il abandonne l'expression « plonger la main dans le plat », jugée trop vulgaire (cf. même rédaction dans le Document B et en Mc **14** 20), et la remplace par « (avoir) la main sur la table » (*epi tès trapezès*). Ce faisant, le proto-Lc veut probablement évoquer une situation semblable de l'histoire de David; le roi avait recueilli chez lui Méribbaal, le fils de Jonathan, en spécifiant : « il mangera toujours à la table du roi » (*epi tès trapezès*, 2 S **9** 13); mais lorsque David sera traqué par son fils Absalom et obligé de fuir, Méribbaal se ralliera à la cause d'Absalom dans l'espoir de récupérer le royaume de son aïeul Saül (2 S **16** 1-4), trahissant ainsi son bienfaiteur. Ce thème se poursuivra dans la suite du « discours après la Cène » de Lc (voir note § 319).

b) Les vv. 22 et 23 seraient de l'ultime Rédacteur lucanien. Le v. 22 reprend le thème de Mc **14** 21, avec introduction du vocabulaire lucanien : « ce qui a été arrêté » (*orizein*: 0/0/1/0/5; voir Ac **2** 23; **10** 42; **17** 31); « part » (*poreuesthai*, quarante-neuf fois dans Lc, contre une fois dans Mc). Le v. 23 correspond à Mc **14** 19, avec les inévitables retouches de style : « Et eux » (*kai autoi*, très fréquent dans Lc/Ac); « lequel d'eux » (*tis* ou *ti ara*: 4/1/4/0/1); emploi de l'optatif *eiè*; verbe « faire » (*prassein*: 0/0/5/2/13). Ces changements de style n'affectent pas le sens du récit.

3. *Le texte archaïque de Jn* (v. 18). Il est étroitement lié à la scène du lavement des pieds, dont il forme la conclusion (§ 316).

a) La structure littéraire du texte présente une difficulté. La citation du Ps **41** 10 (d'après l'hébreu), qui constitue l'annonce proprement dite de la trahison, est introduite par une formule d'allure très johannique : « mais (c'est) pour que l'Écriture s'accomplisse ». Avant cette formule et la citation qu'elle introduit, on aurait attendu une parole de Jésus explicitant le fait qui motive une telle citation, comme, par exemple, en **15** 25 : « ils ont vu et ils ont haï moi et mon Père; mais (c'est) afin que soit accomplie la parole qui est écrite dans leur Loi : Ils m'ont haï sans motif. » Rien de tel ici, et l'on a l'impression de se trouver devant un texte tronqué. Reportons-nous alors à Jn **6** 70; on y trouve la phrase : « Ne vous ai-je pas choisis, vous, les Douze? » (qui correspond à **13** 18a : « Je connais ceux que j'ai choisis »); cette phrase est suivie de la remarque de Jésus : « et l'un de vous est un diable », qui nous donnerait précisément l'élément absent de Jn **13** 18 ! On notera de plus que cette remarque de Jésus a même forme littéraire que Mc **14** 18 : « l'un de vous me livrera », et répond exactement au thème introduit en Jn **13** 2 : « le Diable ayant déjà mis au cœur de Judas... (le dessein) de le livrer ». Ces remarques invitent alors à proposer l'hypothèse suivante : le texte primitif de Jn **13** 18 aurait été dédoublé de façon à placer déjà en **6** 70 la phrase : « l'un de vous est un diable », afin de transposer sur Judas la parole de Jésus dite à Pierre en Mc **8** 33 et Mt **16** 23 (§ 167) : « Passe derrière moi, Satan » (cf. Bultmann). Le texte de Jn **13** 18 aurait eu alors cette teneur : « Je ne le dis pas de vous tous; je connais ceux que j'ai choisis et (cependant) l'un de vous est un diable! Mais (c'est) pour que l'Écriture s'accomplisse : Celui qui mange mon pain a levé contre moi son talon. »

b) Ainsi reconstitué, le texte johannique trouve un excellent parallèle dans certains passages d'une hymne des textes de Qumrân. L'auteur de cette hymne se plaint de ce que ses compagnons, ceux qu'il a rassemblés autour de lui pour former la secte de l'Alliance, se dressent contre lui; il cite alors, comme Jésus en Jn **13** 18b, le Ps **41** 10 : « Et tous ceux qui mangeaient mon pain, contre moi ils ont levé le talon » (Rouleau des Hymnes, 5 *23-24*). Un peu plus loin, il parle de ces adversaires en disant : « ils concevaient des projets de Bélial » (5 *26*), i.e. de Satan, thème qui revient encore une fois dans l'hymne : « et, comme un conseiller, Bélial est dans leur cœur » (6 *21-22*), ce qui correspond exactement à Jn **13** 2.

c) Cette annonce archaïque de la trahison de Judas, dans Jn **13** 18, n'est qu'une transposition de celle du Document B (cf. Mc **14** 18), ce qui nous prouve que ce récit du Document B se suffisait à lui-même et ne fut joint que plus tard au récit du Document A.

4. *Le texte tardif de Jn* (vv. 21-30). Il dépend fondamentalement du récit de l'ultime Rédacteur matthéen. N'ayant aucun contact littéraire avec Mc, il offre au contraire une série d'accords avec Mt contre Mc : au v. 11, l'absence des mots

« celui qui mange avec moi » ; au v. 25, le vocatif « Seigneur » ; au v. 26, le verbe « répondre », la présence d'un démonstratif (*ekeinos/houtos*), le verbe « plonger » utilisé à la forme active et non moyenne ; enfin et surtout la désignation explicite de Judas comme celui qui va trahir Jésus (vv. 25 de Mt et 26 de Jn). Mais, en reprenant le texte de Mt, Jn le remanie profondément. Il ajoute le jeu de scène entre Simon-Pierre et le disciple que Jésus aimait (vv. 23-25) ; il transforme la parole de Jésus de Mt **26** 23 pour en faire un signe par lequel Jésus désigne le traître ; il ajoute enfin les détails de la sortie de Judas.

En résumant ces analyses, on peut conclure : le récit de la trahison de Judas trouve sa forme la plus archaïque en Mt **26** 23, texte du Mt-intermédiaire qui dépend du Document A ; on le retrouve, notablement modifié, en Lc **22** 21, qui dépend du Mt-intermédiaire. Un second récit se lit en Mc **14** 18, texte du Mc-intermédiaire qui dépend du Document B ; il n'est qu'une réinterprétation du récit du Document A ; on le retrouve, modifié en fonction de Ps **41** 10, dans Jn **13** 18 (complété par **6** 70). C'est le Mc-intermédiaire qui a effectué la fusion des deux récits, en insérant entre les deux textes le v. 19. L'ultime rédaction matthéenne a complété le texte du Mt-intermédiaire en fonction du récit du Mc-intermédiaire. Le récit de Jn **13** 21-30 dépend de l'ultime rédaction matthéenne.

II. PRÉCISIONS TOPOGRAPHIQUES ET CHRONOLOGIQUES

D'après les Synoptiques, Jésus aurait annoncé la trahison de l'un des siens lors du repas pascal célébré la veille de sa mort, à Jérusalem. Que penser de cette présentation des faits ?

1. Elle offre plusieurs difficultés. D'après le logion le plus archaïque (Mt **26** 23), Jésus et ses disciples auraient été rassemblés autour d'un plat unique dans lequel chacun se servait avec la main ; mais les textes rabbiniques nous disent que, lors du repas pascal, chacun avait son propre plat devant soi : ce n'est donc pas au cours d'un repas pascal que Jésus aurait annoncé la trahison de Judas. Ceci nous est confirmé par le récit johannique. En **13** 2, la formule très vague « au cours d'un repas » se comprendrait difficilement d'un repas pascal, d'autant que Jn ne mentionne pas l'institution eucharistique au cours de ce repas. Bien mieux, dans la finale du récit (vv. 27 ss.), les disciples s'imaginent que Judas sort afin d'aller acheter ce qui sera nécessaire pour la fête, i.e. pour le repas pascal ! Jn témoigne donc que l'annonce de la trahison de Judas n'eut pas lieu au cours d'un repas pascal. D'ailleurs, même dans les Synoptiques, l'insertion de ce récit dans la trame du repas pascal est artificielle, comme le prouvent la répétition de la formule « tandis qu'ils mangeaient » (Mt **26** 21 ; Mc **14** 18 et Mt **26** 26 ; Mc **14** 22), et le déplacement de l'épisode chez Lc.

2. La remarque de Jn **13** 29 fait supposer que Jésus aurait annoncé la trahison de l'un des siens quelques jours seulement avant la fête de la Pâque. On songe alors au repas de Béthanie, que Mc **14** 3 place deux jours avant la Pâque (**14** 1), et Jn **12** 1 six jours avant. Un léger indice viendrait appuyer cette hypothèse. Pour Jn, Satan entre dans Judas (**13** 27) à la fin du repas, qui n'est pas le repas pascal (v. 29), mais un repas qui eut lieu quelques jours auparavant. Il note que, aussitôt après, Judas sortit (v. 30), probablement pour aller trouver les chefs religieux et se mettre d'accord avec eux (il ne s'agit pas encore de les conduire à Gethsémani, puisque la scène se passe quelques jours avant la Pâque). Or Lc **22** 3 note que « Satan entra en Judas » précisément au moment où Judas va trouver les Grands Prêtres (§ 314), donc aussitôt après le repas de Béthanie d'après la chronologie marcienne (§ 313).

Note § **318.** *INSTITUTION EUCHARISTIQUE*

Cet épisode, donné par les trois Synoptiques, a un parallèle en 1 Co **11** 23-26 ; Jn l'omet et le remplace par un enseignement de Jésus sur sa chair et son sang qui sont nourriture et breuvage (Jn **6** 51-58). Les récits s'apparentent deux à deux : ceux de Mt et de Mc sont proches l'un de l'autre, et il en va de même pour ceux de Lc et de Paul. Mais Lc possède en propre une brève évocation du repas pascal (vv. 15-18) en harmonie avec le § 315 où les évangélistes racontent la préparation de la Pâque.

I. PROBLÈMES LITTÉRAIRES

A) LE RÉCIT DE Mc

Comme nous l'avons noté au § 317, le début du récit de Mc se trouve en **14** 17-18a, l'annonce de la trahison de Judas devant être considérée comme une insertion plus tardive.

1. *Le rite de la coupe pascale* (Dockx). Dans le récit de Mc, le v. 24 fait difficulté, car il ne s'harmonise pas avec son contexte. Au v. 23, l'action semble se terminer par les mots : « il (la) leur donna et ils en burent tous » ; le v. 24, où Jésus explique que le contenu de la coupe est son sang, vient trop tard ; Jésus aurait dû donner cette explication *avant* que les convives ne boivent du contenu de la coupe. Mt a bien vu l'anomalie du texte de Mc et il le corrige en conséquence. Par ailleurs, le v. 25 se relie difficilement au v. 24 : après avoir dit que la coupe contenait son sang, Jésus parle à nouveau du « produit de la vigne », donc du vin contenu dans la coupe ! Et comment comprendre l'opposition entre le vin nouveau que Jésus boira dans le royaume (v. 25) et

son sang qu'il donne maintenant à boire à ses disciples (v. 24)? Tout porte à croire que le v. 24 représente une insertion rompant le fil d'un récit qui, commençant au v. 23, se continuait au v. 25. L'existence d'un lien primitif entre les vv. 23 et 25 de Mc est d'ailleurs confirmée par les vv. 17 et 18 de Lc, qui leur correspondent exactement :

Mc 14	Lc 22
23 Et ayant pris une coupe, ayant rendu grâces,	17 Et ayant reçu une coupe, ayant rendu grâces, il dit :
il (la) leur donna et ils en burent tous 24a et il leur dit :	« Prenez ceci et partagez entre vous
25 « En vérité je vous dis que je ne boirai plus	18 car je vous dis (que) je ne boirai plus doréna- vant
du produit de la vigne jusqu'à ce jour-là où je le boirai nouveau dans le royaume de Dieu. »	du produit de la vigne jusqu'à ce que le royaume de Dieu [vienne. »

Il est vrai, comme on le verra plus loin, que Lc dépend de Mc 14 23-24a.25, ou plutôt de la source de Mc. Mais, s'il avait connu le v. 24 de Mc, on ne voit pas pourquoi il l'aurait omis, vidant le texte de toute signification eucharistique pour lui donner la signification purement rituelle d'une coupe pascale. Lc dépend donc d'un texte qui contenait les éléments de Mc 14 23-24a.25, mais non le reste du v. 24.

Dans Mc donc, par-delà le récit de l'institution eucharistique, on pressent l'existence d'un récit qui, lui, concernait la célébration de la Pâque juive et qui se situerait dans la ligne du récit du § 315 (Préparation de la Pâque).

2. L'*institution eucharistique*. Analysons maintenant le v. 22 de Mc, concernant le pain. Sa structure offre des analogies avec celle des vv. 23 et 24 :

Mc 14 22	Mc 14 23-24
... ayant pris du pain, ayant prononcé la bénédiction, il (le) rompit et (le) leur donna	et ayant pris une coupe, ayant rendu grâces,
et il dit : « Prenez, ceci est mon corps. »	il (la) leur donna et ils en burent tous et il leur dit : « Ceci est mon sang de l'al- liance qui est répandu pour beaucoup. »

Malgré l'analogie des structures, on voit tout de suite que le v. 22 de Mc est assez cohérent et ne comporte pas le hiatus que nous avons noté entre les vv. 23 et 24, à propos de la coupe; même si la rédaction est un peu maladroite (on aurait attendu « disant », comme dans le parallèle de Lc, plutôt que « et il dit »), l'addition de « prenez » entre « il dit » et « ceci est mon corps » laisse comprendre que Jésus a donné le vrai sens du pain *avant* que les convives

ne le mangent. D'autre part, du fait que les structures sont analogues, il ne faudrait pas conclure que l'un des deux récits dépend de l'autre; l'analogie des structures peut fort bien s'expliquer par l'analogie des rites constituant la cérémonie pascale d'une part, la célébration eucharistique d'autre part (cf. II).

Du point de vue littéraire, il faut donc distinguer au moins deux couches dans le récit de Mc : la plus ancienne était constituée par les vv. 17.23-24a.25 et ne concernait que la célébration de la Pâque par Jésus; la plus récente était constituée par les vv. 22-23a et 24 et concernait l'institution eucharistique. Remarquons tout de suite que, lorsque nous parlons pour le récit de Mc de couches plus ancienne et plus récente, c'est uniquement en fonction du problème littéraire de ce récit; cette façon de parler ne signifie pas que le récit plus tardif de Mc ait moins de valeur que le récit plus ancien; on reviendra plus loin sur ce problème.

B) Le récit de Mt

Il peut s'expliquer entièrement à partir de celui de Mc. Au v. 20 (§ 317), Mt remplace le « il arrive » de Mc par l'expression « il se trouvait à table », reprise du v. 18 de Mc et transposée afin d'éviter le doublet marcien : « ils étaient à table » et « ils mangeaient ». Au v. 26, il complète le texte de Mc en ajoutant le sujet « Jésus » et le complément « aux disciples »; dans la parole de Jésus, il ajoute aussi le verbe « mangez », afin d'obtenir un meilleur parallélisme avec la parole sur le vin qui commence par l'impératif « buvez » (v. 27). Aux vv. 27 et 28, il fait disparaître le hiatus existant entre les vv. 23 et 24 de Mc : le « et ils en burent tous et il leur dit » de Mc devient « disant : buvez-en tous car... »; avec ce nouveau texte, on peut penser que la parole concernant le vrai contenu de la coupe est prononcée *avant* que les disciples n'en boivent. A la fin du v. 28, il ajoute la précision théologique « en rémission des péchés ». Au v. 29, Mt supprime « en vérité » parce que, dans son texte, l'accent est mis sur les deux paroles concernant le pain et la coupe, et non sur la perspective eschatologique du v. 29; il ajoute l'adverbe « désormais » (*ap'arti*, cf. 23 39 et 26 64; jamais dans Mc/Lc/Ac), l'expression « avec vous », et change « Dieu » en « mon Père », selon son habitude.

C) Le texte de Paul

Le récit du dernier repas, enchâssé dans 1 Co 11, est un texte liturgique reconnaissable à de nombreux traits. Le vocabulaire tranche sur celui que Paul emploie habituellement. L'exorde circonstancié (v. 23a) est caractéristique d'un texte qui avait une existence autonome. La formule d'institution : « faites ceci en mémoire de moi », répétée aux vv. 24 et 25, et l'adverbe « chaque fois » (vv. 25 et 26), appartiennent au répertoire liturgique. La forme est hellénisée jusque dans la formule essentielle de l'eucharistie : place du pronom « moi » dans : « ceci de moi est le corps », emploi de l'adjectif possessif (« en *mon* sang ») qui n'a pas d'équivalent strict dans les langues sémitiques où l'on recourt au pronom personnel suffixe, place de l'adjectif dans « nouvelle alliance ».

Les divergences par rapport à Mt/Mc sont nombreuses. Outre les divergences stylistiques, signalons : au v. 24, suppression du geste « et (le) leur donna » et, après la parole : « ceci est mon corps », addition des mots : « qui est pour vous; faites ceci en mémoire de moi »; au v. 25, les gestes de Jésus sont résumés par un simple « de même », qui renvoie aux gestes faits par Jésus à propos du pain; addition de la précision « après le repas »; changements assez importants dans la formule prononcée à propos de la coupe; à la fin du verset, addition de la phrase : « ceci faites-le chaque fois que vous boirez, en mémoire de moi ». Addition du v. 26. Toutes ces divergences d'avec le texte de Mt/Mc montrent que Paul ne doit rien ni à Mt ni à Mc : il suit une tradition différente qui, on l'a déjà noté, est une tradition liturgique (liturgie en usage dans l'Église d'Antioche?).

D) Le texte de Lc

C'est celui qui a le plus divisé les commentateurs et dont on a voulu tirer le plus de conséquences sur l'idée que l'on voulait se faire de ce que fut en réalité le dernier repas de Jésus avec ses disciples. Il se divise nettement en deux parties, que nous allons analyser l'une après l'autre.

1. *Le récit de la Pâque* (vv. 15-18). Dès l'introduction de cette note, nous avons constaté l'anomalie des récits de Mc et de Mt : après avoir raconté comment Jésus fit préparer la célébration de la Pâque par ses disciples (§ 315), les deux évangélistes donnent le récit de l'annonce par Jésus de la trahison de Judas (§ 316), puis celui de l'institution eucharistique (§ 318) sans qu'il soit aucunement fait mention de la célébration de la Pâque. Le texte de Lc n'a pas cette anomalie : il rejette plus loin l'annonce de la trahison de Judas (§ 319) et fait commencer le récit de l'institution eucharistique par une allusion explicite à la manducation de l'agneau pascal (v. 15). Son v. 15 se situe donc dans le prolongement exact du v. 13, conclusion de l'épisode concernant la préparation de la Pâque : « S'en étant allés, ils trouvèrent comme il le leur avait dit et préparèrent la Pâque. Et lorsque l'heure fut venue, il se mit à table et les apôtres avec lui. Et il leur dit : 'J'ai désiré d'un grand désir manger cette Pâque avec vous...' » Le récit de la célébration de la Pâque se trouvait-il dans une source archaïque, utilisée par Lc seul, ou ne serait-il pas plutôt une création de Lc lui-même? Il se divise en deux parties parallèles : la première concerne la Pâque, i.e. l'agneau pascal (vv. 15-16), la seconde concerne la coupe de vin (vv. 17-18); dans l'une et l'autre parties, les versets concernant la Pâque et la coupe (vv. 15.17) sont suivis d'un logion où Jésus déclare que c'est la dernière fois qu'il mange la Pâque ou boit la coupe avant l'avènement du royaume de Dieu (vv. 16.18).

a) Commençons par analyser la section concernant la coupe (vv. 17-18). En étudiant Mc (I 1), on a vu que cet évangile utilisait une source archaïque ne comportant, outre l'introduction du récit, que les vv. 23-24a et 25, et que Lc **22** 17-18

dépendait également de cette source (voir les deux textes en colonnes parallèles à la fin de I 1 a). Les variantes de Lc par rapport au texte suivi par Mc peuvent s'expliquer par l'activité rédactionnelle de Lc. Au v. 17, il change « ayant pris » en « ayant reçu », verbe qu'il affectionne particulièrement (*dechesthai:* 9/6/16/1/8; voir spécialement Lc **8** 13, où Lc remplace le verbe « prendre » de Mt/Mc par « recevoir », comme ici); l'impératif « prenez ceci » pourrait provenir d'une influence de Mc **14** 22 : « Prenez, ceci (est mon corps) »; le verbe « partager » est encore du style de Lc (1/1/6/1/2; l'unique cas, dans Mt/Mc/Jn provient d'une influence de l'AT). Au v. 18, le « car je vous dis » est bien dans le style de Lc (3/0/6), de même que l'adverbe « dorénavant » (*apo tou nyn:* 0/0/5/1/1/1) et la conjonction « jusqu'à ce que » (*heôs hou* ou *heôs hotou:* 7/0/7); dans la finale du v. 18, Lc veut probablement éviter le réalisme de Jésus buvant du vin nouveau dans le royaume de Dieu, d'où sa proposition : « jusqu'à ce que le royaume de Dieu vienne ». Ainsi, les vv. 17-18 de Lc, concernant la coupe, sont une reprise assez libre de la source qui a fourni à Mc ses vv. 23-24a.25.

b) La section concernant la Pâque (vv. 15-16) n'a de parallèle ni dans Mt/Mc, ni chez Paul. On notera toutefois que le v. 16 donne une parole de Jésus très voisine de celle que l'on a aux vv. 18 de Lc et 25 de Mc. Le style est, ici encore, très lucanien. Ce style lucanien commence d'ailleurs dès le verset 14 (§ 317) qui introduit toute la péricope : « Et lorsque l'heure fut venue »; ici comme partout, Lc remplace le mot « soir » (*opsia*) de Mt-Mc par un autre mot (« heure ») et le génitif absolu par une proposition temporelle avec « lorsque » (*hote;* même construction en Lc **2** 42 et **6** 13); « il se mit à table » (*anapiptein*, voir encore Lc **11** 37; **14** 10; **17** 7); « les apôtres » (*apostolos:* 1/1/6/1/28); « avec lui » (préposition *syn:* 4/6/24/3/52). Au v. 15, le « il leur dit » (*eipen pros*) est typique du style de Lc; le verbe « désirer » n'est pas inconnu de Lc (2/0/4/0/1) mais, surtout, la redondance : « j'ai désiré d'un (grand) désir » (verbe renforcé par un substantif de même racine, au datif) trouve de bons parallèles en Lc **23** 46; Ac **5** 28 et **23** 14; l'expression « manger la Pâque » pourrait s'inspirer des vv. 8 et 11 qui précèdent (§ 315); « avant de » (*pro tou* + infinitif), construction grammaticale qui n'est pas inconnue de Lc (1/0/2/3/1); « souffrir », verbe qui se rencontre plusieurs fois dans les Synoptiques (4/3/6/0/5), mais que Lc est le seul à employer absolument, sans complément ni adverbe (cf. Lc **24** 46; Ac **1** 3; **3** 18; **9** 16; **17** 3). Le v. 16 est moins caractéristique; on notera seulement la négation « ne... jamais plus » (*ouketi ou mè*), qui ne se lit ailleurs qu'en Mc **14** 25 et Ap **18** 14; le v. 16 de Lc dépendrait-il du v. 25 de Mc? Cela reste douteux, car le *ouketi* de Lc est omis par les meilleurs témoins du texte Alexandrin.

La section concernant la Pâque, et surtout le v. 15, est écrite dans une langue très lucanienne. Faut-il alors ne voir en elle qu'une création de Lc, qui aurait repris la structure des vv. 17-18? C'est possible. On remarquera cependant que le v. 14 de Lc (§ 317), parallèle à ceux de Mc **14** 17 et Mt **26** 20, est lui aussi de vocabulaire typiquement lucanien. Lc a l'habitude de remodeler le texte de ses sources d'après son propre vocabulaire; il reste donc possible qu'il ait repris ses vv. 15-16 à la source qui lui a fourni les vv. 17-18 (celle de Mc **14** 23-24a.25). Mc aurait omis la partie du récit mentionnant explicitement la Pâque, parce que seul l'intéressait le récit de l'institution eucharistique.

2. *Le récit eucharistique* (Lc **22** 19-20).

a) Le texte de Lc se présente en deux recensions. Une recension longue est donnée par l'ensemble des manuscrits grecs, à l'exception de *D ;* c'est le texte du premier volume de la Synopse. Une recension courte interrompt le texte après les mots : « ceci est mon corps », omettant donc la fin du v. 19 et tout le v. 20 concernant la coupe eucharistiée ; elle est attestée par la plupart des manuscrits de la Vieille Latine (dont deux ont une inversion : vv. 19a.17-18) et par le codex grec *D.* Ajoutons que la syriaque Curetonienne omet le v. 20 tout entier et place le v. 19 avant les vv. 17-18, comme les deux manuscrits de l'ancienne version latine (pour retrouver l'ordre normal : pain, coupe) ; elle appuie donc, en partie, la recension courte. Au contraire, la syriaque sinaïtique donne le texte long presque intégralement, mais en bouleversant l'ordre des versets. Notons enfin que la Peshitta (équivalent de la Vulgate pour la version syriaque) omet les vv. 17 et 18.

b) Avant de pouvoir choisir entre la recension longue et la recension courte, il faut analyser de très près la recension longue.

ba) La première partie du v. 19, concernant le pain, offre un certain nombre d'accords avec Mc contre Mt ou Paul : omission du sujet « Jésus » (contre Mt/Paul), participe « ayant pris » (contre Paul : « il prit »), deuxième participe « ayant rendu grâces » sans lien avec le premier (contre Mt/Paul qui le font précéder de « et »), « et (le) leur donna » (contre Mt : « et l'ayant donné », et Paul, qui omet ce verbe), formule « ceci est le corps *de moi* », contre Paul : « ceci *de moi* est... » En revanche, Lc n'a aucun accord avec Mt contre Mc. Mais il faut noter deux accords Lc/Paul contre Mc/Mt : le participe « ayant rendu grâces » (au lieu de « ayant prononcé la bénédiction ») et l'omission du verbe « Prenez ». Malgré ces deux contacts avec Paul, il faut bien reconnaître que, dans l'ensemble, Lc suit un texte analogue à celui de Mc.

bb) A partir du v. 19b (« qui est donné pour vous ») et pour tout le v. 20 (sauf la finale), Lc n'a plus aucun contact avec Mc mais suit le texte de Paul, à quelques variantes près, assez minimes. Ce n'est qu'à la fin du v. 20 que Lc retrouve Mc (« qui est répandu pour vous »), ce qui provoque d'ailleurs une anomalie : dans Mc, la formule est au nominatif, bien accordée au nominatif « mon sang » ; dans Lc, elle est également au nominatif, ce qui oblige à la rattacher au mot « coupe », puisque le mot « sang » est au datif.

c) Quelles conclusions tirer de ces analyses littéraires ?

ca) Le v. 19a de Lc, on l'a vu, dépend fondamentalement de Mc ; il faut donc l'attribuer à l'ultime Rédacteur lucanien. Aux vv. 17-18 au contraire, on a noté que Lc dépendait, non de Mc, mais de la source qui a donné à Mc ses vv. 23-24a.25 ; ces vv. 17-18 ne sont donc pas de l'ultime Rédacteur lucanien, mais du Proto-Lc. Le Proto-Lc suivait donc un texte qui

ne comportait pas les vv. proprement eucharistiques, mais seulement les vv. parlant de la coupe rituelle pascale et du logion à portée eschatologique qui suit (cf. Mc 23-24a.25). Les deux niveaux rédactionnels de Lc (Proto-Lc et ultime Rédacteur) rejoignent donc, quant à leur contenu, les deux niveaux rédactionnels que l'on a distingués dans le texte de Mc.

cb) Les vv. 19b et 20 de Lc (sauf la finale du v. 20) sont repris, non de Mc, mais de Paul. Quel que soit l'auteur de ces versets, il est étrange qu'il insère dans l'évangile un texte paulinien, au lieu de suivre Mc ou Mt ; c'est le seul cas dans les évangiles, même si les textes de Mc et de Lc offrent, sporadiquement, quelques traces d'influences pauliniennes. Ce fait ne semble pouvoir s'expliquer que si ces vv. 19b et 20 correspondent au texte liturgique auquel leur rédacteur était habitué.

cc) Essayons maintenant de tester les hypothèses pour trouver la plus vraisemblable en ce qui concerne les vv. 19b-20 de Lc : omission par un scribe de versets authentiquement lucaniens, ou addition par un scribe de versets qui n'existaient pas dans Lc ? L'hypothèse de l'addition par un scribe n'offre guère de difficulté : trouvant chez Lc un texte qu'il estime tronqué par rapport à ceux de Mc et de Mt (pas de coupe eucharistiée), il le complète afin d'harmoniser Lc aux deux autres Synoptiques ; de tels essais d'harmonisation sont courants tout au long des évangiles. Pour compléter Lc, il prend le texte liturgique de Paul, probablement parce que ce texte correspondait à celui de la liturgie à laquelle il était habitué. – L'hypothèse de la suppression des vv. 19b-20 par un scribe est beaucoup plus difficile à soutenir. On dit que, se trouvant en face d'un texte qui comportait deux fois la mention de la coupe (vv. 17 et 20), il aura voulu en supprimer une afin de mieux retrouver le rite de la célébration eucharistique. Mais une objection se présente aussitôt : pourquoi le scribe aurait-il supprimé la seconde coupe, et non la première ? Une telle façon de procéder offrait deux gros inconvénients : d'une part, le nouveau texte de Lc, ainsi amputé, ne contenait plus de coupe eucharistiée puisque la première coupe, qu'il gardait, n'avait pas les mots essentiels : « ceci est mon sang » ; d'autre part, il obtenait une séquence « coupe/ pain » contraire à l'usage liturgique (c'est pour éviter cette anomalie que deux manuscrits latins et la syriaque curetonienne, tous les trois témoins du texte court, transposent le v. 19a avant le v. 17). Par ailleurs, si un scribe avait simplement voulu supprimer une des deux coupes, pourquoi ne se serait-il pas contenté de supprimer le v. 20 ? Pourquoi aurait-il supprimé aussi la fin du v. 19 ? Le fait que l'emprunt à Paul – emprunt qui touche à la fois la parole sur le pain (v. 19b) et la parole sur le vin (v. 20) – coïncide exactement avec ce qui est « en plus » dans le texte long par rapport au texte court est évidemment un argument très fort en faveur de l'hypothèse qui voit dans le texte court le texte primitif de Lc, et dans les vv. 19b et 20 une addition de scribe. Remarquons enfin que la leçon courte (sans coupe eucharistiée) s'accorde avec l'importance accordée par Lc à la fraction du pain en Lc **24** 30.35 et Ac **2** 42.46 ; **20** 7.11 ; **27** 35.

En résumé, l'addition des vv. 19b-20 par un scribe apparaît plus vraisemblable que leur omission; seule la recension courte donnerait donc le texte authentique de Lc. Mais n'oublions pas que le vrai n'est pas toujours le plus vraisemblable; laissons donc malgré tout à la recension longue une certaine possibilité de représenter le texte authentique de Lc.

E) Les allusions johanniques

On a dit au début que Jn ne contenait pas de récit concernant l'institution eucharistique. Au chap. **6** cependant, les vv. 51-58 sont des témoins indiscutables de la liturgie eucharistique, que l'évangéliste a mise en relation avec le miracle de la multiplication des pains. Jn **6** 51 est proche de 1 Co **11** 24 :

Jn	1 Co
« le pain que je donnerai est ma chair pour la vie du monde. »	« ceci (= ce pain) est mon corps qui (est) pour vous. »

On comparera encore Jn **6** 53 : « Si vous ne mangez la chair du Fils de l'homme et ne buvez son sang... », avec Mt **26** 26-27 : « mangez, ceci est mon corps... buvez-en tous, car ceci est mon sang... »

II. LES DIVERS RÉCITS ET LEUR SIGNIFICATION

1. *Le récit du repas pascal.*

a) On peut le reconstituer approximativement à partir des versets 17-18a de Mc (cf. v. 14 de Lc), 15-16 de Lc, 23-24a.25 de Mc (cf. 17-18 de Lc) :

> Et le soir venu, il arrive avec les Douze. Et tandis qu'ils étaient à table () il leur dit : « J'ai désiré d'un grand désir manger cette Pâque avec vous avant de souffrir; car je vous dis que je ne la mangerai plus jamais jusqu'à ce qu'elle soit accomplie dans le royaume de Dieu. » Et ayant pris une coupe, ayant rendu grâces, il la leur donna et ils en burent tous. Et il leur dit : « En vérité je vous dis que je ne boirai plus du produit de la vigne jusqu'à ce jour où je le boirai nouveau dans le royaume de Dieu. »

Dans ce récit, il n'était pas question d'institution eucharistique, mais seulement de la célébration du repas pascal; il formait donc la suite normale du récit du § 315. Sous cette forme archaïque, il provient certainement du Document A et faisait suite au récit du même Document A concernant la préparation de la Pâque (note § 315, I 3 a). La coupe dont il est parlé est une des coupes que l'on faisait circuler entre les convives au cours du repas. Mais on notera que la Pâque et la coupe sont mentionnées surtout en raison de la parole de Jésus qui les accompagne (cf. *infra*). La conclusion de ce petit récit est donnée au v. 26 de Mc (§ 355), où l'expression « ayant chanté les psaumes » fait allusion au chant du Hallel qui clôturait le repas pascal.

b) La parole de Jésus, au v. 25, est introduite par la formule : « En vérité je vous dis », qui lui confère une solennité spéciale. Le vin « nouveau » désigne les réalités du royaume eschatologique. En disant qu'il boira bientôt le vin nouveau dans le royaume de Dieu, Jésus fait allusion à sa mort en même temps qu'il affirme son espérance, mieux, sa certitude de triompher de la mort. Cette allusion discrète à sa mort est parfaitement en harmonie avec celles qu'il a déjà faites quelques jours plus tôt, d'après le Document A, lors de l'onction à Béthanie (note § 313, I 2), et lorsqu'il annonça la trahison de l'un des siens (note § 317, I 1 b).

2. *L'institution eucharistique.*

a) A la note § 315, on a vu que le récit de la préparation de la Pâque du Document A avait été réinterprété dans le Document B afin de lui donner une dimension nouvelle. C'est de même dans le Document B que le récit à résonance pascale fut remplacé par le récit de l'institution eucharistique (vv. 22 et 24b de Mc; le v. 24b devait avoir, dans le Document B, une structure plus complète, analogue à celle du v. 22). Mais, bien entendu, le Rédacteur du Document B n'a pas inventé de toutes pièces ce récit de l'institution eucharistique; il l'a reçu de la tradition liturgique, comme Paul en 1 Co **11** 23 ss. Bien qu'il ait été inséré postérieurement dans la trame de l'évangile, ce récit peut donc avoir une antiquité au moins aussi grande que celle du récit à résonance pascale.

b) Dans Mt/Mc, la formule prononcée par Jésus sur le pain n'établit aucun lien entre la mort de Jésus et son corps signifié par le pain. On ne peut s'appuyer sur le fait du pain brisé pour affirmer ce lien dont le texte ne parle pas. Il semble donc que l'aspect de nourriture doive s'imposer, ce qu'a bien compris Jn en **6** 51-58. Mais le pain a probablement aussi une autre valeur symbolique, bien mise en relief dans ce passage de la Didachè : « De même que ce fragment (de pain), dispersé sur les montagnes et rassemblé, est devenu un, de même que soit rassemblée ton Église des extrémités de la terre dans ton royaume » (voir vol. I, 3e registre); ce texte joue sur le fait qu'en hébreu ou en grec le même mot signifie « semer » et « disperser »; on rejoint donc le thème prophétique traditionnel : le peuple de Dieu, maintenant dispersé à travers le monde, sera de nouveau rassemblé dans l'unité lors de l'avènement du royaume de Dieu. – Dans Paul et Lc, il existe au contraire un lien entre la mort de Jésus et le pain devenu son « corps », puisque ce corps va être « donné pour vous » (Lc **22** 19, qui explicite 1 Co **11** 24).

c) La formule prononcée par Jésus sur le vin diffère assez profondément dans Mt/Mc et dans Paul (Lc). Dans Mt/Mc, les mots : « ceci est mon sang de l'alliance », reprennent les paroles de Moïse à la conclusion de l'alliance au Sinaï : « Moïse, ayant alors pris le sang, le projeta sur le peuple et dit : 'Ceci est le sang de l'alliance que Yahvé a conclue avec vous' » (Ex **24** 8). La formule prononcée sur le vin donne donc le sens de la mort de Jésus qui va advenir dans les prochaines heures; elle souligne sa valeur sacrificielle (cf. Ex **24** 4-5). Ce sang « qui est répandu pour beaucoup » possède une efficacité illimitée; l'adjectif « beaucoup » (*pollôn*) exprime la

multiplicité, sans aucune limitation de nombre, des bénéficiaires de la mort de Jésus. L'addition matthéenne : « en
rémission des péchés », permettrait une allusion à Is **53**,
où le Serviteur de Yahvé donne sa vie pour la justification
d'un grand nombre d'hommes, en prenant sur lui leurs
péchés.

Chez Paul, au lieu de « ceci est mon sang » (Mc/Mt), Jésus
dit : « ceci est la nouvelle alliance en mon sang ». Certains
y voient une formule édulcorée visant à ménager la répulsion
pour le sang ; mais cette répulsion n'a pas joué chez Mt,
écrit pour des judéo-chrétiens, ni chez Mc, et Jn **6** 51-58
accentue encore le réalisme des termes. C'est pourquoi, avec
plus de probabilité (Schürmann), on verra chez Paul la formule
la plus ancienne. Le passage de : « ceci est la nouvelle alliance
dans mon sang », à : « ceci est mon sang », est plus facilement
explicable que le mouvement inverse. Pour ce dernier, on
recourt à une donnée psychologique que contredisent les
textes de Mc, Mt et Jn, ainsi que la disparition de la formule
paulinienne au profit de celle de Mc/Mt dans toutes les
liturgies. Au contraire, le passage de la formule paulinienne
à celle de Mc peut s'appuyer sur le fait maintes fois constaté
que les parallélismes étroits ont tendance à se renforcer,
et non à s'affaiblir.

3. C'est au niveau du Mc-intermédiaire que s'est effectuée

la fusion entre les récits des Documents A et B, pour donner
le texte actuel de Mc (s'il y eut quelques retouches au niveau
de l'ultime rédaction marcienne, elles sont impossibles
à déceler).

4. Le Mt actuel dépend entièrement du Mc-intermédiaire.
Quel était alors le texte du Mt-intermédiaire ? S'il a complètement disparu du Mt actuel, c'est probablement qu'il repro-
duisait assez fidèlement le texte du Document A (que le
Mt-intermédiaire reproduit au § 315), et que l'ultime Rédacteur matthéen lui a préféré le récit du Mc-intermédiaire,
avec sa portée eucharistique, et non pascale. L'ultime Rédacteur matthéen a toutefois éliminé les rugosités du texte de sa
source, et ajouté le thème théologique du sang du Christ
répandu « en rémission des péchés » (cf. Col **1** 14 ; Ep **1** 7
et aussi He **9** 22).

5. Dans Lc, les vv. 14-18 doivent être attribués au Proto-Lc
qui dépendrait ici du Mt-intermédiaire. L'ultime Rédacteur
lucanien a ajouté le v. 19a (jusqu'à « ceci est mon corps »),
repris du Mc-intermédiaire ; c'est également lui qui aurait
ajouté les vv. 19b-20, repris de Paul, si l'on veut maintenir
leur authenticité ; autrement, il faudrait les considérer simplement comme une addition de scribe.

Note § **319**. *ANNONCE DE LA TRAHISON DE JUDAS*

A l'inverse de Mt/Mc, Lc place l'annonce de la trahison de
Judas, non pas avant, mais après le récit de l'institution eucharistique. Son intention est de constituer une sorte de « discours
après la Cène » (cf. Jn **13-17**) comprenant : l'annonce de la
trahison de Judas (§ 319), un enseignement sur l'obligation
pour tous de « servir » (§ 321), un logion sur la récompense
eschatologique promise aux Douze (§ 322), l'annonce du
reniement de Pierre (§ 323), enfin un logion sur les difficultés
qui attendent les missionnaires de l'évangile (§ 324). La plupart de ces péricopes se lisent dans Mt/Mc en d'autres
contextes ; Lc a voulu les rassembler afin de constituer un
ensemble dominé par deux thèmes théologiques découlant
du repas eucharistique : l'un christologique et l'autre ecclésiastique.

1. Traqué par ses ennemis, Jésus invite ses disciples
à partager le repas pascal, qui devient le repas eucharistique
de la nouvelle Alliance (§ 318). Cet événement évoquait
la situation du roi David, traqué par son fils Absalom qui
convoitait la royauté ; David, abandonné par certains de
ceux qui mangeaient à sa table, sera par contre suivi dans

sa fuite par d'autres de ses fidèles. Ainsi de Jésus : il est
trahi par Judas qui pourtant partageait sa table (cf. Méribbaal
et David, en 2 S **9** 6-13 ; **16** 1-4 ; note 317, I 2 a) ; il promet
à ceux qui sont demeurés avec lui dans ses épreuves de leur
faire partager sa table (note § 322) ; Pierre se déclare prêt
à le suivre jusque dans la mort, comme Ittaï le Gittite avait
suivi David (2 S **15** 19 ss. ; note § 323, 4).

2. Jésus fait ses adieux à ses disciples lors d'un dernier
repas au cours duquel il institue l'eucharistie (§ 318) ; mais
il restera présent à son Église précisément lorsque celle-ci
se rassemblera pour la célébration eucharistique dans le
Royaume nouveau (Lc **22** 15-18, § 318 et note ; Lc **22** 29 s.,
§ 322 et note). La vie de l'Église sera donc centrée sur l'eucharistie. Lc prend soin de rassembler ici certaines paroles de
Jésus à portée ecclésiale, qui étaient peut-être rappelées
à l'occasion de la liturgie eucharistique : la nécessité de
« servir » aux tables, même pour les plus grands (§ 321),
le rôle de Pierre dans la vie de l'Église naissante (§ 323),
les difficultés qui attendent les missionnaires de l'évangile
(§ 324).

Note § **321.** *LE PLUS GRAND DOIT SERVIR*

Cette section lucanienne et la suivante (§ 322) offrent des analogies manifestes avec l'épisode de la demande des fils de Zébédée (§§ 254, 255), omis par Lc, épisode lui-même parallèle à celui où Jésus accueille les petits enfants et les donne comme modèles aux disciples (§ 174). Quels sont les rapports entre ces divers textes ?

1. L'introduction (v. 24) est semblable à celle de Lc **9** 46 (§ 174). La note d'emphase exprimée par « or... aussi » (*de kai*) est typique du style de Lc (**3** 9.12 ; **4** 41 ; **5** 10.36 et *passim*) ; en revanche, le mot « contestation » (*philoneikia*) ne se lit pas ailleurs dans le NT et fait contraste avec le mot « discussion » (*dialogismos*) de **9** 46, assez lucanien (six fois dans Lc, contre une fois dans Mt/Mc).

2. La première partie du logion (vv. 25-26) est parallèle à Mc **10** 42-44, mais comporte des modifications significatives. La construction en chiasme (voir note § 255) a disparu. Au v. 25, le remplacement de « chefs » par « rois » et l'introduction du mot « Bienfaiteurs » (*euergetai*) rappellent le mauvais souvenir des rois hellénistiques. Au v. 26, l'adjectif « plus jeune » (*neôteros*) est probablement une expression technique des premières communautés chrétiennes pour désigner une certaine catégorie de gens, investis de fonctions déterminées (cf. Ac **5** 6 ; 1 Tm **5** 1 ; Tt **2** 6 ; 1 P **5** 5) ; il en est de même de l'expression « celui qui gouverne » (*ho hègoumenos* ; cf. Ac **15** 22 et surtout He **13** 7.17.24). Ce changement de vocabulaire, et aussi l'insertion du logion après l'institution de l'eucharistie, trahissent la préoccupation de répondre à des difficultés de l'Église primitive, en certaines contestations sur des questions de préséance ou de « service » à l'occasion des repas fraternels et des célébrations eucharistiques, contestations dont se fait encore l'écho, par exemple, Ac **6** 1 ss.

3. La seconde partie du logion est parallèle à Mc **10** 45 ; elle exprime le même thème : Jésus est venu pour « servir ». Les deux textes sont cependant très différents : au lieu d'un logion exprimant une donnée théologique concernant le Fils de l'homme et son œuvre rédemptrice, nous avons ici simplement l'exemple concret de Jésus se mettant à « servir » ses disciples à table. Quelle est la forme la plus primitive du logion ? Il est difficile de répondre. Étant donné que Lc **22** 25-26, secondaire par rapport à Mc **10** 42-44, fut remanié et transposé ici afin de répondre aux « contestations » concernant le service à table, on devrait en conclure que Lc **22** 27 est également secondaire par rapport à Mc **10** 45 : le logion théologique aurait été changé en exemple concret afin de mieux inciter les chefs des communautés chrétiennes à se soumettre au service des tables, comme Jésus lui-même aurait été censé le faire (cf. encore Lc **12** 37). Il faut reconnaître cependant qu'une telle transformation va à l'encontre de ce que l'on constate d'ordinaire dans les évangiles : les textes sont réinterprétés dans un sens de plus en plus théologique ! Par ailleurs, il faut comparer Lc **22** 27 à Jn **13** 12-15, où Jésus se donne également en exemple d'humilité après avoir lavé les pieds de ses disciples (dans un même contexte : annonce de la trahison de Judas, Lc **22** 21 ss. ; Jn **13** 18 s., et annonce du reniement de Pierre, Lc **22** 31 ss. et Jn **13** 36 ss.). Sans doute, le « service » rendu par Jésus n'est pas le même, mais on peut se demander si Lc, connaissant l'exemple d'humilité raconté par Jn **13** 12-15, ou du moins la tradition qui le rapportait, n'aurait pas transformé l'enseignement de cet épisode pour l'adapter au thème du « service » des tables, qui faisait problème.

Note § **322.** *RÉCOMPENSE PROMISE AUX DOUZE*

1. Ce logion complète le précédent pour former un parallèle à l'épisode de la demande des fils de Zébédée (§ 254) ; là, Jacques et Jean demandent à Jésus de siéger à ses côtés dans sa gloire, i.e. dans son royaume (Mc **10** 37), et Jésus leur répond en les invitant à partager le calice qu'il doit boire, i.e. ses souffrances (**10** 38) ; ici, Jésus promet aux Douze qui ont partagé ses épreuves de les faire siéger sur des trônes pour juger (= gouverner) les tribus d'Israël, lors de l'établissement du royaume. Le lien entre Lc **22** 24-27 et **22** 28-30 est cependant factice. Aux §§ 254, 255, à la demande présomptueuse des fils de Zébédée, Jésus répondait par une leçon d'humilité ! Ici, après la dispute des disciples concernant les premières places, Jésus répond par une leçon d'humilité, mais promet ensuite les places d'honneur dans le royaume, ce qui est étrange. D'ailleurs le fait que Lc **22** 28-30 correspond, en partie, à un logion qui se lit en un autre contexte dans Mt (§ 251) prouve que le lien est artificiel.

2. Lc reprend ici un logion utilisé également en Mt **19** 28 (voir note § 251), mais il le complète pour l'adapter au contexte. La promesse : « afin que vous mangiez et buviez à ma table dans mon royaume » (v. 30a), rappelle 2 S **9** 13 : « ... il demeurait à Jérusalem, car il mangeait toujours à la table du roi », où il s'agit de Méribbaal qui abandonnera David en fuite (2 S **16** 1-4) ; à l'opposé, les Douze « sont demeurés » avec Jésus dans ses épreuves (v. 28). Ces textes font écho au thème général qui commande le « discours après la Cène » de Lc : le parallèle entre Jésus, traqué par ses ennemis, et David traqué par son fils Absalom (cf. notes § 319 et § 323). L'allusion à la « table » où Jésus invite ses fidèles doit se comprendre de la table eucharistique, en accord avec Lc **22** 15-18 (cf. 1 Co **10** 21 ; Ml **1** 7.12). On rejoint la seconde intention du « discours après la Cène » de Lc : montrer comment la vie de l'Église, après le départ de Jésus, se développera autour de la table eucharistique. Le parallèle

si frappant de Ap **3** 20-21 suggère, étant donné l'influence des thèmes liturgiques sur l'Apocalypse, que nous sommes en présence de thèmes à résonances liturgiques.

3. Le vocabulaire invite à penser que nous avons ici une composition lucanienne : « demeurer » (*diamenô*, au v. 28,

cf. Lc **1** 22; ailleurs trois fois seulement dans le NT); « épreuves » (*peirasmos*; six fois dans Lc, deux fois dans Mt et une fois dans Mc); « disposer » (*diatithemai*, au v. 29; ailleurs seulement Ac **3** 25 et quatre fois dans He); « comme » (*kathôs*; fréquent surtout dans Lc et Jn). Pour l'idée du « royaume » remis aux disciples, cf. Lc **12** 32.

Note § **323**. *ANNONCE DU RENIEMENT DE PIERRE*

L'annonce du reniement de Pierre est donnée par les quatre évangiles; mais ils s'accordent deux à deux : Lc avec Jn, et Mt avec Mc. Analysons ici les récits de Lc et de Jn, ceux de Mt et de Mc seront étudiés à la note § 336.

Les accords Lc/Jn contre Mt/Mc sont les suivants :

1. Tous deux placent l'annonce du reniement de Pierre avant la sortie du Cénacle, tandis que Mt/Mc la placent après, de façon d'ailleurs un peu maladroite (cf. note § 336).

2. Lc et Jn n'ont pas l'annonce de la dispersion des disciples qui, dans Mt/Mc, précède l'annonce du reniement de Pierre (cf. vv. 31-32 de Mt, 26-28 de Mc). Cette différence a sa répercussion sur l'annonce même du reniement de Pierre : dans Mt/Mc, elle s'accroche au thème de la dispersion des disciples par le verbe « être scandalisé » (cf. vv. 27 et 29 de Mc, avec leurs parallèles matthéens); dans Lc/Jn, elle commence par l'idée générale de rester fidèle à Jésus (vv. 31-32 de Lc, 36 de Jn; sur leurs divergences, voir *infra*). Dans Mt/Mc, l'affirmation de Pierre déclarant qu'il est prêt à mourir pour Jésus (vv. 35 de Mt, 31 de Mc) est placée *après* l'annonce du reniement; dans Lc/Jn, elle est placée *avant* (vv. 33 de Lc, 37 de Jn). Enfin, Mt/Mc terminent le récit en unissant tous les disciples à la protestation de Pierre, ce qui est normal puisque Jésus a commencé par annoncer le « scandale »

de tous; Lc/Jn n'ont rien qui corresponde à cette protestation générale.

3. Même dans le passage où les quatre évangiles sont le plus proches : l'annonce du reniement de Pierre par Jésus (vv. 34 de Mt, 30 de Mc, 34 de Lc et 38 de Jn), la structure littéraire de la phrase est différente dans Mt/Mc et dans Lc/Jn. Ce qui est proposition subordonnée dans Mt/Mc (« avant que le coq chante ») devient proposition principale dans Lc/Jn (« le coq ne chantera pas »), et ce qui est proposition principale dans Mt/Mc (« trois fois tu m'auras renié ») devient proposition subordonnée dans Lc/Jn (« que tu n'aies renié... », *heôs* dans Lc, *heôs hou* dans Jn).

4. Lc et Jn sont d'accord pour marquer le reniement de Pierre d'une intention théologique précise : établir un parallèle entre le roi David, traqué par son fils Absalom, et Jésus, traqué par ses ennemis. Ce parallélisme se retrouve dans d'autres passages de Lc et de Jn, et nous allons en faire la synthèse ici.

a) Commençons par analyser le parallélisme tel qu'il se présente dans le récit du reniement de Pierre. Il existe, non seulement entre 2 S **15** 19-21 et Lc **22** 32-33 (Creed), mais encore entre le même texte de 2 S et Jn **13** 36-37. Précisons que dans 2 S **15** 19 ss. il s'agit d'un dialogue entre David, s'enfuyant de Jérusalem pour échapper à la mort, et Ittaï le Gittite qui veut partir avec lui :

Lc 22 32b-33	2 S 15 19 ss.	Jn 13 36-37
	Et le roi dit à Ittaï : « Pourquoi viens-tu avec nous?... Et moi j'irai où je dois aller;	« Où je vais,
« Et toi, une fois revenu (*epistrepsas*), affermis tes frères. » Il lui dit : « Seigneur,	retourne (*epistrephou*) et fais retourner tes frères avec toi. » Mais Ittaï répondit : « Là où sera mon Seigneur,	tu ne peux me suivre maintenant... » « Pourquoi ne puis-je te suivre maintenant?
je suis prêt à aller avec toi, et en prison, et à la mort. »	soit à la mort, soit à la vie, là sera ton serviteur. »	je donnerai ma vie pour toi. »

Ici, le parallélisme le plus frappant est évidemment entre 2 S et Lc, qui effectue certaines transpositions indispensables. Pierre, lui aussi, veut accompagner Jésus jusque dans la mort; la phrase de l'apôtre : « je suis prêt à aller avec toi... à la mort », combine des éléments de deux phrases de 2 S : « Pourquoi viens-tu avec nous?... soit à la mort. » Quant à la phrase de Jésus dans Lc : « Et toi, une fois revenu, affermis tes frères », elle joue sur le double sens du verbe *epistrephein*, « revenir, retourner » et « se convertir ». Tout ceci suppose l'utilisation de la Septante.

Les contacts littéraires, ici, entre Jn et 2 S sont moins nets que pour Lc. C'est l'idée générale qui est la même : dans Jn, tout le thème du reniement de Pierre est centré sur l'idée de « suivre Jésus », qui est celle de 2 S (suivre David). La parole de Jésus dans Jn : « Où je vais, tu ne peux me suivre maintenant », répond assez bien à celle de David : « Et moi, j'irai où je dois aller; retourne... »; la protestation de Pierre affirmant qu'il est prêt à donner sa vie pour Jésus correspond à l'affirmation de Ittaï qu'il est prêt à aller là où est son Seigneur, même à la mort.

b) Si les contacts littéraires entre Jn et 2 S sont ici assez lâches, ils sont beaucoup plus étroits en Jn **12** 26 :

Jn **12** 26	2 S **15** 21
« Si quelqu'un me sert, qu'il me suive et où je suis là aussi sera mon serviteur. »	« là où sera mon Seigneur... là sera ton serviteur. »

Ce parallélisme littéraire complète le précédent. Jn **12** 26 en effet précède immédiatement le parallèle johannique du récit de l'agonie à Gethsémani (Jn **12** 27 ss.; voir note § 337), comme l'annonce du reniement de Pierre précède de peu l'agonie à Gethsémani. De même, en Jn **12** 24, le thème du grain de blé n'évoque-t-il pas le pain de la Cène eucharistique? On notera que, en Lc **22** 31, l'annonce du reniement de Pierre commence par une allusion au froment (*sitos*). Le logion de Jn **12** 26, parallèle à 2 S **15** 21, aurait donc pu avoir comme contexte primitif la Cène et la proximité de l'agonie à Gethsémani.

c) Toujours dans Jn, le parallélisme entre Jésus et David

en fuite pourrait expliquer la rédaction de Jn **18** 1; au lieu de dire que Jésus et ses disciples s'en vont au mont des Oliviers, Jn dit : « Jésus sortit avec ses disciples au-delà du torrent du Cédron », ce qui correspond parfaitement à 2 S **15** 23 : « ... et le roi traversa le torrent du Cédron ».

d) Avec Jn **11** 50 (§ 267), nous retrouvons un texte du Proto-Lc abandonné par l'ultime Rédacteur lucanien (voir note § 312, I, fin). Le parallélisme est avec 2 S **17** 3 (Septante); l'expression « un seul homme » désigne Jésus dans Jn, et David dans 2 S :

Jn **11** 50	2 S **17** 3
« Il vaut mieux qu'un seul homme meure pour le peuple et que la nation tout entière ne périsse pas. »	« Mais tu cherches (à prendre) la vie d'un seul homme et pour tout le peuple il y aura paix. »

(Cf. les explications note § 267, 2 *c*).

e) Nous revenons à Lc avec les parallélismes mentionnés aux §§ 319 et 322. Comme David nourrissait à sa table ses meilleurs serviteurs (2 S **9** 13), ainsi les apôtres mangeront à la table du Christ dans son royaume (Lc **22** 30a) parce qu'ils lui sont demeurés fidèles dans les épreuves. Une exception toutefois : Judas, comme Méribbaal, bien qu'ayant partagé la table du Christ (Lc **22** 21), le trahira (cf. 2 S **16** 1-4).

Lc et Jn utilisent donc tous deux le parallélisme entre Jésus et David en fuite; ils le font cependant de façon assez différente, même dans l'épisode commun de l'annonce du reniement de Pierre. Ce parallélisme remonte certainement au moins au proto-Lc, et Jn le lui aurait repris tout en l'utilisant différemment.

5. Pour en revenir au récit de l'annonce du reniement de Pierre, Lc et Jn dépendent d'une source commune, différente de celle de Mt/Mc. A la note § 340, II 3, on verra que, dans le récit du reniement de Pierre, Lc et Jn dépendent du Document C; il doit en être de même ici. Il est dès lors possible que le thème du parallélisme entre Jésus et David en fuite remonte au Document C (Lc l'ayant repris plus fidèlement que Jn); Lc (proto-Lc) et Jn l'auront systématisé chacun de son côté.

Note § **324.** *L'HEURE DU COMBAT APPROCHE*

Lc termine son « discours après la Cène » en insérant un logion de Jésus dont la portée missionnaire est indéniable.

1. Le v. 35 reprend les expressions de Lc **10** 4 (§ 185), adressées par Jésus aux soixante-douze disciples. Le sens des vv. 35-36 semble être le suivant : pendant la première mission apostolique, les disciples n'ont manqué de rien; les gens leur ont fourni le nécessaire, comme il est normal (**10** 7). Mais cette époque d'accueil favorable est terminée. Désormais, ils rencontreront l'hostilité; ils ne peuvent plus

compter sur les gens et doivent emporter eux-mêmes le nécessaire : bourse et besace ! La mention du « glaive » à acheter doit probablement se comprendre au sens métaphorique : le courage d'engager la lutte contre les puissances du mal (cf. Mt **10** 34, dans le contexte supposé par Jn **15** 18 ss.).

2. La réponse des apôtres prouve qu'ils n'ont pas compris le sens métaphorique de la parole de Jésus (v. 38); en disant : « c'est assez », Jésus veut simplement couper court à une

conversation où il voit qu'il est mal compris : « en voilà assez ».

3. Lc insère ici le logion des vv. 35-36, qu'il complète par les remarques des vv. 37-38, pour préparer l'épisode du coup de glaive à Gethsémani (Lc **22** 50 s.) et aussi pour achever son aperçu sur les conditions de l'Église après le départ de Jésus (voir note § 319).

Note § **335.** *VERS GETHSÉMANI*

Cette petite section sert de transition entre le récit de l'institution eucharistique (§ 318) et celui de l'agonie à Gethsémani (§ 337); le récit de l'annonce du reniement de Pierre (§ 336) fut inséré ici par le Mc-intermédiaire, suivi par l'ultime Rédacteur matthéen.

1. Mt et Mc ont un texte rigoureusement identique; il constituait l'introduction du récit de l'agonie dans le Document A (voir note § 337). Les mots « ayant chanté des psaumes » font allusion au chant du Hallel par lequel se terminait le repas pascal (Document A). Après le repas, Jésus et ses disciples sortent « au mont des Oliviers »; la traduction « vers le mont des Oliviers » est inexacte, car l'expression *exerchesthai eis* signifie toujours « sortir » (= « partir ») pour se rendre *à* un endroit déterminé, et non *vers* un endroit. Le Document A ne précisait pas jusqu'à quelle hauteur du mont des Oliviers Jésus se rend.

2. Du Document A, ce petit épisode est passé à la fois dans le Mt-intermédiaire et dans le Mc-intermédiaire, puis dans les ultimes rédactions matthéenne et marcienne.

3. Lc dépend ici du Mt-intermédiaire par le biais du proto-Lc. La suppression du chant des psaumes est peut-être due à l'insertion, au niveau du proto-Lc, du petit « discours après la Cène » de Lc **22** 21-38; elle aurait été faite alors par le proto-Lc. En revanche, c'est l'ultime Rédacteur lucanien qui ajoute l'expression « comme de coutume », qui rappelle ce qui fut dit en Lc **21** 37 (§ 308); le mot « coutume » est bien lucanien (0/0/3/1/7/1; « comme de coutume », cf. Lc **1** 9; **2** 42); c'est aussi cet ultime Rédacteur qui déplace la mention explicite des disciples (cf. Mc **14** 32 b).

4. Jn ne mentionne pas le mont des Oliviers; il dit que Jésus s'en alla « au-delà du torrent du Cédron »; il veut continuer le parallélisme de situation entre David en fuite et Jésus, qu'il a commencé (en accord avec Lc) dans le récit de l'annonce du reniement de Pierre (cf. note § 323, 4 *ab*).

Note § **336.** *ANNONCE DU RENIEMENT DE PIERRE*

L'annonce du reniement de Pierre est donnée par les quatre évangiles. On a vu, à la note § 323, que Lc et Jn, qui offrent un texte très différent de celui de Mt/Mc, dépendent ici du Document C. Comment expliquer les divergences de la tradition Mt/Mc par rapport à celle de Lc/Jn?

I. UNE HYPOTHÈSE DE TRAVAIL

1. Dans Mt/Mc, l'annonce du reniement de Pierre se greffe sur une annonce du « scandale » de tous les disciples (vv. 31 de Mt, 27 de Mc) qui est absente de Lc/Jn (Document C); on retrouve ce thème du scandale *de tous* en fin du récit de Mt/Mc (vv. 35b de Mt, 31b de Mc). Il est difficile de penser que le Document C (Lc/Jn), très archaïque, ait omis le thème du scandale de tous; on avait tendance à allonger les textes plutôt qu'à les amputer; voyons alors si l'hypothèse d'un ajout de ce thème au récit primitif du reniement de Pierre ne trouverait pas quelque fondement dans l'analyse littéraire des récits.

2. En Jn **16** 32, on lit une parole de Jésus annonçant la dispersion de tous les disciples sans qu'il y soit fait mention d'un reniement de Pierre; cette parole est assez analogue à celle des vv. 31a de Mt et 27a de Mc sur le « scandale » de tous les disciples. Par ailleurs, le thème de l' « heure » en Jn **16** 32, thème que l'on retrouvera dans le Document C à la note § 337, I B, est un indice que ce texte de Jn pourrait provenir du Document C (malgré le silence de Lc). Il semble donc que, dans la tradition ancienne (cf. Document C), on eut primitivement deux thèmes distincts : celui de la dispersion de tous les disciples, et celui du reniement de Pierre.

3. La fusion, dans la tradition Mt/Mc, de deux épisodes primitivement distincts se trahit par le passage du thème « scandale » (vv. 29 de Mc, 33 de Mt) au thème « reniement » (vv. suivants).

4. Enfin, la fusion dans la tradition Mt/Mc de deux récits primitivement distincts permettrait d'expliquer certaines divergences entre Mt/Mc et Lc/Jn. Dans Lc/Jn, la parole de Pierre protestant qu'il est prêt à mourir pour Jésus se trouve placée *avant* l'annonce par Jésus du reniement de Pierre (vv. 33 de Lc et 37 de Jn); dans la tradition Mt/Mc,

elle se lit *après* (vv. 35 de Mt et 31 de Mc). Cette transposition pourrait s'expliquer de la façon suivante : au moment où fut effectuée la fusion entre les deux récits (scandale de tous, reniement de Pierre), l'auteur de cette fusion a voulu raccrocher le thème du reniement de Pierre à celui du scandale de tous les disciples. Il a donc inséré les vv. 29 de Mc, 33 de Mt, qui se rattachent au thème du « scandale » de tous, mais introduisent aussi l'annonce du reniement de Pierre. L'insertion de ce verset de transition l'a obligé à repousser en finale du récit la protestation de Pierre disant qu'il est prêt à mourir pour Jésus (vv. 31 de Mc, 35 de Mt).

II. ÉVOLUTION DES RÉCITS

Voici alors comment on pourrait se représenter l'évolution des récits dans la tradition Mt/Mc :

1. On avait à l'origine deux récits distincts : une parole de Jésus annonçant la dispersion de tous les disciples (cf. Jn 16 32) et un dialogue entre Pierre et Jésus où Jésus annonçait à Pierre son reniement prochain (cf. la structure du récit de Lc/Jn) ; ces deux récits étaient encore séparés dans le Document C. Ils furent réunis en un seul récit au niveau du Document A ; le thème de la « dispersion » fut remplacé par celui du « scandale » (le Document A ne contenait pas la citation de Za 13 7, car on n'y trouve ailleurs aucune citation explicite de l'AT) ; le récit du reniement de Pierre fut modifié selon le processus indiqué *supra* (I 4). – Du Document A, ce nouveau récit serait passé dans le Document B sans modifications importantes, et aussi dans le Mt-intermédiaire.

2. En reprenant le récit du Document B, le Mc-intermédiaire y ajouta trois éléments nouveaux. Au thème du « scandale » des disciples (Mc **14** 27a), qu'il trouvait dans le Document B, il ajouta la citation de Za 13 7 (v. 27b), qui lui était suggérée par le thème de la « dispersion » des disciples qu'il lisait dans le Document C (cf. Jn **16** 32) ; il agira de façon semblable dans le récit de l'agonie à Gethsémani, en citant explicitement le Ps **42** 6 (Mc **14** 34a) qui lui était suggéré par la phrase du Document C : « mon âme est troublée » (Jn **12** 27 ; voir note § 337, I B 1 et I B 3). D'autre part, le Mc-intermédiaire ajouta le thème du rendez-vous en Galilée (v. 28), car le style de ce verset est identique à celui de Mc **1** 14 (littéralement : « mais après Jean avoir été livré, Jésus alla en Galilée », et ici : « mais après moi être ressuscité, je vous précéderai en Galilée ») ; dans les deux textes, nous avons la construction *meta to* + infinitif, qui ne se lit pas ailleurs dans Mc. Enfin, le Mc-intermédiaire précisa que Pierre renierait *trois fois* son Maître (v. 30), en accord avec la scène même du reniement où le Mc-intermédiaire combine trois récits et obtient ainsi trois reniements au lieu d'un seul (voir note § 340). Les deux premiers ajouts du Mc-intermédiaire sont passés dans l'ultime rédaction matthéenne, le troisième dans tous les autres textes.

3. L'ultime Rédacteur marcien a ajouté quelques « lucanismes » au texte du Mc-intermédiaire. Au v. 29, l'expression « même si » (*ei kai*), qui ne se lit ailleurs dans les évangiles qu'en Lc **11** 8.18 et **18** 4. Au v. 31, le verbe « parler » (*lalein*) n'est jamais suivi du discours direct dans Mc ; une telle construction se lit trois fois dans Mt (mais toujours au niveau rédactionnel) et quatre fois dans Lc/Ac (Lc **2** 15 ; Ac **7** 6 ; **8** 26 ; **28** 25) ; à la fin du v. 31, l'emphase marquée par l'expression *de kai* est reconnue comme typique du style de Lc ; voir spécialement Lc **20** 31 (*ôsautôs de kai*, comme ici) et Lc **5** 10 ; **10** 32 (*homoiôs de kai*).

4. L'ultime Rédacteur matthéen a harmonisé le Mt-intermédiaire sur le Mc-intermédiaire ; c'est probablement lui qui a ajouté les expressions : « à cause de moi en cette nuit » au v. 31, et « à cause de toi » au v. 33.

Note § **337.** *L'AGONIE A GETHSÉMANI*

Le récit de l'agonie de Jésus est donné par les trois Synoptiques ; Jn y fait écho en **12** 23 ss. ; **14** 30 s. ; **18** 11. Sous sa forme actuelle, le récit de Mc/Mt résulte de la fusion, non seulement de deux (Kuhn), mais de trois textes différents, appartenant aux Documents A, B et C.

I. DISTINCTION DES TROIS RÉCITS

A) COMPLEXITÉ DU TEXTE DE MC/MT

La complexité du texte de Mc et de Mt est mieux marquée dans Mc, dont nous suivrons la numérotation des versets.

1. Les redites du récit sont nombreuses. Il y a deux expositions ; au v. 32, Jésus s'écarte de ses disciples en leur disant : « Asseyez-vous ici... » ; aux vv. 33-34, il s'écarte des trois disciples préférés en leur disant : « Restez ici... » La suite du récit ne retiendra pas cette distinction de deux groupes (cf. vv. 37.40-41). La tristesse de Jésus est mentionnée d'abord en style indirect (v. 33b), puis en style direct avec citation de Ps **42** 6 (v. 34). On trouve deux exhortations à la vigilance (vv. 34 et 38). Jésus s'écarte des disciples à trois reprises (vv. 35.39 ; la troisième reprise n'est pas exprimée à la fin du v. 40, mais elle est supposée par le début du v. 41 ; sa prière est formulée une première fois en style indirect (v. 35), et une seconde fois en style direct (v. 36) ; le v. 39 indique une troisième prière, sans en préciser le contenu. Jésus revient

trois fois près de ses disciples (vv. 37.40-41), et, les deux premières fois, nous apprenons qu'il les trouve endormis (vv. 37 et 40). Il semble qu'il y ait aussi deux localisations différentes : à Gethsémani d'après Mt/Mc, au mont des Oliviers d'après Lc 22 39-40a; la seconde localisation est d'ailleurs connue de Mt/Mc, mais elle est rejetée en Mc 14 26 et Mt 26 30 (§ 335) par l'insertion de l'annonce du reniement de Pierre.

2. Quelques remarques littéraires confirment le caractère composite du récit.

a) Les mêmes verbes sont à des temps différents : « il priait » (v. 35), mais « il pria » (v. 39; corriger la traduction); « il vient et il les trouve » (v. 37), mais « étant venu il les trouva » (v. 40).

b) Il est étrange que la précision : « leurs yeux étaient alourdis » (v. 40), se lise seulement après le second retour de Jésus; on l'aurait attendue après le premier !

c) Enfin, un certain nombre de « chevilles » rédactionnelles parsèment le récit : « et il disait » (v. 36a, fréquent dans Mc pour joindre deux logia primitivement distincts); « de nouveau » (vv. 39 et 40); « en disant les mêmes paroles » (v. 39); « une troisième fois » (v. 41).

S'il est relativement facile de reconnaître la complexité des récits de Mc et Mt, il devient plus difficile de séparer les doublets ou les triplets pour les distribuer selon des textes cohérents, car de multiples possibilités s'offrent à nous. Heureusement, il semble que Jn d'une part, Lc d'autre part, ne dépendent fondamentalement que d'une des sources utilisées par Mc/Mt; ce sont donc eux qui vont nous aider à distinguer les différents récits primitifs.

B) Le récit du Document C

1. Il est certain que le récit de l'agonie dans Mc contient plusieurs passages dont on trouve l'équivalent en Jn 12 23.27 et 14 30-31 :

Jn	Mc 14
12 23 « L'heure est venue que soit glorifié le Fils de l'Homme;	**41b** « L'heure est venue, voici (qu') est livré le Fils de l'homme aux mains des pécheurs;
27 maintenant, mon âme est troublée; et que dirai-je? Père,	**34a** mon âme est triste, à [mort!] »
	35b Et il priait pour que [s'il est possible]
sauve-moi de cette heure...	[passât loin de lui] l'heure.
14 30b Le Prince de ce monde vient...	**42b** « Voici, celui qui me livre approche;
31b levez-vous, allons hors d'ici. »	**42a** levez-vous, allons. »

Pour mieux comprendre le parallélisme entre les deux textes, il faut tenir compte des précisions suivantes : le v. 23 de Jn contient une annonce de la « passion » de forme johan-

nique, car pour Jn, la « glorification » ou « l'exaltation » de Jésus est aussi l'heure de sa mort (Jn 12 32-33; 3 14; 8 28); le thème des vv. 23 de Jn et 41b de Mc est donc identique. Au v. 27 de Jn, les mots « mon âme est troublée » font allusion à Ps 42 7; or le parallèle de Mc (v. 34a) est une citation de Ps 42 6 qui a même portée. Au v. 35b de Mc, les mots mis entre crochets, dont on a l'équivalent en Mt 26 39b, proviennent du Document A (cf. *infra*), et c'est probablement Mc qui a mis la prière de Jésus en discours indirect. Enfin, au v. 30b de Jn, il faut comprendre que le « Prince de ce monde » vient dans la personne de Judas, le traître, d'après Jn 13 2 (cf. 13 27); on rejoint donc le sens du v. 42b de Mc.

2. Bien que les parallèles de Jn se trouvent maintenant séparés en deux passages différents, plusieurs indices permettent de penser qu'ils appartenaient primitivement à un texte unique.

a) Le contexte de Jn 12 23.27 évoque celui du « discours après la Cène », dont Jn 14 30-31 formait la conclusion primitive (on admet couramment que les chap. 15-17 de Jn ont été insérés entre 14 31 et 18 1). On a en effet au v. 24 le thème du « grain de blé » qui rappelle le pain eucharistique. Mais surtout, le v. 26 contient une citation de 2 S 15 21, trait qui appartient au récit de David fuyant devant son fils Absalom; or ce thème de David en fuite se retrouve dans Jn/Lc à propos de l'annonce du reniement de Pierre insérée dans le « discours après la Cène » (§ 323), et se continuera en Jn 18 1 qui, on vient de le dire, faisait primitivement suite à Jn 14 31. Sur ces diverses utilisations du thème de David en fuite, voir note § 323, 4.

b) Nombre de commentateurs reconnaissent que Jn 12 23.27 constitue l'équivalent johannique de l'agonie de Jésus (à Gethsémani); mais les paroles de Jésus en 14 31 : « mais afin que le monde sache que j'aime mon Père et que j'agis comme il me l'a commandé », contiennent une acceptation de la volonté divine qui fait penser aux paroles de Jésus durant son agonie : « non pas ce que je veux, mais ce que tu (veux) » (Mc 14 36c).

On voit donc que Jn 12 23.27 et 14 30-31 sont étroitement liés par leur contexte; il n'est pas arbitraire de les mettre en parallèle avec l'unique récit de l'agonie de Jésus en Mc 14 34 ss.

3. Nous n'essaierons pas de préciser, dans le détail, la teneur de la source commune à Jn et à Mc. Il est probable que Jn a introduit ici quelques-uns de ses thèmes propres, comme celui de la « glorification » du Christ (v. 23) ou celui du « Prince de ce monde » (v. 30 b); il est probable aussi que Mc a retouché sa source : au v. 34a en citant le Ps 42 6 d'après la Septante; au v. 35b en mettant la prière de Jésus au style indirect. Le plus important est de noter que les récits de Jn et de Mc sont centrés sur le thème de « l'heure » de Jésus (vv. 23.27 de Jn; 41b.35b de Mc); or ce thème ne se trouve jamais ailleurs dans Mc (ni dans Mt), tandis qu'il est fréquent dans Jn (7 30; 8 20; 13 1; 17 1; cf. 16 32); ceci permet de penser que le récit commun à Jn et à Mc provient du Document C, peu utilisé par Mc mais qui a beaucoup influencé les récits johanniques.

C) Les récits des Documents A et B

Même en enlevant les sections en provenance du Document C, il reste dans le texte de Mc encore plusieurs des doublets signalés au début de cette note (I A). Ceci veut dire que, outre le récit du Document C, Mc a fusionné ici deux récits en provenance de deux autres sources, les Documents A et B.

1. Cette hypothèse est confirmée par le récit de Lc, dont on retrouve la structure essentielle en Mc, mais qui ne contient aucun des doublets de Mc; il ne parle, ni de Gethsémani, ni du groupe des trois disciples préférés, ni du thème de la vigilance; il ne mentionne qu'un départ de Jésus pour prier, suivi de son retour auprès des disciples endormis. Malgré certains ajouts (vv. 34-44) et quelques influences du Mc-intermédiaire sur l'ultime rédaction lucanienne, on peut penser que le récit actuel de Lc, par le biais du proto-Lc, puis du Mt-intermédiaire (source du proto-Lc), nous donne la structure du récit du Document A. Pour retrouver le texte du Document A, nous isolerons donc les passages de Mc qui sont littérairement les plus proches du texte de Lc.

2. Avant de proposer une reconstitution des récits des Documents A et B, il faut éliminer une difficulté : quelle était la teneur de la prière de Jésus dans le Document A? Mc en effet ne donne pas trois prières de Jésus, mais seulement deux, l'une en style indirect (v. 35) et l'autre en style direct (v. 36). Pour résoudre cette difficulté, il faut se rappeler que le Document A fut réutilisé par le Mt-intermédiaire, lequel est une des sources principales du proto-Lc. Le récit du Document A peut donc avoir laissé des traces, et dans le récit actuel de Mt, et dans les accords Mt/Lc contre Mc que l'on pourra déceler.

a) Dans Mt 26 39b, la prière de Jésus commence par ces mots : « Mon Père, s'il est possible, que passe (loin) de moi cette coupe ! » Or, le mot « coupe » mis à part, ces paroles sont parallèles, non à celles de Mc 14 36, mais à celles de Mc 14 35b : «... s'il est possible, (l'heure) passât (loin) de lui. » On a vu plus haut que le thème de l'heure, au v. 35b de Mc, provenait du Document C. Selon toute vraisemblance, Mc a fusionné au v. 35b les prières de Jésus en provenance, d'une part du Document C (thème de « l'heure », cf. Jn), d'autre part du Document A (cf. les mots que l'on retrouve

au v. 39b de Mt). Ajoutons, comme on l'a dit plus haut, que c'est Mc qui les a mises en style indirect. Au v. 36a, Mc aurait gardé simplement la prière de Jésus en provenance du Document B.

b) Relevons maintenant les accords Mt/Lc contre Mc. Tandis que Mc, au v. 36a, a la proposition affirmative : « tout t'(est) possible », on trouve une conditionnelle dans Mt (« s'il est possible ») comme dans Lc (« si tu veux »); or le verbe « vouloir » (*boulomai*) est assez typique du style de Lc (2/1/2/1/14), qui montre par ailleurs que le destin de Jésus fut conforme à la volonté de Dieu (*boulè*: Ac 2 23; 4 28; cf. 13 36); on peut donc suspecter l'ultime Rédacteur lucanien d'avoir changé la formule « s'il est possible » en « si tu veux ». Nous avons là une confirmation que la formule de Mt : « s'il est possible, que passe (loin) de moi cette coupe », provient bien du Document A. – Pour la seconde partie de la prière de Jésus, la formule de Mt : « non pas comme je veux mais comme tu (veux) » rejoint celle de Mc 14 36c, avec simple changement du relatif « ce que » en « comme », pour améliorer le style. La formule attestée par Lc, au contraire, est beaucoup plus indépendante : « que non ma volonté mais la tienne se fasse » (v. 42b), introduite par un « cependant » (*plèn*) qui se lit aussi chez Mt (mais non chez Mc). Or, Mt 26 42d nous donne une seconde prière de Jésus qui se rapproche de celle donnée par Lc : « Que ta volonté soit faite ! » On peut donc penser que le thème de la « volonté » de Dieu qui « se fait » appartenait au Mt-intermédiaire, et donc probablement aussi au Document A. Lc a mieux gardé la formule primitive, tandis que l'ultime Rédacteur matthéen, en coupant en deux la prière de Jésus qu'il trouvait dans le Mt-intermédiaire (vv. 39b et fin de 42), a harmonisé la seconde partie de cette prière avec la troisième demande du *Pater*: « Que soit faite ta volonté. »

La prière de Jésus dans le Document A devait donc avoir à peu près cette teneur : « (Mon) Père, s'il est possible, que passe (loin) de moi cette coupe ! Cependant, que non ma volonté mais la tienne se fasse. »

3. Voici en parallèle les textes de Lc, du Document A et du Document B; pour le Document A, nous suivons le récit de Mc et la numérotation de ses versets, sauf en ce qui concerne la prière de Jésus (cf. *supra*).

Lc **22**	Document A (Mc **14**)	Document B (Mc **14**)
39 Et,	26 Et, ayant chanté des psaumes,	
étant sorti, il partit... au mont des Oliviers...	ils sortirent au mont des Oliviers.	32a Et ils viennent à un domaine dont le nom (était) Gethsémani.
		33 Et il prend Pierre et Jacques et Jean avec lui et il commença à (ressentir) effroi et angoisse.
40 Arrivé au lieu, il leur dit :	32b Et il dit à ses	34 Et il leur dit :

	disciples : « Asseyez-vous ici	« () Restez ici, [et veillez]
« Priez, pour ne pas entrer en tentation. »	tandis que je prierai. »	38 veillez et priez pour ne pas entrer en tentation; l'esprit est ardent mais la chair est faible. »
41 Et il s'éloigna d'eux d'environ un jet... et, ayant fléchi les genoux, il priait, disant :	35a Et, étant allé un peu en avant, il tombait à terre	39 Et () s'en étant allé
42 « Père, si tu veux, emporte (loin) de moi cette coupe; cependant, que non ma volonté mais la tienne se fasse. »	et il priait : « Père, s'il est possible, que passe (loin) de moi cette coupe; cependant, que non ma volonté mais la tienne se fasse. »	il pria () : 36 « Abba, Père, tout t'est possible, emporte (loin) de moi cette coupe; mais non pas ce que je veux mais ce que tu (veux). »
45 Et... étant venu vers ses disciples, il les trouva assoupis de tristesse	40 Et () étant venu, il les trouva endormis	37 Et il vient et les trouve endormis
46 et il leur dit :	41 et il leur dit : « Désormais, dormez et reposez-vous. »	et il dit à Pierre :
« Debout, priez pour ne pas entrer en tentation. »		« Simon, tu dors? Tu n'as pas pu veiller une heure? »

II. ÉVOLUTION DES RÉCITS

1. Le récit le plus simple, et probablement le plus archaïque, est celui du Document C (voir *supra*, I B). D'après Jn **14** 31, Jésus a simplement prononcé ces paroles devant ses disciples juste avant de quitter la salle où il prit son dernier repas avec eux. Il annonce alors que lui, le Fils de l'homme, est livré aux mains des pécheurs; ces paroles contiennent une allusion à Dn **7** 13.25 où il est dit que le Fils d'homme (v. 13) sera livré aux mains du persécuteur (v. 25); sur une annonce semblable de la Passion, voir note § 172, II B 1. Jésus exprime ensuite son trouble devant le moment qui approche (cf. Jn **12** 27a) et il formule une prière à son Père : s'il pouvait être sauvé de cette heure ! Ce thème de « l'heure » est fréquent dans les Apocryphes juifs pour désigner le moment où le Messie doit être manifesté et doit triompher; pour Jésus aussi, « l'heure » est celle de sa glorification, mais elle implique le passage par la mort. Jésus sait que le plan de Dieu doit se réaliser, et il donne l'ordre de départ, car celui qui le livre est proche (Mc **14** 42). – Cette forme simple du récit du Document C fut reprise par Jn, mais il la coupa en deux parties (Jn **12** 23.27; **14** 30-31) qu'il marqua de son style et qu'il amplifia d'éléments nouveaux.

2. Le récit du Document A faisait suite au récit de l'institution eucharistique par Jésus (§ 318). Après avoir chanté les psaumes (le Hallel, qui clôturait le repas pascal), Jésus s'en va avec ses disciples au mont des Oliviers (§ 335), en un lieu qui n'est pas autrement précisé. L'angoisse de Jésus n'est plus exprimée par une parole (« mon âme est troublée », Jn **12** 27a), mais par une attitude : Jésus tombe à terre (Mc **14** 35a) ! Dans la prière qu'il adresse à son Père, le thème de « l'heure » est remplacé par celui de la « coupe », expression fréquente dans la Bible pour désigner les souffrances qui attendent un peuple ou une personne (cf. note § 254, I). L'acceptation par Jésus du plan divin est mieux mise en lumière que dans le Document C : « que non ma volonté, mais la tienne se fasse » (Lc **22** 42b). Enfin, le récit du Document A établit un contraste saisissant entre la prière désespérée de Jésus et l'insouciance des disciples qui dorment (v. 40) tandis que lui priait son Père !

3. Le récit du Document B est une réinterprétation de celui du Document A, notablement amplifiée. Le lieu où Jésus vient avec ses disciples est précisé : c'est Gethsémani, domaine situé probablement au pied du mont des Oliviers, de l'autre côté du Cédron. Jésus prend avec lui Pierre, Jacques et Jean (ce détail se lisait sans doute avant l'indication de l'arrivée à Gethsémani); ce sont les trois qui ont été les témoins de la transfiguration (§ 169), ils vont être maintenant les témoins de l'agonie. Tandis que, dans le Document A, Jésus disait simplement aux disciples de rester alors que lui s'en irait à l'écart pour prier, dans le Document B, il leur conseille aussi de « veiller » et de « prier »; d'où le reproche à Pierre quand Jésus reviendra de sa prière et les trouvera endormis (Mc **14** 37b). Cette consigne de vigilance, qui forme le thème

central de plusieurs paraboles (Mt **24** 42-43; **25** 13; Mc **13** 34-37; Lc **12** 37), fut amplement reprise dans la catéchèse chrétienne primitive (1 Th **5** 6; 1 Co **16** 13; Col **4** 2; 1 P **5** 8; Ap **3** 2 s.; **16** 15); ici, les trois disciples auraient dû veiller et prier afin de ne pas « entrer en tentation » (cf. la sixième demande du *Pater*); Jésus fait allusion à l'épreuve que sera pour ses disciples la vue de leur Maître livré à une mort infâme : comment pourront-ils encore croire en lui, en sa mission? (cf. Lc **24** 21). Seule la prière, jointe au souvenir de la transfiguration glorieuse, pourrait les aider à triompher de la « tentation » de ne plus croire en la mission de Jésus. Dans la prière de Jésus, qui a même portée que dans le Document A, on notera le changement de la proposition conditionnelle : « s'il est possible », en une proposition affirmative : « tout t'est possible » (Mc **14** 36a).

Il existe un contact assez remarquable entre le récit du Document B et Paul. Jésus s'adresse à son Père en lui disant : « Abba, Père » (Mc **14** 36); « Abba » est la transcription d'un mot araméen signifiant « Père », ou plus exactement « Papa », car c'est celui qu'employaient les petits enfants pour s'adresser à leur père. Ce mot, dans sa transcription grecque de l'araméen, ne se lit ailleurs dans le NT qu'en Ga **4** 6 et Rm **8** 15. Ce contact n'est pas fortuit, car dans Rm l'expression « Abba, Père » vient au terme d'un développement opposant la « chair » à « l'esprit » (Rm **8** 4-13), comme dans le récit du Document B (Mc **14** 38). Le contact littéraire est certain; dans quel sens a-t-il joué? On serait tenté de dire que l'opposition « chair »/ « esprit » est typiquement paulinienne; mais, chez Paul, elle ne se rencontre guère en dehors des épîtres aux Romains et aux Galates, ce qui ne prouve donc pas forcément l'anté-

riorité paulinienne du thème. Par ailleurs, la tradition marcienne aime employer des transcriptions grecques de mots araméens, comme ici pour « Abba » (cf. Mc **5** 41; **7** 34). Une influence du Document B sur Paul est donc possible. Si l'on préfère voir ici une influence de Paul sur la rédaction marcienne, on attribuera le v. 38b de Mc et l'addition de « Abba » devant Père (v. 36a) au Mc-intermédiaire, et non au Document B.

4. C'est le Mc-intermédiaire qui a fusionné les récits des Documents A, B et C en un seul récit et lui a donné sa structure actuelle. Il a aussi procédé à quelques retouches et additions. Reprenant la parole de Jésus citée par le Document C : « mon âme est troublée » (Jn **12** 27), qui offrait une certaine ressemblance avec Ps **42** 7, il la remplace par une citation de Ps **42** 6 (LXX) : « mon âme est triste ». Par ailleurs, c'est lui qui ajoute le détail du v. 40b sur l'embarras des disciples à moitié endormis; l'introduction de cette glose : « car ils étaient » (*èsan gar*), est bien dans le style de Mc (**1** 16.22; **2** 15; **5** 42; **6** 31.48; **10** 22; **16** 4).

5. Le Mt-intermédiaire devait avoir un récit analogue à celui du Document A. — L'ultime Rédacteur matthéen a presque entièrement remplacé ce récit par celui du Mc-intermédiaire; il n'a gardé comme formulation du récit primitif que la première partie de la prière de Jésus : « (Mon) Père, s'il est possible, que passe (loin) de moi cette coupe » (Mt **26** 39b); quant à la seconde partie de cette prière, il en a gardé l'écho en la remplaçant par la troisième demande du *Pater* (**26** 42, cf. Lc **22** 42b).

Note § **338.** *ARRESTATION DE JÉSUS*

Le récit de l'arrestation de Jésus est donné par les quatre évangiles; Mt et Mc sont proches l'un de l'autre, Lc et Jn beaucoup plus indépendants. La préhistoire de ce récit est assez complexe et met en jeu la façon dont on a pu se représenter la trahison de Judas.

I. LA TRAHISON DE JUDAS

Pour sérier les difficultés, commençons par analyser la première partie de l'épisode concernant la trahison de Judas proprement dite (Mc **14** 43-46 et par.).

1. Les récits de Mt et de Mc sont de structure presque identique. Ils offrent cependant un certain nombre de divergences touchant le style et le vocabulaire, mais qui ne changent pas la substance du récit. Notons cependant : chez Mc l'addition de la proposition : « et emmenez-le sous bonne garde » (fin du v. 44); chez Mt, l'addition de la parole de Jésus à Judas: « Ami, fais ta besogne » (v. 50a). Le cadre du récit; arrivée de Judas et d'une foule armée (vv. 43 de Mc et 47

de Mt), arrestation de Jésus (vv. 46 de Mc et 50b de Mt), met en valeur ce qui semble être la « pointe » de l'épisode : le baiser que Judas donne à Jésus afin de le désigner par ce signe convenu à l'avance (vv. 44-45 de Mc; 48-50a de Mt).

2. Le récit de Lc est beaucoup plus sobre puisqu'il n'a pas de parallèles aux vv. 43b.44.46 de Mc. Lc a-t-il abrégé le récit de Mc, comme on le dit souvent, ou dépendrait-il ici d'une source propre, plus concise que celle de Mt/Mc (F. Rehkopf)?

a) Dans la section qui nous occupe ici (vv. 47-48), Lc n'offre aucun contact avec Mc contre Mt. En revanche, les contacts Lc/Mt contre Mc ne manquent pas. Au v. 47, ni Lc ni Mt n'ont le « aussitôt » commençant le texte de Mc. Comme Mt, Lc fait suivre l'expression « comme il parlait encore » de la particule « voici » (*idou*), ensemble qui se lit encore en Mt **12** 46 et **17** 5. Après les mots « l'un des Douze », Lc et Mt ont un verbe de mouvement analogue (*erchestai* dans Mt, *proerchesthai* dans Lc, à un autre temps). Assez remarquable est la formule « le nommé Judas », de saveur matthéenne (*legomenos*, avec ou sans article, treize fois dans Mt, une seule fois ailleurs dans Lc, **22** 1, qui emploie d'ordinaire le participe *kalou-*

menos: (vingt-quatre fois dans Lc/Ac). A la fin du v. 47, ni Lc ni Mt n'ont le participe « arrivé » de Mc (*elthôn*), mais l'un et l'autre mentionnent explicitement Jésus par son nom (Mc n'a qu'un pronom). Au v. 48, Lc comme Mt introduisent une parole de Jésus (absente de Mc) par la formule : « Mais Jésus lui dit »; le redoublement du nom de Jésus (fin du v. 47 et début du v. 48) est insolite chez Lc, qui aurait normalement remplacé le second « Jésus » par un pronom. Notons enfin que la parole de Jésus au v. 50a de Mt (*eph'ho parei*) est difficile à traduire. « Le mieux est peut-être de sous-entendre seulement le baiser qui est en acte (*Welh.*): 'un baiser, ami, pour ce que tu es venu faire...' Ce serait exactement ce que Lc a dit plus clairement » (Lagrange).

b) Les analyses précédentes ont montré que Lc ne doit rien à Mc, mais dépend de la tradition matthéenne; nous serions donc au niveau du proto-Lc, et non à celui de l'ultime rédaction lucanienne, et les éléments matthéens parallèles à ceux de Lc (vv. 47a.49-50a) appartiendraient au Mt-intermédiaire. Mais alors, comme souvent ailleurs, les éléments de Mt parallèles à Mc et absents de Lc (vv. 47b.48) auraient été introduits au niveau de l'ultime rédaction matthéenne, sous l'influence du Mc-intermédiaire.

c) Ces conclusions ont une grande importance pour l'intelligence de la scène. Dans la tradition matthéenne primitive, et probablement déjà dans le Document A, le baiser donné par Judas à Jésus n'était pas considéré comme un « signe » destiné à faire reconnaître Jésus par ceux qui viennent s'emparer de lui; d'après les coutumes juives, en effet, il était courant qu'un disciple salue son maître, le « rabbi », en lui donnant un baiser; ce dut être le cas ici, car le thème du « baiser-signe » n'est donné que par les vv. 48 de Mt et 44 de Mc, absents de la tradition matthéenne primitive. On retrouve alors le problème soulevé déjà à la note § 271 : en quoi consista exactement la trahison de Judas? Ici encore, la réponse est donnée par Jean, qui ne dit rien d'un baiser donné par Judas à Jésus et ignore donc le thème du « baiser-signe »; d'après Jn 18 2, on doit comprendre que Judas trahit Jésus en indiquant aux Grands Prêtres le lieu où se cachait Jésus, et en conduisant vers cette cachette le groupe chargé de l'arrêter.

d) Dans la tradition marcienne, à quel niveau rédactionnel furent ajoutés les vv. 43b et 44? Il est difficile de répondre. On peut penser, soit au niveau du Mc-intermédiaire (puisque ces versets sont ensuite passés dans l'ultime rédaction matthéenne), soit même au niveau du Document B.

e) Il reste encore un problème à résoudre : que penser de l'arrestation de Jésus mentionnée aux vv. 46 de Mc et 50b de Mt? Ces versets n'ont ici de parallèle ni dans Lc, ni dans Jn, qui mentionneront l'arrestation proprement dite seulement au début du § 339 (verbe « saisir » aux vv. 54 de Lc et 12 de Jn), dans un texte que l'on assignera au proto-Lc. Or il est étrange que Mt lui-même mentionne à *nouveau* que l'on s'empare de Jésus en 26 57 (même verbe qu'au v. 50b!). L'accord Mt/Lc/Jn, au début du § 339, nous fait atteindre le Mt-intermédiaire. C'est donc sous l'influence du Mc-intermédiaire que l'ultime Rédacteur matthéen mentionne l'arrestation de Jésus au v. 50b, comme il a introduit aussi les vv. 47b et 48.

3. Jn se distingue des Synoptiques en ce qu'il adjoint une cohorte de soldats romains (environ trois cents hommes) aux valets envoyés par les Grands Prêtres (v. 3), cohorte commandée par un tribun (v. 12, § 339). La présence d'une force romaine, surtout d'une telle importance, est difficile à justifier, d'autant que Jésus va être conduit, non pas chez Pilate ou à la forteresse Antonia, mais chez Anne, considéré comme Grand Prêtre.

II. LE SERVITEUR FRAPPÉ (Mc 14 47 et par.)

Ce petit épisode est également donné par les quatre évangiles, mais Lc en donne une version un peu différente.

Il est très difficile de préciser l'évolution littéraire de cet épisode, car les rapports des divers textes sont très variés. Par exemple, Mc/Mt s'accordent sur l'expression « dégainer son glaive »; Mc/Lc sur l'ajout de l'indéfini *tis* après « un » (*heis tis*); Mc/Jn sur le verbe « frapper » (*paiô*) et le double diminutif *ôtarion* (tous deux utilisent fréquemment de tels diminutifs). Mt/Lc ont *patassein* pour dire « frapper »; Lc/Jn précisent tous deux que l'oreille coupée était celle de droite. On ne peut rien tirer d'une situation aussi incohérente. Négligeant donc le détail des récits, on se contentera de deux remarques plus générales.

a) Il semble possible, malgré tout, de distinguer la tradition marcienne de la tradition matthéenne. On a vu plus haut que le v. 46 de Mc appartenait bien à la tradition marcienne, tandis qu'il était passé de Mc en Mt (v. 50b) à l'ultime niveau rédactionnel de Mt. On a donc l'impression que, dans la tradition marcienne, le récit de l'arrestation de Jésus s'arrêtait au v. 46; on aurait eu la séquence : « Mais eux mirent la main sur lui et ils s'emparèrent de lui ( ) et ils l'emmenèrent chez le Grand Prêtre » (vv. 46.53), comme dans Mt 26 57 (au moins pour les deux derniers verbes) ou Lc/Jn (avec des verbes synonymes). Dans la tradition marcienne, les vv. 47-52 auraient été ajoutés plus tard, probablement au niveau de l'ultime rédaction marcienne (cf. *infra*). Le petit épisode du serviteur blessé par l'un des disciples serait d'origine matthéenne puisque, dans le Mt-intermédiaire comme dans Lc, il suivait immédiatement l'épisode du baiser donné par Judas à Jésus, sans aucune mention de l'arrestation de Jésus proprement dite. On notera d'ailleurs que, contrairement à Mc, Mt/Lc/Jn ajoutent une parole de Jésus pour conclure l'épisode de l'oreille coupée, celle de Jn ayant même sens que le début de celle de Mt : « jette le glaive au fourreau – remets ton glaive à sa place ». Les développements de Mt 26 52b-54 seraient de l'ultime Rédacteur matthéen, puisqu'ils sont absents de Lc/Jn; quant à Jn 18 11b, ce serait une réminiscence du récit de l'agonie à Gethsémani en provenance de Mt 26 42b.

b) Le récit de Lc est le plus original des quatre, mais il n'est pas très cohérent. Seul, il commence par une interrogation des disciples : « Seigneur, frapperons-nous du glaive? » (v. 49b). On est étonné que, sans attendre la réponse de Jésus, l'un des disciples frappe le serviteur du Grand Prêtre et lui arrache l'oreille ! Pourquoi avoir posé la question, si c'était pour frapper sans attendre la réponse? Par ailleurs, il est étrange que la réponse de Jésus, au v. 51, soit formulée à la seconde personne du pluriel, et non à la seconde personne du singulier, comme dans Mt/Jn (puisqu'un seul des assistants a fait usage de son glaive). En fait, Jésus, au v. 51a, répond à la question des disciples (au pluriel) formulée au v. 49b; le v. 50 est une insertion destinée à harmoniser Lc avec les autres évangélistes. Mais, pour garder tout de même l'intention première du récit de Lc (pas d'effusion de sang), celui qui a ajouté le v. 50 a également ajouté le v. 51b : Jésus touche l'oreille blessée et la guérit. On doit donc distinguer deux niveaux rédactionnels dans Lc: le récit du proto-Lc, comprenant les vv. 49 et 51a; les additions de l'ultime Rédacteur lucanien, comprenant les vv. 50 et 51b. Mais, même s'il se distingue des autres évangélistes, le proto-Lc ne semble pas avoir utilisé une source différente; c'est probablement sa délicatesse naturelle qui lui a inspiré de changer le récit de sa source (le Mt-intermédiaire) pour éviter le geste violent d'un des disciples de Jésus.

c) Quant à Jn, il insère aux vv. 4-9 tout un scénario à portée théologique. C'est Jésus qui, pour ainsi dire, prend l'initiative de son arrestation : bien que sachant parfaitement ce qui l'attend (v. 4a), il va au-devant de ses adversaires (au lieu de fuir) et prend l'initiative du dialogue qui s'établit entre eux. On notera spécialement le jeu de scène des soldats et des serviteurs qui tombent à terre lorsque Jésus leur répond : « c'est moi » (vv. 5-6); cette réponse (*egô eimi*) devrait se traduire plus littéralement « je suis » et évoque probablement le Nom même que Dieu révéla à Moïse selon Ex 3 14 : « Dieu dit alors à Moïse : 'Je suis celui qui suis'; et il ajouta : 'Voici en quels termes tu t'adresseras aux enfants d'Israël : *Je suis* m'a envoyé vers vous'... » (cf. Jn 8 24.28.58). Cette scène veut donc évoquer, non seulement la souveraine liberté de Jésus qui se laisse arrêter parce qu'il le veut bien (cf. Jn 10 17-18), mais encore la toute-puissance divine qu'il possède en tant que Parole de Dieu (Jn 1 14).

III. JÉSUS SAISI COMME UN BRIGAND
(Mc **14** 48-49 et par.)

Cette section doit être considérée, dans les trois Synoptiques, comme une insertion tardive. C'est surtout clair chez Mt, avec la cheville rédactionnelle au début du v. 55 : « en cette heure-là », et le vague « aux foules » alors que le v. 47 parlait d'une foule nombreuse (au singulier); c'est perceptible également chez Mc, où le pronom « leur » (v. 48a) ne correspond à rien de bien précis après l'épisode du v. 47 et la conclusion du récit de l'arrestation au v. 46; c'est assez clair chez Lc aussi, qui se trouve obligé d'insérer un développement de son cru pour préciser à qui Jésus s'adresse (v. 52a : le verbe *paraginesthai*, « qui s'étaient portés », est typique du style de Lc; quant aux « chefs » (des gardes), *hoi stratègoi*, Lc est le seul, dans tout le NT, à les nommer : 0/0/2/0/8/0). Plusieurs arguments littéraires font penser que, même dans Mt et

dans Mc, il s'agit d'une rédaction attribuable aux ultimes Rédacteurs marco-lucanien et matthéo-lucanien (cf. Introd., II D 3).

a) Le v. 48 de Mc, et son parallèle matthéen, se réfère évidemment à ce qui fut dit en Mc **14** 43b et Mt **26** 47b; mais on notera, en finale du texte, le verbe « pour me saisir », typiquement lucanien (1/1/7/1/4) : il ne se lit donc qu'ici dans Mt/Mc, tandis qu'on va le trouver précisément en Lc **22** 54 pour parler de l'arrestation de Jésus (d'où il passe dans le seul exemple johannique, en **18** 12), de même qu'en Ac **1** 16 où il a même portée. Le v. 49a de Mc, et son parallèle matthéen, commence encore par une expression typiquement lucanienne : « chaque jour » (*kath'hèmeran*: 1/1/5/0/7), et développe un thème qui ne se lit ailleurs dans les Synoptiques qu'en Lc **19** 47 : « Et chaque jour (*kath'hèmeran!*) il enseignait dans le Temple »; ce texte ajoute que les grands prêtres cherchaient à faire mourir Jésus, mais qu'ils ne l'osaient pas à cause du peuple. Au v. 49b de Lc (cf. Mt), il est vrai que l'expression « s'emparer de » n'est pas lucanienne (Lc dit plutôt « porter la main sur »), mais pourrait provenir du v. 46 de Mc (cf. Mt). Nous sommes donc en présence d'un vocabulaire en partie lucanien et de thèmes en partie lucaniens également.

b) Et que penser du v. 49c de Mc? C'est le seul endroit où il parle d'un accomplissement des Écritures ! Même en Mt **26** 56a, la formule est anormale; le début : « Tout cela est arrivé pour que s'accomplisse... », se lit bien en Mt **1** 22 (texte tardif), mais l'expression : « que s'accomplissent les Écritures », ne se lit ailleurs qu'en **26** 54, texte que nous avons attribué plus haut à l'ultime Rédacteur matthéen. Or, ce thème de l'accomplissement des Écritures est relativement fréquent chez Lc (Lc **18** 31; **21** 22; **22** 37; **24** 27.32.44-45; Ac **13** 27.29). Lc **22** 37 est spécialement intéressant puisqu'il s'agit d'une citation de Is **52** 12 : « Et avec des scélérats il a été compté », faite par Jésus au moment où il recommande de s'acheter un glaive, et où les disciples répondent qu'ils en ont deux; ces réflexions sont faites par Lc pour préparer précisément la scène de l'arrestation de Jésus. C'est par ce biais lucanien que nous aurions une explication sur les « Écritures » dont parlent Mc et Mt aux vv. 49c et 56a : il s'agirait spécialement de Is **53** 12, où il est dit du Serviteur de Yahvé qu'il fut compté avec des scélérats (cf. Mc **14** 48 et par.).

Nous pouvons donc conclure que les vv. 48-49 de Mc sont une addition de l'ultime Rédacteur marco-lucanien, comme les vv. 55-56a de Mt sont une addition de l'ultime Rédacteur matthéo-lucanien.

c) Il est étrange de constater que la rédaction de Lc **22** 52b-53 est moins « lucanienne » que dans les parallèles de Mc/Mt (il n'y a pas le verbe « saisir » ni le thème de *l'enseignement* dans le Temple). Par ailleurs, au v. 52, Lc suppose que les grands prêtres sont venus en personne pour arrêter Jésus, ce qui est invraisemblable. Lc n'aurait-il pas été influencé ici par Jn **18** 20, où Jésus s'adresse au Grand Prêtre Anne après son arrestation? On notera d'ailleurs le ton « johannique » de la fin du v. 53 de Lc, avec le thème de *l'heure* (cf. Jn **16** 4a) et celui de la puissance des Ténèbres, qui évoque l'opposition johannique lumière/ténèbres, et la domination du Prince de ce monde (Jn **12** 31; **14** 30 qui rappelle l'agonie à Gethsémani; **16** 11). Mais voir note § 340, II.

IV. LA FUITE DES DISCIPLES

La fuite des disciples n'est mentionnée que par Mc et Mt (vv. 50 et 56b). C'est l'accomplissement de la prophétie rapportée en Mc **14** 27 et Mt **26** 31 (§ 336), que nous avons attribuée au Document A (cf. note § 336, II 1). Cet épisode serait donc, ici aussi, attribuable au Document A, d'où il serait passé dans le Mc-intermédiaire, puis dans l'ultime rédaction matthéenne. Son absence dans le Mt-intermédiaire expliquerait le silence de Lc et de Jn sur ce sujet.

V. L'épisode du jeune homme qui s'enfuit, nu, est propre à Mc (vv. 51-52). Sur sa signification, voir note § 359.

Note § **339**. *JÉSUS ET PIERRE CHEZ LE GRAND PRÊTRE*

Dans Mc et Mt, cet épisode sert d'introduction, d'une part à la séance du Sanhédrin où Jésus fut condamné à mort (vv. 53b de Mc et 57b de Mt, cf. § 342), d'autre part aux reniements de Pierre (vv. 54 de Mc et 58 de Mt, cf. § 344). Dans Lc, il introduit seulement les reniements de Pierre (cf. § 340). Dans Jn, enfin, il sert d'introduction, d'une part à la comparution de Jésus devant Anne (v. 13a, cf. § 340), d'autre part aux reniements de Pierre (vv. 15-18, cf. vv. 25-27). Par-delà les accords et les divergences des récits, peut-on retrouver les Documents plus anciens dont ils dépendent?

I. ANALYSE LITTÉRAIRE DES RÉCITS

A) LES RÉCITS DE MT ET DE MC

Ils offrent entre eux une parenté évidente : même structure, vocabulaire en partie identique malgré certaines inversions. Mais cet accord ne masque-t-il pas des divergences assez accentuées, qui auraient été oblitérées à l'ultime niveau rédactionnel des deux évangiles?

1. Mc et Mt commencent leur récit en indiquant que l'on emmena Jésus chez le Grand Prêtre (vv. 53a de Mc, 57a de Mt). Dans Mt, l'expression « s'étant emparés de Jésus » fait doublet avec la fin de **26** 50 (§ 338), où l'ultime Rédacteur matthéen avait introduit le texte du Mc-intermédiaire; ici, cette expression doit donc remonter au Mt-intermédiaire; elle est d'ailleurs appuyée par les parallèles de Lc/Jn, qui ont un verbe synonyme. En revanche, la précision du nom du Grand Prêtre, Caïphe, doit être une addition de l'ultime Rédacteur matthéen, comme en Mt **26** 3 (voir note § 312, I 1 a). Dans Mc, le verbe « ils emmenèrent » (*apègagon*) est suspect; en Mc **15** 1, on a le verbe « emporter » (*apopherein*), tandis que Mt a « emmener » et Lc/Jn « mener », comme ici. Mc **14** 53 avait probablement « emporter », comme en **15** 1, et l'ultime Rédacteur marcien aurait harmonisé Mc avec Mt.

2. Mc et Mt notent ensuite un rassemblement, chez le Grand Prêtre, des grands prêtres (Mc), des scribes et des anciens (vv. 53b de Mc, 57b de Mt). Dans l'un et l'autre évangile, il s'agit d'une insertion. On le reconnaît d'ordinaire, en effet, la scène du procès de Jésus devant le Sanhédrin fait l'effet d'un « corps étranger » qui coupe en deux, de façon maladroite, le récit des reniements de Pierre, aussi bien dans Mt que dans Mc. Pour renouer le fil du récit ainsi coupé, il a fallu reprendre aux vv. 66a de Mc et 69a de Mt les indications concernant Pierre données ici (vv. 54b de Mc et 58b de Mt). Mais cette reprise est assez peu cohérente, car le mot grec *aulè* a certainement le sens de « palais » au § 339, tandis qu'il a le sens de « cour » dans les reprises des vv. 66a de Mc et 69a de Mt. Le texte de Mt offre une difficulté supplémentaire : tandis qu'au v. 58 Pierre se trouve assis « à l'intérieur » du palais, on le retrouve assis « dehors » au v. 69. Les vv. 66a de Mc et 69a de Mt sont donc des chevilles rédactionnelles placées là lorsque le récit du procès de Jésus devant le Sanhédrin fut inséré dans la trame du récit des reniements de Pierre. Mais il faut alors en conclure que les vv. 57b de Mt et 53b de Mc, qui servent ici d'introduction au procès de Jésus devant le Sanhédrin, ont été ajoutés en même temps que l'insertion du procès de Jésus dans la trame du récit des reniements de Pierre. Cette insertion fut pratiquée au niveau du Mc-intermédiaire, puis passa dans l'ultime rédaction matthéenne (voir note § 342, I D).

3. Le v. 58a de Mt offre une difficulté : la précision de lieu « jusqu'à la cour du Grand Prêtre » ne s'accorde pas avec le verbe à *l'imparfait* « suivait »; comme cette précision se lit, avec des mots identiques, dans Mc, on peut penser qu'elle est passée du Mc-intermédiaire dans Mt, à l'ultime niveau rédactionnel. Le Mt-intermédiaire avait seulement : « Or Pierre le suivait de loin ( ) et, étant entré à l'intérieur, il s'assit avec les valets. » Un problème analogue se pose pour le texte de Mc, où l'expression « à l'intérieur » fait l'effet d'un ajout. Le Mc-intermédiaire aurait eu simplement : « Et Pierre de loin le suivit jusqu'à la cour (= palais) du Grand Prêtre... »; les mots « à l'intérieur dans » furent ajoutés par l'ultime Rédacteur marcien, sous l'influence du Mt-intermédiaire.

4. Au v. 58b de Mt, l'explication : « pour voir le dénouement », est évidemment un ajout de l'ultime Rédacteur (cf. Introd., II D 1 b 3), en liaison avec l'insertion du procès de Jésus devant le Sanhédrin. – Le v. 54b de Mc offre un problème plus complexe. Littéralement, on devrait le traduire ainsi : « et il était assis-ensemble avec les valets et se chauffait à la lumière ». Analysons les différences qu'il présente avec le texte plus concis de Mt : « il s'assit avec les valets ». Au lieu du simple *ekathèto* (« il s'assit ») de Mt, Mc a la construction périphrastique *èn synkathèmenos;* utilisée volontiers par Mc,

cette construction est cependant beaucoup plus fréquente chez Lc; mais on notera surtout le verbe *synkathèmai*, qui ne se lit ailleurs dans tout le NT qu'en Ac **26** 30 et a son équivalent en Lc **22** 55 dans le génitif absolu *synkathisantôn* (« être assis-ensemble »); on sait que Lc affectionne spécialement de tels verbes composés. Par ailleurs, la précision que Pierre « se chauffait », absente de Mt mais que l'on a aussi dans Jn **18** 18b, est étrange puisque rien n'est dit de la présence d'un feu allumé par les valets (cette mention est au contraire explicite dans Lc/Jn). Enfin, que penser du « à la lumière » (*pros to phôs*, traduit par « à la flambée ») qui semble évoquer la lumière d'un feu dont on ne nous a pas parlé ! La même expression se retrouve en Lc **22** 56, où elle est tout à fait en situation après les explications du v. 55 : il s'agit de la lumière du feu près duquel Pierre était assis; ce mot *phôs* (« lumière »), qui ne se lit jamais ailleurs dans Mc, est au contraire fréquent dans Lc/Ac (sept fois dans Lc et dix fois dans Ac). On peut donc conclure que le v. 54c de Mc a été fortement remanié par l'ultime Rédacteur marco-lucanien; primitivement, il devait avoir même teneur que dans Mt : « il s'assit avec les valets ».

B) Les récits de Lc et de Jn

1. Ils offrent des affinités évidentes, malgré de nombreuses différences sur lesquelles nous aurons à revenir. Comparons Jn à Lc en les opposant à Mc (les rapports Lc/Jn et Mt seront étudiés plus loin). Aux vv. 12-15a, Jn offre les accords suivants avec Lc contre Mc : au v. 12, le verbe « saisir », de saveur lucanienne (*sullambanein:* 1/1/3/1/4/1); au v. 13, le verbe « mener », très fréquent chez Lc/Ac (*agein:* 3/1/12/8/25/8); on notera encore que le verbe « faire entrer » du v. 54 de Lc se retrouvera en Jn **18** 16 et que c'est encore un verbe typiquement lucanien (*eisagein:* 0/0/3/1/6/1); au v. 15a, la liaison par « or » (*de*) et le verbe « suivre » à l'imparfait (à l'aoriste dans Mc). – Au v. 18, le problème est plus complexe. Jn est de nouveau d'accord avec Lc quant au schéma général du récit : on a allumé du feu, les gens qui l'ont allumé se tiennent autour, Pierre se joint à leur groupe (Mc ne parle pas explicitement de feu allumé). Jn n'a toutefois ici aucun

des mots caractéristiques de Lc, tandis que sa formulation littéraire se rapproche de celle de Mc : même mention (avec Mt) des « valets », et surtout même structure de phrase au v. 18b : « était aussi Pierre avec eux se tenant et se chauffant » (Jn)/ « et il était assis-ensemble avec les valets et se chauffant » (Mc). Jn dépendrait-il ici de Mc? On en peut douter pour les raisons suivantes : on a vu plus haut que le texte de Mc était tardif et influencé par la rédaction lucanienne (attribué à l'ultime Rédacteur marco-lucanien). En revanche, le texte de Jn est parfaitement structuré, la phrase du v. 18b : « était aussi Pierre avec eux se tenant et se chauffant », reprend exactement les éléments du v. 18a : « Or se tenaient là les serviteurs et les valets... et ils se chauffaient »; d'ailleurs, la séquence « se tenant et se chauffant » répond bien au style de Jn (cf. **3** 29; **12** 29); enfin, le terme de « valets » (*hypèretès*), ailleurs dans Mc seulement en **14** 65 sous l'influence du texte suivi par Jn (note § 343, I 4 a), se lit neuf fois dans Jn, dont huit fois pour désigner les valets des grands prêtres. Les accords Jn/Mc contre Lc sont donc ici le fait de remaniements tardifs du texte de Mc sous l'influence de la tradition Lc/Jn, et ne signifient pas une dépendance de Jn par rapport à Mc. En définitive, le récit de Jn dépend fondamentalement de celui de Lc et ne doit rien à Mc.

2. Comparé aux récits de Mt/Mc/Jn, celui de Lc apparaît tronqué; il y a une lacune entre les vv. 54 et 55. A la fin du v. 54, on attendrait l'indication que Pierre est entré dans le palais du Grand Prêtre; au v. 55, on ne nous dit pas quels sont les gens qui ont allumé du feu et avec lesquels Pierre se tient (cf. Introd., II F 1 b 1). Le manque de lien entre les vv. 54 et 55 ressemble fort à celui que l'on verra, en étudiant le procès de Jésus devant le Sanhédrin, entre les vv. 66 et 67 de Lc (§ 342). Mais l'analyse du texte de Jn va nous permettre de reconstituer en partie ce qui manque au récit de Lc. En Jn **18** 15b-16, en effet, nous trouvons un procédé rédactionnel de Jn qui a son équivalent exact en Jn **20** 3 ss. (§ 360). Pour le mettre en évidence et préciser ce qui manque au texte de Lc, mettons en regard, d'une part Jn **20** 3 ss. et Lc **24** 12, d'autre part Jn **18** 15b-16 et Mt **26** 58, qui commencent comme Lc **22** 54b : « Or Pierre (le) suivit de loin... » :

Mt **26**	Jn **18**	Lc **24**	Jn **20**
Or Pierre	Or Simon Pierre et un autre disciple	Mais Pierre...	Pierre sortit donc et l'autre disciple
le suivait de loin	suivai(en)t Jésus	courut au tombeau	et ils allaient au tombeau et ils couraient... ensemble et l'autre disciple courut... plus vite que Pierre...
	ce disciple était connu du Grand Prêtre		
jusqu'à la cour du Grand Prêtre et étant entré...	et il entra avec Jésus dans la cour du Grand Prêtre.	et s'étant penché il voit les bandelettes seules.	et s'étant penché il voit les bandelettes gisantes...
	Pierre se tenait à la porte dehors ... et fit entrer Pierre.		Simon Pierre vient alors et il entra dans le tombeau et il vit les bandelettes gisantes...

Le procédé littéraire de Jn est le suivant : en insérant la mention d'un « autre disciple » après le nom de Pierre, Jn rend commune à Pierre et à l'autre disciple une démarche qui, dans sa source, était le fait du seul Pierre. Vient ensuite une précision expliquant pourquoi l'autre disciple va supplanter Pierre (« connu du Grand Prêtre »/« courut plus vite que Pierre »). L'action, faite par Pierre dans la source de Jn, est alors faite par l'autre disciple (entrer dans la cour, voir les bandelettes). Finalement, Pierre lui-même accomplit l'action, mais après l'autre disciple. D'après le parallélisme entre les deux séries de textes, la source de Jn **18** 15-16 devait avoir : « Or Pierre suivait (de loin) *et il entra avec Jésus dans la cour du Grand Prêtre.* » Puisque Jn suit Lc en **18** 12-13 et, plus librement, au v. 18, que d'autre part le texte actuel de Lc **22** 54b est tronqué (cf. *supra*), on peut raisonnablement conjecturer que la phrase restituée comme source des vv. 15-16 de Jn se lisait dans le proto-Lc.

Cette phrase du proto-Lc a d'ailleurs des échos dans le Lc actuel. Au v. 54a, il est dit que l'on « fit entrer Jésus dans la maison du Grand Prêtre », et au v. 55a il est question de la « cour » du Grand Prêtre. Le remaniement du proto-Lc par l'ultime Rédacteur lucanien pourrait peut-être s'expliquer ainsi : le proto-Lc disait que Pierre entra avec Jésus dans la cour (*aulè*) du Grand Prêtre ; mais on a vu que le mot grec *aulè* pouvait avoir deux sens : « palais » ou « cour »; voulant éviter toute confusion, Lc transpose les données du proto-Lc : il fait entrer Jésus dans la *maison* (= palais) du Grand Prêtre (v. 54a), puis il montre Pierre dans *la cour* (*aulè*) avec les gens de la maison.

Nous sommes donc amenés à postuler ici l'existence d'un proto-Lc, abrégé et remanié dans le Lc actuel, utilisé par Jn selon le procédé littéraire décrit plus haut.

3. De quelle source dépend ici le proto-Lc? Pour le préciser, analysons de plus près le récit de Jn. Au v. 13, Jn est le seul à mentionner le nom de Anne, ce qui prépare le récit de la comparution de Jésus devant ce personnage (Jn **18** 19-23).

Comme l'admettent certains commentateurs, les vv. 13b-14 seraient une glose de l'ultime Rédacteur johannique, destinée à harmoniser ce passage de Jn avec celui de **11** 49-50 (§ 267), auquel il se réfère explicitement, et donc avec le récit de Mt **26** 3 et **26** 57 (voir note § 267). Dans la source particulière qui fournit à Jn la scène des vv. 19-23, Anne était Grand Prêtre en exercice (cf. vv. 19 et 22), ce qui correspond à ce que dit Luc en Ac **4** 6 (cf. encore Lc **3** 2, où le nom de Caïphe est un ajout puisque le mot « Grand Prêtre » est au singulier). Ajoutons que, si les vv. 13b-14 sont des additions du Rédacteur johannique, il faudra considérer aussi comme des ajouts le v. 24 (§ 340) et l'expression « de chez Caïphe » au v. 28 (§ 345).

En Jn **18** 13a, le nom de Anne correspond donc à la tradition du proto-Lc. Par ailleurs, on verra à la note § 340, I que le récit de la comparution de Jésus devant Anne (Jn **18** 19-23) se lisait déjà dans le proto-Lc, qui la tenait d'une source spéciale, le Document C. Tout porte donc à croire que, dans le récit du § 339, les accords Lc/Jn nous font remonter, non seulement au proto-Lc, mais encore au Document C. C'est l'ultime Rédacteur lucanien qui, en Lc **22** 54, a remplacé le nom de Anne par l'expression « dans la maison du Grand Prêtre », sous l'influence de Mc.

Ajoutons une dernière précision. Dans le Document C, la mention des serviteurs qui se chauffaient et de Pierre qui se trouvait parmi eux (vv. 55 de Lc et 18 de Jn) se lisait probablement *après* le récit de la comparution de Jésus devant Anne (voir note § 340, II 3 d).

II. RECONSTITUTION DES RÉCITS PRIMITIFS

D'après les analyses précédentes, voici comment on pourrait reconstituer les récits des trois Documents A, B et C, sources de Mt, Mc et Jn/Lc :

Document A	Document B	Document C
Mais eux, s'étant emparés de Jésus,		Ils saisirent Jésus et le lièrent et le menèrent chez Anne.
l'emmenèrent chez le Grand Prêtre. Or Pierre le suivait de loin et, étant entré à l'intérieur,	Ils emportèrent Jésus chez le Grand Prêtre. Et Pierre de loin le suivit jusqu'à la cour du Grand Prêtre	Or Pierre suivait et il entra avec Jésus dans la cour du Grand Prêtre.
il s'assit avec les valets.	et il s'assit avec les valets.	(comparution devant Anne)

Note § **340**. *RENIEMENTS DE PIERRE ET INTERROGATOIRE PAR ANNE*

I. INTERROGATOIRE PAR ANNE

Jn est le seul à mentionner cet interrogatoire de Jésus par Anne (**18** 13a), inséré artificiellement dans la trame actuelle des reniements de Pierre (vv. 19-23; le v. 25a reprend les données du v. 18, pour renouer le fil du récit des reniements).

1. Il est probable que Jn tient cet épisode du proto-Lc. Plusieurs arguments permettent de le penser.

a) Le début de ce récit se trouve en Jn **18** 13a (§ 339) : Jésus est mené chez Anne. Or, on a déjà fait remarquer que, dans la source de Jn, Anne était Grand Prêtre en fonction (vv. 19 et 22); les vv. 13b-14 sont un ajout du Rédacteur johannique (cf. note § 339, I 3). On rejoint la tradition lucanienne : Ac **4** 6 dit explicitement qu'Anne était Grand Prêtre peu après la mort de Jésus (cf. encore Lc **3** 2, où le nom de Caïphe est un ajout puisque le mot « Grand Prêtre » est au singulier).

b) Si Lc n'a pas le récit de la comparution de Jésus devant Anne, on trouve un écho de Jn **18** 20 dans le récit de l'arrestation de Jésus, inséré dans les trois Synoptiques par le Rédacteur lucanien (cf. note § 338, III).

c) Il existe une similitude de situation entre Jn **18** 22-23 et Ac **23** 2, où Paul s'attire des reproches parce qu'il a mal parlé au Grand Prêtre. Or on verra que, pour le récit de la comparution de Jésus devant Pilate, le proto-Lc, dont Lc et Jn dépendent, utilise largement les analogies de situation avec les comparutions de Paul devant les magistrats romains (voir notes §§ 347, 349). Il en va de même pour le récit de Jn **11** 47-54, de saveur nettement lucanienne (note § 267).

d) Jn **18** 20 a la proposition : « où tous les Juifs s'assemblent »; or l'expression « tous les Juifs » ne se lit ailleurs dans le NT qu'en Mc **7** 3, dans une glose de l'ultime Rédacteur marco-lucanien, et six fois dans les Actes (**18** 2; **19** 17; **21** 21; **22** 12; **24** 5; **26** 4); de même, le verbe « s'assembler » est très fréquent dans les Actes (1/2/2/2/17/7); nous avons là, dans Jn, un écho du récit du proto-Lc.

Ces remarques invitent à penser que Jn tient du proto-Lc son récit de la comparution de Jésus devant Anne. Mais le proto-Lc n'a pas créé ce récit, il doit l'avoir trouvé dans une source particulière, le Document C. Ce point nous est confirmé par le fait que, dans la scène d'outrages qui suit le procès de Jésus devant le Sanhédrin, le Mc-intermédiaire combine trois récits : l'un provenant du Document A, le deuxième du Document B, le troisième apparenté à Jn **18** 22 (cf. note § 343, I 4 a); puisque la troisième source utilisée ailleurs par Mc est le Document C, il doit en être de même pour la scène des outrages; le récit johannique (cf. Jn **18** 22) doit donc dépendre, lui aussi, du Document C.

2. D'après Jn **18** 13a, la comparution de Jésus devant Anne eut lieu durant la nuit; dans Jn, elle tient la place du procès de Jésus devant le Sanhédrin. Sur ce problème, voir note § 342, III 2.

II. LES RENIEMENTS DE PIERRE

Les quatre évangiles racontent que Pierre renia son Maître à trois reprises. Mais cet accord ne doit pas nous faire illusion : il n'existe qu'au niveau des ultimes rédactions évangéliques. En fait, il n'y eut probablement qu'un seul reniement (Ch. Masson) qui fut transmis selon des traditions différentes, bloquées ensuite en un seul récit.

1. *Le reniement de Pierre selon le Document B*. Il se lit en Mc **14** 66b-68 (cf. Mt **26** 69b-70).

a) Après le premier reniement, Mc **14** 68b note que « Pierre sortit dehors dans (*eis*) le vestibule ». L'expression « sortir dehors » implique une sortie *réelle*, à l'extérieur (cf. dans la Septante : Jos **2** 19; Ps **40** 7; dans le NT : Jn **19** 4 ss.; Ap **3** 12; Mc **8** 23; **11** 19; **12** 8); Mt **26** 75 l'emploie d'ailleurs après le troisième reniement, quand tout est fini. Cette « sortie » est étrange ici dans Mc, puisque nous allons voir encore deux reniements qui supposent Pierre toujours dans la cour, avec les mêmes personnages. Les mots « dans le vestibule » n'arrangent pas les choses : c'est une addition qui transforme la sortie réelle en fausse sortie ! Par ailleurs, à la fin du v. 68 de Mc, il faut maintenir la proposition : « et un coq chanta »; sans doute, elle est omise par d'excellents témoins, surtout de tradition alexandrine, mais elle est nécessaire, car Mc **14** 30 (§ 336) et **14** 72 exigent la mention par Mc de *deux* chants du coq. Mais ce premier chant est anormal, car il ne joue aucun rôle dans le récit actuel; en l'entendant, Pierre aurait dû se repentir aussitôt ! On a donc l'impression que, dans Mc, les vv. 66b-68 forment un récit complet : Pierre renie son Maître, il sort dans la cour et un coq chante. Nous aurions là le récit du reniement de Pierre selon le Document B, source principale du Mc-intermédiaire.

b) Pour retrouver la teneur exacte du récit du Document B (repris par le Mc-intermédiaire), il faut éliminer quelques additions effectuées par l'ultime Rédacteur marco-lucanien. Le v. 66a (« et Pierre était en bas dans la cour ») ne fait que reprendre les données du v. 54b afin de renouer le fil du récit, rompu par l'insertion du procès de Jésus devant le Sanhédrin (cf. note § 339). Au v. 67, « qui se chauffait » est un ajout puisque, on l'a vu à la note § 339 (I A 4), le thème de Pierre qui se chauffe est un ajout de l'ultime Rédacteur marco-lucanien. Au v. 68a, ce même Rédacteur ajouta : « ni ne comprends » (*epistamai*), ce verbe ne se lisant qu'ici dans Mc, jamais dans Mt/Lc/Jn, mais neuf fois dans les Actes (quatre fois seulement dans le reste du NT). Enfin, au v. 68b, l'expression « dans le vestibule » fut ajoutée lors de la fusion des récits fondamentaux, donc par le Mc-intermédiaire, afin de simuler, on l'a vu, une « fausse sortie ». On donnera plus loin le texte reconstitué du récit du Document B.

2. *Le reniement de Pierre selon le Document A*. Il avait été gardé par le Mt-intermédiaire et on le trouve encore, légèrement modifié, en Mt **26** 71b-72 (cf. Mc **14** 69-70a). Dans ce texte de Mt, la protestation de Pierre : « Je ne connais pas

l'homme », correspond exactement à la remarque de la servante : « Celui-ci était avec Jésus le Nazôréen. » Le troisième reniement dans Mt/Mc contient la même réponse de Pierre, mais qui ne correspond pas bien à la remarque des gens qui se trouvaient là; elle est donc secondaire par rapport à celle de Mt **26** 72. On notera quelques retouches de l'ultime Rédacteur matthéen. Le v. 71a : « Comme il était sorti vers le porche », est évidemment une reprise du v. 68b de Mc, mais reliée au second reniement, avec suppression du chant du coq, afin d'éviter les difficultés du texte de Mc. C'est également pour éviter une impression de doublet que l'ultime Rédacteur matthéen changea « une servante », qui devait se lire dans le Mt-intermédiaire (et dans le Document A) en « une autre »; le parallèle de Mc a mieux gardé l'expression primitive : « et (la) servante », l'identifiant seulement à celle du premier reniement. C'est évidemment l'ultime Rédacteur matthéen qui a ajouté le « de nouveau » (probablement repris du Mc-intermédiaire); c'est aussi lui qui a ajouté « avec serment », de façon à créer un crescendo entre les trois reniements (cf. le v. 74a).

3. *Le reniement de Pierre selon le Document C.*

a) On a vu plus haut (I) que la scène de la comparution de Jésus devant Anne (Jn **18** 19-23) appartenait au proto-Lc qui la tenait lui-même du Document C. Cette scène est suivie dans Jn par le second reniement de Pierre (v. 25), qui offre des analogies évidentes avec le second reniement dans Lc (**22** 58); la réflexion des assistants et la réponse de Pierre sont semblables : « Toi aussi tu es d'entre eux... Je n'(en) suis pas »/« Toi aussi n'es-tu pas de ses disciples?... Je n'(en) suis pas. » Jn change « d'entre eux » en « de ses disciples », mot qu'il affectionne spécialement; Lc ajoute le vocatif « homme », comme il a ajouté « femme » dans le premier reniement (v. 57) et ajoutera encore « homme » dans le troisième (v. 60). Il est donc certain que le second reniement de Pierre, dans Lc et dans Jn, remonte au proto-Lc et donc, au moins pour l'essentiel, au Document C.

b) Or, ce second reniement dans le proto-Lc offre des analogies très nettes avec le troisième reniement de Mc/Mt : la réflexion à Pierre est faite par le groupe anonyme des gens qui se trouvaient auprès de lui (« ceux qui se tenaient auprès », dans Mc; les serviteurs auprès desquels Pierre se trouvait,

d'après Jn **18** 18b, repris en **18** 25a); cette réflexion à Pierre a exactement même teneur, d'après Mt (v. 73) et Lc (v. 58) : « Toi aussi, tu es d'entre eux » (quelques variantes seulement dans Mc/Jn). On peut donc raisonnablement conjecturer que le troisième reniement, dans Mc et Mt, provient du Document C.

c) Quelle était la forme de la réponse de Pierre dans le Document C? D'après Lc/Jn, c'était : « Je n'(en) suis pas »; mais cette réponse est de saveur lucano-johannique (cf. Jn **1** 20 s.; Ac **13** 25) et pourrait donc ne remonter qu'au proto-Lc. Dans Mc/Mt, elle est analogue à celle du second reniement (Document A) : « Je ne connais pas (cet) homme. » On peut se demander alors s'il y avait une réponse explicite de Pierre dans le Document C; son texte aurait eu simplement : « Et il nia ». On verra plus loin que Mc pourrait corroborer cette hypothèse.

d) Un dernier problème reste à résoudre : à quelle place se trouvait exactement le reniement de Pierre dans le Document C? Dans le texte de Jn, l'interrogatoire de Jésus par Anne est inséré maladroitement entre les préliminaires du récit du reniement (v. 18) et le reniement lui-même (v. 25b), cette insertion ayant obligé le compilateur à donner un résumé du v. 18 au v. 25a (« Or Simon Pierre était là et se chauffait »); la présence du nom « Simon Pierre » dans ce résumé, caractéristique du style de Jn, indique que le récit de la comparution de Jésus devant Anne fut inséré dans la trame du reniement de Pierre par le Rédacteur johannique, probablement parce qu'il a voulu conformer son récit à celui de l'ultime rédaction matthéenne, dans laquelle on décrit Pierre assis avec les valets (Mt **26** 58c) *avant* le procès de Jésus devant le Sanhédrin. Il est alors vraisemblable que dans le proto-Lc, comme dans le Document C, tout ce qui est dit des valets et de Pierre se chauffant près du feu (v. 18 de Jn, cf. v. 55 de Lc) était placé *après* la comparution de Jésus devant Anne.

4. *Évolution littéraire des textes.*

Voici comment on pourrait se représenter l'évolution littéraire assez complexe de ce récit.

a) A l'origine, nous avons trois récits différents, appartenant aux Documents A, B et C. Compte tenu de certaines retouches rédactionnelles, on peut les reconstituer ainsi :

Document A (cf. Mt **26**)	Document B (cf. Mc **14**)	Document C (cf. Jn **18**)
		18 Les serviteurs et les valets, ayant fait un feu de braise, étaient là et se chauffaient; Pierre aussi était là avec eux et se chauffait.
58c (Pierre) s'assit avec les valets.	54c (Pierre) s'assit avec les valets.	
71b Une servante le vit	66b Vient une des servantes du Grand Prêtre 67 et voyant Pierre ()	

et dit à ceux qui (étaient) là : « Celui-ci était avec Jésus le Nazôréen. »	elle dit : « Toi aussi tu étais avec le Nazarénien Jésus. »	25b Ils lui dirent : « Toi aussi tu es d'entre eux. »
72 Et il nia () « Je ne connais pas l'homme. »	68a Mais il nia en disant : « Je ne sais pas ce que tu dis. » Et il sortit dehors et	Il nia ()
74b Et aussitôt un coq chanta.		27b Et aussitôt un coq chanta.
75c Et, sortant dehors, il pleura amèrement.	un coq chanta. 72c Et s'enfuyant, il pleurait.	

Mis à part les détails des serviteurs qui ont allumé du feu pour se chauffer (ne remonteraient-ils pas seulement au proto-Lc?), le récit du Document C apparaît le plus archaïque dans sa simplicité saisissante ; on notera spécialement le rapprochement « il nia »/« un coq chanta » qui rappelle le rapprochement déjà fait par Jésus dans l'annonce du reniement : « Le coq ne chantera pas que tu ne m'aies nié » (Jn **13** 38c, § 323). Les récits des Documents A et B obéissent aux mêmes préoccupations : on précise que l'interlocutrice est une servante (il n'y en a plus qu'une) ; on précise également que l'on accuse Pierre d'avoir été avec Jésus (et non plus seulement du groupe des disciples) ; on explicite les paroles de Pierre niant son Maître ; on ajoute le détail de Pierre sortant dehors et pleurant. Le Document B dépend évidemment du Document A pour une bonne partie de ces additions.

b) C'est le Mc-intermédiaire qui a effectué la fusion des trois récits en un seul, comme il le fera pour le récit des outrages à Jésus prophète (note § 343). Il met en premier le récit du Document B, sa source principale. Pour le second reniement, il se sert à la fois du récit du Document A et de celui du Document C. Au Document A il emprunte la première moitié de son texte : une servante voit Pierre et dit à ceux qui étaient là : « Celui-ci, etc. » Elle ne s'adresse plus à Pierre directement, comme dans le premier reniement (Document B), mais aux assistants, et ses paroles sont à la troisième personne du singulier (cf. Mt **26** 71, en provenance du Document A). Au Document C il emprunte la seconde partie de son récit : la formule : « Celui-ci est un d'entre eux » (mise à la troisième personne sous l'influence du Document A), et le simple « il niait », sans explicitation des paroles de Pierre. Pour le troisième reniement, le Mc-intermédiaire combine également Documents C et A. Au Document C il emprunte la première moitié de son récit : les gens se trouvant près de Pierre lui disent : « Tu es d'entre eux » ; mais il ajoute la précision : « car ton langage te trahit » (cf. Mt, fin du v. 73, qui a mieux gardé le texte primitif ; cf. *infra*). Au Document A il emprunte la réponse de Pierre : « Je ne connais pas cet homme » (cf. Mt **26** 72). Pour éviter trop de monotonie dans les reniements, le Mc-intermédiaire ajoute, en climax, le début du v. 71 : « Mais il commença à jurer avec imprécations ». C'est probablement au Mc-intermédiaire que l'on doit l'addition du v. 72b, avec le rappel des paroles de Jésus dites juste après la Cène (§ 336). C'est évidemment au Mc-intermédiaire qu'il faut attribuer les chevilles rédactionnelles qui unissent artificiellement les divers reniements : « de nouveau » (vv. 69.70a.70b), « un peu après » (v. 70b), « pour la seconde (fois) » (v. 72a).

L'ultime Rédacteur marco-lucanien a effectué les retouches indiquées ci-dessous (II 1 b). A la fin du v. 70, il a changé la remarque : « ton langage te trahit », en « tu es Galiléen », ses lecteurs gréco-romains ignorant probablement que les Galiléens avaient un « accent » spécial.

c) Le Mt-intermédiaire n'avait qu'un seul reniement, gardé en Mt **26** 71-72 mais légèrement retouché par l'ultime Rédacteur matthéen. C'est cet ultime Rédacteur qui a ajouté le premier et le troisième reniement sous l'influence du Mc-intermédiaire. Au v. 69b, il simplifie le texte du Mc-intermédiaire en omettant le détail de la servante qui « voit » Pierre, puisqu'on doit le retrouver au reniement suivant. Pour varier un peu les reniements, il change « Nazarénien » en « Galiléen » (on va retrouver Nazôréen au second reniement), ce qui prépare la remarque des assistants dans le troisième reniement : « car ton langage te trahit » (fin du v. 73). Au v. 70, il ajoute « devant tous ». Au v. 71, voulant éviter les difficultés du texte de Mc, il rattache la « sortie » de Pierre au second reniement et supprime la mention du chant du coq ; pour éviter l'effet de doublet, il change le « une servante », qui devait se lire dans le Mt-intermédiaire et dans le Document A, en « une autre ». Au v. 73, il ajoute son habituel « s'approchant ». Au v. 74, il supprime le « pour la seconde fois » du Mc-intermédiaire, puisqu'il a supprimé le premier chant du coq. A la fin du v. 75, l'ultime Rédacteur matthéen reprend la finale du récit du Mt-intermédiaire et du Document A : « Et, sortant dehors, il pleura amèrement. »

d) Le proto-Lc ne contenait qu'un seul reniement (cf. vv. 58 de Lc et 25b de Jn), emprunté au Document C et qui suivait la comparution de Jésus devant Anne. En reprenant le texte du Document C, le proto-Lc a explicité le reniement de Pierre en ajoutant « Je n'(en) suis pas » après « lui nia ». Il est possible également qu'il ait amplifié l'introduction au reniement en ajoutant les détails des serviteurs qui se chauffent, qui font contraste avec la sobriété du récit concernant le reniement proprement dit. — L'ultime Rédacteur lucanien a ajouté le premier et le troisième reniements, sous l'influence du Mc-intermédiaire qu'il suit assez librement. Les réflexions de la servante (premier reniement, v. 56) et d'un autre personnage (troisième reniement, v. 59) sont identiques et formulées à la troisième personne : « Celui-ci aussi était avec lui. » Les réponses de Pierre sont inversées par rapport à ce qu'elles sont dans Mc. Le Rédacteur lucanien ajoute enfin le v. 61 qui, comme dans Mc, rappelle la parole par laquelle Jésus avait annoncé le reniement de Pierre; mais, tandis qu'au § 323 Lc, d'accord avec Jn contre Mt/Mc, avait gardé le texte du proto-Lc, ici son texte est très différent et rejoint celui de Mc (dont il remplace le « deux fois » par « aujourd'hui »). On remarquera le mot « Seigneur » (employé à deux reprises) pour désigner Jésus, ce qui est typique du style de l'ultime Rédacteur lucanien. Lc ajoute, au début du v. 61, le trait poignant de Jésus qui regarde Pierre au moment où le coq chante. Quant au v. 62, omis par un Oncial grec et la *Vetus Latina*, il fut probablement ajouté par un copiste d'après le parallèle matthéen.

e) Le Rédacteur johannique dépend lui aussi du proto-Lc, qu'il complète pour obtenir trois reniements comme dans Mt et Mc. Le premier reniement n'est qu'un décalque du second (même interrogation faite à Pierre, même dénégation de Pierre), sauf qu'il s'agit d'une servante (cf. Mt/Mc) et non des gens au milieu de qui Pierre se trouve. Le troisième reniement fait allusion à certains détails de l'arrestation de Jésus (le « jardin », cf. Jn 18 1b, § 337; oreille coupée, cf. Jn 18 10, § 338). Au v. 27, on pourrait se demander si Jn n'utiliserait pas directement le Document C. On a vu (II 3 d) que le Rédacteur johannique, sous l'influence de l'ultime Rédaction matthéenne, avait déplacé l'interrogatoire de Jésus par Anne pour l'insérer entre les préliminaires du récit du reniement de Pierre et le reniement proprement dit; il doit à la même influence l'idée de tripler le reniement qu'il tient du proto-Lc.

Note § **341.** *OUTRAGES A JÉSUS PROPHÈTE*

Lc, qui place le procès de Jésus devant le Sanhédrin au petit matin (§ 342), situe pendant la nuit, immédiatement après le reniement de Pierre, la scène d'outrages qui, chez Mt/Mc, suivait le procès. En conséquence, ce ne sont plus les membres du Sanhédrin qui se moquent de Jésus, mais « les hommes qui le gardaient ». Pour le détail du commentaire, voir note § 343.

Note § **342.** *JÉSUS DEVANT LE SANHÉDRIN*

Le procès de Jésus devant le Sanhédrin est attesté par Mt et Mc qui le placent durant la nuit, peu de temps après l'arrestation de Jésus (§ 339); Lc en donne une version abrégée et le situe au matin (**22** 66); Jn n'en parle pas ici, mais il en rapporte les éléments essentiels en **10** 22 ss. (§ 264). Certains détails du martyre d'Étienne offrent des analogies certaines avec le récit du procès de Jésus (Ac **6-7**).

I. ÉVOLUTION DES RÉCITS

L'analyse des textes de Mt et de Mc va permettre de remonter à deux formes plus archaïques du récit, appartenant aux Documents A et B et fusionnées au niveau du Mc-intermédiaire.

A) LE RÉCIT DE MT

1. *Le récit primitif.*

a) On retrouve, dispersés dans le texte actuel de Mt, les éléments d'un récit plus court et parfaitement cohérent. Les grands prêtres cherchent un témoignage contre Jésus en vue de le faire mourir (v. 59); deux témoins (v. 60b) rapportent alors une prophétie de Jésus contre le Temple (v. 61). Jésus ne réfute pas cette accusation (vv. 62-63a); le Grand Prêtre déclare donc qu'il a blasphémé et mérite la mort (vv. 65a et 66b). Voici la reconstitution de ce récit :

59 Or les grands prêtres et le Sanhédrin tout (entier) cherchaient un () témoignage contre Jésus en vue de le faire mourir.
60b Deux (témoins) s'étant approchés
61 dirent : « Cet homme a déclaré : Je détruirai (Mc) le Temple de Dieu (). »
62 S'étant levé, le Grand Prêtre lui dit : « Tu ne réponds rien? Qu'attestent ces gens contre toi? »
63a Mais Jésus se taisait.
65a Alors le Grand Prêtre déchira ses vêtements en disant : « Il a blasphémé! »
66b Mais eux répondant dirent : « Il mérite la mort. »

b) La mention du nombre des témoins (« deux ») a évidemment pour but de souligner la validité de leur témoignage, en accord avec la loi de Dt **19** 15. Par ailleurs, la condamnation à mort comme châtiment d'une prophétie contre le Temple trouve un excellent parallèle dans la vie de Jérémie. Comme son devancier Michée (Mi **3** 12), Jérémie avait annoncé que Dieu détruirait le Temple de Jérusalem afin de châtier les péchés de son peuple, destruction qui serait le signe de la rupture de l'alliance ancienne (Jr **7** 12-15). Un disciple de

Jérémie a raconté la suite de cette histoire. Après avoir rappelé les paroles de Jérémie contre le Temple (Jr **26** 1-6), il poursuit : « Prêtres, prophètes et peuple tout entier entendirent Jérémie prononcer ces paroles dans le Temple de Yahvé; et quand Jérémie eut fini de prononcer tout ce que Yahvé lui avait ordonné de dire au peuple, prêtres et prophètes se saisirent de lui en disant : Tu vas mourir ! » On porte alors l'accusation devant les magistrats de la ville : « C'est la mort que mérite cet homme, car il a prophétisé contre cette ville : vous avez entendu de vos oreilles ! » (Jr **26** 7-11). Jérémie fut sauvé de la mort grâce à l'intervention de puissants amis; mais un autre prophète, Uriyyahu, qui avait, lui aussi, parlé contre Jérusalem et le Temple, ne put échapper à la mort (Jr **26** 20-23).

Le récit reconstitué plus haut est donc parfaitement cohérent et se suffit à lui-même. Ce devait être celui du Mt-intermédiaire, repris du Document A.

2. *Les additions de l'ultime Rédacteur matthéen.* Les éléments que le récit actuel de Mt contient en plus du texte que nous avons reconstitué plus haut rompent l'harmonie du récit primitif. Puisque les membres du Sanhédrin ont un motif valable de condamner Jésus à mort, on comprend mal que le Grand Prêtre intervienne à nouveau par une question (v. 63b) qui a pour but de prendre Jésus en défaut, de façon à trouver un motif valable de le condamner à mort; c'est en effet le sens de la réflexion du Grand Prêtre au v. 65b : « Qu'avons-nous encore besoin de témoins? Voilà, à l'instant, vous avez entendu le blasphème ! » Très bien en situation dans le récit de Mc (cf. *infra*), cette exclamation ne se comprend pas dans le récit de Mt où les témoins ont porté une accusation de blasphème parfaitement valable aux yeux de la loi juive. Essayons de préciser ces ajouts faits par l'ultime Rédacteur matthéen sous l'influence du récit du Mc-intermédiaire.

a) Il a d'abord ajouté le v. 60a, sous l'influence du v. 56a de Mc, transposant dans cet ajout la mention des « témoins » (qu'il change en « faux témoins ») qui devait se lire dans le Mt-intermédiaire : « deux (témoins) s'étant approchés... » (v. 60b). La suture entre l'ajout du v. 60a et le v. 60b (Mt-intermédiaire) est faite au moyen de l'adverbe « finalement », typique du style de l'ultime Rédacteur matthéen (*hysteron* : 7/0/1/1/0/1).

b) Au v. 61, le thème de la reconstruction du Temple en *trois jours* fait évidemment allusion à la résurrection de Jésus « le troisième jour », ou, comme dit Mc, « après trois jours » (Mc **8** 31); il suppose que le corps du Christ ressuscité deviendra le Temple, le centre du culte dans l'alliance nouvelle (Jn **2** 19 ss.). Mais il est vraisemblable que, ici comme dans les annonces de la Passion (voir note § 166), la précision : « et en trois jours le rebâtir », est une addition du Mc-intermédiaire qui sera passée dans le texte de Mt.

c) Les vv. 63 (sauf le début : « Mais Jésus se taisait ») et 64 sont un ajout fait sous l'influence de Mc **14** 61b-62. Au v. 63, la phrase : « Je t'adjure par *le Dieu vivant* de nous dire si *tu es le Christ, le Fils de Dieu* », rappelle la confession de Pierre à Césarée : « Tu es le Christ, le Fils du Dieu vivant »

(Mt **16** 16); on notera que l'expression « Dieu vivant » ne se lit nulle part ailleurs dans les évangiles; or, dans Mt **16** 16, la confession de foi, sous cette forme longue, est de l'ultime Rédacteur matthéen (note § 165). C'est pour rappeler la confession de foi de Pierre que ce Rédacteur a modifié le texte qu'il reprend au Mc-intermédiaire. Au v. 64, la réponse de Jésus : « Tu l'as dit », est la même que celle faite à Judas en Mt **26** 25, texte de l'ultime Rédacteur matthéen (note § 317). L'expression « d'ailleurs je vous dis » (*plên legô hymin*) ne se lit ailleurs dans les évangiles qu'en Mt **11** 22.24, où les parallèles de Lc montrent que le « je vous dis » fut ajouté par l'ultime Rédacteur matthéen. Enfin, l'adverbe « désormais » (*ap'arti*) ne se lit ailleurs dans les Synoptiques qu'en Mt **23** 39 et **26** 29; dans le premier texte, le parallèle de Lc montre encore que cet adverbe fut ajouté par l'ultime Rédacteur matthéen.

d) Les vv. 65b-66a (« qu'avons-nous encore... que vous en semble? ») sont repris presque littéralement de Mc. Les quelques variantes sont de l'ultime Rédacteur matthéen : addition de « voilà, à l'instant » (*ide* ne se lit ailleurs dans Mt qu'en **25** 20.22.25, de l'ultime Rédacteur); remplacement de « que vous en paraît-il? » par « que vous en semble? » (*ti hymin* ou *soi dokei*: 6/0/1/1/0). On notera le doublet contenu dans le v. 65 de Mt : « Il a blasphémé » (v. 65a, du Mt-intermédiaire) et « vous avez entendu le blasphème » (v. 65b, ajout en provenance du Mc-intermédiaire).

B) Le récit de Mc

1. *Le récit primitif.*

a) Dans le texte de Mc, un fait littéraire saute aux yeux : à quelques détails près, les vv. 57 et 59 ne font que reprendre le v. 56; on a l'impression d'un dédoublement qui a pour seul but de permettre l'insertion du v. 58 contenant la parole de Jésus contre le Temple, en provenance du texte attesté par Mt **26** 61. Les vv. 57-59 seraient donc secondaires dans le récit attesté par Mc, ajoutés sous l'influence du récit du Document A. Par ailleurs, aux vv. 60-61a, la question du Grand Prêtre à Jésus : « Tu ne réponds rien... », et la remarque que Jésus se taisait, bien en situation dans le récit du Document A (cf. Mt) où les deux témoins sont d'accord pour accuser Jésus, n'ont plus de signification dans Mc : les témoins n'étant pas d'accord (v. 56), leurs accusations n'ont plus aucune valeur et ne peuvent être retenues contre Jésus. Il faut donc considérer également les vv. 60-61a comme un ajout en provenance du récit du Document A. Une fois débarrassé de ces ajouts, le récit de Mc apparaît beaucoup plus homogène :

55 Or les grands prêtres et tout le Sanhédrin cherchaient un témoignage contre Jésus pour le faire mourir, et ils n'en trouvaient pas;

56 car plusieurs témoignaient faussement contre lui, et leurs témoignages n'étaient pas d'accord.

61b Le Grand Prêtre l'interrogeait et lui dit : « Es-tu le Christ, le fils du Béni? »

62 Jésus dit : « Je le suis, et vous verrez le Fils de l'Homme siégeant à la droite de la Puissance et venant avec les nuées du ciel. »

63 Mais le Grand Prêtre, déchirant ses tuniques, dit : « Qu'avons-nous encore besoin de témoins?

64 Vous avez entendu le blasphème! Que vous en paraît-il? » Mais eux tous décrétèrent qu'il méritait la mort.

Sous cette forme, le récit doit remonter au Document B, source principale du Mc-intermédiaire. C'est le Mc-intermédiaire qui a fusionné les récits des Documents A et B, comme il le fait souvent ailleurs.

b) Le récit du Document B est une réinterprétation de celui du Document A, d'où les sections qu'ils ont en commun. Cette réinterprétation fut effectuée dans les milieux chrétiens issus du paganisme, pour lesquels une parole de Jésus contre le Temple passait difficilement pour un blasphème passible de mort. En conséquence, le rôle des témoins (récit du Document A) n'est plus que figuratif, puisqu'ils ne sont pas d'accord. Leurs accusations sont remplacées par une question que le Grand Prêtre pose à Jésus sur sa qualité de Christ et de Fils du Béni; Jésus ayant répondu par l'affirmative, le Grand Prêtre déclare qu'il y a blasphème, et qu'il n'est plus nécessaire de rechercher des témoins puisque tous les assistants l'ont entendu. Mais, pour bien comprendre cette nouvelle version de l'épisode, quelques explications sont nécessaires.

ba) Le Grand Prêtre demande à Jésus s'il est le Christ, i.e. le Messie; mais il ajoute en apposition au titre de « Christ » celui de « fils du Béni ». Par scrupule, les Juifs n'osaient pas prononcer le nom de Yahvé; ils lui substituaient des expressions telles que Adonaï (le Seigneur), Ciel, Très-Haut ou, comme ici, Béni; l'expression de Mc « fils du Béni » a donc même portée que celle de Mt/Lc « fils de Dieu », mais est plus archaïque. Dans la bouche du Grand Prêtre, une telle appellation ne peut avoir le sens qu'elle revêtira dans la tradition chrétienne : deuxième personne de la Trinité; elle a seulement une portée messianique. Dans l'AT, en effet, les relations entre le roi d'Israël, successeur de David, et Dieu, sont celles d'un fils à l'égard de son père (2 S 7 14; Ps 89 27; 2 7), ce qui implique une protection efficace de Dieu (cf. Sg 2 18-20). C'est en ce dernier sens que l'expression « fils de Dieu » sera reprise en Mt 27 40.43, en référence à Sg 2 18 (voir note § 352), et c'est en ce sens qu'il faut aussi l'entendre dans la bouche du Grand Prêtre : « Es-tu le Christ, le roi messianique dont la protection de Dieu doit assurer le triomphe sur ses ennemis? »

bb) A la question du Grand Prêtre, Jésus répond affirmativement : « Je le suis » (v. 62). Les membres du Sanhédrin auront eux-mêmes la preuve que Jésus dit vrai : « *Vous verrez le Fils de l'homme siégeant à la droite de la Puissance et venant avec les nuées du ciel.* » Cette preuve sera donc donnée par la réalisation en Jésus de deux oracles de l'AT : Ps 110 1 et Dn 7 13. L'interprétation du premier de ces oracles ne fait pas difficulté. Dans le psaume, Dieu dit au roi messianique : « Siège à ma droite; tes ennemis, j'en ferai ton marchepied. » Unanimement, la tradition chrétienne a compris que cet oracle avait été réalisé par la résurrection de Jésus et son exaltation en gloire (Mc 16 19; Rm 8 34; Ep 1 20; Col 3 1; 1 P 3 22); résurrection et exaltation ont constitué aussi son

intronisation comme Christ et Seigneur (Ac 2 34-36), comme roi messianique (1 Co 15 25), et comme « Fils » par excellence (Ac 13 33-34; He 1 3.5.13). La preuve que Jésus est bien le Christ et que Dieu le protège de la mort (« fils du Béni ») sera donc donnée par sa résurrection et son exaltation dans la gloire de Dieu.

bc) La seconde citation (Dn 7 13) est plus difficile à comprendre. En s'appuyant sur le parallèle de Mc 13 26 (§ 297), on a souvent interprété ce texte au sens d'un « retour » du Christ, considéré comme imminent puisque les membres du Sanhédrin le « verront ». L'oracle de Daniel a cependant un sens différent : « Je voyais, dans la vision de la nuit, et voici, venant (= allant) avec les nuées du ciel, comme un Fils d'homme; il s'avança jusqu'à l'Ancien des Jours (= Dieu) et fut conduit en sa présence; à lui fut donné empire, honneur et royaume... » Le Fils d'homme ne descend pas du ciel sur la terre, il monte au contraire jusqu'au trône de Dieu pour y recevoir l'investiture royale. C'est dans ce sens d'une « montée » auprès de Dieu que la tradition johannique a compris le terme de « Fils de l'homme », presque toujours lié aux verbes « monter » (Jn 3 13; 6 62), « être élevé » (Jn 3 14; 8 28; 12 34), « être glorifié » (Jn 12 23; 13 31). Ici, le lien avec le Ps 110 1 – de même que le contexte d'introduction messianique et royale (v. 61b) – invite à comprendre la citation de Dn 7 13 dans le sens d'une « montée » du Fils de l'homme jusqu'à la droite de Dieu, pour y recevoir l'investiture royale (T.W. Manson, J.A.T. Robinson). Cette interprétation offre toutefois une difficulté : pourquoi la « venue » avec les nuées du ciel est-elle mentionnée *après* la session à la droite de Dieu si elle doit la précéder (construction d'autant plus anormale qu'elle coupe en deux la citation de Dn 7 13)? On peut se demander si les mots « et venant avec les nuées du ciel », absents du texte de Lc qui dépend directement du Document B (cf. *infra*), ne seraient pas une addition au texte primitif. La phrase : « vous verrez le Fils de l'homme siégeant à la droite de la Puissance (= de Dieu) », suffisait à évoquer, et la vision de Dn 7 13-14 par la simple mention du Fils de l'homme, et l'oracle de Ps 110 1 où Dieu invite le roi messianique à venir siéger à sa droite.

bd) La réinterprétation du récit du Document A par le Document B ne faussait pas le sens de la scène. On a compris que, si Jésus s'en prend au Temple de Jérusalem, signe de la présence de Dieu et donc garant de l'ancienne alliance, c'est qu'il agit en Messie venu instaurer un ordre nouveau; on transpose donc le débat en catégories plus immédiatement accessibles aux esprits non juifs : Jésus est-il oui ou non le Christ? Cette transposition avait un double avantage. D'une part, elle permettait d'introduire dans la réponse de Jésus une allusion à la résurrection, par le biais du Ps 110 1, et donc de donner la véritable réponse à la question de la messianité de Jésus face aux objections du judaïsme : Jésus est bien le Messie, puisque, par sa résurrection, Dieu l'a fait triompher de la mort et de tous ses ennemis, thème apologétique que l'on retrouve partout dans le NT et que Jn a développé dans son récit de l'expulsion des vendeurs du Temple (§ 77). – D'autre part, cette réinterprétation du récit primitif donnait du « blasphème » reproché à Jésus une représentation plus compréhensible pour des non-Juifs, bien que moins exacte; Jésus reconnaît qu'il est le Christ, *le Fils de Dieu;* on a vu que cette dernière expression avait un sens messianique et non transcendant; mais, à la lumière d'une théologie chrétienne plus évoluée, elle devait évoquer la divinité de Jésus au sens transcendant, et donc apparaître comme un « blasphème ».

2. *Les ajouts de l'ultime Rédacteur marcien.* On l'a dit plus haut, c'est le Mc-intermédiaire qui a fusionné les récits des Documents A et B, et cette fusion est passée du Mc-intermédiaire dans l'ultime Rédaction matthéenne. Il reste encore à indiquer quelques modifications apportées par l'ultime Rédacteur marco-lucanien.

Le v. 58 de Mc commence ainsi : « Nous l'avons entendu dire... » *(hèmeis èkousamen autou legontos);* une telle structure grammaticale (verbe *akouein* suivi d'un participe au génitif construit sur un pronom) est ignorée de Mt et ne se lit ailleurs chez Mc qu'en **12** 28, par influence lucanienne (note § 285); elle est au contraire fréquente dans les Actes (dix fois) et se lit précisément dans le parallèle de Ac **6** 14 : « Nous l'avons entendu dire que Jésus le Nazôréen détruirait ce Lieu (= le Temple) »; cf. aussi **6** 11. Notons encore que Mc **14** 58 ajoute au texte repris du Document A les expressions « fait de main d'homme » et, plus loin, « non fait de main d'homme »; or la première de ces expressions complémentaires se lit en Ac **7** 48, à propos du Temple comme ici (cf. également Ac **17** 24). On attribuera donc à l'ultime Rédacteur marco-lucanien, au v. 58, la formule « nous l'avons entendu dire », et les deux expressions « fait de main d'homme » et « non fait de main d'homme ».

C) LE RÉCIT DU PROTO-LC

1. Le récit actuel de Lc devait se trouver déjà, substantiellement, dans le proto-Lc, comme le prouvent les nombreux accords de Lc avec Jn **10** 24 ss. (§ 264). Comme Lc, Jn fait interroger Jésus par l'ensemble des chefs religieux (les « Juifs »), et non par le seul Grand Prêtre. Comme Lc, Jn distingue un double problème : Jésus est-il le Christ (v. 24, cf. Lc **22** 67), Jésus est-il le Fils de Dieu (vv. 33-36, cf. Lc **22** 71)? Enfin et surtout, la formulation littéraire de Jn **10** 24b-25 est très proche de celle de Lc **22** 67 s. (voir les textes en parallèle dans le vol. I). Lc et Jn dépendent donc tous deux du proto-Lc.

2. Le texte actuel de Lc semble tronqué. Il manque évidemment quelque chose entre les vv. 66 et 67, car la séquence : « ils l'emmenèrent à leur Sanhédrin disant... », est inadmissible; la réflexion du Grand Prêtre au v. 71 suppose d'ailleurs un texte où, au début, il était dit que l'on cherchait un témoignage contre Jésus (cf. Mc **14** 55). On s'étonne également que le récit de Lc se termine sans conclusion : aucune accusation de blasphème et pas de décision de mettre Jésus à mort ! Mais ces lacunes du texte de Lc ne se trouvaient pas dans le proto-Lc, car Jn atteste un récit complet : en **10** 25b, le témoignage des œuvres s'oppose au faux témoignage des adversaires

de Jésus (cf. Mc **14** 55); en **10** 33.36, les Juifs accusent Jésus de blasphème et pour ce motif veulent le lapider (vv. 31.39). Jn dépend donc d'un proto-Lc dont le récit a été amputé de son début et de sa conclusion par l'ultime Rédacteur lucanien, pour une raison qui nous échappe (sur ce problème, voir Introd., II F 1 b 1).

3. A quelle tradition se rattache ce proto-Lc? Il est visible que Lc et Jn ne contiennent aucune des caractéristiques du récit du Document A : Jésus n'est pas accusé d'avoir prononcé une parole contre le Temple (Jn **2** 19 appartient à un autre contexte) et il n'y a aucune allusion au « silence » de Jésus devant ses accusateurs (cf. Mt **26** 61-63a). En revanche, les récits de Lc et de Jn sont centrés sur la double accusation de se dire le Christ et de se prétendre fils de Dieu, ce qui forme l'essentiel du récit du Document B. On peut donc penser que le proto-Lc dépendait ici directement du Document B. On a noté plus haut que, en Lc **22** 69, l'absence des mots : « et venant avec les nuées du ciel », pourrait correspondre au texte primitif du Document B.

D) PROBLÈME DE CHRONOLOGIE

Un dernier problème littéraire se pose touchant le récit du procès de Jésus devant le Sanhédrin : à quel moment aurait eu lieu cet épisode, selon les Documents A et B?

1. Selon Mt et Mc, le procès de Jésus aurait eu lieu pendant la nuit, peu de temps après son arrestation (cf. Mt **26** 57b.59; Mc **14** 53b.55). Mais les récits de Mt et de Mc présentent deux anomalies. D'une part, ce récit du procès devant le Sanhédrin est inséré maladroitement dans le récit des reniements de Pierre (cf. note § 339, I A 2); d'autre part, il y aurait eu deux réunions successives du Sanhédrin, l'une durant la nuit (§ 342) et la seconde au petit matin (§ 345 : Mt **27** 1-2 et Mc **15** 1), ce qui est d'autant moins vraisemblable que la seconde réunion ne semble avoir aucun but très précis. A y regarder de près, d'ailleurs, ces deux réunions du Sanhédrin, au moins dans Mt, sont exprimées en termes tellement semblables que l'on pense aussitôt à un doublet :

Mt 26	Mt 27
57b ... chez Caïphe le Grand Prêtre où les scribes et les anciens	
se réunirent.	1 Le matin étant arrivé, tinrent un conseil
59 Or les grands prêtres et le Sanhédrin tout entier cherchaient un faux té-[moignage	tous les grands prêtres et les anciens du peuple
contre Jésus en vue de le faire mourir.	contre Jésus afin de le faire mourir.

Les textes de Mc **14** 53b.55 et **15** 1a donnent moins l'impression d'un doublet, mais cela peut provenir de ce que Mc s'est montré plus habile que Mt.

2. Les constatations précédentes nous amènent à formuler l'hypothèse suivante : dans les Documents A et B, il n'y avait qu'une réunion du Sanhédrin, *le matin*, destinée à instruire le procès de Jésus et à le condamner à mort. C'est le Mc-intermédiaire qui transféra le procès de Jésus durant la nuit et l'inséra maladroitement dans le récit des reniements de Pierre ; il le fit peut-être pour tenir compte des données du Document C qui plaçait durant la nuit une comparution de Jésus devant le Grand Prêtre (cf. *infra*, II) ; en effectuant ce transfert, le Mc-intermédiaire dédoubla le récit de la réunion des membres du Sanhédrin (**14** 53b. 55 et **15** 1), de façon à conserver en **15** 1 le thème du Sanhédrin qui envoie Jésus à Pilate. – Comme le Document A, le Mt-intermédiaire avait une seule réunion du Sanhédrin, le matin, pour condamner Jésus ; c'est l'ultime Rédacteur matthéen qui a effectué le transfert du procès et le dédoublement de la réunion des membres du Sanhédrin, sous l'influence du Mc-intermédiaire et selon les mêmes procédés. – Le proto-Lc devait avoir : la comparution de Jésus devant le Grand Prêtre (Anne) durant la nuit, encore attestée par Jn **18** 13a.19-23 (note § 340, I), en provenance du Document C, et le procès de Jésus devant le Sanhédrin au petit matin, en dépendance du Document B (Lc **22** 66).

3. Voici comment on pourrait reconstituer la séquence des événements qui se passèrent le matin selon le Document A, en tenant compte des données de Mt **26** 57b.59 et **27** 1, qui ne formaient primitivement qu'un seul texte.

Le matin étant arrivé, tinrent un conseil (**27** 1) les grands prêtres et le Sanhédrin tout entier (et) ils cherchaient un () témoignage contre Jésus en vue de le faire mourir (**26** 59).

Suivaient le récit du procès, tel que nous l'avons reconstitué *supra* (I A 1 a), puis le récit des outrages à Jésus prophète (§ 343, voir la note) ; l'ensemble se terminait par les détails donnés en Mt **27** 2 : « Et, l'ayant lié, ils l'emmenèrent et le livrèrent à Pilate (). »

II. HISTORICITÉ DU PROCÈS DE JÉSUS

Depuis longtemps, de nombreux auteurs ont contesté l'historicité du procès de Jésus devant le Sanhédrin. Il n'est pas question de reprendre en détail les arguments avancés contre cette authenticité, ni les réponses qui leur ont été opposées. Nous voudrions seulement montrer comment la critique des textes, telle que nous l'avons menée, permet de préciser les véritables données du problème.

1. *Objections contre l'authenticité.* Voici quelques-unes des objections formulées contre l'authenticité du procès, appuyées sur des arguments d'ordre littéraire :

a) On a objecté, avec raison, qu'une séance de nuit du Sanhédrin était peu vraisemblable, vu la difficulté de réunir tous les membres de cette assemblée en pleine nuit ; de plus, même si une telle séance avait eu lieu, le droit juif interdisait d'y prononcer une sentence de mort. Le récit de Mt/Mc est donc peu vraisemblable. – Mais la critique des textes a montré que,

dans les Documents A et B, la réunion du Sanhédrin avait eu lieu le matin, et non dans la nuit.

b) On a fait également remarquer que le récit du procès de Jésus était inséré maladroitement dans le récit du reniement de Pierre (selon Mt/Mc), ce qui serait l'indice d'une rédaction plus tardive, et donc historiquement moins assurée. – Mais la critique des textes a montré que, dans les Documents A et B, le récit du procès ne venait pas couper maladroitement celui des reniements de Pierre.

c) On a objecté encore que le récit du procès devant le Sanhédrin ne serait qu'un dédoublement, pour raison de polémique anti-juive, du procès devant Pilate. Il est vrai, en effet, que les vv. 62-64a de Mt et 60-62a de Mc ressemblent étrangement aux vv. 11-14 du chap. **27** de Mt et 2-5 du chap. **15** de Mc (§ 347) ; par ailleurs, procès devant le Sanhédrin et comparution devant Pilate sont suivis d'une séance de moqueries contre Jésus qui offrent des analogies incontestables (§§ 343 et 350). – Mais la critique des textes a montré que les vv. 62-64a de Mt (et leur parallèle marcien) ne se lisaient pas dans le Document A ; on ne peut donc les utiliser pour arguer d'un parallélisme entre le procès devant le Sanhédrin et la comparution de Jésus devant Pilate.

On le voit, un certain nombre des objections que l'on a élevées contre l'authenticité du procès de Jésus devant le Sanhédrin disparaissent.

2. Mais il reste le curieux problème posé par l'évangile de Jn. D'après les analyses faites plus haut (I C 1), Jn lisait le récit du procès devant le Sanhédrin dans le proto-Lc qui l'avait lui-même repris du Document B. Or, Jn rejette cet événement, au moins sous la forme que lui ont donnée les Synoptiques ! Selon lui, en effet, Pilate aurait dit aux Juifs : « Prenez-le vous-mêmes et jugez-le selon votre loi » (Jn **18** 31), paroles incompréhensibles si Jésus venait d'être jugé et condamné à mort par le Sanhédrin, comme le disent les Synoptiques ! D'autre part, Jn reprend bien les données fondamentales du récit du procès devant le Sanhédrin, mais il leur donne une portée nettement différente ; en **10** 22 ss. (§ 264), nous n'avons plus un interrogatoire de Jésus par le Grand Prêtre, en présence de tout le Sanhédrin, mais une simple discussion entre Jésus et « les Juifs » (= les chefs du peuple), lors de la fête de la Dédicace (en décembre), au sujet de la véritable identité de Jésus. Pour Jn, donc, il n'y eut pas de « procès de Jésus » devant le Sanhédrin. Quelle est la raison de ce refus johannique ? Serait-ce par souci d'innocenter les Juifs ? Non, car, dans la comparution de Jésus devant Pilate, Jn est celui qui accentue le plus la culpabilité des grands prêtres arrachant à Pilate, contre son gré, la mort de Jésus. Cette raison serait-elle alors que Jn *sait* qu'il n'y eut pas de procès officiel de Jésus devant le Sanhédrin ? Il connaît et utilise, en effet, le Document C, de rédaction certainement très archaïque ; or, selon ce Document, il y eut bien une comparution de Jésus devant le Grand Prêtre durant la nuit (Jn **18** 19-23 et note § 340, I), mais ce fut un simple interrogatoire privé ; nous ne trouvons aucune trace, dans le Document C, d'un « procès de Jésus » devant le Sanhédrin.

Si l'on adopte la tradition suivie par Jn (R.E. Brown),

accusera-t-on les Synoptiques d'avoir faussé la vérité historique? Non, ils auraient seulement systématisé ce que Jn dit d'une façon plus nuancée. On peut admettre qu'il y eut effectivement une réunion du Sanhédrin le matin qui suivit l'arrestation de Jésus, ne serait-ce que pour préciser les modalités des accusations que l'on allait porter contre lui devant Pilate. Prenant occasion de ce fait, la tradition synoptique (déjà au niveau du Document A) aura voulu « historiciser » ce qui fut effectivement la cause de la mort de Jésus : l'hostilité de plus en plus grande des dirigeants juifs (surtout les grands prêtres), qui, dans Jn, atteint son point culminant lors de la fête de la Dédicace.

3. Quels furent alors les véritables instigateurs de la mort de Jésus? Le récit du Document A nous met sur la voie lorsqu'il présente le « procès » de Jésus centré sur une parole que le Christ aurait prononcée contre le Temple (cf. *supra*). Le Mc-intermédiaire obéit aux mêmes préoccupations lorsqu'il signale, aussitôt après le récit de l'expulsion des vendeurs du Temple, la volonté des grands prêtres de mettre Jésus à mort (Mc **11** 18; cf. note § 275). On peut raisonnablement penser que les artisans de cette mort furent, avant tout, les membres de la caste sacerdotale, exaspérés de voir Jésus se poser en réformateur religieux à propos des usages cultuels en vigueur de son temps.

Note § **343**. *OUTRAGES A JÉSUS PROPHÈTE*

Cette scène d'outrages est placée par Mt/Mc immédiatement après le procès de Jésus devant le Sanhédrin, dont elle est la conséquence : après avoir condamné Jésus, les membres du Sanhédrin se moquent de lui. Dans Lc, elle suit les reniements de Pierre; les membres du Sanhédrin ne s'étant pas encore rassemblés, ce sont les gens qui gardent Jésus qui se moquent de lui. Mais ce changement de personnes est dû à un artifice littéraire de Lc, car les mots : « et les hommes qui le gardaient » (v. 63a), sont typiquement lucaniens (« les hommes », *hoi andres*, un des mots favoris de Lc/Ac; « garder », *synechein*: 1/0/6/0/3/2). Jn ne raconte pas de scène analogue; il note cependant qu'un valet donna une gifle à Jésus lors de l'interrogatoire par le Grand Prêtre (**18** 22).

I. LES DIVERSES TRADITIONS

Puisque cet épisode est étroitement lié au procès de Jésus devant le Sanhédrin, on peut s'attendre à y retrouver les mêmes traditions fondamentales.

1. *Jésus bafoué comme prophète*. La forme la plus simple du récit se lit dans Lc : après avoir couvert Jésus d'un voile, on le frappe en lui demandant : « Fais le prophète ! Quel est celui qui t'a frappé ? » Tout y est donc centré sur des moqueries tournant en dérision la prétention de Jésus au titre de prophète. Une telle scène de moqueries s'harmonise parfaitement avec le récit du procès de Jésus tel qu'il était raconté dans le Document A : Jésus est condamné à mort pour avoir prophétisé la ruine du Temple, comme l'avait fait jadis le prophète Jérémie (cf. note § 342, I A 1).

2. *Jésus bafoué comme Messie*. Pour retrouver cette tradition à l'état pur, il faut se reporter à l'évangile de Pierre (pseudo-Pierre 9; cf. vol. I, p. 321). On y lit en effet : « Et d'autres assistants *lui crachaient au visage*, et d'autres *le giflaient sur les*

joues... et certains le flagellaient (ou : le battaient *de coups*) en disant : Avec cet honneur honorons le Fils de Dieu. » Cette scène de moqueries du pseudo-Pierre reprend manifestement la description de Is **50** 6 (LXX) concernant le Serviteur de Yahvé : « J'ai offert mon dos *aux coups* et *mes joues aux gifles*; je n'ai pas détourné *mon visage* de la honte *des crachats*. » Le contexte du pseudo-Pierre ne fait aucune allusion à une « prophétie » de Jésus ou à des outrages que Jésus aurait reçu en tant que prophète. En revanche, on le bafoue en tant que « Fils de Dieu », ce qui évoque le récit du procès de Jésus dans le Document B, où Jésus affirme être le Christ, le Fils de Dieu (cette dernière expression étant à prendre au sens messianique, cf. note § 342, I B 1 b *aa*).

3. Notons enfin la tradition du Document C, beaucoup plus sobre : sur une réponse de Jésus au Grand Prêtre, un valet lui donne une gifle en disant : « C'est ainsi que tu réponds au Grand Prêtre? » (Jn **18** 22; voir note § 340, I 1).

4. *Les traditions mêlées*. Ces trois récits fondamentaux se retrouvent, mêlés, aussi bien dans Mc que dans Mt, mais de façon différente.

a) Dans Mc, les expressions : « et à voiler son visage... et à lui dire : Fais le prophète! », sont reprises de la tradition du Document A (on notera que les mss D a f ont abandonné le texte de Mc : « à cracher sur lui et à voiler son visage », pour adopter celui de Mt : « à lui cracher au visage »; dans le Texte Césaréen, l'harmonisation avec Mt n'est que partielle). – Les expressions : « à cracher sur lui... et à le souffleter », sont reprises de la tradition du Document B (allusions à Is **50** 6). – Enfin la finale : « Et les valets le traitèrent avec des gifles », dépend du Document C. Mc a en commun avec Jn les deux mots « valets » et « gifle »; mais le mot « valet » (*hypèretès*) ne se lit ailleurs dans Mc qu'en **14** 54, tandis qu'on le lit neuf fois dans Jn, dont huit fois pour désigner les valets des grands prêtres.

b) Dans Mt, le récit du Document A se retrouve au v. 68 :

« ... disant : Fais-nous le prophète... quel est celui qui t'a frappé ? » (Mt ne reprend pas le thème du visage qu'on voile). – Le récit du Document B se lit au v. 67 : « ils lui crachèrent au visage et le souffletèrent. » – Enfin on pourrait retrouver une allusion au récit du Document C dans la suite du v. 67 : « d'autres le giflèrent », qui fait doublet avec « et le souffletèrent ».

II. ÉVOLUTION DES DIVERSES TRADITIONS

Nous avons vu que le récit des outrages à Jésus prophète provenait de trois traditions distinctes : celle du Document A, celle du Document B, enfin celle du Document C. Comment se sont-elles transmises pour donner nos récits actuels de Mt, Mc et Lc ?

1. Lc **22** 63b-64 reproduit, presque à l'état pur, le récit du Document A ; il s'agit d'un texte du proto-Lc, auquel l'ultime Rédacteur lucanien ajouta les vv. 63a et 65. Le proto-Lc tient-il ce récit directement du Document A ? Il ne semble pas, car ce serait le seul cas où ce proto-Lc montrerait une connaissance directe du Document A. Le mieux est donc de penser que, comme à l'ordinaire, le proto-Lc dépend ici du Mt-intermédiaire, moyennant probablement quelques retouches mineures.

2. Si le Mt-intermédiaire, au témoignage du proto-Lc, avait gardé à peu près pur le récit du Document A, on attri-buera à l'ultime Rédacteur matthéen l'ensemble du v. 67 contenant, d'une part les éléments en provenance du Document B : « ils lui crachèrent au visage et le souffletèrent », d'autre part l'allusion au récit du Document C : « d'autres le giflèrent ». L'ultime Rédacteur matthéen reprend ces diverses données au Mc-intermédiaire. Mais on notera qu'il a en même temps éliminé le thème du voile dont on avait couvert Jésus, partie essentielle du récit du Document A.

3. C'est au niveau du Mc-intermédiaire que s'est faite la fusion entre les trois traditions : Document A, Document B, Document C. L'ultime Rédacteur marcien effectua, à ce qu'il semble, une légère retouche au texte du Mc-intermédiaire. L'expression « son visage » est liée au verbe « voiler », contrairement au témoignage de Lc, tandis que dans Mt elle est liée au verbe « cracher » ; or le texte de Mt semble meilleur que celui de Mc puisqu'on lit en Is **50** 6 : « je n'ai pas détourné *mon visage* de la honte *des crachats* », thème que l'on retrouve dans le pseudo-Pierre : « ... lui crachaient au visage » ; on peut donc conclure que c'est l'ultime Rédacteur marcien qui a changé de place l'expression « son visage », peut-être pour éviter le réalisme trop appuyé de Jésus recevant des crachats au visage.

III. Depuis longtemps, on a fait remarquer le peu de vraisemblance d'une telle scène, de la part des membres du Sanhédrin. L'analyse littéraire a montré par ailleurs le caractère « théologique » de la scène, au moins dans les Documents A et B, en liaison avec les détails de la scène précédente. Pour ces raisons, Jn **18** 22, écho du récit du Document C, serait probablement plus proche de la réalité des faits.

Note § **344.** *RENIEMENTS DE PIERRE*

Voir le commentaire de cet épisode à la note § 340, II.

Note § **345.** *JÉSUS CONDUIT A PILATE*

1. *Les récits de Mc/Mt.* Mc et Mt mentionnent une réunion du Sanhédrin le matin qui suivit l'arrestation de Jésus, réunion qui n'a d'autre but, semble-t-il, que de conduire Jésus à Pilate. Il est peu vraisemblable que le Sanhédrin se soit réuni deux fois de suite, à quelques heures d'intervalle. Mais, dans les Documents A et B, la réunion du Sanhédrin qui condamna Jésus à mort avait lieu, non pas durant la nuit, aussitôt après l'arrestation de Jésus, mais le matin (cf. note § 342). Les vv. 1 de Mt et 1a de Mc constituaient donc, dans les Documents A (Mt) et B (Mc), l'introduction au récit du procès de Jésus devant le Sanhédrin (note § 342).

Les vv. 2 de Mt et 1b de Mc formaient alors la suite logique de ce procès : après avoir décidé la mort de Jésus, on le conduit devant Pilate. Comme pour la comparution de Jésus devant Pilate (notes §§ 347, 349), les textes des Documents A et B devaient être assez semblables, d'où leur similitude dans le Mt-intermédiaire et le Mc-intermédiaire, et enfin dans Mt et Mc tels que nous les avons maintenant. L'ultime Rédacteur matthéen a ajouté le titre de « gouverneur » (*ègemón*) après le nom de Pilate (cf. vv. 11.14-15.21.27 et **28** 14).

2. *Les récits de Lc/Jn.* Puisque Lc place le procès de Jésus devant le Sanhédrin le matin qui suivit l'arrestation, il ne mentionne pas ici une nouvelle réunion du Sanhédrin : son v. 1 fait suite à la conclusion du procès de Jésus. Le début de ce v. 1 est de style typiquement lucanien, avec la formule « toute leur multitude » (*apan to plèthos*, cf. Lc **1** 10 ; **8** 37 ; **19** 37 ; Ac **6** 5 ; **15** 12 ; **25** 24 ; *plèthos* : 0/2/8/2/17). Les textes de Lc et de Jn sont assez semblables et se distinguent nettement de celui de Mc/Mt : ils omettent le détail de Jésus lié

par les membres du Sanhédrin (mais cf. Jn **18** 12.24), ils ont en commun le verbe « mener » (*agein*), comme au § 339; ils ne disent pas que Jésus fut « livré » à Pilate. Tous deux dépendent ici du proto-Lc comme ce sera encore le cas pour la comparution de Jésus devant Pilate. Puisque, pour le récit de cette comparution, le proto-Lc dépend du Mt-intermédiaire (cf. notes §§ 347, 349), on peut penser qu'il en est de même ici.

Dans Jn, les mots « de chez Caïphe » sont du Rédacteur johannique (cf. note § 339, I B 3), comme aussi le remplacement de « Pilate » par « prétoire » (cf. Jn **18** 33; **19** 9). Le v. 28b de Jn prépare le jeu de scène qui va courir tout au long du récit johannique des §§ 347, 349 : les allées et venues de Pilate entre l'intérieur et l'extérieur du prétoire. La mention de la Pâque indique que, pour Jn, nous sommes au 14 nisan (avril), et donc que Jésus n'a pas célébré la Pâque avec ses disciples, à moins qu'il n'ait anticipé d'un jour.

Note § **346**. *MORT DE JUDAS*

Des quatre évangiles, Mt est le seul à raconter la mort de Judas, mais Ac **1** 15-20 relate aussi l'événement. Les deux récits sont fort différents; ils ont cependant en commun, outre le fait de la mort de Judas (présentée comme une conséquence de sa trahison), l'acquisition d'un domaine (ou d'un champ) grâce à l'argent donné comme prix de la trahison, domaine qui fut appelé ensuite « domaine (ou champ) du sang »; toutefois, dans Mt le champ fut acheté par les grands prêtres, dans Ac par Judas lui-même. Derrière ces deux récits on sent une tradition, probablement orale, qui a pu circuler sous des formes diverses.

I. LES INTENTIONS THÉOLOGIQUES

Dans le récit de Mt, on perçoit facilement un certain nombre d'intentions théologiques qui ont influencé la rédaction du texte.

1. Ce récit est manifestement en relation avec celui de la trahison de Judas selon sa version matthéenne, tous deux utilisant le texte de Za **11** 12-13 (cf. Mt **26** 15, § 314). Mt veut montrer que trahison et mort de Judas s'inscrivent dans le plan divin qu'annonçaient déjà les prophètes de l'AT. C'est une nouvelle occasion pour lui d'exprimer son thème favori de l'accomplissement des Écritures.

2. On peut se demander pourquoi Mt parle de pendaison, tandis que le récit des Actes dit que Judas « est tombé la tête la première et a éclaté par le milieu et toutes ses entrailles se sont répandues ». La divergence est d'autant plus notable que les cas de suicide (cf. Mt) sont très rares dans la Bible. Le verbe employé par Mt pour évoquer cette pendaison est *epanchesthai* (v. 5), qui ne se lit nulle part ailleurs dans le NT mais quatre fois dans la Septante, en particulier dans 2 S **17** 23. En réservant à Judas le même sort qu'à Ahitophel, Mt a peut-être voulu rapprocher les deux traîtres (P. Benoit). Ahitophel avait proposé à Absalom la mort de son père David (2 S **17** 1 ss.), comme Judas proposa aux grands prêtres l'arrestation de Jésus (§ 314). Toutefois, Ahitophel se pend parce qu'Absalom n'a pas suivi son conseil. Judas le fait par « remords », pour « avoir livré le sang innocent ».

3. Le récit de la mort de Judas offre deux contacts littéraires importants avec celui du massacre des enfants de Bethléem par Hérode (Mt **2** 16-18) : ils sont introduits par la même formule littéraire, et se terminent par une citation de l'AT précédée de la même phrase :

Mt **2** 16-17	Mt **27** 3.9
Alors Hérode, voyant que... Alors a été accompli ce qui fut dit par Jérémie le prophète, disant :	Alors Judas, voyant que... Alors a été accompli ce qui fut dit par Jérémie le prophète, disant :

Sans doute, la phrase qui introduit la citation est fréquente dans Mt, mais elle comporte certaines variantes de vocabulaire; ici, on a les deux seuls textes où elle offre exactement le même vocabulaire. On retrouverait donc en **27** 3.9 par rapport à **2** 16-17, le style « imitatif » que l'on a déjà reconnu entre Mt **4** 12-14 et **2** 22-23 (note § 28, I 3). Le rapprochement entre Mt **27** 3.9 et Mt **2** 16 ss. est intéressant pour deux raisons.

a) Hérode fait massacrer les enfants de Bethléem en vue d'éliminer le « roi des Juifs » (Mt **2** 2.16); c'est le motif même que Pilate fera inscrire sur la croix de Jésus (Mt **27** 37).

b) Le rapprochement entre Mt **27** 3.9 et **2** 16 ss. apporterait une solution à un difficile problème. On reconnaît que Mt **27** 9b.10 est une citation, non de Jérémie comme le dit Mt, mais de Zacharie (**11** 12-13), faite assez librement sur l'hébreu. L'emprunt à Zacharie ne s'arrête d'ailleurs pas là; il y a une opposition entre la parole de Yahvé au prophète : « Jette-le au Trésor, le beau prix auquel ils m'apprécièrent... Et je les jetai dans le Temple de Yahvé, dans le Trésor », et la réflexion des grands prêtres en Mt : « Il n'est pas permis de les mettre au Qorbana, puisque c'est le prix du sang » (v. 6; sur les rapports entre le Qorbana et le Trésor, voir note § 290). Même si l'on peut voir dans la citation de Za faite par Mt une vague influence de textes comme Jr **32** 6-15, l'attribution de la citation à Jérémie est inacceptable. La confusion ne proviendrait-elle pas de ce que l'ultime Rédacteur matthéen a repris matériellement la formule qui introduit la citation de Jérémie en **2** 17?

4. Enfin, Mt veut souligner la culpabilité des autorités juives. « Pris de remords », Judas rapporte les pièces d'argent

en déclarant : « J'ai péché, ayant livré un sang innocent (*athôios*) » ; les grands prêtres lui répondent : « Que nous importe ? Toi, vois (*su opsèi*) » (v. 4). Or ce verset présente un parallélisme certain avec un autre épisode de la Passion, propre à Mt ; averti par sa femme de ne pas se mêler de cette affaire, Pilate se lave les mains en présence de la foule et dit : « Je suis innocent (*athôios*) de ce sang, à vous de voir (*hymeis opsesthe*) » (**27** 24). Ce sont les deux seuls passages matthéens où se lisent les termes grecs cités ici ; le rapprochement des deux scènes est donc intentionnel. Malgré les tentatives pour sauver Jésus, et de Judas qui reconnaît sa faute devant les grands prêtres, et de Pilate qui propose à la foule de libérer Jésus, les chefs religieux s'enferment dans leur détermination de verser « un sang innocent ».

II. ORIGINE DE CE RÉCIT

1. Sa présentation littéraire remonte sûrement à l'ultime Rédacteur matthéen. On a vu que le remaniement du récit de la trahison de Judas (§ 314), pour y introduire la citation de Zacharie, était l'œuvre de l'ultime Rédacteur matthéen ; ce remaniement visant à préparer le récit de la mort de Judas, on peut attribuer également ce dernier récit à l'ultime Rédacteur matthéen. L'analyse du vocabulaire le confirme. Mt commence son récit par son habituel « alors » (*tote* ; cf. encore le v. 9), de l'ultime Rédacteur. Le participe aoriste utilisé pour désigner le traître (*ho paradous auton*, « qui l'avait livré ») se lit encore en Mt **10** 4, dans une addition de l'ultime Rédacteur. La phrase : « Alors Judas ... voyant que ... », a son parallèle en Mt **2** 16 (cf. *supra*) et trahit le style « imitatif » du Rédacteur. Le participe « voyant », construit avec une proposition complétive, est assez rare dans les évangiles (3/5/2/0/4) ; on ne le rencontre dans Mt qu'en trois textes considérés comme tardifs (**2** 16 ; **27** 3 ; **27** 24) ; on a vu plus haut (I 3-4) que ces trois textes étaient théologiquement liés.

L'expression « les grands prêtres et les anciens (du peuple) » est surtout matthéenne (8/2/1/0/3). Au v. 5, on notera les mots matthéens « sanctuaire » (*naos* : 8/3/4/3/2) et surtout « se retirer » (10/1/0/0/2), comme l'emploi absolu du participe « étant parti » (*apelthôn* : 9/4/4/2/1). Au v. 6, pour l'expression « placer (mettre) de l'argent », cf. Mt **25** 27 (rédactionnel). Au v. 7, « tenir conseil » (*symboulion lambanein*) est propre à Mt (cf. **12** 14 ; **22** 15 ; **27** 1 ; **28** 12). Au v. 8, la particule *dio* (« c'est pourquoi ») ne se lit jamais ailleurs dans Mt, tandis qu'elle est fréquente chez Lc (1/0/2/0/8) ; on l'attribuera à l'ultime Rédacteur matthéo-lucanien. La locution temporelle « jusqu'aujourd'hui » (*heôs tès hèmeras*) rappelle celle de Mt **28** 15 « jusqu'aujourd'hui » (*mechri tès hèmeras*), de l'ultime Rédacteur. Au v. 9, la formule qui introduit la citation de Zacharie correspond au style imitatif du Rédacteur (cf. I 3). Dans la citation, Mt introduit librement l'expression « fils d'Israël » (absente de l'hébreu et de la Septante) ; or elle ne se lit ailleurs qu'une fois dans Lc et cinq fois dans Ac ; de même la formule « ils les donnèrent pour » (*didonai eis*) est lucanienne (1/0/3/1/4). On retrouve donc le style de l'ultime Rédacteur matthéo-lucanien.

2. Il est possible toutefois que l'ultime Rédacteur matthéen dépende d'une tradition matthéenne plus ancienne, qu'il remodèle profondément d'après son propre style. Deux indices permettraient de le penser : d'une part, l'utilisation du mot « Qorbana » (v. 6), signe d'archaïsme si l'on admet les explications proposées à la note § 290 ; d'autre part, l'expression « sang innocent » (v. 4) que l'on retrouve dans Jr **26** 15 s., épisode qui sert de toile de fond au récit du procès devant le Sanhédrin dans le Document A (voir note § 342) ; cette expression continuerait le parallèle entre Jésus et Jérémie développé au § 342.

3. Mais, de toute façon, les intentions théologiques qui commandent en partie la rédaction de Mt **27** 3-10 (cf. I) nous inviteraient à penser que le récit très dépouillé de Ac **1** 15-20 offre de meilleures garanties d'authenticité.

Note § **347.** COMPARUTION DEVANT PILATE
§ **349.** CONDAMNATION A MORT

La comparution de Jésus devant Pilate et sa condamnation à mort sont racontées par les quatre évangiles ; mais, tandis que Mt et Mc sont relativement proches l'un de l'autre, Lc et Jn sont d'accord contre eux sur un grand nombre de détails. Il nous faut donc d'abord préciser les rapports littéraires entre les différents récits afin d'en retrouver les sources, puis nous essaierons de retracer l'évolution théologique des diverses traditions.

I. ANALYSE LITTÉRAIRE DES RÉCITS

A) A LA RECHERCHE DU PROTO-LC

Les récits de Lc et de Jn offrent des affinités certaines. Pour ne citer que les plus importantes, on a dans l'un et l'autre récit trois affirmations par Pilate de l'innocence de Jésus (Lc **23** 4.14.22 ; Jn **18** 38b ; **19** 4.6) et l'affirmation explicite que Pilate veut libérer Jésus (Lc **23** 20 ; Jn **19** 12) ; ces traits communs à Lc et à Jn n'ont pas d'équivalent dans les récits de Mt et de Mc. Le contact littéraire entre Lc et Jn est donc certain. Leurs récits offrent toutefois également des divergences nombreuses et très importantes. Beaucoup s'expliquent par la façon dont Jn utilise ses sources. Deux exemples suffiront à le prouver. D'une part, le récit de Jn offre une structure assez savante, mais en partie artificielle : les Juifs étant restés à l'extérieur du prétoire (**18** 28b) et Jésus, au moins au début, à l'intérieur, il s'ensuit une série d'allées et venues de Pilate, de l'extérieur à l'intérieur du prétoire, selon qu'il discute avec les Juifs ou avec Jésus; le récit est ainsi divisé en sept sections, les sections impaires se passant à l'extérieur et les sections paires à l'intérieur du prétoire, les sections impaires mettant en scène Pilate et les Juifs, les sections paires Pilate et Jésus; une telle structure, propre à Jn, l'a évidemment obligé à transposer certaines données qu'il trouvait dans sa source, comme aussi à ajouter certains épisodes pour compléter ses jeux de scène. D'autre part, Jn insère dans la trame de sa source des développements théologiques sous forme de dialogues, qui sont comme des explicitations, des commentaires, de certains passages de sa source. L'exemple le plus clair est donné aux vv. 33-37. A la fin du v. 33, Pilate pose à Jésus une question : « Tu es le roi des Juifs? », qui se lit dans les trois autres évangiles; suit un dialogue entre Jésus et Pilate, servant à expliciter en quel sens comprendre cette royauté (vv. 34-36); au v. 37, Jn renoue le fil du récit de sa source, rompu par l'addition du dialogue, en faisant poser à nouveau par Pilate la même question qu'au v. 33 : « Donc, tu es roi? », et l'on retrouve le récit des trois Synoptiques avec la réponse de Jésus : « Tu dis que je suis roi. » Jn, on le voit, utilise sa source avec une très grande liberté.

De son côté, le récit de Lc contient des additions et des incohérences qui permettent d'y reconnaître deux couches rédactionnelles. On s'accorde à admettre que la comparution de Jésus devant Hérode (Lc **23** 6-12), inconnue de Jn et faite de morceaux repris d'ailleurs (cf. note § 348), est un ajout à la source que suivait Lc. Mais il faut aller plus loin. Le v. 5 – dont la première partie reprend l'accusation générale du v. 2a et dont la seconde partie reprend un fragment de Ac **10** 37 se terminant par la mention de la Galilée – n'est qu'une cheville rédactionnelle destinée à introduire le récit de la comparution de Jésus devant Hérode (Pilate envoie Jésus vers Hérode parce qu'il vient d'apprendre qu'il est Galiléen, v. 6 !). De même, les vv. 13-16 – où le v. 14 ne fait que reprendre le thème du v. 2a et où le v. 16 pourrait n'être qu'un dédoublement du v. 22c, qui lui est absolument identique – semblent un ajout destiné à renouer le fil du récit primitif, interrompu par l'insertion de la comparution de Jésus devant Hérode (le cas du v. 14b, qui contient la seconde déclaration d'innocence de Jésus par Pilate et qui a donc son parallèle dans Jn, sera envisagé plus loin). En résumé, on peut considérer tout le bloc des vv. 5-16 comme une addition à la source suivie par Lc. Par ailleurs, le début du v. 20 est étrange : Lc écrit que de nouveau Pilate adressa la parole à la foule, mais il ne nous donne aucun renseignement sur ces nouvelles paroles de Pilate.

Ces remarques générales faites à propos de Jn et de Lc nous invitent à essayer de reconstituer au moins le schéma général de la source suivie par Jn et Lc, et d'en préciser la nature et l'origine.

1. *La structure de la source Jn/Lc.*

a) La structure de la source commune à Lc et à Jn est facile à reconstituer dans la première partie du récit. Lc **23** 2-4 et Jn **18** 29-38 offrent en effet la même séquence : les grands prêtres accusent Jésus (vv. 2 de Lc et 29 de Jn), Pilate demande à Jésus s'il est le roi des Juifs (vv. 3a de Lc et

33.37a de Jn), Jésus répond affirmativement (vv. 3b de Lc et 37b de Jn), Pilate déclare qu'il ne trouve aucun motif de condamnation en Jésus (vv. 4 de Lc et 38b de Jn). De ces quatre points, les trois premiers se lisent aussi dans Mt/Mc, mais avec un ordre différent (2,3,1); le quatrième est propre à Lc/Jn. Lc seul, au v. 2, détaille les accusations des grands prêtres contre Jésus, tandis que Jn se contente de noter la question de Pilate : « Quelle accusation portez-vous contre cet homme? » En fait, Jn a transposé à la fin de son récit (**19** 12-15) les détails de Lc **23** 2, spécialement l'accusation la plus grave, celle de s'opposer à César ! Jn **19** 12c : « quiconque se fait roi s'oppose à César », répond assez bien à Lc **23** 2 : « ... empêchant de payer les impôts à César et se disant être Christ, roi ». On ne trouve rien de semblable dans les parallèles de Mt/Mc.

b) Si l'on admet (cf. *supra*) que le bloc des vv. 5-16 est une addition de Lc, la source commune à Lc/Jn se poursuivait par l'épisode de Barabbas (vv. 17-18 de Lc, 39-40 de Jn). Les vv. 18 de Lc et 40 de Jn ont littérairement même structure, très différente de celle des parallèles de Mt (v. 20) et de Mc (v. 11); ils commencent par un verbe semblable à l'aoriste (« ils s'écrièrent » / « ils crièrent »), suivi du participe « disant », qui introduit une phrase de la foule contenant une opposition entre « cet (homme) » (*houtos*) et « Barabbas ». Lc est simplement plus complet; on en verra la raison dans un instant. A propos de ces versets, on notera encore que le « à mort » de Lc (verbe *aire*) se retrouvera plus loin en Jn (« à mort, à mort », *airon, airon*, v. 15).

Le v. 39b de Jn n'a pas de parallèle dans Lc, mais se retrouve presque semblable dans Mc **15** 9 : « Voulez-vous que je vous relâche le roi des Juifs? » On songe spontanément à un ajout de Jn fait d'après Mc. Il est remarquable cependant qu'au lieu d'utiliser le verbe *thelein* (« vouloir »), si fréquent chez lui (vingt-trois fois !) et qui se lit ici dans Mc, Jn le remplace par *boulesthai* (même sens) qu'il n'utilise jamais ailleurs et qui est fréquent surtout dans les Actes (2/1/2/1/14/17) ! Il faut donc exclure l'hypothèse de Jn reprenant cette phrase à Mc. Puisque, on le verra plus loin, la source commune à Lc/Jn est un proto-Lc, la présence du verbe *boulesthai* inviterait à penser que le v. 39b de Jn avait son équivalent dans cette source, et qu'il aurait été omis par l'ultime Rédacteur lucanien.

Le cas du v. 17 de Lc est délicat. Il est omis par les meilleurs témoins du texte alexandrin; il est placé après le v. 19 par le texte occidental (*D*, appuyé par les anciennes versions syriaques), ce qui fait penser à une omission dans le texte occidental, suivie d'une restitution du verset, mais à une mauvaise place. On ne voit pas pourquoi ce verset inoffensif aurait été omis par un scribe ou un réviseur du texte évangélique. Son addition au contraire s'expliquerait assez bien, afin de compléter Lc pour l'harmoniser avec les trois autres évangiles. Il semble donc probable que ce verset ne se trouvait pas dans Lc. Mais, privé de son v. 17 et du parallèle de Jn **19** 39b, le texte actuel de Lc apparaît tronqué, la mention de Barabbas au v. 18 venant sans aucune préparation. On aurait ici un nouveau cas de récit amputé par l'ultime Rédacteur lucanien, comme on l'a constaté pour le procès de Jésus devant le Sanhédrin (cf. note § 342 et Introd., § II F **1** b 1). Jn aurait donc gardé plus fidèlement que Lc le texte de leur source commune. Ajoutons enfin que la brève remarque qui termine le v. 40 de Jn : « Or Barabbas était un brigand », est certainement plus primitive que le long développement du v. 19 de Lc, manifestement influencé par le v. 7 de Mc.

Même si l'on se refuse à voir dans le texte actuel de Lc un texte « tronqué », mieux conservé dans Jn, il reste la similitude de structure entre les vv. 18 de Lc et 40 de Jn pour nous confirmer qu'ils suivent ici encore, au moins en partie, la même source.

c) Après l'épisode de Barabbas, Jn place la flagellation de Jésus et la scène de moqueries des soldats romains (**19** 1-3), que Mt/Mc rejettent à la fin de la comparution de Jésus devant Pilate (vv. 26b et 27-31 de Mt; 15b et 16-20 de Mc). Le texte actuel de Lc semble ignorer flagellation et scène d'outrages. Mais, s'il ne parle jamais de flagellation, il a repris ailleurs divers éléments de la scène de moqueries des soldats : à la fin de la comparution de Jésus devant Hérode (**23** 11; voir note § 348, I 3), et après le crucifiement de Jésus (**23** 36-37; voir note § 352, II 4 c). La source de Lc contenait donc une scène de moqueries faite par les soldats romains. On notera quelques accords Lc/Jn contre Mt/Mc : le verbe « envelopper » (*periballein*, vv. 11 de Lc et 2 de Jn); l'idée que les soldats « viennent à » Jésus (*proserchesthai* au v. 36 de Lc; *erchesthai pros* au v. 3 de Jn); enfin la présence de l'article devant le mot « roi » (vv. 37 de Lc et 3 de Jn). La source Lc/Jn plaçait-elle la scène de moqueries au milieu de la comparution de Jésus devant Pilate, comme Jn, ou à la fin, comme Mt/Mc? Deux indices permettent de penser qu'elle la plaçait au milieu. Comme Jn, Lc garde un élément de cette scène en un épisode (comparution devant Hérode) encastré dans la comparution de Jésus devant Pilate (v. 11). Surtout, le Lc actuel garde la séquence : moqueries des soldats, deuxième affirmation de l'innocence de Jésus (vv. 11 et 14), comme Jn (vv. 2-3 d'une part, v. 4 d'autre part). Ici encore, Jn semble avoir conservé, mieux que Lc, la structure de leur source commune.

d) On a fait remarquer au début que le v. 20 de Lc était étrange : on ne sait rien de ce que Pilate déclare à la foule ! C'est d'autant plus anormal que Lc précise à propos de Pilate : « voulant relâcher Jésus »; il était donc important de nous dire quels arguments employait Pilate pour essayer de convaincre la foule. Rappelons-nous ici que Lc, comme Jn, contient *trois* affirmations par Pilate de l'innocence de Jésus (vv. 4.14.22 de Lc; Jn **18** 38b; **19** 4.6), mais que l'une de ces affirmations (v. 14) se trouve maintenant dans une section (vv. 13-16) ajoutée par le Rédacteur lucanien. Une hypothèse se présente alors : pour composer cette section additionnelle, le Rédacteur lucanien n'aurait-il pas transposé au v. 14 la seconde déclaration d'innocence de Jésus, qui primitivement se trouvait au v. 20? Ce v. 20 redeviendrait normal, sous cette forme : « De nouveau Pilate leur adressa la parole, voulant relâcher Jésus : Voici, moi, ayant instruit l'affaire devant vous, je n'ai trouvé en cet homme aucun motif (de condamnation).» On retrouve alors un parallélisme remarquable entre Lc et Jn :

pour la seconde fois, Pilate déclare ne rien trouver de coupable en Jésus (vv. 20 + 14b de Lc; 4 de Jn); les Juifs réclament la crucifixion de Jésus (noter le redoublement du verbe « crucifier », vv. 21 de Lc et 6a de Jn, tandis que Mt/Mc ont un seul verbe); Pilate affirme une troisième fois l'innocence de Jésus (vv. 22 de Lc, 6b de Jn); enfin, la foule demande à nouveau la crucifixion de Jésus (vv. 23 de Lc et, après une longue insertion du Rédacteur johannique, v. 15a, de Jn). A ce schéma général commun, on ajoutera deux détails. L'expression « voulant relâcher Jésus » du v. 20 de Lc a son équivalent au v. 12 de Jn : « Dès lors, Pilate cherchait à le relâcher ». Au v. 22, Lc ajoute le démonstratif « cet (homme) » à la question : « Qu'a-t-il donc fait de mal » (Mt/Mc); Jn, semble-t-il, a transféré ce texte en son v. 30 du chap. **18**, avec addition du démonstratif comme dans Lc : « Si *celui-ci* (= « cet (homme) ») n'était pas un malfaiteur » (*houtos kakon poiôn*); le transfert par Jn serait confirmé par la reprise de la même phrase aux vv. 31 du chap. **18** et 6b du chap. **19** : « Prenez-le, vous, et jugez-le... Prenez-le, vous, et crucifiez-le. »

e) Finalement, Pilate livre Jésus à la crucifixion (vv. 24-25 de Lc, 16a de Jn). On notera que Lc et Jn ajoutent un pronom personnel désignant les Juifs : « Alors, il le *leur* livra » (Jn); « il le livra à *leur* volonté » (Lc); puisque, dans la tradition Lc/Jn, ce sont les Juifs qui emmènent Jésus et le crucifient (note § 351, II 4), le texte de Jn, ici, semble mieux adapté à cette circonstance; Lc ajoute le mot « volonté », qui fait écho aux trois mots exprimant une « demande » des Juifs, ajoutés par le Rédacteur lucanien (« demandant », v. 23; « à leur demande », v. 24; « celui qu'ils réclamaient », v. 25a).

f) Terminons par des remarques de détail. Dans Lc/Jn, Jésus est souvent désigné par l'expression « cet homme », ou « l'homme » (Lc **23** 4.6.14.14; Jn **18** 29; **19** 5; jamais dans les parallèles de Mt/Mc). Au « notre nation » de Lc **23** 2 fait écho le « ta nation » de Jn **18** 35 (ce mot *ethnos* n'est jamais utilisé par Mt/Mc pour désigner le peuple juif). Il ne faut pas oublier, enfin, de mentionner deux accords négatifs Lc/Jn contre Mt/Mc : ils n'ont, ni la remarque que les grands prêtres livraient Jésus par envie (vv. 10 de Mc et 18 de Mt), ni la question de Pilate : « Que ferai-je donc de (Jésus...)? » (vv. 12 de Mc et 22 de Mt).

Voici comment on pourrait alors reconstituer la structure de la source commune à Lc et à Jn :

Lc		Jn
23 2	Accusations des grands prêtres	**18** 29; cf. **19** 12
3a	Pilate : « Tu es le roi des Juifs? »	33; cf. **18** 37a
3b	Jésus : « Tu le dis »	37b
4	Première déclaration d'innocence	38b
18 (lacune?)	Jésus ou Barabbas	39-40
(**23** 11; 36.37)	Scène de moqueries des soldats	**19** 1-3
23 20 + 14	Deuxième déclaration d'innocence	4
23 21	Les Juifs insistent : « crucifie... »	**19** 6a
22	Troisième déclaration d'innocence	6b
23	Nouvelle insistance des Juifs	15
24.25	Pilate livre Jésus aux Juifs	16a

2. *La source de Lc/Jn est un proto-Lc.* Il serait fastidieux de

relever tous les « lucanismes » du récit de Lc, car ils abondent. Nous ne les relèverons que dans les textes où Lc est, soit proche de Jn, soit même identique à lui.

a) Lc **23** 2, qui explicite les accusations des grands prêtres contre Jésus, est certainement de composition lucanienne : « exciter à la révolte » (*diastrephein* : cinq fois dans Lc/Ac, deux fois ailleurs dans le NT) ; « notre nation » (*to ethnos ;* en dehors de quelques citations de l'AT, ce mot ne désigne le peuple juif que dans Lc/Ac, huit fois, et dans Jn **18** 35 ; **11** 48-52, ce dernier récit de provenance lucanienne, cf. note § 267) ; « payer les impôts à César » : même expression en Lc **20** 22, le mot *phoros* ne se lisant que dans ces deux textes lucaniens et en Rm **13** 6-7 ; pour les deux dernières clauses de ce v. 2, on se reportera à Ac **17** 7 : « Tous ces hommes agissent contre les édits de César, disant Jésus être un autre roi. »

b) Les textes de Lc et de Jn sont caractérisés, d'une part par l'affirmation de l'innocence de Jésus (Lc **23** 4.14.22 ; Jn **18** 38 ; **19** 4.6), d'autre part par l'affirmation explicite que Pilate veut relâcher Jésus (Lc **23** 16.20.22 ; Jn **19** 12). Les parallèles des Actes sont nombreux. Citons d'abord Ac **28** 18 : « ... enquête faite, (les Romains) voulaient me relâcher, parce qu'il n'y avait en moi aucun motif de mort » ; mais aussi : « Nous ne trouvons rien de mal dans cet homme » (Ac **23** 9) ; « Les accusateurs n'ont porté aucun motif de condamnation » (Ac **25** 18) ; « n'ayant trouvé aucun motif de mort » (Ac **13** 28) ; comparer encore Lc **23** 14 et Ac **24** 8. C'est exactement le vocabulaire des textes de Lc/Jn cités plus haut. Il est d'ailleurs curieux de constater que le mot « motif » est *aitia* dans Jn et Ac, mais *aition* dans Lc !

c) En Lc **23** 18 (cf. Jn **18** 40 et surtout **19** 15), la foule crie : « A mort cet (homme) », ou, plus littéralement : « Supprime celui-ci » (*aire*, ou *airon* dans Jn) ; on se reportera à Ac **21** 36 : « La multitude du peuple suivait en criant : Supprime-le ! » ; et Ac **22** 22 s. : « Ils élevèrent la voix en disant : Supprime de la terre un tel (homme) ! Et tandis qu'ils criaient... »

Les traits par lesquels les récits de Lc et de Jn se distinguent de ceux de Mt/Mc sont donc rédigés dans un style et avec un vocabulaire que l'on retrouve abondamment dans les Actes, surtout dans les procès de Paul. On peut donc conclure que c'est un proto-Lc qui est la source de Lc (texte actuel) et de Jn, chacun des deux évangiles ayant utilisé sa source d'une façon assez libre.

3. *Proto-Lc et Mt-intermédiaire.* Le schéma du proto-Lc, tel que nous l'avons restitué plus haut, reste assez proche de celui de Mt/Mc. La divergence principale consiste dans l'insertion de la scène de moqueries au milieu de la comparution de Jésus devant Pilate ; mais on verra à la note § 350 que cette scène de moqueries ne se trouve en place (*après* la comparution de Jésus devant Pilate) ni dans Mt, ni dans Mc. Elle devait probablement se situer au cours de la comparution devant Pilate dans le Mt-intermédiaire comme dans le Mc-intermédiaire. D'autre part, si, contrairement à Mt/Mc, le proto-Lc place les accusations des grands prêtres *avant* la question de Pilate à Jésus : « Tu es le roi des Juifs ? » (cf. Lc **23** 2-3a), c'est probablement pour retrouver un ordre des faits plus logique, Pilate n'ayant pu apprendre la prétention de Jésus à la royauté que par les accusations des grands prêtres. Quant aux trois affirmations par lesquelles Pilate déclare Jésus innocent, le proto-Lc les aurait insérées dans la trame du récit primitif. Il n'y a donc aucune raison de supposer une source spéciale suivie ici par le proto-Lc ; il ne peut dépendre que de l'une ou l'autre de ses sources habituelles : le Document B ou le Mt-intermédiaire. Il dépend ici du Mt-intermédiaire, comme vont le montrer les remarques suivantes :

a) Dans la première partie du récit (cf. Lc **23** 2-4), on ne trouve que deux accords du proto-Lc avec Mt contre Mc, et qui n'ont pas grande signification : le participe « disant » et le verbe « déclarer » (*ephè*) au lieu de « dire » (cf. v. 3 de Lc).

b) Dans l'épisode de Barabbas, le v. 39a de Jn est plus proche de Mt que de Mc ; le verbe « relâcher » dépend d'une formule contenant le mot « coutume » (*synetheia*), de même que, dans Mt, il dépend du verbe « avoir coutume » (*eiôthei*).

c) C'est surtout dans la scène de moqueries que les accords de Jn ou de Lc avec Mt sont les plus significatifs. Mettons en regard leurs accords contre Mc :

Mt **27** 29	Lc **23**	Jn **19** 2-3
(ayant tressé) une couronne d'épines ils la mirent sur sa tête...		(ayant tressé) une couronne d'épines ils la mirent sur sa tête et ils l'enveloppèrent d'un manteau...
	11 l'ayant enveloppé d'un vêtement...	
ils se jouèrent de lui (... devant lui)	36 ... se jouèrent de lui, s'approchant... (*proserchomenoi*)	et ils venaient à lui (*èrchonto pros auton*)
disant :	et disant :	et ils disaient :

Le parallèle de Mc **15** 17-18 est ici très différent.

d) Enfin, la finale du récit de Lc : « quant à Jésus, il le livra » (v. 25b), a son parallèle exact dans Mt, tandis que Mc a : « et livra Jésus ».

Ces contacts littéraires sont trop nombreux pour pouvoir être attribués au hasard : le proto-Lc dépend certainement d'une forme matthéenne du récit de la comparution de Jésus devant Pilate. Sans doute, il existe quelques accords de Lc ou de Jn avec Mc contre Mt, mais ils s'expliquent presque tous par le fait que l'ultime Rédacteur matthéen a modifié le texte du Mt-intermédiaire, surtout en Mt **27** 17-21 (cf. *infra*).

B) Les récits de Mt et de Mc

Ils se composent de deux parties nettement différenciées. Dans la première (vv. 2-5 de Mc, 11-14 de Mt), Pilate interroge Jésus en présence des grands prêtres qui l'accusent; dans la seconde (vv. 6-15 de Mc, 15-26 de Mt), beaucoup plus développée, Pilate accorde à la foule, soudoyée par les grands prêtres, la mise en liberté de Barabbas et la mort de Jésus.

1. *Première partie du récit* (§ 347).

a) Dans Mt comme dans Mc, elle offre des analogies manifestes avec le procès de Jésus devant le Sanhédrin. Mettons en regard les textes en prenant pour base celui de Mc.

Mc 14	Mc 15
	2 Et Pilate l'interrogea : « Tu es le roi des Juifs? » Mais lui, lui répondant, dit : « Tu le dis. »
vv. 56-59 : accusations des faux témoins.	3 Et l'accusaient beaucoup les grands prêtres.
60 Et s'étant levé au milieu le Grand Prêtre interrogea Jésus disant : « Tu ne réponds rien? Qu'attestent ces gens contre toi? »	4 Pilate de nouveau l'interrogeait : « Tu ne réponds rien? Vois tout ce dont ils t'accusent ! »
61 Mais lui se taisait et ne répondit rien.	5 Mais Jésus ne répondit plus rien, si bien que Pilate était étonné.
De nouveau le Grand Prêtre l'interrogeait et lui dit : « Es-tu le Christ, le Fils du Béni? » Jésus dit : « Je le suis. »	

Les éléments sont exactement les mêmes, compte tenu des transpositions nécessaires. Les grands prêtres ont pris la place des faux témoins pour accuser Jésus; Pilate a pris la place du Grand Prêtre pour interroger Jésus. Dans les deux récits, Jésus ne répond rien, ni aux accusations dont il est l'objet, ni à la question du Grand Prêtre ou de Pilate. Dans les deux récits également, on interroge Jésus sur le point fondamental de l'accusation : « Es-tu le Christ? » / « Tu es le roi des Juifs? », et Jésus répond plus ou moins affirmativement. Il existe toutefois une différence de structure importante : la question fondamentale du Grand Prêtre se place *après* les silences de Jésus au chap. **14**, celle de Pilate *avant* les accusations des grands prêtres au chap. **15**; on reviendra sur ce point dans un instant.

b) En étudiant le procès de Jésus devant le Sanhédrin (note § 342), on a vu que les divers éléments de Mc **14** 55-62 appartenaient à deux sources différentes : les Documents A et B, fondus en un seul récit par le Mc-intermédiaire. Accusations des faux témoins contre Jésus et silence de Jésus proviennent du Document A, tandis que la question du Grand Prêtre à Jésus : « Es-tu le Christ, etc. », et la réponse affirmative de Jésus proviennent du Document B. La genèse du récit de Mc **14** 55-62, et de son parallèle matthéen, s'explique

donc parfaitement, indépendamment du récit assez semblable qui se lit dans la comparution de Jésus devant Pilate.

Est-ce alors la première partie du récit mettant en scène Jésus et Pilate (vv. 2-5 de Mc et 11-14 de Mt) qui aurait été rédigée à l'imitation du procès devant le Sanhédrin? On serait tenté de répondre par l'affirmative, mais cette solution ne rendrait pas compte d'une anomalie dans le récit de la comparution de Jésus devant Pilate : pourquoi Pilate demande-t-il à Jésus s'il est le roi des Juifs *avant* d'avoir entendu les accusations des grands prêtres, structure qui ne correspond pas on l'a vu, à celle du procès devant le Sanhédrin? Il est difficile d'imaginer un compilateur changeant l'ordre des événements de Mc **14** 55-62, mettant la question de Pilate à Jésus avant les accusations des grands prêtres, alors qu'il vient d'écrire que tout le Sanhédrin « ayant lié Jésus l'emportèrent et le livrèrent à Pilate » (Mc **15** 1; Mt **27** 2); s'il avait simplement repris les données attestées par Mc **14** 55-62, il aurait dû mentionner en premier les accusations des grands prêtres contre Jésus. Il nous reste alors une solution à envisager : la question de Pilate à Jésus et la réponse affirmative de Jésus (vv. 2 de Mc et 11 de Mt) se trouvaient déjà dans la source première de Mt/Mc; on aurait ajouté au texte primitif seulement le thème des accusations des grands prêtres et du silence de Jésus (vv. 3-5 de Mc et 12-14 de Mt), parce qu'on trouvait l'interrogatoire de Jésus trop succinct.

Voici dès lors la solution que l'on pourrait proposer, toute dépendance du Mt-intermédiaire par rapport au Mc-intermédiaire (ou l'inverse) étant exclue. Le proto-Lc, on l'a vu, connaissait la première partie de la comparution de Jésus devant Pilate *sous sa forme longue*, comportant déjà l'addition des vv. 3-5 de Mc et 12-14 de Mt. Mais le proto-Lc dépend ici du Mt-intermédiaire, comme on l'a montré plus haut. L'addition du thème de l'accusation des grands prêtres et du silence de Jésus se trouvait donc déjà dans le Mt-intermédiaire. La source du Mt-intermédiaire étant le Document A, il faut conclure que ce Document A contenait la question de Pilate à Jésus et la réponse affirmative de ce dernier (v. 11 de Mt), et que le Mt-intermédiaire a ajouté le thème des accusations et du silence de Jésus, repris de la comparution de Jésus devant le Sanhédrin telle qu'on l'avait également *dans le Document A*.

c) On pourra penser que, dans le Document A, la première partie du récit de la comparution de Jésus devant Pilate se réduisait à fort peu de choses : une demande de Pilate : « Es-tu le roi des Juifs? », et une réponse de Jésus : « Tu le dis ». On verra plus loin (note § 350) que la scène où les soldats romains se moquent de Jésus ne se trouve en place, ni dans Mt, ni dans Mc. Ne se situait-elle pas primitivement dans la trame du récit de la comparution de Jésus devant Pilate, comme l'attestait le proto-Lc (cf. *supra*)? Elle compléterait alors très bien cet interrogatoire de Jésus par Pilate : après que Jésus eût reconnu être le roi des Juifs, les soldats romains s'emparent de lui et organisent une scène pour tourner en dérision cette prétention à la royauté.

2. *Deuxième partie du récit* (§ 349). Elle est dominée par le dialogue entre Pilate et la foule juive au sujet de Jésus et de Barabbas.

a) Le récit de Mc. Il est parfaitement bien structuré. Les vv. 6-7 forment une introduction donnant les éléments historiques qui permettent de comprendre les détails de l'épisode proprement dit : le droit de grâce accordé lors de certaines fêtes (v. 6) et la présence en prison d'un malfaiteur célèbre, Barabbas (v. 7). L'épisode proprement dit est un drame qui se joue entre la foule juive, mentionnée aux vv. 8 et 15 par mode d'inclusion, et Pilate. Ce drame comporte deux péripéties : dans la première (vv. 8-11), la foule refuse la mise en liberté de Jésus, que propose Pilate, et réclame celle de Barabbas ; dans la seconde (vv. 12-14), la foule exige la crucifixion de Jésus. Le v. 15 donne la conclusion du drame : Pilate cède sur toute la ligne aux exigences de la foule ! Il libère Barabbas et livre Jésus pour être crucifié.

On peut discerner dans ce récit quelques retouches dues à la plume de l'ultime Rédacteur marco-lucanien. Les plus importantes se lisent au v. 15, spécialement dans la proposition « voulant contenter la foule » (*boulomenos... to hikanon poièsai*); au lieu de l'habituel verbe *thelein* (« vouloir »), on a ici *boulesthai* qui ne se lit nulle part ailleurs dans Mc mais est fréquent dans les Actes (2/1/2/1/14); quant au mot *hikanos*, il est surtout fréquent dans Lc/Ac (3/3/10/0/18), et sous la forme neutre *to hikanon* on ne le lit ailleurs qu'en Ac 17 9. On notera l'addition d'expressions de même portée par l'ultime Rédacteur lucanien au v. 24 de Lc : « il prononça qu'il fût fait droit à leur demande. »

b) Le récit de Mt. Il se distingue de celui de Mc par des variantes importantes et deux additions de quelque ampleur, qui toutes sont l'œuvre de l'ultime Rédacteur matthéen.

ba) Les variantes. Nous ne mentionnerons que les plus significatives. Rappelons d'abord que l'ultime Rédacteur matthéen désigne habituellement Pilate par son titre de « gouverneur » (*hègemôn* : **27** 2.11.14-15.21.27; **28** 14); aucun des autres évangélistes n'applique ce titre à Pilate. – Au v. 17a, Mt remplace la mention de la foule qui monte par le très vague « comme ils étaient rassemblés », et c'est seulement au v. 20 que l'on apprendra incidemment la présence de la « foule »; il estompe ainsi la distinction très nette entre les deux parties du récit, gardée par Mc : interrogatoire de Jésus en présence des grands prêtres qui l'accusent, puis dramatique discussion de Pilate avec la foule au sujet de Barabbas et de Jésus. – Les vv. 17 à 21 de Mt sont plus complexes que ceux de leur parallèle marcien. Au v. 17, Pilate ne propose plus à la foule de libérer Jésus, mais il leur donne à choisir entre Barabbas et Jésus. Un tel remaniement n'est pas très heureux, car, si Pilate voulait profiter du droit de grâce pour faire libérer Jésus, il n'aurait pas mis lui-même en avant le nom de Barabbas, « prisonnier fameux ! » Mais le remaniement s'explique parce que, selon Mt, Barabbas se serait nommé « Jésus Barabbas »; Mt joue donc sur le parallélisme des deux noms : « Qui voulez-vous que je vous relâche : Jésus Barabbas ou Jésus nommé Christ? », comme si, pour Pilate, « Christ » était un surnom au même titre que Barabbas. C'est pour obtenir ce parallélisme que Mt change l'expression « le roi des Juifs » attestée aux vv. 9 et 12 de Mc (cf. Jn **18** 39b) en : « Jésus que l'on appelle Christ ». Le caractère secondaire du texte de Mt se trahit par le fait que Mt est obligé de répéter

au v. 21, presque dans les mêmes termes, la question posée par Pilate au v. 17 : « Qui voulez-vous (des deux) que je vous relâche? »; puis il ajoute la réponse de la foule : « Barabbas. » On notera que la formule des vv. 17 et 22 : « Jésus que l'on appelle Christ » (même texte grec), se lisait déjà en Mt **1** 16, dans la généalogie de Jésus (§ 12).

bb) Les additions. La première se lit au v. 19. La femme de Pilate lui fait dire de ne pas condamner Jésus, car elle a eu un mauvais songe à son sujet, durant la nuit. Il s'agit ici probablement d'une tradition tardive, comme c'est souvent le cas dans les détails que Mt est le seul à rapporter. Ce trait de la femme d'un juge qui demande à son mari d'épargner un prisonnier appartient au folklore, car on le retrouve ailleurs, ainsi chez les rabbins de Babylonie. Cette anecdote a pu s'introduire dans le récit de Mt par quelque influence étrangère.

La seconde addition est donnée aux vv. 24-25. Pilate se lave les mains en affirmant son innocence à l'égard du crime qui va être commis, tandis que la foule au contraire s'écrie : « Que son sang soit sur nous et sur nos enfants ! » (cf. Ac 5, fin du v. 28). L'ultime Rédacteur matthéo-lucanien a laissé sa signature au v. 25, dans la phrase : « Et tout le peuple, répondant, dit » (*kai apokritheis pas ho laos eipen*). Le verbe « répondre » est très fréquent chez les Synoptiques; mais la construction *kai apokritheis ... eipen* (avec ou sans complément au datif) est rare dans Mt (**11** 4; **21** 27; **22** 1; **24** 4; **25** 40; **27** 25; les quatre derniers cas sont certainement du Rédacteur matthéen); elle se lit au contraire fréquemment chez Lc; ainsi, dans les six premiers chapitres : **5** 31; **6** 3, où Lc s'oppose à Mt/Mc; **4** 8.12, où Lc s'oppose à Mt (Mc est absent); **1** 19.35; **5** 5, dans des textes propres à Lc. Par ailleurs, l'expression « tout le peuple » (*pas* ou *apas ho laos*) est typiquement lucanienne (1/0/12/0/6/2). On notera que le thème : « Que son sang soit sur nous... », se lit aussi en Ac **5** 28b. Le geste de Pilate trouve un bon parallèle en Dt **21** 6; aux habitants d'une ville près de laquelle un meurtre a été commis, il est prescrit de se laver les mains au-dessus d'une génisse immolée en disant : « Nous ne sommes pas responsables de ce meurtre. » Quant à la parole des foules, elle trouve aussi de bons parallèles dans la Bible (2 S **1** 16; **3** 28 s.) et pourrait faire écho à Jr **26** 15 : « Sachez bien que, si vous me faites mourir, c'est du sang innocent que vous mettrez sur vous, sur cette ville et sur ses habitants ! » On pourrait s'étonner à bon droit que Pilate accomplisse ici un geste « biblique » ! L'addition des vv. 24-25 a surtout une portée théologique : Mt veut mettre en lumière que la responsabilité de la mort de Jésus ne retombe pas sur Pilate, mais sur la foule qui a réclamé sa crucifixion alors que Pilate le jugeait innocent. La destruction de Jérusalem, en 70, sera, aux yeux des chrétiens, le juste châtiment de ceux qui ont versé un « sang innocent ». Sur ce dessein qu'a Mt de souligner la culpabilité des Juifs, voir note § 346, I 4.

L'évolution littéraire du récit de la comparution de Jésus devant Pilate peut être ici schématisée. L'essentiel du récit se lisait déjà dans le Document A et avait probablement la structure suivante : Pilate demande à Jésus s'il est le roi des Juifs, et Jésus répond affirmativement (cf. Mc **15** 2 et par.); suivait la scène où les soldats romains tournent en dérision cette prétention de Jésus à la royauté (§ 350); enfin venait le dialogue dramatique entre Pilate et la foule, Pilate voulant libérer Jésus, mais la foule réclamant la délivrance de Barabbas (cf. Mc 15 6-15). – Ce récit fut certainement repris dans le Document B; mais, Mc ne présentant aucune trace de doublets, on peut conclure que le Document B avait repris le récit du Document A sans variantes importantes. – Le Mt-intermédiaire dépend du Document A, mais il complète la première partie du récit (interrogatoire de Jésus par Pilate) en ajoutant le thème des accusations des grands prêtres contre Jésus et du silence de Jésus (Mt 27 12-14); pour cela, il s'inspire de la scène racontant le procès de Jésus devant le Sanhédrin, dans le Document A (cf. Mt 26 60b-63a, § 342). – L'ultime Rédacteur matthéen reprend le texte du Mt-intermédiaire en lui faisant subir un certain nombre de transformations, dont la plus importante est l'introduction du parallélisme entre Jésus Barabbas et « Jésus qu'on appelle Christ », aux vv. 17-21; il ajoute également les deux épisodes de la femme de Pilate (v. 19) et de Pilate qui se lave les mains en présence de la foule (vv. 24-25). – Le proto-Lc dépend du Mt-intermédiaire, qu'il amplifie, d'une part en précisant les accusations des grands prêtres contre Jésus (Lc 23 2), d'autre part en ajoutant la triple déclaration d'innocence de Jésus faite par Pilate (vv. 4.14.22). – L'ultime Rédacteur lucanien introduit la scène de la comparution de Jésus devant Hérode (vv. 5 à 16), en reprenant divers matériaux au récit du proto-Lc. – Jn dépend également du proto-Lc, mais il amplifie le récit en insérant des dialogues « théologiques » entre Pilate et Jésus ou Pilate et les Juifs; il modifie la structure de ce récit, surtout dans sa seconde moitié, afin d'obtenir une scène composée de sept épisodes. – Le Mc-intermédiaire dépend du Document B, analogue ici au Document A. – L'ultime Rédacteur marcien complète l'interrogatoire de Jésus par Pilate en ajoutant les accusations des grands prêtres et le silence de Jésus, sous l'influence du Mt-intermédiaire; il effectue également quelques modifications de détail, spécialement l'ajout au v. 15 des mots « voulant contenter la foule ». – Le rejet de la scène d'outrages à Jésus roi *après* la comparution de Jésus devant Pilate (§ 350) fut effectué par les ultimes Rédacteurs matthéen et marcien (cf. Introd., II D 3).

II. SENS DU RÉCIT

Il n'est pas facile de dégager la portée historique exacte de cette scène, même en ne tenant compte que du récit le plus ancien, celui du Document A.

1. Un fait apparaît certain : il n'y eut pas de « procès » proprement dit, intenté par Pilate à Jésus. Aucun des récits que nous possédons ne parle d'une « condamnation à mort » décrétée par Pilate en termes juridiques; même Jn 19 13 doit se comprendre comme une scène de dérision aux dépens de Jésus (voir note § 350). Sans doute, le v. 2 de Mc et par. contient-il un embryon d'interrogatoire, mais qui ne s'adapte pas bien à la suite du récit : Pilate demande à Jésus s'il est

le roi des Juifs, Jésus répond : « tu (le) dis », ce qui doit se comprendre comme une affirmation; malgré cet acquiescement de Jésus, Pilate veut le libérer parce qu'il est sûr de son innocence ! On a l'impression que l'essentiel de la scène est constitué par l'épisode de la foule qui réclame la libération de Barabbas (vv. 6-11 de Mc), et que l'interrogatoire de Jésus par Pilate a pour seul but de nous faire connaître quelles accusations les grands prêtres ont portées contre lui en le livrant à Pilate.

2. S'il n'y eut pas de « procès » proprement dit, il faut admettre que les grands prêtres « livrèrent » Jésus à Pilate (Mc 15 1.10) pour un délit supposé qui, de soi, méritait la mort. Ne pourrait-on faire alors une hypothèse? Mc 15 7 parle de la sédition (avec l'article) au cours de laquelle Barabbas et d'autres émeutiers avaient été arrêtés; le texte de Mc suppose qu'il s'agit d'une sédition bien connue, à peu près contemporaine des faits qu'il raconte. Les grands prêtres n'auraient-ils pas « livré » Jésus à Pilate en l'accusant d'avoir été un des instigateurs, sinon le principal instigateur, de cette sédition? Dans ce cas, évidemment, Pilate se devait de faire exécuter Jésus, même sans aucun jugement : il y avait flagrant délit !

3. Quels furent donc les principaux responsables de ce « complot » ourdi contre Jésus?

a) Déjà dans le récit du Document A, on voit un souci de dégager en partie la responsabilité de Pilate, et donc du pouvoir romain. Pilate fait preuve de bonne volonté envers Jésus en proposant à la foule de le libérer en vertu du droit de grâce accordé lors de certaines fêtes (Mc 15 9); il sait en effet que les grands prêtres ont livré Jésus par envie (v. 10); il ne voit pas lui-même de quoi Jésus pourrait être coupable (v. 14a). S'il le livre finalement au supplice de la croix, c'est sous la pression de la foule (v. 14b). Le proto-Lc accentue cette tendance à innocenter Pilate en lui faisant reconnaître par trois fois : « Je ne trouve aucun motif de condamnation en lui » (cf. Lc 23 4.14.22 et les parallèles johanniques), et en notant explicitement que Pilate voulait libérer Jésus (Lc 23 20; Jn 19 12). Enfin Jn, reprenant le récit du proto-Lc, explicite le motif psychologique qui a poussé Pilate à capituler : les chefs juifs exercèrent sur lui un véritable chantage, menaçant de le dénoncer à Rome comme complice de Jésus, s'il le libérait (Jn 19 12). En définitive, Pilate n'aurait livré Jésus à la mort que par faiblesse, par crainte.

b) Les vrais responsables de la mort de Jésus sont les grands prêtres. Ce sont eux qui ont décidé sa mort (voir note § 342), c'est eux qui le livrent à Pilate comme un séditieux qui voudrait éliminer le pouvoir romain, c'est eux encore qui déjouent les plans de Pilate en soudoyant la foule afin qu'elle réclame la libération de Barabbas au lieu de celle de Jésus (Mc 15 11).

c) Quelle est alors la responsabilité de la « foule » anonyme soudoyée par les grands prêtres? Même dans le Document A, le récit n'est plus très cohérent à partir de Mc 15 12; si Pilate est convaincu de l'innocence de Jésus, pourquoi demande-t-il à la foule : « Que ferai-je donc de celui que vous appelez le roi des Juifs ? » Était-ce à la foule de décider du sort d'un accusé ? On sent ici une pointe polémique anti-juive : c'est la foule qui exige, par deux fois, la mise à mort de Jésus (vv. 13.14b de Mc), tandis que Pilate fait remarquer son innocence (v. 14a) ; on ne nous dit même plus que la foule

est conseillée par les grands prêtres. Le Rédacteur johannique omet cette pointe anti-juive ; selon lui, tout le drame se joue entre Pilate et les « Juifs », qui pour Jn ne sont autres que les chefs du peuple, spécialement ici, les grands prêtres ; la « foule » n'est jamais mentionnée dans le récit johannique, pas même lors de la discussion au sujet de Barabbas (vv. 39-40).

Note § **348.** *JÉSUS ENVOYÉ A HÉRODE ET RENVOYÉ A PILATE*

Cette scène, propre à Lc, n'appartient pas à la tradition évangélique commune. Lc la tient-il d'une source particulière ? Quelle raison eut-il de compléter la tradition évangélique ?

I. UN RÉCIT COMPOSÉ PAR LUC

Le caractère « lucanien » de toute la scène est indéniable ; il s'affirme, et dans le vocabulaire, et dans les parallèles qu'offrent d'autres sections de Lc et des Actes.

1. Dans leur ensemble, le vocabulaire et le style sont lucaniens, comme le prouve le tableau statistique suivant (dans la colonne « Lc », le chiffre inclut les expressions de Lc 23 6-12).

		Lc	Ac	Mt	Mc	Jn	Reste du NT
v. 6	« si » (*ei*) + interrogation indir.	8	11	3	6	0	
	« Galiléen »	5	3	1	1	1	0
v. 7	« ayant appris que... il était »	1	2	0	0	0	
	« renvoyer » (*anapempein*)	3	1	0	0	0	1
	« lui aussi » (*kai autos*)	41	10	6	4	6	—
	« à Jérusalem » (*en Hierosolymois*)	1	7	0	0	0	0
	« en ces jours-là »	4	3	0	0	0	
v. 8	« se réjouir » (*chairein*)	11	5	3	1	8	
	« longtemps » (*hikanos chronos*)	3	3	0	0	0	
	parce qu'il... » (*dia to* + inf.)	7	8	3	3	1	5
	« espérer » (*elpizein*)	3	2	1	0	1	—
	« effectué par lui »	2	2	0	0	0	1
v. 9	« force » (*hikanos* = nombreux)	7	16	1	1	0	4
	« mais lui » (*autos de*)	9	1	2	2	1	—
v. 10	« grands prêtres et scribes »	6	0	3	3	0	0
	« violemment » (*eutonôs*)	1	1	0	0	0	0
v. 11	« vêtement » (*esthès*)	2	2	0	0	0	3
v. 12	« ami » (*philos*)	15	3	1	0	6	—
	« et » (*te*, non redoublé)	1	75	1	0	2	—
	« en ce jour (temps)-là » (*autèi*)	9	2	0	0	0	—
	« être en » (*proüparchein*)	1	1	0	0	0	

2. Voici les rapprochements que l'on peut faire avec d'autres passages de Lc ou Actes.

a) Le v. 6 raccroche l'épisode aux derniers mots de l'accusation des grands prêtres contre Jésus : « Galilée » (v. 5) et « galiléen » (v. 6) ; or on a déjà vu (note § 347) que le v. 5b, y compris la mention de la Galilée, avait son parallèle exact en Ac **10** 38.

b) Le v. 8 reprend évidemment les données de Lc **9** 9 (§ 146), où Lc ajoute à sa source les développements suivants : « (Hérode dit :) ... qui est donc celui-ci dont j'entends dire de telles choses ? Et il cherchait à le voir. » Ce thème se retrouve ici (v. 8) : « Depuis longtemps il désirait le voir parce qu'il entendait (parler) de lui. »

c) Mais le parallèle le plus complet est fourni par les Actes, avec la comparution de Paul devant Agrippa (Ac **25-26**). Il existe une analogie de situation évidente. Comme Jésus (§ 342), Paul comparaît d'abord devant le Sanhédrin (Ac **22** 30 ss.) ; deux ans plus tard, il est accusé par les grands prêtres auprès du Gouverneur romain Festus (Ac **25** 2), qui le fait comparaître devant lui (**25** 6 ss.) ; embarrassé par ce cas, Festus demande l'avis du roi Agrippa (Hérode Agrippa), qui vient d'arriver à Césarée (**25** 13 ss.). Agrippa déclare alors à Festus : « Je voudrais moi aussi entendre cet homme » (Ac **25** 22 ; cf. Lc **23** 8 !) ; Paul comparaît donc devant Hérode Agrippa auquel il expose ses vues (Ac **26**). Finalement, Agrippa et Festus tombent d'accord pour reconnaître l'innocence de Paul (cf. Lc **23** 15-16) et ils l'auraient libéré si Paul n'en avait appelé à César (Ac **26** 31-32). A la note § 347, on a montré combien la comparution de Jésus devant Pilate, selon la version lucanienne, s'inspirait des divers procès de Paul racontés dans les Actes ; le récit lucanien de la comparution de Jésus devant Hérode se situe exactement dans la même perspective.

3. Pour étoffer cette scène, Lc se contente de reprendre deux éléments de la tradition Mc/Mt.

a) Pilate (Hérode) interroge Jésus, Jésus ne répond rien, les grands prêtres l'accusent (Lc **23** 9-10, cf. Mc **15** 3-5 ; Mt **27** 12-14 ; les contacts de Lc sont plutôt avec Mc).

b) La scène des moqueries de la part des soldats, que Lc simplifie (v. 11) parce qu'il en utilise certains éléments pour composer son tableau de **23** 36-38 (cf. Mc **15** 16-17 ; Mt **27** 27-29).

En résumé, la comparution de Jésus devant Hérode est une composition entièrement lucanienne : le vocabulaire et le style de Lc s'y retrouvent abondamment tout au long du récit, comme aussi les parallèles avec les procès de Paul racontés dans les Actes. Si Lc, pour composer cette scène, se voit obligé de faire des emprunts au récit de la comparution de Jésus devant Pilate, c'est qu'il ne dépend, pour la comparution de Jésus devant Hérode, d'aucune source écrite particulière. Notons enfin que, on l'a vu à la note §§ 347, 349, la composition de la comparution de Jésus devant Hérode détruit l'harmonie du récit de la comparution de Jésus devant Pilate selon le proto-Lc; cette composition doit donc être attribuée à l'ultime Rédacteur lucanien.

II. INTENTION THÉOLOGIQUE DU RÉCIT

1. En tenant compte du fait que Lc **23** 6-12 est une composition lucanienne, on a voulu faire de ce récit, pour l'expliquer, une « historicisation » par Lc du Ps **2** 1 s., psaume messianique par excellence (Dibelius). L'argumentation s'appuie sur Ac **4** 27, qui, glosant le Ps **2** 1-2 (cité explicitement aux vv. 25-26), explique comment Hérode et Ponce Pilate se sont unis contre Jésus, avec les nations païennes et le peuple juif. Comme ce développement semble surajouté dans Ac (le v. 29 renvoie au v. 23), nous serions en présence d'une interprétation traditionnelle, stéréotypée, du Ps **2** 1 s. en fonction de la Passion de Jésus, interprétation dont on retrouverait des traces dans Justin, 1 Apol. 40 *6.11* : les « rois de la terre » dont parle le Psaume seraient représentés par Hérode, et les « chefs » par Pilate. Ainsi, dans Lc, la comparution de Jésus devant Hérode, complétant le procès devant Pilate, aurait eu pour but d'évoquer cette interprétation traditionnelle du Ps **2** 1 s. La scène n'aurait aucun fondement historique, elle aurait été composée par Lc dans une perspective purement théologique.

Le rapprochement avec le Ps **2** 1 s. est certainement suggestif; il se heurte cependant à deux difficultés. Si Lc avait voulu évoquer le Ps **2**, pourquoi ne l'aurait-il pas cité plus explicitement, comme le fait Mt **22** 44 pour le Ps **110**? Et surtout, tandis que, dans le Psaume, les « rois de la terre » et les « chefs » s'unissent *contre* le Christ, ici, Hérode et Pilate sont d'accord pour reconnaître l'innocence de Jésus et le libérer (cf. Lc **23** 14-16) ! La situation évoque beaucoup mieux, comme on l'a noté plus haut, le parallèle de Festus et du roi Agrippa qui sont d'accord pour reconnaître l'innocence de Paul (Ac **26** 31 s.).

2. Il faut donc chercher dans une autre direction le motif qui a poussé Lc à mentionner une comparution de Jésus devant Hérode. Partons d'une donnée certaine : le parallélisme entre Jésus et Paul. De même que Jésus comparut successivement devant le Sanhédrin, devant Pilate et devant Hérode, ainsi Paul dut aussi comparaître devant le Sanhédrin, devant Festus et devant (Hérode) Agrippa. Une telle séquence dut revêtir une certaine importance pour les premiers chrétiens puisqu'on la trouve dans la section chrétienne ajoutée au Discours eschatologique, en Mc **13** 9 et par. : « ils vous livreront aux sanhédrins et aux synagogues, vous serez battus, et devant des gouverneurs et des rois (Lc : des rois et des gouverneurs) vous comparaîtrez à cause de moi... » (voir note § 293). Il est significatif, par ailleurs, que Lc raconte l'épisode de Simon de Cyrène sous cette forme : « ils lui imposèrent la croix à porter derrière Jésus » (Lc **23** 26, § 351), voulant évoquer la parole de Jésus : « Quiconque ne porte pas sa croix et ne vient pas derrière moi ne peut être mon disciple » (Lc **14** 27, § 227). En définitive, si Lc raconte la comparution de Jésus devant Hérode, n'est-ce pas pour montrer Paul, plus tard, suivant les traces de Jésus, portant sa croix comme Jésus l'a portée? N'est-ce pas une intention identique qui lui a fait décrire de façon analogue la mort d'Étienne et la mort de Jésus (cf. Ac **6-7**)?

3. Il reste qu'une telle comparution de Jésus devant Hérode n'est pas, de soi, invraisemblable; on connaît d'autres exemples où un magistrat romain sollicite l'avis d'une haute personnalité non romaine (Bickerman). Lc aurait pu avoir connaissance d'une telle comparution, par tradition orale, et aurait composé en conséquence son récit du § 348.

Note § **350**. *OUTRAGES A JÉSUS ROI*

Dans Mt/Mc, les outrages à Jésus roi suivent la comparution de Jésus devant Pilate, comme les outrages à Jésus prophète (§ 343) suivaient le procès de Jésus devant le Sanhédrin (§ 342). Dans Jn, cette scène est incorporée dans celle de la comparution devant Pilate, dont elle forme le centre (**19** 1-3). Lc en a dissocié les éléments : une partie est réutilisée pour former la scène de la comparution de Jésus devant Hérode (cf. note § 348); une autre partie servira à compléter le tableau des outrages à Jésus crucifié (Lc **23** 36, § 352).

I. PROBLÈMES LITTÉRAIRES

Ce récit est étroitement lié au précédent. Puisqu'il se lisait certainement dans le Mt-intermédiaire (cf. note § 347, I A 3 c), nous pouvons l'attribuer au Document A, comme le précédent récit. Le Document B le reprit au Document A, d'où il passa dans le Mc-intermédiaire. Mais le problème se pose de sa place primitive dans les Documents A et B.

1. *Place de la scène dans le Document A*. La scène des outrages à Jésus roi semble une insertion dans la trame du récit matthéen qui suit immédiatement la comparution de Jésus devant Pilate. Mais, pour le prouver, il faut tenir compte de données qui ne seront explicitées qu'à la note § 351; c'est donc à la note suivante que nous renvoyons cette démonstration (I 3 b). Il paraît probable que le proto-Lc, qui dépend ici du Mt-intermédiaire (cf. note § 347, I A 3 c), a conservé l'épisode en bonne place, aussitôt après l'interrogatoire de Jésus par Pilate (après Mt **27** 11; cf. note § 347, I B 1 c). Le déplacement de l'épisode serait alors le fait de l'ultime Rédacteur matthéen.

2. *Place de la scène dans le Document B*. Un problème analogue se pose à propos de la tradition marcienne et du Document B.

a) Notons d'abord les nombreux lucanismes qui parsèment le récit du Mc actuel. Au v. 16, le verbe « appeler » (*synkalein*: 0/1/4/0/3/0). Au v. 17, le verbe « revêtir » (*endidyskein*, ne se lit ailleurs, dans tout le NT, qu'en Lc **16** 19, où il est dit du riche qu'il était « revêtu de pourpre », comme ici). Au v. 18, le verbe « saluer » (*aspazesthai*: 2/1/2/0/5). Au v. 19, au lieu de « s'agenouiller » (Mt), Mc dit : « fléchir les genoux » (*tithenai ta gonata*), expression typique du style de Lc (0/1/1/0/4/0). Enfin, au v. 20, le verbe « conduire dehors » est également typique du style de Lc (*exagein*: 0/1/1/1/8/1; cf. le verbe complémentaire « faire entrer », *eisagein*: 0/0/3/1/6/1). Tous les mots qu'on vient d'énumérer ne se lisent donc qu'ici dans Mc, tandis qu'ils sont relativement fréquents dans Lc/Ac, et même parfois propres à Lc/Ac. On reconnaît là la signature de l'ultime Rédacteur marco-lucanien.

b) On notera alors le début du v. 16 : « Or les soldats l'emmenèrent. » Ce verbe « emmener » se lisait dans le Mt-intermédiaire au début du « chemin de croix » (cf. note § 351, I 3 *b*); puisque la tradition marcienne dépend ici de la tradition matthéenne (Document A), on peut penser que, si Mc place ce verbe « emmener » au début de la scène des outrages à Jésus roi, c'est à cause de l'insertion tardive de cette scène dans la trame de son récit primitif, qui devait avoir : « Or les soldats l'emmenèrent () afin de le crucifier » (début du v. 16 et fin du v. 20; cf. Mt, fin du v. 31). Ici aussi, c'est l'ultime Rédacteur marcien qui aurait effectué ce transfert, et l'abondance des lucanismes dans cette section est le signe de son activité littéraire. Dans le Mc-intermédiaire, comme dans les Documents B et A, la scène des outrages à Jésus roi devait se situer aussitôt après l'interrogatoire de Jésus par Pilate (après le v. 2 de Mc).

II. SENS DE LA SCÈNE

1. Malgré d'inévitables divergences de détail, cette scène d'outrages a même sens dans Mt, Mc et Jn. Elle se rattache étroitement à l'épisode qui forme le début du récit de la comparution de Jésus devant Pilate, qu'elle devait suivre immédiatement avant d'être transférée à sa place actuelle par les ultimes Rédacteurs matthéen et marcien : Pilate demande à Jésus s'il est le roi des Juifs, et Jésus répond affirmativement (Mt **27** 11 et par.). C'est cette prétention à la royauté qui devient le sujet des moqueries des soldats romains. On va déguiser Jésus en roi de mascarade. On le revêt de pourpre, disent Mc et Jn; le vêtement pourpre était un vêtement royal, et l'on voit difficilement comment les soldats auraient pu se le procurer ! Mt arrange les choses en parlant d'une « chlamyde écarlate », ce qui peut s'entendre, soit d'un vêtement impérial, soit d'un « sagum » de licteur. On affuble donc Jésus d'un manteau dont la couleur pouvait facilement évoquer la pourpre royale. On lui met sur la tête une couronne tressée de plantes épineuses. Mt précise qu'on lui met dans la main droite un roseau, évidemment pour évoquer le sceptre royal. Chacun vient alors présenter ses hommages à ce simulacre de roi; selon les coutumes orientales, on donnait un baiser au roi après s'être prosterné devant lui; c'est ce rite que décrivent Mt et Mc, mais le « baiser » au roi est remplacé par des crachats injurieux ! Jn dit seulement qu'on lui donne des gifles, comme en Jn **18** 22 lors de la comparution de Jésus devant Anne.

2. Cette scène de moqueries trouve de bons parallèles dans l'Antiquité orientale et romaine (fête des Sacées en Perse, fête des Saturnales à Rome). Citons simplement deux exemples qui illustrent au mieux les récits évangéliques.

a) Philon d'Alexandrie (in Flacc. 6) raconte ainsi comment, pour se moquer du roi Agrippa de passage à Alexandrie, la foule s'empare d'un simple d'esprit nommé Karabas et le pousse au gymnase; on l'installe sur une estrade, et là : « ayant percé une feuille de papyrus on la lui mit sur la tête en guise de diadème; on l'enveloppe d'une natte en guise de chlamyde; en guise de sceptre, quelqu'un lui donne un morceau de tige de papyrus des champs qu'il voit jeté sur le chemin. » On vient alors le saluer en l'appelant *marin* (= Seigneur) et lui demander justice.

b) D'après Dion Chrysostome (De Reg. 4 *66*), lors de la fête des Sacées, les Perses se divertissaient ainsi : « Ayant pris un des prisonniers condamnés à mort, ils le font asseoir sur le trône du roi, ils lui donnent un vêtement royal, ils le laissent commander, boire, festoyer, user des concubines du roi pendant ces jours-là; personne ne l'empêche de faire ce qu'il veut. Après quoi, l'ayant dévêtu et flagellé, ils le pendirent. »

Le détail du condamné à mort que l'on fait asseoir sur le trône du roi invite à reconsidérer le sens donné habituellement à Jn **19** 13 : « Pilate... mena Jésus dehors et s'assit sur le tribunal au lieu dit Lithostrôton, en hébreu Gabbatha. » Cette traduction est évidemment possible. Il faut noter cependant qu'en grec le verbe *kathizein* peut avoir le sens, soit transitif (« faire asseoir »), soit intransitif (« s'asseoir »); par ailleurs, quand deux verbes grecs ont même complément direct, il n'est pas nécessaire de répéter ce complément après le second verbe, pas même au moyen d'un pronom (on en a de nombreux exemples dans Jn et dans les Synoptiques). Grammaticalement, Jn **19** 13 peut donc se traduire : « Pilate ... mena Jésus dehors et (le) fit asseoir sur le tribunal », sens retenu par Ps.–Pierre 7 (voir 3e registre du vol. I; cf. Justin, *ibidem*). Ne serait-ce pas le sens véritable de Jn **19** 13 (I. de la Potterie)? On aurait alors dans Jn la succession de deux scènes parallèles, de même structure et de même portée. Les soldats romains affublent Jésus des insignes de la royauté (**19** 2-3, d'après le proto-Lc); Pilate fait sortir Jésus ainsi accoutré et le montre aux Juifs en disant : « Voici l'homme » (**19** 4-5). Après un nouvel interrogatoire de Jésus à l'intérieur du Prétoire (vv. 8-11), Pilate fait de nouveau sortir Jésus (toujours accoutré, semble-t-il, de ses emblèmes royaux), le fait asseoir sur le tribunal et dit aux Juifs : « Voici votre roi » (vv. 13-14); c'est un roi de mascarade prêt à « juger » son peuple ! Contre cette interprétation, on a objecté l'invraisemblance de ce geste de Pilate, qui pouvait évidemment compromettre la majesté du pouvoir romain; mais le problème doit être posé en termes différents : Jn aurait voulu montrer que, dans ses insultes, Pilate manifeste sans le vouloir la dignité royale de Jésus dont l'humiliation est en réalité un triomphe glorieux (cf. Jn **12** 31-33).

Note § **351.** *CHEMIN DE CROIX*

Dans les trois Synoptiques, cette section est dominée par l'épisode de Simon de Cyrène, requis pour porter la croix de Jésus. Ce récit, d'origine marcienne, fut inséré dans les deux autres Synoptiques à l'ultime niveau rédactionnel, comme vont le montrer les analyses suivantes. Quant au texte de Jn, il ne présente qu'une difficulté de critique textuelle.

I. LES REMANIEMENTS DES RÉCITS

1. Commençons par *le récit de Jn*. Les vv. 16b-17 sont donnés par les principaux manuscrits sous trois formes différentes :

B L VetLat	*S W alii*	*P⁶⁶*
ils prirent donc Jésus	or eux ayant pris Jésus (l') emmenèrent	or eux l'ayant pris (l') emmenèrent
et chargé lui-même de sa croix il sortit au lieu dit... où ils le crucifièrent...	et chargé lui-même de sa croix il sortit au lieu dit... où ils le crucifièrent...	au lieu dit... où ils le crucifièrent...

Il est évident que *S W* et la masse des manuscrits combinent la leçon de *P⁶⁶* avec celle de *B L VetLat*; ils viennent donc apporter un précieux soutien à *P⁶⁶*, qui, autrement, aurait été complètement isolé. Par ailleurs, le texte de *B L VetLat* est surchargé; on peut s'étonner en effet du brusque changement de sujet des verbes : « ils prirent... il sortit... ils le crucifièrent »; les mots : « et chargé lui-même de sa croix il sortit », font l'effet d'une insertion dans un texte où tous les verbes étaient au pluriel. Débarrassé de cette insertion, le texte de *B L VetLat* ressemble alors beaucoup à celui de *P⁶⁶*. On peut donc affirmer que le texte primitif de Jn est celui de *P⁶⁶*, soutenu indirectement par *S W* et la masse des manuscrits. L'addition de *B L VetLat* ne serait qu'une correction de scribe voulant réagir contre l'utilisation abusive, par les Docètes, du récit des Synoptiques : Jésus ne serait pas mort réellement; un autre, Simon de Cyrène, lui aurait été substitué et serait mort à sa place ! On comprend alors la réaction d'un scribe recopiant le manuscrit d'un évangile de Jn et ajoutant : « chargé lui-même de sa croix ». On retiendra donc comme seul texte authentique de Jn celui de *P⁶⁶* : « or eux, l'ayant pris, l'emmenèrent vers le lieu dit, etc. »

2. *Le récit de Lc.*

a) Au v. 26, il faut distinguer deux niveaux rédactionnels : celui du proto-Lc et celui de l'ultime rédaction lucanienne.

aa) Pour l'épisode lui-même de Simon de Cyrène, Lc dépend de Mc auquel il reprend sans changement le texte : « un (homme), Simon de Cyrène, qui venait des champs ». Lc ajoute « derrière Jésus » en finale de son v. 26 pour évoquer la parole de Jésus qu'il rapporte en **14** 27 : « Quiconque ne porte pas sa croix et ne vient pas *derrière moi* ne peut être mon disciple. » Simon de Cyrène est le type même du « vrai » disciple de Jésus. – Le texte de Lc se distingue encore du texte de Mc par la formule « ils lui imposèrent la croix ». Ce changement correspond-il à une intention théologique ? Lc **23** 26.33 offre un curieux parallélisme littéraire avec Gn **22** 6.9, racon-

tant le sacrifice d'Isaac par son père : « Abraham prit le bois du sacrifice *et l'imposa* (epethèken) à Isaac son fils ... Et *ils parvinrent au lieu* (èlthon epi ton topon) que Dieu lui avait dit. » On retrouve les expressions soulignées, aux vv. 26 et 33 de Lc : « ils lui imposèrent la croix à porter... Et quand ils parvinrent au lieu appelé... » (*kai hote èlthon epi ton topon*). Lc n'aurait-il pas voulu établir un parallélisme entre Jésus portant le bois de sa croix et Isaac portant le bois du sacrifice ? Le rapprochement était d'autant plus facile à faire que la tradition juive plaçait le lieu du sacrifice d'Isaac là où s'élèvera ensuite le Temple de Jérusalem et son autel (cf. Gn **22** 2 et 2 Ch **3** 1). A cette interprétation, on objectera évidemment que Lc **23** 26 parle de Simon de Cyrène, et non de Jésus ! Mais Simon ne tient-il pas ici la place de Jésus?

ab) En étroite dépendance du texte de Mc, l'épisode même de Simon de Cyrène doit donc être attribué à l'ultime Rédacteur lucanien. Il n'en va pas de même du cadre dans lequel est inséré l'épisode de Simon; il offre des affinités littéraires, non pas avec Mc, mais avec Mt. Au v. 26, le verbe « ils l'emmenèrent » (*apègagon*) correspond à celui de Mt **27** 31c; au v. 33 (§ 352), la formule de Lc : « au lieu appelé », correspond à celle de Mt : « au lieu dit », avec le changement de *legomenon* en *kaloumenon*, habituel chez Lc. Ces accords avec Mt nous font remonter au proto-Lc. On peut donc dire que le proto-Lc ignorait l'épisode de Simon de Cyrène, comme Jn. Ce rapprochement avec Jn n'est pas étonnant puisque le rédacteur johannique dépend du proto-Lc. Mais, justement, le texte de Jn va nous permettre de préciser quel était celui du proto-Lc. Rappelons que, d'après *P⁶⁶*, le texte de Jn commençait ainsi : « or eux, l'ayant pris, l'emmenèrent... » Le texte actuel de Lc commence ainsi : « Et comme ils l'emmenaient, ayant pris... » On a dans Lc et dans Jn les deux mêmes verbes, et cet accord doit remonter au proto-Lc. Si, dans le texte actuel de Lc, le participe « ayant pris » a pour complément direct « Simon de Cyrène » et non « Jésus », comme dans Jn, c'est parce que l'épisode de Simon de Cyrène a été inséré dans le texte du proto-Lc par l'ultime Rédacteur lucanien. Le texte du proto-Lc devait être analogue à celui de Jn : « l'ayant pris, ils l'emmenèrent... »

b) Les vv. 27-32 de Lc sont manifestement une addition de l'ultime Rédacteur lucanien ; étrangers à l'épisode de Simon de Cyrène, on en verra plus loin la portée théologique (II).

3. *Le récit de Mt.*

a) Tout le v. 32 de Mt, racontant l'épisode de Simon de Cyrène, fut ajouté au texte du Mt-intermédiaire par l'ultime Rédacteur matthéo-lucanien. On pourrait déjà le conjecturer du fait que le proto-Lc, qui suit le Mt-intermédiaire, ignorait cet épisode de Simon. Mais cette hypothèse est confirmée par l'analyse littéraire de ce v. 32. L'expression « du nom de » est typique du style de Lc (*onomati* : 1/1/7/0/22). D'autre part, le mot « homme » (*anthrôpos*), suivi d'un gentilice (ici « de Cyrène »), ne se lit nulle part ailleurs dans les évangiles, mais on le trouve en Ac **21** 39 et **22** 25-26. Enfin, ce v. 32 ressemble étrangement à Ac **9** 33 : « Or ils trouvèrent là un certain homme du nom d'Enée. » Ce v. 32 est donc de l'ultime Rédacteur matthéo-lucanien, complétant le Mt-intermédiaire par le récit du Mc-intermédiaire (cf. *infra*). Ajoutons une dernière remarque : on peut conjecturer que le participe « parvenus » (*elthontes*), qui commence le v. 33, est une suture rédactionnelle destinée à reprendre le fil du récit primitif, interrompu par l'insertion du v. 32.

b) Les analyses précédentes vont nous permettre d'apporter une précision importante aux conclusions de la note § 350, à propos du Mt-intermédiaire. Il existe en effet un parallélisme remarquable entre les vv. 27a, 31c, 33a de Mt, et le texte du proto-Lc (Lc/Jn) que nous avons reconstitué plus haut (I 2 *a bb*). Comme texte de comparaison, nous prendrons celui de Jn (d'après *P⁶⁶*), meilleur témoin du proto-Lc que Lc (au moins ici).

Mt	proto-Lc (Jn)
27a les soldats, prenant avec (eux) Jésus, (*paralabontes*)	or eux, l'ayant pris avec (eux) (*paralabontes*)
31c l'emmenèrent (*apègagon*) pour le crucifier...	l'emmenèrent (*apègagon*)
33a au lieu dit...	au lieu dit...

Ce parallélisme nous oblige à conclure que l'épisode des outrages à Jésus roi (vv. 27b-31ab) fut inséré par l'ultime Rédacteur matthéen dans la trame du Mt-intermédiaire. Mais, à la note § 350, nous avons conclu que ce récit des outrages à Jésus roi, connu du proto-Lc, existait dans le Mt-intermédiaire ! Il faut donc admettre que l'ultime Rédacteur matthéen l'a bien repris au Mt-intermédiaire, mais *en le changeant de place*. D'ailleurs, dans le proto-Lc, au témoignage de Lc et de Jn, l'épisode était effectivement placé, non à la fin de la comparution de Jésus devant Pilate, comme dans le Mt actuel, mais au milieu de cette comparution (voir note § 349).

4. *Le récit de Mc.*

a) Dans Mc aussi, il faut distinguer deux niveaux rédaction-

nels. Si l'ensemble du récit se lisait dans le Mc-intermédiaire, la précision : « le père d'Alexandre et de Rufus », fut ajoutée par l'ultime Rédacteur marco-lucanien. Deux arguments le prouvent. Tout d'abord, l'absence de cette précision dans les ultimes rédactions matthéenne et lucanienne, qui dépendent du Mc-intermédiaire et non de l'ultime rédaction marcienne. Ensuite, la construction grammaticale : « Simon... le père d'Alexandre... » (nom propre + *ton patera* + génitif) ; cette construction ne se lit qu'ici dans Mc, tandis qu'elle se trouve en Lc **1** 32.67.73 et Ac **7** 14 ; Mc aurait plutôt écrit : « le père d'Alexandre et de Rufus, Simon... » (cf. Mc **1** 20 ; **11** 10).

b) L'épisode de Simon de Cyrène se trouvait-il déjà dans le Document B, la source principale du Mc-intermédiaire ? Il est impossible de le savoir.

II. PRÉCISIONS HISTORIQUES ET THÉOLOGIQUES

1. La tradition marcienne nous rapporte qu'un certain Simon de Cyrène fut requis par les soldats romains pour porter la croix de Jésus. Dans le supplice de la crucifixion, il était normal que le condamné portât sa croix lui-même, soit la croix tout entière, soit le *patibulum*, la poutre transversale qui constituait le haut de la croix (le pieu vertical restait fixé de façon permanente au lieu des exécutions). Pourquoi cette dérogation à la coutume générale ? Probablement parce que Jésus, épuisé par les souffrances de la flagellation, était trop affaibli pour la porter lui-même. Est-ce là ce que Mc veut insinuer lorsqu'il écrit que l'on « porta » Jésus au Golgotha (**15** 22) ? Il serait hasardeux de l'affirmer, car si Mc utilise le verbe « porter » dans le cas de personnes qui ne peuvent marcher (**1** 32 ; **2** 3), il lui donne aussi le sens plus vague de « conduire » (**7** 32 ; **11** 2.7).

L'ultime Rédacteur marcien précise que Simon de Cyrène, Juif originaire d'Afrique du nord (Cyrénaïque), était le père d'Alexandre et de Rufus ; s'il nomme ces deux personnages, ce n'est pas qu'ils aient quelque intérêt pour la scène elle-même, c'est que la communauté chrétienne les connaît (cf. Rm **16** 13 ?) ; cette précision est donc l'indice précieux que Mc nous rapporte un souvenir concret et vivant.

2. Sur les remaniements que Lc fait subir au texte de Mc, et leur signification théologique, voir plus haut (I 2 *a aa*).

3. L'ultime Rédacteur lucanien ajoute au texte de Mc l'apostrophe de Jésus au peuple et aux femmes qui le suivent en se lamentant (vv. 27-31). Le style de ces versets est nettement lucanien, surtout aux vv. 27-28. Le v. 27 évoque peut-être Za **12** 10-14, où le prophète annonce que tous les clans d'Israël, et spécialement les femmes, se frapperont (la poitrine) à Jérusalem, pour pleurer la mort d'un premier-né (cf. Jn **19** 37, qui cite Za **12** 10). Mais c'est plutôt sur Jérusalem dont la ruine est proche, qu'il faut se lamenter ! On comparera les vv. 28-29 à Lc **13** 34 s. et surtout à Lc **19** 41-44 ; **21** 23 s. Le v. 30 est une citation de Os **10** 8, qui annonce la destruction de Samarie. Le v. 31 a la forme d'un proverbe de facture

nettement sémitique; on le rapprochera de deux textes de l'AT : « Si le juste ici-bas reçoit son salaire, combien plus le méchant et le pécheur ! » (Pr **11** 31); « Voici que je vais allumer en toi un feu pour consumer tout arbre vert et tout arbre sec » (Ez **21** 3). Ce proverbe justifie les menaces précédentes contre Jérusalem : si Jésus, le bois vert, le « juste » est ainsi traité par Dieu, qu'en sera-t-il de Jérusalem, le bois sec et stérile qui a refusé de se convertir? Le logion ne comportait probablement que les vv. 28 et 31; en les insérant dans son évangile, l'ultime Rédacteur lucanien y aurait ajouté les vv. 29 et 30.

4. D'après Mc/Mt, ce sont les soldats romains qui emmenèrent Jésus pour le crucifier (vv. 16a et 20b de Mc et leurs parallèles matthéens). Dans Lc et Jn au contraire, ce sont les Juifs qui s'emparent de Jésus et vont au Golgotha pour l'y crucifier. A la fin de la comparution de Jésus devant Pilate, en effet (§ 349), Lc écrit : « il le livra à *leur* volonté » (celle des Juifs); Jn est encore plus explicite : « Alors il le *leur* livra pour qu'il fût crucifié. » Les récits de Lc et de Jn enchaînent aussitôt : « Et comme ils l'emmenaient... » (Lc), ou :

« Or eux, l'ayant pris avec (eux), l'emmenèrent... » Cette tradition remonte certainement au proto-Lc, qui n'avait pas l'épisode de Simon de Cyrène (cf. *supra*); mais se lisait-elle déjà dans une des sources du proto-Lc? On ne peut songer ni au Document A ni au Document B, les sources de Mt et de Mc; mais ne s'agirait-il pas du Document C, qui a tellement influencé Lc et Jn dans les récits de la Passion et de la résurrection? Un indice le confirmerait : on verra à la note § 357 (II 1) que, selon le Document C, ce sont les Juifs qui descendront Jésus de la croix; cela n'implique-t-il pas que ce sont eux qui l'y avaient conduit pour le crucifier? La présence de ce thème dans le Document C, très archaïque, expliquerait sa grande diffusion. En dehors des récits de Lc et de Jn, il est attesté certainement dans l'évangile de Pierre (cf. vol. I, § 350, 3ᵉ registre); on y lit en effet : « Et (Hérode) le livra au peuple... Or eux, ayant pris le Seigneur... », puis le pseudo-Pierre décrit les scènes d'outrages et enfin la crucifixion, le tout accompli par les Juifs. Voir encore : Justin, Dial. 108 *2* (vol. I, p. 335), et probablement aussi : Lc 24 20; Ac **2** 36; **4** 10; **10** 39.

Note § **352.** *CRUCIFIEMENT*
§ **355.** *MORT DE JÉSUS*

Du point de vue littéraire, ces deux sections forment un tout et contiennent des difficultés analogues; nous allons donc les analyser ensemble.

I. PRÉLIMINAIRES

Ces deux sections sont constituées par une série de petits épisodes plus ou moins bien liés. Le problème qui se présente à nous est de déterminer de quelles sources proviennent ces divers épisodes (Document A ou Document B), et de quelle façon ils ont été insérés dans les évangiles actuels. Avant d'analyser chacun de ces épisodes, l'un après l'autre, il est nécessaire de tenir compte de quelques remarques.

1. Tout au long de ces deux sections (§§ 352 et 355), les textes de Mt et de Mc sont très proches l'un de l'autre. Mt a tous les épisodes de Mc, et il les donne exactement dans le même ordre. De plus, même le vocabulaire de Mt est souvent identique à celui de Mc. Il faut donc admettre une harmonisation systématique de Mt sur le Mc-intermédiaire, faite par l'ultime Rédacteur matthéen. En conséquence, le texte du Mt-intermédiaire, et par le fait même celui du Document A, nous est devenu presque entièrement inaccessible à partir du texte actuel de Mt.

2. On a constaté, dans les récits qui précèdent le crucifiement et la mort de Jésus, l'existence d'un proto-Lc reconnaissable aux accords Lc/Jn contre Mc; on retrouvera ce proto-Lc dans les récits du tombeau trouvé vide et des apparitions du Christ ressuscité. On peut donc conclure, avec une quasi-certitude, que ce proto-Lc contenait également un récit du crucifiement et de la mort de Jésus dont on doit retrouver la structure, sinon le détail des expressions, dans les accords Lc/Jn contre Mc, accords soit positifs (scènes communes ou expressions communes), soit négatifs (silences de Lc/Jn devant certains épisodes racontés par Mc/Mt). En principe, ces accords de Lc/Jn contre Mc devraient nous permettre de retrouver la structure du Mt-intermédiaire, et même du Document A, source principale de ce Mt-intermédiaire.

3. Il existe un certain nombre de doublets dans Mc (et Mt), ce qui permet de supposer qu'ici, comme souvent ailleurs, le Mc-intermédiaire a combiné les deux Documents B et A. Toutefois, ces doublets offrent des difficultés d'interprétation, et nous ne les étudierons que lorsqu'ils se présenteront dans les épisodes dont nous allons tenter maintenant l'analyse.

II. LES ÉPISODES DES DOCUMENTS A ET B

1. *Le crucifiement* (vv. 22-24a de Mc et par.).

a) La tradition du proto-Lc. La première partie du récit du crucifiement de Jésus (arrivée au Golgotha) a déjà été étudiée à la note § 351. On y a vu qu'il était possible de reconstituer le texte du proto-Lc (I 1 et 2) dont Jn nous a gardé, mieux que Lc, la teneur exacte : « Or eux, l'ayant pris avec (eux), l'emmenèrent au lieu dit... » On y a vu également que ce texte du proto-Lc dépendait du Mt-intermédiaire, qui avait à peu près le même contenu (I 3). Cette dépendance par rapport au Mt-intermédiaire indiquerait que le proto-Lc dépend, indirectement, du Document A. Bien entendu, c'est au niveau du proto-Lc (écrit pour des lecteurs grecs) qu'on aurait remplacé le mot « Golgotha » (venant en premier dans Mt comme dans Mc) par son équivalent grec « *Kranion* » (Crâne); le Rédacteur johannique rajoute le mot araméen primitif, mais *après* le mot grec, contrairement à son habitude; cette anomalie chez lui s'explique précisément parce qu'il dépend du proto-Lc, qui n'avait que le nom grec. Après avoir mentionné l'arrivée au lieu du Crâne, Lc et Jn omettent l'épisode du vin mêlé de myrrhe (vv. 23 de Mc et 34 de Mt); tous deux font précéder le verbe « crucifier » d'un adverbe de lieu (*ekei hopou*), et ils le font suivre immédiatement de la mention des deux larrons (rejetée aux vv. 27 de Mc et 38 de Mt, avec répétition du verbe « crucifier »). La structure du proto-Lc est donc ici très nette, avec l'accord Lc/Jn contre Mt/Mc. On remarquera cependant que l'ultime Rédacteur lucanien a dérangé l'ordonnance du proto-Lc sur un point important. Pour désigner les deux larrons, Jn dit simplement : « deux autres » (v. 18), qu'il fait précéder de « avec lui »; l'ultime Rédacteur lucanien a transféré les mots « deux autres » et « avec lui » au v. 32 (§ 351), en ajoutant le mot « malfaiteurs » (*kakourgos*, cf. vv. 33.39), ce qui est maladroit car sa phrase semble dire que Jésus était *aussi* un malfaiteur ! Au v. 33b, s'il laisse la mention du crucifiement des « deux autres » là où elle était dans le proto-Lc, il l'exprime d'une part en reprenant le terme de « malfaiteurs » qu'il a introduit au v. 32, d'autre part en empruntant à la tradition Mt/Mc la précision : « l'un à droite et l'autre à gauche ». On voit donc comment Lc, tout en dépendant foncièrement ici du proto-Lc, se laisse influencer par la tradition Mc/Mt, ou plus exactement par le Mc-intermédiaire.

b) *La tradition Mc/Mt.* Les textes de Mc et de Mt sont d'accord sur la séquence : arrivée au Golgotha, Jésus refuse la boisson qu'on lui offre, il est crucifié. Le texte de Mt offre alors une particularité : jusqu'à l'arrivée au Golgotha, il suivait la même tradition que le proto-Lc (cf. note § 351, I 3) et devait donc reprendre le texte du Mt-intermédiaire (une des sources habituelles du proto-Lc); après l'arrivée au Golgotha, il abandonne la tradition du proto-Lc pour adopter celle de Mc ! Ce changement de texte est assez visible au v. 33, avec la répétition du participe « dit » (*legomenos*); on a vu que le texte du Mt-intermédiaire devait être : « ils l'emmenèrent au lieu dit Golgotha », ce qui correspond au texte du proto-Lc qui a simplement changé « Golgotha » en « du Crâne » pour ses lecteurs grecs; mais Mt ajoute ensuite : « ce qui est dit lieu du Crâne », précision que l'on a aussi dans Mc : « ce qui est interprété lieu du Crâne » (même expression *ho estin*, absente de Lc/Jn; même inversion *kraniou topos*). L'ultime Rédacteur matthéen a donc complété le texte du Mt-intermédiaire en reprenant presque littéralement le texte

du Mc-intermédiaire, qu'il va suivre maintenant d'une façon assez régulière.

Mc et Mt disent qu'avant de crucifier Jésus on lui offrit à boire du vin, qu'il refusa. Cet épisode est absent du proto-Lc, mais pourrait représenter une tradition parallèle à celle de Jn 19 28-29 (§ 355), et donc du proto-Lc; il n'y a contact entre les deux épisodes que sur le plan d'un thème commun (on donne à boire à Jésus), sans aucun rapprochement proprement littéraire. – L'ultime Rédacteur matthéen réinterprète ici le texte du Mc-intermédiaire en fonction de Ps 69 22 : « Ils me donnèrent pour boisson du fiel » (*edôkan eis brôma mou cholèn*); il change donc l'imparfait de Mc en aoriste (passé simple); il ajoute l'expression « à boire » qui rappelle le « pour boisson » du Psaume; il change enfin « myrrhe » en « fiel ».

c) L'analyse de la scène du crucifiement nous permet des précisions importantes. Jusqu'à l'arrivée au Golgotha inclusivement, l'accord Mt/proto-Lc nous fait remonter au Mt-intermédiaire, et donc au Document A. Dans la suite du texte, Mt se sépare du proto-Lc pour adopter le texte de la tradition marcienne; ce n'est donc pas le proto-Lc qui change de source, et l'on peut admettre qu'il continue à dépendre du Document A par le biais du Mt-intermédiaire, lequel est abandonné par l'ultime Rédacteur matthéen. En revanche, les sections de Mc (et éventuellement Mt), absentes du proto-Lc, comme ici l'épisode du vin mêlé de myrrhe, doivent remonter au Document B, source principale de Mc. Envisagé du point de vue de Mc, le problème se présente donc ainsi : le Mc-intermédiaire combine les Documents A et B; les épisodes qui sont absents du proto-Lc lui viennent du Document B; les épisodes qu'il a en commun avec le proto-Lc lui viennent du Document A.

2. *Le partage des vêtements* (v. 24b de Mc et par.).

a) Cet épisode se lisait-il dans le proto-Lc? On serait tenté de répondre par l'affirmative puisqu'il est attesté par Lc et par Jn. Mais une analyse plus précise des textes oblige à répondre par la négative. Il n'existe en effet aucun contact littéraire Lc/Jn contre Mc/Mt, sinon l'indicatif aoriste « ils jetèrent » (*ebalon*) au lieu du participe présent de Mc/Mt. En fait, le texte de Lc est très proche de celui de Mc/Mt : c'est une simple citation de Ps 22 19, abrégée et adaptée au contexte. Jn au contraire a tout un petit récit détaillé (vv. 23-24a) qui se termine par une citation intégrale et littérale de Ps 22 19, d'après la Septante. Il est clair par ailleurs que Jn ne peut pas dépendre ici du proto-Lc; dans ce dernier, on l'a vu (note § 351, II 4), c'étaient les Juifs, et non les soldats romains, qui emmenaient Jésus et le crucifiaient; or le récit de Jn dit explicitement que ce sont les soldats romains qui se sont partagé les vêtements de Jésus (le mot « soldat » revient trois fois !) Le Rédacteur johannique semble d'ailleurs conscient de l'incohérence de son récit puisque, n'ayant pas encore mentionné les soldats romains dans l'épisode de la crucifixion (et pour cause !), il est obligé d'ajouter ici la proposition : « lorsqu'ils l'eurent crucifié ». Il faut donc conclure que l'épisode du partage des vêtements, absent du proto-Lc, fut ajouté dans Lc et dans Jn à l'ultime niveau rédactionnel.

Son appartenance à la tradition marcienne (Document B) est confirmée par le fait qu'il est constitué par une citation paraphrasée de Ps **22** 19; or ce Psaume sera cité encore à deux reprises (cf. *infra*, 4 et 6) dans des épisodes ignorés de Jn et peut-être de Lc, qui proviennent certainement du Document B. Il demeure toutefois possible que Jn ait trouvé dans le Document C (sans l'intermédiaire du proto-Lc) ses versets 23 et 24a; dans ce cas, la citation du Ps **22** 19, littérale et faite d'après la Septante, serait du Rédacteur johannique, comme l'indique son introduction typiquement johannique : « Afin que l'Écriture fût accomplie... »

L'ultime Rédacteur matthéen a introduit l'épisode du partage des vêtements sous l'influence du Mc-intermédiaire. Il a ajouté également au v. 36 la mention de la garde mise près de la croix, de même qu'il ajoutera : « et ceux qui, avec lui, gardaient Jésus », au v. 54, et l'épisode de la garde placée près du tombeau après l'ensevelissement de Jésus (§ 358).

b) La note chronologique de Mc **15** 25, étant donné sa place et le redoublement du verbe « crucifier », offre un problème presque insoluble. Le silence de Mt et de Lc semblerait indiquer que ce verset est de l'ultime Rédacteur marcien; mais, s'il voulait indiquer l'heure précise du crucifiement, pourquoi ne pas avoir simplement ajouté : « c'était la troisième heure », après le verbe « et ils le crucifient » du v. 24a? Cette difficulté reste la même (et compliquée cette fois du silence de Mt et de Lc) si l'on veut attribuer cette note chronologique au Mc-intermédiaire ou au Document B. Le redoublement du verbe « crucifier » indiquerait que Mc reprend cette note chronologique à un autre Document que le Document B (auquel appartenait le v. 24a de Mc), et la forme aoriste (passé simple) nous orienterait vers le Document A, puisque Lc et Jn ont la forme aoriste aux vv. 33 de Lc et 18 de Jn; mais comment expliquer alors que la mention de la troisième heure ait disparu de Lc et de Jn, qui dépendent indirectement du Document A? Peut-être la solution du problème pourrait être celle-ci : en Mc **15** 25, il faut lire « sixième heure » et non pas « troisième heure », avec le Texte Césaréen, Irénée, les Acta Pilati, les Constitutions Apostoliques et le Pseudo-Ignace (cf. vol. I, 1ᵉʳ et 3ᵉ registres). C'est la leçon difficile puisqu'elle semble en contradiction avec la mention de la sixième heure de Mc **15** 33; on s'expliquerait donc bien le changement de « sixième » en « troisième » par un scribe ayant noté l'apparente contradiction, tandis que le changement inverse resterait incompréhensible. Le Mc-intermédiaire aurait repris cette note chronologique au Document A, qui avait probablement : « où ils le crucifièrent, et avec lui deux autres... C'était la sixième heure » (cf. Jn **19** 18); Mc laisse évidemment tomber la mention des « deux autres avec lui », puisqu'il va noter plus loin le crucifiement des deux brigands; d'où son texte : « C'était la 'sixième' heure et ils le crucifièrent. » Le silence de Jn s'explique puisqu'il a déjà mentionné la « sixième heure » en **19** 14 (§ 349); quant à Lc et à Mt, ils ont vu une contradiction entre les vv. 25 et 33 de Mc (double mention de la sixième heure) et gardé seulement la deuxième mention de la sixième heure, qui avait l'avantage d'introduire le thème théologique des « ténèbres » s'étendant sur le pays tout entier.

3. *L'inscription sur la croix* (v. 26 de Mc et par.). Cet épisode est attesté lui aussi par les quatre évangiles, mais le problème littéraire s'y présente dans des conditions autres que pour l'épisode du partage des vêtements. Les contacts littéraires entre les évangiles sont ici fort complexes. Mt et Mc s'accordent à peu près dans la seconde moitié du récit : (littéralement) « ... son motif écrit (inscrit : Mc) ... le roi des Juifs. » Le mot *aitia* (« motif ») est un terme juridique qui met l'inscription de la croix en relation directe avec la comparution de Jésus devant Pilate. Mais, curieusement, Mc et Mt divergent dans la première moitié du récit : Mc se rapproche de Lc, et Mt de Jn ! On attribuera à une influence du Mc-intermédiaire sur l'ultime rédaction lucanienne le début semblable de Mc/Lc : « Et (*kai*) il y avait l'inscription (*epigraphè*) », dans Mc; « Or il y avait aussi (*kai*) une inscription (*epigraphè*) », dans Lc. Par ailleurs, Jn se rapproche de Mt pour plusieurs détails : verbe actif « placer » (*tithèmi*) accompagné de la préposition « sur » (préfixée au verbe chez Mt, après le verbe chez Jn, qui rejoint Lc pour ce détail), verbe « écrire » au participe parfait passif (*gegrammenèn* chez Mt, *èn gegrammenon* chez Jn), enfin nom de « Jésus » exprimé avant « le roi des Juifs ». On notera d'autre part la présence de l'expression *de kai*, typique du style de Lc, dans Lc et dans Jn (traduite simplement par « aussi »). Quant à Lc et Mt, ils ont en commun le démonstratif « celui-ci » (*houtos*). La complexité de ces rapports littéraires rend probable la présence de l'épisode de l'inscription sur la croix à la fois dans la tradition marcienne (Document B) et dans la tradition matthéenne (Document A, puis Mt-intermédiaire, puis proto-Lc). Ici comme ailleurs, le Rédacteur johannique a amplifié le texte de sa source en ajoutant les vv. 20-21; c'est également lui qui est responsable de la mention de Pilate.

4. *Moqueries des assistants* (vv. 29-32 de Mc et par.).

a) Mc et Mt offrent un texte assez semblable, divisé en trois parties : moqueries des passants, moqueries des grands prêtres (et des scribes), outrages des deux larrons. L'ensemble commence par une citation de Ps **22** 8, d'après la Septante : « hochant leurs têtes ». Moqueries des passants et des grands prêtres sont en partie semblables : Jésus ne peut pas se sauver en descendant de la croix ! Elles diffèrent cependant par un détail intéressant : les moqueries des passants se réfèrent à l'accusation faite à Jésus, lors du procès devant le Sanhédrin, d'avoir annoncé la destruction du Temple et sa reconstruction en trois jours (cf. Mc **14** 58; Mt **26** 61); les moqueries des grands prêtres au contraire se réfèrent à l'accusation majeure portée contre Jésus lors de sa comparution devant Pilate : il serait le roi d'Israël (les grands prêtres ne disent pas « roi des Juifs », comme en Mc **15** 2 et par., car les Juifs ne se nommaient pas « Juifs », mais « fils d'Israël », pour souligner leur élection par Dieu). Mais les moqueries des passants (Mc **15** 29-30) ne devaient se lire, ni dans le Document B, qui ne contenait pas l'accusation contre Jésus touchant la destruction du Temple (voir note § 342), ni dans le Document A, à cause de la citation de Ps **22** 8, faite d'après la Septante. D'ailleurs, le fait que les sarcasmes des passants et des grands prêtres sont presque identiques fait penser au dédoublement d'un texte plus simple (celui du Document B), qui n'aurait contenu qu'un seul groupe, probablement celui des grands prêtres (cf. *infra*), mais avec la citation de Ps **22** 8. Le dédoublement en deux groupes serait l'œuvre du Mc-intermédiaire (cf. le mot « passant », au début des vv. 29 de Mc et 39 de Mt, qui ne se lit ailleurs dans tout le NT qu'en Mc **2** 23; **9** 30; **11** 20: verbe *paraporeuesthai*).

b) Mt dépend entièrement du Mc-intermédiaire et son texte doit donc être attribué à l'ultime Rédacteur matthéen. Ce dernier a ajouté à sa source : au v. 40 la conditionnelle : « si tu es fils de Dieu », au v. 43 les emprunts à Ps **22** 9 et Sg **2** 18 (nouvelle mention du titre de « fils de Dieu »). On verra plus loin le sens de ces ajouts (III).

c) Lc donne un récit bien structuré dans lequel sont décrites successivement les moqueries : du peuple, des chefs, des soldats, des malfaiteurs. Au v. 35, les mots « regardant » et « se moquaient » sont repris de Ps **22** 8 (première partie du verset d'après la Septante, tandis que Mc/Mt citent la seconde partie). Lc ne dit pas explicitement que le peuple se moquait de Jésus, mais on peut le conclure du mot « aussi » qu'il ajoute après « se moquaient ». La scène de moqueries des « chefs » est reprise du Mc-intermédiaire avec de légères modifications, comme l'addition du déterminatif « de Dieu » après « le Christ » (cf. Lc **9** 20, § 165). Quant aux moqueries des soldats (vv. 36-37), Lc les décrit au moyen d'éléments repris à diverses autres scènes : *ca)* moqueries des soldats après (ou pendant) la comparution de Jésus devant Pilate, auxquelles Lc reprend les expressions : « les soldats se jouaient de lui, s'approchant ... disant... le roi des Juifs » (cf. note § 350; cette transposition explique *ici* la mention des soldats romains, alors que dans le proto-Lc les Juifs seuls avaient emmené Jésus pour le crucifier); *cb)* scène de moqueries précédente, à laquelle sont ajoutées la clause conditionnelle : « si tu es » (cf. Lc **23** 35b), et l'exhortation ironique : « sauve-toi toi-même » (cf. Mc **15** 30); *cc)* enfin le détail du vinaigre que l'on fait boire à Jésus, détail qui reviendra plus tard dans les autres évangiles (cf. Mc **15** 36 et par.). Sur les outrages des malfaiteurs, cf. note § 353. Tout cet ensemble est de l'ultime Rédacteur lucanien.

5. *Les ténèbres* (Mc **15** 33, § 355). La mention des ténèbres qui se prolongent de la sixième à la neuvième heure provient du Document B. Inconnue de Jn, elle ne se lisait pas dans le Document A, et l'ultime Rédacteur lucanien la reprend du Mc-intermédiaire, presque mot pour mot; il ajoute toutefois que ces ténèbres sont dues à une « éclipse » de soleil (*ekleipein* : cf. Lc **16** 9; **22** 32; jamais ailleurs dans le NT), et il transpose ici la rupture du rideau du Temple (v. 46). On a vu que la mention de la sixième heure faisait doublet avec celle que, peut-être, le Document A plaçait au moment de la crucifixion (cf. II 2 bis).

6. *Le cri de déréliction et l'épisode du vinaigre* (Mc **15** 34-36 et par.). Le texte de Mc offre plusieurs difficultés. L'épisode du vinaigre que l'on donne à boire à Jésus n'offre aucun lien réel avec le cri de déréliction de Jésus et les moqueries qu'il suscite chez les assistants. Par ailleurs, la répétition du « cri » de Jésus (vv. 34a et 37) fait songer, soit à un doublet, soit à une suture

rédactionnelle après insertion d'un thème étranger dans la trame d'un récit primitif. Ces difficultés pourraient s'expliquer de la façon suivante :

a) La mention de la neuvième heure, avec le cri de déréliction de Jésus « Elôï, Elôï, lama sabachtani? », citation de Ps **22** 2 simplement *transcrite* de l'araméen en grec, absente de Lc/Jn, remonte au Document B qui a déjà utilisé le Psaume **22** à propos du partage des vêtements (Mc **15** 24b) et des moqueries des grands prêtres (Mc **15** 29, voir II 4). Dans le Document B, ce cri de déréliction était immédiatement suivi de la mort de Jésus : « il expira » (Mc **15** 37b). Une telle structure du Document B est confirmée par l'évangile de Pierre, qui mentionne la mort de Jésus aussitôt après le cri de déréliction; le pseudo-Pierre donne d'ailleurs une traduction différente du texte araméen (ou hébreu?), preuve que la source qu'il suivait n'avait pas la traduction grecque donnée par le texte actuel de Mc.

b) C'est probablement au niveau du Mc-intermédiaire que fut ajoutée la traduction grecque du Ps **22** 2 à la fin du v. 34 (cf. *supra*).

c) Le Mc-intermédiaire ajoute le calembour sur le nom d'Élie et la moquerie qu'il provoque : « Voilà qu'il appelle Élie... Voyons si Élie vient le descendre » (vv. 35 et 36b). On a vu déjà que le Mc-intermédiaire avait dédoublé la scène de moqueries des grands prêtres (vv. 31-32a), qu'il tenait du Document B; en ajoutant de nouvelles moqueries qui, comme les deux premières, ont pour thème principal l'impuissance où se trouve Jésus de descendre de la croix (cf. vv. 30.32a.36b), le Mc-intermédiaire obtient le chiffre de « trois » moqueries faites à Jésus sur le même thème, comme il avait obtenu trois reniements de Pierre (note § 340) et trois allées et venues de Jésus lors de l'agonie à Gethsémani (note § 337). On notera que l'imparfait « ils disaient » (v. 35) détonne dans un ensemble où les verbes sont à l'aoriste (passé simple, vv. 33-34.37-38), et que la formule : « disaient en l'entendant » (*akousantes elegon*), se lit seulement ici dans Mt, jamais dans Lc/Jn/Ac, mais encore en Mc **2** 17; **6** 16; enfin le « Voilà » (*ide*) est bien dans le style de Mc (4/9/0/15/0).

d) Le thème de Jésus abreuvé de vinaigre n'a aucun lien réel avec celui des moqueries à propos d'Élie, ni avec le cri de déréliction de Jésus. En revanche, il s'explique beaucoup mieux dans Jn, où l'on donne à boire à Jésus parce qu'il a soif. Cet épisode, qui se lisait dans le proto-Lc (l'ultime Rédacteur lucanien en a transféré l'élément principal pour former la petite scène de **23** 36-37), doit remonter au Document A. C'est le Mc-intermédiaire qui l'a ajouté ici dans la trame du récit du Document B, en même temps qu'il ajoutait la scène de moqueries à propos d'Élie. Pour mieux établir un lien (factice) entre ces divers épisodes, il a mis après l'épisode du vinaigre la réflexion : « Laissez! Voyons si Élie vient le descendre ».

e) Enfin, au v. 37a, le Mc-intermédiaire a repris les mots : « mais Jésus ayant jeté un grand cri », en provenance du Document B (cf. v. 34a), afin de renouer le fil du récit (Document B), rompu par l'insertion des vv. 34c-36.

Ainsi, le récit du Document B devait avoir simplement :

« Et, à la neuvième heure, Jésus clama en un grand cri : Elôï, Elôï, lama sabachtani, et il expira. »

7. *La mort de Jésus*. Attestée par les quatre évangiles, elle devait nécessairement se trouver dans les deux Documents A et B.

a) Ici encore, l'ultime Rédacteur lucanien abandonne le texte du proto-Lc pour celui du Mc-intermédiaire. Son texte, en effet, peut s'expliquer tout entier à partir de Mc. Pour le cri poussé par Jésus, Lc change le texte de Mc : « ayant jeté un grand cri », en : « ayant crié à grand cri » (*phônèsas phônè megalè*), introduisant une formule qu'il emploie souvent ailleurs : le renforcement d'un verbe par le datif d'un nom de même racine (cf. Lc 22 15; Ac 5 28; 23 14 et surtout Ac 16 28 où l'on a les mêmes mots qu'ici); mais Lc garde le verbe final de Mcʳ : « il expira ». Dans ce cadre offert par le Mc-intermédiaire, il insère une parole de Jésus tirée de Ps 31 6, dont on a l'équivalent en Ac 7 59 (martyre d'Étienne); Lc avait déjà agi de même au v. 34a, insérant au milieu d'un texte repris de Mc une parole de Jésus analogue à celle d'Étienne en Ac 7 60. La cheville rédactionnelle « ayant dit cela » (*touto eipôn*), très johannique, n'est pas étrangère au style de Lc (Lc 24 40; Ac 1 9; 20 36; et surtout 7 60, dans le récit de la mort d'Étienne).

b) Le texte de Jn n'offre aucun contact littéraire avec celui de Lc, ce qui s'explique puisque Lc dépend ici du Mc-intermédiaire et non du proto-Lc. Le v. 30a : « Quand il eut pris le vinaigre, Jésus dit : C'est achevé », pourrait être du Rédacteur johannique, avec le thème de l'accomplissement des Écritures qui court tout au long de ses récits de la Passion. Mais le v. 30b pourrait provenir du proto-Lc : le verbe « pencher » (*klinein*) ne se lit qu'ici dans Jn, mais quatre fois dans Lc (deux fois seulement ailleurs dans le NT); quant à la formule « il rendit l'esprit » (*paredôken to pneuma*), elle a son parallèle dans Mt : « il laissa (partir) son esprit » (*aphèken to pneuma*); ce contact entre Jn et Mt pourrait être un indice qu'ici l'ultime Rédacteur matthéen aurait gardé la formule du Mt-intermédiaire, et donc peut-être du Document A. Le verbe « il expira » de Mc proviendrait du Document B.

8. *Le voile du Temple se déchire* (v. 38 de Mc et par.). Mc et Mt ont un texte presque identique, que Lc a transposé après la mention des ténèbres en son v. 45. Comme Lc a un texte proche de celui de Mc/Mt et que cet épisode ne trouve aucun écho dans Jn, on attribuera au Document B ce détail anecdotique dont on verra plus loin la portée théologique. Repris par le Mc-intermédiaire, il sera passé ensuite dans les ultimes rédactions matthéenne et lucanienne.

9. *Réaction du chef-de-cent* (Mc 15 39 et par.). Cet épisode, qui met en scène le chef des soldats romains, ne se lisait certainement pas dans le proto-Lc, pour qui les Juifs seuls participèrent à la crucifixion de Jésus; il est d'ailleurs absent de Jn. C'est donc l'ultime Rédacteur lucanien qui l'a introduit sous l'influence du Mc-intermédiaire. Mais comment expliquer alors deux accords Mt/Lc contre Mc? Tandis que Mc a « centurion » (*kentyriôn*), Mt et Lc ont « chef-de-cent » (*ekaton-*

archès), terme habituel chez Lc (4/0/3/0/14/0); le mot de Mc est une simple transcription du latin et ne se lit que chez lui dans tout le NT (encore 15 44-45); c'est un latinisme introduit par l'ultime Rédacteur marcien, tandis que Mt et Lc ont gardé le terme du Mc-intermédiaire. L'autre accord (partiel) Mt/Lc contre Mc peut s'expliquer par une réaction semblable de Mt et de Lc sur le texte de Mc. D'après Mc, le centurion vit « qu'il avait ainsi expiré », expression assez mystérieuse, car on ne voit pas comment la mort de Jésus fut si extraordinaire qu'elle pût motiver l'acte de foi du centurion (cf. III 2 j). L'ultime Rédacteur matthéen a tourné la difficulté; ayant mentionné une série de phénomènes cosmiques qui accompagnent la mort de Jésus (v. 51), il change le texte du Mc-intermédiaire en : « ayant vu le séisme et *ce qui se passait* (*ta ginomena*) »; ce sont ces « signes » cosmiques qui vont motiver la foi du chef-de-cent. Quant à Lc, qui a *to ginomenon*, au singulier, il veut peut-être éviter de répéter le verbe « expirer » à trois mots d'intervalle (on sait qu'il aime varier ses expressions), et modifier aussi le texte obscur de Mc; il emploie alors une formule qu'il a souvent ailleurs : « voir... ce qui s'était passé » (*to genomenon* ou *ta ginomena*), ou « voir... ce qui était arrivé » (*to gegonos*); cf. Lc 2 15; 8 34-35; 21 31; Ac 5 7; 13 12.

Lc 23 48 est une addition de l'ultime Rédacteur lucanien qui mêle des expressions reprises du verset précédent (« ayant vu ce qui s'était passé ») à d'autres qu'il avait déjà employées dans la petite scène composée par lui en 23 27 (§ 351).

10. *Présence des femmes* (Mc 15 40-41 et par.). Il semble que cet épisode, qui termine le récit de la mort de Jésus, se trouvait dans les deux Documents A et B. L'analyse du texte de Mt permet de le conjecturer. Pour la plus grande partie du récit, Mt est d'accord avec Mc : « Mais il y avait... des femmes regardant à distance, parmi lesquelles Marie de Magdala et Marie, mère de Jacques et de Joset... » L'ultime Rédacteur matthéen suivait ici le Mc-intermédiaire, grâce auquel on pourrait remonter jusqu'au Document B. Mais Mt contient également un court passage que l'on retrouve en même position dans le texte de Lc : « qui avaient suivi Jésus depuis la Galilée » (v. 55b). Sans doute, Mc a l'équivalent au v. 41; mais son texte diffère notablement de celui de Mt/Lc, tant par sa position (rejeté après la nomenclature des femmes) que par son contenu littéraire. Dans Mt/Lc, l'aoriste du verbe « accompagner » fait porter l'attention sur le fait que les femmes sont présentes parce qu'elles ont accompagné Jésus; dans Mc, l'imparfait des verbes « qui le suivaient et le servaient » porte l'attention sur le temps où elles étaient avec Jésus, ce qu'appuie encore la proposition temporelle : « lorsqu'il était en Galilée ». Formulé ainsi, ce texte, au moins dans sa première partie, fait penser à Lc 8 3 où il est dit aussi que des femmes « servaient » Jésus, pendant son ministère en Galilée. Dans Mc 15 41 comme dans Lc 8 3, on a l'expression « beaucoup d'autres ». Mc enfin utilise ici le verbe « monter avec » (*synanabainein*) qu'on ne trouve qu'une fois ailleurs dans le NT, en Ac 13 31, dans un contexte identique; il s'agit de Jésus qui est apparu « à ceux qui étaient montés avec lui (*tois synanabasin autôi*) de la Galilée à Jérusalem ». Mc 15 41 fut donc rédigé par l'ultime Rédacteur

marco-lucanien et ne se trouvait pas dans le Mc-intermédiaire. L'accord Mt/Mc sur l'expression « qui l'avaient suivi depuis la Galilée » proviendrait donc du Mt-intermédiaire, et pourrait remonter jusqu'au Document A. On notera également l'accord Lc/Jn sur le début de l'épisode : « Mais se tenaient », qui pourrait nous faire atteindre le proto-Lc. Sans qu'il soit possible de préciser avec exactitude la teneur du texte du Document A, il semble qu'on puisse distinguer ici : le texte du Document B, substantiellement gardé par Mc, qui donnait le nom des femmes (« Marie de Magdala, etc. ») sans mentionner qu'elles avaient suivi Jésus depuis la Galilée; le texte du Document A, qui ne donnait pas le nom des femmes, mais les caractérisait comme « celles qui avaient suivi Jésus depuis la Galilée ». Le texte de Lc refléterait assez bien la structure du récit du Document A, qu'il aurait connu, ici encore, par le Mt-intermédiaire; mais l'ultime Rédacteur matthéen aurait en partie remplacé le texte du Mt-intermédiaire par celui du Mc-intermédiaire. Quant à Jn, son texte est de rédaction tardive; s'il commence comme le proto-Lc, il donne le nom des femmes qui se trouvaient « près de la croix » (et non pas « à distance »), parce qu'il veut mentionner explicitement la mère de Jésus afin de rapporter la dernière parole du Christ à sa mère et au disciple qu'il aimait.

III. PRÉCISIONS HISTORIQUES ET THÉOLOGIQUES

En nous aidant des analyses précédentes, nous allons essayer de reprendre les divers récits de la crucifixion et de la mort de Jésus pour en dégager la signification historique et la portée théologique.

1. *Le Document A.* La tradition la plus ancienne nous est donnée par le Document A, qui avait la structure suivante :

a) Il mentionnait tout d'abord l'arrivée au Golgotha (Mt **27** 33a). Ce mot, donné par Mt, Mc et Jn, est la transcription grecque de l'araméen *Goulgoultha* (hébreu *Goulgoleth*) qui signifie « crâne ». D'après les données de Jn **19** 20, ce lieu était situé en dehors de la ville, mais non loin d'elle et à un endroit où la circulation était intense; c'était donc, très probablement, à proximité d'une des portes de la ville. Ce nom provenait-il de la forme du terrain, ou de toute autre cause? Il est impossible de répondre.

b) Aussitôt après avoir mentionné l'arrivée de la troupe au Golgotha, le Document A disait : « où ils le crucifièrent et c'était la 'sixième' heure » (Jn **19** 18a; cf. Lc **23** 33b; Mc **15** 25). Aucun détail n'est donné sur la crucifixion elle-même. Il y avait deux façons de fixer les membres du condamné à la croix : par des liens ou par des clous. Le proto-Lc nous indique que ce fut par des clous (Lc **24** 39; Jn **20** 20; cf. Jn **20** 25, plus explicite), et Paul le suppose également lorsqu'il fait allusion au Christ crucifié en Col **2** 14 (cf. Ga **6** 17). Une telle représentation du crucifiement est d'ailleurs commune chez les Pères anciens : Ignace d'Antioche, épître de Barnabé, Méliton de Sardes, Justin, Irénée, Tertullien, Clément d'Alexan-

drie... Nous verrons cependant que le Document B fait difficulté sur ce point.

c) Aussitôt après la crucifixion de Jésus, le Document A ajoutait : « et avec lui deux autres » (Jn **19** 18b), sans préciser qu'il s'agissait de brigands (c'est l'ultime Rédacteur lucanien qui le fait en ajoutant le mot « malfaiteurs » aux vv. 32 et 33).

d) Il était de coutume, chez les Romains, que le motif de la condamnation fût écrit au-dessus de la tête du condamné. Le titre de « Roi des Juifs », que mentionnent les quatre évangélistes, nous reporte à la comparution de Jésus devant Pilate. On peut toutefois se demander si, dans le Document A, l'inscription portait bien « le roi des Juifs ». Il faut se rappeler que, au moins d'après le proto-Lc, ce sont les Juifs qui ont emmené Jésus et l'ont crucifié. Or les Juifs, en parlant d'eux-mêmes, ne disaient pas « Juifs » mais « fils d'Israël », pour souligner leur élection par Dieu. L'évangile de Pierre n'aurait-il pas raison lorsqu'il explique : « Et lorsqu'ils (les Juifs) eurent dressé la croix, ils écrivirent : Celui-ci est *le roi d'Israël* »? Ce terme correspond d'ailleurs aux moqueries des grands prêtres d'après le Document B (cf. Mc **15** 32a).

e) Le Document A racontait ensuite que, peu avant la mort de Jésus, un des assistants lui donna à boire du vinaigre (Jn **19** 29; cf. Lc **23** 36). Il s'agit probablement d'un mélange d'eau et de vinaigre que les bourreaux avaient apporté pour se désaltérer; c'était donc un acte de compassion accompli par l'un des assistants (on sait que la soif était l'un des plus cruels tourments des crucifiés). Mais, en ne mentionnant que le vinaigre, la tradition chrétienne – et probablement dès sa mise par écrit dans le Document A – n'a vu dans ce geste qu'un acte de cruauté, en liaison avec Ps **69** 22 : « Et dans ma soif, ils m'ont donné à boire du vinaigre. » Le vinaigre pur ne pouvait évidemment qu'aviver la soif au lieu de l'étancher.

f) Pour dire que Jésus mourut, le Document A utilisait une formule sémitique : « il laissa (partir) l'esprit » ou « il rendit l'esprit ». Ce mot « esprit » (*pneuma*) désigne le souffle vital qui était en Jésus, comme dans Gn **35** 18; Si **38** 23; Sg **16** 14. Dans ce Document, rien n'était dit, semble-t-il, d'un grand cri poussé par Jésus avant sa mort.

g) Dans le Document A, le récit de la mort de Jésus se terminait par une brève mention de la présence, à quelque distance de la croix, d'un groupe de femmes dont on nous disait seulement qu'elles avaient suivi Jésus depuis la Galilée (cf. Lc **23** 49). Pourquoi cette mention des femmes? Ce n'est pas pour préparer déjà le récit de la découverte du tombeau vide, puisque, dans ce but, les évangélistes mentionneront à nouveau les femmes à la fin du récit de l'ensevelissement (cf. Mt **27** 61 et par.). Ne serait-ce pas alors pour rappeler, de façon très discrète, que tous les disciples préférés de Jésus avaient fui, selon l'annonce que Jésus lui-même en avait faite (Mt **26** 31; à rattacher probablement au Document A, cf. note § 336)? Pour assister à la scène du crucifiement et souffrir avec Jésus, il n'y avait plus que des femmes !

Dans le Document A, les récits de la crucifixion et de la mort de Jésus étaient donc très sobres, presque sans aucune intention apologétique ou théologique : on se contentait d'y rapporter les principaux faits qui avaient constitué le drame.

2. *Le Document B.* La rédaction du Document B est nettement plus théologique et apologétique que celle du Document A. Des détails sont ajoutés, vraisemblables certes, parce que conformes aux coutumes de l'époque, mais qui reçoivent une dimension théologique ou apologétique.

a) Comme dans le Document A, la crucifixion a lieu au Golgotha (Mc 15 22). Mais aussitôt avant de mentionner la crucifixion elle-même, le Document B dit que l'on donne à boire à Jésus du vin mêlé de myrrhe, et que Jésus ne voulut pas en boire. C'était en effet la coutume de donner aux condamnés une boisson enivrante afin qu'ils perdent plus ou moins conscience et souffrent moins; cf. Pr 31 6 : « Donnez des liqueurs fortes à celui qui va mourir et du vin à celui dont l'âme est remplie d'amertume... » Si le Document B rapporte ce détail vraisemblable, c'est pour ajouter que Jésus ne veut pas en boire; le Christ veut souffrir et mourir en pleine conscience du don qu'il fait aux hommes de sa vie.

b) Le mode de la crucifixion n'est pas mieux décrit que dans le Document A (cf. v. 24a de Mc). Il est étrange cependant que, citant ensuite et à trois reprises le Ps 22, selon la Septante (cf. *infra*), la tradition dont dépend le Document B n'ait pas utilisé ici le v. 17 de ce Psaume, formulé ainsi par la Septante : « Ils ont percé mes mains et mes pieds... » Avait-on déjà oublié que Jésus avait été fixé à la croix avec des clous, et non avec des cordes ?

c) Aussitôt après le crucifiement, le Document B racontait le partage des vêtements par ceux qui avaient crucifié Jésus. C'était en effet la coutume que les exécuteurs se partagent les dépouilles des condamnés. La scène n'est d'ailleurs pas racontée pour elle-même, mais uniquement à cause de l'analogie de situation avec le texte de Ps 22 19, puisque le récit n'est en fait qu'une citation, adaptée au contexte, de ce verset du Psaume. L'intention apologétique est assez claire : en mourant, Jésus a réalisé ce que les Écritures avaient annoncé du Messie; sa mort n'est pas un scandale, mais la réalisation d'un dessein éternel de Dieu.

d) L'épisode de l'inscription placée sur la croix ne semble pas avoir beaucoup différé, littérairement, de ce qu'il était dans le Document A; voir les explications *supra*.

e) Dans l'épisode de la crucifixion des deux brigands, on notera les expressions très précises du Document B : « l'un à droite et l'autre à gauche » (v. 27 de Mc et par.). Elles rappellent la demande des fils de Zébédée : « Donne-nous que nous siégeions l'un à ta droite et l'autre à ta gauche dans ta gloire » (Mc 10 37, § 254). Venant juste après la mention de l'inscription : « le roi des Juifs », ces expressions pourraient continuer la dérision de Jésus-roi mourant sur la croix : ses deux « premiers ministres », qui siègent l'un à sa droite et l'autre à sa gauche, sont deux brigands !

f) Cette hypothèse se trouve confirmée par l'épisode suivant (vv. 29-32 de Mc et par.). On a vu que, dans le Document B, les moqueries des assistants n'étaient pas dédoublées comme elles le sont maintenant (II 4 a) et que la section la plus primitive était la seconde, avec les moqueries des grands prêtres. Or ils se moquent de Jésus en disant : que le roi d'Israël descende maintenant pour que nous croyions ! C'est toujours de Jésus-roi que l'on se moque. Il est probable que la citation de Ps 22 8 (v. 29 de Mc) était déjà incorporée au récit des moqueries des grands prêtres dans le Document B. L'intention est la même que pour le récit du partage des vêtements : montrer que la mort de Jésus correspond aux Écritures et avait donc été prévue et voulue par Dieu.

g) Le récit du Document B se poursuivait par la mention des ténèbres qui s'étendent sur tout le pays de la sixième à la neuvième heure (Mc 15 33 et par., § 355). Y eut-il réellement un coup de « sirocco noir » ce jour-là ? Il est vain de se le demander, car l'intention des évangélistes, en notant ce détail des ténèbres, est avant tout théologique. C'est un des lieux communs de la littérature prophétique que d'exprimer le « Jour de Yahvé » par des phénomènes cosmiques (cf. note §§ 291-301), en particulier par des ténèbres remplaçant la lumière du soleil (Am 8 9; Jl 2 10; 3 3 s.; So 1 15). Ici, cependant, la mention des seules ténèbres, sans allusion explicite au soleil, évoquerait plutôt les ténèbres d'Égypte lors de l'Exode. De fait, il existe un parallélisme littéraire indéniable entre Mt 27 45 : « l'obscurité se fit sur tout le pays », et Ex 10 22 : « *il se fit une obscurité* très profonde *sur tout le pays* d'Égypte pendant trois jours... »; les mots du texte de Mt se retrouvent tous, identiques, dans le texte de la Septante. On notera par ailleurs les « trois jours » durant lesquels le pays d'Égypte reste plongé dans les ténèbres, qui pouvaient évoquer les « trois jours » de Jésus au tombeau (cf. Mc 8 31; 9 31; 10 34), d'autant mieux que le texte de la Septante précise : « et personne ne se releva de sa couche pendant trois jours »; l'image du sommeil dont on « se relève » n'était-elle pas traditionnelle, depuis Daniel, pour exprimer l'idée de résurrection? On objectera qu'ici les ténèbres ne durent que trois heures; mais il y a une intention évidente d'insister sur le chiffre de « trois », et une transposition de « trois jours » en « trois heures » serait analogue à celle qu'on a noté à propos du jeûne de Jésus lors de sa tentation : les « quarante jours » de ce jeûne correspondent aux « quarante ans » que le peuple de Dieu passa au désert durant l'Exode (Lc 4 2; voir note § 27). En évoquant les ténèbres d'Égypte à propos de la mort de Jésus, la tradition évangélique veut insinuer que cette mort est en réalité un « exode », un « passage » de la terre vers la gloire céleste (cf. Lc 9 31; Jn 13 1).

h) Puis venait, dans le Document B, la mort de Jésus exprimée sous cette forme : « Et, à la neuvième heure, Jésus clama en un grand cri : Eloï, Eloï, lama sabachtani? Et il expira » (vv. 34a et 37b de Mc). Jésus s'applique les paroles par lesquelles commençait le Ps 22, qu'on a vu déjà cité à deux reprises dans le Document B. A cet « abandon » du Christ par Dieu, le Document B opposera la certitude de son triomphe sur la mort, exprimée par la bouche de l'officier romain (cf. *infra*). On notera que, pour exprimer la mort de Jésus, le Document B a remplacé l'expression sémitique du Document A : « il rendit (son) esprit », par un verbe grec classique : « il expira » (*exepneusen*).

i) Le Document B note que, après la mort de Jésus, le voile du Temple se déchira en deux. Il faut voir dans ce détail surtout son intention théologique. La rupture du voile du Temple précède immédiatement la confession de foi de l'officier romain (v. 39 de Mc); comme ce rideau fermait l'accès du Saint des Saints (cf. Ex **26** 33), i.e. de la partie du Temple la plus secrète, là où Dieu résidait, sa rupture est le signe que, désormais, toutes les nations païennes ont accès auprès de Dieu. Cette idée est clairement exprimée dans une interpolation chrétienne du Testament de Benjamin : « Et il entrera dans le premier Temple, et là le Seigneur souffrira violence et sera élevé sur le bois; et le voile du Temple sera déchiré et l'Esprit de Dieu descendra sur les nations païennes, comme un feu répandu » (9 *3-4*). Ce thème théologique trouvait très bien sa place dans le Document B, destiné aux chrétiens issus du paganisme.

j) La confession de foi de l'officier romain (« chef-de-cent ») renvoie implicitement à Sg **2** 18 : « Car si le juste est fils de Dieu, (Dieu) l'assistera et le délivrera des mains de ses adversaires. » Cet officier ne reconnaît pas que Jésus est la seconde personne de la Trinité, mais simplement qu'il est protégé par Dieu et donc sauvé de la mort. Ce point étant admis, il reste très difficile de préciser l'intention exacte du Document B. Selon toute vraisemblance, il veut faire reconnaître par l'officier romain la victoire de Jésus sur la mort, selon le sens de Sg **2** 18. Mais quel signe motive cette foi de l'officier, puisque la résurrection de Jésus ne sera constatée que plus tard? Le Document B disait très vaguement : « ayant vu qu'il avait ainsi expiré », faisant peut-être allusion au grand cri poussé par Jésus; mais que pouvait signifier ce cri? Retenons donc simplement que, selon le Document B, Jésus serait mort de façon « extraordinaire », signe de sa victoire sur la mort. Pour comprendre ce point de vue, il faut se rappeler que les Juifs ne connaissaient pas l'anthropologie platonicienne, où l'homme est une âme immortelle par nature, unie à un corps périssable; même si certains milieux avaient adopté l'idée d'une distinction entre âme et corps, dans l'ensemble les Juifs se représentaient la mort comme une disparition de l'homme *tout entier*, descendant au shéol sous forme d'une ombre inconsistante, privée de vie et de conscience. Le récit du Document B ne voudrait-il pas insinuer que la mort de Jésus rompt avec cette représentation habituelle de la mort? Jésus « meurt » d'une façon nouvelle, inhabituelle pour une pensée juive; il continue de vivre par la partie supérieure de son être. En faisant reconnaître par le centurion que Jésus était vraiment le « fils de Dieu » dont parle Sg **2** 18, la tradition du Document B veut exprimer la conviction que la mort de Jésus doit se comprendre dans la ligne de Sg **3** 1 ss. (qui répond à **2** 18) : « Les âmes des justes sont dans la main de Dieu et nul tourment ne les atteindra; aux yeux des impies *ils ont paru* mourir... (mais) leur espérance était pleine *d'immortalité*. » Ou encore : « Il a su plaire à Dieu qui l'a aimé, et, comme il vivait parmi les pécheurs, il a été emporté » (Sg **4** 10, qui reprend les expressions de Gn **5** 24, d'après la Septante, concernant le sort final d'Hénoch). C'est la même idée que veut exprimer l'évangile de Pierre lorsque, après avoir mentionné la parole de déréliction de Jésus, il indique sa mort par ce simple verbe « il fut enlevé » (*anelemphthè*, Ps. – Pierre 19), verbe que la Septante utilise pour l'enlèvement d'Élie au ciel en 2 R **2** 11. Contrairement aux modes de pensée habituels dans le judaïsme, même dans les milieux qui avaient adopté l'idée de « résurrec-

tion » affirmée en Dn **12** 2, c'est au moment même où il meurt que Jésus triomphe de la mort (voir note § 284). Ici encore, on voit que le Document B s'adresse à des milieux paganochrétiens plutôt que judéo-chrétiens.

k) Comme dans le Document A, le récit de la mort de Jésus se termine par la mention des femmes qui « regardent de loin ». Le Document B précise toutefois quelles sont ces femmes : Marie de Magdala, Marie mère de Jacques et de Joset (cf. Mc **6** 3, § 144) et Salomé (qui serait peut-être la mère des fils de Zébédée, Jacques et Jean, d'après le parallèle de Mt).

3. C'est le Mc-intermédiaire qui a effectué la fusion entre les récits des Documents A et B. C'est lui également qui a dédoublé l'épisode des moqueries contre Jésus crucifié (Mc **15** 29-32) en les adaptant, les premières à la scène du procès devant le Sanhédrin, les secondes à la comparution de Jésus devant Pilate. Afin d'obtenir un groupe de « trois » scènes de moqueries, il a aussi ajouté celle de Mc **15** 35.36c. L'invocation « Elôï » pouvait se comprendre comme une forme abrégée du nom propre Eliyahou = Élie. Les assistants font semblant de croire que Jésus se plaint d'être abandonné par le prophète Élie, ce prophète que certaines légendes juives faisaient intervenir pour secourir ceux qui se trouvaient dans la nécessité. En Mc **15** 31-32 on invitait Jésus à se sauver lui-même en descendant de la croix, ici on prête à Jésus l'espoir qu'Élie va le sauver en le faisant descendre de la croix. – L'ultime Rédacteur marcien a apporté quelques retouches de détail qu'il est souvent malaisé de préciser. La plus importante est l'addition du v. 41 (§ 355), sous l'influence de Mt **27** 55b (Mt-intermédiaire, cf. Lc **23** 49b).

4. Le texte du Mt-intermédiaire est difficile à reconstituer, car l'ultime Rédacteur matthéen l'a largement remplacé par celui du Mc-intermédiaire. Comme il est ici la source du proto-Lc, c'est par les accords Lc/Jn (= proto-Lc) qu'on peut en reconnaître la structure : il dépendait uniquement du Document A. – L'ultime Rédacteur matthéen, outre des retouches de détail d'ordre littéraire, a apporté les modifications suivantes :

a) En **27** 34, Mt réinterprète le texte du Mc-intermédiaire en fonction du Ps **69** 22 : « Ils me donnèrent pour boisson du fiel »; il change donc l'imparfait du verbe « donner » en passé simple (aoriste), il ajoute l'expression « à boire » qui rappelle le « pour boisson » du Psaume, il remplace enfin la mention de la myrrhe par celle du fiel. Par ces modifications, le Rédacteur matthéen rejoint la pensée de Jn **19** 29 (cf. les parallèles de Mc/Mt), qui utilise le même Ps **69** 22, mais il détruit l'intention théologique du texte de Mc **15** 23 (Document B) : si Jésus refuse de boire, ce n'est plus pour garder toute sa lucidité, mais parce que le breuvage a mauvais goût !

b) Au v. 36, Mt ajoute la mention de gardes assis près de la croix, mention que l'on retrouvera en **27** 54 avec l'addition de : « et ceux qui, avec lui, gardaient Jésus » (cf. encore le § 358).

c) Dans la scène de moqueries (**27** 39-43), Mt ajoute à la fin du v. 40 la conditionnelle : « si tu es fils de Dieu », et à la fin de la scène tout le v. 43 qui est composé de deux citations,

Ps **22** 9 et Sg **2** 13.18 : il prépare ainsi la confession de foi de l'officier romain (v. 54), en mettant dans la bouche des assistants les paroles ironiques des impies contre le juste persécuté par eux, telles qu'on les trouve, soit dans le Ps **22**, soit en Sg **2** 13-18.

d) Aux vv. 51-53, après avoir mentionné la rupture du rideau du Temple, Mt ajoute que la terre trembla et que de nombreux saints ressuscitèrent. Cet ajout de l'ultime Rédacteur matthéen est peut-être l'écho d'un texte plus archaïque où la mort de Jésus s'accompagnait de signes cosmiques, dont la description aurait été influencée par Am **8** 8 ss. Notons les rapprochements thématiques en suivant l'ordre d'Amos. La terre tremble (Am **8** 9; Mt v. 45). « Je changerai vos fêtes en deuil... Je ferai de ce deuil un deuil de fils unique » (Am **8** 10); de même, à la mort de Jésus, le « fils unique », la fête de la Pâque juive devient jour de deuil. En Am **9** 1, Dieu commande au prophète : « Frappe le chapiteau » du sanctuaire de Béthel; or, au témoignage de Jérôme (in Mt **27** 51; lettre 120 *8*), l'évangile des Hébreux parlait, non du rideau du Temple déchiré, mais du linteau du Temple brisé, ce qui rejoindrait le thème de Am **9** 1. Enfin, Am **9** 2 annonce : « S'ils forcent l'entrée du Shéol, ma main les en arrachera... »; de même, Mt **27** 52-53 parle de résurrection des morts (le thème primitif devait probablement parler de leur entrée dans la Jérusalem céleste, eschatologique). On peut se demander si tous ces textes de Mt ne seraient pas l'écho d'un midrash chrétien sur la mort de Jésus utilisant Am **8** 8 ss.

e) A la fin du v. 54, dans la confession de foi de l'officier romain, Mt supprime le mot « homme », ne laissant que le démonstratif pour désigner Jésus; ne serait-ce pas l'indice qu'il prend l'expression « fils de Dieu » dans un sens fort, impliquant déjà la conscience de sa divinité?

5. Le texte actuel de Lc contient deux couches littéraires différentes : celle du proto-Lc (accords Lc/Jn et éventuellement Lc/Mt), qui dépendait uniquement du Mt-intermédiaire, et par lui du Document A; celle de l'ultime rédaction lucanienne qui, en dépendance du Mc-intermédiaire, a en partie oblitéré le texte du proto-Lc. On a noté déjà comment l'ultime Rédacteur lucanien avait ajouté les paroles de Jésus en **23** 34 : « Père, remets-leur, etc. », et en **23** 46 : « Père, dans tes mains... » (cf. II 7 a). Au v. 46, il est possible que la citation de Ps **31** 6 ait été suggérée à Lc par la formule du proto-Lc : « il rendit l'esprit » (cf. Jn **19** 30); mais, alors que chez Jn et Mt le mot « esprit » signifie simplement le souffle vital, la phrase de Lc : « Père, dans tes mains je remets mon esprit » semble donner au mot « esprit » un sens beaucoup plus « personnel », analogue à celui du mot « âme » en Sg **3** 1. Lc n'aurait fait qu'accentuer la tendance à comprendre la « mort » de Jésus dans une optique grecque (cf. les développements en III 2 j). Sur le regroupement de thèmes différents fait par l'ultime Rédacteur lucanien en **23** 36-37, cf. II 4 c et note § 353.

Au v. 47, Lc évite de faire reconnaître par l'officier romain que Jésus était « fils de Dieu ». Comme l'ultime Rédacteur matthéen, il donne probablement à l'expression un sens théologique impliquant la divinité de Jésus. Mais eût-il été pensable qu'un païen puisse reconnaître en Jésus le « fils de Dieu »? Lc évite la difficulté en reprenant le mot « juste » qui se lisait en Sg **2** 18 : « Si *le juste* est *fils de Dieu*, Dieu l'assistera, etc. » A la confession de foi de l'officier romain, l'ultime Rédacteur lucanien joint une « conversion » de toutes les foules venues assister au spectacle (v. 48). Comme l'officier romain, elles ont « vu tout ce qui s'était passé »; comme les femmes de Lc **23** 27, elles se frappent la poitrine et pleurent sur Jésus; c'est la « lamentation » sur le « fils unique » dont parlait Za **12** 10-14 (cf. Jn **19** 37).

Note § **353.** *LES DEUX LARRONS*

Ce récit est étroitement lié au précédent; aux moqueries des passants (Mc/Mt), des grands prêtres (Mt/Mc) ou des chefs (Lc), des soldats (Lc), font suite les insultes des deux malfaiteurs crucifiés avec Jésus.

1. Mt et Mc ont presque le même texte. A leur source commune, Mt a simplement ajouté : l'adverbe « de la même manière » afin de lier ces outrages aux moqueries précédentes, et le mot « brigands » (cf. v. 38), pour plus de clarté. Aucun détail n'est donné sur le contenu de ces outrages.

2. Le récit de Lc, plus développé, est assez différent. Des deux malfaiteurs, un seul insulte Jésus, le second prend sa défense.

a) Lc ne recourt pas ici à une source particulière, comme l'analyse de son vocabulaire le montrera; il va simplement reprendre quelques éléments du contexte précédent. Au v. 39, il substitue au terme « brigands » de Mt celui de « malfaiteurs » (*kakourgos*, cf. déjà **23** 32-33). Au lieu de « crucifiés avec » (Mt/Mc), Lc dit : « suspendus (à la croix) » (*kremannunai*, cf. Ac **5** 30; **10** 39, à propos de Jésus), verbe qui rappelait la loi de Dt **21** 22, selon laquelle tout homme coupable d'un crime capital devait être « pendu » (*kremannunai*) à un arbre; on reconnaît là le goût de Lc pour le vocabulaire de la Septante. Jésus n'est pas « outragé » (Mt/Mc), mais « insulté » (*blasphèmein*). En réalité, le v. 39b de Lc ne fait que reprendre Mc **15** 29-30 : « sauve-toi toi-même », complété par Lc **23** 35 : « qu'il se sauve lui-même si celui-ci est le Christ... » (cf. Mc **15** 32a). – Au v. 40, le vocabulaire est assez caractéristique de Lc : « autre » (*heteros*: 8/1/33/1/17); « admonester » (*epitiman*: 6/9/12/0/0); « déclara » (*ephè*: 15/6/8/3/25). L'expression « craindre Dieu » est propre à Lc (0/0/3/0/4), le mot « condamnation » n'est pas étranger à son vocabulaire (1/1/3/1/1). – Même abondance de lucanismes au v. 41 : « le digne (prix) de ce que... » (*axios* + génitif : 2/0/5/0/6); « faire » (*prassein*: 0/0/5/2/13); « recevoir » (*apolambanein*: 0/1/4/0/4); « malhonnête » (*atopos*: 0/0/1/0/2). – Au v. 42, le vocatif « Jésus » est dans la manière de Lc (0/3/5/0/1), le verbe « se souvenir » ne lui est pas étranger (*mimneskein*: 3/0/6/3/2). Quant au thème du royaume de Jésus (et non de Dieu), on le rencontre encore en Lc **1** 33 et **22** 30 (cf. Mt **20** 21; Jn **18** 36). – Au v. 43, l'adverbe « aujourd'hui » est de son style (*sèmeron*: 6/1/12/0/9).

b) En composant cet épisode, Lc veut donner à son lecteur quelques précisions théologiques qui lui sont chères. Le deuxième larron est le modèle du pécheur repenti qui a trouvé grâce aux yeux de Dieu; il s'entend dire par le Christ : « En vérité, je te le dis, aujourd'hui avec moi tu seras dans le paradis. » On notera le ton solennel de cette réponse de Jésus, introduite par la formule : « En vérité, je te le dis... » Par ailleurs, si beaucoup de Juifs, avec les Pharisiens, attendaient une résurrection de tous les justes « à la fin des temps », ils les faisaient attendre cette résurrection dans le shéol où ils n'étaient plus que des ombres sans vie et sans personnalité;

Jésus oppose au futur contenu dans la demande du malfaiteur converti (« quand tu viendras ») un « aujourd'hui » qui suppose un accès immédiat à la vie du royaume eschatologique. Ce thème avait déjà été exprimé dans la parabole du mauvais riche et du pauvre Lazare (Lc **16** 22, § 236). Sur ce problème, cf. note § 284.

En mettant sur les lèvres du « bon larron » cette réflexion : « nous recevons le digne (prix) de ce que nous avons fait », Lc veut opposer la condamnation injuste de Jésus à celle, équitable, des malfaiteurs. On rapprochera, en effet, cette expression de la remarque de Pilate au cours du procès de Jésus : « Rien de digne de mort n'a été commis par lui » (*ouden axion thanatou estin pepragmenon autôi*, Lc **23** 15; cf. Ac **25** 11.25).

Remarquons enfin que Lc met sur les lèvres du « mauvais larron » le grief des juifs lors du procès devant le Sanhédrin : « N'es-tu pas le Christ? »; en revanche, le « bon larron » reprend le thème de la comparution devant Pilate : « ... quand tu viendras dans ton royaume » (v. 42); il reconnaît en Jésus le « roi des Juifs ».

Note § **357.** *L'ENSEVELISSEMENT*

L'épisode de l'ensevelissement est donné par les quatre évangiles. Mt, Mc et Lc ont un récit assez semblable. Jn présente des contacts avec cette tradition d'un ensevelissement par Joseph d'Arimathie; toutefois, il fait précéder son récit d'une autre scène : le coup de lance (§ 356), dont il faudra tenir compte si l'on veut comprendre la genèse littéraire de cet épisode.

I. GENÈSE LITTÉRAIRE DES RÉCITS

A) LA TRADITION MT/LC

1. *A la recherche du Mt-intermédiaire.* Malgré des divergences importantes dues à une influence de Mc sur les ultimes rédactions matthéenne et lucanienne, ou encore à des remaniements personnels des évangélistes, les récits de Mt et de Lc offrent un parallélisme évident, qui ne peut s'expliquer que par une source commune, le Mt-intermédiaire, dont dépendraient Mt et le proto-Lc. Essayons d'en préciser la teneur grâce aux accords Mt/Lc contre Mc, et malgré les divergences mentionnées plus haut.

a) Lc commence son récit par la formule « Et voici » (*kai idou*), tandis que Mt se rapproche de Mc en commençant ainsi : « Le soir étant arrivé, vint... » C'est Lc qui a gardé le début du récit du Mt-intermédiaire. En effet, nous avons ailleurs quatre exemples où un verbe de mouvement de Mc (« venir », « arriver ») correspond à la formule « et voici » dans Lc *et dans Mt* (cf. Mt **8** 2; **9** 2.18; **26** 47); ici, Mc ayant le verbe « venir » et Lc la formule « et voici », on peut

penser que cette formule se lisait également dans le Mt-intermédiaire. Cette hypothèse sera confirmée par l'analyse du v. 58 de Mt (cf. *infra*). Mais, si le Mt-intermédiaire avait la formule « et voici », il ne pouvait commencer par : « Le soir étant arrivé », car cette formule « et voici » n'est jamais précédée d'une détermination temporelle. Il faut donc attribuer à une influence de Mc sur l'ultime rédaction matthéenne les mots : « Le soir étant arrivé, vint... » – Après « Et voici », le Mt-intermédiaire devait avoir : « un homme dont le nom (était) Joseph » (*anthrôpos tounoma Iôseph*); ces mots du Mt actuel sont confirmés par Lc, qui a simplement changé *anthrôpos* en son synonyme *anèr* (mot qu'il affectionne spécialement), et le mot *tounoma*, « dont le nom (était) » (jamais ailleurs dans le NT) en *onomati*, « du nom de », datif habituel chez Lc. – On peut se demander si le Mt-intermédiaire avait l'expression « d'Arimathie »; placée *avant* le nom de « Joseph » dans Mt, *après* dans Lc, elle semble avoir été ajoutée au niveau des ultimes rédactions matthéenne et lucanienne, sous l'influence de Mc. On aurait donc eu simplement dans le Mt-intermédiaire : « Et voici un homme dont le nom (était) Joseph... » Tout ce qui se lit en plus, soit au v. 57 de Mt, soit aux vv. 50-51 de Lc, est addition des ultimes Rédacteurs matthéen et lucanien, comme on le précisera ultérieurement.

b) Les vv. 58a de Mt et 52 de Lc étant apparemment identiques, on serait tenté d'en conclure qu'ils sont l'écho fidèle du Mt-intermédiaire. Il est vrai que le participe « allant à » (*proselthôn*) est typique du style de Mt; ici, cependant, la construction : « celui-ci allant à Pilate », offre deux anomalies. Sur les vingt-sept emplois du participe *proselthôn* dans Mt, vingt-deux présentent une structure grammaticale stéréotypée. Le plus souvent, on a l'ordre : particule initiale de liaison

(« et », « alors »), participe *proselthôn* sans complément, sujet, verbe principal suivi de son complément (cf. **4** 3; **8** 19.25; **13** 10.27; **14** 12; **15** 2.23; **16** 1; **17** 19; **18** 21; **25** 20.22.24; **26** 50; **26** 73; **28** 2.16); toutefois, quand la phrase commence par la formule « et voici », le sujet du verbe principal *précède* le participe *proselthôn* (**8** 2; **9** 18.20; **19** 16). Mt **27** 58 mis à part, les seules exceptions sont celles-ci : en Mt **21** 28.30 et **26** 49, *proselthôn* est suivi immédiatement d'un complément; en Mt **28** 9, *proselthôn* est précédé d'un sujet (*hai de*); mais ces quatre exceptions sont de l'ultime Rédacteur matthéen (en **26** 49, il harmonise avec Mc). On peut donc dire que, dans le Mt-intermédiaire, la construction stéréotypée du participe *proselthôn*, avec une variante lorsque la phrase commence par « et voici », ne souffre pas d'exception.

Revenons alors à Mt **27** 58. L'addition d'un complément (« à Pilate ») après le participe *proselthôn* est anormale et doit être attribuée à l'ultime Rédacteur matthéen. Ceci nous est confirmé par Lc; le complément « à Pilate » est omis par trois témoins de son texte : le manuscrit grec 213, la Syriaque de Cureton, Marcion; ce complément fut ajouté par des scribes soucieux d'harmoniser Lc aux trois autres évangiles : il était le seul à ne pas nommer Pilate ! Le Mt-intermédiaire n'avait donc pas le complément « à Pilate », qui fut ajouté par l'ultime Rédacteur matthéen et, dans Lc, par quelque scribe. Par ailleurs, le démonstratif « celui-ci » est superflu dans le Mt-intermédiaire et fut ajouté après l'addition du v. 57b (« qui, lui aussi, etc. »); il fut ajouté chez Lc après l'addition des vv. 50b-51, par l'ultime Rédacteur.

On obtient alors, pour les vv. 57-58a de Mt et leurs parallèles lucaniens, une source (le Mt-intermédiaire) qui avait cette teneur : « Et voici, un homme dont le nom (était) Joseph, s'approchant (*proselthôn*), réclama le corps de Jésus. » Une telle structure de phrase se retrouve en Mt **8** 2; **9** 18.20; elle est parfaitement matthéenne. Il faut noter par ailleurs que la suppression du complément « à Pilate » après le participe *proselthôn* rend impossible la séquence : « vint... s'approchant... », dans le Mt-intermédiaire; ceci confirme que le verbe « venir », au v. 57 de Mt, est de l'ultime Rédacteur matthéen qui reprend le verbe de Mc.

c) Si le Mt-intermédiaire n'avait pas le complément « à Pilate » après le participe *proselthôn*, il est clair que le v. 58b (« Alors Pilate ordonna qu'il lui fut remis »), qui ne trouve aucun écho dans Lc, est une addition de l'ultime Rédacteur matthéen.

d) Aux vv. 59 de Mt et 53a de Lc, Mt et Lc ont en commun : « Et... il le roula dans un linceul », sans mentionner l'achat du linceul (cf. Mc). Le participe de Mt « ayant pris » devait appartenir au Mt-intermédiaire; l'ultime Rédacteur lucanien l'aura changé pour adopter le terme plus technique de Mc « l'ayant descendu ». En revanche, l'insertion du v. 58b (intervention de Pilate) a obligé l'ultime Rédacteur matthéen à ajouter le mot « corps » et le nom de « Joseph »; c'est lui également qui a ajouté l'adjectif « propre », absent de Lc. On devait donc avoir dans le Mt-intermédiaire : « et, l'ayant pris, il le roula dans un linceul... »

e) Aux vv. 60 de Mt et 53b de Lc, les deux évangiles n'ont en commun, à strictement parler, que le verbe « poser »

(Mc a « déposer »). Pour désigner le tombeau, Mt a le mot *mnèmeion* tandis que Lc a *mnèma*, comme Mc; l'influence de Mc sur l'ultime rédaction lucanienne est visible du fait que, après le verbe « rouler » (v. 53a), Lc avait, comme Mt, le pronom complément au neutre (désignant donc le « corps » de Jésus, ce mot étant du genre neutre en grec), tandis qu'après le verbe « poser », il a, comme Mc, le pronom complément au masculin (désignant « Jésus »); Lc doit donc à Mc et le pronom complément au masculin, et le mot *mnèma* (au lieu de *mnèmeion*) qui, dans le grec, suit immédiatement le pronom complément. C'est l'ultime Rédacteur matthéen qui ajoute la précision que le tombeau appartenait à Joseph (addition du possessif) et qu'il était « neuf » (pas de parallèles dans Lc). Dans la seconde partie de son verset 60 (« qu'il avait taillé, etc. »), Mt devient très proche de Mc et on peut penser qu'il dépend ici, non du Mt-intermédiaire, mais du Mc-intermédiaire; le thème de la pierre roulée devant le tombeau, spécialement, qui n'a pas de parallèle dans Lc (ni dans Jn), est certainement de l'ultime Rédacteur matthéen, en dépendance de Mc. Le récit de l'ensevelissement proprement dit se terminait donc, dans le Mt-intermédiaire, par ces mots : « ... et le posa dans un tombeau (*mnèmeion*) »; dans Mc **6** 29 (§ 147), le récit de la mort du Baptiste se termine de façon identique : « Et ses disciples... enlevèrent son cadavre et le posèrent (*ethèkan*, comme ici) dans un tombeau. »

f) Apparemment, le v. 54 de Lc ne trouve aucun écho dans le récit de Mt. Il se compose de la séquence suivante : « Préparation », « sabbat », « commençait à luire » (*epephôsken*). Mais on trouve ces mots dans le même ordre en Mt **27** 62 et **28** 1 : « Préparation », « sabbat », « à l'aurore » (qui traduit le participe *tèi epiphôskousèi*). On attribuera difficilement au hasard la présence de ces deux séquences identiques dans Lc et dans Mt, d'autant que le mot « Préparation » (*paraskeuè*) ne se lit nulle part ailleurs dans Mt/Lc, et que le verbe *epiphôskein* (traduit différemment dans Lc et dans Mt) ne se trouve qu'ici dans tout le NT. On verra à la note § 358 que le récit de la garde au tombeau est une insertion de l'ultime Rédacteur matthéen. Ce fait invite à proposer l'hypothèse suivante : le texte du Mt-intermédiaire se terminait par le v. 54 de Lc; en insérant le récit du § 358, l'ultime Rédacteur matthéen en a repris, et dispersé, les divers éléments, plaçant le mot « Préparation » au v. 62, et combinant les mots « sabbat » et *epiphôskein* avec le début du récit des femmes au tombeau en **28** 1 (voir note § 359). Cet arrangement de l'ultime Rédacteur matthéen invite à penser que le texte du Mt-intermédiaire se terminait par la donnée chronologique de Lc **23** 54 et ne comportait aucune mention de la présence de femmes en face du tombeau; ce point sera précisé un peu plus loin.

Au terme de ces analyses, on peut reconstituer ainsi le récit de l'ensevelissement de Jésus dans le Mt-intermédiaire :

Et voici, un homme dont le nom (était) Joseph, s'étant approché, réclama le corps de Jésus; et l'ayant pris, il le roula dans un linceul et le posa dans un tombeau. C'était la Préparation, et le sabbat commençait à luire.

On peut conjecturer que c'était là, à peu de chose près, la teneur du récit de l'ensevelissement de Jésus dans le Document A, source habituelle du Mt-intermédiaire. L'étude de

Jn **19** 38-42, qui dépend en partie, on le verra, du proto-Lc, viendra confirmer dans ses grandes lignes la structure de ce récit.

2. *Le récit actuel de Mt.* Il dépend fondamentalement du Mt-intermédiaire, mais amplifié d'ajouts qui proviennent de Mc (le Mc-intermédiaire) ou sont de la plume de l'ultime Rédacteur matthéen. On a vu que, au v. 57, tout le début : « Le soir étant arrivé, vint », était repris de Mc, et aussi la précision que Joseph était « d'Arimathie ». L'ultime Rédacteur matthéen a probablement adopté le verbe « venir » de Mc afin de mettre mieux en relief, par un jeu de scène, la démarche de Joseph : Joseph « vient » au début du récit, puis il « s'en va » quand son rôle est terminé (fin du v. 60). Le Rédacteur matthéen fait de Joseph un « riche » afin de préparer le v. 60a : Joseph possédait en propre un tombeau dans lequel il pose le corps de Jésus ; on notera que l'adjectif « riche » est de saveur lucanienne (3/2/11/0/0), comme l'est aussi la proposition relative ajoutée en fin du v. 57, surtout avec l'expression « lui aussi » (*kai autos* : 4/5/41/7/8) ; quant au verbe « faire disciple » (*mathèteuein*), Mt est presque seul à l'employer, et dans des textes tardifs (Mt **13** 52 ; **28** 19), mais il se lit également en Ac **14** 21 (jamais ailleurs dans le NT). En tout ceci, on sent la main du Rédacteur matthéo-lucanien.

Au v. 58a, on l'a vu, l'ultime Rédacteur matthéen ajoute le démonstratif « celui-ci », nécessaire après l'insertion du v. 57b, et, sous l'influence de la tradition marcienne, le complément « à Pilate ». Ayant introduit dans le récit le personnage de Pilate, le Rédacteur matthéen était obligé de noter l'acquiescement de ce dernier à la demande de Joseph, d'où l'addition du v. 58b, dont il profite pour effectuer un rapprochement entre la mort de Jésus et celle de Jean-Baptiste. Ici, il écrit : « il ordonna qu'il lui fut remis » (*ekeleusen apodothènai*) ; en **14** 9 il avait écrit : « Le roi... ordonna qu'elle lui fut donnée » (*ekeleusen dothènai*) ; l'ultime Rédacteur marcien aura, lui aussi, la préoccupation de rapprocher les deux événements (cf. *infra* et Introd., II D **3**). On notera ici : le « alors » (*tote*), typique du style de l'ultime Rédacteur matthéen, et le verbe « ordonner » (7/0/1/0/18/0), très fréquent dans les Actes et qui n'est utilisé dans Mt qu'à l'ultime niveau rédactionnel (cf. encore Mt **8** 18 ; **14** 9.19.28 ; **18** 25 ; **27** 64, et les notes correspondantes). On l'a dit plus haut (1*d*), l'addition de ce v. 58b a entraîné celle des mots « corps » et « Joseph » au v. 59a. L'ultime Rédacteur matthéen précise que le linceul dans lequel Joseph roule Jésus était « propre » (v. 59), qu'il place le corps dans « son » tombeau, lequel était « neuf » (v. 60).

Toute la deuxième moitié du v. 60 (« qu'il avait taillé... ») est une reprise plus ou moins libre des versets parallèles de Mc ; ceux-ci préparent la venue des femmes au tombeau, que l'ultime Rédacteur matthéen empruntera au Mc-intermédiaire (cf. note § 359). A la fin du v. 60, le verbe « il s'en alla » (*apèlthen*) forme inclusion avec le verbe « vint » (*èlthen*) du v. 57a, emprunté à Mc. C'est également pour préparer l'épisode des femmes au tombeau que Mt ajoute, au v. 61, la présence des femmes. Comme ce v. 61 n'offre aucun contact littéraire avec le v. 55 de Lc, il est difficile de le faire remonter au Mt-intermédiaire ; la formule : « or il y avait là », ne fait que reprendre celle de Mt **27** 55 ; les noms « Marie de Magdala et l'autre Marie » proviennent de Mt **27** 56 ; l'adverbe « en face de » (*apenanti*) ne se lit ailleurs qu'en Mt **27** 24 (ultime niveau rédactionnel), Ac **3** 16 ; **17** 7 et Rm **3** 18, en citation ; il est donc bien de l'ultime Rédacteur matthéo-lucanien ; enfin le mot « sépulcre » (*taphos*), mis à part Rm **3** 13 (citation de l'AT), ne se lit que dans Mt (six fois, dont une ici, deux dans l'épisode suivant, tout entier de l'ultime Rédacteur matthéen, et une fois en **28** 1, remanié par l'ultime Rédacteur matthéen).

3. *Le récit de Lc.* Comme Mt, l'ultime Rédacteur lucanien remanie le texte de sa source, le proto-Lc, en fonction du Mc-intermédiaire. Avant de préciser son travail rédactionnel, il faut noter que le proto-Lc lui-même a fait une petite addition au récit du Mt-intermédiaire dont il dépend : « où personne n'avait jamais été placé », en fin du v. 53 ; on trouvera un thème semblable en Jn **19** 41.

Lc fait une description détaillée du personnage de Joseph (vv. 50b-51), description qui ne doit rien à Mc, malgré un certain parallélisme (cf. l'analyse de Mc). Le vocabulaire est typiquement lucanien. Au v. 50, le mot « conseiller » (*bouleutès*) ne se lit qu'ici et en Mc **15** 43, mais le substantif *boulè* (« dessein », « conseil ») est très lucanien (0/0/2/0/8/3). Le participe *hyparchôn* (traduit par « qui était ») est presque exclusivement lucanien (3/0/15/0/25). La formule « homme bon et juste » (*anèr agathos kai dikaios*) est bien dans la manière de Lc qui affectionne spécialement le mot *anèr* (environ cent fois dans Ac) ; pour le redoublement de l'adjectif, cf. Ac **10** 22 : « *homme juste et craignant Dieu* », ou **11** 24 : « *homme bon et plein d'Esprit Saint* ». Au v. 51, Lc prend soin de justifier ce personnage : bien que « conseiller », il ne s'était pas associé aux actes des Juifs condamnant Jésus à mort ; le verbe « s'associer » (*synkatatithèmi*) ne se lit qu'ici dans le NT, mais Lc affectionne ces verbes à double préfixe (cf. Ac **1** 26 ; **25** 5) ; le mot « dessein » (*boulè*) est typique de Lc (0/0/2/0/8/3) ; quant au substantif « acte » (*praxis* : 1/0/1/0/1), on le rapprochera du verbe « faire » (*prassein* : 0/0/5/2/13). Lc pense à ses lecteurs grecs qui ignorent la géographie de la Palestine : après « d'Arimathie », il ajoute « ville des Juifs » (cf. Lc **4** 31). Enfin, Joseph « attendait le royaume de Dieu » ; le verbe « attendre » (*prosdechesthai* : 0/1/5/0/2) et l'expression « royaume de Dieu » (4/14/32/2/6) sont bien dans le style de Lc.

Après cette longue description de Joseph, Lc est obligé d'ajouter le démonstratif « celui-ci » devant le verbe « réclama » (v. 52) ; on a vu par ailleurs que le complément « à Pilate » était une addition de scribe. Lc reprend de Mc le participe « ayant descendu » (v. 53) et il indique que la tombe avait été taillée dans le roc (Mc **15** 46) par le simple adjectif *laxeutos* (« coupée dans la pierre »). C'est encore sous l'influence de Mc que Lc mentionne la présence des femmes au cours de l'ensevelissement (vv. 55-56) ; absente du parallèle de Jn, cette mention ne peut remonter au proto-Lc, d'autant qu'elle n'offre aucun contact littéraire avec le parallèle de Mt **27** 61 (influencé par Mc). Abstraction faite de mots assez rares (« ayant suivi », *katakolouthein*, cf. Ac **16** 17 ; « regarder », *theasthai* : 4/2/3/6/3), l'ensemble est d'un style très lucanien : au v. 55, le verbe « venir avec » (*synerchesthai* : 1/3/2/2/17) ; « comment » (*hôs* conjonction : 0/2/26/21/24). Au v. 56, le verbe « revenir » (*hypostrephein* : 0/1/21/0/12), le verbe « préparer » (*etoimazein* :

8/6/14/2/1); le mot « sabbat » qui, employé au singulier, se lit surtout en Lc et Jn; « elles se reposèrent » (*hèsychazein*: cf. encore Lc **14** 4; Ac **11** 18; **21** 14; 1 Th **4** 11).

B) Le récit de Jn

1. *Les difficultés de ce récit.*

a) A la fin du v. 38, il faut lire avec *S W VetLat* et quelques autres mss grecs : « ils vinrent donc et l'enlevèrent »; c'est en effet la leçon difficile, pour deux raisons : comment justifier le pluriel des verbes alors que, jusqu'ici, Joseph d'Arimathie est seul en scène? Par ailleurs, le pronom complément du verbe enlever est au masculin (*auton*), désignant Jésus, ce qui ne se justifie guère après la mention du « corps de Jésus » en ce même verset 38 (« corps » est au neutre en grec).

b) Au v. 40, la proposition : « ils prirent donc (*oun*) le corps de Jésus », semble une simple répétition de la fin du v. 38 : « ils l'enlevèrent ».

c) Les vv. 38.42 offrent de nombreuses expressions qui se lisent également dans le récit précédent (§ 356, le coup de lance) :

	Jn **19**
	31 Puisque c'était la Prépa-[ration...
38 ... Joseph d'Arimathie...	les Juifs
demanda à Pilate	demandèrent à Pilate...
d'enlever le corps de	qu'ils fussent enlevés.
[Jésus...	
Ils vinrent donc	32 (Les soldats) vinrent donc..
et l'enlevèrent.	
42 ...à cause de la Prépara-[tion...	

On se trouve évidemment en présence de deux récits parallèles. Certains ont pensé que Jn **19** 31-32 n'était que le dédoublement fait par Jn du récit concernant Joseph d'Arimathie, parallèle à celui des Synoptiques, afin d'introduire l'épisode du coup de lance. Une telle solution ne rend pas compte de la difficulté signalée plus haut : pourquoi au v. 38 les verbes (« ils vinrent donc et l'enlevèrent ») sont-ils au pluriel? Il faut donc envisager l'hypothèse inverse : le récit concernant Joseph d'Arimathie fut inséré par Jn dans un récit plus archaïque, qu'il nous faut essayer de reconstituer.

2. *Le récit primitif de Jn.* Pour le reconstituer, il faut tenir compte de la difficulté du texte actuel de Jn : à la fin du v. 38, les verbes « vinrent » et « enlevèrent » ne peuvent se rapporter à Joseph d'Arimathie, mais viendraient bien à la suite de Jn **19** 31, où l'on a précisément : « (les soldats) vinrent donc... » On se trouve donc devant cette hypothèse : le v. 31 de Jn serait le début d'un récit archaïque qui se poursuivait à la fin du v. 38. Quelques précisions sont toutefois nécessaires. En **19** 31, la remarque : « car le jour de ce sabbat était grand », ressemble à une glose explicative qui ne devait pas se trouver dans la source de Jn. Par ailleurs, toujours au v. 31, les mots : « qu'on leur brisât les jambes », préparent immédiatement l'épisode du coup de lance et ne devaient

donc pas se trouver dans la source suivie par Jn. Celle-ci devait avoir ce texte : « Puisque c'était la Préparation, afin que les corps ne restent pas sur la croix durant le sabbat, les Juifs demandèrent à Pilate () qu'on les enlevât (); ils vinrent donc et l'enlevèrent... » (vv. 31.38c).

Comment se présentait la suite du récit dans la source de Jn? On a vu que, au début du v. 40, les mots : « ils prirent donc le corps de Jésus », reprennent le thème de la fin du v. 38 : « ils l'enlevèrent »; cette reprise fut motivée par l'insertion du v. 39 qui met en scène Nicodème et qui est du Rédacteur johannique. La suite du v. 38c : « ils vinrent donc et l'enlevèrent », pourrait alors se trouver au v. 40 avec les mots : « et le lièrent de bandelettes ». Cette hypothèse se trouve confirmée par la remarque suivante : dans le récit de Pierre au tombeau (cf. note § 360), attesté par Lc et par Jn et qui doit donc remonter au proto-Lc, les deux évangélistes sont d'accord pour mentionner la présence de « bandelettes » dans le tombeau. Ceci nous confirme que ce n'est pas Jn qui a introduit le thème des « bandelettes » dans la scène de l'ensevelissement, mais que ce thème appartenait au récit archaïque qu'il suit ici. Enfin, selon toute vraisemblance, ce récit se terminait par la simple indication que l'on posa Jésus dans un tombeau. Après « ils l'enlevèrent » (fin du v. 38), le texte de la source de Jn devait se poursuivre ainsi : « ... et le lièrent de bandelettes et le posèrent dans un tombeau » (cf. v. 42b).

3. *L'intervention de Joseph d'Arimathie.* C'est dans le cadre de ce récit primitif que Jn a inséré, d'une part l'épisode du coup de lance (vv. 32-37) dont ne parlent pas les Synoptiques, d'autre part l'intervention de Joseph d'Arimathie. Le problème littéraire de ce second épisode est assez complexe, car Jn semble dépendre à la fois du proto-Lc et de l'ultime rédaction matthéenne, mais à des niveaux rédactionnels différents; il ajoute par ailleurs à son récit des détails qui lui sont propres.

a) Au proto-Lc (cf. Mt-intermédiaire), Jn reprend la trame générale du récit : Joseph d'Arimathie demanda d'enlever le corps de Jésus (v. 38); il le prit (v. 40a) et, à cause de la Préparation des Juifs (v. 42a), il le posa dans un tombeau dans lequel personne n'avait jamais été déposé (v. 41b). Mais Jn harmonise la structure de ce récit avec celle du récit archaïque que nous avons reconstitué en A 1 f (voir le parallélisme des textes en B 1 c). On notera que Jn dit : « Joseph d'Arimathie », comme Mc; mais ce contact avec Mc peut provenir simplement de ce que ce nom de « Joseph d'Arimathie » était devenu courant au moment où Jn écrivait.

b) Le Rédacteur johannique a ajouté un certain nombre de détails en provenance de l'ultime rédaction matthéenne : au v. 38, la précision que Joseph était disciple de Jésus (cf. Mt, fin du v. 57); on notera que le participe « étant » suivi d'un attribut est très johannique (cf. Jn **4** 9; **9** 25; **10** 33; **11** 49.51; **18** 26); de plus, Jn ajoute au thème repris de Mt la précision : « mais caché, par peur des Juifs », analogue à celles qui se lisent en **7** 13 et **20** 19. Toujours au v. 38, l'addition de « à Pilate » (absente, on l'a vu, du proto-Lc) fut effectuée sous l'influence, soit de Mt, soit du texte archaïque suivi fondamentalement par Jn (cf. **19** 31); mais c'est par influence matthéenne que Jn ajoute : « et Pilate le permit ». Aux vv. 40 et 41, Jn reprend à Mt l'expression « le corps de Jésus » (après « il prit », actuellement « ils prirent ») et la précision que le tombeau était « neuf ».

c) Comme traits proprement johanniques, ajoutés par le Rédacteur johannique, on notera spécialement la présence de Nicodème aux côtés de Joseph d'Arimathie (v. 39). Il est difficile de voir dans ce verset l'utilisation d'une troisième source, car le style et le vocabulaire sont très johanniques. La relative : « qui était venu à lui de nuit, précédemment » renvoie à Jn **3** 2 (cf. **7** 50); « venir à » (*erchesthai pros*: 11/12/8/31/4); « précédemment » (*to prôton*, cf. Jn **10** 40; **12** 16, nulle part ailleurs dans le NT); « environ » (*hôs*, suivi d'un chiffre : 1/3/2/8/8). Cette venue de Nicodème a pour but d'introduire le thème du « mélange de myrrhe et d'aloès d'environ cent livres », qui rappelle par mode d'inclusion le récit de l'onction à Béthanie (§ 313) dans lequel l'ultime Rédacteur johannique a ajouté : « qu'elle le garde pour le jour de mon ensevelissement » (**12** 7b); dans l'un et l'autre récit, on a le mot « livre » (*litra*), dont on n'a aucun autre exemple dans le NT. En liaison avec l'introduction du personnage de Nicodème, le Rédacteur johannique a ajouté, au v. 40 : « avec les aromates, selon qu'il est coutume aux Juifs d'ensevelir » (« coutume », *ethos*, mot spécifiquement lucanien : 0/0/3/1/7/1); on aura remarqué que la précision « avec les aromates » vient mal après le verbe « ils le lièrent ». Enfin, le Rédacteur johannique a profondément retravaillé toute la finale du récit en vue d'introduire le thème du « jardin » (cf. Jn **18** 1b; **20** 15); il ajoute donc le v. 41a et, au v. 42, la proposition : « comme le tombeau était proche ». On remarquera, ici aussi, le style johannique : « le lieu où » (*ho topos hopou*: 1/1/0/6/0); « proche » (*eggus*: 3/3/3/11/3).

C) Le récit dans Mc

Dans le récit de Mc, un certain nombre d'additions de l'ultime Rédacteur marcien sont assez faciles à discerner, et leur élimination permet de retrouver le texte du Mc-intermédiaire. Au v. 42, ce Rédacteur précise, pour ses lecteurs grecs ou latins, le sens du mot « Préparation » en ajoutant : « ce qui est la veille du sabbat » (cf. Mc **3** 17; **5** 41; **7** 11.34; **12** 42; *ho estin*: 2/9/0/1/2). Au v. 43, le Rédacteur marco-lucanien a ajouté l'apposition « notable conseiller » (*euschèmôn*: ailleurs dans le NT seulement en Ac **13** 50; **17** 12; 1 Co **7** 35; **12** 24; pour « conseiller », voir Lc **23** 50, *supra*); il a ajouté la proposition relative : « qui, lui aussi, attendait le royaume de Dieu » (« lui aussi », *kai autos*: 4/5/41/7/8; « attendre », *prosdechesthai*: 0/1/5/0/2; la construction périphrastique est connue de Mc, mais elle est spécialement fréquente chez Lc). C'est probablement à l'ultime niveau rédactionnel que furent ajoutés le participe « s'étant enhardi » (v. 43) et les vv. 44-45 (cf. le mot « centurion », transcrit du latin, que l'ultime Rédacteur marcien avait déjà introduit en **15** 39). Au v. 46, la précision : « acheta un linceul », est de l'ultime Rédacteur. Toutes ces additions ne trouvent aucun écho dans Mt et Lc, qui ont pourtant été influencés par le Mc-intermédiaire. Pour la mention des femmes, voir note § 359.

II. PRÉCISIONS HISTORIQUES ET THÉOLOGIQUES

L'analyse littéraire a permis de reconstituer trois textes fondamentaux qui sont à l'origine de nos récits actuels : un récit de tradition matthéenne qui doit remonter au Document A, un récit de tradition marcienne qui devait déjà se lire dans le Document B, enfin un récit que Jn reprend au Document C. En voici la teneur :

Document A	Document B	Document C
	Et le soir étant arrivé,	
	comme c'était la Préparation,	Les Juifs,
		comme c'était la Préparation,
		afin que les corps ne restent pas sur la croix durant le sabbat,
Et voici un homme dont le nom était Joseph, s'étant approché, réclama le corps de Jésus.	étant venu, Joseph d'Arimathie entra chez Pilate et réclama le corps de Jésus.	demandèrent à Pilate qu'ils soient enlevés. Ils vinrent donc
Et l'ayant pris il le roula dans un linceul et le posa dans un tombeau.	Et l'ayant descendu, il l'enveloppa dans un linceul et le déposa dans un tombeau qui avait été taillé dans le roc, et il roula une pierre contre la porte du tombeau.	et l'enlevèrent et le lièrent avec des bandelettes et le posèrent dans un tombeau.
Et c'était la Préparation et le sabbat commençait à luire.	Or Marie de Magdala, et Marie mère de Joset... regardaient où il avait été placé.	

1. Le récit du Document C, très simple, est probablement le plus archaïque. D'après ce récit, ce sont les Juifs qui auraient enseveli Jésus; une évolution inverse des récits serait peu vraisemblable. D'ailleurs, cet ensevelissement par les Juifs est attesté également en Ac **13** 28-29 : « Sans trouver en lui aucun motif de mort, ils l'ont condamné et ont demandé à Pilate de le faire périr; et lorsqu'ils eurent accompli tout ce qui était écrit de lui, *ils le descendirent du gibet et le posèrent dans un tombeau.* »

2. Dans des milieux judéo-chrétiens, très tôt, on a jugé peu digne du Christ d'avoir été enseveli par ses propres ennemis, de façon anonyme. Ce ne sont donc plus « les Juifs », pris en général, qui ensevelissent Jésus, mais un homme du nom de Joseph. Il reste d'ailleurs possible que ce Joseph d'Arimathie, membre du Sanhédrin et sympathisant avec les disciples de Jésus, ait coopéré à l'ensevelissement, et pour cette raison son nom aurait été retenu dans la tradition évangélique. C'est ce qui aurait donné naissance au récit du Document A, qui garde d'ailleurs une grande sobriété. Tout a dû se passer très vite, puisque « le sabbat commençait à luire ». On notera que Pilate n'était pas mentionné dans le récit du Document A : Joseph vient simplement près de la croix et c'est là qu'il réclame le corps de Jésus. Le fait que Joseph ne s'adresse pas aux autorités romaines pourrait être rapproché de la tradition du proto-Lc dans les récits du crucifiement et de la mort de Jésus, où ce sont les Juifs qui mènent Jésus au Golgotha et l'y crucifient (cf. note § 351, II 4). Cette tradition pourrait remonter au Document A, mais aurait été abandonnée dans l'ultime rédaction matthéenne sous l'influence de Mc.

3. C'est dans le Document B qu'ont été ajoutés les détails les plus nombreux. A la formule du Document A : « le sabbat commençait à luire », on en substitue une autre, plus compréhensible pour des lecteurs non juifs : « le soir étant arrivé ». On introduit la précision que Joseph était d'Arimathie, et que c'est à Pilate lui-même qu'il demande le corps de Jésus. Enfin et surtout, pour préparer l'épisode des femmes au tombeau (Mc **16** 1 ss.), on ajoute la mention de la pierre roulée devant la porte du tombeau (taillé dans le roc) et la présence des femmes regardant l'endroit où l'on avait placé le corps, détails qui peuvent correspondre à des souvenirs précis.

4. Le Mt-intermédiaire avait repris le récit du Document A sans changement appréciable. C'est l'ultime Rédacteur matthéen qui a ajouté les détails mentionnés en I A 2. En précisant que Joseph était « riche » (v. 57) et que Jésus fut placé dans « son » tombeau, Mt veut peut-être faire allusion à Is **53** 9 : « On lui a dévolu son tombeau avec les riches. » On connaît l'importance de ce chapitre d'Isaïe dans les récits de la Passion et l'intérêt de l'ultime Rédacteur matthéen pour le thème de l'accomplissement des Écritures. Rappelons que, en explicitant l'accord de Pilate (v. 58b), le Rédacteur matthéen voulait établir un rapprochement entre la mort du Baptiste et celle de Jésus (cf. Mt **14** 9).

Sur les emprunts de Mt au Mc-intermédiaire et leur signification, cf. *supra*, I A 2.

5. Le Mc-intermédiaire dépend du récit du Document B; c'est l'ultime Rédacteur marcien qui a amplifié ce récit. Au v. 42, il donne la signification du mot « Préparation »; surtout, il indique les raisons psychologiques pour lesquelles Joseph d'Arimathie aurait effectué l'ensevelissement de Jésus : c'était un « notable conseiller qui, lui aussi, attendait le royaume de Dieu » (cf. *infra*, à propos de Lc). L'addition des vv. 44-45, avec l'étonnement de Pilate et l'information fournie par le centurion a un but apologétique : la mort de Jésus fut constatée « officiellement »; inutile donc de nier sa résurrection en prétendant qu'il n'était mort qu'en apparence.

6. Le proto-Lc suivait le Mt-intermédiaire auquel il n'ajouta que la formule : « où personne jamais n'avait été placé » (fin du v. 53). Le gros du travail rédactionnel est l'œuvre de l'ultime Rédacteur lucanien. Il donne des précisions sur la position sociale (« qui était conseiller ») et les qualités morales et religieuses de Joseph : « homme bon et juste... qui attendait le royaume de Dieu ». Ces additions rappellent Lc **2** 25 où il est dit de Syméon qu'il était « un homme juste et pieux, attendant la consolation d'Israël ». En rapprochant ces deux hommes et en distinguant le motif de leur attente, Lc veut mettre en lumière toute l'œuvre de la prédication de Jésus. Le disciple de Jésus n'attend plus une consolation encore terrestre, il est tendu vers le royaume de Dieu, vers un monde qui ne passera pas. Selon son habitude, Lc apporte encore une petite note qu'il veut historique : Joseph, bien que haut placé, n'a pas pris part au complot des chefs religieux qui a provoqué la condamnation de Jésus (v. 51a). – Sous l'influence du Mc-intermédiaire, mais avec la liberté qui le caractérise, l'ultime Rédacteur lucanien introduit dans le texte de sa source le thème de la tombe « coupée dans la pierre », et surtout la mention des femmes préparant l'onction qu'elles envisagent de faire dès le sabbat terminé (vv. 55-56). Cette addition est composée d'éléments repris à d'autres contextes. Le v. 55a rappelle Lc **23** 49b; le v. 55b prépare Lc **24** 3 (de l'ultime Rédacteur lucanien); la mention des « parfums » évoque l'épisode de la pécheresse pardonnée (cf. Lc **7** 37.38.46), mais surtout le récit de l'onction de Béthanie (§ 313), omis par Lc parce qu'il se réservait d'y faire allusion ici.

7. Jn combine le Document C avec celui du proto-Lc, harmonisant celui-ci sur celui-là. Les influences matthéennes ainsi que les additions propres à Jn se sont effectuées à l'ultime niveau rédactionnel. Notons simplement un détail. En précisant que le tombeau de Jésus était situé dans un « jardin » (v. 41), Jn veut évoquer le thème du Christ nouvel Adam, en référence à Gn **2-3**. La mention du « jardinier » que Marie de Magdala croit voir, en Jn **20** 15, complétera la scène : le Christ est le nouvel Adam qui ressuscite dans un « jardin » (= le Paradis terrestre).

Note § **358**. *LA GARDE DU TOMBEAU*

Mt fait suivre l'ensevelissement de Jésus d'un épisode qui lui est propre, la garde du tombeau; cet épisode est étroitement lié au récit – également propre à Mt – des soldats soudoyés (§ 363) et le prépare.

I. PROBLÈMES LITTÉRAIRES

On reconnaît d'ordinaire que le récit de la garde au tombeau et celui des soldats soudoyés sont des additions faites par l'ultime Rédacteur matthéo-lucanien. Plus nombreuses dans le récit des soldats soudoyés, les caractéristiques lucaniennes de cet ultime Rédacteur ne sont pas absents ici: au v. 62, l'adverbe « le lendemain » (1/1/0/5/10/0); relatif *hostis* construit avec le verbe être (1/0/5/0/2); surtout, au v. 64, le mot « peuple » (*laos*), très fréquent chez Lc/Ac (quatre-vingt-cinq fois), utilisé aussi par Mt, mais surtout en citations de l'AT (quatre fois sur quatorze) ou dans l'expression « les Anciens du peuple » (cinq fois); sur les cinq cas qui restent, l'un se lit dans l'évangile de l'enfance (Mt **1** 21) et un autre est presque certainement de l'ultime Rédacteur (**26** 5). Au v. 64 également, on notera l'expression « s'éveiller des morts », avec la préposition *apo* propre au Rédacteur matthéen (Mt **14** 2, où les parallèles de Mc/Lc ont *ek*, et Mt **28** 7).

II. AFFINITÉS LITTÉRAIRES DU RÉCIT

L'événement raconté dans ce récit matthéen offre des difficultés historiques. Comment les grands prêtres et les Pharisiens pensent-ils à la résurrection de Jésus, alors que les disciples eux-mêmes n'y songent pas et auront tant de mal à l'admettre (cf. les récits d'apparition)? On peut d'ailleurs se demander si Jésus avait annoncé sa résurrection de façon aussi explicite (cf. note § 166). Comment des hommes aussi religieux que les Pharisiens peuvent-ils, pendant un sabbat particulièrement important puisque c'était en même temps la fête des Azymes, faire auprès de Pilate une démarche qui devait être considérée comme une infraction au repos sabbatique? Et pourquoi « le lendemain » seulement? Si les disciples avaient eu l'intention de dérober le corps de Jésus, n'auraient-ils pas plutôt profité de la nuit qui suivait la mort? Le récit de Mt doit donc se comprendre surtout comme un récit apologétique destiné à répondre aux objections que devaient faire les Juifs contre la réalité de la résurrection de Jésus, quelques dizaines d'années après la mort du Christ.

Certains rapprochements entre ce récit et deux autres récits des évangiles sont intéressants.

a) Jésus est traité « d'imposteur » (*planos*, seulement ici) par les grands prêtres et les Pharisiens, qui craignent que « la dernière imposture (*planè*, seulement ici) soit pire que la première ». Cette idée que Jésus est un imposteur se lisait déjà dans deux passages de Jn: en **7** 12, où la foule est divisée au sujet de Jésus, certains affirment que « il égare (*planai*) la foule ».

Un peu plus loin, Jn nous dit que les grands prêtres et les Pharisiens (cf. Mt **27** 62 !) envoyèrent des serviteurs pour arrêter Jésus; ceux-ci reviennent, impressionnés par l'enseignement du Christ, et les Pharisiens de leur dire: « Est-ce que vous aussi vous avez été égarés (*peplanèsthe*)? » (**7** 47). On pourra se reporter aussi au Testament de Lévi, texte cité p. 320 du vol. I: « Et un homme... vous le traiterez d'imposteur et finalement vous vous précipiterez pour le tuer, ignorant sa résurrection... »

b) Plus significatif est le rapprochement de cette scène avec celle de la « demande de signe » (§ 120); rapprochement fait par de nombreux commentateurs mais de façon trop incomplète. En Mt **12** 38, quelques scribes et des Pharisiens s'approchent de Jésus pour lui demander un « signe », et Jésus répond: « Une génération mauvaise et adultère demande un signe et de signe (il) ne lui sera pas donné, sinon le signe de Jonas le prophète. Car, comme Jonas était dans le ventre du monstre marin trois jours et trois nuits, de même sera le Fils de l'homme dans le sein de la terre trois jours et trois nuits » (Mt **12** 39-40). Dans ce texte, la citation de Jon **2** 1 et les expressions: « dans le sein de la terre trois jours et trois nuits », absentes du parallèle de Lc, ont été ajoutées par l'ultime Rédacteur matthéen (note § 120, I 2 b) et sont donc du même niveau rédactionnel que l'épisode de la garde au tombeau. La raison fondamentale du remaniement de Mt, au § 120, est de rendre plus claire l'annonce du triomphe du Fils de l'homme sur la mort. Mais ce Rédacteur ne pensait-il pas aussi à préparer l'intervention auprès de Pilate de ces mêmes Pharisiens qui viendront déclarer: « nous nous sommes souvenus que cet imposteur a dit, encore vivant: Après trois jours, je m'éveille (des morts) » (**27** 63)?

Le rapprochement de ces deux scènes permet d'expliquer deux singularités du récit de la garde au tombeau. Tout d'abord l'expression « après trois jours je m'éveille (des morts) », qu'on ne lit nulle part ailleurs dans Mt; ce dernier a même: « le troisième jour » (donc « après deux jours »), là où Mc a: « après trois jours » (Mc **8** 31; **9** 31; **10** 34) ! L'expression insolite de Mt **27** 63 nous renvoie certainement au récit de la demande de signe, sous sa forme matthéenne: « de même sera le Fils de l'homme dans le sein de la terre trois jours et trois nuits. » Ce pourrait être en même temps un écho plus lointain du faux témoignage porté contre Jésus au cours du procès devant le Sanhédrin: « Je puis détruire le Temple et en trois jours le rebâtir » (Mt **26** 61). – Le rapprochement avec le récit du § 120 permettrait aussi d'expliquer la présence des Pharisiens aux côtés des grands prêtres, association qui, en dehors de Jn (cinq fois) ne se trouve ailleurs qu'en Mt **21** 45 (§ 281); bien mieux, outre Jn **18** 3, c'est ici le seul passage des récits évangéliques de la Passion où apparaissent les Pharisiens. Si Mt voulait faire allusion aux propos tenus par Jésus en Mt **12** 38-40, il devenait nécessaire de faire intervenir ceux qui avaient été les témoins de cette conversation, à savoir les Pharisiens. Une fois rempli leur office de témoins, ils pourront à nouveau disparaître; c'est pourquoi, dans l'épisode des gardes soudoyés (§ 363), qui correspond à celui de la garde mise au tombeau, on ne retrouvera plus que les seuls grands prêtres (cf. Mt **28** 11).

Note § **359.** *LES FEMMES AU TOMBEAU*

Cet épisode est commun aux quatre évangiles, qui offrent cependant entre eux des divergences assez considérables ; elles nous promettent une analyse assez complexe de la genèse littéraire de ces récits.

I. LE RÉCIT DU DOCUMENT C

Il est possible de le reconstituer à partir des accords Lc/Jn qui nous font remonter jusqu'à lui par l'intermédiaire du proto-Lc.

1. Le récit de Jn **20** 3-10 a son parallèle en Lc **24** 12 (§ 360). Nous verrons à la note § 360 que ce verset 12 de Lc, omis par certains témoins, est certainement authentique ; nous verrons également que le récit de Jn n'est qu'une amplification d'un récit plus simple dont le v. 12 de Lc serait un écho assez fidèle. Cet accord de Lc et de Jn sur une venue de Pierre au tombeau nous fait remonter à un texte plus ancien, celui du proto-Lc. Mais quelle en était l'introduction ? Les vv. 1-2 de Jn joueraient très bien ce rôle : Marie de Magdala vient au tombeau et voit que la pierre qui le fermait a été enlevée (v. 1) ; elle court en aviser Pierre (v. 2) ; celui-ci vient à son tour au tombeau et constate l'absence du corps de Jésus (Lc **24** 12 ; cf. Jn **20** 3 ss.). Mais le v. 2 de Jn ne semble pas avoir de parallèle dans Lc ; quant au v. 1, ne serait-il pas une simple reprise de Mc **16** 2.4 ?

2. Analysons donc de plus près les vv. 1-2 de Jn et 1-2 de Lc pour voir si l'on ne pourrait pas y déceler des accords Lc/Jn qui nous permettraient de remonter au proto-Lc.

a) Commençons par les vv. 2 de Lc et 1b de Jn. Ils offrent une structure identique, nettement différente de celle de Mc. Pour s'en assurer, il suffit de mettre les textes en regard, en les traduisant littéralement.

Mc **16** 4	Lc **24** 2	Jn **20** 1b
Et, ayant regardé, elles voient	Or elles trouvèrent la pierre	... et elle 'voit la pierre
qu'avait été roulée	roulée de (devant) le tombeau.	enlevée du tombeau.
la pierre.		

Il existe toutefois entre Lc et Jn des divergences de vocabulaire qu'il faut expliquer. Le verbe principal est au pluriel dans Lc, au singulier dans Jn ; mais le « nous ne savons pas » du v. 2 de Jn est l'indice que, dans sa source, Jn lisait la venue de *plusieurs* femmes au tombeau ; si le Rédacteur johannique ne mentionne qu'une seule femme, Marie de Magdala, c'est qu'il pense à l'apparition de Jésus mentionnée au § 361 et que Marie de Magdala seule l'intéresse. – Au lieu du verbe « voir » (*blepein* dans Jn, *theôrein* dans Mc), Lc a le verbe « trouver » ; le verbe *blepein* de Jn se retrouvera dans le récit de Pierre au tombeau (vv. 12 de Lc et 5 de Jn), il est donc bien dans la tonalité du proto-Lc ; en revanche, l'ultime Rédacteur lucanien change « voir » en « trouver » dans deux autres passages (Lc **8** 35 ; **9** 36), et il a tendance à ajouter ce verbe quand il n'existe pas dans ses sources (Lc **6** 7 ; **9** 12). Ici, la source de Lc/Jn devait donc avoir le verbe *blepein* (« voir »). – C'est encore l'ultime Rédacteur lucanien qui change le participe « enlevée » (Jn) en « roulée », sous l'influence de Mc. Dans la scène de l'ensevelissement, en effet (§ 357), contrairement à Mc/Mt, ni Lc ni Jn ne parlent d'une pierre « roulée » devant l'entrée du tombeau ; par ailleurs, le participe « enlevée » attesté par Jn suppose probablement un tombeau en forme de puits, avec une ouverture au sommet que l'on fermait en plaçant une pierre dessus (cf. Jn **11** 39.41, à propos du tombeau de Lazare) ; on comprend mieux alors la nécessité de « se pencher » pour voir à l'intérieur de la tombe, verbe que l'on trouve aux vv. 12 de Lc et 5 de Jn dans l'épisode de Pierre venant au tombeau (§ 360).

Les analyses précédentes permettent donc de conclure que Lc et Jn offrent un texte de même structure, assez différent de celui de Mc ; leur témoignage permet de remonter à un proto-Lc qui aurait eu cette teneur : « ... et elles voient la pierre enlevée du tombeau. » Lc et Jn en ont gardé fidèlement la structure, mais en ont changé ici ou là le vocabulaire.

b) Les vv. 1 de Lc et 1a de Jn commencent de façon identique : « Or, le premier (jour) de la semaine... » (ils ne diffèrent, il est vrai, du texte de Mc que par la particule initiale). On a vu plus haut que le Rédacteur johannique était responsable du remplacement du groupe des femmes par la seule Marie de Magdala ; c'est donc lui qui introduit son nom ici et met le verbe de la phrase au singulier. En revanche, on attribuera à l'ultime Rédacteur lucanien le changement de « au tombeau » (*eis to mnèmeion*, Jn) en « à la tombe » (*epi to mnèma*), sous l'influence de Mc ; Lc en effet reprendra le terme *mnèmeion*, du proto-Lc, dès le v. 2 (où Lc et Jn sont d'accord sur ce mot) et au v. 12 (accord Lc/Jn). C'est évidemment l'ultime Rédacteur lucanien qui ajoute : « portant les aromates qu'elles avaient préparés », écho de l'addition qu'il a effectuée en **23** 56. Reste enfin le cas des expressions temporelles. Jn a : « tôt, comme il faisait encore sombre » ; l'adverbe « tôt » pourrait provenir de Mc (*prôi* : 3/6/0/2/1) ; la seconde expression est assez caractéristique du style de Jn (*skotia*, « ombre », « ténèbres » :

2/0/1/8/0), qui l'aurait ajoutée à sa source pour former une sorte de cadre chronologique à la première journée du Ressuscité; en **20** 19, en effet, l'apparition de Jésus aux disciples commence par ces mots : « Comme c'était le soir, ce jour-là, le premier de la semaine », et les expressions grecques des vv. 1b et 19 semblent se répondre intentionnellement : *tèi miai tôn sabbatôn... skotias eti ousès* d'une part, *ousès oun opsias... tèi miai sabbatôn* d'autre part. Au contraire, la formule temporelle de Lc : « de très bonne heure » (*orthrou batheôs*), doit être celle du proto-Lc, car on en trouve un écho en Lc **24** 22, et surtout les deux textes parallèles de Jn **8** 2 et Lc **21** 38 (§ 308), qui remontent au proto-Lc, ont, soit le mot *orthros*, comme ici dans Lc, soit le verbe de même racine *orthrizein*.

Dans le proto-Lc, le début du récit devait donc avoir cette teneur : « Or, le premier jour de la semaine, de très bonne heure, elles viennent au tombeau... »

c) Jn **20** 2 n'a pas de parallèle dans Lc. Deux indices permettent de penser que Jn tient ce verset du proto-Lc. D'une part, la phrase au pluriel : « nous ne savons pas où... », fait supposer que Jn ne crée pas ce verset, mais qu'il le reprend à une source selon laquelle plusieurs femmes étaient venues au tombeau; d'autre part, le verbe « courir » est bien dans le style du récit suivant où l'on voit Pierre (et l'autre disciple) courir au tombeau (vv. 12 de Lc et 4 de Jn). Il est facile de voir pourquoi l'ultime Rédacteur lucanien fut obligé de supprimer ce verset : il n'avait plus de raison d'être, une fois inséré l'épisode des femmes au tombeau, repris de Mc (vv. 3-9); son v. 9, d'ailleurs, avait même sens que le v. 2 de Jn (proto-Lc); Lc pouvait donc supprimer la mention du retour des femmes qu'il trouvait dans le proto-Lc. Par ailleurs, les mots de Jn **20** 2 : « et l'autre disciple que Jésus aimait », sont une addition du Rédacteur johannique destinée à préparer l'insertion de « l'autre disciple » dans le récit suivant (voir note § 360).

On peut donc conclure que l'introduction du récit de Pierre venant au tombeau (§ 360) se lit encore en Jn **20** 1-2, compte tenu des modifications signalées plus haut, et qu'elle a laissé des traces en Lc **24** 1 et surtout en Lc **24** 2. Elle devait avoir à peu près cette forme :

Or, le premier jour de la semaine, de très bonne heure, elles viennent au tombeau et elles voient la pierre enlevée du tombeau; elles courent donc et elles viennent à Pierre et elles lui disent : « Ils ont enlevé le Seigneur et nous ne savons pas où ils l'ont mis. » Pierre, s'étant levé, courut au tombeau, etc. (§ 360).

Ce récit était celui du proto-Lc. Mais, on le verra à la note § 360, l'épisode de Pierre au tombeau se lisait déjà dans le Document C, source du proto-Lc. Il est donc hautement probable que l'introduction de ce récit, telle que nous venons de la reconstituer, se lisait déjà sous une forme analogue dans le Document C.

II. LE RÉCIT DU DOCUMENT B

Pour le reconstituer, nous pourrons utiliser le témoignage des trois Synoptiques. Ici, en effet, Mt et Lc offrent très peu d'accords contre Mc, malgré la longueur du récit, et, comme on le verra, ces accords peuvent tous s'expliquer par des retouches de l'ultime Rédacteur marcien; ils ne dépendent donc pas du Mt-intermédiaire, mais du Mc-intermédiaire. Une analyse des trois Synoptiques va donc nous permettre de reconstituer plus ou moins fidèlement le texte du Mc-intermédiaire; nous verrons ensuite jusqu'à quel point ce texte peut représenter celui du Document B, source première du Mc-intermédiaire.

A) Un schéma apocalyptique

Avant d'entreprendre l'analyse littéraire des textes, il est nécessaire de préciser la structure d'un schéma apocalyptique, assez fréquent dans l'AT et que l'on rencontre également dans certains passages du NT. Puisque, on va le voir, ce schéma a influencé ici les rédactions des trois Synoptiques, il est mieux d'en dégager dès maintenant la structure.

1. *Dans l'AT.* Le schéma apocalyptique est facile à dégager à partir des textes suivants, pris parmi les plus caractéristiques : Dn **8** 15 ss.; **10** 5 ss.; Ez **1** 26 ss. En voici les éléments principaux : il y a d'abord la vision d'une apparence d'homme (éventuellement d'un ange), décrit souvent en termes de lumière (Dn **8** 15; **10** 5; Ez **1** 26). Puis une voix se fait entendre (Dn **8** 16; **10** 9; Ez **1** 28). Le « voyant » est alors saisi de frayeur (Dn **8** 17) et tombe à terre, sur sa face (Dn **8** 17-18; **10** 9; Ez **1** 28). L'homme (ou l'ange) de la vision le touche et le relève avant de lui transmettre un message particulier (Dn **8** 18; **10** 10; Ez **2** 2). Bien entendu, certains de ces éléments peuvent être plus ou moins appuyés, et leur ordre peut parfois changer.

2. *Dans le NT.*

a) Citons d'abord Ap **1** 9-18, où il s'agit du Christ ressuscité, comme l'indiquent les déclarations même du Fils d'homme qui apparaît : « Je suis... le Vivant; je fus mort et voici que je suis vivant pour les siècles des siècles » (v. 18). Une voix se fait d'abord entendre (v. 10), puis, en se retournant, Jean aperçoit « une apparence de Fils d'homme » (v. 13) décrit au moyen de détails repris de Dn **10** 5 ss. et aussi Dn **7** 9 (v. 14 : cheveux blancs comme de la laine blanche), Jean tombe à ses pieds, comme mort (v. 17a). L'homme de la vision met la main sur lui (v. 17b) et lui dit : « N'aie pas peur » (v. 18).

b) Le schéma apocalyptique fut introduit par l'ultime Rédacteur matthéen dans le récit de la Transfiguration (voir note § 169, I A 2); pour Mt, rappelons-le, ce récit est une vision anticipée du Christ ressuscité. En **17** 2, les trois disciples voient le Christ transfiguré, et sa description rappelle à la fois Dn **10** 6 et Ap **1** 16 ou **1** 13. Une voix se fait entendre (v. 5) et les disciples tombent sur leur visage (v. 6a), effrayés (v. 6b). Jésus les touche alors (v. 7) et leur dit : « N'ayez pas peur » (v. 7; cf. Ap **1** 17) et « relevez-vous ».

c) Ajoutons enfin que, dans les Actes, Lc utilise le schéma apocalyptique pour parler de la vision par Paul du Christ ressuscité (Ac **9** 3 ss.; **22** 6 ss.; **26** 13 ss.) : Paul voit une lumière, il tombe à terre, une voix se fait entendre, lui disant de se relever. On remarquera plus spécialement Ac **9** 7 : « Mais les hommes qui faisaient route avec moi... ne voyant personne », que l'on rapprochera de Dn **10** 7 : « Et les hommes qui étaient avec moi ne virent pas la vision »; et Ac **26** 16, qui contient une citation de Ez **2** 1, suite de la vision apocalyptique de Ez **1** 26 ss.

3. *Dans le récit des femmes au tombeau.*

a) Chez Mt. La description de l'ange qui descend du ciel (vv. 2-3) est manifestement inspirée des descriptions apocalyptiques. La séquence : « il s'assit » (v. 2)... « et son vêtement blanc comme neige » (v. 3), est une citation littérale de Dn **7** 9 où l'Ancien des jours est décrit ainsi : « il s'assit et son vêtement comme de la neige blanche » (le vocabulaire de Mt est, à une nuance près, identique à celui de la traduction grec-

que connue de Théodotion). La phrase : « son aspect était comme l'éclair » (v. 3a), rappelle Dn **10** 6 : « Et son visage comme une vision d'éclair » (cf. Théodotion). Comme dans le schéma apocalyptique courant, après l'apparition de l'ange les gardes « tremblèrent de peur... et devinrent comme morts » (cf. Ap **1** 17a). L'ange dit ensuite aux femmes : « Ne craignez pas » (v. 5), et il leur transmet son message (cf. encore le thème de la peur au v. 8).

b) Chez Lc. Au lieu d'un ange, Lc fait apparaître « deux hommes » (v. 4), mais qui sont en réalité deux anges, d'après Lc **24** 23 (cf. Ac **1** 10). L'apparition de ces deux anges s'inspire assez librement de Dn **8** 15 (d'après la traduction grecque connue de Théodotion), que Lc utilise aussi en Ac **10** 30; il suffit de mettre les textes en parallèle pour s'en convaincre :

Dn **8** 15	Ac **10** 30	Lc **24** 4
et il arriva comme je voyais... (*en tôi idein me*) et voici		et il arriva, comme elles étaient perplexes (*en tôi aporeisthai autas*)... et voici,
	et voici un homme	deux hommes
se tint (*estè*) devant moi	se tint (*estè*) devant moi en habit brillant.	se tinrent (*epestèsan*) près d'elles en habit éclatant.
comme une vision d'homme.		

Après la vision, on trouve naturellement le thème de la peur (v. 5); l'expression « et penchaient leur visage vers la terre » (v. 5b) pourrait remplacer le thème du voyant qui « tombe sur son visage à terre ». Le tout reste conforme au style de Lc, qui imite souvent la Septante grecque. On notera spécialement le mot « homme » (*anèr*, typiquement lucanien : 8/4/27/7/100) et le verbe « se tenir » (*eph'histèmi* : 0/0/7/0/11/3); au v. 5, l'expression « être saisi de peur » (*emphobos ginesthai*) ne se lit ailleurs dans tout le NT qu'en Lc **24** 37; Ac **10** 4; **24** 25; Ap **11** 13.

c) Chez Mc. La description du « jeune homme » au v. 5 de Mc offre peu de contacts avec la tradition apocalyptique. En revanche, le v. 8 est certainement une reprise de Dn **10** 7 (cf. Théodotion); on lit dans Dn : « mais un grand trouble (*ekstasis*) tomba sur eux et ils s'enfuirent (*ephugon*) pleins de crainte (*en phobôi*) »; et l'on a dans Mc : « Et... elles s'enfuirent (*ephugon*)... car les tenaient tremblement et trouble (*ekstasis*) ... car elles avaient peur (*ephobounto*). » On a noté plus haut que Ac **9** 7 citait la première partie de ce même v. 7 de Daniel.

L'influence du schéma apocalyptique sur la rédaction des trois Synoptiques est donc certaine. Mais comme cette influence s'est exercée sur les Synoptiques selon des modalités différentes qui ne se recoupent pas, il faut la placer au dernier niveau rédactionnel de chacun des Synoptiques, et non au niveau du Mc-intermédiaire. Cette conclusion se trouve confirmée par les remarques suivantes : aux notes § 24 et § 169, on a vu que dans les récits du baptême de Jésus et de la transfiguration, l'insertion du schéma apocalyptique s'était effectuée chez Mt

à l'ultime niveau rédactionnel; on peut conjecturer qu'il en fut de même ici. Par ailleurs, on a noté plus haut que l'utilisation du schéma apocalyptique en Lc **24** 4-5a était imprégnée du style de Lc, ce qui nous renvoie également à l'ultime niveau rédactionnel de Lc. Enfin, les notes « apocalyptiques » de Mc **16** 8 sont absentes de Mt/Lc; l'utilisation de Dn **10** 7, dont on trouve encore un écho en Ac **9** 7, nous orienterait, ici encore, vers l'ultime Rédacteur marco-lucanien.

B) Analyse littéraire des récits

N'oublions pas qu'il s'agit de retrouver le texte du Mc-intermédiaire, utilisé ici par Mt, Mc et Lc. Il faudra rendre compte, ensuite, des modifications apportées par Mt, Mc et Lc à leur source commune.

1. *Le récit de Mc.* Il contient un certain nombre d'éléments qui sont absents, soit de Mt/Lc, soit de l'un d'entre eux; ces détails, qui surchargent le récit, sont de l'ultime Rédacteur marco-lucanien, comme le montre une analyse du vocabulaire.

a) Le v. 1 fait allusion à l'achat d'aromates par un groupe de femmes, en vue d'oindre le corps de Jésus. Ce détail est ignoré de Mt, et Lc l'avait placé à la fin du récit précédent (Lc **23** 56); ici (Lc **24** 1), il se contente de dire que les femmes portaient ces aromates avec elles. Chez Lc, le désir des femmes de rendre ce dernier hommage à Jésus a toute sa signification, mais on l'explique difficilement chez Mc puisque l'onction de Béthanie (§ 313), omise par Lc, devait précisément tenir lieu des rites de l'ensevelissement, comme l'explique Jésus lui-même : « D'avance, elle a parfumé mon corps pour l'ensevelissement » (Mc **14** 8); cette parole de Jésus n'a de sens que dans un évangile où l'ensevelissement ne comportait aucune onction rituelle, ni pendant, ni après. L'analyse littéraire du v. 1 de Mc confirme que nous sommes devant une addition de l'ultime Rédacteur marco-lucanien. Le mot « sabbat » est employé au singulier, alors que Mc, sauf en **6** 2, l'utilise toujours au pluriel (Mc **1** 21; **2** 23-24; **3** 2; **16** 2); le singulier est au contraire caractéristique du style de Lc (quatorze fois au singulier contre seulement cinq fois au pluriel). Le verbe « être passé » (*diaginomai*) ne se lit ailleurs dans le NT qu'en Ac **25** 13 et **27** 9, dans des expressions temporelles. Le verbe « oindre », rare dans le NT (*aleiphein* : 1/2/2/0/1), est absent du récit de l'onction de Béthanie (§ 313) mais se lit deux fois dans le récit lucanien de la pécheresse pardonnée (Lc **7** 38.46). Notons enfin que la liste des femmes, en ce v. 1, complète celle de **15** 47 pour obtenir une liste identique à celle de **15** 40; on a donc l'impression que la liste des femmes qui terminait le récit de l'ensevelissement (**15** 47), primitivement analogue à la liste de **15** 40, fut dédoublée afin de « meubler » Mc **16** 1. Pour toutes ces raisons, on peut considérer le v. 1 de Mc comme un ajout de l'ultime Rédacteur.

b) Le v. 3 n'a de sens qu'en fonction du v. 1 : c'est parce que les femmes ont l'intention d'oindre le corps de Jésus qu'elles se demandent (un peu tard !) : « Qui nous roulera la pierre hors de l'entrée du tombeau ? » Absent de Mt et de Lc, ce verset est un ajout de l'ultime Rédacteur. L'analyse littéraire confirme cette conclusion. La construction : « elles se disaient entre elles » (*legein pros*), ne se lit qu'ici dans Mc; jamais employée par Mt, elle se rencontre treize fois dans Lc et six fois dans Ac (huit fois dans Jn). Par ailleurs, au v. 4, le verbe « rouler » est *anakuliein*; ici, on a *apokuliein* qui est le verbe utilisé aux vv. 2 de Mt et de Lc; il serait étrange que Mc ait utilisé, en deux versets successifs, deux formes voisines de ce verbe rare : au v. 3, le Rédacteur marcien a aligné le texte de Mc sur ceux de Mt et de Lc. – A la fin du v. 4, la remarque à propos de la pierre : « car elle était très grande », est évidemment liée à la préoccupation des femmes exprimée au v. 3 : « Qui nous roulera, etc.? » Cette remarque est donc aussi un ajout du Rédacteur marcien.

c) Au v. 2, la première indication chronologique : « très tôt », a son équivalent dans tous les autres textes (Mt, Lc et Jn). La dernière, au contraire : « comme le soleil se levait », n'a d'équivalent ni dans Mt ni dans Lc. C'est probablement une addition de l'ultime Rédacteur marcien dont on verra plus loin la portée théologique.

d) La seconde partie du v. 5 semble avoir été profondément remaniée par l'ultime Rédacteur marcien. Au lieu de parler d'un ange (Mt), ou de deux hommes (= deux anges, Lc), Mc dit que les femmes virent « un jeune homme ». Que représente-t-il ? Un ange, comme dans Mt (cf. Lc) ? Une réponse pourrait être donnée en rapprochant Mc **16** 5 de Mc **14** 51-52, seuls textes de Mc où se lisent les deux mots « jeune homme »

(*neaniskos*) et « vêtu » (*peribeblèmenos*). Voici la solution qu'on pourrait alors proposer : dans les deux passages, ce « jeune homme » symbolise le Christ. En **14** 51-52, le « jeune homme » n'est vêtu que d'un « drap », qui pourrait être aussi un « linceul » (*sindôn*, comme en Mc **15** 46 et par.); en laissant ce « linceul » aux mains de ceux qui veulent l'arrêter (*kratein*), le jeune homme se libère de ceux qui voudraient le « retenir » dans les liens de la mort (cf. Ac **2** 24, avec le même verbe *kratein*). Mc précise qu'il s'enfuit « nu »; or le thème de la nudité est lié à celui de l'ensevelissement en vue d'une résurrection : cf. 1 Co **15** 37; 2 Co **5** 3; 1 Clément 24 (vol. I, p. 114). En **16** 5, on retrouve le jeune homme « assis à droite, vêtu d'une robe blanche ». Pourquoi « assis à droite »? Et à droite de qui ou de quoi ? Sans aucune précision topographique, l'expression doit avoir un sens symbolique et évoque le Ps **110** 1 où Dieu dit au roi messianique : « Assieds-toi à ma droite. » Quant à la robe blanche, elle symbolise la victoire du Christ sur la mort, comme en Ap **6** 11 et surtout **7** 9 où il est dit des martyrs victorieux qu'ils sont « revêtus de robes blanches » (*peribeblèmenous stolas leukas*, comme en Mc **16** 5). Dans cette perspective, on peut se demander si la mention du soleil levant, au v. 2, ne ferait pas également allusion à la résurrection du Christ, peut-être en accord avec la prophétie de Nb **24** 17, d'après la Septante : « Un astre s'élèvera (*anatelei*) de Jacob et un homme se lèvera (*anastèsetai* = aussi « ressuscitera ») d'Israël. » Tous ces développements symboliques, absents de Mt/Lc, seraient de l'ultime Rédacteur marcien.

On attribuera au Rédacteur marcien le verbe « être stupéfait » (vv. 5 et 6), propre à Mc dans tout le NT (cf. **9** 15 et **14** 33); le Mc-intermédiaire devait avoir un verbe plus courant, comme « avoir peur » (*phobeisthai*, comme dans Mt).

Il reste difficile de reconstituer la teneur exacte du v. 5 dans le Mc-intermédiaire; en tenant compte du parallèle matthéen, on peut admettre que, « étant entrées dans le tombeau », les femmes « virent » un ange « assis » portant un vêtement blanc et qu'elles eurent peur.

e) Aux vv. 6 et 7, l'ultime Rédacteur marcien a gardé presque sans retouches le texte du Mc-intermédiaire. Au v. 6, il a simplement changé « ne craignez pas » (cf. Mt) en « ne soyez pas stupéfaites » (cf. *supra*); il a probablement ajouté aussi le titre de « Nazarénien » après « Jésus » (*Nazarènos* : 0/4/2/0/0); si Mc l'avait lu dans sa source, il aurait écrit « Nazôréen » (cf. Mt **26** 71 et note § 340, I B 3 *b*). Au v. 7, l'ultime Rédacteur marcien a ajouté « et à Pierre » (absent de Mt/Lc), probablement en référence à Mc **14** 28 dans l'annonce du reniement de Pierre auquel renvoie ce verset.

f) Le cas du v. 8 est difficile à trancher. D'après ce que nous avons dit plus haut (II A 3 *c*), les mots : « elles s'enfuirent... car les tenaient tremblement et trouble... car elles avaient peur », sont de l'ultime Rédacteur marcien, et repris à Dn **10** 7 (schéma apocalyptique); ces mots n'ont d'ailleurs pas de parallèle dans Mt/Lc, sauf le thème de la peur, qui se trouve aussi dans Mt. Une fois ces ajouts enlevés, le texte de Mc offre une structure assez proche de ceux de Mt et de Lc :

Mt	Mc	Lc
et, s'en étant allées () du tombeau, avec peur et grande joie, elles coururent annoncer à ses disciples.	et, étant sorties du tombeau, elles ne dirent rien à personne.	et, étant revenues du tombeau, elles annoncèrent tout cela aux Onze et à tous les autres.

On voit tout de suite que la seule divergence essentielle entre les trois textes est l'opposition finale entre Mc (« elles ne dirent rien à personne ») et Mt/Lc (« elles annoncèrent »). Comme rien ne permet de penser que Mt et Lc dépendent ici d'une autre source que le Mc-intermédiaire, le problème qui se présente est celui-ci : est-ce Mc qui a gardé le vrai texte du Mc-intermédiaire, que Mt et Lc auraient corrigé, ou l'inverse ? La première hypothèse est celle qui est presque unanimement adoptée par les commentateurs ; le texte de Mc, en effet, est le texte difficile, car le silence des femmes se justifie mal. Mais, si Mc a gardé le texte du Mc-intermédiaire, comment expliquer que Mt et Lc l'aient corrigé à peu près de la même façon, s'accordant pour introduire le verbe « annoncer » ? En revanche, si le Mc-intermédiaire se terminait, comme dans Mt/Lc, par l'annonce aux disciples, et de la découverte du tombeau vide, et du message de l'ange, le changement fait par le Rédacteur marcien pourrait s'expliquer ainsi : il aurait pu vouloir harmoniser l'apparition de l'ange aux femmes avec la finale du récit de la transfiguration dans Lc : « Et ils se turent et ils n'annoncèrent à personne... rien de ce qu'ils avaient vu » (Lc **9** 36b) ; on notera que Lc **9** 36b et Mc **16** 8 sont les deux seuls passages des évangiles où se lit la double négation « rien à personne » (*ouden oudeni*) ; cette raison ne vaut évidemment que dans le cas où l'on admet que l'ultime Rédacteur marcien est « lucanien ».

g) Au terme de ces analyses, on peut reconstituer ainsi le texte du Mc-intermédiaire, à quelques détails près :

Et très tôt, le premier jour de la semaine, elles viennent à la tombe et, ayant regardé, elles voient que la pierre avait été roulée. Et étant entrées dans le tombeau, elles virent un ange assis et elles eurent peur. Mais lui leur dit : « N'ayez pas peur ; vous cherchez Jésus, le crucifié ? Il s'est éveillé des morts, il n'est pas ici. Voici le lieu où ils l'avaient déposé. Mais allez, dites à ses disciples qu'il vous précède en Galilée ; là vous le verrez comme il vous l'a dit. » Et, étant sorties du tombeau, elles coururent (?) l'annoncer aux disciples.

2. *Le récit de Mt*. Il est tout entier de la main de l'ultime Rédacteur matthéen, qui suit le texte du Mc-intermédiaire en le remaniant profondément, surtout dans la première partie.

a) Au v. 1, Mt combine des éléments de provenance diverse. De la fin du récit de l'ensevelissement dans le Mt-intermédiaire, il reprend la séquence « sabbat », « à l'aurore » (*tèi epiphôskousèi*), « voir (le tombeau) » (cf. note § 357, I A 1 *f*), et le nom des deux femmes : Marie de Magdala et l'autre Marie (cf. Mt **27** 61a) ; la reprise de ces noms était nécessaire après l'addition de la scène racontée au § 358 (la garde du tombeau). Au Mc-intermédiaire (cf. Mc **16** 2) il reprend la formule « (le)

premier jour de la semaine » et le verbe « venir » (au tombeau). Il signe la rédaction de son texte en substituant le mot « sépulcre » (*taphos*, cf. **27** 61b ; **27** 64.66) au mot « tombeau » (*mnèmeion*), et en insérant un *eis* temporel après « à l'aurore » (*tèi epiphôskousèi*), comme en Mt **6** 34 et surtout Lc **1** 20 ; **12** 19 ; **13** 9 ; Ac **4** 3 ; **13** 42.

b) Aux vv. 2-4, Mt se montre très libre à l'égard de sa source. Il est facile de voir les raisons de ses modifications. Ayant inséré l'épisode des gardes placés près du tombeau (§ 358), il se trouve obligé de les mêler étroitement à l'épisode des femmes qui viennent au tombeau, ou plus exactement de s'en « débarrasser », de façon à permettre la rencontre entre l'ange et les femmes. C'est donc l'ange qui descend du ciel pour rouler la pierre de devant le tombeau (v. 2), et son apparition a pour effet que les gardes « devinrent comme morts » (v. 4), et donc disparaissent pratiquement de la scène ! On a vu aussi que Mt avait introduit ici le style apocalyptique, visible surtout aux vv. 2b-4 (cf. *supra*, II A 3 *a*). On notera la mention du tremblement de terre (v. 2), comme au moment de la mort de Jésus (Mt **27** 51). L'expression « ange du Seigneur » ne se lit ailleurs dans Mt que dans l'évangile de l'enfance (Mt **1** 20.24 ; **2** 13.19) ; elle est absente de Mc, douteuse dans Jn (**5** 4), mais se lit en Lc **1** 11 ; **2** 9 et Ac **5** 19 ; **8** 26 ; **12** 7.23. Ac **12** 7 est un parallèle très suggestif : lorsque Pierre était en prison, c'est l'ange du Seigneur qui apparaît brusquement, fait lever Pierre, lui fait traverser sans encombre deux postes de gardes, et finalement ouvre mystérieusement la porte de la prison pour qu'il puisse sortir (Ac **12** 6-11). Ce parallélisme de situation serait encore un indice que l'ultime Rédacteur matthéen est « lucanien ».

c) Aux vv. 5-6, le Rédacteur matthéen n'apporte que peu de retouches au texte de sa source. Le début du v. 5 est de style matthéen : « Et prenant la parole... dit » (*apokritheis de... sujet... eipen* : 18/0/4/0/4). L'insertion du verset précédent contraint le Rédacteur à préciser que l'ange s'adresse *aux femmes* (et non aux gardes). Au v. 6, Mt est plus logique en inversant les clauses : « il n'est pas ici/il s'est éveillé (des morts) ». Notons enfin un changement fait par Mt qui affecte les vv. 6 et 7 : dans Mc, la proposition « comme il vous l'a dit » est placée après la consigne du rendez-vous en Galilée (fin du v. 7) et renvoie à Mc **14** 28 ; Mt la déplace et la met après l'affirmation de la résurrection de Jésus (v. 6), de sorte qu'elle renvoie aux annonces de la Passion et de la Résurrection (note § 166) ; Mt omet le pronom « vous », car ces annonces ont été faites aux disciples et non aux femmes ; après l'annonce du rendez-vous en Galilée, Mt ajoute : « voilà, je vous l'ai dit », pour remplacer la proposition du Mc-intermédiaire qu'il a changée de place.

d) Au v. 7, Mt remplace le « allez » de Mc (qu'il utilisera en **28** 10) par le participe « étant parties »; suivi d'un verbe à l'impératif, ce participe revient fréquemment chez Mt (**2** 8; **9** 13; **10** 7; **17** 27; **28** 19, tous textes de l'ultime Rédacteur matthéen); inconnue de Mc/Jn/Ac, une telle construction se lit aussi dans Lc (**7** 22; **13** 32; **14** 10; **17** 14; **22** 8). D'après Mt, les femmes doivent transmettre aux disciples, non seulement la consigne de rendez-vous en Galilée (cf. Mc), mais encore l'annonce que Jésus « s'est éveillé des morts » (*ègerthè apo tôn nekrôn*); ces expressions sont propres à Mt et on les retrouve en **14** 2, mais surtout en **27** 64, passage où les grands prêtres et les Pharisiens prêtent aux disciples le dessein de dérober le corps de Jésus et de déclarer ensuite au peuple : « il s'est éveillé des morts »; l'addition matthéenne, en **28** 7, est un argument apologétique : contrairement aux propos des grands prêtres, ce ne sont pas les disciples qui ont été les premiers à annoncer la résurrection du Christ, mais un ange envoyé par Dieu; il ne peut être question de supercherie.

e) On a vu à propos de Mc que, au v. 8, Mt a conservé le texte primitif du Mc-intermédiaire en disant que les femmes coururent annoncer aux disciples le message de l'ange. Il faut probablement attribuer à l'ultime Rédacteur matthéen les mots « avec peur et grande joie » (cf. Lc **24** 52).

3. *Le récit de Lc*. Le cas des vv. 1-2, où Lc dépend fondamentalement du proto-Lc et non de Mc, a déjà été discuté (I). C'est seulement aux vv. 3-9 que Lc dépend du Mc-intermédiaire.

a) Au v. 3, Lc reprend à Mc le participe initial « étant entrées ». Il supprime la mention du tombeau qu'il avait déjà à la fin du v. 2, en provenance du proto-Lc. Il ajoute toute la phrase : « elles ne trouvèrent pas le corps de Jésus », qui avait été préparée par celle de **23** 55 : « (Les femmes)... regardèrent... comment avait été placé son corps. » Le style est lucanien : verbe « trouver » (*heuriskein* : 27/11/47/19/35); « Seigneur Jésus » : 0/0/1/0/17 et une fois dans la finale apocryphe de Mc, en **16** 19.

Aux vv. 4 et 5a, Lc remodèle le texte du Mc-intermédiaire en lui donnant une forme apocalyptique, comme on l'a noté en II A 3 *b*.

b) Au v. 5b, au lieu du texte de Mc : « Vous cherchez Jésus (), le crucifié », Lc a une question posée par les « deux hommes » aux femmes : « Pourquoi cherchez-vous le Vivant parmi les morts? » (cf. un écho en Lc **24** 23). Cette expression « le Vivant » se lit aussi en Ap **1** 17-18 : « Ne crains pas; c'est moi le Premier et le Dernier, le Vivant; j'ai été mort et me voici vivant pour les siècles des siècles. » Ne serait-ce pas le schéma apocalyptique que Lc continue à développer ainsi? Cette façon de désigner le triomphe du Christ sur la mort se retrouve en Ac **1** 3; **25** 19; (cf. encore Ac **9** 41; **20** 12); elle n'est pas inconnue de Paul (Rm **14** 9; cf. He **7** 25) et semble donc avoir été un thème important de la communauté chrétienne primitive.

c) Le v. 6a de Lc : « il n'est pas ici, mais il s'est éveillé des morts », omis par *D* et la *VetLat*, semble une addition de scribe. La précision « il s'est éveillé (des morts) », surtout, est superflue après l'expression « le Vivant »; dans les textes cités plus haut, le thème de Jésus « vivant » n'est jamais doublé par celui de Jésus « réveillé » ou « relevé » d'entre les morts (voir spécialement Lc **24** 23, qui renvoie à ce passage). C'est donc une harmonisation faite par un scribe à partir du texte de Mt.

d) Les vv. 6b-8 de Lc n'ont en commun avec Mc que l'expression « en Galilée ». Le vocabulaire est en harmonie avec celui de Lc : au v. 6b, « rappelez-vous » (*mimnèskomai* : 3/0/6/3/2); « comme » (*hôs*, conjonction : 0/2/26/20/34); « encore » (*eti* : 8/5/16/8/5). Au v. 7, le mot « pécheur » (*hamartôlos*) n'est jamais employé par Mt sous cette forme, il ne se lit qu'une fois chez Mc (**8** 38), trois fois dans Jn mais en même contexte (**9** 16.24-25); en revanche, Lc l'utilise huit fois, dont trois fois dans l'expression « homme pécheur » (Lc **5** 8; **19** 7; **24** 7). Au v. 8, le verbe « se rappeler » (*mimneskomai*, cf. *supra*) ne se lit, construit avec le génitif, qu'une fois dans Mt (**26** 75) mais trois autres fois dans Lc (**1** 54.72; **23** 42) et une fois en Ac **11** 16; enfin *rhèma* au sens de « parole » est fréquent surtout chez Lc (4/2/15/12/12). Nous sommes donc bien devant une réinterprétation par Lc du texte de Mc. Dans quel but? Les apparitions en Galilée n'intéressent pas Lc; celles qu'il rapporte ont lieu à Jérusalem (Lc **24** 36 ss.), qui tient une place spéciale dans son évangile. Dès la fin du chap. **9**, donc beaucoup plus tôt que Mt (cf. **19** 1) et Mc (cf. **10** 1), il fait prendre à Jésus le chemin de Jérusalem. Lui seul note « qu'il ne convient pas qu'un prophète meure en dehors de Jérusalem » (**13** 33, § 221), et c'est de Jérusalem que doit partir la prédication apostolique pour conquérir le monde (Lc **24** 47-49; Ac **1** 8 : § 366). Pour cette raison, Lc change la consigne de rendez-vous en Galilée de Mc **16** 7 en un rappel d'une annonce de la Passion et de la Résurrection faite par Jésus en Galilée (probablement la seconde, de Mc **9** 31, peut-être complétée par Mc **14** 41 : §§ 172 et 337). Ce remaniement n'est pas très adroit, car les annonces de la Passion et de la Résurrection ont été faites « aux disciples » (Lc **9** 22.43b), donc au groupe plus intime des « Douze » (cf. Lc **18** 31), et non aux femmes.

e) Au v. 9, Lc fait revenir les femmes du tombeau. Le style est encore lucanien : verbe « revenir » (*hypostrephein* : 0/1/21/0/12/3; « les Onze » pour désigner les apôtres après la trahison de Judas (Mt **28** 16; Mc **16** 14; Lc **24** 33; Ac **1** 26; **2** 14); « les autres » (*hoi loipoi* : 3/1/6/0/5). Comme Mt, Lc a mieux gardé que Mc le texte du Mc-intermédiaire en disant que les femmes « annoncèrent » le message de l'ange aux disciples.

f) Les vv. 10 et 11 sont de l'ultime Rédacteur lucanien. Sa liste de femmes reprend en partie celle de Mc **16** 1 (noter le « Marie (mère) de Jacques », sans la mention de Joset, contrairement à Mc **15** 40), mais il ajoute le nom de Jeanne, probablement la femme de Chouza qu'il avait mentionnée en **8** 3; de même, « les autres » rappelle le « beaucoup » d'autres de **8** 3. Le vocabulaire est lucanien : au v. 10, l'expression « les autres » (*hai loipai*, au pluriel : 3/1/6/0/5); la préposition « avec » (*syn*, rare dans Mt/Mc/Jn, qui préfèrent *meta*, est très fréquente dans Lc/Ac); le mot « apôtre » (1/2/6/1/28). Au v. 11, la préposition *enôpion* (« leur » = « devant eux ») (0/0/22/1/13); *ôsei* (3/1/9/0/7/2); enfin le verbe « ne pas croire » (*apistein*, jamais dans Mt/Jn; deux fois dans la conclusion apocryphe de Mc; deux fois dans Lc et une fois dans Ac). L'incrédulité des apôtres, au v. 11, prépare le thème de leur incrédulité lorsque le Christ ressuscité leur apparaîtra (Lc **24** 37.41, § 365).

En résumé : aux vv. 1-2, Lc a comme source première le proto-Lc, étant donné ses accords avec Jn contre Mc. Aux vv. 3-9, il a le Mc-intermédiaire comme source, mais il en remanie profondément le texte. Les vv. 10-11 sont une création de Lc.

C) LE RÉCIT DU DOCUMENT B

L'analyse du texte de Mc nous a permis de reconstituer le récit du Mc-intermédiaire (cf. II B 1 *g*), source de Mt et de Lc. Est-il possible de remonter plus haut et de préciser quelle était la forme du récit dans le Document B, source du Mc-intermédiaire? En fait, le problème qui se pose est de savoir si la consigne de rendez-vous en Galilée (vv. 7 de Mc et de Mt) se lisait déjà dans le Document B. Il semble que non. Le v. 7 de Mc est évidemment lié à la consigne de rendez-vous en Galilée donnée en Mc **14** 28, durant la scène où est annoncé le reniement de Pierre (§ 336); mais on a vu à la note § 336, que cette consigne avait été introduite par le Mc-intermédiaire. Il doit en être de même ici. Le récit du Document B devait alors avoir à peu près cette teneur :

Et très tôt, le premier jour de la semaine, elles viennent au tombeau et, ayant regardé, elles voient que la pierre avait été roulée. Et, étant entrées dans le tombeau, elles virent un ange assis (?) et elles eurent peur. Mais lui leur dit : « N'ayez pas peur; vous cherchez Jésus, le crucifié? Il s'est éveillé des morts, il n'est pas ici; voici le lieu où ils l'avaient déposé. » Et étant sorties du tombeau, elles coururent (?) l'annoncer aux disciples.

III. LE DOCUMENT A

Le récit des femmes au tombeau se lisait-il dans le Document A? Si oui, il faut bien reconnaître qu'il n'a laissé aucune trace dans nos récits actuels. Les rares accords Mt/Lc contre Mc, qui auraient pu éventuellement nous faire atteindre le récit du Mt-intermédiaire, et par lui celui du Document A, ne sont pas significatifs, car ils peuvent tous s'expliquer comme des variantes introduites par l'ultime Rédacteur marcien dans le Mc-intermédiaire que suivent Mt et Lc. Par ailleurs, on a fait remarquer à la note § 357 que le Mt-intermédiaire ne mentionnait pas la présence de femmes lors de l'ensevelissement de Jésus, Mt **27** 61 étant en dépendance de Mc, et Lc **23** 55 étant une reprise de Lc **23** 49 que l'ultime Rédacteur lucanien combine avec Mc **15** 47.

Une comparaison entre les récits des Documents C et B permet toutefois de suggérer une hypothèse. Dans le récit du Document C, les femmes viennent au tombeau, constatent que la pierre qui le fermait a été enlevée, et, sans entrer, courent avertir Pierre; c'est Pierre qui entrera dans le tombeau et constatera qu'il est vide. Dans le récit du Document B, les femmes viennent au tombeau, constatent que la pierre qui le fermait a été roulée, entrent et voient un ange qui leur donne la signification du tombeau vide, puis elles reviennent l'annoncer aux disciples. Les deux récits ont en commun l'arrivée des femmes au tombeau qui constatent qu'il n'est plus fermé par une pierre, puis leur retour hâtif pour en avertir les disciples (ou Pierre). N'aurions-nous pas ici le noyau primitif dont dépendraient les récits des Documents C et B? Ce noyau primitif n'aurait-il pas été connu aussi du Document A? C'est possible, mais cela reste une simple conjecture.

Note § **360.** *PIERRE ET L'AUTRE DISCIPLE AU TOMBEAU*

ORIGINE DU RÉCIT

1. L'épisode de Pierre allant au tombeau en compagnie d'un autre disciple se lit en Jn **20** 3-10. On lit un récit semblable, mais plus court, où Pierre seul est en cause, en Lc **24** 12; mais comme ce verset est omis par D et la *Vetus Latina*, beaucoup de commentateurs ont mis en doute son authenticité. Celle-ci est toutefois prouvée par les raisons suivantes :

a) Le récit de l'apparition aux disciples d'Emmaüs (§ 364) résume la scène de la découverte du tombeau vide (Lc **24** 22-23) en suivant le récit de Lc **24** 1-5 dont il reproduit plusieurs traits caractéristiques : les femmes viennent « de bonne heure » (**24** 1), elles ne trouvent pas le corps de Jésus (**24** 3), les anges leur disent que Jésus vit (**24** 5). Or, aussitôt après (Lc **24** 24), le récit des disciples d'Emmaüs mentionne une venue au tombeau de quelques-uns des disciples, événement dont on aurait un écho précisément en Lc **24** 12, le verset contesté.

b) Le récit très court de Lc **24** 12 contient un grand nombre d'expressions qui se lisent également en Jn **20** 3-10, avec simple changement du pluriel en singulier : « Pierre... courut au tombeau et s'étant penché il voit les bandelettes... il s'en retourna chez lui... » Or il est remarquable que *toutes* les expressions que Lc **24** 12 a en plus de Jn, ou qui diffèrent de celles de Jn, sont typiquement lucaniennes. Le participe pléonastique « s'étant levé » (*anastas*) est une imitation du style de la Septante que Lc a parfois en parallèle avec les autres (**5** 28), mais qu'il emploie surtout de lui-même (**4** 29; **11** 7 s.; **15** 18.20; **17** 19; Ac **8** 26; **9** 11; **9** 18.39; **10** 20.23). L'expression « au tombeau » est rendue par *epi to mnèmeion*, tandis que le parallèle johannique a la préposition *eis* (*to mnèmeion*); or la formule *epi to mnèmeion* se retrouve en Lc **24** 22.24 (en Lc **24** 1 on a *epi to mnèma* par influence marcienne). En finale du verset, le verbe « s'étonner » (*thaumazein*) est de tonalité lucanienne (7/4/12/6/5/8; dans cette statistique, on n'a pas compté Lc **24** 12); mais surtout, ce verbe n'est pas suivi d'un complément direct à l'accusatif, comme ici, que dans Lc **7** 9 (qui ajoute un pronom complément au texte de Mt !); Ac **7** 31; Jn **5** 28 et Jude 16. Enfin, l'expression « ce qui est arrivé » (*to gegonos*) est utilisée dans le NT presque exclusivement par Lc (Lc **2** 15;

8 34-35; **8** 56; Ac **4** 21; **5** 7; **13** 12; cf. encore Mc **5** 14, mais probablement par influence lucanienne). C'est donc bien Lc qui a écrit ce v. 12.

c) Le récit de Jn se distingue de celui de Lc, entre autres, par l'addition d'un second personnage : « l'autre disciple » que l'on a déjà rencontré dans le récit de « Jésus et Pierre chez le Grand Prêtre » (§ 339). Or il est assez remarquable que Jn **20** 3-10 offre, par rapport à Lc **24** 12, les mêmes caractéristiques de structure que Jn **18** 15-16 par rapport à Mt **26** 58 (§ 339); voir la démonstration à la note § 339 (I B 2). Il faut en conclure que le récit de Jn **20** 3-10 fut composé à partir d'un texte analogue à celui de Lc **24** 12, ce qui confirme l'authenticité de ce dernier verset.

2. Quelle était la teneur du récit dont Jn s'est servi pour construire son propre récit de **20** 3-10 ? Elle n'était probablement pas identique à celle de Lc **24** 12; il serait étrange, en effet, qu'en reprenant Lc **24** 12 Jn en ait éliminé systématiquement tous les éléments proprement lucaniens ! Il faut donc supposer à l'origine des récits de Lc et de Jn une source commune ainsi libellée :

> Pierre courut au tombeau et, s'étant penché,
> il voit les bandelettes seules, et il s'en
> retourna chez lui.

Sous cette forme plus simple, le récit remonte au proto-Lc, dont dépendent les récits actuels de Lc et de Jn. Par ailleurs, on a vu à la note § 359 que Jn **20** 1-2 (cf. Lc **24** 2) servait d'introduction, dans le proto-Lc, au récit de Pierre venant voir le tombeau vide; ce récit n'apparaît donc pas comme un élément erratique, mais il se situe dans le même contexte que le récit des femmes venant au tombeau.

3. Aux vv. 12 de Lc et 5-7 de Jn, Pierre (et l'autre disciple) voit les bandelettes qui avaient servi à l'ensevelissement de Jésus. Dans le récit de l'ensevelissement (§ 357), Jn est le seul à parler de « bandelettes » (*othonia*, Jn **19** 40). Or, à la note § 357, on a vu que le récit johannique de l'ensevelissement dépendait en partie du Document C, et qu'il en dépendait plus spécialement pour la mention des « bandelettes ». On peut donc conclure que le récit de Pierre courant au tombeau vide se lisait, non seulement dans le proto-Lc, mais même dans le Document C.

Note § **362.** *APPARITION DE JÉSUS AUX FEMMES*

1. Mt est le seul des évangélistes à rapporter une apparition de Jésus aux femmes. Jn, toutefois, raconte une apparition de Jésus à Marie de Magdala (§ 361) qui offre deux contacts littéraires avec le récit de Mt. Dans les deux récits, les bénéficiaires de la vision sont chargées par Jésus d'un message pour les disciples, appelés du nom de « frères » (Mt **28** 10; Jn **20** 17; sur cette appellation, cf. Ac **1** 15; **9** 30; **10** 23; **11** 1.12; **14** 2; **15** 1.3, etc., mais aussi Mt **18** 15-21; **23** 8, textes de l'ultime Rédacteur matthéen); le message à transmettre est cependant très différent dans l'un et l'autre récit. Le deuxième contact est moins net; dans Mt, les femmes « étreignirent les pieds » de Jésus (v. 9), alors que dans Jn Jésus dit à Marie de Magdala : « Ne me touche plus » (**20** 17a). Faut-il voir, dans ces deux contacts littéraires entre Mt et Jn, l'indice d'une dépendance à l'égard d'une source commune ? Il ne semble pas, car les récits sont, dans leur fond, trop différents l'un de l'autre. Peut-être y a-t-il cependant emprunt de Jn au récit de Mt.

2. Du point de vue littéraire, le récit de Mt doit être rapproché de deux autres récits.

a) Il offre des contacts manifestes avec le récit de l'apparition d'un ange aux femmes, qui précède immédiatement (§ 359). Dans les deux récits, il s'agit d'une apparition aux mêmes femmes. L'ange d'une part, le Christ ressuscité d'autre part, prononcent les mêmes paroles : « Ne craignez pas » (vv. 5 et 10a), et donnent la consigne du rendez-vous en Galilée : « dites à ses disciples... qu'il vous précède en Galilée; là vous le verrez » (v. 7), « allez, annoncez à mes frères qu'ils s'en aillent en Galilée, là ils me verront » (v. 10b).

b) Ce récit d'apparition aux femmes prépare immédiatement le récit de l'apparition du Christ aux disciples en Galilée. A l'ordre de Jésus : « Allez, annoncez à mes frères qu'ils s'en aillent en Galilée et là ils me verront » (v. 10), correspond la description du v. 16 : « Ils s'en allèrent en Galilée... et l'ayant vu... »; dans les deux scènes, les bénéficiaires de la vision « se prosternent » devant Jésus (vv. 9 et 17).

3. Ignorée des autres évangiles, cette apparition de Jésus aux femmes est probablement de l'ultime Rédacteur matthéen. En dehors du v. 10, repris de la scène précédente (vv. 5 et 7), le vocabulaire est matthéen. Le « et voici » (*kai idou*) initial est très fréquent dans Mt. De même, le participe « s'étant approchées » (*proselthousai*) est typique du style de Mt; ici cependant, la présence du sujet (« elles », *hai de*) avant ce participe trahit l'ultime Rédacteur matthéen (voir note § 357, I A 1 *b*). Le verbe « se prosterner » (*proskunein*) est encore assez typique du style de Mt (13/2/2/11/4; sur les onze emplois dans Jn, neuf se lisent dans le même passage, en **4** 20-24). Notons enfin la parole initiale de Jésus aux femmes : « Je vous salue (*chaire*) » (v. 9); c'est la formule classique de salutation pour des Grecs, tandis que les Juifs disaient : « Paix à vous » (cf. Jn **20** 19 et peut-être le parallèle lucanien : § 365); ce détail pourrait indiquer une élaboration du présent récit en milieu grec, et non pas juif.

4. Cette apparition de Jésus aux femmes a pour but de préparer l'apparition de Jésus aux Onze, en Galilée (§ 370), comme on l'a noté plus haut. Sur cette importance de la Galilée pour l'ultime Rédacteur matthéen, voir la note § 370.

Il est curieux de constater que Paul, en 1 Co **15** 5-8, ne mentionne aucune apparition aux femmes; en revanche, il atteste une apparition à Cephas (= Pierre) dont la tradition évangélique n'a gardé aucune trace (Lc **24** 34 dépend de 1 Co **15** 4-5 : « il est ressuscité... et est apparu (*ôphthè*) à

Kephas »; Lc a : « le Seigneur est ressuscité et est apparu (*ôphthè*) à Simon »); Paul atteste également une apparition à Jacques (1 Co **15** 7), dont on ne trouve aucune trace dans les évangiles canoniques, mais que rapporte l'évangile des Hébreux (cf. vol. I, p. 337).

Note § **363.** *LES SOLDATS SOUDOYÉS*

1. Cet épisode, propre à Mt, complète celui de la garde du tombeau (§ 358). Puisque, d'après Mt, les gardes auraient été témoins de l'apparition de l'ange qui roule la pierre au matin de Pâques, comment expliquer qu'ils ne témoignent pas avec les apôtres de la réalité de la résurrection de Jésus? C'est, répond Mt, qu'ils ont été soudoyés par les grands prêtres et « achetés » afin de porter un faux témoignage : le corps de Jésus aurait été enlevé la nuit par ses disciples ! Ce récit de Mt se fait probablement l'écho d'un argument dont usaient certains Juifs pour contrer la prédication apostolique : le corps de Jésus aurait été subtilisé par ses disciples (cf. Mc **28** 15b et aussi Justin, Dial. 108 *2*).

2. Ce récit est tout entier de la main de l'ultime Rédacteur matthéen. On y notera quelques expressions qui, utilisées ici seulement chez Mt, sont au contraire fréquentes en Lc/Ac. Au v. 11, le mot « tout » (*apas*) est par lui seul nettement lucanien (3/3/17/1/13); mais, construit avec l'article comme ici, il ne se lit que dans Lc/Ac (1/0/9/0/2). Au v. 12, la particule *te* (« et ») est typique, souvent redoublée ou suivie de *kai*, du style des Actes (3/0/9/3/150 environ); employée seule,

elle est presque exclusivement utilisée par Lc/Ac (1/0/1/2/74). Au même verset, l'adjectif *hikanos*, au sens de « nombreux, considérable » (et non au sens de « digne de ») se lit presque exclusivement dans Lc/Ac (1/1/7/0/15). Enfin le nom de Juifs (*Ioudaioi*), si l'on met à part l'expression stéréotypée « le roi des Juifs », est utilisée dans la proportion suivante : 1/1/2/61/69. Rappelons que, dans tous ces exemples, le seul emploi matthéen se trouve dans cet épisode. Moins caractéristiques sont l'emploi du verbe « persuader » au v. 14 (*peithein*: 3/1/4/0/17), ou « partir » au v. 11 (*poreuesthai*: 28/1/49/13/39); dans ce dernier cas, on notera cependant que le génitif absolu *poreuomenôn autôn* se retrouve dans une formule équivalente en Lc **9** 57; **19** 36 et Ac **16** 16, tandis que le seul autre exemple de ce verbe en génitif absolu, dans Mt, a la forme *toutôn de poreuomenôn* (Mt **11** 7), donc avec le pronom sujet avant le verbe.

On remarquera le style « imitatif » de ce Rédacteur matthéolucanien. Au v. 12, il reprend la formule très matthéenne « tenir conseil » (*symboulion lambanein*, cf. Mt **12** 14; **22** 15; **27** 1; **27** 7; jamais ailleurs dans le NT), mais l'insertion de la particule *te* (« et ») est le signe presque certain que cette formule est reprise par un Rédacteur matthéo-lucanien.

Note § **364.** *APPARITION AUX DISCIPLES D'EMMAÜS*

1. Le récit de l'apparition du Christ ressuscité aux disciples d'Emmaüs forme un tout très bien structuré. En voici les principales articulations :

A Introduction : deux disciples vont de Jérusalem à Emmaüs (vv. 13-14).
  B Jésus s'approche et fait route avec eux (v. 15).
    C Mais leurs yeux étaient empêchés de le reconnaître (v. 16).
      D Les disciples vont raconter ce qui concerne Jésus (vv. 17-19) (*ta peri tou Ièsou*).
        E Il a été condamné à mort et crucifié (vv. 20-21).
          Des femmes disent avoir trouvé son tombeau vide et avoir vu des anges affirmant qu'il est vivant (vv. 22-23).
          Certains d'entre nous ont été au tombeau, ils ont constaté que les femmes avaient raison; *mais ils ne l'ont pas vu!* (v. 24).
        E' Jésus reproche aux disciples leur lenteur à croire (v. 25).
          Il fallait que le Christ souffrît et ainsi entrât dans sa gloire (v. 26).
      D' Grâce aux Écritures, il leur explique ce qui le concernait (v. 27) (*ta peri autou*).
        Jésus demeure avec eux pour la fraction du pain (vv. 28-30).
    C' Leurs yeux s'ouvrirent et ils le reconnurent (v. 31a).
  B' Jésus devient invisible de devant eux (v. 31b).
A' Conclusion : ils reviennent à Jérusalem et racontent ce qui leur est arrivé (vv. 32-35).

Le récit est constitué de deux parties qui s'opposent. La première est négative : Jésus est là, mais les disciples ne le reconnaissent pas; ils ne comprennent pas pourquoi Jésus,

le prophète en qui ils espéraient, est mort sans avoir accompli la délivrance d'Israël; malgré les racontars de certaines femmes, affirmant qu'il est vivant, les disciples hésitent à le croire, car même ceux qui sont allés au tombeau vérifier les dires des femmes n'ont pas vu Jésus. Cette première partie se termine donc sur une négation : comment Jésus serait-il *vivant*, puisqu'*on ne le voit pas?* C'est là le point crucial : si Jésus était vivant, on devrait le voir ! – La seconde partie donne l'explication de ces difficultés. Jésus fait d'abord appel aux Écritures, selon lesquelles le Christ devait mourir (il ne faut donc pas s'en scandaliser); mais, s'il est mort, c'est pour entrer dans sa gloire ! Ainsi, il ne faut plus chercher à voir Jésus avec les yeux du corps; il est vivant, mais dans la gloire; il est maintenant un être « glorieux », et donc invisible aux yeux de chair. Jésus veut toutefois donner une preuve de ce qu'il affirme : il bénit et rompt le pain avec les deux disciples, et ceux-ci le reconnaissent à cette fraction du pain, leurs yeux s'ouvrent; mais Jésus devient aussitôt invisible. Partis de Jérusalem, les disciples reviennent à Jérusalem annoncer qu'ils ont reconnu Jésus.

2. L'intention théologique de ce récit a souvent été mise en lumière par les commentateurs. La « pointe » en est constituée par la petite scène qui se trouve comme en marge de la structure relevée plus haut (entre D' et C') : « Et il arriva, comme il était à table avec eux, que, ayant pris du pain, il dit la bénédiction et, l'ayant rompu, il le leur donna » (v. 30). Ce sont les termes mêmes qui décrivent l'institution eucharistique en Lc **22** 19. C'est donc lors d'une célébration du rite eucharistique que les disciples d'Emmaüs ont pu « reconnaître » Jésus ressuscité. Le processus de cette « reconnaissance » est toutefois un peu plus complexe. Pour pouvoir « reconnaître » le Christ, les yeux bien ouverts, deux conditions sont nécessaires. Il faut d'abord comprendre le sens des Écritures qui parlaient à l'avance du Christ (vv. 25-27); il faut ensuite participer au repas eucharistique (vv. 30-31). Comprendre le sens des Écritures est nécessaire mais ne suffit pas : quand Jésus leur parlait du Christ à la lumière des Écritures, leur cœur était brûlant (v. 32), ils approchaient de la vérité, mais ils ne « reconnaissaient » pas encore le Christ ressuscité. C'est seulement lors du rite eucharistique que leurs yeux s'ouvrirent (vv. 30-31). On notera l'insistance de Lc sur ces deux conditions subordonnées l'une à l'autre; il emploie le même verbe *dianoigein* pour dire que leurs yeux « s'ouvrirent » après le repas eucharistique (v. 31) et que Jésus leur « ouvrit » le sens des Écritures (v. 32); de même, aux Onze, les deux disciples racontent « ce qui s'était passé en chemin » (et donc leur conversation avec Jésus touchant les Écritures), et comment ils ont reconnu Jésus à la fraction du pain (v. 35). L'intelligence des Écritures prépare le disciple à reconnaître Jésus lors de la fraction du pain; mais dès que les yeux se

sont ouverts, dès qu'on a « reconnu » Jésus, celui-ci se fait invisible et disparaît (v. 31).

Cette insistance de Lc sur le lien intime qui existe entre l'interprétation des Écritures et la fraction du pain (le rite eucharistique) vient probablement de ce qu'il a présente à l'esprit la façon dont on célébrait l'eucharistie dans l'Église primitive : le rite proprement eucharistique était précédé par un enseignement touchant le vrai sens des Écritures concernant le Christ, son mystère de mort et de résurrection. La « fraction du pain » ne venait qu'après la lecture et l'interprétation des Écritures. C'est grâce à ces deux éléments complémentaires qu'il est possible de « reconnaître » Jésus présent au sein de la communauté chrétienne.

3. Des études minutieuses ont été faites sur le vocabulaire et le style de ce récit; elles convergent toutes vers la même conclusion : Lc en est le rédacteur d'un bout à l'autre. Il serait fastidieux de reprendre ici cette démonstration en accumulant les statistiques. On se contentera d'ajouter une précision aux études déjà faites sur ce sujet. Le récit des disciples d'Emmaüs est de l'ultime Rédacteur lucanien, et non du proto-Lc; plusieurs indices permettent de le supposer. Ce récit est absent de Jn, qui utilise le proto-Lc si souvent durant les récits de la Passion et de la Résurrection; son silence est déjà un indice négatif. Par ailleurs, le récit des disciples d'Emmaüs, avec son réalisme très appuyé, rend à peu près incompréhensible l'attitude des disciples lors du récit suivant, l'apparition de Jésus aux Onze (§ 365). Après le témoignage des disciples d'Emmaüs et de Pierre (v. 34!), comment les disciples sont-ils encore si difficiles à convaincre de la réalité du Jésus qui leur apparaît quelques instants après le retour des disciples d'Emmaüs (cf. Lc **24** 37.41)? Ces deux récits : disciples d'Emmaüs et apparition de Jésus aux Onze, n'appartiennent pas aux mêmes couches rédactionnelles; or, on verra que l'apparition aux Onze, attestée par Lc et Jn, appartenait au proto-Lc; l'apparition aux disciples d'Emmaüs n'appartenait donc pas à ce proto-Lc. Enfin, l'attribution du récit à l'ultime Rédacteur lucanien est confirmée par le fait que, se référant à la visite des femmes au tombeau le matin de Pâques (vv. 22-23), le Rédacteur reprend certains détails de Lc **24** 1 ss. – comme la remarque que les femmes « ne trouvèrent pas le corps » de Jésus (**24** 3.23a) – qui sont certainement de l'ultime Rédacteur lucanien. Cet ultime Rédacteur tient-il l'apparition de Jésus aux disciples d'Emmaüs d'une source spéciale difficile à reconstituer? L'a-t-il reçue par tradition orale? Il est impossible de le préciser puisque c'est son vocabulaire et son style qui se retrouvent tout au long du récit.

Note § **365.** *APPARITION AUX DISCIPLES A JÉRUSALEM*

En 1 Co **15** 5-8, Paul mentionne deux apparitions du Christ ressuscité aux apôtres : l'une aux Douze (v. 5), l'autre « à tous les apôtres » (v. 7); il s'agit peut-être de la même apparition, connue de Paul selon deux listes différentes. Jn et Lc (cf. Mc **16** 14) connaissent eux aussi une apparition de Jésus aux disciples réunis à Jérusalem, identique probablement à celle (ou à l'une de celles) que Paul mentionne.

1. Malgré de nombreuses divergences, Lc et Jn sont d'accord sur les points essentiels. L'apparition de Jésus a lieu le soir du premier jour de la semaine (notre dimanche), comme le dit explicitement Jn **20** 19a et comme on peut le conclure de Lc **24** 13.29.33.36. Les disciples se trouvent réunis dans un lieu qui n'est pas précisé (vv. 20b de Jn, 36 de Lc), en train de prendre un repas, ajoute Mc **16** 14. Jésus se trouve brusquement au milieu d'eux (Jn : *estè eis to meson*; Lc : *estè en tôi mesôi autôn*); dans les deux récits, cette apparition échappe aux lois ordinaires de la nature : Jn note en effet que les portes étaient fermées, Jésus serait donc venu en traversant murs ou portes closes; Lc ne mentionne même pas une « venue » de Jésus, ce qui évoque une brusque apparition. Dans Jn, Jésus montre aux disciples « ses mains et son côté » (v. 20a); dans Lc, « ses mains et ses pieds » (v. 39); Jésus se fait reconnaître en montrant les signes de sa crucifixion. Enfin, dernier contact certain entre Lc et Jn, le thème de la « joie » des disciples (vv. 41 de Lc et 20b de Jn).

Au témoignage de presque tous les témoins du texte de Lc, y compris le plus ancien, *P75*, il y aurait encore deux contacts remarquables entre Lc et Jn : « et il leur dit : Paix à vous » (Lc **24** 36) / « et ayant dit cela, il leur montra ses mains (et ses pieds) » (Lc **24** 40). Mais, comme ces deux passages sont omis par d'importants témoins de la tradition dite occidentale, ils sont rejetés comme inauthentiques (chez Lc) par de nombreux commentateurs. Même en faisant abstraction de ces passages contestés, les accords indiscutables entre Lc et Jn suffisent à indiquer qu'ils dépendent d'une source commune, le proto-Lc; celui-ci dépendrait ici du Document C, comme pour le récit de Pierre au tombeau (cf. note § 360).

2. Les remaniements johanniques sont peu nombreux et difficiles à déceler. Le plus clair est l'addition, au v. 19, « par peur des Juifs », que l'on avait déjà en Jn **7** 13 et **19** 38. « Le premier de la semaine » pourrait être aussi une addition johannique : dans le proto-Lc, l'apparition aux apôtres suivait immédiatement le récit de Pierre au tombeau, il n'était donc pas besoin de préciser à nouveau que l'on se trouvait au premier jour de la semaine; Jn a voulu le rappeler après l'insertion de l'apparition à Marie de Magdala. Enfin, la mention du « côté » de Jésus doit être de Jn, comme l'épisode de Jn **19** 34 auquel il se réfère implicitement.

3. Lc remanie profondément le texte du proto-Lc, surtout en lui ajoutant des thèmes annexes.

a) L'addition la plus importante se trouve au v. 39b : Jésus ne se contente pas de montrer ses mains et ses pieds, il se fait toucher par les disciples afin de leur prouver qu'il n'est pas un « esprit », i.e. un être désincarné. Dans le proto-Lc, Jésus se contentait de montrer ses plaies afin de se faire reconnaître; dans Lc **24** 39b, Jésus fait « toucher » aux disciples la réalité de son corps. Ce trait nouveau, secondaire par rapport au récit du proto-Lc, a pour but de prouver que l'apparition de Jésus n'est pas de même ordre que les apparitions de morts connues de la tradition juive (cf. 1 S **28** 11 ss.; 2 R **21** 6; Is **8** 19) comme de la tradition grecque (Patrocle remontant de l'Hadès pour apparaître à Achille, dans l'Iliade). Jésus n'est pas un « spectre », un « démon »; il est vraiment ressuscité avec son corps de chair et d'os. – Un trait analogue se lit chez Ignace d'Antioche : Jésus demande aux disciples de « toucher » son corps pour leur prouver qu'il n'est pas un « démon incorporel » (*daimôn asômaton*); Ignace ne dépend pas ici de Lc, mais d'un ouvrage intitulé « Doctrine de Pierre », si l'on en croit Origène qui attribue à ce livre la formule « démon incorporel »; le fait qu'Ignace met en scène « ceux qui étaient avec Pierre » renforcerait le témoignage d'Origène. Il semble alors probable que Lc combine ici deux récits du même épisode, provenant, l'un du proto-Lc, l'autre de la « Doctrine de Pierre »; dans le premier récit, Jésus se contentait de montrer ses plaies pour se faire reconnaître; dans le second, il se faisait toucher pour prouver qu'il avait bien un corps.

b) En reprenant le thème de la « Doctrine de Pierre », Lc le complète au moyen de détails provenant du récit de la marche sur les eaux, omis par lui (§ 152) : les disciples sont effrayés parce qu'ils s'imaginent voir un « fantôme »; ils sont troublés, mais Jésus les rassure en leur disant : « c'est moi » (cf. Mc **6** 47 ss.). On notera que la marche de Jésus sur les eaux, comme l'apparition aux disciples, se place après une célébration « eucharistique » (Mc **6** 39; Lc **24** 30). – Au v. 37, l'expression « saisis de peur » est typiquement lucanienne (Lc **24** 5; Ac **10** 4; **24** 25), comme aussi l'interrogation du v. 38b : « pourquoi des doutes montent-ils dans votre cœur? » (Lc **2** 35; **9** 47; **3** 15; **5** 22; cf. Ac **7** 23).

c) Lc complète le réalisme de la scène en montrant Jésus qui mange en présence de ses disciples (vv. 41 ss.). Ce trait est probablement repris du récit de la pêche miraculeuse (Lc **5** 1-11, § 38; Jn **21** 1-14, § 371), qui dans le Document C, suivi par le proto-Lc, était encore un récit d'apparition, comme il est resté chez Jn. L'ultime Rédacteur lucanien en a fait un récit de vocation, sous l'influence du Mc-intermédiaire (§ 31), mais il a inséré dans l'épisode de l'apparition aux Onze le détail de Lc **24** 41b : « Avez-vous ici quelque aliment? », dont on a le parallèle en Jn **21** 5.13. Cette insistance à montrer Jésus « mangeant » avec ses disciples se retrouve en Lc **22** 30; Ac **1** 4; **10** 41. On notera enfin que Lc souligne la lenteur des disciples à croire en la résurrection de Jésus (v. 41a; cf. **24** 11.25).

Note § **366.** *MISSION UNIVERSELLE DES APOTRES*

1. Lc complète le récit de l'apparition de Jésus aux Onze par un discours qui résume l'essentiel de la mission apostolique telle qu'elle est décrite dans les Actes. En voici les principales articulations :

a) Jésus est venu « accomplir » les Écritures (v. 44; cf. Lc **18** 31; **21** 22; **22** 37; Ac **13** 29 et les citations scripturaires dans les discours des Actes).

b) D'une façon plus précise, les Écritures avaient annoncé la mort et la résurrection de Jésus (vv. 45-46); c'est ici la troisième reprise, dans les récits lucaniens de la résurrection, des annonces faites jadis par Jésus de sa mort et de sa résurrection (cf. Lc **24** 6b-7 et 26-27). Sur l'argument scripturaire, cf. Ac **2** 25 ss. qui cite et glose Ps **16** 8-11.

c) Pour participer à ce mystère de mort et de résurrection, les hommes doivent « se repentir en vue de la rémission des péchés » (cf. Lc **3** 3; Ac **2** 38; **5** 31; **13** 24.38; **26** 18-20); l'invitation au repentir sera adressée à tous les hommes, depuis Jérusalem (le monde juif) jusqu'à toutes les nations de la terre, les païens, qui auront accès, eux aussi, au salut.

d) Pour annoncer le Christ ressuscité, les apôtres joindront leur propre témoignage à celui des Écritures (v. 48; cf. Ac **1** 8.22; **2** 32; **3** 15; **5** 32; **10** 39-41; **13** 31).

e) Revêtus de la « force » de Dieu en recevant l'Esprit (v. 49; cf. Ac **1** 4b.8a), ils répandront les « signes et prodiges » qui seront un nouveau témoignage rendu à la vérité de leur prédication (cf. Ac **4** 31-33; **5** 31-32). Noter que Lc **24** 47-49 est un doublet de Ac **1** 4.8; dans l'un et l'autre livre, ce discours de mission précède immédiatement le récit de l'Ascension (Lc **24** 50-53; Ac **1** 9-12; voir note § 374).

2. Si le récit lucanien de l'apparition aux Onze (§ 365) remonte au proto-Lc et, par lui, au Document C, le « discours de mission » du § 366 est au contraire une création littéraire de l'ultime Rédacteur lucanien. Sans doute, Jn fait suivre lui aussi l'apparition aux Onze (qu'il tient du proto-Lc) d'un « discours de mission » (§ 367), mais le sens en est très différent de ce qu'il est en Lc **24** 44-49, et les contacts proprement littéraires sont à peu près inexistants; il n'est donc pas possible de dire que Lc **24** 44-49 et Jn **20** 21-23 dépendent de la même source.

Note § **367**. *MISSION DES APOTRES*

1. Comme Lc, Jn complète l'apparition de Jésus aux disciples par une « mission » des apôtres. Ce nouveau développement se greffe sur le texte primitif grâce à une reprise matérielle de plusieurs expressions de ce texte : « (Jésus) leur dit : Paix à vous... et ayant dit cela » (cf. vv. 19-20). Trois idées sont exprimées ici :

a) La mission des apôtres par Jésus est le prolongement de la mission de Jésus par son père (v. 21b); c'est l'unique Parole de Dieu, incarnée en Jésus (Jn **1** 1.14), que les apôtres porteront au monde (Jn **17** 18-21).

b) Jésus communique ensuite l'Esprit Saint aux disciples en « soufflant » sur eux. Ce verbe (*enephusèsen*) est repris de Gn **2** 7 (LXX); Dieu créa l'homme en le formant de la glaise de la terre, puis en « soufflant » dans ses narines une « haleine de vie », expression que la tradition juive postérieure interprétera comme « un esprit vivifiant » (*pneuma zôopoioun*) : le même mot hébreu ou grec signifie « souffle » et « esprit ». Ce texte doit être rapproché de Jn **6** 63, où il est dit que « c'est l'Esprit qui vivifie », et de 1 Co **15** 45 où Paul affirme, en se référant explicitement à Gn **2** 7, que le Christ, dernier Adam, fut fait « esprit vivifiant » (*pneuma zôopoioun*). Le Christ ressuscité est donc au principe de la création nouvelle en communiquant aux hommes l'Esprit vivifiant, gage de leur propre vie incorruptible.

c) Au thème du don de l'Esprit est étroitement lié celui de la rémission des péchés (v. 23). On rejoint ici les oracles de Ez **36-37** : Dieu annonce qu'il « purifiera » son peuple en même temps qu'il mettra en eux son Esprit pour leur permettre d'observer ses lois (**36** 25-27.33); puis vient la grande vision des ossements desséchés, qui culmine dans la résurrection du peuple de Dieu grâce au don de l'Esprit (Ez **37** 9-10, en référence à Gn **2** 7 !), qui est principe de vie (**37** 14).

2. L'ensemble du texte ne semble pas johannique. Deux points surtout permettent de le penser. En Jn **17** 17-19, la « mission » des apôtres est liée à la sanctification par la parole de vérité, ce qui répond à la théologie johannique (cf. encore Jn **15** 3); ici, la purification est liée au don de l'Esprit, dans une optique de « nouvelle création » beaucoup plus paulinienne que johannique. Par ailleurs, le reste de l'évangile de Jn ne s'intéresse pas aux « péchés » actuels commis par les hommes (v. 23); le « péché » est essentiellement le refus du Christ par les hommes, l'aveuglement spirituel qui ferme les yeux devant la vérité. On notera encore le verbe « souffla », repris de la Septante (comme dans les textes de Jn les plus récents), et l'expression « Esprit Saint » (sans article), qui ne se lit jamais ailleurs dans Jn (en **1** 33, il s'agit d'une glose de copiste) mais est fréquente dans les Actes.

Note § **370**. *APPARITION SUR UNE MONTAGNE DE GALILÉE. MISSION UNIVERSELLE*

1. Cette apparition de Jésus en Galilée se relie étroitement au récit de l'apparition de Jésus aux femmes racontée en Mt **28** 9-10 (§ 362); à l'ordre de Jésus : « Allez, annoncez à mes frères qu'ils s'en aillent en Galilée et là ils me verront » (**28** 10), correspond la description du v. 16 : « ils s'en allèrent en Galilée... et l'ayant vu... »; dans les deux scènes, les bénéficiaires de la vision « se prosternent » devant Jésus ressuscité. Il est clair par ailleurs que ce récit ignore l'apparition de Jésus

aux disciples à Jérusalem, qui provient du Document C (cf. note § 365) : si Mt connaissait ces textes, comment aurait-il pu dire que certains des disciples « doutèrent » en voyant Jésus (v. 17)? Ce trait montre d'ailleurs que Mt reste dans la tradition générale concernant les apparitions : si certains des apôtres « doutent » en voyant Jésus, c'est que Jésus n'a plus la même apparence physique que durant sa vie terrestre, il est « transformé » (cf. Mc 16 12 et la scène de la transfiguration, § 169), et c'est pourquoi, dans tous les autres récits d'apparitions, Jésus doit faire un geste particulier qui le fasse reconnaître des disciples.

2. Jésus se présente aux disciples en leur disant : « Tout pouvoir m'a été donné au ciel et sur la terre. » Les premiers mots sont une citation de Dn 7 14, d'après la Septante : « Et pouvoir lui fut donné... », où il s'agit du Fils de l'homme (7 13). Le texte de Daniel se poursuit en affirmant que « toutes les nations » (*panta ta ethnè*) vont « servir » le Fils de l'homme, dont la royauté ne prendra jamais fin; de même, dans Mt, Jésus commande aux apôtres de partir pour faire de « toutes les nations » des disciples, qui garderont ses commandements. Jésus ressuscité est donc le Fils de l'homme de Dn 7 13, intronisé roi universel par sa victoire sur la mort. C'est la réalisation de la prophétie faite par Jésus lui-même devant le Sanhédrin (Mt 26 64, § 342). C'est aussi le dénouement du drame commencé lors de la Tentation (§ 27) : Jésus a refusé la royauté universelle que le Diable lui proposait après l'avoir conduit sur une très haute montagne (Mt 4 8-10); il reçoit maintenant royauté au ciel et sur la terre, mais au prix de son obéissance « jusqu'à la mort sur une croix ».

3. L'oracle de Is 8 23 ss. promet la lumière de la délivrance à la « Galilée (= district) des nations »; c'est le roi messianique, descendant de David, qui effectuera cette délivrance (Is 9 5 s.). En accord avec cet oracle d'Isaïe, que Mt cite explicitement en 4 15-16 (§ 28), c'est en Galilée que Jésus commence à prêcher la proximité du royaume des Cieux (4 17.23) et à recruter ses premiers disciples (4 18-22). Dans cette même perspective théologique, c'est en Galilée que le Fils de l'homme intronisé roi en suite de sa résurrection, envoie ses apôtres faire de toutes les nations des « disciples », et donc les soustraire au pouvoir de Satan pour les soumettre au Christ ressuscité.

4. Mt 28 19-20 a des affinités assez remarquables avec Jn 14 15-23. Ce passage du discours après la Cène offre une structure trinitaire indéniable : venue de l'Esprit de vérité (vv. 15-17), de Jésus lui-même (vv. 18-21), de Jésus et du Père (vv. 22-23); chaque « venue » des trois personnes de la Trinité est conditionnée par le fait, pour les disciples, de « garder » les commandements de Jésus (vv. 15.21.23a); d'une façon plus précise, il est dit de l'Esprit : « ... afin qu'il soit avec vous pour toujours » (v. 16). De même dans Mt : l'ordre de baptiser toutes les nations est donné selon une formule trinitaire dont la précision reflète probablement les usages liturgiques d'une communauté déjà assez évoluée (d'après les Actes, le baptême se donnait primitivement au nom de Jésus); Jésus promet aux apôtres : « je suis avec vous tous les jours jusqu'à la fin du monde »; enfin il ordonne de « garder » tout ce qu'il a commandé (en Mt 19 17, il faut « garder » les commandements de Dieu pour avoir la vie; en Jn 8 51-55; 14 15-23; 15 10.20, au contraire, il s'agit comme ici de « garder » les commandements ou la parole de Jésus).

Note § 374. *L'ASCENSION*

1. Lc termine son évangile en mentionnant l'ascension de Jésus au ciel, scène qu'il reprendra au début du livre des Actes (1 9 ss.) et qui est également mentionnée dans la finale de Mc (16 19). Cette ascension du Christ ressuscité est conçue à l'analogie de l'enlèvement du prophète Élie vers les cieux, raconté en 2 R 2 11 : « Et il arriva, tandis qu'ils cheminaient et parlaient, et voici un char de feu et des chevaux de feu, et ils les séparèrent l'un de l'autre (Élie et Élisée), et Élie fut enlevé (*anèlèmphthè*) dans un tourbillon comme vers le ciel » (LXX). On retrouve des échos de ce texte dans Mc 16 19 : « ... après leur avoir parlé, il fut enlevé vers le ciel »; dans Ac 1 2.11.22, où Lc emploie le verbe « fut enlevé », suivi au v. 11 de l'expression « vers le ciel »; enfin ici (v. 51), avec la suite : « il fut séparé d'eux et il était emporté vers le ciel » (bien que le vocabulaire soit différent de celui de la Septante). La vie terrestre de Jésus s'achève donc par un « enlèvement » au ciel, comme pour le prophète Élie.

2. Dans les Actes, il est dit que l'ascension eut lieu quarante jours après la résurrection (1 3), mais c'est là un artifice littéraire destiné à souligner que la période des apparitions de Jésus sur la terre prend fin. Dans Lc, l'événement se place au soir du dimanche de Pâques, puisque l'évangéliste ne met aucun intervalle entre les divers épisodes qu'il raconte après la découverte du tombeau vide, le matin de la résurrection. Il est sur ce point d'accord avec la tradition johannique (Jn 20 17). Mais n'est-ce pas là aussi un artifice littéraire, destiné à laisser un certain laps de temps pour les « apparitions » du ressuscité? En fait, il n'y eut pas d'ascension au sens physique du terme, car Dieu n'est pas plus « en haut » qu' « en bas »; il y eut l'entrée de Jésus dans le monde eschatologique, en Dieu, et ceci dès l'instant même de sa résurrection. C'est ce que suppose Mt 28 18, où Jésus se présente aux apôtres comme le Fils d'homme de Dn 7 13, et donc déjà exalté auprès de Dieu; c'est ce que supposent aussi des textes comme Ac 13 33-34 et Rm 1 4, qui lient étroitement l'investiture royale de Jésus (Ps 2 7) et sa résurrection.

Mais, n'y eut-il pas aussi une tradition pour laquelle l'« enlèvement » de Jésus au ciel eut lieu dès l'instant même de sa mort sur la croix, dans la ligne de pensée développée au

§ 284 (voir la note)? Selon Ps.–Pierre 19 (voir vol. I, p. 326), « le Seigneur clama disant : Ma Force, ma Force, tu m'as abandonné : et ayant dit cela, il fut enlevé (*anèlèmphthè*). » En Lc 9 51, l'expression « les jours de son assomption » (litt.; « de son enlèvement », *analèmpseôs*) semblent bien indiquer la mort de Jésus, et non son ascension telle qu'elle est décrite dans les Actes; en Lc 23 43, Jésus ne dit-il pas d'ailleurs au bon larron : « aujourd'hui, avec moi, tu seras dans le Paradis »? N'est-ce pas le sens également de l'hymne citée en 1 Tm 3 16, où la carrière terrestre de Jésus est délimitée par ces deux mystères : « il apparut en chair... il fut enlevé (*anèlèmphthè*) en gloire »? Enfin, dans l'évangile de Jn, en référence au Fils d'homme de Dn 7 13, l'élévation de Jésus sur la croix semble bien signifier aussi son élévation à la droite de Dieu, comme si Jn voyait Jésus « monter » d'un même mouvement sur la croix et vers le ciel; sa mort est son « exode », qui le fait passer « de ce monde vers le Père » (**13** 1). Comme les Patriarches et tous les justes de l'AT, c'est au moment même où il meurt que Jésus entre dans la gloire du Père (voir note § 284).

3. Lc n'utilise l'expression « grande joie » qu'en deux passages de son évangile : **2** 10 et **24** 52; dans le premier texte, l'ange de Noël annonce aux bergers la naissance d'un Sauveur, qui sera le « Christ-Seigneur » (**2** 11); dans le second texte, Jésus « monte » aux cieux pour y être intronisé « Christ » et « Seigneur » (cf. Ac **2** 34-36, en référence à l'ascension); la « grande joie » qui illumine tout l'évangile de Lc est l'intronisation du roi messianique, et donc l'avènement du Royaume de Dieu.

Note § **376.** *APPENDICE DE MARC. MISSION UNIVERSELLE*

Les commentateurs sont aujourd'hui d'accord pour reconnaître que Mc **16** 9-20 ne faisait pas partie de l'évangile primitif de Mc. Cette finale est en effet omise par les deux meilleurs témoins de la tradition alexandrine (*S B*), l'ancienne version africaine (*k*) et l'ancienne version syriaque (*SyrSin*), pour ne parler que des témoins les plus importants; cet accord est décisif contre l'authenticité marcienne de cette finale, qui ne se présente d'ailleurs pas comme la suite du récit précédent (vv. 1-8). Nous sommes plutôt devant un résumé de plusieurs récits d'apparitions de Jésus : à Marie de Magdala (cf. Jn **20** 11-18, § 361), aux disciples d'Emmaüs (cf. Lc **24** 13-35, § 364), enfin aux Onze rassemblés à Jérusalem (Lc **24** 36-43, § 365). Comme dans Lc **24** 44-49 (§ 366), l'apparition aux Onze a pour but de permettre à Jésus de donner aux apôtres ses dernières instructions concernant la prédication de l'évangile au monde entier (vv. 15-20). Le récit se termine par l'affirmation que Jésus « fut enlevé » au ciel (cf. Ac **1** 9; 2 R **2** 11) pour s'asseoir à la droite de Dieu, réalisant ainsi l'oracle de Ps **110** 1.

Même si elle n'est pas de Mc, mais d'un auteur anonyme et inconnu, cette finale fut acceptée dans le « canon » des Écritures au même titre que l'évangile de Mc lui-même.

TABLE DES MATIÈRES

N. B. Rappelons que les sections johanniques qui n'ont pas de parallèle dans les Synoptiques ne font pas l'objet de notes dans ce volume (cf. Avertissement, p. 7). Nous signalons seulement les numéros de ces paragraphes, tels qu'ils figurent dans le volume I, sans indication de pages.

Les chiffres des pages ne se suivent pas toujours, plusieurs paragraphes étant réunis dans un même commentaire.

Vers Tyr-Sidon
et derniers jours en Galilée
§§ 156-182

Montée de Galilée à Jérusalem selon Luc

§§ 183-245

Ministère en Judée

§§ 246-311

Imprimé en France   Imprimerie Saint-Paul, 55 - Bar-le-Duc   Dép. lég. 1er trim. 1972. Nº d'édition 6160